AUTEURS ET DIRECTEURS DES COLLECTIONS
Dominique AUZIAS et Jean-Paul LABOURDETTE

EDITION ✆ 01 53 69 70 15
Frédérique de SUREMAIN, Julien TEMPLIER, Nora GRUNDMAN, Alexandra SERINGE, Sophie HUGUET

ENQUETE ET REDACTION ✆ 01 53 69 70 00
Sophie DEBREIL, La Onzième Heure

PUBLICITE ✆ 01 53 69 70 13 / 16
Stanislas LEBLANC-BONTEMPS, Céline QUILLEVERE, Cendrine RYEZ, Pascaline BEAUX

DISTRIBUTION ✆ 01 53 69 70 06
Patrice EVENOR, Pascal MAYOT, Carla DE SOUSA, Marina SIMONI

PRODUCTION ✆ 01 53 69 70 12
Manhattan AWS, Nathalie THORAVAL, Lydie DALLONGEVILLE, Sophie LANORE et Delphine PAGANO

INTERNET ✆ 01 53 69 65 35
Stéphan SZEREMETA

RELATIONS PRESSE ✆ 01 53 69 70 19
Jean-Mary MARCHAL

CARTOGRAPHIE *Philippe PARAIRE*

LE GUIDE DE L'ITALIE DU NORD

Emilie-Romagne, Frioul, Vénétie Julienne, Ligurie, Lombardie, Marches, Ombrie, Piémont, Val d'Aoste, Toscane, Trentin, Haut-Adige, Vénétie

Florence - Les Offices

Edition 2001
NOUVELLES ÉDITIONS DE L'UNIVERSITÉ® LE PETIT FUTÉ ITALIE DU NORD

Photos : Office du tourisme italien - Bernard Dupont - Julien Templier
ISBN - 2746901862
Imprimé en France par Aubin Imprimeur Poitiers / Ligugé (L 60945)

Editorial

Nous avons tous un certain nombre d'images associées à l'Italie. La tour de Pise, les gondoles de Venise, les ruelles d'Assise... Autant de noms magiques, qui ont fait de l'Italie une des destinations les plus prisées au monde ! Aux portes de la France se trouvent ces joyaux de l'époque médiévale et de la Renaissance, la moindre petite église recèle un bijou artistique, le moindre village possède un centre historique à découvrir...

Comment aller en Italie, sans parcourir les rues de Parme, Bologne, Vérone, ou encore Padoue, Côme, Mantoue, Sienne ! Ce guide vous donne les clés pour visiter, ou revisiter, ces lieux magiques. Mais c'est là l'objectif rempli par tout guide. C'est pourquoi nous avons choisi de vous emmener plus loin, hors des sentiers battus, à la découverte d'une Italie plus authentique et moins touristique.

Car c'est bien là que réside tout le charme de ce pays, l'Italie a su préserver son héritage culturel, tout en se modernisant, tout en intégrant ces millions de touristes. Et c'est cette Italie-là aussi que nous voulons vous faire découvrir.

Bien sûr, il vous faut passer par Gênes, mais pourquoi ne pas en profiter pour découvrir la Riviera di Levante, et sa succession de villages aux couleurs chatoyantes ? ... Connaître Milan, mais sans oublier la beauté de la nature lombarde, et rejoindre Pavie, Côme, Varèse ou Crémone... Aller à Venise et Trévise, évidemment, mais aussi s'en éloigner pour découvrir Trente, Bolzano, Udine et la chaîne des Dolomites... S'arrêter à Florence, l'incontournable, et parcourir le Chianti et la région siennoise...

Ce guide propose une sélection de 550 destinations, petits villages, gros bourgs ou villes importantes, disséminés en Italie du Nord. Nous vous présentons ces sites, chacun ayant un intérêt particulier, afin d'aller à la rencontre de cette Italie presque insoupçonnable, par-delà son patrimoine touristique.

Nous vous proposons ainsi de découvrir les environs d'une ville culturelle, de partir à l'aventure sur les petites routes, et surtout de vous y perdre ! Nous ne vous conseillerons jamais assez de fermer régulièrement ce guide, et de vous échapper, le temps d'une balade, au gré de votre inspiration.

Laissez-vous tenter par une escapade dans les châteaux des environs de Parme, à travers la terre des Gonzague près de Crémone, rejoignez Brescia en suivant le thème de «vin, lac et préhistoire», offrez-vous une plaisante divagation mystique près de Bergame, une autre autour de Turin, ou bien suivez la route du Verdicchio à partir d'Ancône !

Mais l'Italie, c'est aussi un art de vivre, une douceur bien particulière... Hôtels haut de gamme, agriturismo et chambres d'hôtes à la campagne, auberges de jeunesse ayant investi d'anciens monastères... vous trouverez ici tous les ingrédients nécessaires à un séjour inoubliable, et vous vous rendrez vite compte que la Dolce Vita n'est pas un mythe !

Pise - La tour

Venise - Carnaval

PRESENTATION

PRESENTATION

Dante

OMBRIE - 343

PIEMONT - VAL D'AOSTE - 370

TOSCANE - 410

TRENTIN - HAUT-ADIGE - 469

VENETIE - 503

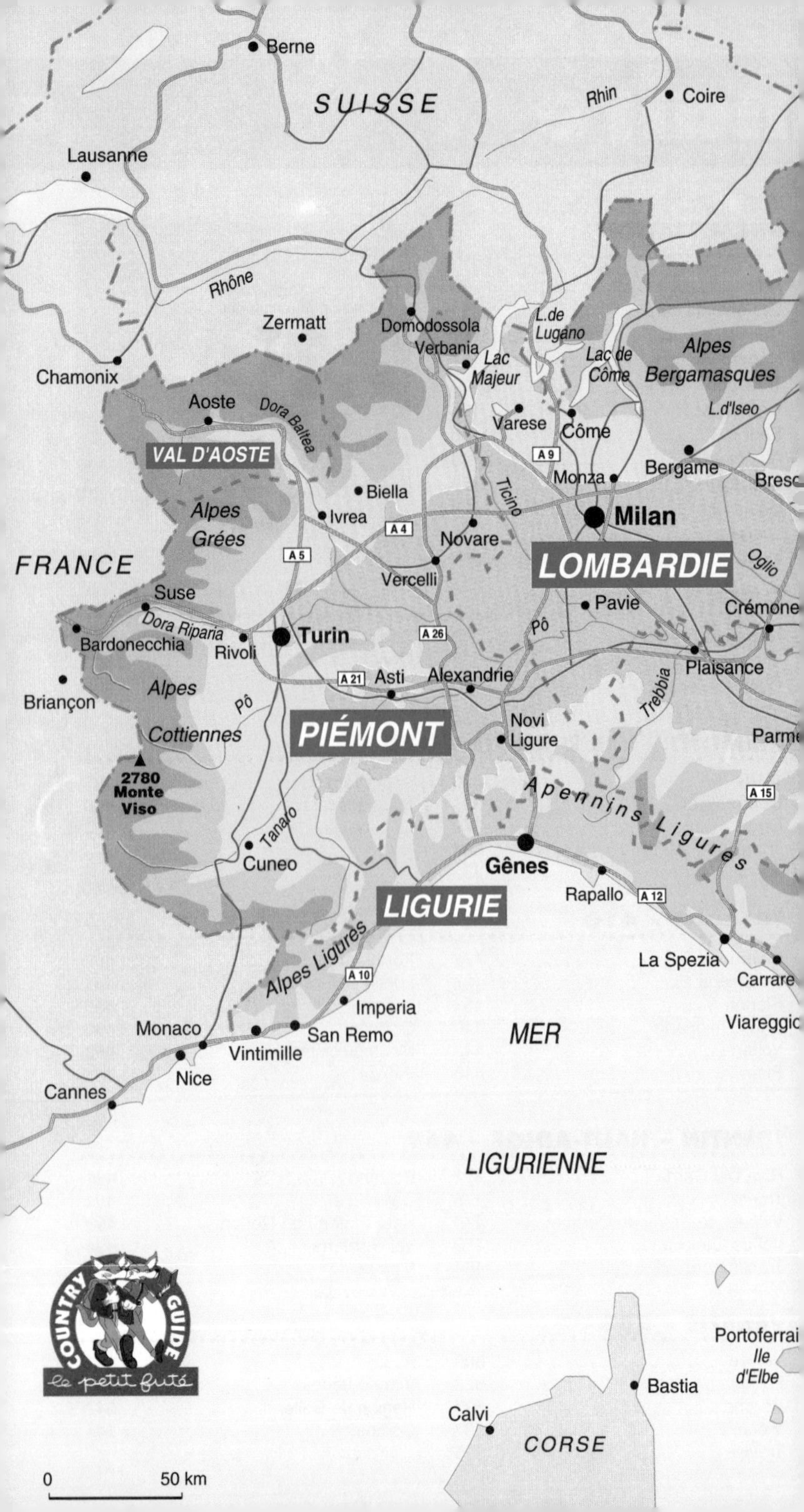
Berne
SUISSE
Rhin
Coire
Lausanne
Rhône
Zermatt
Domodossola
Verbania
L.de Lugano
Lac Majeur
Lac de Côme
Alpes Bergamasques
L.d'Iseo
Chamonix
Aoste
Dora Baltea
Varese
Côme
VAL D'AOSTE
A 9
Monza
Bergame
Bresc
Biella
Ticino
Alpes Grées
Ivrea
A 4
Milan
Novare
A 5
LOMBARDIE
FRANCE
Oglio
Vercelli
Suse
Pavie
Crémone
Dora Riparia
A 26
Pô
Bardonecchia
Rivoli
Turin
Plaisance
A 21
Asti
Alexandrie
Trebbia
Briançon
Alpes Cottiennes
Pô
PIÉMONT
Novi Ligure
Parme
2780 Monte Viso
Apennins Ligures
A 15
Tanaro
Cuneo
Gênes
Rapallo
A 12
LIGURIE
La Spezia
Carrare
Alpes Ligures
A 10
Imperia
Viareggio
Monaco
San Remo
MER
Vintimille
Nice
Cannes
LIGURIENNE
COUNTRY GUIDE
le petit futé
Portoferrai
Ile d'Elbe
Bastia
Calvi
CORSE
0
50 km

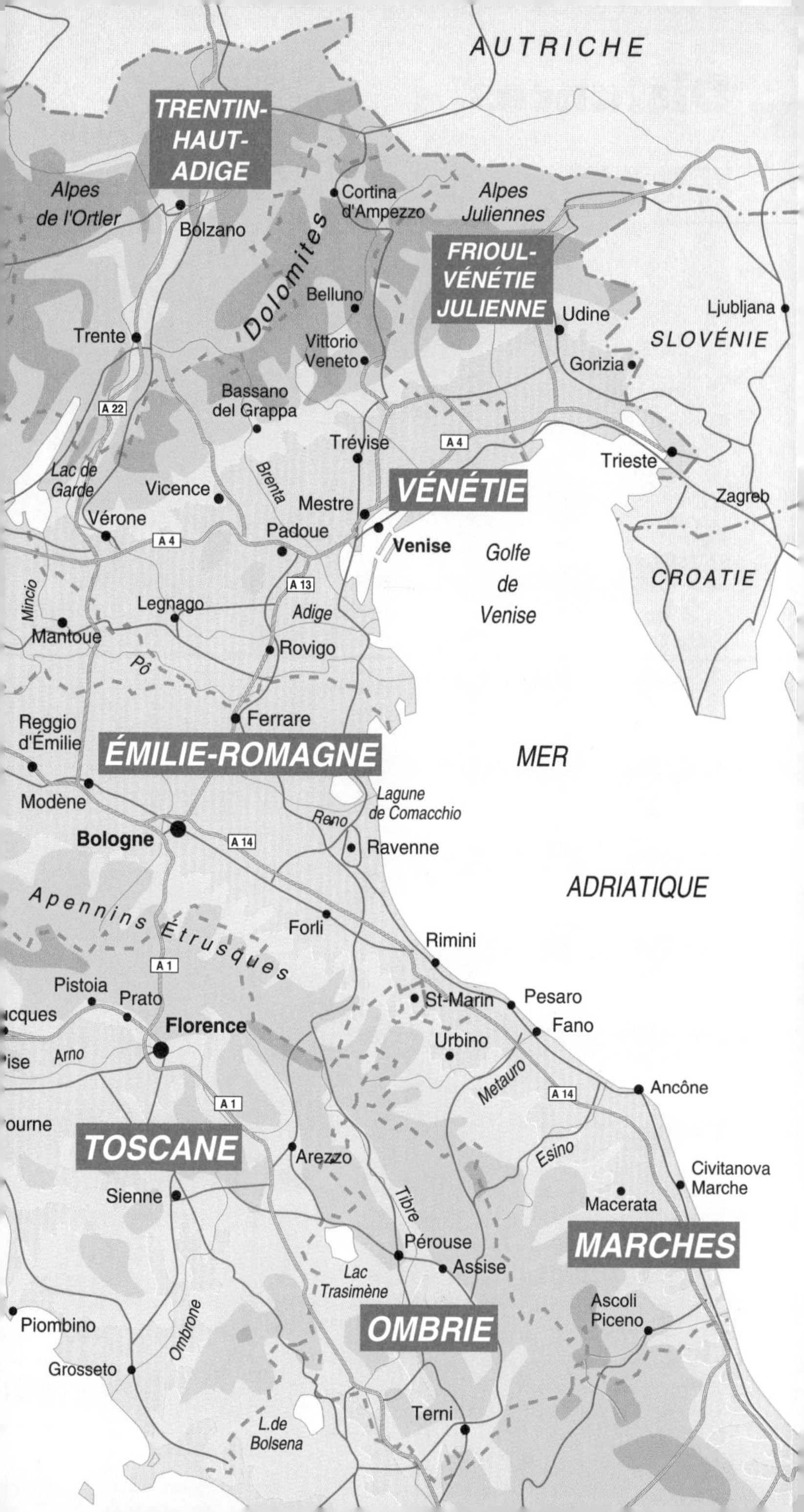

AUTRICHE
TRENTIN-HAUT-ADIGE
Alpes de l'Ortler
Bolzano
Cortina d'Ampezzo
Alpes Juliennes
Dolomites
FRIOUL-VÉNÉTIE JULIENNE
Belluno
Udine
Ljubljana
SLOVÉNIE
Trente
Vittorio Veneto
Gorizia
Bassano del Grappa
A 22
Trévise
A 4
Trieste
Lac de Garde
Brenta
VÉNÉTIE
Zagreb
Vicence
Mestre
Vérone
A 4
Padoue
Venise
Golfe de Venise
Mincio
A 13
CROATIE
Legnago
Adige
Mantoue
Rovigo
Pô
Ferrare
Reggio d'Émilie
ÉMILIE-ROMAGNE
MER
Modène
Lagune de Comacchio
Reno
Bologne
A 14
Ravenne
ADRIATIQUE
Apennins Étrusques
Forli
Rimini
A 1
Pistoia
Prato
St-Marin
Pesaro
Fano
Florence
Urbino
Arno
Metauro
A 14
Ancône
A 1
TOSCANE
Arezzo
Esino
Civitanova Marche
Sienne
Tibre
Macerata
Pérouse
MARCHES
Assise
Lac Trasimène
Ascoli Piceno
Piombino
OMBRIE
Ombrone
Grosseto
Terni
L.de Bolsena

Distances

DISTANCE EN KILOMETRES	ANCÔNE	ASSISE	BOLOGNE	FLORENCE	GÊNES	MILAN	PEROUSE	PISE	SIENNE	TRENTE	TRIESTE	TURIN	VENISE
ANCÔNE		134	216	264	506	421	139	393	246	440	443	546	302
ASSISE	134		250	173	399	523	27	250	126	474	487	564	503
BOLOGNE	216	250		101	290	213	238	174	175	223	296	329	156
FLORENCE	264	173	101		228	301	153	83	77	311	395	393	255
GÊNES	506	399	290	228		147	381	158	280	355	542	170	402
MILAN	429	523	213	301	147		450	281	375	233	410	141	270
PEROUSE	138	27	238	153	381	450		232	108	461	474	546	333
PISE	393	250	174	83	158	281	231		121	358	468	323	328
SIENNE	246	126	175	77	280	375	108	121		385	469	445	329
TRENTE	440	474	223	311	355	233	461	358	385		279	356	159
TRIESTE	443	487	296	395	542	410	474	488	469	279		542	157
TURIN	546	564	329	393	170	141	546	323	445	356	542		402
VENISE	302	503	156	255	402	270	333	328	329	159	157	402	

L'Italie du Nord en bref

LE PAYS

Nom : République italienne
Capitale : Rome
Superficie : 301 225 km^2
Chef de l'état : Carlo Azeglio Ciampi (président de la République depuis 1999)
Chef du gouvernement : Giulano Amato (président du Conseil depuis 2000 et jusqu'au printemps 2001)
Nature du régime : démocratie parlementaire, république avec autonomie des régions

LA POPULATION

Population : 57,36 millions
Densité de population : 195,1 habitants/km^2
Population active : 23,03 millions
Espérance de vie : 77 ans
Langue officielle : italien

L'ECONOMIE

PIB : 1 167,5 milliards de dollars
PIB par habitant : 20 296 dollars
Exportations : 310,12 milliards de dollars
Produits manufacturés 89,3 %
Agriculture 6,4 %
Energie 1,3 %
Importations : 270,32 milliards de dollars
Produits manufacturés 71,4 %
Agriculture 10,6 %
Energie 5,6 %
Monnaie : lire italienne (1 000 Lires = 3,3 FF = 0,51 Euro)

Comment se rendre en Italie du Nord

EN AVION

Les prix des billets sont donnés à titre indicatif pour un aller-retour adulte dans une fourchette allant du meilleur prix au plein tarif, en classe touriste. De nombreuses réductions en fonction de l'âge, du statut ou de la date de réservation sont possibles. Se renseigner en agence de voyage.

PARIS - MILAN		
	Vols	***Tarifs - Durée***
AIR FRANCE 119, av des Champs-Elysées 75008 Paris ✆ 0 802 802 802 Site : www.airfrance.fr *Métro : George V*	10 vols quotidiens	De 1570 F à 4950 F 1h30
Alitalia 69, boulevard Haussmann 75008 Paris ✆ 0 802 315 315 Fax 01 44 94 44 80 Site : www.alitalia.it *Métro: Havre-Caumartin ou Madeleine*	7 vols quotidiens	De 1600 F à 5000 F 1 h 30

Milan

Comment se rendre en Italie du Nord

PARIS - FLORENCE		
	Vols	*Tarifs - Durée*
Alitalia 69, boulevard Haussmann 75008 Paris ✆ 0 802 315 315 Fax 01 44 94 44 80 Site : www.alitalia.it *Métro: Havre-Caumartin ou Madeleine*	2 vols quotidiens	De 2000 F à 6000 F 1h55
AIR FRANCE 119, avenue des Champs-Elysées 75008 Paris ✆ 0 802 802 802 Site : www.airfrance.fr *Métro : George V*	7 vols quotidiens	De 2015 F à 6040 F 2h

Comment se rendre en Italie du Nord

PARIS - VENISE		
	Vols	***Tarifs - Durée***
Alitalia 69, boulevard Haussmann 75008 Paris ✆ 0 802 315 315 Fax 01 44 94 44 80 Site : www.alitalia.it *Métro: Havre-Caumartin ou Madeleine*	3 vols quotidiens	De 1700 F à 5000 F 1h30
AIR FRANCE 119, avenue des Champs-Elysées 75008 Paris ✆ 0 802 802 802 Site : www.airfrance.fr *Métro : George V*	6 vols quotidiens	De 1710 F à 5125 F 1h30
CORSAIR 87 boulevard de Grenelle 75015 Paris ✆ 0 825 000 825 Site : www.corsair.fr *Métro : La Motte-Picquet-Grenelle*	3 vols par semaine (lundi, jeudi et dimanche)	De 1200 F à 1600 F 1 h 30

Florence

Comment se rendre en Italie du Nord

PARIS - TURIN		
	Vols	***Tarifs - Durée***
Alitalia 69, boulevard Haussmann 75008 Paris ✆ 0 802 315 315 Fax 01 44 94 44 80 Site : www.alitalia.it *Métro: Havre-Caumartin ou Madeleine*	3 vols quotidiens	De 1730 F à 5000 F 1h30
AIR FRANCE 119, avenue des Champs-Elysées 75008 Paris ✆ 0 802 802 802 Site : www.airfrance.fr *Métro : George V*	5 vols quotidiens	De 1600 F à 5000 F 1h30

PARIS - PISE		
	Vols	***Tarifs - Durée***
Lufthansa 106, boulevard Haussmann 75008 Paris ✆ 0 802 020 030 Site : www.lufthansa.fr *Métro : Saint Augustin*	2 vols quotidiens	De 1900 F à 4800 F 2h10
CORSAIR 87 boulevard de Grenelle 75015 Paris ✆ 0 825 000 825 Site : www.corsair.fr *Métro : La Motte-Picquet-Grenelle*	2 vols par semaine (lundi et dimanche)	De 1150 F à 1600 F

Comment se rendre en Italie du Nord

PARIS - VERONE		
	Vols	*Tarifs - Durée*
Lufthansa 106, boulevard Haussmann 75008 Paris ✆ 0 802 020 030 Site : www.lufthansa.fr *Métro : Saint Augustin.*	3 vols quotidiens	De 1850 F à 4800 F 1h30

BRUXELLES - MILAN		
	Vols	*Tarifs - Durée*
Alitalia 69, boulevard Haussmann 75008 Paris ✆ 0 802 315 315 Fax 01 44 94 44 80 Site : www.alitalia.it *Métro: Havre-Caumartin ou Madeleine*	5 vols quotidiens	De 8220 FB à 26000 FB 1 h 35
sabena Sous-sol de l'hôtel «Carrefour de l'Europe» 110 rue du Marché-aux-Herbes 1000 Bruxelles ✆ (02) 723 31 11 Réservations ✆ (02) 723 23 23 Site : www.sabena.com	6 vols quotidiens	De 8220 FB à 40 000 FB 1 h 35

BRUXELLES - FLORENCE		
	Vols	*Tarifs - Durée*
sabena Sous-sol de l'hôtel «Carrefour de l'Europe» 110 rue du Marché-aux-Herbes 1000 Bruxelles ✆ (02) 723 31 11 Réservations ✆ (02) 723 23 23 Site : www.sabena.com	4 vols quotidiens	De 10000 FB à 37500 FB 1 h 30

Comment se rendre en Italie du Nord

BRUXELLES - VENISE		
	Vols	*Tarifs - Durée*
sabena Sous-sol de l'hôtel «Carrefour de l'Europe» 110 rue du Marché-aux-Herbes 1000 Bruxelles ✆ (02) 723 31 11 Réservations ✆ (02) 723 23 23 Site : www.sabena.com	3 vols quotidiens	De 10000 FB à 36000 FB 1 h 35

BRUXELLES - TURIN		
	Vols	*Tarifs - Durée*
sabena Sous-sol de l'hôtel «Carrefour de l'Europe» 110 rue du Marché-aux-Herbes 1000 Bruxelles ✆ (02) 723 31 11 Réservations ✆ (02) 723 23 23 Site : www.sabena.com	3 vols quotidiens	De 10000 FB à 32000 FB 1 h 50

GENEVE - MILAN		
	Vols	*Tarifs - Durée*
Alitalia 69, boulevard Haussmann 75008 Paris ✆ 0 802 315 315 Fax 01 44 94 44 80 Site : www.alitalia.it *Métro: Havre-Caumartin ou Madeleine*	3 vols quotidiens	De 445 FS à 882 FS 1 h 20

Riviera du Ponant

Comment se rendre en Italie du Nord

ZURICH - MILAN		
	Vols	*Tarifs - Durée*
swissair Aéroport Travel Office ✆ 0 848 800 700 Réservation reservation.zurich@ swissair.ch Site : www.swissair.ch	6 vols quotidiens	De 415 FS à 882 FS 0h55

ZURICH - FLORENCE		
	Vols	*Tarifs - Durée*
swissair Aéroport Travel Office ✆ 0 848 800 700 Réservation reservation.zurich@ swissair.ch Site : www.swissair.ch	3 vols quotidiens (via Bale)	De 732 FS à 1098 FS 2 h 15

ZURICH - VENISE		
	Vols	*Tarifs - Durée*
swissair Aéroport Travel Office ✆ 0 848 800 700 Réservation reservation.zurich@ swissair.ch Site : www.swissair.ch	4 vols quotidiens	De 115 FS à 1129 FS 1 h 05

ZURICH - TURIN		
	Vols	*Tarifs - Durée*
swissair Aéroport Travel Office ✆ 0 848 800 700 Réservation reservation.zurich@ swissair.ch Site : www.swissair.ch	4 vols quotidiens	De 415 FS à 882 FS 0h55

Comment se rendre en Italie du Nord

EN TRAIN

Les prix des billets sont donnés à titre indicatif pour un aller simple adulte à plein tarif, en seconde classe, avec couchette si nécessaire. Se renseigner pour les réductions.

PARIS GARE DE LYON - VENISE		
	Fréquence	*Tarifs - Durée*
SNCF ✆ 0 836 35 35 35 Minitel 3615 ou 3616 SNCF Site : www.sncf.fr	2 départs quotidiens	660 F environ 12 h

PARIS GARE DE LYON - MILAN		
	Fréquence	*Tarifs - Durée*
SNCF ✆ 0 836 35 35 35 Minitel 3615 ou 3616 SNCF Site : www.sncf.fr	3 départs quotidiens	530 F environ 12 h

PARIS GARE DE LYON - FLORENCE		
	Fréquence	*Tarifs - Durée*
SNCF ✆ 0 836 35 35 35 Minitel 3615 ou 3616 SNCF Site : www.sncf.fr	3 départs quotidiens	660 F environ 13 h

Comment se rendre en Italie du Nord

EN AUTOCAR

Les prix des billets sont donnés à titre indicatif pour un aller simple adulte à plein tarif. Se renseigner pour les réductions.

PARIS - TURIN		
	Fréquences	*Tarifs - Durée*
eurolines France Gare routière internationale de Paris Galliéni, 28, avenue du Général-de-Gaulle BP 313 93541 Bagnolet cedex ✆ 0 836 69 52 52 3615 EUROLINES Site : www.eurolines.fr	3 départs par semaine (lundi, mercredi, vendredi)	730 F Environ 12 h

PARIS - MILAN		
	Fréquences	*Tarifs - Durée*
eurolines France Gare routière internationale de Paris Galliéni, 28, avenue du Général-de-Gaulle BP 313 93541 Bagnolet cedex ✆ 0 836 69 52 52 3615 EUROLINES Site : www.eurolines.fr	3 départs par semaine (lundi, mercredi, vendredi)	730 F Environ 14 h

Comment se rendre en Italie du Nord

PARIS - FLORENCE		
	Fréquences	*Tarifs - Durée*
EUROLINES Gare routière internationale de Paris Galliéni, 28, avenue du Général-de-Gaulle BP 313 93541 Bagnolet cedex ✆ 0 836 69 52 52 3615 EUROLINES Site : www.eurolines.fr	3 départs par semaine (lundi, mercredi, vendredi)	860 F Environ 21h

EN VOITURE

Par le sud, vous pouvez descendre en Provence (par l'autoroute du Sud) et longer ensuite la côte méditerranéenne, en France (Marseille, Nice), puis en Italie (Gênes, Livourne). Vous pouvez également préférer la traversée des Alpes par les tunnels à péage (du Mont-Blanc ou de Fréjus) et poursuivre votre route vers Turin. De là, continuez votre descente par la côte (Livourne) ou l'intérieur des terres, Bologne, puis Florence. Une alternative intéressante, pour un départ du Nord de la France, consiste à passer par la Suisse (autoroute à vignette annuelle, 40 FS) et le tunnel (gratuit) du Saint-Gothard. Vous vous dirigerez ensuite vers Milan, Bologne, Florence...

Comment se rendre en Italie du Nord

ORGANISATEURS DE VOYAGE

Culture

Sur les traces d'un passé chargé d'histoire. Venez découvrir les villes d'art italiennes : Turin, Florence et Venise. Turin étonne toujours le visiteur qui la découvre. Vous vous laisserez très vite séduire par le charme de son centre baroque, ses rues bordées d'arcades, ses riches musées et ses grandes demeures chargées d'histoire. A Venise, vous reviendrez sans jamais vous lasser, les œuvres de Canaletto et Guardi vous charmeront. Quant à Florence, elle regorge d'églises, de galeries d'art somptueuses et de tant d'autres choses,...

• Notre sélection

Spécialiste des voyages conçus pour les amateurs d'histoire de l'art et d'histoire des civilisations, **Intermèdes** vous invite à découvrir, accompagné par des conférenciers ou des historiens, les villes d'art, Turin, Florence et Venise. Notamment, un séjour de 5 jours à Florence : découverte des principaux sites, Santa Maria del Fiore, Santa Croce, Bargello, la Galerie des Offices, l'Accademia, le couvent de Saint-Marc. Hébergement en hôtel trois étoiles en demi-pension.

INTERMEDES. 60, rue La Boétie 75008 Paris ✆ 01 45 61 90 90 - Fax 01 45 61 90 09 Site : www.intermedes.com - *Métro : Saint-Philippe du Roule*

ARTS ET VIE. 251, rue de Vaugirard 75015 Paris ✆ 01 40 43 20 21 - Fax 01 40 43 20 29 *Métro : Vaugirard ou Volontaires*

CLIO. 34, rue du Hameau 75015 Paris ✆ 01 53 68 82 99 - Fax 01 53 68 82 60 E-mail : information@clio.fr - *Métro : Porte de Versailles*

TRADITIONS CIVILISATIONS. 164, rue Jeanne d'Arc 75013 Paris ✆ 01 43 36 98 10 Fax 01 43 36 03 00 - E-mail : traditions@oriensce.fr - *Métro : Censier Daubenton.*

Une maison de vacances. Profitez pleinement de vos vacances en louant la villa de vos rêves, appartement ou résidence de charme à Florence, Sienne, Chianti...

• Notre sélection

Un simple coup de fil suffit pour louer votre villa, appartement ou château dans la région de votre choix. L'offre est vaste, en particulier en Toscane. Vous y trouverez tous les prix pour la durée que vous souhaitez.

INTERHOME. 15, avenue Jean-Aicard 75011 Paris ✆ 01 53 36 60 00 - Fax 01 48 06 88 43 - Site : www.interhome.fr - *Métro : Ménilmontant.*

IMAGES DU MONDE. 14, rue Lahire 75013 Paris ✆ 01 44 24 87 88 - Fax 01 45 86 27 73 ✆ 0 800 501 503 - E-mail : Images.du.Monde@wanadoo.fr - *Métro : Nationale.*

Séjours linguistiques

A la recherche de son italien. Attrayante par sa culture, ses coutumes, sa population, son mode de vie, sa langue, l'Italie vous offrira un choix de séjours linguistiques, ou pour les jeunes filles une place au pair, en famille d'accueil, pour la découvrir au quotidien.

• Notre sélection

BEC. 5, rue Richepance 75008 Paris ✆ 01 42 60 35 57 - Fax 01 42 60 36 55 E-mail : bec.France@wanadoo.fr - *Métro : Madeleine*

Comment se rendre en Italie du Nord

CONTACTS. 27, rue de Lisbonne 75008 Paris ✆ 01 45 63 35 53 ou ✆ 01 56 59 66 70 Fax 01 56 59 66 35 - Site : www.contacts.org - *Métro : Villiers.*

CLUB LANGUES ET CIVILISATIONS. Rue de la Comtesse-Cécile 12000 Rodez ✆ 0 825 04 11 11 - E-mail : sejours@clc.fr ou clc@clc.fr

GOELANGUES. 33, rue de Trévise 75009 Paris ✆ 01 45 23 39 39 - Site : www.goelangues.org - *Métro : Cadet*

EXECUTIVE LANGUAGE SERVICES. 20, rue Sainte-Croix-de-la-Bretonnerie 75004 Paris ✆ 01 44 54 58 88 - Fax 01 48 04 55 53 - *Métro : Rambuteau.*

Sports et aventure

Soif de trekking. Adepte de découvertes insolites à pied, marcheur débutant ou expérimenté, partez découvrir l'Italie du Nord à l'aventure.

• Notre sélection

Cette randonnée culturelle d'une semaine «Les sentiers du Chianti - de Florence à Sienne» proposée par **Terres d'Aventure**, vous permettra de découvrir une des plus belles régions d'Italie, la Toscane, et de vous imprégner de son art de vivre. Après avoir visité Florence, votre randonnée débute à quelques kilomètres de là, dans la région du Chianti. Au programme : le monastère de San Guisto in Salcio, le village fortifié de Vertine, le château de Broglio, la découverte de Sienne et de San Giminiano. Hébergement en hôtel, sauf une nuit en auberge.

TERRES D'AVENTURE.
6, rue Saint-Victor 75005 Paris ✆ 0 825 847 800 ou 01 53 73 77 77 - Fax 01 43 29 96 31 — Minitel 3615 TERDAV - Site : www.terdav.com *Métro : Maubert-Mutualité*

ALLIBERT. 14, rue de l'Asile-Popincourt 75011 Paris ✆ 01 40 21 16 21 Fax 01 40 21 16 20 - Métro : *Richard Lenoir, Saint-Ambroise ou Chemin Vert.* **Allibert**, spécialiste de l'alpinisme et des randonnées en montagne propose plusieurs séjours en Italie du Nord. Découvrez «Les grands lacs italiens», un véritable paradis au cœur des Alpes. Une randonnée de 7 jours, facile, aux paysages variés et riches sur le plan culturel.

Comment se rendre en Italie du Nord

LA BALAGUERE. ✆ 0 802 022 021 - Fax 05 62 97 43 01 - Route du Val d'Azun BP 3 F65403 Arrens - Marsous cedex

NOMADE. 49, rue de La Montagne-Sainte-Geneviève et 19, rue Valette 75005 Paris ✆ 01 46 33 71 71 - Fax 01 43 54 76 12 - Site : www.nomade-aventure.com - *Métro : Maubert-Mutualité*

TAMERA. 26, rue du Bœuf 69005 Lyon ✆ 04 78 37 88 88 - Fax 04 778 92 99 70 E-mail : tamera@asi.fr - Site: www.tamera.fr

Farniente

Le temps d'une escapade. Découvrez pour un week-end la Toscane et Venise, la capitale des amoureux.

• Notre sélection

Laissez-vous tenter par un week-end de charme en Toscane. La campagne vous séduira avec ses vertes collines, ses villages fortifiés... Découvrez la beauté de Florence, Sienne, mais aussi des villages perchés du Haut-Chianti. Les adresses de **Terres de Charme** vous entraînent au cœur des vignobles et des oliveraies, dans des oasis de calme et de solitude, où il est agréable de se reposer après une balade ou une dégustation... La Toscane répond aux envies d'escapade tout au long de l'année.

TERRES DE CHARME. 2 et 3 rue Saint-Victor 75005 Paris ✆ 01 53 73 79 16 Fax 01 56 24 49 77 - E-mail : infos@terresdecharme.com - Site : www.terresdecharme.com *- Métro : Maubert-Mutualité*

JET TOURS. 23, rue Raspail 94858 Ivry-sur-Seine cedex ✆ 01 45 15 70 00 Fax 01 45 15 76 99 - Site : www.jettours.com

KUONI. 95, rue d'Amsterdam ✆ 01 45 49 41 41 75008 Paris - Fax 01 45 49 03 30 - Site : www.kuoni.fr - *Métro : Saint-Lazare*

AFAT VOYAGES. 17, avenue Honoré Serres 31000 Toulouse ✆ 05 61 12 61 61 - Fax 05 61 12 61 61 60. Site: www.afatvoyages.fr

EURO PAULI. 34, rue Fays 94300 Vincennes ✆ 01 58 64 50 50 - Fax 01 58 64 50 51 - *Métro : Saint-Mandé Tourelle*

FRAM. 128, rue de Rivoli 75001 Paris ✆ 01 40 26 18 81 - Site : www.fram.fr - *Métro : Châtelet*

FRANTOUR. 3-3 bis, Villa Thoréton 75737 Paris cedex 15 ✆ 01 40 60 35 35 - Fax 01 40 60 35 60 - *Métro : Lourmel*

A votre rythme. Des spécialistes mettent à votre service leur savoir-faire et leur connaissance de l'Italie du Nord pour vous apporter la meilleure logistique possible et des conseils judicieux et personnalisés pour la préparation de votre programme à la carte. Large éventail de vols secs, locations de voiture, sélection d'hôtels, hôtels de charme, villas et palais.

• Notre sélection

Soyez l'architecte de votre voyage. Découvrez en toute liberté Florence, Venise, Sienne et sa région, Vérone, Milan, Parme, Ferrare... **Donatello** en véritable spécialiste du sur mesure, vous oriente dans la création de votre voyage et vous propose une sélection d'établissements de charme et de prestige et sélectionne pour vous des hôtels du 2 au 5 étoiles. Une brochure entière est consacrée à l'Italie.

DONATELLO. 20, rue de la Paix 75002 Paris ✆ 01 44 58 30 81 - Fax 01 42 60 32 14 - 3615 DONATELLO - Site : www.Donatello.fr *Métro : Opéra*

Comment se rendre en Italie du Nord

Burano

Quelle que soit votre destination en Italie, la **Compagnie Italienne de Tourisme,** depuis 74 ans, vous guide dans vos choix et construit avec vous, un voyage à votre image. Un grand choix d'hôtels du 2 au 5 étoiles. Découvrez Venise, la Place Saint-Marc et le Grand Canal qui offrent une source inépuisable de promenades...

CIT. 45, rue de Paradis - B.P 27 - 75462 Paris cedex 10 ✆ 01 55 77 27 27 Fax 01 55 77 27 37 - Site : www.citvoyages.com - *Métro : Poissonnière*

BRAVO VOYAGES. 16, rue des Cordelières 75013 Paris ✆ 01 45 35 43 00 Fax 01 55 43 94 90 - Site : www.bravovoyages.fr - *Métro : Glacière*

VOYAGEURS EN EUROPE. 55, rue Sainte Anne 75002 Paris ✆ 01 42 86 17 20 Fax 01 42 86 16 28 - Site : www.vdm.com - *Métro : Pyramides*

Spécial réveillon. Le charme de l'Italie vous séduira certainement pour passer le cap de la nouvelle année. Réveillonnez sur les célèbres lacs italiens avec **Phocéens** : du lac Majeur, à celui de Lugano, en passant par les lac de Côme et d'Orta. Passez la nouvelle année en plein romantisme. Le transport s'effectue en car de luxe, hébergement en hôtel 3 étoiles.

PHOCEENS VOYAGES. 2, place Masséna 06000 Nice ✆ 04 93 85 66 61

GENERALISTES

Ces voyagistes proposent des autotours, des circuits, des vols + hôtels, des week-ends culturels…

Voyagistes	*Caractéristiques*
Club Med 11, rue de Cambrai 75957 Paris cedex 19 ✆ 0 810 810 810 Site : www.clubmed.com *Métro : Crimée*	Deux circuits d'une semaine pour vous permettre de vivre le Carnaval de Venise
NOUVELLES FRONTIERES 87, boulevard de Grenelle 75015 Paris ✆ 0 825 000 825 Site : www.nouvelles-frontieres.fr *Métro : La Motte-Picquet-Grenelle*	Vols, locations de voiture et week-ends. Deux circuits en autocar de 6 et 8 jours en demi-pension : partez pour le Carnaval de Venise ou pour une première approche de l'Italie découvrez Florence, Venise, Vérone et les lacs.
LOOK VOYAGES 12, rue Truillot 94204 Ivry sur-Seine cedex ✆ 0 803 36 17 17 www.look-voyages.fr	Vols secs

Comment se rendre en Italie du Nord

INTERNET FUTE

Sites	*Caractéristiques*
www.petifute.com	Retrouvez sur le site du Petit Futé toutes les bonnes adresses des villes du monde. 45 destinations en ligne ; tout pour organiser son voyage, découvrir l'Italie et partir au meilleur prix.
www.lastminute.com ✆ 0 825 05 30 40	Offres complètes (vols, séjours, circuits...). Champagne offert si vous trouvez moins cher ailleurs.
www.travelprice.com ✆ 0 825 026 028	Vols secs ou séjours et promotions sur des vols de dernière minute.
www.govoyages.com	Go Voyages propose un grand choix de vols secs. Commande facile et rapide.
www.ebookers.fr	Ce site présente un choix très important de vols secs pour le monde entier, à des tarifs ultra compétitifs.
www.degriftour.fr 0 825 825 500	Spécialiste de la vente de dernière minute, soldes ; large choix de vols ; locations de voiture ; enchères ; et séjours.
www.ibazar.fr	Selon les semaines, des offres en ligne pour toute l'Italie. Tentez votre chance dans cette vente aux enchères !
www.nouvellesfrontieres.fr	Le voyagiste met en ligne tous les lundis, à partir de 18 h, la liste des invendus (billets d'avion, séjours...), qui feront l'objet d'enchères le lendemain, lors de deux séances de 11 h 30 à 13 h 30, et de 16 h 30 à 18 h 30. Les voyages sont mis à prix avec une réduction de 75% par rapport aux tarifs brochures. Cela vous laisse une bonne marge de manœuvre pour bénéficier d'une remise intéressante. Vos billets vous attendront à l'aéroport.
www.onatoo.com	Spécialiste de la vente aux enchères de particulier à particulier. Vous pourrez acheter ou vendre des voyages et séjours compris, ainsi que d'autres produits. Peu d'offres encore.

Comment se rendre en Italie du Nord

INTERNET FUTE

Sites	*Caractéristiques*
www.kelkoo.com	Avant de partir comparez ! kelkoo.com vous offre la possibilité de comparer les vols ou les offres des voyagistes.
www.anyway.com	Spécialiste de la vente de vols secs à prix négociés
www.promovacances.fr	Promovacances.com propose plusieurs milliers d'offres (week-ends notamment au carnaval de Venise, hôtels, vols secs). Site clair, concis et rapide. Le dossier sur les vols secs est bien fait, il vous permet en quelques secondes d'avoir le choix entre plusieurs compagnies et plusieurs dates. Tarifs négociés.
www.otu.fr ✆ 01 40 29 12 12	C'est l'agence des étudiants. Le site propose de nombreux vols secs sur compagnies régulières, avec une rubrique de tarifs pour tous, et une autre pour les étudiants.
www.bourse-des-vols.com 3617 BDV	Vols secs, tarifs dégriffés et promotions de dernière minute.

Venise - Carnaval

Comment se rendre en Italie du Nord

MATERIEL DE VOYAGE

En Italie du Nord, vous trouverez bien sûr tout ce dont vous avez besoin. Néanmoins pensez à l'indispensable : sac à dos, pellicules, une lampe de poche, un couteau suisse, une ceinture-porte-feuille, une banane...

• Carnet d'adresses

DECATHLON. Informations par téléphone au (0 801 08 08 08. Liste des adresses de points de vente consultable sur Minitel 3615 DECATHLON (1,29 F/mn) et sur Internet : wwww.decathlon.com

AU VIEUX CAMPEUR. 19 boutiques autour du 48, rue des Ecoles 75005 Paris (01 53 10 48 - Fax 01 46 34 14 16 - 5 boutiques autour du 43, cours de la Liberté 69003 Lyon (04 78 60 21 07 - Fax 04 78 62 31 42. Boutiques à Thonon-Les-Bains et à Sallanches-E-mail : vieuxcamp@aol.com - Site : www.auvieuxcampeur.com - *Métro : Maubert-Mutualité.*

NATURE & DECOUVERTES. Pour obtenir la liste des 45 magasins : (01 39 56 01 47 - Fax 01 39 56 91 66 - E-mail : nature@nature-et-decouvertes.com - Site : www.natureetdecouvertes.com Egalement vente par correspondance.

Orvieto

Formalités
Adresses utiles

FORMALITES

Les voyageurs membres de l'Union Européenne peuvent se rendre en Italie avec une carte d'identité en cours de validité. Les ressortissants suisses et canadiens peuvent s'y rendre sans visa, pour un séjour touristique de moins de trois mois.

ADRESSES UTILES

En France

Ambassade d'Italie. 47, rue de Varenne 75007 Paris ✆ 01 49 54 03 00 - Fax 01 45 49 35 81. *Métro : Rue du Bac*

Office du tourisme. 23, rue de la Paix 75002 Paris ✆ 01 42 66 66 68 - Fax 01 47 42 19 74. *Métro : Opéra*

Institut Culturel Italien. Hôtel de Galliffet, 50, rue de Varenne 75007 Paris ✆ 01 44 39 49 39 - Fax 01 42 22 37 88. *Métro : Rue du Bac. Site Internet : www.italynet.com/cultura/istcult E-mail : iicdirpc@FranceNet.fr*

Lac d'Orto - San Emilio

Formalités
Adresses utiles

En Suisse

Ambassade d'Italie. Elfenstrasse, 14, 3006 Berne ✆ 381 19 11 - Fax 351 10 26.

Office du tourisme. Uraniastrasse, 32, 8001 Zurich ✆ 211 36 33 - Fax 211 38 85.

Institut culturel italien. Willadingweg, 233006 Berne (Ester Caiani) ✆ 352 32 25. *E-mail: 106236.2332@compuserve*

En Belgique

Ambassade d'Italie. 28, rue Emile-Claus, 1050 Bruxelles ✆ 648 43 89 - Fax 648 54 85. *E-mail : giovannibriganti@euronet.be Site Internet : www.pi.cnr.it/ambitbe*

Office du tourisme. 176, avenue Louise, 1050 Bruxelles ✆ 647 11 54 - Fax 640 56 03.

Institut culturel italien. Rue de Livourne, 38 1050 Bruxelles (Panagiotis Kizeridis) ✆ 538 77 04 - Fax 534 62 92. *E-mail : panagiotis.kizeridis@infoboard.be Site Internet : www.pi.cnr.it/ambitbe/Istcult.html*

Au Canada

Consulat d'Italie. 275, Slater Street, 21st Floor, Ottawa ✆ 232 24 01 - Fax 233 14 84. *E-mail : ambital@trytel.com Site Internet : www.trytel.com/~italy*

Office du tourisme. 1, place Ville Marie, Suite 1914, Montréal H3B-2C3 ✆ 866 76 67 - Fax 392 14 29

Institut culturel italien. 708-1200, Burrard Street, V6Z 2C7 Vancouver ✆ 688 08 09 Fax 688 21 47 *Site Internet : www.italiainlinea.com/istituto.html*

Venise

Revue de presse

Saveurs vénitiennes

Une flânerie gourmande où Alain Buisine étudie l'alliance de l'évangélique et du gastronomique dans la patrie de Casanova

A Venise, où il ne cesse, depuis trente ans, de revenir, Alain Buisine - auteur d'ouvrages sur Proust, Verlaine et Loti - évite désormais les «déambulations forcenées». Pour qui veut, sur ses traces, se livrer à des promenades «thématiques» inédites, ses deux derniers essais, familiers et érudits, sont de merveilleux guides. Dans Le Dictionnaire amoureux et savant des couleurs de Venise (1), il déploie l'abécédaire des polychromies de la Sérénissime : du calcaire blanc d'Istrie des façades des palais au rouge des embrasements aquatiques du couchant.

Pour Buisine, l'art à Venise est indissociable d'un substantiel art de vivre. Et s'il nous convie à visiter églises et musées où sont représentés «cènes et banquets», ce sera, à n'en pas douter, une flânerie gourmande, entrecoupée de haltes succulentes. «Si un restaurant peut vous proposer de vrais fonds d'artichaut à la vénitienne, d'abord trempés dans de l'eau acidulée au citron pour ne pas noircir, puis lentement cuits à la poêle, avec un peu de vin blanc, sur un hachis de persil et d'ail revenu à l'huile d'olive, c'est une excellente adresse vénitienne.»

S'il partage avec l'Arétin le culte de l'artichaut, il aime comme Casanova le spectacle des marchés, où les primeurs saisonnières proviennent des îles maraîchères de Santo Erasmo et Vignole : tous ces cageots débordant de légumes qui, chargés sur des barques pansues, empruntent à l'aube le Grand Canal jusqu'à l'Erberia. «Tomates, courgettes, salades, citrouilles au fil de l'eau : à Venise n'importe quel objet, aussi trivial soit-il, est ennobli et magnifié par son déplacement sur les canaux.»

La Venise qu'il préfère est vivante - loin de celle de Thomas Mann qu'il «exècre». «Le fond du caractère de la nation est la gaieté», écrit Goldoni, dont le théâtre est riche de saveurs et de fumets : on y montre des plats, la minestra ou la polenta - que le peintre Pietro Longhi célèbre dans une de ses toiles. Aujourd'hui, dans les bàcari, ces pittoresques bars à vin, jambons et plantureux saucissons sont posés sur le comptoir. Sur les étagères s'alignent des crus différents : «raboso, garganega, prosecco, verduzzo, brachetto, merlot, malavasia, cabernet, tocai, pinot bianco», dont les prix au verre sont affichés à la craie. A Venise, plus qu'ailleurs peut-être, manger est un «acte culturel». L'année officielle est rythmée par des banquets d'apparat. Quant au calendrier religieux, il «peut se lire comme un excellent et copieux menu» : du canard farci rôti de la fête du Rédempteur aux zaletti, les petits pains du carnaval, en passant par la cigale de mer assaisonnée. D'une fruste cuisine de survie en milieu lagunaire, on est passé à un art fastueux de la table, à une «théâtralisation de la dégustation», évidente dans la représentation picturale des repas sacrés et des banquets profanes.

C'est ainsi que les plus grands peintres réalisent, du XVI[S,e] au XVIIIS,e] siècle, «l'alliance de l'évangélique et du gastronomique». Les Noces de Cana, parfois représentées avec une démesure dionysiaque, deviennent une sorte de spécialité vénitienne, au même titre que les vedute.» Opérant un véritable détournement vers la pure et simple bombance, le XVIe siècle vénitien va produire une Cène très spécifiquement lagunaire dans sa magnificence culinaire et son refus de toute ascèse alimentaire, qui la font échapper à la contraignante emprise de la théologie romaine.»

Même un «moraliste» tel que Palma le Jeune finit par céder à l'attrait de Cènes «moins compassées, plus débridées», par exemple en l'église San Moïse. Le «très prolifique» Tintoret peint des Cènes d'une spectaculaire expressivité, à San Trovaso et à la Scuola Grande di San Rocco : véritables scènes d'auberge, dont la trivialité scandalise le raffiné John Ruskin. Quant à Véronèse, il attire l'attention de l'Inquisition en 1573, par « l'extrême mondanité» d'une fastueuse Cène, initialement réalisée pour le monastère des Santi Giovanni e Paolo : un changement de titre la transformera en banquet.

Mais pour contempler pleinement ces toiles, la dégustation de délicieux plats adéquats constitue, selon Buisine, une «indispensable propédeutique». Pour admirer Tintoret, il faut «des nourritures consistantes et populaires, du foie à la vénitienne et de la polenta par exemple, servies dans une trattoria de Canareggio. Mais si vous vous intéressez plutôt à Véronèse, il conviendra de choisir un restaurant plus luxueux et plus raffiné. Quant à Giambattista Tiepolo, il réclamera de toute évidence des nourritures plus légères : un sorbet aux fruits de la passion pourrait amplement suffire dans son cas».

Le Monde du 07/07/2000
MONIQUE PETILLON

CÈNES ET BANQUETS DE VENISE d'Alain Buisine. Zulma, 190 p, 110 F (16,77 €).

(1) Zulma, 1998.

Revue de presse

MOSTRA DE VENISE

Un certain cinéma italien, du Sud et tourné vers son passé

La mise en scène de «Il Partigiano Johnny» atteint à une honnêteté rare dans les films de guerre

Sud Side Stori, de Roberta Torre, Rosa Tigre, de Tonino Bernardini, Denti, de Gabriele Salvatores... Huit des dix films italiens présentés au Festival de Venise proviennent du sud de l'Italie, de Naples ou de Sicile. Tout autant que ce mouvement géographique, frappe le nombre de films historiques. On retiendra surtout la grâce un peu incertaine d' Estate romana, de Matteo Garrone.

VENISE *de notre envoyé spécial*

Vue de la Mostra, l'Italie n'est plus une botte, mais une chaussure. Le Nord semble avoir rétréci, et le Sud s'être transformé en grand studio de cinéma. Trois jours avant la clôture, huit des dix films italiens présentés, toutes compétitions comprises, ont été projetés, la majorité provenant de Naples ou de Sicile. Tout autant que ce mouvement géographique, frappent le nombre de films historiques, ainsi que la difficulté des cinéastes qui se risquent aux sujets contemporains à trouver une manière juste d'évoquer leur pays.

Roberta Torre a voulu traiter de l'immigration en réalisant une comédie musicale palermitaine, inspirée de Shakespeare et de Bernstein, Sud Side Stori (section Rêves et visions). Romea y est une prostituée nigériane, Giulietto un traîne-savates sicilien. Les personnages évoluent dans des décors kitsch. La médiocre qualité des chansons, le peu de compétence des acteurs (ou de leur directrice) laissent le film à l'état de roman-photo.

Rosa Tigre, de Tonino Bernardini (section Nouveaux Territoires) montre la migration d'un jeune travesti barbu, de Turin à Naples. Tourné en vidéo digitale, partiellement improvisé, le film s'autodétruit en permanence par un montage absurde. Egalement contemporain, Denti (les dents), de Gabriele Salvatores (en compétition), a la prétention de mêler ontologie et odontologie en peignant les affres existentielles d'un homme affecté d'une denture peu avantageuse. De cabinet dentaire en cabinet dentaire, Antonio (Sergio Rubini) erre dans des limbes d'alcool et d'antalgiques, accompagné par le fantôme tutélaire de sa mère (Anouk Grinberg).

HAGIOGRAPHIES

Des films vus jusqu'à présent à Venise, on retiendra surtout la grâce un peu incertaine d' Estate romana («Eté romain», section Cinéma du présent), le troisième long métrage de Matteo Garrone. Dans une capitale désertée, quelques personnages cherchent, l'une son passé, l'autre à finir à temps un globe terrestre pour une adaptation scénique de Star Wars. Sans jamais vraiment trouver son centre de gravité, le film ondule entre prétention intellectuelle calmement assumée et humour gentiment narquois.

Des trois films situés en Sicile, il n'est guère surprenant que deux soient consacrés à la Mafia. Mais le rapprochement ne s'arrête pas là, puisque Placido rizzotto de Pasquale Scimeca (Cinéma du présent) et I Cento Passi (Les Cent Pas) de Marco Tullio Gioradana sont tous deux des hagiographies d'activistes tombés au combat. Placido rizzotto se veut un récit simple et direct, commémorant le destin de ce syndicaliste paysan originaire de Corleone, assassiné en 1949. Mais de simple à simplet, il n'y a qu'un pas, que le réalisateur franchit. I Cento Passi est plus complexe. Peppino Impastato fut assassiné dans la nuit qui précéda la découverte du corps d'Aldo Moro, le 9 mai 1978. Il avait trente ans. Issu d'une famille liée à la Mafia, il était toujours resté dans son village de Cinisi, aux portes de Palerme, et y avait fondé une radio libre qui dénonçait les mafieux. S'il n'échappe pas aux figures imposées du film militant, I Cento Passi réussit à peindre en finesse les relations du jeune homme avec sa famille, et surtout son père. Autre portrait de famille sudiste, Lontano in fondo agli occhi (Loin au fond des yeux), de Giuseppe Rocca (Semaine de la critique), est une rêverie raisonnée, mise en scène avec plus de soin que de souffle, autour de la découverte de l'amour chez les adultes par un petit garçon élevé parmi les femmes.

Pendant la guerre, les partisans italiens ont lutté contre les fascistes et l'armée allemande, après l'armistice signé par le gouvernement italien avec les Alliés le 8 septembre 1943. Il Partigiano Johnny (Le Partisan Johnny) de Guido Chiesa (en compétition) suit les pas d'un étudiant en anglais qui quitte la cachette qui le protégeait des rafles pour s'engager dans la Résistance. Le film a été accueilli avec tiédeur par la critique italienne qui lui a reproché son ambiguïté idéologique et son manque de fidélité au roman de Beppe Fenoglio dont il est tiré. Privé de ce dernier repère, on ne peut s'empêcher d'être frappé par la rigueur d'une mise en scène qui _ par la répétition des gestes, l'accumulation d'épisodes sans gloire mais pleins de souffrances _ atteint à une honnêteté peu commune dans les films de guerre.

Le Monde du 08/09/2000

THOMAS SOTINEL

GENERALITES

AVANT DE PARTIR

ARGENT

Carte de crédit

Si vous avez une carte Bleue Visa, vous n'avez nul besoin d'emporter des sommes folles en liquide, ou même des travellers chèques : il y a des distributeurs partout, et vous en trouverez toujours un, avec l'enseigne «Cartasi», c'est-à-dire affiliée Visa, qui vous procurera de l'argent. Attention : vérifiez bien que le logo figure sur le distributeur, le réseau le plus important, Bancomat, ne permettant pas le retrait avec une carte Visa. Les cartes Diner's et American Express sont acceptées dans une majorité d'hôtels et de restaurants.

Monnaie

La lire italienne vaut environ 0,0033 FF. En clair, il suffit de diviser par trois pour trouver le prix en centimes. 1 euro vaut 1 936, 270 lires.

Par exemple, une chambre d'hôtel à 60 000 L vaut 20 000 centimes, c'est-à-dire 200 F. Un litre d'essence vaut 2 000 L, soit 6 F.

ASSISTANCE

Avant de partir, n'oubliez surtout pas de souscrire à une assistance qui, en cas de pépin, vous assurera le remboursement des frais de rapatriement, les frais médicaux, etc.

Un conseil : inscrivez les coordonnées de vos assurances dans plusieurs endroits différents pour vous prémunir contre un vol éventuel.

SANTE

Peu de risques - pas plus qu'en France - de contamination spéciale ou de carence dans l'aide d'urgence. Les secours sont fort bien organisés dans toutes les parties du pays, et le téléphone mobile marche bien partout, ce qui permet une alerte rapide en cas de pépin. Comme ailleurs, prévoyez une petite trousse à pharmacie et soyez prudent vis-à-vis des maladies du siècle.

Hépatite A : c'est la première maladie du voyageur après le paludisme. Elle se transmet surtout par l'ingestion d'aliments ou d'eau contaminés, mais aussi par contact direct avec une personne infectée. Une injection vaccinale chez l'adulte (deux injections chez l'enfant) protège pendant six à douze mois. Un rappel de six à douze mois après la première injection protège pendant une durée estimée à dix ans. N'oubliez pas ce rappel pour assurer une protection longue durée, quelles que soient vos prochaines destinations. La protection est maximale un mois après la première injection.

Hépatite B : s'attrape essentiellement par relations sexuelles non protégées et le contact avec le sang et les autres sécrétions de personnes infectées. Elle peut s'attraper aussi en cas de blessure avec un objet contaminé ou lors de soins prodigués dans des mauvaises conditions d'hygiène. La protection est réalisée selon le schéma suivant : trois injections à un mois d'intervalle, un rappel un an après, et ensuite un rappel tous les cinq ans ; ou encore deux injections à un mois d'intervalle suivies d'une troisième injection six mois plus tard, puis tous les cinq ans. La protection est maximale trois mois après la première injection.

Il existe aujourd'hui un vaccin combiné qui protège simultanément contre les hépatites A et B. Le schéma de vaccination complet comporte trois injections en six mois : deux injections à un mois d'intervalle suivies d'une troisième injection six mois plus tard. Cependant, si vous êtes sur le point de partir, sachez que la protection devient efficace entre deux et quatre semaines après la première injection.

DECALAGE HORAIRE

L'Italie appartient au même fuseau horaire que la France, la Belgique et la Suisse. En mars, on avance d'une heure, et en septembre, on rétrograde d'une. Le décalage horaire avec Montréal est de 6 heures.

LANGUE PARLEE

Souvenez-vous de cette plaisanterie de Charles Quint qui disait qu'on parle à Dieu en espagnol, aux hommes en français, aux chevaux en allemand, et aux femmes... en italien ! L'italien est en effet une des langues latines les plus mélodieuses.

Cependant, comme idiome littéraire, il n'apparaît pas avant le XIIe siècle. C'est la plus tardive des langues romanes. Seul le latin était alors utilisé. L'aristocratie préférait même parler le provençal ou le français. Pourtant, peu à peu s'est constituée et formalisée une langue, grâce à des auteurs tels que Dante, Boccace, ou Pétrarque. Ceux-ci utilisaient le dialecte toscan, qui est à l'origine de l'italien tel que nous le connaissons aujourd'hui. Cette évolution fut progressive, puisque, à la fin du XIIIe siècle, Marco Polo écrivait son très célèbre Il Milione en franco-vénitien... Les progrès du toscan seront soutenus par Bembo en Vénétie et par les poètes du XVIe siècle, même si les différents dialectes régionaux restent très vivaces.

En effet, la grande particularité de l'italien réside dans la variété des dialectes. Récemment encore, on en comptait plus de 1 500. L'unité de la Péninsule ne s'étant pas faite avant le XIXe siècle, chaque région a longtemps gardé sa spécificité linguistique. Un Piémontais comprend avec difficulté un Vénitien, et encore plus difficilement un Sicilien. Ainsi, en vous rendant en Italie, vous pourrez vous familiariser avec le sarde, le catalan ou l'occitan. En Ligurie, le dialecte utilisé est un mélange d'italien, de français et d'occitan : tout un programme ! Certaines régions, en raison de leur position géographique, sont même bilingues. Par exemple, la population du val d'Aoste parle couramment français, et dans le Trentin-Haut-Adige, l'allemand est fréquemment utilisé. Vous aurez tout le loisir de vous en rendre compte en vous promenant dans ces régions. Cependant, même si en 1860 l'italien ne pouvait être parlé que par 1 % de la population, on ne peut plus en dire autant à l'heure actuelle. Avec l'uniformisation de l'enseignement, la télévision, la radio, les dialectes perdent peu à peu de leur importance.

Mais rassurez-vous ! Le français est resté enseigné à l'école pendant longtemps, c'est pourquoi vous rencontrerez toujours quelqu'un avec qui vous pourrez communiquer dans votre langue natale. La présence fréquente de touristes en Italie fait aussi de l'anglais une langue généralement comprise par tous.

SAISONS

Le climat italien, beaucoup plus doux que celui de la France, fait de l'Italie une destination toujours très agréable. Cependant, il semble beaucoup plus judicieux d'éviter les hordes de touristes qui envahissent la Péninsule en juillet et août. Florence et Venise perdent alors beaucoup de leur charme, et les réservations d'hôtels sont alors obligatoires. Par ailleurs, les Italiens prennent eux aussi leurs vacances en août : les villes se vident et les magasins ferment...

Malgré tout, l'Italie est un pays qui peut se visiter à n'importe quel moment... Découvrez Ancône en automne, Venise en février, Florence au printemps ; passez l'été sur les bords de l'Adriatique et l'hiver dans les Alpes !

BIBLIOGRAPHIE

Littérature

Voyage en Italie, François-René de Chateaubriand, La Bibliothèque des arts,1995.

Voyage en Italie, Stendhal, Palatine, 1983.

Chroniques italiennes, Stendhal, Garnier-Flammarion, 1977.

Voyage en Italie, Goethe, Slatkine, 1990.

Voyage d'Italie, Sade, Fayard, 1995.

Voyage en Italie, Hippolyte Taine, 3 volumes, Complexe, 1990.

Italia : Voyage en Italie, Théophile Gautier, La Boîte à documents, 1997.

Journal de voyage en Italie, Michel de Montaigne, Livre de Poche, LGF, 1974.

Rome, Emile Zola, Folio, Gallimard, 1999.

Heures italiennes, Henry James, La Différence, 1990.

Corinne ou l'Italie, Madame de Staël, Folio, Gallimard, 1985.

Voyage en Italie, Jean Giono, Folio, Gallimard, 1979.

La modification, Michel Butor, Minuit, 1980.

Journal du voyage en Italie, Charles de Brosses, Roissard, 1972.

Le Satyricon, Petrone, Livre de Poche, 1995.

Mémoires d'Hadrien, Marguerite Yourcenar, Folio, Gallimard, 1977.

Denier du rêve, Marguerite Yourcenar, Folio, Gallimard, 1982.

La Storia, Elsa Morante, 2 volumes, Gallimard, 1987.

Contes italiens, Italo Calvino, Gallimard, 1995.

Les caves du Vatican, André Gide, Folio, Gallimard, 1972.

Une vie violente, Pier Paolo Pasolini, 10-18, 1998.

Ainsi que les nombreux ouvrages de Dominique Fernandez, à commencer par *Voyage d'Italie* (Plon, 1998).

Essais

Si vous souhaitez approfondir la situation politique de l'Italie, voici quelques ouvrages récents :

Histoire des Italiens, Guiliano Procacci, Fayard, 1998.

L'Italie en marche, Chroniques et témoignages, Paolo Raffone, Le Monde Editions, Marabout Savoirs, 1998.

Un juge en Italie. Pouvoir, corruption, terrorisme, les dossiers noirs de la mafia, de Ferdinando Imposimato, éditions de Fallois, 2000.

L'enfer : enquête au pays de la mafia, G. Boca, Payot, Paris 1993.

Géopolitique de l'Italie, G. Teissier, Complexe, Bruxelles, 1996.

L'économie de l'Italie, G.Balcet, La Découverte, Paris, 1995.

Beaux livres et livres sur l'art

La Renaissance à Venise, Patricia Fortini Brown, Tout l'art, Flammarion, 1997.

La peinture vénitienne, John Steer, Thames and Hudson, 1990.

Renaissance italienne 1460-1500, André Chastel, Gallimard, 1999.

La Renaissance à Florence, Richard Turner, Tout l'art, Flammarion, 1997.

L'art italien du XXe siècle, Liana Levi, 1989.

Vérone

Partez...
en toute sécurité
& PETIT FUTÉ

Vous proposent une assistance touristique pendant votre voyage

Premier réseau mondial d'assistance, AXA ASSISTANCE intervient 24 heures sur 24 n'importe où dans le monde grâce à ses 37 centrales d'alarme.

Résumé indicatif des garanties d'assistance aux personnes

❊ **Rapatriement médical** ❊ **Visite d'un membre de la famille** (en cas d'hospitalisation de plus de 10 jours en zones 1 ou 2) ❊ **Retour** (en cas de décès, maladie grave ou accident grave d'un proche en France) ❊ **En cas de décès** (rapatriements du corps et des bénéficiaires accompagnants) ❊ **Conseils médicaux 24 heures sur 24** ❊ **Envoi de médicaments introuvables sur place** ❊ **Transmission de message urgent** ❊

Frais médicaux .... **100 000 F - Franchise : 300 F**

Avance de caution pénale .... **100 000 F**

Défense, recours .... **20 000 F**

Tarifs au 01-09-99 (en FF TTC, toute taxe d'assurance incluse)

Tarif par personne	France, zones 1, 2	Reste du monde
1 mois	125 FF	291 FF
2 mois	218 FF	510 FF
3 mois	316 FF	727 FF

Option frais médicaux : 1 000 000 FF, 105 F/mois et par personne

L'option frais médicaux ne peut être souscrite qu'en complément des garanties de base et pour la même durée

Zone 1 Açores, Allemagne, Andorre, Autriche, Belgique, Canaries, Chypre, Espagne, Grande-Bretagne, Irlande, Italie, Liechtenstein, Luxembourg, Pays-Bas, Portugal, San Marino, Suisse

Zone 2 Bosnie-Herzégovine, Bulgarie, Croatie, Danemark, Finlande, Grèce, Hongrie, Islande, Malte, Maroc, Norvège, Pologne, République tchèque, Roumanie, Slovaquie, Slovénie, Suède, Tunisie, ex-Yougoslavie

Zone 3 Arabie saoudite, Bénin, Burkina Faso, Cameroun, Côte d'Ivoire, République Centre Afrique, Djibouti, Egypte, Emirats Arabes Unis, Gambie, Ghana, Guinée, Israël, Jordanie, Kenya, Koweit, Liban, Libéria, Mali, Mauritanie, Niger, Nigéria, Ouganda, Qatar, Sénégal, Sierra Léone, Soudan, Syrie, Togo, CEI

Demande d'adhésion au verso

Demande d'adhésion

A nous retourner dûment remplie (ou sa photocopie), ainsi que votre chèque de règlement à l'adresse suivante :

AXA ASSISTANCE FRANCE
12 bis boulevard des Frères Voisin
92798 Issy-Les-Moulineaux Cedex 9
Tél : 01 55 92 40 00
Fax : 01 55 92 40 59
SA au capital de 26 840 000 euros
311 338 339 RCS Nanterre
Siret 311 338 339 000 55
N° Intracommunautaire FR 89 311 338 339
Code APE 660 E

Adresse du souscripteur en France ....

....

....

Nom et prénom des bénéficiaires

1re personne ....

2e personne ....

3e personne ....

4e personne ....

5e personne ....

Durée ❑ **1 mois** ❑ **2 mois** ❑ **3 mois**

Date de départ ....

Date de retour ....

Destination ❑ **France, zones 1-2** ❑ **Reste du monde**

Option ❑ **Frais médicaux** (105 F x ..... mois x ..... personnes)

Prime .... x nb de personnes = ...FF TTC

Fait le .... **à** .... **Signature**

❋ Attention ❋ Toute demande d'adhésion doit nous être adressée au plus tard 72 heures avant votre départ afin que votre contrat puisse vous parvenir par courrier ❋

L'ITALIE EN FRANCE

Office du tourisme Italien (ENIT). 23, rue de la Paix 75002 Paris ✆ 01 42 66 66 68 - Fax 01 47 42 19 74. Métro : Opéra.

Institut Culturel Italien

Paris. Hôtel de Galliffet, 50, rue de Varenne 75007 Paris ✆ 01 44 39 49 39 - Fax 01 42 22 37 88. Métro : Sèvres-Babylone, Rue du Bac. Site Internet : www.italynet.com/cultura/istcult E-mail : iicdirpc@FranceNet.fr

Grenoble. 21, Avenue Félix Viallet, 38000 Grenoble (Maria Maddalena Fabris) ✆ 04 76 46 09 38 - Fax 04 76 85 32 91. E-mail : icigreno@alpesnet.fr

Lille. 2, rue d'Isly, 59045 Lille (Giorgio Mattioli) ✆ 03 20 93 32 95 -Fax 03 20 22 82 12. E-mail : iic-lille@nordnet.fr

Lyon. 57, Place de la République, 69002 Lyon (Gabriella Fortunato) ✆ 04 78 42 13 84 - Fax 04 78 37 17 51. E-mail : 106257.200@compuserve.com

Marseille. 6, Rue Fernand Pauriol, 13005 Marseille (Mara Muscetta) ✆ 04 91 48 51 94 - Fax 04 91 92 67 90. E-mail : ici@lac.gulliver.fr

Strasbourg. 7, rue Schweighaeuser, 67000 Strasbourg (Vito Stigliani) ✆ 03 88 45 54 00 - **Fax 03 88 41 14 39. E-mail : istituto.italiano.di-cultura.strasburgo@wanadoo.fr**

Représentation permanente auprès de l'UNESCO. 1, rue Miollis, 75015 Paris ✆ 01 45 68 31 41 - Fax 01 45 66 41 78. Métro : Cambronne, Ségur.

Arts

Musée du Louvre. Entrée principale par la Pyramide du Louvre, 75001 Paris ✆ 01 40 20 51 51. *Métro : Palais-Royal. Ouvert tous les jours sauf le mardi. Site Internet : www.louvre.fr* En guise d'apéritif ou de révision nostalgique (selon qu'on s'apprête à partir en Italie ou qu'on en soit déjà revenu), on ne manquera pas de visiter les salles du Louvre consacrées aux arts italien et romain. S'il est évident que le fonds est moins riche qu'en Italie, il n'en constitue pas moins un excellent florilège de la production artistique transalpine.

Librairies

La Tour de Babel. 10, rue du Roi de Sicile, 75004 Paris ✆ 01 42 77 32 40. *Métro : saint Paul.* Pour trouver des livres italiens dans la langue d'origine ou traduits en français : littérature, essais, beaux livres, méthodes de langues, etc. Des rencontres avec des auteurs y sont organisées.

Franco Maria Ricci. 12, galerie Véro Daudat, 75001 Paris ✆ 01 40 41 02 02. *Métro : Palais-Royal.* La vitrine de l'éditeur Franco Maria Ricci, pour les amateurs de très beaux livre.

Librairie du Musée du Louvre. Rue de Rivoli, 75001 Paris ✆ 01 40 20 53 53. *Métro : Palais-Royal.* Pour se documenter sur les arts italien et romain. Livres, vidéo, CD-ROM, reproductions, etc.

Entrée des artistes. 161, rue saint Martin 75003 Paris ✆ 01 48 87 78 58. *Métro : Rambuteau.* Librairie spécialisée dans le cinéma et le théâtre, décorée de masques de la Commedia dell'Arte. Les amateurs de cinéma transalpin y trouveront livres, revues, affiches et photos.

Itinéraires. 60, rue saint Honoré, 75001 Paris ✆ 01 42 36 12 63. Internet : www.itineraires.com *Métro : Châtelet.* Librairie spécialisée dans les voyages. Guides, littérature, beaux-livres, cartes, etc.

L'astrolabe. 46, rue de Provence, 75009 Paris ✆ 01 42 85 42 95. Minitel : 3615 ASTROLABE *Métro : Chaussée d'Antin.* Fonds spécialisé sur le voyage : guides, cartes, mais aussi beaux livres, récits, etc.

Restaurants

Findi. 24, avenue George V, 75008 Paris ✆ 01 47 20 14 78. *Métro : Alma-Marceau. Carte 300 F, formule à 178 F.* Un cadre cossu pour une cuisine italienne raffinée, et une belle carte des vins. Le Café Findi voisin propose également des formules plus abordables, à moins de 100 F.

L'Osteria. 10, rue de Sévigné, 75004 Paris ✆ 01 42 71 37 08. *Métro : saint Paul. Carte 300 F.* Sous une façade très discrète se cache un restaurant à la cuisine raffinée, tenu par un Vénitien, grand spécialiste du risotto et des gnocchi.

I Golosi. 6, rue de la Grange-Batelière, 75009 Paris ✆ 01 48 24 15 63. *Métro : Grands-Boulevards, Richelieu-Diderot. Carte 250 F.* Une autre enseigne tenue par un Vénitien, où l'on sert de très bons plats et vins italiens. Une boutique vend quelques produits transalpins.

Alfredo Positano. 9, rue Guisarde 75006 Paris ✆ 01 43 26 90 52. *Métro : Mabillon, saint Germain-des-Prés.Repas 250 F.* Excellente cuisine italienne (antipasti variés, pizzas, poissons, pâtes) sous l'égide d'Alfredo. Souvent complet.

Risi et Bisi. 81, rue Boucher, 75008 Paris ✆ 01 45 22 80 37. *Métro : Villiers. Carte 220 F.* Cuisine piémontaise et lombarde.

Le Moulin de la galette - Da Graziano. 83, rue Lepic, 75018 Paris ✆ 01 46 06 84 77. *Métro : Abbesses. Déjeuner 60 F, menus 135 F et 180 F, carte 230 F.* Dans ce lieu chargé d'histoire, autrefois fréquenté par les artistes de la Butte Montmartre, est servie une cuisine italienne de très bonne tenue.

Chez Vincent. 5, rue du Tunnel, 75019 Paris ✆ 01 42 02 22 45. *Métro : Buttes-Chaumont. Menu 200 F, carte 250 à 300 F.* A deux pas des Buttes-Chaumont, cette adresse propose des plats italiens aussi généreux que variés. On dit que des célébrités internationales y ont leurs habitudes.

La Bauta. 129, boulevard du Montparnasse, 75006 Paris ✆ 01 43 22 52 35. *Métro : Vavin.* Pour découvrir les plats typiques de la cuisine vénitienne.

L'Enoteca. 25, rue Charles V, 75004 Paris ✆ 01 42 78 91 44. *Métro : Pont-Marie, saint Paul. Déjeuner 95 F, carte 200 F.* Une adresse célèbre surtout pour sa cave : près de 500 vins à découvrir...

Les Cailloux. 58, rue des Cinq Diamants, 75013 Paris ✆ 01 45 80 15 08. *Métro : Place d'Italie. Déjeuner 80 F, carte 175 F.* De bons plats italiens et une belle carte des vins dans le cadre bohème de la Butte-aux-Cailles.

Farinelli. 13, quai de la Tournelle, 75005 Paris ✆ 01 44 07 17 57. *Métro : Maubert-Mutualité. Déjeuner 100 F, menu 165 F.* Cuisine italienne classique (pâtes, carpaccio, etc.), face à l'île saint Louis.

Il Piccolo. 131, rue du Cherche-Midi, 75015 Paris ✆ 01 42 19 04 85. *Métro : Falguière. Déjeuner 85 F, menu 150 F.* Un retaurant qui n'a pas volé son nom (il est tout petit) mais où l'on mange une bonne cuisine italienne, à la fois traditionnelle et inventive.

Premiata Droheria di Meglio. 90, rue Legendre, 75017 Paris ✆ 01 53 31 02 00. *Métro : Brochant.* **39, rue Truffaut, 75017 Paris ✆ 01 43 87 21 17.** Dans un cadre très accueillant et dont la décoration est on ne peut plus appétissante, la maîtresse des lieux, d'origine vénitienne, vous propose de bons plats de son pays.

La Locanda. 8, rue du Dragon, 75006 Paris ✆ 01 45 44 12 53. *Métro : saint Germain-des-Prés, Sèvres-Babylone. Menu 110 F.* Fréquentée par quelques célébrités, une table où l'on mange de très bonnes spécialités italiennes.

Rome Antica. 177, rue saint Martin, 75003 Paris ✆ 01 40 29 95 21. *Métro : Rambuteau, Etienne-Marcel. Carte 100 F.* A deux pas de Beaubourg, une pizzeria tout ce qu'il y a de plus simple... en apparence, car les pizzas et les plats du jour de Toni sont un véritable enchantement. Comme le quartier est très fréquenté, on peut y croiser quelques personnalités.

Glaciers

Calabrese. 15, rue d'Odessa, 75014 Paris ✆ 01 43 20 31 63. *Métro : Montparnasse-Bienvenüe.* Près de 100 parfums différents, des plus classiques au plus inventifs, vous attendent dans cette institution de la glace transalpine (installée depuis plus de 50 ans).

Gelati d'Alberto. 45, rue Mouffetard, 75005 Paris ✆ 01 43 37 88 07. *Métro : Place Monge.* Pour savourer de bonnes glace italiennes.

Traiteur

Cipolli. 81, rue Bobillot, 75013 Paris ✆ 01 45 88 26 06. *Métro : Place d'Italie.* Olivier Cipolli propose les meilleurs produits transalpins, dans toute leur variété : pâtes, fromages, charcuteries, conserves, vins, alcools, etc.

L'ITALIE SUR INTERNET

www.enit.it/fra : site en français de l'Office du tourisme italien.

www.initaly.com : une foule d'informations et de ressources sur l'Italie, en anglais.

www.agrisport.com : guide de l'agritourisme *(agriturismo)* en Italie.

www.eryica.org/infomobil/it : toutes les informations pratiques nécessaires pour partir en Italie (adresses, conseils, etc.).

www.univ-tours.fr/kiosquitalie.html : une page de liens sur la presse italienne.

www.corriere.it : *Il Corriere della Serra* en ligne.

www.firenze.net : guide en ligne sur Florence. Disponible en italien et en anglais.

www.venetia.it : le site officiel sur Venise. En anglais.

www.carnivalofvenice.com/fr : guide en ligne sur le carnaval de Venise.

perso.wanadoo.fr/patrice.jeandroz/italie/default.htm : site personnel sur la Toscane. Présentation générale, histoire, images, art et langue italienne.

perso.clubinternet.fr/demarrag/louvre/histoire_art/renaissance/renaissance_index.htm : cours en ligne sur l'histoire de l'art de la Renaissance.

members.aol.com/cseigne/fellini.htm : page personnelle sur Fellini.

www.multimania.com/sandrobotticelli : site personnel sur Botticelli.

georges.cohen.free.fr/web%20free/photos.html : page personnelle proposant de belles photos prises aux quatre coins du monde, et notamment à Venise.

www.web-span.com/y397/voyages/itdec96.htm : de Milan à Orvieto, un carnet de voyage en Ombrie (une semaine).

members.aol.com/Ulys98/carnet14.htm : un petit carnet de voyage en Italie (Campanie, Ombrie, Toscane).

www.multimania.com/cberger/flo.htm : site personnel sur Florence.

Gênes - Piazza de Ferau

SURVOL DU PAYS

CLIMAT

Le climat de l'Italie du nord est un climat continental, c'est-à-dire que l'hiver est assez froid et humide et l'été chaud et également humide. En janvier, la température moyenne est de 2° C à Milan et à Venise. En été, la température moyenne est de 27° C. Pourtant, les vallées alpines et les alentours du lac Majeur ont un climat local très doux, qui permet la culture viticole.

L'Italie péninsulaire jouit, elle, d'un climat méditerranéen, doux en hiver et très chaud et sec en été. Ainsi, Gênes a une température moyenne en hiver qui tourne autour de 9° C.

Températures moyennes en °C

(minimales/maximales)

	Janvier	Juillet
Ancône	3/8	22/28
Bologne	-1/5	18/30
Florence	2/9	17/32
Gênes	5/10	21/28
Milan	-2/4	18/29
Rimini	0/7	17/27
Turin	-3/4	18/30
Venise	0/6	20/28
Vérone	-1/5	17/30

GEOGRAPHIE

Située au sud de l'Europe, en communion étroite avec la Méditerranée, l'Italie s'étend sur près de 302 000 km2. Elle se présente sous la forme d'une longue péninsule, rattachée à une partie continentale, et de deux grandes îles, la Sicile et la Sardaigne. S'étirant du nord au sud sur plus de 1 100 km, son territoire se compose à 23 % de plaines (fluviales et côtières), à 35 % de montagnes (Alpes et Apennins) et à 48 % de collines plus ou moins élevées selon les régions. Si l'on prend l'Italie dans son ensemble, elle jouit d'un climat relativement doux avec de fortes nuances cependant.

L'Italie est peuplée de 58 millions d'habitants environ, d'où une densité de 190 habitants/km^2 (en comparaison, la France, peuplée par une population numériquement égale, présente une densité de 110 habitants/km^2). Les régions les plus peuplées sont la Lombardie, la Campanie, le Latium, la Sicile, le Piémont et la Vénétie.

Grâce à ce que les économistes ont appelé le «miracle économique» italien, l'Italie est devenue, après la Deuxième Guerre mondiale, la sixième puissance économique mondiale et le premier pays développé du Bassin méditerranéen. Mais derrière les bons résultats économiques de ce jeune Etat qui a un peu moins de 130 années d'existence se cachent de fortes disparités physiques, climatiques, humaines et, bien sûr, économiques.

On distingue en Italie quatre grands milieux physiques auxquels correspondent des climats, des végétations, des occupations humaines et des économies différentes qui leur sont propres. Ces milieux sont caractérisés aussi par la présence (ou l'absence) de reliefs dont la mise en place n'est pas encore terminée, comme en témoignent les intenses activités sismique et volcanique qui ont frappé et qui frappent encore aujourd'hui la péninsule.

Delta du Pô

Les Alpes

Elles chevillent la péninsule italienne au continent. De forme arquée, elle s'étend d'ouest en est, couronnant la plaine du Pô, des côtes ligures du golfe de Gênes au Frioul. Etroites et élevées du côté du Piémont - avec plusieurs sommets à plus de 4 000 m d'altitude (le mont Blanc à 4 807 m, le mont Rose à 4 638 m, le Cervin à 4 478 m et le Grand Paradis à 4 061 m) -, elles s'élargissent à mesure que l'on s'éloigne vers l'est, jusqu'à dépasser les 150 km dans le Trentin et le Haut-Adige, au-dessus de Vérone et de Brescia, et là où elles sont devancées par des massifs dits préalpins comme les célèbres Dolomites (plus haut sommet : 3 332 m). Etroites et élevées à l'ouest, massives et raisonnablement élancées à l'est, les Alpes sont percées de grandes vallées d'origine glaciaire, comme le val d'Aoste ou la vallée de l'Adige où l'activité humaine s'est développée. Loin de constituer un obstacle infranchissable, elles sont pourvues, en plus des grands axes de communication et de pénétration que sont les vallées, de cols dont l'altitude décroît d'ouest en est : le col du mont Cenis culmine dans les Alpes piémontaises à 2 083 m, le Brenner, dans le Trentin, à 1 374 m et, enfin, le col du Tarvis à seulement 812 m.

Comme pour le reste de la chaîne alpine, qui s'étire, soit dit en passant, sur 1 000 km, le climat des Alpes italiennes se caractérise par de grands froids et d'abondantes chutes de neige en hiver, et des températures relativement douces en été, accompagnées de pluies parfois diluviennes fin août - début septembre. Par endroits, elles jouissent d'un régime climatique franchement favorable, comme dans la région des grands lacs d'origine glaciaire : les lacs Majeur, de Garde et de Côme. Il y règne en effet un climat que certains qualifient de méditerranéen (douceur, végétation luxuriante) et qui fait de leurs rives et des villes qui les bordent de hauts lieux touristiques.

Peuplée par quelque 3 millions d'Italiens (sur un peu plus de 57 millions), c'est une région éminemment rurale dépourvue de grandes agglomérations urbaines. Quant au couvert végétal, on y retrouve les caractéristiques des milieux montagnards : cultures et prairies au fond des vallées, forêts de feuillus suivies de forêts de conifères et, enfin, alpages.

Son dense réseau hydrographique, auquel viennent s'ajouter de nombreux glaciers, fait des Alpes le premier réservoir d'eau de la péninsule, et notamment de la plaine du Pô.

La plaine du Pô

Coincée entre l'arc alpin au nord et les premiers contreforts des Apennins (Toscane) au sud, elle s'étend sur près de 50 000 km2. Sa quasi parfaite planéité, çà et là parsemée de quelques accidents du relief (Vénétie, Montferrat), en a fait la principale région agricole et économique du pays. Principal élément du décor, le Pô. Long de 652 km, ses principaux affluents sont le Tessin et l'Adda avec lesquels il draine ce vaste réseau de vallées, de basses terres auxquelles il a donné son nom ; il finit par se jeter dans l'Adriatique en un large delta resté longtemps marécageux. Cette vaste étendue de plaines est le domaine de la culture intensive. On y trouve un paysage de champs cultivés bordés de haies de peupliers et de saules, et de canaux d'irrigation ou de drainage.

Entourée donc de reliefs, la plaine du Pô reste en général à l'écart des influences maritimes méditerranéennes. Son climat, de type plutôt continental, est donc froid et même très froid en hiver (Plaisance, ou Piacenza, près du Pô connaît au cœur de l'hiver - en janvier - les mêmes températures que Berlin) et très chaud en été (autant à Milan qu'à Naples !). Mais une originalité climatique marque la plaine du Pô : l'absence de saison sèche estivale, apanage pourtant des climats continentaux. Il y tombe à cette période le quart des précipitations annuelles, alors que Naples et la Campanie, que nous avons déjà pris en exemple, ne reçoivent que 10 % du total des précipitations en été. La végétation y est particulièrement verdoyante, grâce aux eaux du Pô et au climat humide ambiant.

L'Italie péninsulaire

La péninsule italienne proprement dite est handicapée par bien des facteurs naturels. A commencer par son relief. S'étirant sur près de 1 000 km, elle a pour épine dorsale la chaîne montagneuse des Apennins, morcelée en plusieurs éléments, en plusieurs massifs distincts par leur climat, leur végétation et leur occupation humaine.

On discerne, du nord au sud, l'Apennin d'Emilie -Toscane qui s'élève rarement à plus de 2 000 m ; l'Apennin des Abruzzes, plus montagneux, qui culmine au Gran Sasso à 2 914 m ; l'Apennin lucanien et, enfin, l'Apennin calabrais aux sommets avoisinants les 2 000 m, voire les dépassant (mont Pollino à 2 271 m). Les communications nord-sud et est-ouest (de la côte tyrrhénienne à la côte adriatique) y sont donc difficiles.

A ce relief à l'origine d'importants problèmes de communication il faut ajouter le déficit hydrique qui se fait sentir plus on descend vers le sud.
Les variations du climat se font plus sensibles au fur et à mesure de la descente vers le sud et de l'augmentation de l'altitude. Subhumide en Toscane, il devient rigoureux dans les Abruzzes où les grands froids et les chutes de neige ne sont pas rares (nombreuses stations de sports d'hiver).
Froid et latitude ont, du sud au nord, des conséquences directes sur le tapis végétal des Apennins. Ainsi, si l'on rencontre des forêts de hêtres à environ 2 000 m d'altitude sur l'Apennin calabrais, ces mêmes hêtres ne dépassent pas les 1 200 m dans l'Apennin central. Les Apennins se caractérisent aussi par une faune particulièrement riche. Impropre à l'installation de grandes agglomérations urbaines, l'Italie péninsulaire abrite quelques vallées et bassins intramontagnards où ont pu se développer des villes ainsi qu'une agriculture intensive.

L'Italie insulaire et les zones bordières

Les côtes italiennes se développent sur près de 7 400 km, dont 3 700 appartiennent aux deux grandes îles que sont la Sicile et la Sardaigne. Etendu, le littoral italien et les zones bordières qui s'y rattachent affichent des aspects très variés : versants abrupts se jetant dans la mer, faibles collines, volcans éteints ou encore en activité, plaines (rares) où se sont concentrés habitat et activités humaines comme dans les Pouilles ou en Campanie. Une constante pourtant caractérise ce littoral : il présente le plus souvent un visage relativement inhospitalier (même si la côte tyrrhénienne se voit dotée de beaucoup plus de «bons pays» que la côte adriatique), ce qui explique qu'à travers les âges il fut délaissé pour l'intérieur des terres. Aujourd'hui cependant le littoral fait l'objet d'une certaine mise en valeur là où cela reste possible, comme par exemple en Calabre, avec le développement du tourisme balnéaire.

DEMOGRAPHIE

En 1998, l'Italie comptait 57,650 millions d'habitants. Elle en avait 57,3 millions en 1992 et 56,1 millions en 1981. Il est donc vrai que la tendance de la population italienne est, quantitativement, à la stagnation. Pire, les spécialistes prévoient pour l'an 2000 une population de 57,903 millions, et pour 2010 la projection est de 56,484 millions... Une véritable révolution en soi au niveau des mentalités. Jusqu'au milieu des années 70, l'Italie «exportait» ses travailleurs, conséquence du sous-emploi bien sûr mais également du fort taux de natalité que connaissait le pays.
Depuis, les mentalités ont changé. Le pays connaît un taux de natalité de 9,2 % pour un taux de mortalité quasiment égal (9,5 %). Pis, le taux de fécondité est descendu à un taux record de 1,2 enfant par femme, insuffisant donc au renouvellement des générations, d'où le risque à terme d'un dangereux vieillissement de la population. Ces chiffres sont la traduction d'un véritable phénomène de société, d'un changement de mentalité, dû à l'exode rural donc à l'urbanisation, à l'enrichissement ou encore à la baisse d'influence de l'Eglise, chez les jeunes Italiens tout au moins. Mais la distribution sexuelle est assez homogène : 49 % d'hommes, pour 51 % de femmes. L'espérance de vie est de 75 ans pour les hommes et de 81 ans pour les femmes.
Ces chiffres alarmistes ne reflètent pas les fortes disparités existantes entre régions, et principalement (et comme toujours) entre un «grand nord», déficitaire quant à sa natalité, et un Mezzogiorno dont le solde naturel est resté excédentaire.
Malgré cette tendance, qui n'en est qu'à ses débuts, l'Italie reste un pays densément peuplé (190 habitants/km^2), mais là aussi de forts contrastes existent entre régions montagneuses et industrialisées, entre régions rurales et à forte concentration urbaine. Un exemple : la Sardaigne a une densité de 68,2 habitants/km^2, la Campanie 2 000 habitants/km^2.

Les villes

Si l'on adapte les critères hexagonaux à l'Italie, on considère qu'environ 70 % de sa population est urbaine (75 % pour la France). Le réseau urbain italien se compose de la façon suivante : on trouve à l'échelle provinciale un très grand nombre de petites villes. Seules une cinquantaine dépassent la barre des 100 000 habitants, dont 11 possèdent entre 200 000 et 500 000 habitants (comme Bologne, Florence ou Venise). Quatre villes seulement dépassent le million d'habitants. Dans un ordre décroissant, ce sont Rome, Milan, Naples et Turin. Mais ces villes sont à la tête d'immenses agglomérations, comme celle de Milan, la plus importante devant Rome, qui regroupe autour de 4 millions d'âmes. Celle qui est la capitale économique est même considérée par Roger Brunet (éminent géographe) comme la troisième ville européenne.

HISTOIRE

L'ITALIE ETRUSQUE

La présence de groupes humains sur les rives méditerranéennes est attestée par plusieurs sites, notamment celui de Terra Amata, à Nice. Cependant, on ne trouve que très peu de leurs traces en Italie. Quelques statuettes, trouvées à Baousse Rousse, près de Vintimille, ou encore à Savigno, près de Modène, témoignent d'une présence éparse dans la péninsule, mais difficile à dater avec précision.

Il faudra attendre - 4000 pour voir se développer quelques foyers culturels. On ne possède sur eux que très peu d'informations, mais des fouilles sont effectuées à Pienza, à Finale, en Ligurie, en Emilie, ainsi que dans le Trentin. A Varese, la population, semble-t-il, pratiquait la pêche, la chasse, l'élevage et le tissage.

Mais rien de tout cela n'est comparable avec les foyers culturels de haut niveau qui émergent vers - 2000 un peu partout sur le pourtour méditerranéen.

La culture de Remedello s'étendit depuis les bords du Tibre jusqu'en Toscane et en Emilie. Elle se caractérisait par sa maîtrise du cuivre, dont témoignent l'outillage, l'armement et les parures de l'époque. Dans les Alpes aussi on vit se développer des villages. A Sondrio, par exemple, on a retrouvé des gravures rupestres (datant du IIIe ou du IVe millénaire), et dans le Val de Suse, près de Turin, quelques dolmens.

Les choses sérieuses commencent vraiment vers - 1000, lorsque des hordes d'envahisseurs traversent les cols alpins. Les cultures locales seront peu à peu assimilées, comme celles des Ligures, sur la Riviera, ou celle des Villanoviens, près de Bologne.

L'invasion la plus marquante fut celle des Etrusques, vers - 800. Par une destruction quasi totale et l'absorption progressive des cultures autochtones, ils créèrent une culture originale, qui s'étendit depuis le Latium jusqu'en Toscane, en Ombrie et à Venise. Au VIIe siècle, les Etrusques connurent une grande prospérité économique. On leur doit de nombreux travaux de drainage, ainsi que l'exploitation des minerais de cuivre et de fer de Toscane et de l'île d'Elbe. Ils exportèrent des objets de bronze et des céramiques dans le pourtour méditerranéen, et se heurtèrent souvent à la concurrence des Grecs et des Carthaginois. On ne connaît que peu de chose concernant leur culture, mais ils semblent avoir grandement influencé la culture romaine, surtout dans les arts divinatoires. Il est communément admis que c'est à partir des Etrusques que l'Italie prit réellement naissance.

Les Etrusques surent résister à de nombreuses invasions, notamment celles des Celtes. Ils s'installèrent à Rome pendant un siècle, et la transformèrent en ville véritable. Mais quand leur puissance déclina, les Romains les chassèrent. L'Etrurie sera une des premières conquêtes de Rome, et disparaîtra ainsi vers - 264.

LA ROME ANTIQUE

LA FONDATION LEGENDAIRE DE ROME

A l'origine de la fondation de Rome, on trouve Enée, fruit de l'union de Vénus et du Troyen Anchise, que le roi de Troie Priam marie à sa fille. Mais la guerre de Troie survient qui entraîne la destruction de la cité antique. Quelques Troyens rescapés du conflit, dont Enée et son fils Ascagne (ou Iule), prennent alors la mer à la recherche d'une nouvelle terre où s'installer. Leur périple les conduit en divers points du Bassin méditerranéen, à Carthage en particulier, puis à l'embouchure d'un fleuve (le Tibre) qu'Enée et ses compagnons décident de remonter. Là ils vont s'arrêter à l'endroit où le dieu Saturne se cache depuis qu'il a été dépossédé de sa couronne par son fils Jupiter.

Enée rencontre alors le roi Latinius, descendant de Saturne, qui lui offre l'hospitalité ainsi que la main de sa fille Lavinia. Il s'ensuit une guerre brève et terrible entre Turnus à qui Lavinia était promise et Latinius allié à Enée. L'issue du combat est favorable à Enée qui, dans la foulée, succède à Latinius tombé au champ d'honneur, et fonde la ville de Lavinium en l'honneur de sa nouvelle épouse. Avant de mourir dans des conditions mystérieuses, Enée baptise son peuple du nom de «Latin».

Son père disparu, Ascagne, que cette fondation ne satisfait pas, s'exile et part fonder à quelques lieux de là sa propre cité, Albe la Longue, qui va très vite dépasser par la taille et la puissance ses concurrentes du Latium. Pendant dix générations, régnera à sa tête, sans heurt, une même dynastie inaugurée par Ascagne lui-même, jusqu'au règne de Proca dont les héritiers mâles, Numitor et Amulius, vont se quereller au sujet de la succession. Le cadet, Amulius, à qui devait échapper le trône en vertu du droit d'aînesse, s'oppose à cet état de fait et destitue son frère aîné Numitor. Par souci de sécurité et pour éviter toute revendication ultérieure au trône d'Albe des descendants de Numitor, il tue le propre fils de Numitor (son neveu donc) et enlève sa fille Rhéa Silvia, qu'il voue au culte de la déesse Vesta, lui imposant ainsi un célibat et un ascétisme des plus rigoureux.

Mais les dieux s'en mêlent, et plus particulièrement Mars, qui visite Rhéa Silvia et lui fait deux jumeaux à qui l'on donne les noms de Romulus et Remus. Dès qu'il apprend leur naissance, Amulius les enlève et les jette dans les eaux du Tibre, qui miraculeusement les dépose sains et saufs au pied du mont Palatin à l'ombre d'un figuier. Là, abandonnés à une mort certaine, les deux enfants sont secourus par une louve qui, au lieu d'en faire son déjeuner, leur offre le contact nourricier et rassurant de ses mamelles. Témoin de la scène, un berger prend en charge les jumeaux et, avec sa femme, va les élever en leur cachant leurs origines.

Devenus des hommes, Romulus et Remus apprennent la vérité quant à leur naissance. Ils rencontrent Amulius, le tuent et rétablissent Numitor sur le trône d'Albe. Comme leurs lointains ancêtres, Romulus et Remus éprouvent le besoin de fonder leur propre ville. Symboliquement ils se rendent au pied du mont Palatin, là où la louve leur sauva la vie. C'est de cet endroit que sortira de terre la ville qu'ils vont construire. Mais pour la diriger, il lui faut un roi. Les jumeaux s'en remettent donc aux dieux qui, par l'intermédiaire d'un vol d'oiseaux, choisissent Romulus. Celui-ci trace alors à l'aide d'une charrue le sillon qui définit les contours, l'enceinte sacrée derrière laquelle Rome va se développer. Mais une dispute éclate entre les deux frères. Remus, semble-t-il, franchit par bravade le sillon dessiné par Romulus (bafouant ainsi le caractère sacré de la future cité) qui aussitôt le tue.

LA ROME ROYALE 753 - 509 AVANT J.-C.

Succédant à l'acte fondateur de Rome, la légende relayée par l'Histoire distingue une longue période de près de 250 ans, communément appelée la royauté ou Rome royale et marquée par sept règnes, des plus hypothétiques aux plus probables.

Romulus, le premier roi de Rome (754 - 715)

Une fois sa ville bâtie sur les hauteurs du mont Palatin, Romulus prend le titre de roi. Il fonde alors sur le Capitole un asile pour qui souhaite rejoindre la population qui déjà l'accompagne, mélange d'Albins et de Latins, issus des plaines du Latium. Sa ville-Etat accusant un retard démographique face à ses concurrents sabins, étrusques et autres Albains, Romulus se «sert» chez ses voisins (vers 720) installés sur les proches collines du Quirinal et du Viminal. C'est à cette occasion qu'intervient le mythique enlèvement des Sabines qui entraîna une guerre finalement sanctionnée par la réconciliation et le légendaire accord entre Romains et Sabins de Tatius, accord qui permettait la fonte des deux peuples en un seul. Un gouvernement bicéphale est instauré, mais après l'élimination de Tatius, Romulus gouverne seul jusqu'en 715, date selon la légende de sa disparition mystérieuse au cours d'un orage.

L'enlèvement des Sabines

Un des mythes fondateurs de Rome avec celui de la Louve romaine. Romulus trouvant sa ville trop peu peuplée par rapport à celles qui coexistaient dans la vallée du Latium, il entreprend d'enlever les femmes d'une tribu voisine, celle des Sabins. Le forfait accompli, Rome doit subir les assauts d'une coalition des tribus du Latium mais résiste héroïquement. Continuant seuls le combat, les Sabins réussissent, au prix d'une trahison, à pénétrer à l'intérieur de la toute jeune ville de Rome, qui, selon la tradition, ne s'étendait alors qu'aux seules collines du Palatin et du Capitole. Les assaillants découverts, le combat s'engage entre Romains et Sabins, là où s'élève encore actuellement le Forum. Mais c'est aux femmes que l'on doit son issue, à ces Sabines qui implorent les combattants de cesser les hostilités. Un accord voit le jour : Romains et Sabins ne formeront plus qu'un seul et même peuple, les premiers se réservant le Palatin, les seconds le Capitole.

Les rois sabins

Numa Pompilius (715 - 672). Paradoxalement, c'est un Sabin qui succède à Romulus en 715. Gendre de Tatius, Numa Pompilius organise la vie de Rome, mettant en place pour des siècles les grandes institutions religieuses. On lui doit l'organisation de l'année en douze mois ainsi que l'instauration du culte de Vesta et donc celle des Vestales.

Tullus Hostilius (672 - 640). Lui aussi Sabin, son nom indique clairement son tempérament guerrier. En effet, c'est sous son règne que se déroule la guerre entre Rome et la puissante Albe, marquée par le célèbre épisode du combat entre les Horaces et les Curiaces. Située au sud de Rome, Albe exerçait son hégémonie sur le Latium et les petites cités qui le peuplaient. A leur tête, Rome renverse la suprématie albine sur le Latium mais ne parvient pas à se substituer à Albe, qui, rasée, voit ses habitants déportés venir grossir les rangs de la population romaine. Œuvrant pourtant efficacement pour Rome, Tullus encourt la colère de Jupiter qui le foudroie.

Ancus Martius (640 - 616). Troisième roi sabin de Rome et petit-fils de Numa Pompilius, il se lance dans une politique de construction, étendant d'une part le territoire communal de la ville à l'autre rive du Tibre et à la colline du Janicule, et d'autre part, en fondant le port d'Ostie. Parallèlement, il s'oppose aux différentes tribus et villes latines qu'il finit par asservir et dont il déporte les habitants sur une colline encore inoccupée, l'Aventin. Ces populations seraient les ancêtres des plébéiens.

Jusqu'à ce dernier roi de la dynastie sabine, Rome n'était assurément qu'une fédération de villages installés sur les diverses collines qui entourent encore l'antique Forum (fête du Septimontium). Les fouilles archéologiques et l'étude des nombreuses fêtes religieuses qui remontent à cette époque attestent même d'une période pendant laquelle chaque colline, chaque foyer d'habitations donc, jouissait d'une totale autonomie. De nouvelles zones sont occupées, mais le terme de ville est absent du vocabulaire de la Rome des rois sabins. Ce n'est qu'avec la domination des rois étrusques que Rome prend de l'ampleur, développe vraisemblablement ses activités commerciales et économiques, et mérite alors le qualificatif de ville.

Les rois étrusques

Albe défaite, la cité de Romulus n'a pas réussi à la remplacer politiquement et militairement auprès des petites cités latines. Il s'ensuit alors une période de troubles et de conflits incessants qui provoquent l'affaiblissement général des protagonistes. Les Etrusques, grande tribu indépendante d'outre-Tibre, vont alors profiter de la situation et investir les collines occupées par Latins et Sabins dans un grand mouvement d'expansion territoriale vers le sud. Ils imposent leur suprématie et leur civilisation. Les Etrusques reprennent à leur compte la royauté romaine : un dénommé Tarchu sera leur premier roi. C'est, semble-t-il, de cette époque que date l'aménagement du vaste espace compris entre les sept collines : le Forum.

La période de domination étrusque correspond pour Rome au passage de rang de fédération de villages au statut de ville. Les Etrusques importent à Rome leur goût pour les arts et leur culture urbaine, d'où les très importantes campagnes de construction des Tarquins confirmées par l'archéologie. Période de développement monumental, de prospérité également, la royauté étrusque est aussi l'époque de la mise en place des institutions romaines à la base desquelles on trouve le «gens» ou groupe ayant un ancêtre commun, institution qui perdurera après leur départ de la Ville Eternelle.

Tarquin l'Ancien (616 - 578). Le règne de Tarquin marque le début de l'époque de la domination étrusque sur Rome. Fils d'un exilé corinthien et époux d'une aristocrate étrusque, Licius Tarquinius (Tarquin) devient le tuteur des enfants d'Ancus Martius. A la mort de celui-ci, Tarquin, poussé par sa femme Tanaquil, dépouille ses héritiers de leurs droits et monte à leur place sur le trône de Rome. Il se lance lui aussi dans une grande campagne de construction (Forum, Cloaca Maxima, temple de Jupiter Capitole...) et termine les guerres engagées du temps du dernier roi sabin, anéantissant les dernières velléités latines, sabines et étrusques à la fois. En 578, les enfants d'Ancus Martius le font assassiner et réclament alors leur héritage. Dans l'ombre, Tanaquil travaille à leur disgrâce et réussit à faire monter sur le trône un fils illégitime de Tarquin, Servius Tullius.

Servius Tullius (578 - 535). Fruit de l'union de Tarquin et d'une esclave, il doit sa destinée exceptionnelle pour un homme de basse extraction aux prodiges de son enfance, preuves de la protection que lui accordaient les dieux. Selon la légende, c'est à son initiative que la société romaine fut divisée en centuries et classes. Il continue l'œuvre constructrice de ses prédécesseurs et, surtout, ceint les sept collines d'une longue et épaisse muraille. En 535, il est assassiné par ses demi-frères, dont un va s'emparer du pouvoir.

Tarquin le Superbe (534 - 509). Parfait tyran selon la légende, il étend la domination de Rome dans le Latium et en dehors, en soumettant en particuliers les Volques. Grand bâtisseur lui aussi, il termine la construction du temple de Jupiter sur le Capitole engagée par son père et fait édifier le Grand Cirque (Circus Maximus). Tyrannique, il est impopulaire. En 509, un nouvel excès de la famille royale provoque la rébellion des Romains.

La chute de la royauté

Elle serait due, selon la tradition, à un abus, un de plus, d'un des membres du clan royal, le propre fils de Tarquin le Superbe. Epris de la belle Lucrèce, femme de Tarquin Collatin, il tente de la séduire mais il est repoussé. Furieux, il viole Lucrèce que cet acte pousse au suicide. Cet incident révolte la population romaine qui, à l'initiative de Junius Brutus, se soulève et chasse Tarquin et sa famille. Les centuries réunies nomment alors les deux premiers consuls de l'histoire de Rome, en charge pour un an des affaires de la cité.

LA REPUBLIQUE 509 - 29 AVANT J.-C.

Elle commence avec le renversement de la tyrannie de Tarquin le Superbe et s'achève lorsque Octave, au prix d'une longue et âpre lutte, réussit à rassembler tous les pouvoirs entre ses mains. Cette période d'environ 500 ans verra la constitution de la puissance romaine forgée au cours de guerres de conquêtes.

Les débuts de la République

Selon la tradition, ses premiers mois d'existence sont assez difficiles. A peine installée la toute jeune République doit en effet faire face aux armées du roi de Chiusi, Porsenna, venu en aide à Tarquin.

Rome obtient le renfort de deux villes, l'une latine (Aricie), l'autre grecque (Cumes), et défait les armées de Porsenna. Les Etrusques expulsés de Rome et du Latium, et le danger des armées de Porsenna écarté, Rome est fragilisée sans l'appui des armées étrusques et réintègre la structure de la Ligue latine, ce qui l'oblige de suivre (tout au moins au Ve siècle) une politique militaire commune pour repousser les différentes tribus des Sabins, des Eques et des Volques qui assiègent et pillent ponctuellement le Latium. Dans la seconde moitié du Ve siècle, Rome va s'opposer à Véiès, ville d'Etrurie à laquelle elle dispute la petite cité de Fidènes située sur le Tibre. En 425 avant J.-C., Fidènes tombe aux mains des Romains bientôt suivie par Véiès qui, après 10 ans de siège, s'avoue vaincue en 395 avant J.-C. De cette victoire date l'implantation du culte de Junon Reine (déesse de Véiès) sur le Palatin. A l'occasion de cette guerre, apparaît pour la première fois sous la République une magistrature particulière, la dictature, qui concentre dans les mains d'un seul et pour six mois seulement tous les pouvoirs, mode de fonctionnement que reprendront à leur compte les ambitieux du Ier siècle avant J.-C. (Pompée, César...).

La prise de Rome

A ces jours fastes vont succéder, à peine cinq ans plus tard, les pages les plus sombres de l'histoire de Rome. A l'occasion de l'invasion de la péninsule italienne par les hordes gauloises, la cité est prise et livrée au pillage. Les Gaulois l'occupent puis, avant de se retirer, y mettent le feu. Cet événement va marquer profondément les esprits de l'époque comme le prouvent les écrits des auteurs classiques.

Outre la destruction de ses bâtiments, Rome voit disparaître ses archives, les écrits de sa fondation, fait d'où résultent des pans d'ombre et l'incertitude des historiens quant à l'histoire des premiers siècles de la ville. Restée seule face à l'invasion barbare, Rome va mûrir lentement sa vengeance à l'encontre des cités latines qui l'ont abandonnée à son sort. La première guerre samnite va lui fournir l'occasion de passer à l'acte.

Sac de Rome en 390

Il est l'œuvre des Gaulois commandés par Brenn (ou Brennus), qui ne trouvèrent devant eux aucune muraille, aucune enceinte fortifiée pour les arrêter. Dans le passé, Rome avait été entourée d'une muraille par le roi Servius Tullius, muraille démantelée après 509. Il n'en subsistait plus que les portes, et c'est par l'une d'elles, la Porta Collina au nord, que les Gaulois pénétrèrent dans la cité pour la piller et l'occuper pendant près de sept mois, assiégeant la citadelle qui ne voulait pas se rendre.

LA CONQUETE DE L'ITALIE

Les guerres samnites

Détruite, Rome pourtant va se relever de ses cendres. Sa puissance reconstituée, elle se lance, **en 343 avant J.-C.,** dans une campagne militaire contre les Samnites qui, de l'Apennin central, écument le Latium en des raids ravageurs. Les cités latines affaiblies, Rome en profite pour les soumettre, et dissout la Ligue qui à une époque lui dictait sa politique. C'est tout le Latium qui désormais est aux mains des Romains.

En **326 avant J.-C.,** de nouvelles destructions entraînent une nouvelle campagne militaire : c'est la deuxième guerre samnite, qui durera jusqu'en 304 avant J.-C., bientôt suivie en 298 de la troisième laquelle prend fin en 290 avec la soumission définitive des Samnites et l'occupation du territoire qu'ils contrôlaient. Cette dernière campagne militaire est surtout marquée par la grande bataille de Sentinum (290) en Ombrie, où les Romains anéantissent les ultimes velléités guerrières des Gaulois, Etrusques et Samnites réunis.

La Grande Grèce

Désormais, seul reste à conquérir le sud de la péninsule, que contrôlent Taranto et ses cités vassales. Unies pour l'occasion à Pyrrhus, roi d'Epire, elles s'opposent à l'avance des troupes romaines en Lucanie et en Apulie. Aidée des fameux éléphants de Pyrrhus, Taranto remporte quelques victoires mais est finalement vaincue, **en 271 avant J.-C.,** par les armées romaines, qui affichent une discipline, une cohésion et un sens tactique encore inconnus chez leurs adversaires. Puissance terrestre jusqu'alors, Rome devient avec la chute de Taranto une puissance maritime et peut élargir le champ de ses conquêtes.

LA CONQUETE DU MONDE

La première guerre punique (264 - 241)

La conquête de l'Italie terminée à l'exception du nord de la péninsule, Rome va d'abord chercher à étendre sa suprématie sur le bassin occidental de la Méditerranée, puis sur le bassin oriental, tentative où elle se heurtera à la formidable cité de Carthage et à sa puissance navale et commerciale.

Précédé par de très longs rapports d'amitié entre les deux grandes cités, le premier épisode des guerres dites «puniques» débute en 264 avant J.-C. et a pour motif le nouvel intérêt que porte Rome à la Sicile jusqu'alors partagée en deux zones d'influence, contrôlées par d'un côté les Grecs et de l'autre les Carthaginois (ou Puniques). Commencées donc en **264 avant J.-C.,** les hostilités marquées par de nombreuses et sanglantes batailles prennent fin 25 ans plus tard, en **241 avant J.-C.,** avec le succès de la flotte romaine du consul Lucatius Catulus à la bataille des îles Egates au large de la Sicile. Epuisée, Carthage en proie à des difficultés internes qui menacent le pouvoir, se résigne à signer une paix pour le moins humiliante : elle abandonne en effet la Sicile à Rome et doit lui payer un tribut annuel des plus conséquents, conditions qui annoncent déjà une seconde guerre.

La deuxième guerre punique (219 - 202)

Elle naît de l'inquiétude de Rome devant la percée impérialiste, coloniale de Carthage dans le bassin occidental de la Méditerranée. En effet, la cité phénicienne s'est lancée à la conquête de la péninsule Ibérique. Elle y fonde des villes et des comptoirs commerciaux. Sous le commandement d'Hamilcar, fin stratège, elle se taille un bel empire commercial. La réaction de Rome est sans appel : c'est la guerre. Carthage va alors choisir de porter le conflit sur les propres terres de Rome, au cœur de l'Italie. Parties d'Espagne, les troupes puniques conduites par Hannibal, fils d'Hamilcar, fortes de leurs fameux éléphants de combat, traversent le sud de la Gaule puis les Alpes où tous les pachydermes sauf un meurent. Cela n'empêche pas Hannibal d'enchaîner les victoires : ce sont tout d'abord celles du Tessin et de la Trébie en 218 avant J.-C. dans le nord de la péninsule, puis celle du lac de Trasimène en juin 217 où l'armée romaine est entièrement décimée. La route de Rome est alors libre. Avec le sac de Rome en 390, c'est l'une des pages les plus sombres de l'histoire romaine. En effet, dans le même temps, les tribus et les cités réduites à l'impuissance par Rome en profitent pour se soulever à nouveau, à l'image de Syracuse et de Capoue. Mais Hannibal n'attaquera pas la cité de Romulus. Il traverse les Apennins, écrase une nouvelle fois les armées romaines à Cannes en Apulie en 216.

Fatiguée, manquant de troupes fraîches et de ravitaillement, l'armée d'Hannibal perd l'initiative et Rome reprend l'offensive. Une à une, les cités italiques ralliées à la cause carthaginoise sont reprises (dont Syracuse en 211, malgré le génie d'Archimède), et une armée punique commandée par Hasdrubal (frère d'Hannibal) et envoyée en renfort est détruite en 207 avant J.-C. sur le Métaure. C'est l'époque où Rome assiste à l'émergence d'une grande figure de son histoire, Scipion l'Africain, à qui reviendra la victoire finale. Jeune militaire, il convainc le sénat de lui donner une armée et débarque en Afrique. Hannibal, rappelé à Carthage (203), doit l'affronter en 202 avant J.-C. au cours de la bataille de Zama qui scelle la victoire de Rome et met fin à 17 ans de guerre. Une nouvelle fois Carthage se voit imposer une paix humiliante. Son empire commercial est démantelé, son armée supprimée.

Une nouvelle Rome

Son ennemie depuis plus d'un demi-siècle abattue, Rome n'en connaît pas moins des difficultés liées entre autres à ses nouvelles dimensions. En effet, en moins d'un siècle, elle s'est agrandie de l'Italie méridionale, de la Sicile et de l'Espagne qu'elle a entrepris au lendemain de sa victoire de Zama d'organiser en province. Il y a inadéquation entre ses structures et les nouveaux territoires que Rome doit désormais gérer. A cela s'ajoutent des problèmes d'ordre social. Les guerres qui se sont succédé depuis un peu plus d'un siècle ont provoqué des coupes sombres parmi les citoyens romains. La grande majorité des terres arables se concentre désormais dans les mains d'une poignée de très riches familles qui, parallèlement à leur activité économique, accaparent les magistratures civiles et religieuses, les sièges au sénat, en bref, sont installées aux commandes des affaires de l'Etat. La terre concentrée en latifundia, une foule de petits propriétaires se retrouvent sans terre à cultiver.

Il en résulte une forte immigration vers les villes, et plus particulièrement vers Rome. Enfin, l'époque voit l'émergence d'une nouvelle classe, la classe équestre, ainsi qu'une nouvelle race d'hommes, carriéristes et habiles à l'image du fameux Scipion l'Africain.

Le clan des Barcides

A la tête de ce puissant clan familial carthaginois on trouvait Hamilcar Barca. Fidèle serviteur de la cité phénicienne, il est humilié par la paix que lui impose Rome au sortir de la première guerre punique (264 - 241). A la perte de la Sicile, Hamilcar Barca va répondre en 237 avant J.-C. par la conquête de l'Espagne, riche en minerais d'argent et en ressources humaines. Tranchant avec la politique coloniale ancestrale de Carthage qui voulait que seules les côtes soient occupées et mises en valeur, Hamilcar entreprend d'étendre la suprématie punique à l'intérieur de la péninsule Ibérique. A partir de Carthagène, il va régner pour le compte de Carthage sur un mini-Empire barcide. C'est à son fils, le célèbre Hannibal, élevé dans le sentiment de la revanche, que reviendra la paternité, en 219 (prise de Sagonte), de la deuxième guerre punique (219 - 202) et c'est lui qui en décidera les principales phases. Dernier Barcide, Hasdrubal, frère d'Hannibal, repousse en 211, en Espagne, les armées des deux Scipion puis, à la tête d'une armée, se porte au secours d'Hannibal dont les troupes fatiguées, harcelées ne peuvent évacuer l'Italie du Sud. Mais, en 207, Hasdrubal est tué et son armée défaite sur les rives du Métaure.

LA CONQUETE DE L'EST

Après s'être tournée vers le bassin occidental de la Méditerranée, Rome porte son regard à l'est, sur la Grèce en particulier, où prospère le royaume macédonien de Philippe V auquel sont asservies cités et principautés de Grèce. Dès le début du IIe siècle avant J.-C., les troupes romaines se rendent sur le terrain et, en 197 avant J.-C., à Cynoscéphales, elles défont les armées macédoniennes. Tour à tour, les grands royaumes orientaux succombent devant les forces romaines, tel celui d'Antiochos III, où avait trouvé refuge Hannibal définitivement soumis après la bataille de Magnésie en 189 avant J.-C., ou encore celui de Macédoine en 168 avant J.-C. Avec la prise et la ruine de Corinthe en 146 avant J.-C. et l'acquisition du royaume de Pergame cédé en héritage à la République, s'achève la première phase d'expansion vers l'est.

Cette expansion s'est traduite à Rome par une certaine hellénisation de la société, fait qui rencontre nombre d'opposants dont Caton dit le Censeur, figure représentative de la bourgeoisie attachée aux valeurs et aux mœurs proprement péninsulaires et donc farouchement opposée à l'hellénisation et à l'impérialisme de rigueur au cours de IIe siècle avant J.-C.

La troisième guerre punique

Ardent adversaire de la politique d'expansion, Caton n'en encourage pas moins la reprise de la guerre contre Carthage, dont il fait son cheval de bataille politique avec son désormais célèbre *«Delenda est Carthago»*. Car Carthage de nouveau inquiète les sénateurs romains. Sa prospérité retrouvée fait craindre une nouvelle guerre longue et difficile. Devançant le péril, une armée commandée par Scipion Emilien est envoyée assiéger Carthage. Durant trois ans, la cité phénicienne résiste mais en 146 avant J.-C. doit s'avouer vaincue. La ville est entièrement rasée et son territoire organisé en province. Parallèlement et en d'autres lieux, s'organisent des soulèvements face à l'impérialisme romain. On pense surtout à la péninsule Ibérique où, jusqu'à environ 130 avant J.-C., les peuplades celtibères refusent le joug romain.

Mais à Rome, comme au lendemain de la deuxième guerre punique, les succès militaires et économiques de la République cachent mal le profond malaise social et le fossé qui s'élargit entre les classes les plus pauvres de la société et les plus riches. A partir de 130 avant J.-C., va s'ouvrir un siècle de troubles sociaux qui, exploités par des intrigants, des carriéristes et autres chefs militaires, dégénéreront en guerres civiles.

LA MARCHE VERS L'EMPIRE

Un siècle de troubles

La possession de la terre est au centre des problèmes que rencontre la République au cours du IIe siècle avant J.-C. Paradoxalement, alors que les conquêtes se multiplient incorporant de grandes quantités de terres arables, l'accession à la propriété devient pour les membres de la plèbe, c'est-à-dire la base de la société romaine, de plus en plus difficile, voire impossible. Pire encore, la constitution de grands domaines latifundiaires (taillés dans les terres conquises) au profit de riches investisseurs exploitant une main-d'œuvre servile toujours plus nombreuse, concurrence directement les petits agriculteurs. Ne pouvant plus subvenir à leurs besoins et devant quitter leurs terres, ils viennent grossir la population inactive de Rome.

Un homme va alors tenter de s'opposer à ce processus de prolétarisation de la plèbe et de concentration des terres dans d'énormes domaines latifundiaires, c'est **Tiberius Gracchus.** Elu tribun de la plèbe en **133 avant J.-C.,** il dépose une loi pour le moins révolutionnaire qui limite à 125 hectares le domaine foncier, issu de l'*ager publicus* (les terres des nouvelles provinces conquises par exemple), que peut posséder un homme libre avec option de propriété au bout d'un certain laps de temps. L'*ager publicus* étant déjà entièrement aux mains des riches membres de la société, ceux-ci s'opposent farouchement au projet et organisent des émeutes. Au cours de l'une d'elles, Tiberius Gracchus est assassiné (133 avant J.-C.). Mais, dix ans plus tard, son frère Caius se fait élire à son tour tribun de la plèbe et reprend à son compte les lois agraires. En 121 avant J.-C., de nouveaux troubles éclatent à l'instigation des optimates (*aristocrates*, en opposition à *populares*), troubles où Caius trouve la mort. Un temps appliquées, les réformes vont une nouvelle fois rester lettre morte.

Le parti populaire va devoir alors attendre la fin du siècle pour se trouver un nouveau chef en la personne de Marius. **En 107 avant J.-C.**, ce dernier est élu consul, et entreprend une réforme du mode de recrutement de l'armée qui s'ouvre désormais aux plus pauvres. A une armée de petits propriétaires succède une armée de métier constituée de la couche la plus démunie de la société, pour qui l'armée est un moyen d'ascension sociale (les vétérans à la fin de leur service reçoivent des terres prises sur l'*ager publicus*). Cette armée de métier préfigure celle de César et de l'Empire. A sa tête, **Marius** va en Afrique **en 105** puis en Gaule, écarte le danger que représentaient les tribus barbares africaines et germaniques. Vainqueur, Marius récompense ses vétérans par des réformes agraires mais doit presque immédiatement se retourner contre ses alliés d'hier, les *populares*.

Le Ier siècle avant J.-C débute par la révolte des peuples italiques. Lassés de revendiquer la citoyenneté romaine, ils sont écrasés en plus par de lourdes charges financières et les terres dont ils avaient l'entière possession avant la conquête romaine ne leur appartiennent plus, concentrées comme elles sont dans les mains de la noblesse romaine. **En 91** donc, les peuples du centre et du sud de la péninsule se soulèvent et déclarent même leur indépendance. C'est la guerre dite sociale. Bien qu'obtenant gain de cause **en 90**, avec la loi Julia qui leur accorde la citoyenneté romaine, la rébellion des Italiens continue. Totalement réprimée **en 88** avant J.-C., cette guerre ouvre une ère de troubles qui sera fatale à la République, une ère marquée par l'ascension, l'ambition et la confrontation de grands hommes, opportunistes et carriéristes, à la recherche du pouvoir absolu. Le premier d'entre eux fut Sylla qui va parvenir à concentrer tous les pouvoirs entre ses mains. Allié au sénat et aux optimates, il va s'opposer **entre 85 et 82** avant J.-C., dans le cadre d'une guerre civile, à Marius et aux *populares.* **En 79**, son retrait de la vie publique puis sa mort vont être suivis de nouveaux troubles et révoltes extérieures (Mithridate) et intérieures (Spartacus) qui favoriseront l'émergence et l'ascension de nouveaux hommes, de nouveaux ambitieux à l'exemple de Crassus, mais surtout de **Pompée et César**. Tout d'abord alliés, ils vont ensuite se battre (vers 49 avant J.-C.) pour la direction de la République, embrasant l'Italie et les provinces dans une guerre civile générale dont César sort vainqueur, roi sans couronne car l'idée de la royauté reste difficilement acceptable aux yeux des Romains.

César gouverne alors en maître absolu bafouant toutes les valeurs républicaines. Il se lance dans une politique de grands travaux (Forum, temple de Vénus Génitrix...) et entreprend de faire admettre par le peuple son couronnement. Mais en mars 44 il est assassiné au cours d'une séance du sénat.

Des troubles éclatent alors entre fervents républicains et le parti de César guidé par le propre lieutenant de celui-ci, Marc Antoine, par Lépide et, enfin, par son propre petit-neveu Octave que César a eu le temps d'adopter et de désigner comme son unique héritier. Un triumvirat est institué (en 43) entre les trois leaders. Très vite, le succès est complet et les principaux opposants sont défaits (mort de Cicéron en 42). Comme pour le premier triumvirat, les ambitions personnelles de chacun vont entraîner l'éclatement de cette éphémère alliance. Rapidement écarté de la course au pouvoir, Lépide va assister à l'affrontement de Marc Antoine qui s'appuie sur l'Orient et d'Octave dont les forces militaires basées en Occident remportent une victoire décisive à la bataille navale d'Actium en 31 avant J.-C. Marc Antoine est battu et se suicide avec Cléopâtre devenue sa maîtresse. **Octave** est désormais l'unique maître de Rome, où il triomphe en 29 avant J.-C.

Spartacus

Esclave d'origine thrace, il est en formation dans une école de gladiateurs à Capone en Campanie, quand, en 73 avant J.-C., il s'évade suivi par une quarantaine d'autres élèves gladiateurs, esclaves comme lui. Parcourant la campagne, il rallie à son soulèvement de nombreux esclaves qui peuplaient les grands domaines latifondiaires des riches nobles romains. Bientôt suivi par près de 7 000 hommes, il prend la direction du Vésuve sur lequel il se retranche. De cette base arrière, Spartacus écume la campagne de Campanie et même d'Italie du Sud, détruisant et pillant les fermes, les villages et les villes rencontrés. Les rangs de son «armée» grossissant à chaque ferme attaquée (les esclaves libérés la rejoignent), Spartacus se sent assez fort pour tenter de sortir, d'évacuer la péninsule italienne par le nord. En chemin, il rencontre l'armée de Lentulus qu'il anéantit. Rome va alors dépêcher de nouvelles légions afin de mater cette révolte servile. Coincé, Spartacus n'a plus d'autre choix que de fuir par la mer. Un accord voit le jour avec des pirates. Mais ceux-ci le trahissent. Acculée, la troupe des esclaves doit se résoudre à affronter les légions de Crassus, futur allié de César et Pompée. Fatiguée, l'armée de Spartacus est écrasée en 71 avant J.-C. Le personnage de Spartacus a été immortalisé au cinéma par Kirk Douglas.

LE HAUT-EMPIRE

Le principat d'Auguste (31 avant J.-C. - 14 après J.-C.)

Resté seul, Octave, qui recevra le titre d'Auguste, va alors installer les bases d'un nouveau régime : le principat. Il s'octroie un pouvoir quasi absolu fondé sur le cumul de plusieurs magistratures civiles héritées du passé républicain, sur le soutien de l'armée (grâce à l'*imperium*, pouvoir extraordinaire) et sur la direction de la religion d'Etat par le grand pontificat.

Au cours de son principat, Octave Auguste va s'attacher à la réorganisation du monde et de la société romaine. Il est aidé dans cette tâche par des gens compétents tels qu'Agrippa et Mécène, l'ami des arts et des lettres qui rallie les intellectuels romains à la cause d'Auguste. Il veille au bien-être du peuple de Rome (distributions de vivres, jeux) et mène le plus souvent une politique conservatrice hostile aux esclaves et aux affranchissements. Favorable à un certain ordre moral et à la famille, il édicte ainsi des lois qui punissent les célibataires et les mauvaises mœurs.

Attaché à la sécurité de l'Empire, il cherche à consolider ses frontières. Il achève entre autres la pacification de l'Espagne (Cantabres, Astures), annexe la Judée et diverses régions proches du Danube (Mésie, Pannonie) qu'il transforme en provinces. Un échec pourtant et pas l'un des moindres vient assombrir le tableau des conquêtes augustiennes : la Germanie. Théâtre d'importantes batailles où s'illustrent Tibère et Germanicus, successeurs désignés d'Auguste, elle ne se soumet jamais réellement, et en 9 après J.-C., à l'initiative d'un chef germain romanisé, la Germanie se soulève et entraîne la disparition pure et simple des trois légions de Varus !

Sous le règne d'Auguste s'illustrent de grands artistes, comme Virgile, Horace ou encore Tite-Live, qui se mettent au service de l'empereur en glorifiant ses travaux et ses actions. D'autres artistes, tel qu'Ovide dont les écrits sont considérés comme dangereux, ont moins de chance et connaissent un exil forcé loin de Rome.

Les Julio-Claudiens

Associé à l'Empire du vivant d'Auguste, **Tibère**, qui n'était que son beau-fils, hérite donc du trône et des commandes de l'Empire à la mort de celui-ci. Membre du clan julio-claudien dont les ancêtres communs en ce début de siècle ont pour nom César, Auguste ou encore Marc Antoine, Tibère accède au pouvoir bien tardivement à l'âge de 56 ans. Investi par le sénat des pouvoirs d'Auguste, il n'en occupe pas moins la deuxième place derrière Germanicus qu'Auguste lui avait fait adopter de force lui voyant un grand destin. Militaire de talent, Germanicus n'a pas le temps d'imprimer sa marque ; il meurt en Orient en **19 après J.-C.**

Tibère reste donc seul face à l'opposition du sénat, aux intrigues de la cour et à l'ambition du chevalier Séjan qui, tout en se rendant indispensable à l'empereur, fait éliminer une grande partie de la famille impériale. Bien qu'il soit reclus dans son île de Capri, Tibère le fait arrêter et exécuter sur une simple lettre. S'installe alors à Rome un climat de terreur, Tibère exécutant tout sénateur suspect. La peur est telle que la nouvelle de la mort de Tibère est accueillie par le peuple de Rome avec une joie que les contemporains ont décrite comme immense.

En 37 après J.-C., Caligula succède à Tibère (37 - 41). Fils de Germanicus qu'il accompagna enfant durant ses campagnes en Germanie, il est tout d'abord favorablement accueilli puis très vite détesté. Violent, excentrique, il va se livrer à des excès passés à la postérité. A nouveau la terreur va s'abattre sur Rome et le sénat. Caligula est assassiné en 41.

Caligula mort sans descendant direct, la garde prétorienne en charge de la protection de l'empereur fait monter sur le trône son oncle, le timide et inconnu **Claude** (41 - 54), frère de Germanicus. En proie à des tremblements incontrôlés, à des bégaiements, à des tics, celui-ci est considéré par ses proches comme un simple d'esprit. Instruit, il laisse pourtant aux affranchis (Narcisse et Pallas) le soin de s'occuper des affaires de l'Etat. Il va malgré tout s'intéresser au statut des peuples associés à Rome. Il accorde la citoyenneté à plusieurs peuples des Alpes et se montre favorable à l'entrée au sénat de notables gaulois à l'occasion d'un discours que l'histoire nous a fait parvenir (Table claudienne de Lyon). Mais il est faible, et sa cour n'est qu'un sombre foyer d'intrigues et de complots fomentés tour à tour par les affranchis et ses épouses successives, à l'image de l'intrigante Messaline, sa troisième épouse qu'il doit se résoudre à exécuter, ou encore sa quatrième épouse, Agrippine (sa propre nièce !), qui réussit à faire adopter à Claude le fils qu'elle avait eu d'un premier mariage - le futur Néron -, au détriment de Britannicus que l'empereur avait eu avec Messaline. Le pauvre Britannicus sera d'ailleurs assassiné à la demande d'Agrippine (pour plus de détails, consulter Racine).

A Claude succède donc **Néron** (54 - 68). Cruel, influençable, sans courage, en un mot faible, il fait rapidement preuve d'excentricité. Amoureux des arts, composant lui-même des poèmes, il aime tout particulièrement être applaudi et est fasciné par les conducteurs de char qui se produisent au cirque. Sa mère le seconde dans la conduite des affaires de l'Etat jusqu'en 59 quand, ne supportant plus ce contrôle maternel, il la fait exécuter. Sous l'influence de Tigellin, préfet du prétoire (entre autres !), Néron se laisse aller à de plus grandes excentricités encore : confiscations des biens de sénateurs, constructions somptueuses, persécutions des chrétiens accusés d'être à l'origine de l'incendie qui en 64 ravage Rome. Il reste aimé malgré tout du peuple de Rome ; c'est des provinces occidentales de l'Empire en proie à une forte pression fiscale que vient le signal de la révolte. La Gaule de Vindex puis l'Espagne de Galba s'insurgent bientôt, suivies par Rome elle-même. En 68 après J.-C., Néron, déclaré ennemi public par le sénat, se suicide.

Les Flaviens

La mort de Néron marque la fin des Julio-Claudiens et l'avènement, après deux années de troubles politiques et militaires, d'une nouvelle dynastie, celle des Flaviens. **En 70 après J.-C.,** l'armée porte au pouvoir **Vespasien.** D'origine obscure (c'est la première fois qu'un empereur n'est pas issu de la noblesse), il ramène le calme à Rome et dans l'Empire (les rébellions juive et germanique sont matées). Autoritaire, il impose au sénat un mode de succession de l'empereur basé sur la seule hérédité. En 79 à sa mort, c'est donc son fils aîné **Titus,** comme le prévoit la nouvelle loi, qui lui succède. Son règne extrêmement court, à peine 2 ans, est pourtant marqué de la grande catastrophe du siècle (avec l'incendie de Rome en 64 !) que fut **l'éruption du Vésuve en 79**, qui engloutit la cité de Pompéi.

En 81, Domitien, frère cadet de Titus, monte sur le trône vacant. Aux premières difficultés qu'il rencontre avec le sénat, ce grand administrateur soucieux de la sécurité de l'Empire fera régner la terreur ponctuée de son lot d'arrestations et d'exécutions. Son règne va s'appuyer entre autres sur la plèbe, qu'il couvre de cadeaux et de jeux, et sur l'armée, les soldats voyant leurs soldes augmentées. Cela n'empêche pas un complot d'aboutir. Domitien est assassiné en 96.

Les Antonins et la Pax Romana

Trajan (53 - 117 après J.-C.). Remarqué par l'empereur Nerva en 97, alors qu'il vient d'obtenir la charge de légat impérial propréteur de Germanie supérieure, il est désigné comme son successeur en accord avec la maxime des Antonins qui veut que ce soit «le meilleur des princes» qui gouverne. Aussitôt désigné, Trajan est associé au trône, qu'il occupe seul à la mort de **Nerva en 97.** Il a alors 44 ans. Lui qui manifesta un goût immodéré pour la carrière militaire (il fut pendant près de 10 ans tribun militaire, alors que la durée normale pour le tribunat est d'une année seulement), va alors lancer l'Empire dans une politique d'expansion territoriale d'un rythme et d'une ampleur jusqu'alors inconnus. Le royaume des Nabatéens est facilement conquis et transformé en une nouvelle province, celle d'Arabie. Entre Orient et Occident, la campagne de Dacie est menée. Elle a dans l'Empire, et à Rome principalement, un retentissement important en partie grâce à l'œuvre de propagande de Trajan dont la Colonne à son nom qu'il fait construire sur le Forum est le parfait exemple. Déjà le futur **Hadrien** accompagne Trajan. Conquise, la Dacie est protégée derrière un puissant limes et organisée (colonie, garnison).

L'autre grande campagne militaire, c'est celle menée contre les Parthes (113 - 117). Elle conduit les troupes romaines d'Arménie jusqu'à Babylone (116) en passant par la Nabatène (Arabie). Trajan trouvera la mort au cours de la retraite.

Parallèlement est menée une politique de grands travaux dans l'ensemble de l'Empire, à Rome même et dans le reste des provinces. Soucieux de la stabilité politique et sociale de l'Empire, Trajan s'efforce de contenter toutes les composantes de la société romaine, à commencer par les grandes familles patriciennes siégeant au sénat et auxquelles on concède une certaine liberté d'action politique. La plèbe à Rome bénéficie de l'attention et des largesses du régime. On améliore son approvisionnement en blé (nouveau port d'Ostie, pseudo-marchés...). Véritable manifeste politique à l'attention de la plèbe, Trajan fait construire à Rome le fameux «forum de Trajan» pourvu de magnifiques monuments, de pseudo-marchés où les plébéiens peuvent se procurer gratuitement du blé, et agrémenté de bustes de généraux et de cette fameuse Colonne trajanne qui exalte l'armée et le patriotisme, valeurs auxquelles était attachée la plèbe.

Hadrien (76 - 138 après J.-C.). Cousin de Trajan, il partage sa conception d'un empire universel et non seulement réduit à la seule ville de Rome. Amoureux des arts et des lettres, sa soif de savoir ne le fait pas négliger pour autant la carrière des armes qui l'amène à accompagner Trajan dans tous ses déplacements guerriers. Trajan mort (117), Hadrien monte sur le trône impérial qu'il va occuper jusqu'en 138. Il va s'attacher, comme le fera son fils adoptif et successeur, à stabiliser les provinces nouvellement conquises par Trajan.

Son règne, qu'il va occuper à voyager et à visiter cet énorme empire cosmopolite, va marquer l'une des périodes fastes de l'histoire romaine. Son extension maximale atteinte, l'agitation barbare calmée, l'Empire entreprend des travaux de consolidation. Des garnisons sont installées sur les limes (Syrie), de nouvelles colonies de peuplement sont créées. La plus célèbre réalisation de l'époque reste sans aucun doute la fameuse fortification alors érigée en Grande-Bretagne entre la mer du Nord et celle d'Irlande et connue sous le nom de «Mur d'Hadrien», conçu pour protéger la province des incursions des Pictes et autres Scotts. Rome bénéficiera également des largesses de son princeps. A noter le formidable édifice du mausolée d'Hadrien transformé en une forteresse (château saint Ange) et qui fait encore partie aujourd'hui du paysage romain.

Antonin le Pieux (138 - 161). Le règne d'Antonin (adopté par Hadrien en 138) marque l'apogée de la *Pax Romana*. Comme son père adoptif, Antonin va s'attacher à la consolidation des frontières de l'Empire, fortifiant les limes, doublant même par endroits les défenses élevées depuis quelques années seulement (en Grande-Bretagne, par exemple, où le Mur d'Hadrien est doublé d'un ouvrage supplémentaire communément appelé le Mur d'Antonin).

Autre caractéristique du règne d'Antonin est l'importance croissante dans la vie religieuse romaine accordée aux cultes orientaux. A défaut de voir Hadrien divinisé par le sénat, Antonin privilégie l'introduction dans le Panthéon romain de nouvelles divinités. Quant à la Pax Romana, elle vit ses dernières heures avec la fin du règne d'Antonin. Les frontières de l'Empire sont en effet agitées par les premières manifestations belliqueuses des peuplades barbares, préludes à de nouveaux déferlements qui vont ravager l'Empire de Marc Aurèle.

Marc Aurèle (161 - 180) et Commode (180 - 193). Le règne de Marc Aurèle marque le retour des troubles et des guerres aux frontières de l'Empire. Elles l'accaparent tant qu'il passe près de 17 ans (sur 19 de règne !) à repousser et à éteindre les foyers insurrectionnels qu'allument çà et là les barbares. Les peuplades germaniques menacent le limes et même, un temps, l'Italie du Nord. En Orient, on assiste à une reprise des guerres avec les Parthes. Plusieurs campagnes victorieuses sont menées, auxquelles l'empereur participe en personne. L'autre fait marquant de cette période troublée de l'histoire de l'Empire est l'opposition des généraux romains au pouvoir impérial, à laquelle doit faire face Marc Aurèle. Ce climat explique entre autres qu'il associe au pouvoir Commode, son fils naturel, qui lui succède en 180. Rompu à la pratique du pouvoir, celui-ci prend aussitôt les choses en mains. L'Empire étant en danger, il réussit à écarter pour un temps seulement la menace barbare. Résolument instable, Commode fait régner à Rome la terreur. Cruel, excentrique, il est finalement assassiné.

Avec Marc Aurèle et **Commode**, on a coutume de dire que débute véritablement la crise de l'Empire romain, crise dont il ne se relèvera pas. Les peuplades germaniques, qui l'avaient épargné jusque-là, se remettent en marche et menacent des régions comme l'Italie du Nord. A cela s'ajoute un déclin de l'activité économique et un désordre des institutions politiques.

LE BAS-EMPIRE

Les Sévères

La fin de la dynastie antonine plonge l'Empire dans une période de troubles d'où émergera une dynastie, celle des Sévères, les nouveaux maîtres de Rome jusqu'en 235. Avec **Septime Sévère** (193 - 211) débute leur règne. Il sera marqué par une intensification des troubles et des dangers aux frontières de l'Empire, comme le laissaient présager les difficultés qu'avaient rencontrées les derniers Antonins. En Orient comme en Occident, les Sévères engagent les légions romaines pour sauvegarder l'intégrité de l'héritage d'Auguste. Parallèlement à ces difficultés frontalières, les Sévères doivent combattre un nombre toujours plus grand de généraux usurpateurs proclamés empereurs par leurs propres armées. L'histoire retiendra principalement de la dynastie des Sévères le fameux édit de **Caracalla**. Ce dernier, successeur de Septime Sévère (211 - 218), brutal, cruel, prend l'initiative, en 212, d'accorder la citoyenneté romaine à tous les hommes libres de l'Empire. Le christianisme, largement combattu sous les Antonins, va bénéficier sous les Sévères d'une relative tolérance, occupés qu'ils étaient à promouvoir les religions et rites orientaux (Baal) au détriment des croyances romaines. Avec **Sévère Alexandre** (222 - 235) disparaît le dernier représentant de la dynastie. S'ouvre alors une grave période de crise pour le Bas -Empire.

La crise du IIIe siècle et les Illyriens

La mort de Sévère Alexandre inaugure la période la plus noire du Bas-Empire. On a l'habitude de la faire commencer à la mort du dernier Sévère et de la faire terminer à l'avènement du premier empereur dit illyrien, **Claude II le Gothique**. Durant cette période de 49 ans vont se succéder de façon anarchique empereurs «légitimes» et usurpateurs (près de 70 au total), parfois coprésidant en même temps aux destinées de l'Empire, tous «démis» de leur fonction dans des conditions tragiques. A cette agitation politique intérieure viennent s'ajouter les troubles et invasions barbares aux frontières, qui, le limes enfoncé, ravagent l'intérieur des provinces. Puis, pendant 20 ans (entre 250 et 270), va sévir la peste qui déjà, par le passé, avait ravagé l'Empire.

En 268, un général originaire d'Illyrie, Claude le Gothique, succède à Gallien. Il rétablit l'autorité romaine, repousse enfin les invasions barbares et donne naissance à une mini-dynastie, celle des Illyriens, qui préside aux destinées de l'Empire jusqu'en 284. Le bilan de cette période est catastrophique : près d'un siècle d'une guerre perpétuelle depuis la fin du règne de Marc Aurèle ; une instabilité politique insurmontable ; une économie sinistrée.

Avec l'avènement de **Dioclétien** en 284, l'Empire va enfin recouvrer une certaine stabilité.

Dioclétien et la tétrarchie

L'année 284 marque donc l'avènement de Dioclétien. L'Empire se voit doté en 286, après une brève période de pouvoir personnel, d'une direction bicéphale : Dioclétien gouverne l'Orient et s'adjoint un corégnant pour l'Occident en la personne de Maximien. Puis, **en 293,** le gouvernement de l'Empire n'est plus assuré par deux mais par quatre personnes, Dioclétien et **Maximien** s'adjoignant des aides prévus pour leur succéder. Système de gouvernement pour le moins original, la tétrarchie perdure jusqu'en 305. Là, Dioclétien et Maximien, conformément au plan prévu, démissionnent, laissant la place à leurs successeurs désignés. Adaptée au gigantisme de l'Empire, la tétrarchie réussit ce pourquoi elle a été créée, à savoir endiguer le flot continuel des invasions barbares, stabiliser la vie politique et économique. Ce remarquable bilan qui succède à la sombre période du IIIe siècle est pourtant entaché de la dernière grande persécution des chrétiens (303).

Constantin et sa dynastie

Le système de la tétrarchie ne survivra pas à la démission de Dioclétien et de Maximien. En 306, **Constantin**, le fils de Constance, successeur de Maximien, est proclamé empereur, à l'encontre des règles élémentaires de la tétrarchie qui exclut la succession dynastique. Eliminant un à un ses adversaires, Constantin devient à partir de 324 (mort de Licinius) le seul gouvernant de l'Empire et ce jusqu'à l'an 337. Son règne particulièrement long pour l'époque est marqué par le fameux édit de Milan (313), édit de tolérance quant à la pratique du christianisme, première reconnaissance officielle en quelque sorte de l'Eglise de saint Pierre. Baptisé, Constantin est considéré à juste titre comme le premier empereur chrétien. Autre point marquant, et non des moindres, du règne de cet empereur très chrétien, la fondation en 324, sur les ruines de l'antique Byzance, de Constantinople dont il fait sa capitale. Seul empereur à partir de 324, Constantin donne naissance à une dynastie qui régnera jusqu'en 363.

Le siècle de Constantin fut relativement calme lui aussi. Les hordes barbares sont maintenues en dehors des limites de l'Empire ou, par endroits, intégrées au système de défense du **limes**.

La fin de l'Empire

A partir de 364, l'Empire est dirigé par une nouvelle dynastie, celle de **Valentin.** Elle régnera jusqu'en 395, date à laquelle monte sur le trône le fameux **Théodose,** dernier empereur unique de l'Empire, empereur d'Orient de 379 à 392 puis empereur unique de 392 à 395. Sous sa houlette, l'Empire résiste encore énergiquement aux multiples invasions barbares. Les frontières sont renforcées, des peuplades sont implantées, sédentarisées à l'exemple des Goths dans la péninsule balkanique. Quant au christianisme, toléré au début du siècle, il est devenu à la fin du IVe siècle religion officielle (voir ci-dessous). Les empereurs se font baptiser et ont pour conseillers de grands hommes d'Eglise tels qu'Ambroise de Milan. Le paganisme est combattu, les adeptes des anciennes croyances romaines sont à leur tour victimes de persécutions. Mort en 395, Théodose laisse deux fils. Ils se partageront définitivement l'Empire. **Honorius**, à la tête de l'Occident jusqu'en 423, ne pourra rien face aux invasions barbares, et plus particulièrement face aux Ostrogoths d'Alaric, qui, en 410, entrent dans Rome et la pillent. Avec la mort d'Honorius (423), c'en est fini de l'autorité impériale. Empereurs fantoches, usurpateurs et autres généraux se succéderont désormais aux commandes de l'Etat, jusqu'à la date fatidique de 476 où le dernier empereur d'Occident, **Romulus Augustule**, est destitué.

LE TEMPS DES PAPES

JUSQU'EN L'AN 1305

L'évêque de Rome fut dès l'origine du christianisme considéré comme le successeur de saint Pierre et donc comme le premier de tous. L'habitude fut prise de le considérer comme l'arbitre des nombreuses querelles théologiques ou autres qui surgissaient entre les Eglises chrétiennes, et cette habitude a contribué fortement à maintenir la cohésion de la religion naissante.

Les premiers papes furent tous martyrisés, comme saint Pierre, sur le Janicule et enterrés dans le vallon du Vatican (lieu des devins au temps des Etrusques). Lorsque Constantin décida de s'appuyer sur les chrétiens dans sa lutte contre le païen Maxence, c'est tout naturellement à l'évêque de Rome qu'il s'adressa. Et tout naturellement l'organisation de l'Eglise s'ajusta à celle de l'Empire, les évêchés correspondant aux divisions administratives de ce dernier. Constantin installa le pape dans un nouveau palais *intra-muros*, le Latran, et fit construire la basilique du même nom, l'église de l'évêque de Rome. Dans le même temps, il fit édifier la première basilique saint Pierre au Vatican. C'est ainsi que naquirent les deux centres principaux du culte chrétien à Rome. Autour de ces deux pôles, nombre d'églises furent édifiées sur plan généralement basilical. Les basiliques de Latran et du Vatican furent des édifices somptueux dont les monuments de Ravenne peuvent, de nos jours, donner une idée.

Constantin décida de déplacer sa capitale à Constantinople et progressivement l'Empire se scinda en deux, même si formellement son unité était respectée. Cette situation eut sur Rome deux conséquences majeures. D'une part, l'empereur byzantin supportait de plus en plus mal la primauté du pape de Rome ; il allait en résulter plus tard le schisme d'Orient en 1054. D'autre part, l'effondrement de l'empire d'Occident, le départ des derniers empereurs pour Ravenne, laissèrent Rome sans défense contre les barbares.

Les invasions se succédèrent : Alaric et les Vandales, les Goths d'Odoacre, les Grecs de Bélisaire, les Lombards d'Algiluf. A chaque fois, pillages, massacres, destructions. On estime que la population de la ville se réduisit à moins de 20 000 habitants. Au VIIIe siècle, à Constantinople, éclata la crise de l'iconoclasme. L'empereur Léon III prétendit interdire les représentations de Dieu et des saints, considérées comme idolâtres. Première grande crise qui préfigurait le schisme de l'an 1054.

Charlemagne et l'Italie

A partir du VIIe siècle, les papes successifs à la tête du saint Siège apparaissaient comme les seuls défenseurs des intérêts des Italiens, abandonnés à leur sort par l'empereur byzantin. A la fin du VIe siècle, les Lombards envahirent le nord de l'Italie et, très vite, occupèrent toute la vallée du Pô. Ravenne leur tint tête un temps, mais céda en 765. Cela marqua la fin de l'unité dans la péninsule. Face à la menace lombarde, Rome fit appel aux Francs. Leurs interventions dans la péninsule, en 756 et en 774 (Charlemagne), furent à l'origine des **Etats pontificaux**. Ceux-ci furent d'ailleurs conquis et donnés par Charlemagne sur la base d'un texte faux (la donation de Constantin) utilisé par la papauté et seule base de ces Etats, dont l'empereur devint le protecteur attitré. Ces Etats du pape seront regroupés beaucoup plus tard, au XXe siècle, sous le nom de Vatican, qui n'était jusqu'alors que le palais papal. Couronné en 800, Charlemagne devenait en fait le véritable maître de la péninsule, annexant le nord de l'Italie à son empire, Venise exceptée. Cependant, le duché lombard de Bénévent restait indépendant et l'Empire byzantin continuait de régner en maître sur l'ensemble de l'Italie du Sud, en Calabre et en Sicile plus particulièrement. La division de la péninsule italienne en deux aires d'influence politique nord et sud, résultat de l'invasion lombarde, était consommée. Elle durera jusqu'à la deuxième moitié du XIXe siècle.

Avec le déclin de l'Empire carolingien, allait commencer pour l'Italie une longue période de troubles marquée par les conflits entre potentats pour la dignité de roi d'Italie, et les ravages causés par les incursions sarrasines. La papauté elle-même n'est pas épargnée et tombe aux mains de familles aristocratiques.

L'ERE DES EMPEREURS GERMANIQUES (IXe - XIIIe)

Première époque

C'est au milieu du Xe siècle qu'une relative stabilité renaît en Italie. En effet, **en 951**, le roi de Germanie **Othon Ier** envahit le nord de la péninsule et s'approprie le titre de roi d'Italie puis, dans la foulée, se fait couronner empereur (962). Désormais la domination des empereurs germaniques était installée pour trois siècles. Mais elle ne s'imposa pas sans difficultés, se heurtant sans cesse aux volontés d'indépendance des grandes familles romaines et des grands féodaux, tel le duc lombard **Pandolfe Tête de Fer**. Pour contrer leurs appétits d'émancipation, les empereurs durent soutenir l'essor des villes, celles-ci, devenues florissantes au cours du XIe siècle grâce au grand commerce, développant un désir d'indépendance face aux féodaux auxquels elles appartenaient (évêques, archevêques, «capitani»...). Ce fut le cas, parmi tant d'autres, de Venise, affranchie de toute vassalité et qui continuait de commercer avec l'Orient byzantin, ou de Gênes et de Pavie.

L'Italie du Sud ne connut pas le même essor communal. En effet, au cours de cette même période, elle vit arriver de nouveaux envahisseurs. Après les Sarrasins ce fut le tour des Normands dirigés par le grand **Robert Guiscard** qui, en 1059, s'était rendu maître de l'Apulie et de la Calabre dont il prit le titre de duc. En 1071, il s'empara de Bari, chassant par la même occasion les Byzantins du sud de la péninsule, et, en à peine plus de 30 ans (1060-1091), conquit la Sicile aux dépens des Arabes. Allié à la papauté, le neveu de Robert Guiscard, **Roger II**, réunit en 1130 toutes les possessions normandes et fonda le royaume de Sicile.

Cette période de l'histoire italienne est surtout célèbre pour l'épisode de la querelle des Investitures entre la papauté et les empereurs germaniques. Selon un décret du premier de ceux-ci, Othon Ier, les empereurs se réservaient le droit d'intervenir dans les élections pontificales, et en fait de nommer personnellement le souverain pontife. Profitant du renouveau ecclésiastique influencé par Cluny, la papauté contesta puis dénonça catégoriquement le rôle des empereurs dans le choix du pape. **En 1075**, en interdisant aux laïques de conférer des évêchés, le fameux pape **Grégoire VII** déclencha la non moins fameuse querelle des Investitures qui l'opposa à l'empereur Henri IV, qui dut venir s'humilier à **Canossa** en 1077 sous peine d'excommunication. Vers les années 1090, ce même Henri IV perdit toute influence en Italie du Nord. **En 1122, le concordat de Worms** confirmait la suprématie du pouvoir papal sur le pouvoir impérial.

Parallèlement à cette lutte entre empereurs et papauté, un climat de guerre civile régnait dans chaque cité et entre cités elles-mêmes. Dans chacune d'elles, partisans de la papauté appelés également «guelfes» et partisans de l'empereur, ou «gibelins», se livraient une lutte sans merci.

C'est ainsi que des villes devinrent des soutiens pour l'un ou l'autre des partis en présence. Bologne, Ferrare, Florence, Mantoue, Milan et Padoue étaient aux guelfes, Crémone, Lucques, Pavie, Pise, Modène et Rimini se trouvaient aux mains des gibelins. Malgré ces luttes intestines, les grands ports maritimes se développèrent et accrurent leur domination économique, comme Venise ou Gênes, en partie grâce aux croisades. On vit la puissance nobiliaire remise en cause par les bourgeois, qui prirent peu à peu le contrôle des cités.

Deuxième époque

La lutte qui opposait empereurs germaniques et papauté au sujet des investitures connut une nouvelle phase avec la prise de pouvoir dans l'empire de la dynastie des Hohenstaufen, dynastie qui marqua profondément l'Italie tout entière, et à commencer son paysage qui se para de forteresses plus puissantes les unes que les autres. Le premier des Hohenstaufen, Frédéric Ier Barberousse, s'attacha à rétablir l'autorité impériale dans la péninsule. Il s'opposa à l'Eglise ainsi qu'aux villes lombardes désormais affranchies de tout pouvoir, qui s'allièrent dans ce qu'on appela la Ligue lombarde (1167) et qui infligèrent à l'empereur une cuisante défaite lors de la bataille de Legnano en 1176. Malgré cela, les villes lombardes durent se résoudre à nouveau à subir le joug impérial.

Si jusqu'à cette époque le destin de l'Italie du Sud était séparé de celui du Nord, il n'en fut plus rien avec le mariage, en 1186, de Constance, héritière du royaume normand de Sicile, avec Henri VI, fils de Frédéric Ier Barberousse : le sud de la péninsule passait dans les possessions du saint Empire romain germanique. Frédéric II, fruit de cette union, fera de Palerme en Sicile la capitale de son royaume. Erudit, il sera l'un des premiers princes à se doter, en 1231, d'un corps de lois laïques, les fameuses Constitutions de Melfi.

A nouveau, comme ses prédécesseurs, il va s'opposer à la papauté et aux villes de Lombardie. En 1245, il est officiellement déposé par le pape Innocent IV et doit affronter une révolte quasi générale. Il meurt en 1250. Son fils Manfred doit alors faire face à une nouvelle menace personnalisée par Charles d'Anjou, appelé en Italie par le pape Clément IV. Le Français conquiert la Sicile puis tue Manfred lors de la bataille de Bénévent en 1266. Le dernier Hohenstaufen, Conradin, est lui aussi vaincu en 1268, date à laquelle s'achève la domination germanique sur l'Italie.

LA FIN DU MOYEN AGE ITALIEN

Les XIIIe et XIVe siècles

Envahisseurs par la volonté de la papauté, les Angevins durent très vite affronter l'opposition du peuple sicilien qui lors des fameuses Vêpres siciliennes en 1282 organisa le massacre des Français. La Sicile passait aux mains des Aragonais, les Angevins gardant le royaume de Naples. La papauté tenta de secourir son nouvel allié et lança une croisade afin de chasser les Aragonais de Sicile mais en vain. Affaibli, le saint Siège dut dès la fin du XIIIe siècle s'opposer au roi de France. Vaincue, la papauté dut se résoudre à s'exiler de 1308 à 1378 en Avignon, sous la surveillance des rois de France.

Pendant ce temps-là, les rivalités entre guelfes et gibelins se poursuivaient dans le cadre des principales villes de Lombardie. Ces luttes, extrêmement ruineuses pour les vieilles familles marchandes au pouvoir, eurent pour résultat l'avènement de nouveaux potentats locaux : les anciennes élites retournèrent à leurs affaires commerciales et se hissèrent au pouvoir des opportunistes, capitaines, condottieres et autres gens d'armes, profitant pour s'imposer par la force du climat d'insécurité dans lequel était plongée chaque grande cité. Ainsi Milan tomba aux mains des Visconti, Vérone aux Scaliger, Mantoue aux Gonzague, Ferrare aux Este, Vérone aux Scaliger, Padoue aux Romano, Rimini aux Malatesta, Pérouse aux Baglioni... Instaurant des régimes tyranniques, ils rétablirent l'ordre et donc la prospérité. La plupart d'entre eux furent également de grands mécènes.

A Florence, ce fut une famille de banquiers, les Médicis, qui parvint au pouvoir et qui allait connaître un destin des plus grandioses.

Partout les républiques avaient vécu.

Le XVe siècle

Dans le sud de la péninsule, c'est la fin de la domination angevine. Le royaume de Naples passe définitivement, en 1442, aux mains des Aragonais, constituant ainsi l'une des principales puissances du bassin de la Méditerranée. Plus au nord, la papauté ou plutôt les Etats pontificaux, sortent du grand schisme et à nouveau jouent un rôle de tout premier plan. Dans le nord de l'Italie, trois grandes cités dominent le paysage politique et économique. Milan, tout d'abord, s'étendit territorialement dans la plaine du Pô. En 1450, les Visconti, jusque-là aux commandes des affaires de la cité, sont chassés par les Sforza. Autre grande cité, Venise, république oligarchique et puissance maritime, voit son hégémonie remise en cause en 1453 par la prise de Constantinople par les Turcs. Elle va alors se tourner vers l'intérieur des terres annexant de vastes territoires de la plaine lombarde. Enfin, Florence voit arriver dans la première moitié du XVe siècle (1434) les Médicis au pouvoir. Ceux-ci vont faire de la ville une grande place financière européenne. S'étendant territorialement, Florence va dominer la Toscane tout entière.

Politiquement divisée, l'Italie n'en est pas moins, avec Florence, la première puissance financière de l'Europe ; avec Venise, Milan et Gênes, la première puissance économique et commerciale. Sur le plan des lettres et des arts, aucune cour ne rivalise avec les foyers culturels et spirituels du nord de la péninsule.

Les dominations étrangères

Le XVe siècle, qui avait vu l'émergence «d'entités politiques indépendantes» et économiques fortes, sera suivi par des siècles de domination étrangère et de guerres.

Les Français

Ce cycle invasion-domination commence dès la fin du siècle, en 1494, quand le nord de la péninsule voit surgir les armées du roi de France **Charles VIII**, conséquence de ses prétentions sur le royaume de Naples en tant qu'héritier de René d'Anjou.

Accueilli favorablement à Milan où il aida à renverser les Sforza, puis à Florence où les Médicis connurent le même sort, Charles VIII entra dans Naples en 1495, mais dut renoncer à l'occuper durablement devant la menace des forces italiennes coalisées du pape Alexandre VI, de Venise et de Ludovic Sforza redevenu duc de Milan.

En 1498, le successeur de Charles VIII, Louis XII, tente à nouveau l'expérience : il s'empare de Milan puis à nouveau de Naples (en 1500) qu'il doit comme son prédécesseur quitter quatre plus tard. Dans le cadre de la politique papale de reconquête du pouvoir du saint Siège, le Milanais fut au début de la deuxième décennie du XVIe siècle le théâtre de sanglantes batailles où les Français eurent à nouveau à affronter des forces coalisées de Venise et d'Aragon, plus les Suisses et l'Angleterre. D'abord victorieux à Ravenne en 1512, les Français durent se résoudre à la retraite. A un Valois succéda un autre Valois en la personne de François Ier, qui reprit les guerres italiennes sitôt son avènement. Ces guerres furent marquées par les célèbres batailles de Marignan (1515) et de Pavie (1525) où les Français eurent à lutter non seulement contre les Aragonais mais aussi contre les troupes impériales de Charles Quint, et où François Ier fut fait prisonnier. Libéré, reprenant dans la foulée les armes, François Ier se résolut à traiter avec Charles Quint en abandonnant par le **traité de Cambrai** (1529) l'Italie à l'Empire.

Les Espagnols

Dès 1530, la domination habsbourgeoise dans le nord de la péninsule était totale, écrasant les dernières velléités d'opposition des cités lombardes et toscanes, et rétablissant les Médicis à la tête de Florence avec le titre de duc. **En 1559**, par le **traité de Cateau-Cambrésis,** le royaume de France abandonnait définitivement la péninsule italienne à la domination espagnole qui allait durer jusqu'en 1792.

Deux entités politiques et économiques réussirent malgré tout à garder une certaine indépendance : la Savoie qui dès 1562 installa sa capitale à Turin, et Venise dont les possessions et la puissance économique et commerciale étaient mises à mal, malgré la victoire de Lépante (1571), par l'avance inexorable des Turcs.

Soumise, meurtrie, l'Italie de la première moitié du XVIe siècle n'en resta pas moins le centre de la vie culturelle, artistique et intellectuelle de l'Europe. Mais à partir du milieu du XVIe, la domination espagnole, à laquelle s'ajoutaient les effets de la Contre-Réforme, vint éteindre le génie italien. Seuls les beaux-arts et la musique furent épargnés qui furent à l'origine du développement du baroque italien et du succès de ses maîtres Bernin et Borronini, lesquels firent école dans les pays germaniques, et de l'opéra, qui trouva un maître en la personne d'Alessandro Scarlatti. La musique italienne connut des heures de gloire grâce aux œuvres de prestigieux compositeurs tels que Vivaldi ou encore Corelli.

Les XVIIe et XVIIIe siècles apportèrent à l'Italie de nouvelles destructions lors des grandes guerres européennes qui opposèrent la France des Bourbons à l'Espagne des Habsbourg. A la mort de Charles II d'Espagne, dernier représentant de la dynastie espagnole des Habsbourg, le nord de la péninsule fut le théâtre de nouvelles dévastations dans le cadre de la guerre de Succession d'Espagne. La paix signée au **traité d'Utrecht de 1713** donnait le trône d'Espagne à Philippe V, petit-fils de Louis XIV, substituait l'hégémonie autrichienne à celle des Espagnols, mais surtout renforçait le pouvoir de la Savoie qui obtenait en 1720 la Sardaigne.

Entre 1734 et 1738, puis entre 1741 et 1748, deux **guerres de succession** embrasent une nouvelle fois le nord de la péninsule italienne. En 1748, le **traité d'Aix-la-Chapelle** met fin aux hostilités et fixe, jusqu'à l'intervention des armées révolutionnaires françaises en 1792, les divisions politiques de l'Italie, où les Etats pontificaux coupaient toujours en deux la péninsule, mais, surtout, où la Savoie renforçait ses positions dans le Piémont et en Sardaigne, une Savoie qui, au cours du XVIIIe siècle, avait connu un certain despotisme éclairé de la part de ses princes (Victor-Amédée II, suivi de Charles-Emmanuel III), imités en cela par les autres régnants des principautés italiennes. Mais, malgré ces réformes, un écart croissait entre un Nord de la péninsule sensible aux idées philosophiques européennes, et un Sud de grands propriétaires terriens, chantres de l'immobilisme.

Telle était la situation dans la péninsule italienne à l'arrivée des troupes commandées par Napoléon Bonaparte.

NAPOLEON BONAPARTE ET L'ITALIE

Conquérant tout d'abord la Savoie dès 1792, les troupes révolutionnaires françaises ne pénétrèrent en Italie du Nord qu'au printemps 1796. Ce qu'on appela la campagne d'Italie ne devait durer que deux ans. Le 18 octobre 1797, était signée la paix de Campo Fornio (qui marqua la fin de Venise comme Etat) : l'Italie du Nord était organisée en républiques libres auxquelles vinrent se joindre après leur conquête les républiques correspondantes aux anciens Etats pontificaux et à l'ancien royaume de Naples. Malgré certaines exactions commandées par les temps de guerre, les Italiens découvraient pour la première fois de leur histoire la liberté sous presque tous ses aspects. Une «âme italienne» semblait être née. Après la proclamation de l'Empire français en 1804, les républiques italiennes furent une à une intégrées dans un royaume d'Italie à la tête duquel s'installa, en 1805, Napoléon lui-même. A ce royaume vinrent s'ajouter, entre 1805 et 1809, la Vénétie et le Trentin. Le royaume de Naples eut un temps à sa tête Jérôme Bonaparte qui abandonna sa couronne au profit de Joseph Murat dont l'œuvre de réformes marqua profondément l'Italie du Sud (fin du brigandage, répartition des terres...). Si Napoléon n'eut jamais l'idée ou la volonté de réaliser l'unité de l'Italie, elle se réalisa de fait : un même corps de lois (Code Napoléon), une même administration régirent la vie de l'ensemble des Italiens, qui en gardèrent un profond souvenir à l'origine du futur Risorgimento. L'expérience «unitaire» prit fin avec le réveil des ennemis européens de Napoléon. En 1813, le nord de la péninsule était à nouveau envahi mais par les troupes autrichiennes. En octobre 1815, toute la péninsule était conquise.

L'UNITE ITALIENNE ET LA MONARCHIE

L'ITALIE DE 1815 A 1848

Le congrès de Vienne en 1815 marqua la fin des guerres napoléoniennes et sanctionna pour l'Europe, et l'Italie plus particulièrement, un retour à la réaction, aux régimes despotiques d'avant la Révolution française. Les princes italiens ou étrangers retrouvèrent leurs principautés (duché de Modène, de Parme, de Toscane...), l'Autriche recouvrait la Lombardie, les Bourbons, eux, le royaume des Deux-Siciles. Enfin, les Etats pontificaux étaient restaurés ainsi que le Piémont. Que ce soit dans le Sud ou dans le Nord, la répression s'abattit partout sur les Italiens aucunement consultés lors de ce redécoupage de leur péninsule. A partir de 1815, va alors se développer une idée, ou plutôt une conscience nationale très vite relayée par des mouvements qui s'exprimeront à travers l'action de sociétés secrètes, les fameuses «carbonari», peuplées d'intellectuels, d'officiers, de magistrats, de tous les représentants de la vie sociale italienne, les masses rurales exceptées. Ces actions furent du reste très vite réprimées, comme les soulèvements de 1820 et 1821 à Naples et dans le Piémont.
Le premier grand soulèvement italien date de 1831, écho logique des mouvements révolutionnaires de l'année 1830 et plus particulièrement de la révolution parisienne. Mais une fois de plus, la répression autrichienne s'abattit sur les insurgés.
Le mouvement révolutionnaire se nourrit durant ces années du mouvement romantique et d'œuvres d'artistes aussi divers que Leopardi ou Verdi, pour ne citer qu'eux. Peu à peu l'idée nationale, le Risorgimento comme fut appelé ce mouvement, gagna toutes les couches de la population de la péninsule sous l'action en particulier d'un Giuseppe Mazzini, républicain patriote, qui fomenta à l'aide de son organisation Jeune-Italie nombre d'insurrections et de complots infructueux.
L'idée d'une unité nationale faisait son chemin mais la forme qu'elle devait prendre était l'objet, au sein de la mouvance nationale, de discordes. Trois courants s'affrontaient : le premier, représenté par l'abbé Gioberti, prônait une confédération des principautés italiennes à la tête de laquelle prendrait place le pape ; le deuxième, celui de Giuseppe Mazzini, souhaitait la mise ne place d'une république unitaire ; le troisième et dernier, enfin, dont les chefs de file étaient d'Azeglio et Balbo, rêvait également d'une fédération mais chapeautée par le royaume de Piémont. C'est cette dernière tendance qui, en 1860, l'emportera.

LA REVOLUTION DE 1848 OU L'ECHEC DU RISORGIMENTO

En 1848, à la suite de mouvements populaires, plusieurs princes de la péninsule furent obligés d'accorder des constitutions, comme ce fut le cas pour **Ferdinand II**, roi des Deux-Siciles. Les révolutions parisienne et viennoise faisant tâche d'huile, le roi de Piémont Charles-Albert dut, sous la pression, instaurer dans son royaume un régime constitutionnel. Parallèlement, la Lombardie se soulevait contre l'occupant autrichien, rejointe dans ce qui devenait une guerre ouverte par le roi de Piémont qui déclara à cette occasion que : «l'Italia farà da se» (l'Italie se fera elle-même). Aux insurgés lombards et aux troupes piémontaises s'ajoutèrent des renforts envoyés par d'autres princes italiens et même par la papauté. Mais très vite les dissensions puis la défection du pape (elle privait la cause nationale de sa caution éminemment prestigieuse) laissait seule la Maison de Savoie aux prises avec les Autrichiens, qui, dès août 1848, obligeaient Charles-Albert de Savoie à signer un armistice. Ayant sauvé l'essentiel, Charles-Albert reprit le combat en 1849, mais une nouvelle fois battu, il abdiqua en faveur de son fils **Victor-Emmanuel II**. Les Autrichiens vainqueurs, la réaction s'installa provoquant la fuite des mazziniens qui avaient fait triompher la république dans une grande partie de l'Italie, dont à Rome où Mazzini et Garibaldi s'opposèrent personnellement aux troupes françaises envoyées par Louis-Napoléon afin de rétablir le pape dans ses possessions, ce qui fut fait. Adversaire d'un jour de l'unité italienne, Louis-Napoléon allait pourtant devenir l'un des plus actifs artisans de sa construction.

LA MARCHE VERS L'UNITE

Esseulé face aux régimes absolutistes italiens soutenus par l'Autriche, le royaume de Piémont vit arriver en 1852 à la tête de ses affaires un dénommé **Cavour** dont l'habileté politique et diplomatique allait conduire à l'unité de la péninsule italienne. S'alliant la gauche, élevant le Piémont au rang de grande puissance (guerre de Crimée sanctionnée par le traité de Paris), Cavour s'allia par le traité de Turin à la France de **Napoléon III**, soucieuse quant aux sujets des nationalités et du droit des peuples à disposer d'eux-mêmes. La France accordait son aide militaire de fait au Piémont contre l'Autriche, en échange de Nice et de la Savoie. La guerre, marquée par les batailles de Magenta (4 juin 1859) et de Solférino (24 juin), fut victorieuse pour les Franco-Piémontais. Le Piémont récupérait la Lombardie, mais non la Vénétie toujours aux mains des Autrichiens. Plus au sud la révolution couvait ; après avoir chassé leurs princes respectifs, les habitants des principautés de Modène, de Parme et de Toscane votèrent leur rattachement à la Maison de Savoie. Le 2 avril 1860, le premier parlement italien se réunissait à Turin.

Mais restaient étrangers à cette unité les Etats pontificaux et le royaume des Deux-Siciles. Ce dernier sombra sous les coups de Garibaldi, qui, armé par le Piémont, prit la tête d'une expédition de mille volontaires en chemises rouges - expédition plus connue sous la dénomination de «l'expédition des Mille» -, et conquit la Sicile (mai-juillet 1860) puis marcha sur Naples qu'il enleva (septembre 1860).

Cavour pendant ce temps n'était pas resté inactif. Les troupes piémontaises envahirent les Etats pontificaux puis vinrent imposer l'autorité du roi piémontais à Naples, où Garibaldi rejoint par Mazzini semblait disposé à fonder une république. Garibaldi s'inclinant, Victor-Emmanuel II était proclamé roi et, ce qui était nouveau, «par la volonté de la nation», autant dire par le peuple italien tout entier. Florence devint la capitale du jeune Etat italien, Rome étant toujours occupée par le pape et les forces françaises chargées de le protéger. Ce n'est qu'en 1870, à la suite du retrait des troupes françaises de la ville - guerre franco-prussienne oblige - que Rome fut enfin réunie au reste de la nation et devint capitale.

LA MONARCHIE PARLEMENTAIRE 1870-1915

La marche vers l'unité nationale avait, pendant des décennies, mobilisé les idées et les énergies de chacun. L'unité enfin réalisée, l'Italie prenait conscience de son retard économique à l'échelle de l'Europe, de ses différences, de l'important écart de développement qui séparait le Nord industriel du Mezzogornio, de ce Sud presque exclusivement rural. Sur le plan politique, la monarchie parlementaire était des plus fragiles du fait, semble-t-il, du régime censitaire en vigueur. Ainsi, en 1882, seul 1/7e de la population du pays constituait le corps électoral italien. Ce n'est qu'en 1912 que le suffrage universel finit par s'imposer. A cela s'ajoutait la corruption des personnels politiques. Il se développa alors en Italie un mode de gouvernement original qu'on appellera le transformisme. La représentation parlementaire tronquée, l'Italie fut secouée par un mécontentement général, des grèves, des soulèvements ouvriers à Milan en mai 1898 et, enfin, l'assassinat du roi Humbert Ier (1900).

Parallèlement - et cela était à l'origine de ses difficultés intérieures (financières) -, l'Italie s'était lancée dans un ambitieux programme de politique extérieure et, notamment, de constitution d'un empire colonial. Ses premières tentatives dans ce domaine furent des échecs (Tunis, désastre d'Adoua en Ethiopie en 1896). Avec la guerre italo-turque de 1911, elle parvint à ses fins, conquérant une partie des possessions ottomanes du rivage méditerranéen (Cyrénaïque, Tripolitaine et Dodécanèse). Cette expansion coloniale se doublait d'une politique d'alliance contre nature avec les empires centraux (dont l'Autriche, son ennemie de toujours), sanctionnée par le pacte de la Triplice, signé en 1882 et renouvelé jusqu'à la veille de la Première Guerre mondiale.

C'est aussi l'époque du développement économique italien, dans le Nord tout au moins, le Sud restant à l'écart de ce phénomène, sa population se trouvant poussée à l'émigration, principalement vers le Nouveau Monde.

Sur le plan de la politique intérieure, l'entrée dans le XXe siècle s'est accompagnée de l'émergence du courant socialiste, dans les rangs desquels des dissensions entre réformistes et révolutionnaires (représentés par Mussolini) se firent sentir, comme dans le reste de l'opinion publique d'ailleurs, à propos de l'intervention du pays dans la Première Guerre mondiale aux côtés des Alliés, avec lesquels fut signé le traité de Londres (avril 1915), gage de l'engagement italien en échange, la guerre terminée, d'importantes concessions territoriales aux dépens des Empires autrichien et ottoman.

L'ITALIE DU XXe SIECLE

L'ENGAGEMENT ITALIEN ET L'AVENEMENT DE MUSSOLINI

L'Italie déclara tout d'abord la **guerre à l'Autriche-Hongrie** (mai 1915), puis à l'Allemagne (août 1916). Elle fut surtout marquée par ce qu'on appela le désastre de **Caporetto** en octobre 1917, où le front italien enfoncé, les Autrichiens s'emparaient de toute la Vénétie. Fin octobre 1918, les troupes italiennes remportaient la victoire de **Vittorio Veneto,** acquérant Trente et Trieste. A l'enthousiasme succéda la déception. Loin de respecter leurs engagements, les Alliés se refusèrent à laisser l'Italie s'emparer de la Dalmatie. Par le traité de saint Germain, elle acquit, entre autres, le Trentin et Trieste. De cette déception va se nourrir le fascisme. Déjà en mars 1919, Mussolini avait fondé à Milan les Faisceaux italiens de combat. Le fascisme se nourrira également des problèmes socio-économiques (désorganisation de l'économie, inflation galopante, vie chère) de l'après-guerre, se posant en alternative des courants politiques habituels. Au printemps 1922, le parti fasciste compte déjà plus de 700 000 adhérents et gagne des sympathies dans les milieux industriels et de l'argent. Les troubles sociaux, la violence, les carences évidentes du régime parlementaire, l'instabilité gouvernementale, tout ceci profite à Mussolini qui, le **28 octobre 1922,** organise avec ses chemises noires la fameuse **marche sur Rome**. Le 30 octobre, le roi **Victor-Emmanuel III** appelait Mussolini au pouvoir.

L'ITALIE FASCISTE

Respectant tout d'abord le régime parlementaire, Mussolini organisa **en 1924** des élections qui renforcèrent sa suprématie. La dictature fasciste commençait. Sur le plan international, et en accord avec le retour à la Rome antique que le Duce préconisait, l'Italie se lança dans une politique pour le moins agressive. Tout d'abord prudent, Mussolini acquit, en 1924, en accord avec la Yougoslavie, la ville de Fiume, que lui avaient contestée les Alliés lors du traité de paix de saint Germain. **En 1939**, ce fut le tour de l'Albanie sur laquelle l'Italie imposa son protectorat. Se rapprochant des Etats révisionnistes du traité de saint Germain (Hongrie, Bulgarie), Mussolini se défia tout d'abord de l'Allemagne nazie, tentant même par une série d'entrevues et d'accords d'isoler Hitler.

Mais la politique mussolinienne quant aux affaires extérieures allait brutalement se radicaliser après la **conquête de l'Ethiopie**, qu'entreprit le Duce fin 1935, début 1936. Cette conquête entraîna de vives protestations de la part des puissances coloniales déjà présentes sur le sol africain, autrement dit la France et l'Angleterre.

Associées à la S.D.N (Société des Nations, ancêtre de l'O.N.U), les deux puissances organisèrent, dès la fin de l'année 1935, des sanctions économiques à l'encontre de l'Italie qui, devant cette attaque, radicalisa sa position et se rapprocha de façon sensible de l'Allemagne nazie. L'avènement en France du Front populaire, puis la guerre civile espagnole poussèrent encore un peu plus Mussolini vers l'Allemagne.

LA GUERRE

Malgré tout, lorsque Hitler en 1939 se retrouvait isolé face à l'Angleterre et la France, le Duce ne le suivait pas. Ce ne fut qu'en juin 1940, quand les forces françaises et anglaises étaient acculées à la défaite par les troupes allemandes, que l'Italie entra en guerre et envahit la France. Mais, très vite, les déficiences italiennes se firent criantes, tout d'abord au niveau de l'opinion publique du pays. Le peuple italien, qui ne partageait pas avec son chef «charismatique» son enthousiasme guerrier, vint à souffrir rapidement de la durée du conflit (pénuries alimentaires, génération décimée). Quant à l'armée, mal préparée, elle vola de défaite en défaite. La contestation populaire gagna même les rangs du parti fasciste (le Grand Conseil), qui, en **juillet 1943**, destitua Mussolini lequel fut arrêté et interné en résidence surveillée au Gran Sasso dans les Abruzzes, à proximité de l'Aquila.

Un nouveau gouvernement, dirigé par le général Badoglio avec l'assentiment du roi Victor-Emmanuel III, négocia un armistice avec les Alliés. Avertie, l'Allemagne envoya ses troupes occuper Rome et l'Italie méridionale. Une fois libéré, Mussolini reconstitua dans le nord du pays un Etat fasciste avec l'aide des nazis, la république de Salo.

Devant l'avancée alliée dans la péninsule, les Allemands se retirèrent dans le nord du pays sur la «ligne gothique». Un gouvernement (celui de Badoglio) de libération nationale se constitua sous l'égide des forces alliées, coopérant cette fois-ci étroitement avec les ennemis de la première heure, un gouvernement remplacé par un autre en juin 1944, qui appela à l'insurrection nationale contre les troupes allemandes. Arrêté, Mussolini fut, avec son amante, sommairement exécuté. Leurs corps pendus par les pieds sur une place de Milan furent donnés en pâture à l'ire populaire.

L'APRES-GUERRE

Malgré le soutien, à partir de 1943, d'une partie de la population à la cause alliée, l'Italie était à juste titre considérée comme l'un des vaincus de cette guerre. En conséquence elle perdit ses possessions coloniales acquises durant le fascisme ainsi que ses acquis territoriaux de la Première Guerre mondiale, c'est-à-dire Fiume, l'Istrie, la petite ville de Zara et une partie de la Vénétie julienne, qui passèrent alors aux mains des Yougoslaves. A ces pertes vinrent s'ajouter des réparations énormes se montant à près de 400 millions de dollars (traité de Paris, février 1947). La paix revenue, le Comité de libération nationale placé à la tête du gouvernement se chargea d'organiser des élections et, surtout, un référendum relatif aux institutions du pays et dont le résultat condamnait la monarchie. Humbert II, qui était monté sur le trône après l'abdication de son père Victor-Emmanuel III, préféra s'exiler. Après l'adoption d'une nouvelle Constitution, entérinée en 1948 et qui faisait une grande place au président du Conseil, chef du gouvernement, véritable détenteur du pouvoir exécutif, la vie politique italienne fut principalement marquée par la lutte pour le pouvoir entre quelques grands partis issus de la résistance, comme le Parti communiste (P.C.I), le Parti socialiste (P.S.I), le Parti républicain (P.R.I), les sociaux-démocrates et, enfin, la Démocratie chrétienne (D.C.) bénéficiant d'un large écho auprès des Italiens. Ceci explique sa présence continuelle, en presque trente ans de vie politique, dans les trente-deux gouvernements qui se succédèrent à la tête de l'Italie entre 1946 et 1974 ; une vie politique caractérisée par des crises incessantes comme on peut le remarquer. Restés à l'écart de la conduite des affaires du pays, les socialistes participèrent pour la première fois à un gouvernement en 1963.

Marquées par l'entrée de l'Italie dans le pacte de l'OTAN, puis dans le projet de la Communauté européenne, les trente années qui suivirent l'après-guerre furent surtout caractérisées par l'important développement et succès de l'économie italienne considérés par certains spécialistes comme un miracle tant le retard et les destructions de l'appareil économique dus à la guerre étaient grands. Comme au XIXe siècle, ce développement était largement inégal entre le Nord et le Mezzogiorno. Mais à partir de la fin des années soixante une crise politique et économique va secouer le pays.

L'Italie depuis les années 70

Les années 70 sont particulièrement agitées et difficiles en Italie. Les «années de plomb», ainsi que les surnommèrent les médias, commencent avec l'*autunno caldo* («l'automne chaud») de 1969, durant lequel grèves, manifestations et émeutes se succèdent. L'explosion d'une bombe à la Banque de l'agriculture de Milan en 1969, qui fait une centaine de blessés, marque le début d'un terrorisme aveugle visant à déstabiliser le gouvernement. Les choses vont empirer peu à peu ; et l'Italie devra faire face à un activisme violent et incontrôlable, auquel prennent part les Brigades Rouges et des groupuscules de droite. L'Italie est au bord de la désintégration.

Cette confusion sociale et politique trouve son point culminant avec l'assassinat du premier ministre Aldo Moro en 1978. Celui-ci est enlevé par les Brigades Rouges, puis tué, suite au refus du gouvernement de négocier. Ce meurtre révolte toute la Péninsule, et entraîne une série de mesures anti-terroristes, comme cette loi sur les repentis qui accorde une remise de peine à ceux qui dénoncent leurs complices. L'attentat de la gare de Bologne en 1980 est aussi resté tristement célèbre, en provoquant la mort de 200 personnes et en faisant près d'une centaine de blessés.

Vers 1985, la vitalité de l'économie italienne aidant, le terrorisme est quasiment vaincu. L'Italie prospère alors mais se trouve confrontée à une série de scandales et de bouleversement politiques qui mettent au jour l'ampleur de la main-mise de la mafia sur la vie économique et politique du pays. L'opération Mani Pulite («mains propres») est mise en place pour assainir la vie politique et publique. Malgré plusieurs attentats à la bombe et beaucoup de violence meurtrière (notamment, l'assassinat du juge Falcone), les scandales éclatent, les actions frauduleuses des politiciens sont mises au jour, et la valse des ministres recommence. En 40 ans, 48 gouvernements se sont succédés à la tête du pays.

Au niveau européen, l'Italie se montre de plus en plus présente. Elle a en effet signé le traité de Maastricht en février 1992, qui institue l'Union Européenne. Elle a assuré la présidence tournante de l'Union Européenne durant tout le premier semestre 1996. Elle applique la convention de Schengen, et a participé à l'intervention militaire de l'OTAN au Kosovo en 1999. Enfin, le président de la Commission européenne n'est autre que l'ex-président du conseil Romano Prodi. L'Italie s'affirme donc comme une nation qui compte sur la scène internationale.

Ravenne - Mosaïque Basilique de San Vitale

POLITIQUE

Avec la fin de la Deuxième Guerre mondiale, la vie politique italienne va être surtout marquée par la prééminence de deux partis politiques (bipolarisme) aux idées opposées : la Démocratie chrétienne d'un côté, le Parti communiste italien de l'autre, tous deux issus de la Résistance et donc tout auréolés de leurs années de lutte contre le fascisme et l'occupation nazie. Le PCI va être rapidement enfermé dans l'opposition (il est diabolisé), et la conduite des affaires de l'Etat va être l'apanage de la DC pendant plus de 50 ans, d'abord seule, puis associée à une multitude de petits partis, inaugurant ainsi l'ère du multipartisme qui caractérise aujourd'hui la vie politique de la péninsule.

APRES LA GUERRE

Les lendemains de la Deuxième Guerre mondiale sont marqués par le rejet de la monarchie (référendum de 1946) rendue responsable des déboires guerriers de la nation. Une République se met alors en place.

Les résultats des premières élections organisées laissent apparaître le visage politique des 30 ans à venir : la Démocratie chrétienne domine la scène politique, suivie par les partis socialiste et communiste au poids électoral quasi identique. Mais grâce aux efforts conjoints de l'Oncle Sam et du courageux Pie XII, ni les socialistes ni les communistes ne font partie du gouvernement dans les années 50. Le paysage politique étant ainsi figé, une constitution voit le jour (janvier 1948). Une démocratie parlementaire est instituée où le président de la République est élu pour 7 ans, non pas, comme en France, au suffrage universel direct, mais par les représentants des deux chambres parlementaires, élus, eux, pour 5 ans.

Sur le plan de la politique extérieure, l'Italie **intègre l'OTAN en 1949**, puis la **CEE en 1957** (traité de Rome). Au cours des années 50, malgré la valse des gouvernements mis en minorité à la Chambre des députés, la Démocratie chrétienne conserve le pouvoir, plaçant ses hommes aux postes clés de l'administration de l'Etat, une politique clientéliste qui provoque sa fragilisation sur le plan électoral. Il lui devient alors de plus en plus difficile de gouverner seule et elle doit se résoudre à ouvrir le gouvernement à une alliance de gauche. C'est ainsi qu'en 1963 les socialistes entrent au gouvernement, fort alors d'une majorité parlementaire. Les gouvernements de centre-gauche se succèdent à la tête de l'Italie et la conduisent tout droit vers les troubles de l'année 1968 qui n'épargnent pas le pays. Dès 1967, des signes annoncent la vague de grèves de 1968 qui va frapper la société italienne. En 1969, la contestation perdure et atteint son paroxysme au cours des mois qui suivent l'été, une période que les Italiens gardent en mémoire sous le nom «d'autunno caldo» (l'automne chaud), rythmé comme il est par l'agitation sociale, manifestations, grèves, etc.

TROUBLES ET EAUX TROUBLES

Les années noires, à ce moment de la vie politique italienne, sont pourtant encore à venir. Aux années de contestation sociale vont succéder en effet les années de violence politique, les «années de plomb», comme les ont surnommées les médias italiens. A partir du milieu des années 70, se déchaînent des terrorismes extrémistes (droite et gauche) qui ensanglantent l'Italie et prennent pour cible la classe politique du pays. On se souvient des tristement célèbres «Brigades rouges» (démantelées par le général Della Chiesa en 1981) à l'origine de l'enlèvement et du meurtre d'Aldo Moro en 1978. Face au péril terroriste, la classe politique fait front et on voit apparaître aux commandes de l'Etat des gouvernements de solidarité nationale centrés autour de la Démocratie chrétienne mais auxquels participent socialistes et communistes.

Préoccupée essentiellement par sa lutte contre le terrorisme, l'Italie n'en enregistre pas moins des avancées sur le plan politique, social et institutionnel.

LES PARTIS ET LA SITUATION ACTUELLE

En 1975 l'Italie est engagée sur la voie de la décentralisation, les régions obtenant une autonomie plus importante. Ces années sont aussi celles de la montée du féminisme et des victoires de ses revendications (légalisation du divorce en 1974 et de l'avortement en 1978, etc.). Les années 70 ont sonné le glas de la Démocratie chrétienne. Le Parti socialiste lui succède aux commandes des affaires de l'Etat. De 1983 à 1987, il gouverne le pays par l'entremise de son chef de file **Bettino Craxi**. Les Italiens ne lui renouvellent pourtant pas sa confiance et, en 1987, ce sont de nouveau les démocrates-chrétiens qui s'emparent du pouvoir sans davantage apporter de remèdes à une Italie malade, qui n'a plus confiance en ses dirigeants, écrasée par la bureaucratie et gangrenée par la corruption et par une mafia toujours plus puissante.

Les femmes : sexe et politique

A ma gauche, la Cicciolina, ex-actrice de porno qui, à la fin des années quatre-vingt, est entrée en politique et a été élue députée sous la bannière du parti radical.

A mon extrême-droite, Alessandra Mussolini, petite-fille du Duce et nièce de Sophia Loren, membre d'Alleanza Nazionale ; elle s'est présentée aux élections municipales à Naples mais a été battue par le candidat communiste Bassolino. Elle s'est bagarrée en particulier pour le durcissement des lois contre la pornographie, alors qu'elle a débuté sa carrière publique en posant pour des photos coquines.

Les partis politiques habituels ne répondent plus aux désirs, aux attentes des Italiens, qui vont le leur faire savoir aux élections de 1992, où se révèle au grand jour le malaise péninsulaire. **Oscar Luigi Scalfaro** accède au pouvoir. Ces élections, véritables sanctions pour la classe dirigeante et les partis historiques au pouvoir depuis une cinquantaine d'années, ont pour conséquence de faire voler en éclat le paysage politique de l'Italie en une mosaïque de partis dont certains, comme la Lega Nord, sont devenus des forces avec lesquelles les partis historiques doivent désormais compter.

Parmi ces nouveaux partis, on trouve d'abord Forza Italia, le parti représenté par Silvio Berlusconi. Les grandes figures, les plus fortes personnalités sont d'ailleurs plutôt de droite : Silvio Berlusconi, d'abord homme d'affaires, est président de la Fininvest, de la Standa, d'Upim et de Mediaset (Canal 5, Italia 1, Rete 4). On l'appelle «Sua Emittenza», jeu de mots basé sur la ressemblance sonore entre les deux termes : eminenza (éminence) et emettere (émettre).

Il crée **Forza Italia** et devient président du Conseil en 1994 avec un gouvernement de coalition, **«Alleanza per la Libertà»** (à propos de ce gouvernement, on a parlé de seconde République), regroupant Forza Italia, La Lega et Alleanza Nazionale.

Tous les partis historiques ont éclaté après une série de scandales, corruptions, «tangentopoli» (de «tangente», pot-de-vin, qui désigne le financement illicite des partis par des entrepreneurs voulant obtenir des marchés publics) en une myriade de nouveaux petits partis changeant de noms (exemple : le Parti communiste italien est devenu le PDS «partito democratico della sinistra»), d'esprit et d'alliance (le Parti démocrate chrétien s'est scindé en deux). Les Italiens eux-mêmes ont du mal à s'y retrouver et beaucoup sont devenus indifférents, désabusés ou critiques, et c'est l'exploitation comique du monde politique qui rencontre le plus de succès. Silvio Berlusconi a lui-même été condamné à 2 ans et 9 mois de prison pour corruption en 1998.

Emergent alors **Gianfranco Fini**, le jeune loup d'Alleanza Nazionale, parti néo-fasciste proche du MSI (Movimento Sociale Italiano), très ancré dans le sud du pays, et Umberto Bossi qui, lui, s'active pour le nord et crée en 1986 la Lega Nord, mouvement fédéraliste qui souhaite diviser l'Italie en trois grandes entités, Nord, Centre et Sud, et devient une force politique majeure à partir des élections législatives de 1992. **Bossi** a inauguré symboliquement et médiatiquement la Padania en septembre 1996.

Pourtant la gauche, à la faveur d'élections municipales (avec, pour la première fois, un scrutin majoritaire uninominal à un tour), a repris du poil de la bête. Les élections législatives de 1996 l'ont confirmé, avec la victoire de **Romano Prodi** (ex-démocrate-chrétien mais centre gauche), président du Conseil, avec la coalition de l'Olivier (partito dell'Ulivo) d'un gouvernement de coalition comprenant notamment le PDS, les petits partis du centre gauche, dont quelques ex-démocrates chrétiens et même Rifondazione Communista (les ex-communistes restés fidèle à la ligne).

Suite à la démission de Prodi, Massimo d'Alema, un ancien communiste, forme un gouvernement élargi aux centristes. Celui-ci a élaboré un projet de loi instaurant la semaine de 35 heures, pour 2001. D'Alema est né à Rome en 1949 et a fait des études de philosophie à Pise. Dès l'âge de 14 ans, il est inscrit aux Jeunesses communistes, dont il deviendra membre à part entière en 1968. En 1994, il est nommé premier secrétaire du PDS.

Mais l'autorité du gouvernement D'Alema est déstabilisée par les élections régionales d'avril 2000 qui voient la coalition de centre droit (le «pôle des libertés» qui regroupe l'ensemble de la droite, avec Berlusconi, Bossi et Fini) rafler huit régions (contre sept pour la majorité). D'Alema est alors remplacé par le socialiste **Giulano Amato**. Ce Turinois a déjà occupé le poste de président du Conseil pendant dix mois en 1992, et c'est d'ailleurs sous son administration qu'a eu lieu l'opération «Mani Pullite» - son exigence d'intégrité le poussant à démissionner devant l'implication de plusieurs de ses ministres. Cependant, ce n'est pas lui (jugé sans doute trop terne) qui sera désigné comme chef de file de la gauche aux législatives de 2001 pour contrer la coalition de Berlusconi, mais **Francesco Rutelli,** maire de Rome depuis 1993 et favori des sondages.

Les différentes forces politiques actuellement en présence en Italie

Arrêtons-nous un instant pour décrire les différentes forces politiques actuellement en présence en Italie.

Nous rencontrons tout d'abord le **parti de l'Olivier** (centre-gauche), qui a été victorieux aux élections de 1996. Il regroupe le PDS (ancien Parti Communiste), une partie de l'ex-Démocratie Chrétienne, et les Verts.

A droite, le **Pôle des Libertés** regroupe Forza Italia (menée par Silvio Berlusconi) et Alliance Nationale (un parti populiste et nationaliste).

La **Ligue du Nord**, de tendance fédéraliste, joue elle aussi un rôle important, et est menée par Umberto Bossi.

Et enfin, la **Rifondazione Comunista,** menée par Fausto Bertinotti, regroupe les ex-communistes restés fidèles à l'idéologie et à la ligne du parti. Il a obtenu 135 sièges à la chambre des députés lors des élections de 1996.

Après les élections du **16 avril 2000**, le paysage politique a été passablement remanié. Voici donc les tendances politiques des nouveaux conseillers régionaux. De tendance centre-droite, nous trouvons le Piémont (mené par Enzo Ghico), la Lombardie (Roberto Formigoni), la Vénétie (Giancarlo Galan), la Ligurie (Sandro Biascotti). De tendance centre-gauche, nous avons l'Emilie-Romagne (Vasco Errani), la Toscane (Clausio Martini) les Marches (Vito d'Ambrosio) et l'Ombrie (Maria Rita Lorenzetti).

Autre grande figure : **Antonio di Pietro**, le juge de l'opération «Mani Pullite» (mains propres) qui, à partir de 1992, a mis en cause plus de cent cinquante politiciens. L'impact a été tel qu'on a parlé d'une république des juges, et di Pietro s'est lancé depuis avec plus ou moins de bonheur dans la politique (aujourd'hui il est lui-même accusé d'avoir été corrompu lors de l'opération «mains propres»).

L'actuel président, **Carlo Ciampi**, ancien ministre des Finances, a été élu à la présidence en mai 1998. Il est né à Livourne en 1920, et est licencié en lettres et en droit. Il devient le gouverneur de la banque d'Italie de 1979 à 1993. Il exerce un mandat de président du conseil sous la présidence de Scalfaro en 1993, avant de devenir ministre de l'économie et du trésor dans le gouvernement Prodi. Il a beaucoup contribué à l'entrée de l'Italie dans l'euro.

Les syndicats

Le mouvement syndicaliste est très actif en Italie, et donc très représentatif du paysage politique italien. Il existe de nombreux syndicats, mais trois dominent le paysage :

CGIL (Confederazione Generale Italiana del Lavoro) est mené par deux leaders, un socialiste et un communiste. Il regroupe près de 4,5 millions d'adhérents, principalement des ouvriers de l'industrie.

CISL (Confederazione Italiana Sindicati dei Lavorati) est de tendance démocrate-chrétienne, et représente environ 3 millions d'Italiens. Il recrute surtout parmi les ouvriers, le tertiaire et la fonction publique.

UIL (Unione Italiana dei Lavorati) est moins important, avec un million et demi d'adhérents. De tendance socialiste et laïque, il couvre la fonction publique et le tertiaire.

ECONOMIE

Fortement handicapée au sortir de la Deuxième Guerre mondiale par les dévastations consécutives aux combats et par le développement inégal de ses régions, l'économie italienne va connaître un développement original et pour le moins étourdissant, qui va faire passer le pays du statut de parent pauvre de l'Europe à celui de grande puissance industrialisée.

LA RECONSTRUCTION

Ravagée par presque deux ans d'intenses combats, l'Italie se retrouve, comme ses voisins français et allemands, face à l'énorme tâche de la reconstruction économique. Les obstacles ne manquent pas, à commencer par la faible taille du secteur industriel presque exclusivement concentré dans le nord de la péninsule et le sous-développement du Mezzogiorno où règne un fort sous-emploi (environ trois millions de chômeurs à la fin de la guerre). La solution va venir, entre autres, de ce Sud, de sa population qui émigre alors vers le Nord industriel soutenir non plus l'effort de guerre mais l'effort de reconstruction. Le pays affiche très vite un visage radieux avec une croissance de près de 6 % par an que lui envient alors les grandes puissances du moment. Les gouvernements en place alternent mesures protectionnistes, libérales et même interventionnistes (la Démocratie chrétienne est pourtant au pouvoir !). Signe de la bonne santé de l'économie, les entreprises recommencent à exporter.

Tous les indicateurs économiques sont favorables. Ainsi, la production industrielle triple de 1950 à 1960. Durant ce laps de temps, l'Italie a profité de sa lancée pour intégrer la Communauté économique européenne (traité de Rome en 1957). A partir de l'année 1960, on a coutume de dire que débutent les années du «miracle économique» italien. Les spécialistes les font durer jusqu'en 1973. Ces années se caractérisent par une amélioration sensible des conditions et du niveau de vie des Italiens, ceux-ci accédant à la société de consommation (l'enrichissement national profite à tous ou presque !). Malgré cela, les disparités régionales restent fortes, surtout dans le Mezzogiorno où le métayage est aboli seulement en 1962.

LA CRISE ET SON DENOUEMENT

Ces résultats encourageants, voire inimaginables au lendemain de la Deuxième Guerre mondiale, tant l'économie du pays était désorganisée, seront suivis d'une période de dépression. En 1973, suite à la crise du pétrole, l'économie péninsulaire s'enfonce dans une période de marasme, tout comme celle de ses partenaires européens et du monde capitaliste. Des années d'efforts sont réduites à néant pour ce pays qui venait à peine d'intégrer le cercle très fermé des nations industrialisées. A peine un an après le choc pétrolier, les indicateurs économiques virent au rouge. Le pays est la proie d'une inflation galopante et accuse une forte diminution de son activité industrielle. Le déficit public se creuse et l'économie souterraine se développe dans des proportions affolantes, si bien qu'à la fin des années 70, environ 20 % de la population active italienne travaille au noir.

Comme pour les autres économies mondiales, le deuxième choc pétrolier entraîne de nouvelles difficultés économiques pour la péninsule, où sévit une inflation toujours plus importante, sans commune mesure avec celle de ses neuf partenaires européens de l'époque. Mais à partir de 1983, l'Italie semble rompre avec la dépression qu'elle connaît alors depuis près de dix ans.

Cette tendance va alors se confirmer et l'économie redémarre. On a parlé pour cette époque de second miracle économique en comparaison avec la période de croissance de l'après-guerre. L'année 1987 va, sur un plan strictement économique, marquer les esprits, comme étant celle où l'Italie réussit à se hisser au niveau des grandes nations industrielles de ce monde. En effet, le produit national brut de l'Italie dépasse cette année-là (année du «sorpasso») celui de la Grande-Bretagne. Malgré la bonne tenue de certains indicateurs économiques, les problèmes n'ont pas totalement déserté l'économie italienne, comme, par exemple, le travail au noir.

L'ECONOMIE AUJOURD'HUI

Aujourd'hui l'Italie est la cinquième puissance économique du monde. D'une économie fortement dominée, après-guerre, par l'agriculture et le secteur industriel, l'Italie est désormais passée à une économie soutenue par le secteur tertiaire qui emploie 61 % des actifs (l'agriculture : 7 % des actifs).

La vie rurale est caractérisée par le maintien fréquent de la grande propriété dans le Sud (latifundia), et ce, en dépit des nombreuses réformes agraires. Les cultures dominantes sont céréalières (blé, maïs, riz) et arbustives (vignes, oliviers, agrumes), notamment dans la plaine du Pô, en Toscane, ou dans les Marches. Le blé est la première production du pays et représente 19 % des surfaces cultivées, ce qui permet à l'Italie d'occuper le 16e rang mondial d'exportation de blé.

Le pays occupe le 10e rang pour le maïs, ce qui est plus qu'honorable, et reste le premier producteur de vin et d'huile d'olive au monde.

Le point noir reste l'élevage, dont la production insuffisante ne permet pas de répondre aux besoins nationaux et oblige à faire appel là encore à l'importation.

Quant à la géographie économique, elle a elle-même beaucoup changé. Entre le Nord industrialisé et le Mezzogiorno, une troisième entité économique a vu le jour depuis la dernière guerre, entité qui comprend approximativement les régions situées sur l'axe Rome, Florence, Bologne et Venise. Les secteurs les plus dynamiques sont la pétrochimie, l'équipement, la sidérurgie, la mécanique, l'électronique, les chantiers navals et électroménagers. Bien évidemment, les secteurs économiques dominants en Italie sont ceux de l'automobile, du textile et de l'habillement.

Miraculeuse, l'économie italienne n'en reste pas moins caractérisée par de nombreux points faibles et par notamment le sous-développement persistant du Mezzogiorno face à un grand Nord industrialisé. A cela s'ajoute son extrême pauvreté en ressources énergétiques, qui lui fait importer près de 85 % de ses besoins dans ce domaine. Cependant, s'il est vrai que l'absence de charbon, de pétrole et de minerai de fer se fait grandement ressentir, n'oublions pas que le sol italien contient du plomb et du zinc, ainsi que du gaz, et que l'hydroélectricité de la région alpine est très performante.

Sur le plan monétaire, rien de très réjouissant, mais l'Italie, grâce à une politique drastique, fait partie du premier train de l'euro. La lire n'avait pas intégré le serpent monétaire européen depuis 1992, et il fallut attendre le 24 novembre 1996 pour la voir réintégrer le mécanisme de taux de change du système monétaire européen. Même si la croissance resta faible durant ces dernières années, l'Italie réussit néanmoins à maîtriser son déficit budgétaire (qui est passé, en 1997, de 6,9 % à 3 %). Cependant, la reprise annoncée pour cette fin de siècle a été freinée par les crises financières asiatique et russe. Le pays affichait, en 1998, 1,4 % de croissance, soit la plus mauvaise performance de toute l'Union. Mais l'Italie fait partie des 11 pays autorisés par le sommet de Bruxelles à adopter l'euro.

L'économie italienne a ses **champions industriels**, les grands groupes (FIAT, 50 % du marché de l'automobile), mais surtout les nombreuses PME, très compétitives, qui fournissent des produits d'exportation à haute valeur ajoutée : électronique, bureautique (Olivetti), électroménager (Candy, Zanussi), chaussures, confections (Max Mara, Benetton, Ellesse, Sergio Tacchini), industrie du luxe (40 % des exportations italiennes : Valentino, Gianfranco Ferre, Giorgio Armani, Gucci, Gianni Versace). Ces PME sont particulièrement dynamiques en Italie, et regroupaient déjà en 1990 près de 60 000 entreprises, soit un emploi global de 1,5 million. En Emilie-Romagne, par exemple, cela représente une entreprise pour 12 habitants.

L'Italie exporte également avec succès ses produits **agroalimentaires**, sous des marques aussi connues que Motta, Barilla, Buitoni ou Martini.

Le tourisme est un secteur non négligeable de l'économie, puisqu'il s'agit d'un des plus importants du monde ; il représente 7 % du produit intérieur brut national.

Forte de son **héritage artistique**, l'Italie recycle ce talent avec brio dans le domaine industriel et constitue une des grandes nations du design. Le pays est ainsi le premier exportateur mondial de meubles et les designers automobiles travaillent pour de nombreux constructeurs mondiaux.

SOCIETE

EVOLUTION DE LA SOCIETE ITALIENNE

L'Italie ne peut se comprendre sans son passé. En effet, ce n'est que depuis 1861 que cet Etat existe en tant que tel. Ce manque historique de centralisation explique sans aucun doute le régionalisme très profond des Italiens (qui seront toujours d'abord turinois ou bolognais, avant d'être italiens, ce que l'on appelle «campanilisme», ou chauvinisme régional), ainsi que cet écart entre le nord et le sud, qui divise presque le pays en deux.

Par ailleurs, il ne faut pas oublier que l'Italie a toujours connu un nombre inimaginable d'invasions de toutes sortes, qu'elles soient pacifiques (pensez aux romantiques du XIXe siècle, ou aux touristes actuels !) ou guerrières. Par exemple, vous pouvez retrouver dans les caractères physiques des Lombards ou des Vénitiens l'ancienne présence des Goths et d'autres conquérants germaniques. La langue italienne porte, elle aussi, les preuves de ce métissage constant. Ainsi, *ragazzo et magazzino* sont des mots d'origine arabe (les Arabes furent longtemps présents en Sicile), tandis que *albergo, banca, guardia* ou *sapone* sont d'origine germanique.

Et c'est de cette façon qu'il faut aborder l'Italie, comme un creuset qui, au cours des siècles, a intégré et assimilé un certain nombre d'éléments parfois disparates sans jamais s'imposer d'Etat centralisateur et régulateur. D'où une certaine défiance, toujours aussi forte, des Italiens face à toute institution politique. Méfiance justifiée, lorsqu'on considère l'instabilité gouvernementale et la corruption de ces 40 dernières années ! Un dicton, qui en dit long, résume ainsi la situation : «fatta la legge, trovato l'inganno» («loi votée, parade trouvée»).

Jusqu'à la fin de la Deuxième Guerre mondiale, la société italienne était essentiellement centrée autour de l'agriculture. 40 % de la population en vivait ; seul le nord était industrialisé. Cette main-d'œuvre agricole était particulièrement pauvre et surtout concentrée dans le sud. Ces *braccianti* n'étaient employés qu'à la journée, et avaient des conditions de vie très difficiles. C'est cette grande précarité, combinée à un fort taux de natalité, qui explique l'exode massif des Italiens depuis près d'un siècle.

Ce mouvement d'émigration a commencé au XIXe siècle. Entre 1870 et 1914, il y eut une première vague de migration en direction des Amériques (Etats-Unis et Argentine, notamment), dont le point culminant fut le début de ce siècle, avec 600 à 700 000 émigrants chaque année. Entre 1945 et 1960, l'émigration se tourna plus vers les pays européens industrialisés, comme la France, l'Allemagne, la Belgique, la Suisse ou l'Angleterre. On estime à l'heure actuelle qu'il y a près de 5 millions d'Italiens dans le monde, et pas loin de 58 millions de personnes d'origine italienne installées un peu partout !

Plus sérieusement, ce développement inégal de la péninsule a entraîné un mouvement massif des Italiens du sud vers les centres industriels du nord en pleine prospérité dans les années 60 (le «triangle industriel» formé par Turin, Gênes et Milan). Entre 1958 et 1963, près d'un million d'Italiens suivirent ce mouvement. Le tissu urbain et la société traditionnelle s'en sont retrouvés profondément transformés. Citons, par exemple, ces *case popolari,* logements sociaux construits rapidement afin de couvrir le flux d'émigrés, et qui relèvent plus d'une urbanisation sauvage parfois destructrice pour les sites historiques. Autre conséquence négative de cet exode massif : un certain mouvement d'intolérance s'est développé envers les *terroni,* les boueux du sud, et notamment à travers les *leghe* (les ligues), ces partis politiques qui prônent le séparatisme. Cependant, cela permit à l'Italie de se «déprovencialiser», en quelque sorte, en réalisant une éducation de masse et une scolarisation intensive.

Autre conséquence de ce «miracle» économique des années 60 : une nouvelle classe sociale est apparue, celle des entrepreneurs. Des fortunes colossales se sont bâties au cours de ces années, dans le pétrole, le bâtiment, l'automobile... Dans les villes de province se sont développées de petites et moyennes entreprises artisanales familiales. L'aristocratie trouva sa nouvelle place dans la société, en investissant dans la mode, la viticulture, les arts ou l'agroalimentaire.

Le paysage économique italien changea grandement durant ces années, et il s'ensuivit une hausse et une amélioration du niveau de vie. Par exemple, le nombre de voitures est passé de 1 392 525 en 1958 à 5 472 591 en 1965. Suite à ces changements, de nouvelles valeurs s'imposent. La société subit de profonds bouleversements idéologiques.

La famille, qui fut pendant longtemps le fondement même de la société italienne, tend peu à peu à perdre de son influence, notamment avec l'institution du divorce. Le nombre d'assurés sociaux croît, passant de 13 245 000 en 1946 à 30 772 600 en 1975 (soit 60 % de la population).

En 1992, la révolte des juges, et l'opération *Mani pulite* bouleversa beaucoup les esprits en mettant en évidence la corruption des milieux politiques et financiers, et la main-mise de la mafia sur ces milieux. Cette opération fut largement soutenue par la population, et ne renforça pas la puissance des Ligues, comme on pouvait le craindre. Les gouvernements d'Amato, Ciampi, Berlusconi, Dini, Prodi menèrent des politiques de rigueur pour assainir les finances publiques, et purent ainsi restaurer la confiance internationale et revaloriser l'image de l'Italie.

L'IMMIGRATION

Historiquement, nous l'avons vu, l'Italie est un pays d'émigration. Cependant, depuis quelques années, l'immigration devient de plus en plus importante dans la Péninsule. On trouve trois types d'immigrations.

Les descendants des émigrés italiens. On constate en effet, depuis quelques années, un équilibre entre le nombre de départs d'Italie et le nombre de retours. La diaspora italienne des 2e et 3e générations revient aux sources. Le code de la nationalité est particulièrement souple dans ce cas-là.

Vient ensuite **l'immigration extra-communautaire,** la plus importante. En 1996, les immigrés officiellement enregistrés étaient plus d'un million. Ils proviennent surtout du bassin méditerranéen (Afrique du nord et pays slaves), des pays d'Europe de l'est (Pologne), d'Asie (Philippines et Chine) et d'Afrique noire (Nigéria, Sénégal). Il est possible de s'installer légalement en Italie, grâce au regroupement familial, ou en exerçant un travail régulier qui assure un revenu certain. On estime à environ 600 000 les immigrés clandestins, par définition difficiles à quantifier.

Pour être naturalisé italien, il faut avoir résidé depuis au moins 10 ans en Italie, faire preuve d'une bonne connaissance de la langue et d'une «prédisposition» à l'intégration dans le pays. En 1999, 250 000 sans-papiers ont été naturalisés. Ce phénomène récent d'immigration a été contrôlé par des mesures législatives. La loi Martelli met en place un système de permis de séjour délivré par les préfectures, uniquement pour des raisons liées au tourisme, au secteur professionnel, aux études, à la famille ou à la religion.

Le troisième type d'immigration, encore minoritaire, est **intra-communautaire**. En effet, l'Italie a un manque de diplômés (qui s'élève à près de 20 000 ingénieurs par an). Le recrutement au sein de l'Union Européenne paraît donc être une solution intéressante.

LES FEMMES

En Italie aussi, les féministes et la révolution sexuelle des années 70 ont laissé leur empreinte dans la société. Il est en effet maintenant quelque peu caricatural de parler de machisme... Les femmes ne sont plus enfermées dans ce rôle réducteur de «mama». Garçons et filles suivent la même éducation, ont les mêmes espérances professionnelles. Le divorce est permis depuis 1970, de nouvelles méthodes contraceptives sont apparues, l'avortement a été dépénalisé. Les femmes trouvent de nouvelles fonctions dans la société, et le taux de natalité (1,2 enfant par couple) est le plus bas du monde.

Cependant, les sondages montrent que la famille reste au centre des préoccupations. Une partie des femmes semble préférer se consacrer entièrement au foyer familial. La famille est en effet une notion très forte et importante dans la société italienne. Ses racines proviennent notamment du passé rural italien, à l'époque où la survie de chacun dépendait de la cohésion et de la coopération du groupe familial large.

LA RELIGION

97 % de la population est baptisée, mais seulement 10 % va à la messe régulièrement. Loin des clichés encore une fois, l'influence politique de l'Eglise est allée en s'amenuisant depuis les années 60. Cependant, l'Italie regroupe sur son territoire nombre d'églises, de Saints, et de sanctuaires du monde chrétien. Il y a aujourd'hui près de 43 000 prêtres, contre 84 000 en 1901.

A cela s'ajoute le fait que le Vatican se trouve en Italie. Cependant, ne mélangeons pas tout. Le Pape est à la tête du Vatican, et a à sa charge près de 850 millions de catholiques dans le monde. L'Eglise italienne est dirigée par un cardinal et par le conseil épiscopal italien, et est une ramification de l'ensemble du monde catholique. L'Eglise italienne et le Vatican n'ont pas d'autres rapports, et ce depuis 1870, date à laquelle les papes ont abandonné le pouvoir politique dont ils disposaient. Il faudra attendre les accords de Latran, en février 1929, remplacés par le Concordat de février 1984, pour délimiter un territoire et préciser l'indépendance du Vatican. Celui-ci jouit dès lors du statut d'Etat indépendant.

LES TRADITIONS

Les traditions italiennes sont particulièrement intéressantes. Dans le calendrier des fêtes religieuses s'insèrent d'étonnantes inventions populaires, qui ne sont pas sans rappeler les goûts de la Rome ancienne pour les fêtes païennes. Rappelons que le christianisme a ainsi absorbé un certain nombre de superstitions païennes.

Ces fêtes folkloriques sont avant tout une espèce de ciment social permettant à toutes les couches de la population de se retrouver sur la place du village ou de la ville, et de célébrer ensemble une même appartenance à un groupe. Et effectivement, les fêtes sont aussi nombreuses que les villes, villages, ou régions ! Chacune a sa particularité, qu'elle soit religieuse, culinaire, historique ou politique, et c'est un moyen pour chaque province de s'affirmer. Nous vous renvoyons au charmant livre d'Italo Calvino *Fiabe Italiane (Contes italiens*, Gallimard, 1995), ou à celui de Stendhal *Rome, Naples, et Florence* (Folio Gallimard, 1987).

Certaines fêtes sont très célèbres, comme le carnaval de Venise en février, ou la *Regata storica* en septembre qui est un cortège d'embarcations anciennes somptueusement parées.

A Marostica, près de Vicence, vous pourrez assister, durant les mois de septembre des années paires, au célébrissime jeu d'échec vivant.

A Pise, durant le mois de juin, deux fêtes se succèdent : celle du jeu du pont (*il gioco del ponte*) et la *luminara di San Ranieri*, le 16 juin. Celle-ci a lieu en l'honneur du saint-patron de la ville, né en 1118 et mort en 1161. Ce jeune moine a mené une vie exemplaire, notamment en combattant en Terre Sainte. Lorsque sa dépouille fut placée dans la chapelle de Pise, en 1688, toute la ville fut illuminée par des bougies. Et cela dure depuis ce temps. Pise apparaît alors sous un jour tellement romantique qu'on ne peut que conseiller d'y assister. La fête, plus sportive, du jeu du pont consiste, elle, à opposer deux équipes (de deux quartiers différents). Chacune pousse un poids du côté adverse. Elle a lieu chaque premier dimanche de juin.

A Sienne a lieu la fête du Palio, célèbre dans le monde entier, tandis qu'ont lieu à Arezzo les joutes du Sarrazin en septembre.

Les festivités sont aussi bien évidemment gastronomiques, chacune ayant sa spécialité. Par exemple, à Noël, vous aurez le plaisir de manger du *panettone,* et à Pâques de la *colomba*.

A Camogli, près de Gênes, se célèbre la «*sagra del pesce*». Dans de gigantesques poêles, d'immenses quantités de poissons sont frites. A Vérone, des *gnocchi* sont distribués toute la journée.

En bref, les réjouissances ne manquent pas en terre italienne !

FETES

L'Italie a hérité de son histoire une pléthore de fêtes traditionnelles au caractère le plus souvent religieux, qui s'échelonnent sur l'ensemble de l'année. Les principales se déroulent dans la partie nord du pays, et particulièrement en Toscane.

Fêtes et célébrations religieuses

JANVIER

A **Sutri** (Viterbo), se déroule la fête de saint Antoine, avec, comme temps fort, une parade de chevaux caparaçonnés et une distribution de produits locaux.

A **Aoste**, la foire de San Orso est l'une des plus importantes du genre. Elle a pour spécialité les produits artisanaux, surtout en bois.

FEVRIER

A **Viareggio** (Toscane), on assiste au grand défilé masqué du carnaval avec chars allégoriques et humoristiques.

A **Aci Reale** (Sicile), on pourra assister à l'un des carnavals de l'île à l'occasion duquel la population défile habillée de costumes moyenâgeux.

A **Vérone** (Vénétie) a lieu la Bacanal del Gnoco, en l'honneur de cette pâte à base de farine de pomme de terre dont on distribue des quantités (g)astronomiques sur la place du Duomo. A **Venise** a lieu le célèbre carnaval qui n'est plus à présenter. Le monde entier s'y rend vêtu de déguisements tout simplement somptueux.

MARS

A **Castel Arquarto** (Emilie-Romagne), près de Piacenza, la fête de saint Joseph donne lieu à la fabrication d'une délicate pâtisserie, les *tortelli.*

A **Sienne**, la fête de saint Joseph est revue et corrigée par les habitants du quartier Onda où se déroulent les festivités.

AVRIL

Dans la principauté de B, le 1er du mois a lieu l'investiture des régents de la ville. La ville de **Lucques** est le cadre d'un *festival della Libertà*, commémorant l'époque où la ville était une république indépendante.

A **Florence** (Toscane), le midi de Pâques se tient sur la place du Duomo le «Scoppio del Carro», littéralement «l'explosion d'un char» provoquée par une colombe en guise de détonateur. A **Termi** (Ombrie), le 30 se tient la fête du chant populaire ou «Cantamaggio», qui célèbre, avec un mois de retard, le retour du printemps.

MAI

A **Naples** (Campanie), le premier samedi du mois, a lieu la célèbre fête qui commémore le miracle de saint Janvier. A cette occasion, Naples attend fiévreusement que le sang du saint, conservé séché dans une ampoule, veuille bien se liquéfier. A **Gubbio** (Ombrie), le 15, se déroule l'une des grandes fêtes traditionnelles italiennes, la «Corsa dei ceri», littéralement «la course des cierges».Toujours à Gubbio se déroule, le dernier dimanche du mois, le «Palio della balestra», très ancienne compétition d'arbalète, sur la place de la cité.

JUIN

A **Pise** (Toscane), le 1er du mois, la ville accueille le «Gioco del ponte», une fête costumée remontant au XVIe siècle. A **Massa Maritima**, près de Grossetto, la ville est le cadre de la rustique course de Girifalco. Elle oppose à dos de vaches trois quartiers de la ville, dont les habitants encouragent bruyamment leurs champions et leurs étonnantes montures. A **Pise**, le 17 juin se déroule la traditionnelle fête de san Ranieri, remarquable pour sa confrontation navale sur l'Arno des huit anciens quartiers de la cité toscane.

A **Florence** (Toscane), pendant 5 jours de festivités (du 24 au 28) se déroule «il calcio storico», ce match de football en costumes d'époque tant attendu des Florentins. Cette partie de «balle au pied» traditionnelle a lieu chaque année en juin depuis le XVe siècle.

A **Ferrare** (Emilie-Romagne), le 14 du mois, le Palio de san Giorgio n'est pas aussi célèbre que son pendant de Sienne, mais revêt un intérêt égal.

Venise - Carnaval

JUILLET

A **Sienne** (Toscane), le 2 du mois, la ville accueille le spectaculaire palio. Cette course de chevaux dont les origines remontent à l'aube du XIIIe siècle oppose autour de la place du Campo les dix quartiers qui, au Moyen Age, formaient la superbe cité toscane. A **Venise** (Vénétie), le troisième samedi du mois, se déroule la fête nocturne du Rédempteur dans le quartier de la Giudecca. Ces festivités commémorent la fin de la peste de 1576. Elles ont pour cadre la lagune de la cité maritime envahie pour l'occasion par un grand nombre de gondoles décorées.

AOUT

A **Città della Pieve** (Ombrie), après le 15 août, a lieu le «Palio dei terzieri» : les trois quartiers forment un cortège de 700 personnes costumées, accompagnées de saltimbanques ; le cortège est précédé de spectacles théâtraux et de reconstitutions historiques et suivi d'une épreuve de tir à l'arc. A **Sienne**, le 16 du mois, la ville est envahie par les compétiteurs du *palio* et leurs partis venus concourir dans la deuxième manche de la fameuse course.

SEPTEMBRE

A **Arezzo** (Toscane), la ville fête chaque année, le premier dimanche du mois, la traditionnelle «Giostra del Sarracino». Durant cette fête d'origine médiévale, on assiste à de superbes défilés d'habitants en costumes d'époque et, surtout, à la joute (*giostra*) opposant symboliquement un mannequin (le sarrasin) à huit cavaliers lourdement armés.

A **Venise** (Vénétie), le 5 du mois, a lieu la grande régate historique sur le Grand Canal où des dizaines de gondoles s'affrontent en un ballet étourdissant.

A **Lucques** (Toscane), le 13, la «Luminara di Santa Croce», prend possession des rues de la ville. C'est une procession nocturne illuminée, en l'honneur d'un crucifix auquel la population prête des dons divins, *il famoso Volto Santo* («visage saint»).

A **Asti** (Piémont), la ville est en proie aux débordements festifs du Palio. Au programme, on trouve un défilé pour le moins impressionnant des habitants costumés de la cité, rendus euphoriques par le vin qui coule à flot.

OCTOBRE

A **saint Marin**, le 1er du mois voit l'investiture de régents pour la deuxième fois de l'année (voir Avril).

DECEMBRE

A **Vérone** (Vénétie), au cours de la deuxième semaine, se tient une foire du jouet en bois, idéalement fixée à quelques semaines des fêtes de fins d'année.

A **Sienne** (Toscane), le 13, a lieu la fête de santa Lucia, cadre d'un important marché de poteries sorties tout droit des ateliers artisanaux toscans.

FESTIVALS (Italie du Nord)

Gubbio : spectacles dans le théâtre romain (mi-juillet, mi-août).

Orvieto : concert d'été (juillet-août).

Pérouse : «Umbria Jazz». Créé en 1973, c'est un des plus importants festivals de jazz européens. Des centaines de concerts dans la vieille ville ou dans le grand stade avec des «pointures» du jazz.

Pesaro : festival international du nouveau cinéma (juin).

San Remo : célébrissime festival de la chanson italienne (début février) et festival du film d'auteur (fin mars).

Spolete : festival des Deux Mondes. Créé en 1958, c'est un festival international (Europe, Etats-Unis) de théâtre, de musique et de danse (du 23 juin au 10 juillet).

Turin : festival des jeunes artistes méditerranéens (mi-avril, mi-mai).

Trieste : festival de l'opérette (juin à août).

Venise : Mostra internazionale d'arte cinematografica, un des plus célèbres festivals de cinéma avec Cannes et Berlin (de fin août à début septembre).

Vérone : art lyrique dans les arènes (juillet-août).

Viareggio : festival Pucciniano lyrique et musical (du 20 juillet au 15 août).

Saison lyrique et théâtrale

Gênes : opéra de janvier à juin.

Milan : saison lyrique à la Scala de décembre à juin.

Sienne : saison lyrique de novembre à mai.

Trieste : saison lyrique d'octobre à avril.

Venise : saison lyrique à la Fenice de décembre à juin.

Venise - Carnaval

ARTS

MUSIQUE

Classique

La musique commence naturellement par la religion. On chante en latin les chants grégoriens et ces refrains constituent les premiers tubes de la musique mondiale. **Guy d'Arezzo** invente les notes et la lecture musicale, les troubadours se produisent hors les frontières pour promouvoir madrigaux et chansons épiques.

C'est la Toscane qui sera le berceau d'une véritable évolution musicale. A la cour florentine de Laurent le Magnifique, les musiciens rivalisent pour mettre les plus belles poésies en accords, à Sienne est fondée la première académie.

Le XVIe siècle voit l'avènement d'un très grand compositeur religieux, Palestrina, et d'un pape très mélomane, Léon X. A la fin du siècle, c'est encore à Florence que naît un genre qui va révolutionner la composition : l'opéra. Un compositeur natif de Crémone va lui donner ses premières lettres de noblesse avec son *Orfeo,* joué pour la première fois en 1607 : **Monteverdi** est le premier d'une liste prestigieuse.

A Crémone, un facteur de génie, **Stradivarius**, produit des instruments qui donnent encore davantage de relief aux œuvres des **Scarlatti** et bientôt **Vivaldi.** Sonates et concertos apparaissent à la fin du XVIIe siècle, ce qui ne ralentit pas la production de musique religieuse et d'opéras (Albinoni, Pergolèse, Cavalli). Dans le courant du XVIIIe siècle, l'opera buffa «donne de la fantaisie à l'opéra en se popularisant.

Le grand opéra italien, celui que l'on entend sur toutes les scènes du monde, coïncide avec l'esprit de liberté du Risorgimento. **Bellini** et sa *Norma,* **Donizetti** et sa *Lucia di Lamermoor,* Puccini et sa *Bohème,* **Rossini et Verdi,** composent le quintette magique du XIXe siècle. Les grandes salles connaissent une renommée mondiale, la Scala de Milan, le San Carlo à Naples, la Fenice à Venise.

Le XXe siècle est marqué par quelques musiciens contemporains estimables (Nono, Respighi). La grande tradition est bien préservée par les interprètes : Callas immortalise la *Norma* de Bellini et les plus grands airs de l'opéra italien. **Ruggero Raimondi, puis Luciano Pavarotti** apportent leurs voix à l'art lyrique.

Variétés

Mais, comme partout en Europe, les chansons douces et réalistes, les refrains populaires envahissent les premières radios. *Come Prima* date des années 50, bientôt repris par Dalida. Un peu plus tard, Domerico Modugno (*Volare*, repris par les Gipsy Kings), Toto Cutugno (*L'Italiano*), Bobby Solo et son inusable *Una lacrima sul viso* ou le crooner Adriano Celentano (*24 000 baci*, également chanté par Dalida). Des années 70, on retiendra *Drupi Vado via, Ricchi e Poveri Sara perché ti amo, Umberto Tozzi Tu* et le lancinant *Ti amo* (Ah ! que de slows nous reviennent en mémoire !). Puis, dans les années 80-90, Gianna Nannini (l'amazone à la voix rauque qui chantait *I maschi*), Marco Masini (*Perché lo fai*), Giorgia (la Whitney Houston italienne), Laura Pausini (*La Solitudine*, gros succès commercial) et le «latin lover» dans toute sa splendeur, Eros Ramazzotti le bien nommé. Au début des années 80, le disco marche bien avec Fizzi Contini, on entend et on regarde de près les formes avantageuses de Sabrina, on écoute Pino d'Angelo et Raf (*Self control).*

Parmi les chanteurs populaires de qualité, on trouve des auteurs compositeurs («i cantautori») en activité depuis une vingtaine d'années et indémodables : Claudio Baglioni, Lucio Battisti, Francesco de Gregori, Fabrizio de Andre, Franco Battiato, Lucio Dalla (le créateur de la chanson *Caruso* reprise par Pavarotti et Florent Pagny) et le groupe I Nomadi. Il faut aussi citer deux chanteurs populaires au succès international, d'un genre très différent : Zucchero, l'énergique bluesman rock, et Andrea Boccelli, le ténor aveugle qui chante aussi bien le classique que la variété ou le folklore napolitain (*Con te partira*...). De tendance plus jazzy et mélancolique, on retiendra deux auteurs interprètes de talent venus assez tard à la musique et malheureusement plus connus en France que chez eux : Paolo Conte et Gian Maria Testa.

Pour le jazz proprement dit, on citera les trompettistes Enrico Rava, Paolo Fresù et le batteur Aldo Romano. On peut parler encore de la musique populaire engagée et polyphonique de Giovanna Marini, de la musique régionale avec le Milanais Walter Valdi et le Napolitain Eduardo Bennato. Le plus gros tube de la chanson napolitaine a cent ans : *O sole mio*, que son auteur vendit 25 lires avant de mourir dans la misère.

Pour vous mettre vraiment dans le bain actuel, écoutez Skiantos, Ligabue et Litfiba pour le rock, Pitura Freska, Niù Tennici et la Tosse pour le reggae, Jovanotti, Mickey Mix et Anticolo 31 pour le rap et l'inclassable Elio e le Storise tese, spécialisé dans le pastiche et l'humour subversif au second degré. Enfin, pour les mordus de dance music, impossible d'oublier la chanteuse Gala (*Free from desire*).

ARCHITECTURE CONTEMPORAINE, DESIGN

Si l'Italie est tellement attrayante et si ses villes sont tant visitées, c'est qu'à travers toutes les époques de grands créateurs les ont façonnées avec beaucoup de génie. Bien sûr, ce sont les vestiges antiques et les constructions du Moyen Age ou de la Renaissance qui attirent la plupart des touristes : que serait Rome sans le Colisée ou les places dessinées par **le Bernin**, Pise sans la tour, Venise sans la basilique saint Marc, Florence sans le Palazzo Vecchio ?

Cependant à l'instar de leurs prestigieux aînés, les architectes contemporains ont réussi à inventer un style purement italien. Au début du siècle, quand naissait l'architecture moderne, **Pier Luigi Nervi**, un jeune ingénieur, commença à construire des édifices prometteurs en inventant de nouveaux procédés techniques et en utilisant de manière esthétique le béton armé. Ce structuraliste bâtit au début des années 30 le majestueux stade de Florence, puis continua sur sa lancée avec le Stadio Flaminio et le Palazzetto dello Sport à Rome. On lui doit également l'immeuble Pirelli de Milan (réalisé avec un confrère aussi talentueux, Gio Ponti) que tous les étudiants en architecture connaissent. A la même époque, Guiseppe Terragni jetait les bases du rationalisme italien en mêlant astucieusement le régionalisme et le modernisme. Cet architecte audacieux fut aussi un chantre du fascisme en dessinant, par exemple, pour Mussolini la Casa del Fascio (la Maison du Fascisme) à Côme, une œuvre de référence contestable. Avec Nervi et **Terragni** (qui trouvaient un écho en France avec Le Corbusier, en Allemagne avec Gropius et aux Etats-Unis avec Franck-Lloyd Wright), le modernisme était lancé.

Dans les années d'après-guerre, **Carlo Scarpa**, un Vénitien très influencé par sa ville, insuffla un vent nouveau avec des constructions rappelant Franck Lloyd Wright, empreintes d'Art nouveau, et qui voulaient perpétuer les traditions gothique et byzantine de Venise. Dans ses réalisations, tels le cimetière de Brion à Trévise ou la Banque populaire de Vérone, on remarque l'importance qu'il accorde aux détails comme les liaisons entre les matériaux. Plus tard, l'incontournable Milanais **Aldo Rossi**, récemment décédé, fondateur du mouvement Architecture Relationnelle et théoricien (Architectura della Città), garda en mémoire la tradition classique pour dessiner ses bâtiments qu'on pourrait qualifier de néoclassiques. Très caractéristique de son style, le cimetière San Cataldo à Modène, à la ligne assez épurée, conserve les couleurs italiennes où l'ocre domine. Voir aussi ses logements de Milan. Nous pouvons enfin retenir deux noms d'architectes contemporains, très en vogue l'un et l'autre mais montrant une griffe différente : **Massimiliano Fuksas** à la facture dépouillée riche de symboles et **Renzo Piano**, figure emblématique du high-tech, concepteur du Centre Georges Pompidou à Paris (avec Richard Rogers) et du bâtiment de l'Ircam juste à côté.

Parallèlement à l'architecture, le design italien connaît une notoriété bien ancrée. Ce sont d'ailleurs certainement les Latins qui ont inventé les arts décoratifs contemporains. Ce sont également des sociétés italiennes (souvent basées à Milan, centre mondial du design avec son inévitable Foire internationale annuelle) qui éditent les objets les plus populaires : **Alessi, Artemide ou Baleri** gardent un quasi-monopole sur ce marché de plus en plus prisé. Trois personnalités s'en détachent : d'abord **Ettore Sottsass**, auquel le Centre Georges Pompidou a rendu hommage en 1993 et qui a commencé dans les années 50 pour s'affirmer, dans les années 70, avec un travail comparable à celui de Starck en France. Cet avant-gardiste touche-à-tout (écrivain, architecte, designer...) a travaillé pour les plus grandes firmes et imposé sa touche. A la même époque, **Achille Castiglioni** revisita tous les objets de la vie courante en leur donnant des formes ergonomiques et épurées avec des matériaux bruts et des couleurs primaires.

Enfin, plus récemment, Alessandro Mendini a bâti sa notoriété sur des couleurs affirmées et de grands classiques revus et corrigés (le fauteuil Louis XV «Proust» avec un tissu taché). Egalement très polyvalent, **Mendini** a créé le groupe Alchemia, dirige la rédaction de prestigieuses revues telles que *Modo, Casabelle* ou *Domus* et conseille en tant que directeur artistique chez Alessi et Swatch. Pour ne pas oublier la nouvelle vague de créateurs, Massimo Iosa Ghini fait beaucoup parler de lui grâce à ses formes arrondies qui rappellent les années 50 et ses couleurs pures et intenses.

En conclusion, la créativité italienne n'a jamais failli, et elle demeure une référence intemporelle qui échappe aux modes et aux tendances les plus furtives.

MODE

Depuis quelques années, les couturiers et créateurs italiens sont revenus sur le devant de la scène. Parmi eux, quatre grands noms se distinguent : **Gucci, Prada, Armani et Versace**. Gucci, après l'assassinat de son héritier, a été repris par l'américain Tom Ford. Cette marque, autrefois connue pour sa maroquinerie et ses fameux mocassins à mors en nubuck, est aujourd'hui célèbre pour sa sobriété dépouillée. C'est la marque chouchou des rédactrices de mode et des top-models maigrissimes. Vous croyez voir une simple jupe noire comme tant d'autres, mais remarquez la minuscule ceinture en reptile qui souligne les hanches et qui est frappée du célèbre G. Car la nouvelle mode, c'est d'afficher la griffe ; à l'heure où nous écrivons, la tendance, pour les hommes comme pour les femmes, est de bronzer avec le string Gucci, sorte de ficelle avec un G au-dessus des fesses, et d'afficher ensuite sa marque de bronzage avec un pantalon taille basse.

Côté griffe, Giorgio Armani n'est pas en reste puisque nombre de ses articles (maillots de bain, ceintures, jeans) sont frappés du sigle E.A., Emporio Armani, qui ne signifie pas empire mais bazar Armani. Armani, lui, se situe plutôt dans le chic discret ; il habille par exemple Claudia Cardinale ou Isabella Rossellini. Il a lancé des lignes bis un peu moins chères, comme Armani Jeans. Il vient d'ouvrir un immense espace boulevard saint Germain à la place du Drugstore, ce qui a provoqué des remous dans le quartier qui se voulait littéraire et intellectuel et qui est devenu le nouveau repaire des créateurs. Pour Prada, c'est encore une histoire de famille et cela a aussi commencé par la maroquinerie. Miuccia Prada, la créatrice, après avoir donné ses lettres de noblesse à l'imprimé Deschiens, est aussi devenue la papesse de la sobriété luxe : votre chino est en toile beige comme celui de Steve MacQueen mais les coutures intérieures sont gansées de soie. L'empire Versace, même si c'est une histoire de famille comme pour Prada et Gucci, se démarque radicalement par son style; à l'opposé du chic de bon ton, du beige, du noir, Gianni Versace est l'emblème du «too much», du style show-bizz à outrance. Il est à la mode ce que le néo-classique et le néo-Empire sont à la décoration. Gianni Versace, en juillet 97, a tristement fait la une de l'actualité: son assassinat à Miami a endeuillé toute l'Italie. A la place des traditionnels «chiuso per ferie», les boutiques Versace ont fermé leurs portes l'espace d'un «chiuso per lutto», fermé pour deuil. A Rome, vous pourrez voir les fameux escaliers Trinità dei Monti où devait avoir lieu le défilé annuel Show Alta Moda avec Gianni Versace, mais qui, après son assassinat, furent recouverts de roses et de mots d'adieu comme «La moda sei tu» (la mode, c'est toi).

Dans un style plus classique, plus couture, citons Valentino, lui aussi ami des stars - il habille Claudia Schiffer et Sharon Stone - et qui se caractérise par son style «hollywoodien», sophistiqué (robes brodées de paillettes, incrustées de dentelle...). Gianfranco Ferre, ancien de la haute couture chez Dior, se situe aussi dans la lignée traditionnelle, genre «je vais à la cérémonie des Oscars», et habille, entre autres, Andie MacDowell et Iman Bowie. On peut aussi parler de Krizia, une marque officiant depuis longtemps mais qui connaît un regain d'intérêt parmi nos amies les stars, Missoni, pour ses imprimés célèbres portés par les tops, Cerruti, un classique décalé avec une touche top-tendance (robes transparentes brodées...), et Trussardi, dans le même esprit que Cerruti avec en plus de beaux articles en cuir (pantalons, jupes). Et, enfin, on ne peut pas oublier Dolce e Gabbana, les rois de la mode sexy mais fraîche ; ils parent Madonna, Demi Moore et Chiara Mastroianni de leurs robes et manteaux en mousseline à imprimés fleuris, léopard ou vigne vierge ornés d'immenses cols en fourrure.

LES ENFANTS DU PAYS

Saint Ambroise de Milan (339-397)

Cadre de l'administration de l'Empire romain (consul), encore novice en matière de religion, il est élu en 374 évêque de Milan, avec, pour toile de fond historique, les conflits entre chrétiens et ariens pour la prédominance de leur religion respective. Abandonnant honneurs et vie fastueuse, il va se consacrer à sa vie religieuse et devient la référence des plus grands (les empereurs Théodose et Gratien) en matière de religion. Ça ne l'empêche pas de les condamner, ainsi qu'il le fait de Théodose qu'il excommunie en 390. Quelques années avant sa mort, il convertit et baptise le futur saint Augustin. Il est le précurseur de l'idée selon laquelle l'Eglise est indépendante du pouvoir temporel et sa parole au-dessus de celle des empereurs en matière de foi. Référence incontournable, il est l'un des Pères de l'Eglise catholique.

Archimède (287 - 212 avant J.-C.)

Le plus grand mathématicien sicilien est né grec et ne vit jamais la Sicile romaine puisqu'il périt dans la prise de sa ville, Syracuse, lors du siège qui va déboucher sur la mise sous tutelle. Il aurait d'ailleurs pris une part active à la défense de la ville, utilisant son génie scientifique pour mettre le feu aux bateaux ennemis au moyen de jeux de miroirs et de loupes. Il avait alors soixante-quinze ans.

Après avoir passé une jeunesse heureuse à Syracuse, il quitte sa chère Sicile pour étudier l'astronomie et la géométrie à Alexandrie, à la suite du génial Euclide. (Il est l'auteur de plusieurs traités, comme *De la sphère et du cylindre* ou *La quadrature de la parabole*.) Devenu célèbre par ses travaux et ses découvertes, il va se lier d'amitié avec Eratosthène, celui qui allait, le premier, calculer le rayon et la circonférence de la Terre et faire progresser notablement l'arithmétique. Archimède se passionne également pour cette science à laquelle il offrira quelques théorèmes bouleversants. C'est pour sa contribution à la physique qu'il est cependant le plus connu, en particulier dans le domaine de la mécanique et de l'étude des fluides, après son retour à Syracuse. En découvrant la fameuse poussée d'Archimède et la loi qui régit le monde («tout corps plongé dans un liquide...»), il se serait écrié, en grec évidemment, «Eurekâ» (j'ai trouvé). Il est l'auteur de nombreuses machines de guerre, et ses prouesses dans le domaine mécanique sont à rapprocher de celles de Léonard de Vinci. Il aurait été tué par un soldat romain qu'il repoussait alors que celui-ci piétinait les figures géométriques qu'il était en train de dessiner dans le sable.

Amedeo Avogadro (1776 - 1856)

Le nombre d'Avogadro est connu de tous les étudiants qui ont croisé un cours de chimie. Il caractérise le rapport entre la masse atomique et celle d'un atome du corps considéré, et sa valeur est de 6,024 (1023, c'est-à-dire beaucoup. Né à Turin, c'est dans cette ville qu'il occupe la chaire de physique et publie son traité et sa découverte (un nombre constant de molécules dans un même volume).

Enrico Berlinguer (1922 - Padoue 1984)

Cette grande figure de la vie politique italienne de la deuxième moitié du XXe siècle commence sa carrière militantiste durant la Deuxième Guerre mondiale. Il adhère au Parti communiste (1943) qui participe activement à la Résistance. Gravissant les échelons de la hiérarchie du parti, il est élu député en 1968. En 1972, il est nommé secrétaire général du Parti communiste. Il est à l'origine d'une des situations politiques les plus originales qu'ait connues l'Italie, à savoir, au terme d'accord avec la Démocratie chrétienne, un soutien sans participation à son gouvernement. L'accord est rompu en 1978, et Enrico Berlinguer lance son parti sur la voie de «l'unification» des partis communistes européens. Indépendant de Moscou, Berlinguer condamnera l'intervention russe en Afghanistan. Sa disparition subite, après celle d'Aldo Moro, marquera profondément l'Italie.

Saint Benoît (480 - 547)

L'ordre bénédictin, c'est lui ! saint Benoît de Nursie (la Nursie correspond à l'Ombrie d'aujourd'hui) reçoit son éducation religieuse à Rome et a très tôt la vocation d'une vie ascétique, en réponse à ce qu'il juge être des déviances de la religion. Il va donc se consacrer entièrement à la prière et à la foi. La sévère discipline qu'il instaure fait bientôt de nombreux émules, et il fonde plusieurs monastères dans la région de Subiaco où il s'est retiré. Il a notamment pour disciples saint Maur et saint Placide, qui vont porter sa parole avec efficacité. La discipline imposée paraissant trop dure à de nombreux prêtres (certains veulent même l'empoisonner), il préfère s'éloigner en Campanie pour fonder la première abbaye bénédictine, celle du Mont-Cassin, qui va rayonner partout dans le monde, en suivant la Règle de saint Benoît, écrite par le bienheureux peu de temps après son installation. Il convertit à cette règle les membres de sa propre famille, et notamment sa sœur jumelle, sainte Scholastique, auprès de laquelle il est enterré dans l'abbaye.

Benoît XIII (1342-1422)

De son vrai nom Pedro de Luna, il est l'un des principaux acteurs du grand schisme d'Occident qui secoua la chrétienté au XIVe siècle. Elu pape en 1392 par le courant avignonnais, il est communément appelé l'antipape Benoît XIII. Au début du XVe, il tente de mettre fin au schisme mais est lâché dans cet exercice par ses anciens alliés, dont le roi de France qui l'assiège à Avignon même. Destitué par un concile œcuménique, il n'abandonnera jamais son titre.

Boniface VIII (1235 - 1303)

Elu pape le jour de Noël 1294, Boniface VIII, de son vrai nom Benedetto Caetani, sut imposer sa médiation et son autorité dans les conflits que se livraient les grands de son époque. On a coutume de dire de lui qu'il fut le dernier pape du Moyen Age, à l'image d'un Grégoire VII ou encore d'un Innocent III, soucieux de l'indépendance spirituelle de l'Eglise vis-à-vis du pouvoir temporel des princes.

Alexandre Borgia (1431 - 1503)

Ce membre éminent de la famille Borgia fut pape sous le nom d'Alexandre VI de 1492 jusqu'à sa mort, survenue en Espagne en 1503. Il a inauguré une nouvelle génération de papes, autoritaires et bâtisseurs, aux vues politiques souvent ambitieuses. Il est le père de César Borgia et a laissé de nombreux témoignages dans la Ville Eternelle, notamment le palais du Vatican par lui embelli. Il est enterré dans «l'église des Espagnols», Santa Maria di Montserrato.

César Borgia (1475 - 1507)

Fils du pape Alexandre VI, César Borgia marqua son temps par une cruauté sans pareille qu'il mit au service d'une ambition dévorante. Sous l'autorité de son père, il est fait, à 17 ans, évêque de Pampelune et archevêque de Valence. A 18 ans, il est fait cardinal. A la tête d'une fortune colossale provenant des revenus du saint Siège, il ambitionne un titre temporel. Grâce à son mariage (1499) avec Jeanne d'Albret, fille naturelle du roi de France, il acquiert le duché de Valentinois, puis le duché de Romagne, fief des Etats pontificaux que lui octroie son père. Là, il va s'attacher à écraser dans le sang toute velléité d'indépendance des cités et autres vassaux du duché. Briguant certainement le contrôle de toute l'Italie, lui qui n'avait pas hésité à faire assassiner son propre frère, va être la victime de ces mêmes pratiques. Son père disparu, la vengeance de Jules II, le nouveau pape, va le poursuivre en Espagne, où il sera assassiné à son tour.

Giovanni et Sebastiano Caboto (1450 - 1499 ; 1476 - 1557)

Marchand et navigateur génois, naturalisé Vénitien, Giovanni Caboto (ou Cabot) se met, en 1484, au service de la couronne d'Angleterre. En 1496, il se lance en compagnie de son fils à la découverte de l'Atlantique Nord, à la recherche d'une route qui mènerait vers les mers de Chine. C'est ainsi qu'il explore, en 1497, les côtes du Labrador. Giovanni mort, son fils Sebastiano continue l'aventure mais au service de l'Espagne cette fois-ci (1518). Elevé au statut de grand amiral de Castille, il se consacre, entre autres, à l'exploration du Brésil et effectue la remontée du Rio de la Plata. Sur le tard, il revient offrir ses services à l'Angleterre, et tente de trouver une route qui contournerait le continent asiatique par le nord. Il est ainsi à l'origine des relations commerciales poussées avec la Russie.

Jérôme Cardan (1501 - 1576)

Un des grands moteurs de la science mathématique. Né à Pavie d'un père collaborateur de Léonard de Vinci, Girolamo Cardano n'a pas fait que donner son nom à un type de suspension par le raccordement astucieux de deux pièces d'axes concourants. Cardan est le père de la théorie de la résolution des équations (même si on l'accuse d'avoir volé à Tartaglia celle des équations de degré trois), et l'un des fondateurs des théories différentielles qui permettent aujourd'hui à nos chères têtes blondes d'étudier des fonctions par le signe de leur dérivée. Après des études brillantes (il est tellement en avance dans ses recherches qu'il passe même pour un peu mage), il dirige la chaire de mathématiques à Milan, tout en pratiquant la médecine à sa façon ainsi que l'astrologie. Sa vie est émaillée d'événements tragiques (son fils fut exécuté à Pavie pour avoir tué sa femme) et sulfureux, liés à ses pratiques de savant visionnaire (auteur d'un horoscope sur Jésus-Christ, il fut jeté en prison pendant un an sur ordre des Inquisiteurs). Il mourut à Rome à la date qu'il avait prévue.

Giovanni Giacomo Casanova (1725 - 1798)

En voilà un qui a fait beaucoup pour la réputation des Italiens auprès des femmes. Ironie du sort, il se destine d'abord à la prêtrise, avant de se révéler dans l'espionnage et de mêler allégrement, bien avant James Bond, intrigues politiques et galantes, sans oublier le jeu. Ses prestations le promènent dans toute l'Europe, puis le ramènent à Venise. Il entretient avec sa ville natale des rapports «Je t'aime moi non plus» qui le font passer du statut de prisonnier (célèbre évasion de la prison des Plombs) à celui de diplomate. Mais il est surtout connu pour ses aventures féminines (72 au dernier pointage), contées dans le détail dans ses Mémoires. Sa vie a inspiré Fellini, Comencini et quelques autres.

Bonaventura Cavalieri (1598 - 1647)

Ce n'est pas le plus connu des mathématiciens italiens, il a pourtant fait faire un grand pas à cette science en reprenant la théorie des logarithmes de Neper et en approfondissant les calculs différentiels pour mener aux premiers balbutiements sur les primitives et intégrales. Il occupa la chaire de mathématiques de Bologne, à l'image de Jérôme Cardan quelques décennies plus tôt.

Cavour (1810 - 1861)

Camille Benso di Cavour est né en 1810 dans une famille aristocratique du Piémont attachée à ses racines, à ses origines françaises principalement et suisses. Très jeune, il embrasse une carrière militaire qu'il quittera relativement tôt pour se consacrer à l'exploitation du domaine familial. Passionné de voyages, ceux-ci l'amèneront à faire le tour des capitales européennes et à découvrir plus particulièrement l'Angleterre, la Belgique, la Suisse et, bien sûr, la France. Devenu journaliste, il entre en politique avec la création du journal Il Risorgimento (Le Réveil), qu'il fonde avec Balbo en 1847. Sa carrière est fulgurante. Il devient député dans les rangs du centre droit, puis, en 1850, il est nommé ministre de l'Agriculture du gouvernement d'Azeglio. Deux ans plus tard, il est appelé à la magistrature suprême, c'est-à-dire à la présidence du Conseil. En moins de dix ans, il réalise l'unité de l'Italie plutôt au profit du royaume de Piémont, s'opposant en cela aux néo-Guelfes, partisans d'une fédération italienne à la tête de laquelle prendrait place le pape, et aux thèses républicaines de Giuseppe Mazzini.

Galeazzo Ciano (Livourne 1903 - 1944)

Fils du compagnon d'armes de Mussolini durant la Première Guerre mondiale, et gendre de Mussolini lui-même après son mariage avec la fille du Duce, il intègre le gouvernement fasciste en 1933 en tant que directeur du service de presse du Duce, puis est nommé ministre de la Propagande en 1935. Son ascension est fulgurante. Ainsi, en 1936, il devient tout simplement le n°2 du gouvernement au poste clé de ministre des Affaires étrangères. Fervent admirateur de son beau-père, il s'en détache à partir de 1938, et plus encore en 1942, à propos de l'aventure guerrière aux résultats très incertains dans laquelle Mussolini souhaite lancer le pays. Il doit démissionner. En 1943, Ciano approuve la destitution de son beau-père, mais aura à regretter sa prise de position. Libéré par les SS, il est arrêté, puis fusillé en 1944, sur ordre du Duce.

Clément V (? - 1314)

Son élection comme pape intervient dans une période troublée de l'histoire de la papauté. En 1304, le Sacré Collège chargé de l'élection du pape se divise en deux camps bien distincts, reflets des forces et des Etats influents de l'époque : d'un côté, les profrançais et de l'autre les antifrançais. Le partage des voix étant équitable, Clément V, de son vrai nom Bertrand de Got, est élu au bout d'un an d'intenses négociations (1305). Prisonnier de Philippe le Bel, sans le soutien duquel il n'est rien, il doit s'installer en Avignon. Là, pressé par le roi de France, il dirige la chrétienté. Son règne est marqué par la reprise du procès de l'ordre militaire des Templiers.

Clément VII (1478 - 1534)

Le rôle de Jules de Médicis, pape sous le nom de Clément VII, n'apparaît pas comme primordial dans l'histoire italienne. Il est pourtant l'acteur d'un des tournants du XVIe siècle puisque c'est lui qui, après s'être enfui lors du sac de Rome de 1527, revint dans la capitale une fois les choses calmées, accepta les excuses de Charles Quint, et prit la route de Barcelone pour aller y signer la paix de 1528. C'est en février 1530 que Clément VII sacra Charles Quint empereur.

Christophe Colomb (1451 - 1506)

Fallait-il être mauvais géographe pour confondre les Amériques et les Indes ! Génois émigré au Portugal où il se marie, il a d'abord été convaincant, obtenant de la catholique Isabelle de Castille l'argent pour son expédition (excellent retour sur investissement). Au cours de ses quatre expéditions (1492, 1493-1496, 1498 et 1502-1504), il découvre la plupart des îles des Antilles, puis la côte au niveau de l'actuel Honduras. Il apporte la civilisation à ces pauvres populations (le massacre à l'arme à feu, la traite des esclaves, etc.). Contesté par ses hommes et par les premiers colons de l'île d'Hispaniola (saint Domingue), Christophe Colomb se révèle moins bon gouverneur que navigateur. Renvoyé en Espagne, il ne tire pas de sa découverte toutes les richesses qu'il en espérait, puisqu'il est mort sans le sou. Il lui reste la gloire d'avoir découvert l'Amérique, Nouveau Monde que l'Espagne et le Portugal s'empresseront de se partager et de piller. Il faut ajouter que sa gloire s'est transmise jusqu'au XXe siècle sans entraves : plusieurs films (dont un avec Gérard Depardieu dans le rôle-titre) le prouvent.

Concino Concini (1575 - 1617)

Bien aidé par sa femme Leonora Caligaï, confidente de Marie de Médicis, il profite de ses bonnes relations avec la reine pour prendre le pouvoir. Il s'attire la haine des grands du royaume, face auxquels il défend le pouvoir royal. Il lutte notamment contre Condé, qu'il fait arrêter. Mal perçu par les nobles, par le peuple (qui lui reproche son enrichissement personnel... et sa nationalité), il l'est aussi rapidement par le jeune Louis XIII, qui voit en lui un symbole du pouvoir de sa mère. Il est finalement assassiné par ordre du roi, et sa femme, convaincue de sorcellerie, est elle-même brûlée.

Francesco Crispi (1818 - 1901)

Avocat à Palerme, libéral, son entrée en politique intervient au cours de la révolution de 1848 à laquelle il prend une part fort active qui le force à s'exiler en Piémont, laissant les Bourbons à nouveau maîtres de la situation. Là, il participe à l'insurrection de Milan en 1853, mais doit à nouveau s'exiler. De retour en Sicile, en contact avec Mazzini, il va fomenter une révolution qui, en 1860, permettra à Garibaldi de conquérir le royaume des Deux-Siciles. Il va alors se rallier à l'idée d'un royaume d'Italie avec pour roi Victor-Emmanuel II. L'union réalisée, il poursuit une carrière politique. En 1887, il est nommé à la tête du gouvernement, qu'il ne quittera plus jusqu'en 1896. Communément appelée l'ère Crispi, cette période est marquée par le scandale de la banqueroute de la Banque romaine et une impitoyable répression des manifestations ouvrières du Mezzogiorno. Favorable à une expansion coloniale, il est à l'origine de la catastrophe d'Adoua (1896) où l'armée italienne est défaite par des lances et des boucliers de peau. Crispi démissionnera à la suite de cet échec.

Alcide De Gasperi (1881 - 1954)

Militant trentin, journaliste, ses premières années sont vouées au rattachement du Trentin autrichien à l'Italie. Victorieux en 1919, il adhère au Parti populaire italien présidé par Luigi Sturzo dont il devient le second. Député en 1921, il va très vite rejoindre le camp de l'opposition parlementaire sous le gouvernement fasciste. Une fois l'Italie libérée par les Alliés, il sort de sa réserve et travaille à reconstruire le Parti populaire mais sous une nouvelle appellation : la Démocratie chrétienne, qui devient le parti incontournable du paysage politique italien. Ainsi de 1944 à 1953, De Gaspieri est omniprésent à la tête de l'Etat, l'engageant sur la voie de la Communauté européenne. Farouche adversaire des communistes, il tente de constituer un front commun avec les autres partis de droite et du centre afin d'empêcher le PCI de prendre part au pouvoir.

Andrea Doria (1468 - 1560)

Noble génois, condottiere, il entre, au début de sa carrière militaire, au service des différents princes de la péninsule italienne au gré des guerres et des complots. Même le pape Innocent III fera appel à lui. Remarqué par François Ier, roi de France, il est nommé commandant de la flotte française. Mais lorsque les Français s'emparent de Gênes, il se met au service de Charles Quint, libère sa ville (1528) et s'installe à sa tête avec l'assentiment du roi d'Espagne. Là, Doria fixe un régime oligarchique, et place, conformément aux mœurs de l'époque, sa famille aux postes importants. Les Doria domineront Gênes jusqu'au début du XVIIe siècle.

Foscari (1372 - 1457)

Vénitien, Francesco Foscari est élu doge de sa ville en 1423, à 51 ans, et Venise la maritime va sous sa direction s'orienter vers l'intérieur, et convoiter quelques principautés. Il va s'opposer au duché de Milan des Visconti et des Sforza à partir de 1450. Allié au saint Siège et à Florence, Foscari mène son projet à terme en 1454, au prix d'une guerre longue et coûteuse. Sa présidence à la tête de la cité est surtout marquée par le recul de la puissance vénitienne sur mer, battue en brèche en Orient par l'avance inexorable de l'Empire ottoman. En 1457, il est poussé à démissionner.

Saint François d'Assise (1181 - 1226)

Issu d'une riche famille, il aborde la religion à la suite d'une maladie. Là, abandonnant famille et vie légère, il entame une vie d'ascète, avec, pour principale préoccupation, le soulagement des pauvres et des malades, vivant lui-même dans le plus extrême dénuement. Pris comme exemple, il est bientôt imité par des centaines puis des milliers de laïcs, à tel point qu'une organisation devient nécessaire à ce courant religieux spontané. Elle prend forme en 1217, puis en 1223, quand François énonce une règle qu'enregistre le saint Siège. Mal rédigée, elle va se prêter à de multiples interprétations. Reste qu'elle se caractérise par un grand trait, la pauvreté comme pierre angulaire de la spiritualité, et qu'elle donne naissance à l'ordre mendiant désormais appelé franciscain. C'est Grégoire IX qui en appelle à la générosité populaire pour faire bâtir la cathédrale d'Assise qui est depuis l'un des buts de pèlerinage les plus recherchés d'Italie.

Galilée (Galileo Galilei) (1564 - 1642)

Après des études de médecine, ce Toscan (il est né à Pise) se tourne rapidement vers les mathématiques qu'il accompagne d'expériences diverses (les premiers travaux dirigés en fait !). Il observe le balancement régulier d'une lampe dans la cathédrale de Pise (balance hydrostatique) ou lance du haut de la célèbre tour deux boulets d'un poids différent qui heurtent le sol dans la même seconde. De ces expériences, il tire des conclusions qu'il publie (*Du centre de gravité des corps solides*) dans des ouvrages qui lui valent réputation et honneurs puisqu'il obtient la chaire de mathématiques à l'université de Pise. Invité par Venise à venir enseigner à Padoue, c'est là qu'il fait ses extraordinaires découvertes astronomiques, science qu'il avait la lourde tâche d'enseigner à l'université de la ville. Rallié au système prôné par Copernic, en relation avec Kepler et Tommaso Campanella, Galilée réalise, en 1610, à l'aide d'une lunette astronomique, ses premières découvertes personnelles, dont celles de l'anneau de Saturne et de ses quatre satellites, ainsi que celle des taches solaires. Vont suivre d'autres découvertes plus incroyables encore pour l'époque (les reliefs de Lune, l'opacité des planètes...).

Ses nouvelles données en matière d'astronomie et son ralliement public à la théorie héliocentrique de Copernic dans son ouvrage *Dialogue sur les grands systèmes du monde* provoquent la colère de l'Eglise qui considère son œuvre encore plus sulfureuse que les écrits de Luther. On organise son procès au cours duquel il doit abjurer ses théories et où il prononce le désormais fameux «Eppure si muove» («et pourtant, elle tourne !»). Condamné en 1633, il est gardé en «résidence surveillée» où il continue de travailler jusqu'à sa mort.

Luigi Galvani (Bologne 1737 - 1798)

Médecin, il devient professeur d'anatomie, puis de chirurgie en 1763, à l'université de Bologne. Il va, dès 1780, s'intéresser aux phénomènes électriques du corps humain et émettre la théorie de la nature électrique des influx nerveux (courant galvanique), consacrant le reste de sa vie à sa démonstration. Il est le père de l'électrophysiologie moderne. Il eut pour élève Alessandro Volta, qui s'inspira profondément de ses travaux pour l'élaboration de sa théorie.

Giuseppe Garibaldi (1807 - 1882)

Giuseppe Garibaldi naît dans le comté de Nice, alors possession piémontaise. Très tôt, il adhère aux idéaux de Mazzini, et participe à quelques brigandages qui lui valent une condamnation à mort (1834), ce qui l'oblige à s'exiler en Amérique du Sud où il va se forger une solide réputation d'homme d'action. Il se marie après avoir enlevé sa femme. En 1848, aux premiers bruits du soulèvement national, il rejoint les insurgés piémontais, et participe aux côtés de Mazzini à la constitution et la défense de l'éphémère République romaine. Symbole de la lutte pour l'indépendance et l'union nationale, il prend, en 1860, la tête de la désormais légendaire «expédition des Mille» qui, en quelques mois, de la Sicile à Naples, vainc le royaume des Deux-Siciles. Il offre ses conquêtes au roi du Piémont, Victor-Emmanuel II, malgré sa rancune concernant la cession de Nice aux Français. L'unité est alors réalisée sans Rome, qu'il tentera à plusieurs reprises de conquérir. Il participe, en 1866, à la guerre contre l'Autriche et, en 1870, rallie la République française tout juste proclamée, et s'engage à ses côtés avec ses deux fils contre l'Allemagne. Ensuite, fatigué, il se retire dans son île de Caprera où il écrit ses mémoires.

Gentile (1875 - 1944)

Professeur, philosophe, Giovanni Gentile, favorable au début du XXe siècle à l'institution d'un pouvoir fort et autoritaire à la tête de l'Italie, se rallie à la fin de la Première Guerre mondiale au mouvement fasciste dont il étaye les thèses démagogiques. Le Duce au pouvoir, il en devient l'idéologue attitré, et participe même à quelques gouvernements. Il est à l'origine du Manifeste des intellectuels profascistes et du fameux serment d'allégeance au fascisme que les professeurs universitaires doivent obligatoirement prononcer pour rester en poste. En 1944, il est arrêté et fusillé par la Résistance.

Grégoire VII (1015/1020 - 1085)

De son vrai nom Hildebrand, il resta peu de temps en place à la tête de la papauté (1073 - 1085) mais marqua sans aucun doute à jamais son histoire. Il est l'instigateur de la désormais fameuse réforme grégorienne qui s'attacha, dans un contexte d'anarchie et de déchéance morale de la chrétienté, d'une part, à épurer l'Eglise de ses brebis galeuses avec un retour à une vie plus austère, plus conforme à sa mission des premiers temps, et, d'autre part, à donner la prédominance de la papauté sur les Eglises et différents souverains européens. En cela, il s'opposa à l'empereur germanique Henri IV dans le cadre de la «querelle des Investitures», longue suite de dépositions, d'excommunications et de guerres, qui cessa provisoirement après la célèbre demande de pardon d'Henri IV à Grégoire VII, à Canossa en 1077.

Innocent III (1160 - 1216)

Noble italien, de son vrai nom Lotario dei Conti di Segni, il est élu pape en 1198 après une brillante carrière d'administrateur au service du saint Siège. Juriste, réformateur, il va favoriser l'absorption et la reconnaissance des courants et mouvements religieux spontanés en marge de l'Eglise, tels les vaudois, les dominicains et autres humiliés. Comme Grégoire VII, il va se trouver confronté aux rois germains Otton IV et Phillipe de Souabe, à leurs aspirations hégémoniques et de suprématie sur le pouvoir papal. Luttant pour le trône impérial, il soutient à tour de rôle l'un des deux candidats, pour finir par favoriser un troisième parti, celui du futur Frédéric II Hohenstaufen.

En 1198, il prêche la célèbre croisade albigeoise contre l'hérésie cathare. A son initiative également, la IVe croisade. Partie en 1204 de Venise pour Jérusalem, elle n'atteindra jamais son but en se détournant vers l'empire chrétien d'Orient.

Jules II (1443 - 1513)

Etrange personnage que ce pape élu en 1503, père de trois filles, un temps légat, cardinal, et même condottiere au service du saint Siège. Monté sur le trône de saint Pierre, il travailla à la consolidation de la puissance temporelle de la papauté, d'où une politique d'abord agressive contre Venise, Pérouse et Bologne, cadre d'une célèbre bataille en 1506, où, accompagné principalement de la curie, il met en fuite les troupes ennemies. Aidé de la France, il se retourne pourtant contre elle en fondant la Sainte Ligue (Venise, Aragon, papauté). Malgré leur victoire à Ravenne, les Français quittent l'Italie. Elevé au statut de libérateur de l'Italie du Nord, Jules II, surnommé «Il Terribile», fonde le corps des gardes suisses en remerciement de leurs participations guerrières. C'est de lui que s'est inspiré Michel-Ange pour son célèbre Moïse.

Léon X (1474 - 1521)

Second fils de Laurent de Médicis, Jean manifeste un tempérament très différent de son prédécesseur Jules II. Il est moins autoritaire, plus humaniste, plus épicurien aussi. Il a considérablement influé sur le patrimoine artistique de la ville, rénovant le Latran, embellissant le palais du Vatican (c'est sous son règne que Raphaël termine de peindre les Stanze). Par le train de vie somptuaire du saint Siège (c'est notamment lui qui a recours au commerce des indulgences), il indispose nombre de fidèles rigoureux et donne des arguments à la Réforme luthérienne.

Léon XIII (1810 - 1903)

De son vrai nom Giocchino Pecci, Léon XIII est élu pape en 1878 et engage alors l'Eglise dans une politique de reconquête spirituelle. Il encourage le développement des missions catholiques (Pères Blancs) dans les parties pauvres du monde, et favorise la reconquête du marché des âmes aux Etats-Unis et en Allemagne. Si, en France, il sollicite de la part des catholiques un ralliement à la cause républicaine, en Italie il ignore la toute jeune République et interdit toute participation à la vie politique.

Marcello Malpighi (1628 - 1694)

Ce médecin étudie près de chez lui, à Bologne, avant d'enseigner à Pise avec Borelli. Ses travaux le poussent vers l'anatomie microscopique. Ses découvertes suscitant quelques jalousies auprès de ses collègues, il s'installe en Sicile, à Messine, pour revenir à Bologne au bout de sept ans. Il travaille alors en collaboration avec divers savants européens et met au point des découvertes décisives dans le domaine de l'anatomie embryonnaire. Père de l'histologie (l'étude des tissus), il a donné son nom aux glomérules du rein, aux couches de l'épiderme et à une plante communément appelée le cerisier des Antilles.

Marco Polo (Venise 1254 - 1324)

Convaincus que les voyages forment la jeunesse, son père et son oncle emmènent Marco, alors âgé de 17 ans, découvrir l'Asie, à une époque où la destination n'était pas encore à la mode. Après un passage en Mongolie, il rejoint la Chine de Kubilay khan, qui l'apprécie et l'envoie en son nom à travers toute l'Asie. Après 16 ans de bons et loyaux services, Marco Polo regagne Venise, qu'il éblouit par les nombreuses richesses glanées lors de ses voyages (il y gagne le surnom de «Il Milione»). Emprisonné à Gênes pour une sombre histoire de rivalité, il dicte à son compagnon de cellule son célèbre *Livre des merveilles du monde*, inépuisable source d'informations et grand succès populaire.

Guglielmo Marconi (Bologne 1874 - Rome 1937)

Etudiant à Bologne, il s'intéresse aux oscillations électriques et autres ondes que des scientifiques (Hertz) déjà ont mises en évidence par le passé. En 1895, il construit le premier «poste» émetteur-récepteur télégraphique sans fil. L'année suivante, il se rend en Grande-Bretagne où il se lance dans le perfectionnement de son drôle d'engin. En 1901, on réalise la première liaison télégraphique entre la vieille Europe et le Nouveau Monde (Cornouaille - Terre-Neuve). Son invention remporte un franc succès et le conduit à côtoyer les plus grands dirigeants de ce monde. En 1909, il reçoit le prix Nobel de physique. Il a donné son nom à la célèbre firme Pathé-Marconi dont le slogan («La voix de son maître»), illustré par le petit chien devant le phonographe, est encore plus célèbre.

Marguerite de Parme (1522 - 1586)

Fille illégitime de Charles Quint, elle est mariée très tôt (en 1536) à Alexandre de Médicis, duc de Florence, puis, en 1538, à Ottavio Farnèse, duc de Parme et de Plaisance. Profondément italienne dans l'âme, elle accepte cependant la charge que lui confie, en 1559, son frère Philippe II d'Espagne, charge qui consiste à gouverner les Pays-Bas alors possessions espagnoles. En butte à des révoltes et ne disposant pas de réels pouvoirs, elle est remplacée en 1567. Elle rejoint alors l'Italie, et plus particulièrement les Abruzzes où elle passera les dix-neuf dernières années de sa vie.

Mazarin (1602 - 1661)

Cet Italien aux origines modestes a été l'un des grands serviteurs de la France. Entré au service de Richelieu, ce dernier lui obtient, en 1641, le titre de cardinal, puis, en 1642, à la mort de son protecteur, il est nommé Premier ministre du royaume. D'abord, jusqu'en 1653 environ, il va travailler à la sauvegarde du trône des Bourbons. Il écarte les menaces des Frondes parlementaires (journée des Barricades) et aristocratiques. Ensuite, jusqu'en 1659, (traité des Pyrénées), il œuvre à la consolidation du royaume de Louis XIV, à tel point que le monarque semble régner à cette époque sur l'Europe. Grand homme politique, c'est aussi un amoureux des arts et un mécène de tout premier ordre, qui fait connaître nombre d'artistes transalpins (Raphaël, Titien, le Guerchin...).

Giuseppe Mazzini (Gênes 1805 - Pise 1872)

L'une des grandes figures du Risorgimento italien, avec Garibaldi, Cavour et Victor-Emmanuel. Abandonnant famille et études, il s'engage dans les Carbonari en 1828 et lutte dans leurs rangs pour libérer la péninsule de l'occupation autrichienne. En exil, il fonde la *Giovine Italia* (Jeune Italie) où il précisera ses idéaux révolutionnaires. Il s'oppose à une unité italienne au profit de la monarchie du Piémont, celle des peuples italiens dans une confédération de nations. Plusieurs fois il rentre d'exil afin de participer à des insurrections, dont celle de 1848 qui fait régner, trois mois durant, un régime républicain à Rome. L'unité, c'est Cavour qui la réalisera mais on reconnaît aujourd'hui à Mazzini un rôle fondamental dans la prise de conscience nationale du peuple italien. Nous en voulons pour preuve les nombreux témoignages dont il fait encore l'objet dans les villes de la péninsule.

Les Médicis (la famiglia Medici)

Jusqu'à Côme l'Ancien (1389 - 1464), les Médicis ne sont qu'une famille de marchands de Florence parmi d'autres. Leur immense richesse leur ouvre les portes du pouvoir, où Côme s'engouffre en se posant comme sauveur du peuple face au tyran Rinaldo. Habile politicien, Côme contrôle tout, mais toujours en retrait, et étend son influence à d'autres régions italiennes (il soutient Sforza à Milan). Le pouvoir des Médicis devient plus pesant avec son fils Laurent, dit le Magnifique, grand mécène mais beaucoup moins talentueux en politique que son aîné. Cela n'empêche pas Florence de garder un prestige intact, et même accru dans le domaine des arts. Le pouvoir des Médicis s'effondre en 1494 avec l'arrivée en Italie des Français et la faillite de la compagnie. Le retour aux affaires de Julien, en 1512, ne parvient pas à égaler le prestige du XVe siècle, mais la famille reste prépondérante en Toscane au point d'acquérir le grand-duché de Toscane que les Médicis vont garder dans leur apanage jusqu'au XVIIe. De même, leur influence ne disparaît pas du Vatican, ni de France où, après avoir été les banquiers de la monarchie, la famille fournit au pays deux de ses reines aux XVIe et XVIIe siècles.

Catherine (1519 - 1589)

Epouse d'Henri II, grande protectrice des arts et de ses enfants, mais pas des protestants (elle est à l'origine du massacre de la saint Barthélemy, 1572).

Marie de Médicis (1573 - 1642)

Fille du grand-duc de Toscane, elle épouse en 1600 le roi de France Henri IV. De cette union naîtra le futur Louis XIII. A la mort d'Henri IV, elle obtient la régence (Louis XIII étant mineur), écarte les anciens conseillers de son mari (Sully) et gouverne le royaume en compagnie de Concini à qui elle abandonne peu à peu le pouvoir. Confrontée à la perpétuelle rébellion de l'aristocratie catholique et réformée, elle convoquera les états généraux en 1614, mais sans résultat probant. Louis XIII majeur, elle est écartée du pouvoir et exilée à Blois, sorte de prison dorée. Secourue par des partisans, elle va mener une guerre ouverte contre son fils. Réconciliée et à nouveau écoutée de son fils, elle aura à subir l'ombre de Richelieu, qu'elle essaiera de renverser au cours de la journée plus connue sous le nom de *journée des Dupes* (11 novembre 1630).

Aldo Moro (1916 - 1978)

Homme politique italien, Aldo Moro adhère en 1944 à la Démocratie chrétienne dont il prend le commandement en 1959 (secrétaire général). Plusieurs fois ministre, il est nommé deux fois président du Conseil italien, en 1963 et 1974. Son enlèvement à Rome, en 1978, par les Brigades Rouges et la découverte de son cadavre deux mois à peine après le début de sa captivité dans le coffre d'une Renault 4 (la photo fit le tour du monde) secoua l'opinion publique italienne et internationale.

Benito Mussolini (1883 - 1945)

Les origines modestes de Benito Mussolini le conduisent au début de sa carrière politique dans les rangs des socialistes dont il anime, en tant que journaliste puis rédacteur, des journaux comme *Lotta di classe* et *Avanti* (1914). Il défend l'intervention italienne dans la Première Guerre mondiale et s'engage lui-même dans l'armée. Blessé, il fonde en 1919 les faisceaux de combat, qui, peuplés d'anciens combattants, sèment la terreur dans les rangs de leurs adversaires politiques, les socialistes. Suite à la marche sur Rome, le Duce est appelé au pouvoir par le roi Victor-Emmanuel III. Très vite, il impose au pays un régime autoritaire, fasciste. Il engage aussi l'Italie dans une politique coloniale et d'alliance avec l'Allemagne nazie, alliance qui le conduit à entrer dans la Deuxième Guerre mondiale. Vaincu, Mussolini est désavoué par ses pairs du Grand Conseil fasciste en 1943 et arrêté. Libéré par un commando SS, il sera à nouveau arrêté en 1945 et finalement fusillé, son corps livré à la haine populaire dans les rues de Milan.

Paul III (1468 - 1549)

Paul III Farnese, issu d'une grande famille romaine, est aussi l'un des papes marquants du grand siècle romain, autant par son action politique (il combat la Réforme, réunit le concile de Trente en 1536, active l'Inquisition) qu'artistique (comme ses prédécesseurs, il a le goût des belles œuvres : il fait achever par Michel-Ange le palais du Vatican et se fait bâtir le somptueux palais Farnese).

Pic de la Mirandole (1463 - 1494)

Un prince de la contradiction. Dominicain, il défend les thèses de Telesio, ce qui lui vaut une première accusation d'hérésie. Il fait amende honorable en prison au prix de quelques ouvrages bien sages. Libre, il se trouve mêlé à un complot en Calabre (il prône une utopie quasi communiste dans sa Cité du soleil) et est de nouveau emprisonné. Il tourne alors casaque et devient contre-réformiste, multipliant du fond de sa prison les ouvrages à la gloire d'une Eglise entièrement soumise à l'autorité du pape. Ses efforts finissent par payer, il est libéré et finit sa vie dans la très catholique France de Louis XIII.

Pie IX (1792 - 1878)

Un record de longévité papale (de 1846 à 1878) et une farouche opposition au monde moderne, qu'il condamne d'ailleurs officiellement (*Quanta Cura* et le *Syllabus*).

Pie XII (1876 - 1958)

De son vrai nom Eugenio Pacelli, il passe la majeure partie de sa carrière religieuse en Allemagne au service du saint Siège, carrière marquée par les signatures successives d'accords avec l'Allemagne nazie (1933). Rappelé à Rome, il est élu pape en 1939. Il fut accusé d'une certaine passivité durant la guerre mais cette attitude n'est toujours pas officiellement reconnue par le saint Siège. La guerre terminée, il s'oppose au communisme en Union soviétique et, en France, aux expériences originales des prêtres ouvriers.

Savonarole (Girolamo Savonarola) (1452 - 1498)

Ce spécialiste des sermons enflammés finit très logiquement brûlé. Il faut dire que ses attaques contre toutes les formes de «vanités» (luxe, art, etc.) avaient de quoi irriter. Frère dominicain, il acquiert un auditoire à la hauteur de sa folie en devenant prieur du couvent San Marco de Florence. Son audience toujours plus large lui permet, lorsque Florence se retrouve sans gouvernement après l'invasion française, de prendre le pouvoir et d'instaurer un régime d'inspiration théocratique. Il devient alors difficile pour les Florentins de s'amuser : il supprime en effet toutes les fêtes non religieuses et incite les gens à brûler leurs possessions luxueuses sur des «bûchers des vanités». Son attitude lui attire de plus en plus d'ennemis, d'autant qu'il s'attaque ensuite au pape. Excommunié, il sera traqué dans son couvent, condamné à mort, pendu puis brûlé.

Ludovic Sforza (1452 - 1508)

Brillant condottiere, Ludovic Sforza devient en 1480 le régent du Milanais en lieu et place de son neveu encore mineur. Amoureux des arts et des belles choses, il entretient à Milan une riche cour fréquentée par les plus grands artistes de son temps, tels Léonard de Vinci ou Bramante. Ambitieux, il possède des appuis parmi les grands Européens. A la mort de son neveu, il croit à son accession à la tête du duché, mais une coalition chapeautée par le roi de France Louis XII et comptant dans ses rangs Venise et le saint Siège le renverse (1500). Il est fait prisonnier, tandis que Louis XII prend tout simplement le titre de duc de Milan. Emmené en France dans les bagages du roi, il mourra en prison.

Sixte IV (1414 - 1484)

De son vrai nom Francesco Della Rovere, ce franciscain est élu pape en 1471. Son pontificat sera marqué dans le domaine des affaires religieuses par la création de l'Inquisition espagnole ainsi que par l'organisation de deux croisades aux résultats inégaux, franchement désastreux pour la première (1472 - 1473), sensiblement plus reluisants pour la deuxième (1481 - 1482). Grand bâtisseur, on lui doit l'embellissement de Rome à qui il a laissé moult constructions qui portent d'ailleurs son nom, comme la magnifique chapelle Sixtine, fondée et décorée à son initiative, ou comme d'autres institutions comme la Bibliothèque Vaticane. La fin de son règne est marquée par des tensions accrues avec ses voisins féodaux, tels que la Florence des Médicis (guerre entre 1478 et 1480).

Sixte V (1521 - 1590)

Né l'année de la mort de Léon X, il n'est pas sans ressemblance, autant par sa détermination que par son goût pour les arts, avec Paul III Farnese. Comme lui, il donne un nouvel élan à l'Eglise en réorganisant son administration, tandis qu'il charge l'architecte Fontana d'aménager et d'embellir sa ville, en donnant au Latran son allure actuelle, en faisant achever la coupole du Vatican, mais aussi en modifiant l'urbanisme romain. Il confia au Bernin la décoration de Sainte-Marie-Majeure, où il est enterré.

Evangelista Torricelli (1608 - 1647)

Elève tout d'abord du père Benedetto Castelli, ami et collaborateur de Galilée, Torricelli va devenir l'un des collaborateurs du grand maître au soir de sa vie (1641 - 1642). Il participe avec lui à l'élaboration de la théorie de la résistance des corps et de la dynamique (Discours sur les sciences nouvelles). Galilée mort, Torricelli se lance dans des travaux sur la pression de l'atmosphère. Un an à peine après le début de ses recherches en solo (1643), il en rédige les principes. Il nous a également légué diverses théories dont celle relative aux mouvements des corps, plus connue sous le nom de principe de Torricelli.

Giovanni da Verrazano (1480 - 1528)

Né en Toscane, Giovanni da Verrazano s'installe en France et, tout comme le Dieppois Jean Ango, se lance dans l'aventure de l'Atlantique Nord, cherchant une route vers les mers de Chine. Au service du roi de France François Ier, il explore les côtes du Nouveau Monde, correspondant aujourd'hui à celles de la Nouvelle-Angleterre, et est le premier en particulier à remonter le cours de l'Hudson. Il effectue de nombreux relevés topographiques qui aboutissent à la constitution d'une des premières cartes maritimes de l'Amérique. Il disparaît, semble-t-il, au large des côtes de l'actuel Panama.

Amerigo Vespucci (1451 - 1512)

Navigateur florentin, Amerigo Vespucci entre tout d'abord au service des Médicis. Responsable de leur «succursale» bancaire à Lisbonne, il ressent, là, l'appel du large. Pour le compte du roi du Portugal, puis de celui d'Espagne, il se lance dans l'aventure de la découverte maritime. Entre 1499 et 1504, plusieurs expéditions l'amènent sur les côtes de l'Amérique du Sud. C'est à lui que revient pour la première fois de franchir l'équateur et de croiser l'embouchure de l'Amazone. Les résultats de ses voyages ont en son temps pour effet de battre en brèche les connaissances et croyances établies depuis des siècles. C'est à l'Allemand Waldseemüller que revient la paternité de l'utilisation du prénom de Vespucci pour nommer les nouvelles terres que ce dernier avait découvertes.

Victor-Emmanuel III (1896 - 1947)

Roi d'Italie de 1900 à 1944, il succède à son père Humbert Ier, mort assassiné. Son règne de près de 46 ans sera marqué par une faillite de l'image de la royauté à laquelle il a fortement contribué, pour ne pas dire qu'il en porte l'entière responsabilité. En effet, après avoir cédé à la pression des politiques italiens concernant l'engagement de l'Italie aux côtés des Alliés dans la Première Guerre mondiale, il cède, en 1922, à celle de Mussolini qu'il appelle au pouvoir. Il ne sera plus alors qu'un roi de paille dans les mains du Duce, laissant l'Italie s'engager dans des guerres désastreuses, (Ethiopie, guerre d'Espagne) ainsi que dans les alliances avec Franco tout d'abord, puis avec l'Allemagne nazie. En 1944, pressé cette fois-ci par le Comité national de la Résistance et une partie de l'armée, il évince Mussolini et nomme Badoglio chef du gouvernement en charge de traiter avec les Alliés. Il saisit l'occasion pour abdiquer en faveur de son fils Humbert II - roi d'un mois en 1946 («le roi de mai») - afin d'éviter la chute de la royauté. Ce sera en pure perte.

Alessandro Volta, physicien (Côme 1745 - 1827)

Il s'intéresse très tôt aux phénomènes électriques et communique ses travaux au plus grand physicien de l'époque, Giovan Battista Beccaria. Ses recherches le conduisent à l'invention de divers appareils providentiels, comme l'eudiomètre (1777) dont Humboldt allait tirer grand profit pour l'analyse des composants chimiques. Se consacrant aux recherches sur l'électricité, il fixe le degré fondamental de tension. Elève de Luigi Galvani, il reprend ses travaux à son compte en 1792 et démontre la création d'une force électrique au contact de deux morceaux de métal. Enfin, ses recherches le conduisent, au début de l'année 1800, à élaborer la première pile électrique de l'histoire.

MUSIQUE CLASSIQUE

Tomaso Albinoni (1671-1751)

Vénitien de cœur, admiré de Bach, il ne quitte presque jamais sa ville natale. On pense qu'il a été l'élève de G. Legrenzi. On lui doit approximativement 48 opéras, plus quelques œuvres originales comme des concertos pour instrument seul, qu'il a été parmi les premiers à écrire. Le célèbre adagio des supermarchés est en revanche un pastiche.

Gregorio Allegri (1582 - 1652)

Nommé chantre de la chapelle papale en 1629, il y exerce son talent créatif et y produit, en 1638, le fameux Miserere, son œuvre majeure. Ecrit pour neuf voix seulement, le Miserere pouvait être interprété à deux chœurs lors des grandes messes. Véritable «tube» de la première moitié du XVIIe siècle, son succès fut tel que le pape dut menacer d'excommunication celui ou ceux qui tenteraient de le retranscrire. Selon la légende, Mozart, à l'aide de sa seule mémoire, réussit à le faire.

Luigi Boccherini (1743 - 1805)

Violoncelliste lucquois talentueux (à 13 ans, il donna sa première représentation), il s'exila à Rome pour parfaire son art, puis à Paris accompagné du violoniste Manfredi. Là, remarqués par l'ambassadeur d'Espagne, ils prirent en 1769 le chemin de Madrid, où Boccherini devenait, en 1770, le violoncelliste et le compositeur de l'infant Don Luis. Il se mit ensuite au service des plus grands de ce monde (Frédéric de Prusse). Il est l'auteur d'un très célèbre menuet.

Pier Francesco Cavalli (1602-1676)

Elève de Monteverdi à Venise, simple organiste d'église, il se lance dans la composition de musique pour les opéras vénitiens. Contemporain de Mazarin, il est appelé par celui-ci à la cour de France (1660) où le ministre lui commande un opéra (l'Ercole amante) pour l'ouverture du théâtre des Tuileries. Il produit une autre de ses œuvres en France, Xerse, mais boudé par le public parisien, Cavalli rentre à Venise où il mourra. Avec Monteverdi, Cavalli est le grand maître de l'opéra vénitien du XVIIe siècle.

Luigi Cherubini (1760-1842)

Compositeur florentin, spécialiste des musiques sacrée, il travaille pour les théâtres et opéras de Toscane, puis vient s'installer à Paris. C'est là qu'il compose la majorité de ses œuvres (Lodoïska, Médée, L'Hôtellerie portugaise...). Vivant chichement de son art, il devient professeur au Conservatoire en 1795. Haï par Napoléon mais admiré par Haydn, il doit attendre la Restauration pour vivre réellement de ses compositions. Après un bref passage par Londres, il devient directeur du Conservatoire (1822). Son œuvre majeure fut composée pour la messe de couronnement de Charles X, en 1825.

Archangelo Corelli (1653-1713)

Un passage par Bologne alors riche en production musicale, puis Corelli vient s'installer à Rome. Violoniste mais également compositeur, la parution de ses Sonate da chiesa en 1681 marque le début de son irrésistible ascension. Religieux et aristocrates se l'arrachent. Il prend la tête de nombreux orchestres, dispense des cours qui le rendront célèbre (on parlera même d'école corellienne). Ses œuvres majeures sont les *Sonate da chiesa*, *Sonate da camera* et *Concerti grossi.*

Gaetano Donizetti (1797 - 1848)

Contemporain et adversaire de Bellini, à 21 ans il présente à Venise sa première œuvre (*Enrico di Borgogna*), qui lui vaut un franc succès. En 1822, à Rome, *Zoraide di Granata* lui vaudra une reconnaissance internationale. Suivront alors des œuvres plus simples, comme *Lucia di Lammermoor* (un refrain particulièrement entraînant) et *La Favorite*, qui confirmeront son succès.

Carlo Farinelli (1705 - Bologne 1782)

Sopraniste italien castrat, Carlo Broschi, dit Faranelli, fut l'un des plus célèbres chanteurs de son temps, se produisant dans les grandes capitales européennes. Son surnom lui vient du nom de famille de ses protecteurs, les Farina. Ami de Caffarelli, autre castrat, il prit en charge les Théâtres royaux espagnols, et cela pendant plus de 20 ans (1737-1759). Il se caractérise par une grande puissance vocale.

Ferrabosco

Cette famille de musiciens italiens émigrée en Angleterre a produit, aux XVIe et XVIIe siècles, un nombre très important d'œuvres et s'est mise au service de la couronne d'Angleterre. Alfonso I est le premier à émigrer. Il travaille également à Turin pour le duc de Savoie (pavane pour luth, *«Hexachord» fantasia...*). Son fils Alfonso II suit ses traces en Angleterre, où il se spécialise dans la composition d'œuvres *(Ayres,* fantaisies...) pour un instrument très en vogue à l'époque, la viole.

Girolamo Alessandro Frescobaldi (1583 - 1643)

Organiste et compositeur originaire de Ferrare, il émigre à Rome où, sous la protection d'un Bentivoglio, il accède à la charge de titulaire de l'orgue de saint Pierre. Très vite, son talent est reconnu et, avec l'appui de hauts personnages religieux de la Ville Eternelle, il va, jusqu'au crépuscule de sa vie, composer tout en fréquentant les salons et les cours les plus prestigieux d'Italie, comme la cour de Ferdinand II de Florence. Il écrira nombre d'œuvres, dont les plus célèbres sont les *Tocate*, les *Capricci* et les *Fiori musicali* (messe d'orgue).

Francesco Gasparini (1668 - 1727)

Il passa sa vie entre Venise et Rome, composant presque exclusivement des opéras pour les théâtres de ces deux villes. Particulièrement abondante, son œuvre comporte une soixantaine d'opéras et autres motets (composition à une ou plusieurs voix qui peuvent être religieuses), dont certains adaptés à l'étranger (Londres).

Guido d'Arezzo (1000 environ - 1050)

Moine bénédictin, il découvrit une méthode révolutionnaire pour l'époque qui permettait une notation musicale beaucoup plus pratique que celle utilisée jusqu'alors. Chassé de son monastère pour ses idées novatrices, il trouva refuge auprès de l'évêque Théobald d'Arezzo, en 1023. Là, il put développer sa pensée en toute liberté. Guy d'Arezzo est tout simplement le père de notre codification musicale (do, ré, mi, fa, sol, la, si).

Manfredini

Famille de violonistes, compositeurs, théoriciens et chanteurs du XVIIIe siècle. On distingue d'abord Francesco Maria Manfredini, à l'origine de la dynastie. Il passe la majeure partie de sa vie à Bologne, ville de ses études musicales. Violoniste, ses différentes charges l'amènent de Munich à la cour de Bavière en passant par les églises de la ville. Il produit parallèlement des compositions instrumentales, dont une symphonie et un concerto.

Son fils Vincenzo devient théoricien, mais fait preuve de son talent de compositeur en association avec son frère Giuseppe, chanteur castrat, à la cour de Russie, à saint Pétersbourg, où ils se mettent tous deux au service de Catherine II. Revenu à Bologne, Vincenzo se fera professeur, et sera même présenté à Mozart. A son actif, quelques opéras et sonates.

Giovanni Battista Martini (Bologne 1706-1784)

Appelé aussi père Martini, ce franciscain joueur de violon et de violoncelle devient, après une brève carrière de compositeur, l'un des plus grands théoriciens de la musique de son époque. Véritable référence, il est écouté et reçoit la visite des plus grands artistes de son temps, tels que Bach (Johannes Christoph) et Mozart. Sa bibliothèque, dit-on, comptait environ 18 000 ouvrages.

Claudio Monteverdi (1567-1643)

Compositeur italien originaire de Crémone, il se met en 1590 au service du duc de Mantoue, en tant que joueur de viole tout d'abord, puis en tant que maître de la chapelle du duc en 1602. En 1613, il devient maître de la chapelle de Saint -Marc à Venise, période faste où les grands de l'époque s'arrachent ses faveurs. Travailleur incessant, il écrit une grande quantité de compositions dont il ne fera éditer qu'une toute petite partie, celles qu'il juge dignes de son talent et de sa renommée. Il est à l'origine du drame lyrique avec l'*Orphée*.

Niccolò Paganini (Gênes 1782 - Nice 1840)

Il apprend tout jeune le violon et, à 8 ans seulement, excelle déjà dans son instrument. Formé à Parme, il suit, entre autres, les cours du violoniste Rolla. Une fois son immense talent reconnu, il entrera au service des grands de ce monde. Ainsi à Vienne, en 1828, il sera élevé au rang de virtuose de l'empereur. D'une grande habileté, il sut, le premier peut-être, développer pleinement les aptitudes techniques du violon. Il a composé, autant par malice que par génie, des pièces d'une telle difficulté qu'il était le seul à pouvoir les jouer.

Giacomo Puccini (1858 - 1924)

Natif de Lucques, tout d'abord organiste, il va suivre à Milan une formation musicale qu'il souhaite mettre par la suite au service du théâtre, de l'opéra. Ses premières œuvres sont un succès (*Le Villi, Edgar* et *Manon Lescaut*). En 1896, il crée son chef-d'œuvre, *La Bohème*. Suivra le non moins célèbre opéra la *Tosca* (1900), puis *Madama Butterfly* (1904). Il se laisse tenter par l'aventure américaine (*La Fanciulla del West*). Il réside et travaille en Amérique jusqu'en 1919 approximativement. Il meurt à Bruxelles en 1924.

Ottorino Respighi (Bologne 1879-1936)

De parents musiciens, rompu à différents instruments comme le piano et le violon, il entre en 1900 dans l'orchestre du théâtre de saint Pétersbourg. Là, il côtoie Rimski-Korsakov, dont l'influence marquera sa très riche production personnelle de concertos, de pièces musicales dédiées au théâtre, d'ouvertures, etc. Il sera également fortement influencé par des compositeurs comme Debussy ou encore Richard Strauss.

Gioacchino Rossini (1792 - 1868)

Il aborde tardivement la musique (à 8 ans seulement !), puis se lance, adolescent, dans l'étude du piano et du violoncelle. A 17 ans à peine, il crée son premier opéra et à 18, connaît un franc succès à Venise pour La *cambiale di matrimonio*. Fortement influencé par Mozart et Haydn, il enchaîne les compositions, dont celle du *Barbier de Séville* (d'après l'œuvre de Beaumarchais), qui fait scandale en son temps pour porter le même nom que l'opéra de Paisiello écrit environ 40 ans plus tôt. Son tour des capitales l'amène à poser ses valises à Paris où son œuvre continuera à s'enrichir (*Le siège de Corinthe*...). Après un bref retour dans son pays natal, il s'installe définitivement près de Paris, tenant un salon fort apprécié pour les mets qu'on y dégustait, tel le fameux tournedos auquel il a laissé son nom.

Pietro Scarlatti (1660 - 1725)

Sicilien, c'est à Naples qu'il étudie la musique. Son premier opéra est un franc succès, et lui ouvre les portes des salons romains où il se met au service des nobles et religieux de la Ville Eternelle. A partir de 1684, il partagera sa vie entre Naples et Rome, au gré des postes, des charges octroyées. Sa principale œuvre reste *Il Trionfo dell'onore*, d'abord jouée à Rome où elle fut applaudie, puis à Naples où elle fut reprise 18 fois !

Antonio Stradivarius (1643 - 1737)

Célèbre luthier originaire de Crémone, il suit un apprentissage que lui dispense le maître Amati, la référence de l'époque. A son compte, il se lance donc dans la production de violes, de violoncelles et, surtout, de violons dont il tirera un grand renom pour leur excellente qualité proche de la perfection. On pense qu'il en produisit environ 500. On a coutume de nommer un «stradivarius» par le nom du maître violoniste, suivi de celui du virtuose qui l'eut en sa possession.

Antonio Tamburini (1800 - 1876)

Grande figure du bel canto, baryton, il connaît un franc et large succès, associé dans un quatuor à trois autres grands chanteurs italiens. Sa carrière, qui s'étend de 1820 à 1850, commence réellement à la Scala de Milan où il travaille en collaboration avec de grands compositeurs dont Bellini (*Il Pirata*). Il fait ensuite le tour des capitales européennes (surtout Paris) interprétant les œuvres des grands musiciens de l'époque (Bellini, Rossini...).

Giuseppe Tartini (1692 - 1770)

Il apprend la musique seul. En 1721, il donne des cours et obtient la même année la charge de premier violon à Padoue. Son talent reconnu, il s'installe à Prague et se met au service de puissantes familles nobles de l'Empire. De retour en Italie, il fonde une école de violon qui devient très vite la référence en la matière. Mais Tartini est également célèbre pour ses écrits théoriques et philosophiques sur la musique. Il publie plusieurs traités, dont le *Trattato di musica*. Dans le cadre de ses recherches, il entretient une importante correspondance avec des philosophes et penseurs du siècle, comme Rousseau ou Frédéric II de Prusse.

Arturo Toscanini (Parme 1867 - 1957)

Ce chef d'orchestre débute comme violoncelliste à l'Opéra de Buenos Aires qu'il dirigera également. Il enchaîne ensuite avec la Scala de Milan et le Metropolitan de New York (excusez du peu). Mais ayant sans doute peur du vide, il dirige parallèlement les opéras de Wagner à Bayreuth et de Mozart à Salzbourg. En 1938, il s'établit définitivement à New York et dirige l'orchestre de la NBC. Sa fougue toute italienne, son lyrisme et sa maîtrise de l'équilibre orchestral en ont fait l'un des chefs les plus inspirés de son temps.

Giuseppe Verdi (1813 - Milan 1901)

Ses débuts difficiles sont seulement récompensés en 1842, par le triomphe de *Nabucco,* hymne à la nation, présenté à la Scala de Milan. Dès lors, les compositions vont s'enchaîner, suivies par presque autant de succès. L'œuvre qu'il nous laisse est considérable. On lui doit, entre autres, *Rigoletto,* la *Traviata* (1853), *Aïda* (1871), *Othello* et, enfin, *Falstaff.* Il est une grande figure du patriotisme italien, et la toute jeune nation italienne s'est reconnue dans ses œuvres. Admiré internationalement, il aura à souffrir, dans la seconde partie de sa vie, de l'ombre de Richard Wagner (chez qui il avait rendez-vous le jour de la mort du maître de Bayreuth). Pour l'anecdote, sachez qu'il existe une sorte de malédiction qui provoque des incidents variés lors des représentations de La *Forza del destino*, à tel point que les organisateurs implorent la Madone avant le spectacle, sans être toujours exaucés.

Antonio Vivaldi (Venise 1678 - 1741)

Violoniste et compositeur fameux, le «prêtre roux» fut très jeune baigné dans la musique, son père étant lui-même violoniste. Professeur de violon, il s'adonne parallèlement à la composition d'œuvres diverses, opéra, théâtre, musique d'église. Mais ce sont ses musiques instrumentales qui lui valent le succès et la reconnaissance des grands et de ses pairs. Il aura rarement l'occasion de quitter l'Italie, connaîtra l'ivresse de transmettre son savoir (on dit qu'il composait des concertos pour ses élèves féminines préférées), et c'est au cours de l'un de ses rares voyages, à Vienne, qu'il est tué fort mystérieusement. On lui doit les fameuses *Quatre Saisons* qui équipent en fond sonore tous les répondeurs téléphoniques du monde.

CINEMA

Michelangelo Antonioni

L'incommunicabilité entre les riches oisifs serait-elle passée de mode ? Toujours est-il que les grands films d'Antonioni, malgré leur pittoresque (les costumes de Mastroianni, le mobilier high-tech sixties des appartements de luxe) ont aujourd'hui un peu vieilli (pas «mal vieilli», juste un peu). Pourtant ces études de mœurs ont une forme réellement personnelle, un ton aimablement désespéré sur l'inexorable sentiment de vacuité et la force du non-dit. Moins distancié et moins humoristique que Bunuel, Antonioni n'a pas non plus le même cynisme vis-à-vis de ses personnages : il se contente, sans les juger, de filmer leur désarroi. Ses films noir et blanc ont indiscutablement plus de force, grâce à la qualité de la photo, les contrastes, la luminosité (les cheveux blonds au vent de Monica Vitti sur l'île dans *L'avventura*), mais chaque œuvre échappe à la banalité, de *La dame sans camélia* jusqu'à *Identification d'une femme*.

A voir, en classique, *La notte* (Mastroianni, Moreau), *l'Avventura*, puis, suivant l'ordre chronologique, *Blow up* (qui fut Palme d'or à Cannes) et *Profession reporter*. Si vous n'êtes pas rassasié, il vous reste l'*Eclipse*, *Zabriskie Point* et *Désert rouge*. Antonioni est né à Ferrare en 1912.

Giallo et films d'horreur

Dans les marges du cinéma italien ont éclos quelques belles fleurs vénéneuses, parmi lesquelles Mario Bava, Ricardo Freda, Lucio Fulci et Dario Argento. Maîtres du cinéma de genre des années 50 à 70, et en particulier du *giallo* (ancêtre du thriller avec serial killer d'aujourd'hui), ils n'ont pas la même notoriété que leurs pairs du cinéma «classique». Mais il ne faut pas chercher à les marginaliser, tant leur art, bien que dénué de perfection (quoique...), témoigne d'une esthétique, d'une poésie et d'un imaginaire très forts. Horreur, policier, suspense, érotisme, angoisse, science-fiction, fantastique macabre, gothique, sadomasochisme : autant de genres et de thèmes chéris et transfigurés qu'ils ont été parfois les premiers à traiter. Parmi leurs réussites, citons *Le masque du démon, Le corps et le fouet, La fille qui en savait trop* et *La baie sanglante de Mario Bava*, les *Vampires* et la série des *Professor Hitchcock* de Riccardo Freda, *L'oiseau au plumage de cristal,* Suspiria et *Le syndrome de Stendhal* de Dario Argento.

La fille de Dario Argento, Asia, fait elle aussi carrière dans le cinéma. Comédienne sulfureuse chez son père ou chez son idole Abel Ferrara, elle est également passée à la réalisation en 2000.

Pupi Avati

Auteur de science-fiction, puis de téléfilms, ce metteur en scène original s'est fait remarquer par la variété des sujets abordés et l'originalité du traitement. Son film le plus connu en France est *Histoires de garçons et de filles* (1989), chronique tendre et grave de l'Italie de 1936. Il est né à Bologne en 1938.

Marco Bellocchio

Né à Piacenza en 1939, Marco Bellocchio s'est fait connaître au moment où le cinéma italien atteignait son apogée dans le film politique et pamphlétaire. Moins polémique mais très efficace, son cinéma est fait d'action et d'une certaine force narrative. A voir : *La marche triomphale* (1976), *Le saut dans le vide* (1979), un peu démonstratif mais rythmé. Sa version du *Diable au corps* est anecdotique mais Maruschka Detmers y déploie beaucoup de charme.

Roberto Benigni

Ce lutin rieur, né près de Florence en 1952, est irrésistible. Après avoir fait les beaux jours de nombreux cabarets, il aborde le cinéma par le bon bout et a la chance de rencontrer Jarmusch, qui lui offre un sketch sur mesure, dans la prison de *Down by Law*. Le monde entier se gondole et il récidive en taxi avec le même Jarmusch, six ans plus tard (*Une nuit sur terre*). Entre-temps, Roberto est passé à la mise en scène avec un charmant et drôle *Petit diable*, et il enchaîne les succès avec *Johnny Stecchino*, *Le monstre* (1994), *La vie est belle* (1998, Grand Prix du Jury à Cannes). Entre burlesque et comique de situation, il joue de son physique toujours en mouvement et de son débit vocal de mitraillette avec un brio inégalable.

Bernardo Bertolucci

Prima della Rivoluzione fut un coup de tonnerre asséné par un metteur en scène de 23 ans (né à Parme en 1941). Le film étonnait par la solidité de sa construction et l'exigence de son auteur. Ces qualités allaient perdurer tandis que le trait s'affirmait. En trois ans, entre 1970 et 1973, Bertolucci prend place dans le concert mondial. Il impressionne en adaptant Borgès (*La stratégie de l'araignée*), mystifie avec *Le conformiste* d'après Moravia (Trintignant dans un de ses plus grands rôles) et choque avec *Le dernier tango à Paris*, qui restera dans les annales. Son plus grand film, et aussi le plus ambitieux, décidera, par son échec, de la suite de sa carrière : 1900 est un film magistral, lyrique, puissant, italien, majestueux... mais long (il est généralement projeté en deux parties) et pas facile à suivre. Bertolucci ne tournera plus beaucoup pendant dix ans et retiendra la leçon. Il continue à faire grand, mais il a appris l'efficacité et mis le *dolby* : moins de souffle, plus de lissage : *Le dernier empereur, Un thé au Sahara, Little Bouddha* remplissent les salles et reçoivent d'excellentes critiques. Mais où est passé l'auteur de *Novecento* ?

Laura Betti

Née à Bologne en 1934, elle eut la chance de croiser Pasolini qui la fit jouer dans *Théorème* et *Les contes de Canterbury*. Laura Betti est avant tout une personnalité du cinéma, dont l'activité se situe principalement près de la caméra (journaliste, écrivain).

Mauro Bolognini

Un ton intimiste, des études psychologiques fouillées, l'art du portrait et une très belle photo caractérisent les œuvres principales de Bolognini, c'est-à-dire celles réalisées au seuil des années 60. La production postérieure, assez importante, est de moindre intérêt. A voir donc, les meilleurs : *Les garçons* (1960), *Le bel Antonio* (1960) avec un super Mastroianni et *La Viaccia* (1961) avec Claudia Cardinale. Il est né à Pistoie en 1922.

Lucia Bose

Née à Milan, son physique de cinéma (elle fut Miss Italie) l'amène à fréquenter les plus grands (Antonioni, Buñuel). Après une sorte de préretraite (mariage avec le torero Dominguin), elle reprendra quelques rôles avec des apparitions fortes, mises en valeur par sa beauté sévère. A voir : *La dame sans camélia* (Antonioni 1953), *Cela s'appelle l'aurore* (Bunuel 1956), *Chronique d'une mort annoncée* (Rosi 1986).

Franco Brusati

Longtemps scénariste, ce réalisateur milanais est connu en France pour un film qui marqua son époque : *Pain et chocolat* (1974) confronte deux sociétés, celle d'un immigrant italien, incarné par Nino Manfredi, et celle de l'opulence bourgeoise, cachée et obscène à la fois, d'une riche famille suisse. Avec humour mais non sans une certaine violence, Brusati orchestre une confrontation à distance où les frôlements et télescopages sont des accidents dans un univers totalement cloisonné. Plusieurs scénarios auparavant pour Monicelli et Lattuada, entre autres, et peu de production après.

Tinto Brass

Le Max Pecas italien a tout de même autrement plus d'humour et d'aisance derrière une caméra. Ses nanars érotico-historiques le placent même dans une catégorie qui mérite une mention. A voir, au second degré bien sûr, son *Caligula* avec Malcolm Mac Dowell ou *La clé* avec Stefania Sandrelli, qui prouvent par ailleurs que certains comédiens de renom n'ont pas hésité à tourner avec lui.

Claudia Cardinale

La beauté et le charme en plus. Née à Tunis, elle est remarquée par Monicelli, qui lui donne un petit rôle dans *Le pigeon*, alors qu'elle a vingt ans. Sa carrière suivra son évolution physique, tour à tour sauvageonne, beauté fatale et femme épanouie. Elle traverse les cinémas français et italiens des années 60 à 90 de son regard de séductrice et de sa voix légèrement éraillée, enchaînant comédies d'action (*Cartouche, Le ruffian*), grands classiques (*Le bel Antonio, Huit et demi, Le guépard, La Storia*) et même les westerns (*Les professionnels, Il était une fois dans l'Ouest*).

Liliana Cavani

La réponse à la question : «citez une réalisatrice italienne», lorsqu'on n'a pas perdu de vue que Lina Wertmuller n'est pas allemande. Liliana Cavani, née à Carpi en 1933, s'est illustrée dans des drames historiques un peu racoleurs (*La Peau* d'après Malaparte, *Portier de nuit* avec Dirk Bogarde), mêlant sexe et violence pour la bonne cause, la dénonciation du fascisme sous toutes ses formes.

Gino Cervi

Bien sûr, ce bon acteur d'origine bolognaise n'a pas tourné qu'avec Fernandel. Il n'empêche que c'est pour son rôle de Peppone, le maire opposé au curé dans la série des *Don Camillo*, qu'il est mondialement connu.

Luigi Comencini

Un cinéaste humaniste et complexe, que certains cinéphiles snobs ont tendance à classer en catégorie B, parce qu'il n'hésite pas à tourner des films pour enfants (*Heidi, Pinocchio*) et des comédies dites faciles qui racontent la société italienne des années 50 aux années 80 (*Pain, amour et fantaisie, et sa suite, La grande pagaille...*).

Disons le tout net : Comencini est l'égal des plus grands, un Capra italien, paternaliste plein d'amour et d'humour. Ces films de société sont des bijoux de finesse et d'acuité (*L'argent de la vieille, Qui a tué le chat ?, Le grand embouteillage*), et quand il touche au mélodrame, il vise si juste que tout le monde craque (*La Storia, L'incompris*). Il est né au bord du lac de Garde en 1916.

Dino de Laurentiis

Un grand producteur, un de ceux qui ont fait le cinéma italien des années 50, en permettant à Rosselini, Comencini ou Lattuada de s'exprimer. Il fut le mari de Silvana Mangano (il produisit *Riz amer*) et fonda avec Carlo Ponti la plus importante société de production italienne.

Vittorio de Sica

Né à Sora en 1901, ce seigneur du cinéma a connu le bon et le moins bon, des rôles mythiques (*Miracle à Milan, Le général della Rovere*) et d'autres moins. Il est pourtant, par son élégance et son aura, l'une des figures les plus séduisantes du cinéma italien, et ses réalisations sont assez remarquables (*Le voleur de bicyclette, La Ciociara, Le jardin des Finzi-Contini*).

Federico Fellini

Adulé des cinéphiles français, Federico est l'image d'un certain cinéma de la démesure et de l'hyperréalisme où le cirque, avec ses acrobates et ses clowns, n'est jamais très loin. D'ailleurs, un de ses films cultes, *La strada*, qui évoque cet univers, révéla Giuletta Masina, son épouse. Du rire aux larmes, Fellini pose un regard tendre et profond sur ses contemporains, un peu plus désabusé dans ses dernières œuvres, constamment à la lisière entre baroque et mauvais goût, entre burlesque et pantalonnade. Dans son choix (très) démonstratif, il s'apparente autant à Chaplin qu'à Kubrick, dans un style évidemment personnel. La plupart des ses films sont mondialement connus et nous ne citerons donc que nos préférés : *La dolce vita* (1960), *Huit et demi* (1963), *Amarcord* (1975), *Fellini-Roma* (1972). Federico est né à Rimini en 1920 et mort à Rome en 1993.

Marco Ferreri

Son cinéma de la caricature et de l'outrance a été beaucoup mieux accueilli en France que n'importe où ailleurs, à une époque (après 68) où l'on rêvait de mettre les vieux culs par-dessus tête. Marco Ferreri, dans son excès à la limite du complaisant, a su se faire une place de choix, surtout à partir de La grande bouffe (1973). A l'image de *Tournez manège* ou *Embraye bidasse, ça fume*, certaines de ses compositions postérieures (*Touche pas à la femme blanche, Rêve de singe* ou *Pipicacadodo*) posent de vraies questions sur le rôle de spectateur. Né à Milan en 1928, il est mort en 1997.

Vittorio Gassman

Vittorio était grand et chacune de ses apparitions, un plaisir. Humain, élégant, passionné, il a incarné une des plus belles périodes du cinéma italien et ses comédies modernes, avec l'éclosion (ou la confirmation) des Scola, Risi, Monicelli. Né à Gênes en 1922, il se fait connaître dans *Riz amer* (1949), apparaît dans *Guerre et Paix* de King Vidor (1956), et tourne des comédies historiques (*Brancaleone*). Il parvient au sommet avec *Parfum de femme* (1974), dans une hallucinante composition d'aveugle face à la jolie Agostina Belli, *Nous nous sommes tant aimés, La terrasse* et *La famille* avec Scola. Egalement très bien de l'autre côté de l'Atlantique avec Altman *(Mariage)* ou en France avec Resnais (en motard charismatique dans *La vie est un roman*). Il est mort en 2000.

Son fils Alessandro, qui a tourné plus d'une vingtaine de films, est déjà une grande vedette en Italie.

Pietro Germi

Né à Gênes en 1914, mort à Rome en 1974, il s'est illustré dans de jolies comédies, parfois un peu grinçantes, mais bien vues et fort drôles. La plus connue est son *Divorce à l'italienne* (1961). Il a remporté une palme d'or à Cannes, en 1966, avec *Signore e signori.*

Mario Girotti

Le beau Mario est né à Venise en 1939. Il entame sa carrière avec Risi à treize ans, joue dans quelques comédies et peplums, et trouve même un petit rôle dans *Le guépard.* Mais sa carrière prend vraiment tournure lorsqu'il change de nom pour devenir... Terence Hill, héros des premiers westerns-spaghetti, et acolyte privilégié de Bud Spencer. Passons sur ses dernières pochades pour retenir un vrai bon film : *Mon nom est personne*, tourné par Valeri mais produit et supervisé par Sergio Leone, où Mario fait face à Henry Fonda sur une musique légendaire d'Ennio Morricone.

Sergio Leone

Bien sûr, sa carrière se fit aux Etats-Unis, du moins pour ses films les plus connus (les *Il était une fois...*). Mais ce pur Romain (né dans la capitale en 1929) a tourné des dizaines de films à Cinecittà, en particulier les péplums qui le rendirent célèbres et où il affirme sa maîtrise du mouvement et de la construction filmique. A la fin des années 60, il invente le western-spaghetti en renouvelant complètement le genre (*Pour une poignée de dollars, Et pour quelques dollars de plus, Le bon, la brute et le truand*). Après *Il était une fois dans l'Ouest,* gros succès mais pas le meilleur de ses westerns, il signe deux grands films : l'un d'aventures (*Il était une fois la Révolution*), à l'entêtant refrain de Morricone, et, surtout, *Il était une fois en Amérique* (1984), grandiose fresque des années 30, patchwork éblouissant qui est au cinéma ce que *La vie mode d'emploi* de Perec est à la littérature.

Virna Lisi

Une jolie blonde au visage lisse et néanmoins expressif, qui se fit connaître par quelques comédies dramatiques (*Comment tuer votre femme, Un beau monstre*) et dont la carrière a été relancée par une composition très remarquée (Catherine de Médicis dans *La reine Margot*) pour laquelle elle reçut un prix d'interprétation à Cannes.

Gina Lollobrigida

Elle a fait craquer bien des cœurs, et plus, par sa plastique et ses compositions bouillonnantes dans *Fanfan la Tulipe, Pain, amour et fantaisie,* ou *Notre-Dame de Paris* où elle campait une convaincante Esmeralda. Il faut la voir dans sa jeunesse provocante, image ultrapositive que le cinéma rend éternelle. Elle est née à Subiaco en 1927.

Sofia Loren

Cette très belle plante a commencé sa carrière à quinze ans, mais a attendu une dizaine d'années pour un grand rôle, dans *La Ciociara.* Star du cinéma mondiale, elle a joué dans le monde entier et épousé un producteur majeur, Carlo Ponti.

Antonella Lualdi

Sa mère est Grecque, son père est Italien et elle naît à Beyrouth en 1931. Elle a beaucoup tourné dans sa jeunesse (notamment *Les garçons de Bolognini*) mais s'affirme dans des rôles de femme mûre (*Le repas des fauves, Vincent, François, Paul et les autres*).

Nino Manfredi

Il est l'acteur du grand cinéma italien des années 70, spécialisé dans les rôles de brave type un peu paumé et au grand cœur (en France, le doublage parfait de Michel Roux n'est pas pour rien dans sa notoriété). Il porte, avec ses yeux d'épagneul, des films merveilleux (*Nous nous sommes tant aimés, Pain et chocolat,* le *Pinocchio* de Comencini), a tourné de très nombreuses comédies dans les années 80 avec les meilleurs, réalisant lui-même quelques longs métrages (dont le bon *Miracle à l'italienne).* Il est né près de Rome en 1921. Un dernier détail, son prénom complet est Saturnino.

Silvana Mangano

Silvana Mangano = *Riz amer,* et vice versa. Une comédienne, un film, une porte ouverte, un univers ; elle a 19 ans et sa beauté est ensorcelante (elle a été Miss Rome). Elle épouse le producteur Dino de Laurentiis et trouve ensuite, pour l'anecdote pratiquement, quelques rôles avec des grands (*Mort à Venise, Théorème, L'argent de la vieille*). Née à Rome en 1930, elle est morte à Madrid en 1989.

Lea Massari

Elle a pratiquement fait sa carrière en France (elle continue régulièrement à apparaître dans des téléfilms), imposant son joli minois et sa sensualité, en particulier dans le *Souffle au cœur,* où elle était une mère très proche de son grand garçon. Elle se fit connaître en Italie avec Antonioni dans l'*Avventura*, avant de tourner avec Sautet (*Les choses de la vie*), Deville (très belle dans *La femme en bleu*). Elle est née à Rome en 1933.

Marcello Mastroianni

Qui incarne mieux que lui ce siècle de cinéma italien ? Marcello a tout connu, des rôles de jeune premier à ceux du grand-père sage, toujours amoureux de la vie, toujours juste, épousant ses personnages avec tant de facilité que l'on avait l'impression de le connaître intimement. Marcello a suivi les modes, porté le costume sombre et la chemise blanche, puis les cheveux dans le cou et, enfin, la moustache du papy. Il a été l'ambassadeur d'un art qui ne se limite pas au cinéma italien, commençant sa carrière très jeune, avec de Sica et Visconti, et affichant une filmographie immense : *La dolce vita, Le bel Antonio, La nuit, Huit et demi, Une journée particulière* (un véritable tournant à la cinquantaine), *La terrasse, Macaroni* (une excellente comédie avec Jack Lemmon), *Les yeux noirs* (de Mikhalkov). Né à Fontana Liri en 1924, il est mort en décembre 1996.

Mario Monicelli

Né à Viareggio en 1915, Monicelli appartient à la grande lignée des réalisateurs de comédies, ceux qui représentent aussi sûrement le cinéma italien que Fellini ou Visconti. *Le pigeon*, multidiffusé à la télévision, est son premier film de renommée mondiale, qui, paradoxalement, le cataloguera dans le genre de la farce. Pourtant, sa finesse mais aussi sa férocité dans la critique de la société bourgeoise ont une autre portée. Voir impérativement : *Un bourgeois tout petit petit* avec un génial (et geignard) Alberto Sordi, *Romances et confidences* et *Nos chers amis,* dont la scène des gifles est un morceau d'anthologie.

Nanni Moretti

S'il trouve aujourd'hui quelques détracteurs parmi ceux qui l'ont porté au pinacle, il faut bien reconnaître qu'il a représenté presque à lui seul le renouveau du cinéma italien des années 80, puis 90. Un ton, narratif et introspectif, des scénarios brillants et souvent drôles en font un Woody Allen romain. Depuis *Sogni d'oro* (1981), il enchaîne les succès avec *La messe est finie, Palombella rossa* (une incroyable psychanalyse sociale et personnelle dans un bassin de water-polo) et le délicieux *Journal intime* où ses balades en scooter dans Rome, pleines de charme et de poésie, donnent vraiment envie de visiter la capitale. Il est né à Brunico en 1953.

La musique au cinéma

Deux noms se détachent parmi les compositeurs de bandes originales : **Ennio Morricone** et **Nino Rota**. Si le premier, né à Rome en 1928, est jugé parfois trop commercial, pour avoir soutenu tous les westerns spaghetti et quelques médiocres films d'action, ses refrains appartiennent néanmoins à notre mémoire familière et ses partitions sont parfois de meilleure qualité que les films qu'elles illustrent. Citons les bandes originales des films de Sergio Leone, de *Mission*, de *Théorème* et *Salo* de Pasolini. Quant au second, les cinéphiles l'adorent puisqu'il ne s'est guère fourvoyé, choyant particulièrement les œuvres de Fellini. Il est aussi l'auteur d'airs aussi variés que ceux du *Guépard* ou du *Parrain*. Né à Milan en 1911, il est mort à Rome en 1979.

Ornella Muti

Qu'elle était belle dans *Les nouveaux monstres*, avec un visage parfait qu'un critique mal disposé comparera plus tard à une pâtisserie tunisienne. Elle a alors 22 ans et tourne depuis l'âge de 15 ans (elle est née à Rome en 1955, de son vrai nom Francesca Rivelli). Elle croisera Ferreri, qui l'emploie dans *La dernière femme* puis dans *Contes de la folie ordinaire*, et alternera les rôles moyens avec quelques belles rencontres (Schlöndorf pour *Un amour de Swann*, Scola pour *Le voyage du capitaine Fracasse*). Du charme, une certaine naïveté, un rire sonore et spontané...

Maurizio Nichetti

Un des membres du renouveau à la fin des années 80. Acteur et réalisateur, il s'illustre dans *Le voleur de savonnettes*, tendre et drôle film de société. Il se met en scène deux ans plus tard dans Je veux voler.

Ermano Olmi

Il y a une vingtaine d'années, il fallait obligatoirement trouver magnifique *L'arbre aux sabots*, primé à Cannes en 1978, élégie filmique glorifiant les valeurs de la terre et de la tradition. Avec le recul, on pourra passer certaines scènes en accéléré et voir ensuite *Longue vie à la Signora* ou *La légende du saint Buveur* qui offrent les mêmes qualités, une très belle photo, une mise en scène léchée, un discours intelligent au charme nostalgique. Olmi est né à Bergame en 1931.

Pier Paolo Pasolini

L'empêcheur de tourner en rond, le poète maudit, le marginal qui finit assassiné, sans doute par un de ses petits amis de rencontre, bref le Rimbaud du septième art et du vingtième siècle a laissé des marques indélébiles dans le cinéma mondial. Quelques-uns de ses excès sont aujourd'hui datés, et certaines œuvres, débarrassées de leur contexte, sont à la fois beaucoup moins choquantes et beaucoup plus ennuyeuses. Il reste pourtant une vraie folie, un esprit visionnaire et une puissance baroque et pas très optimiste à peindre la déliquescence, voire la décomposition de la société. Briseur de tabous - sexuels, religieux, sociaux - il invente des personnages hors normes, des situations pour le moins originales (le séducteur maléfique de *Théorème*), une ribambelle de cinglés d'époque dans *Les Contes de Canterbury* ou *Le Décaméron*, une cohorte de clowns décadents et pathétiques dans *Salo ou Les cent vingt journées de Sodome*, adapté de Sade dont il est, sous plusieurs aspects, assez cousin. Né à Bologne en 1922, il a été assassiné en banlieue de Rome, dans un terrain vague, près d'Ostia, en 1975.

Elio Petri

Un des bons représentants du film politique intello des années 70. Elio Petri dénonçait, comme cela se pratiquait partout en Europe, la corruption et l'atteinte aux libertés. A voir donc, en document, de ce Costa-Gavras transalpin : *Enquête sur un citoyen au-dessus de tout soupçon, La classe ouvrière va au paradis, A chacun son dû.*

Carlo Ponti

Sans ce fameux producteur, de nombreux grands classiques n'auraient peut-être jamais vu le jour. Il est aussi le mari de Sophia Loren depuis 1957. Il est né en 1910 à Magenta.

Dino Risi

Le ton de la comédie «à l'italienne», pas toujours en légèreté, un peu bouffon, toujours sympathique. Et puis, au hasard d'une production pléthorique, de nombreuses scènes vraiment drôles et des charges suffisamment féroces pour justifier la grosseur du tout. D'excellents sketchs dans *Les nouveaux monstres*, des scénarios très bien mis en valeur (*Parfum de femme, Les âmes perdues*) et beaucoup de tendresse pour ses acteurs fétiches (Manfredi, Gassman). Il est né à Milan en 1916.

Francesco Rosi

Il a inventé, dans les années 70, le cinéma politique réaliste. Assistant des plus grands (Visconti notamment), il se forge une démarche d'enquêteur cinématographique qui démonte, explique et parfois diagnostique : *Salvatore Giuliano, L'affaire Mattei, Cadavres exquis* sont aujourd'hui des classiques. Il a également montré un grand talent d'adaptateur dans ses derniers films, *Chronique d'une mort annoncée*, d'après Garcia Marquez, et *Oublier Palerme*, d'après Edmonde Charles-Roux.

Roberto Rossellini

Entre fiction et documentaire, Rossellini a tracé la voie du réalisme et de la justice juste après la guerre. Il fallait être fort pour régler les comptes du fascisme dès 1945. Il s'y attela avec une grande détermination dans *Rome, ville ouverte*, enchaînant avec *Allemagne année zéro, Voyage en Italie,* sorte de journal de vacances d'un cinéaste amoureux (il venait de rencontrer Ingrid Bergman, ce qui provoqua un scandale car il était marié), et *Europe 51*. Son intransigeance, son désir de s'en tenir à un récit strict et sobre confine parfois à la sécheresse. Dans une démarche bien différente, on peut en France l'apparenter à Bresson ou à Rivette. A voir encore, le très brillant *General Della Rovere* et *Vanina Vanini,* d'après les *Chroniques italiennes* de Stendhal.

Stefania Sandrelli

Née à Viareggio une trentaine d'années après Monicelli (avec laquelle elle tournera *Brancaleone* et *Pourvu que ce soit une fille*), cette jolie jeune fille au visage tendre montre son sourire dès l'âge de quinze ans (*Divorce à l'italienne).* Un regard, un jeu simple mais efficace qui laisse passer l'émotion et s'adapte aux comédies profondes (*Alfredo, Alfredo, Nous nous sommes tant aimés*). Après un léger passage à vide, elle prend le risque d'afficher ses charmes opulents de quasi-quadragénaire dans *La clé* de Tinto Brass («Stefania Sandrelli est une truie», s'exclame un critique choqué). Le pari est gagnant puisqu'elle tournera à nouveau sans discontinuer.

Greta Scacchi

Une beauté un peu froide (peut-être ses origines anglaises) mais une allure, une distinction naturelle qui lui permettent de jouer aussi bien avec Ivory qu'avec les Taviani. Elle mène sa carrière avec discernement et un sourire indiscutablement séduisant. Elle est née à Milan en 1960.

Ettore Scola

On l'a tant aimé. Il incarne, mieux que tout autre, le cinéma tendre, acerbe et drôle à la fois des comédies réalistes des années 70. Chroniqueur exemplaire de la vie des petites gens comme des affres des riches, il a l'art de donner de l'épaisseur à ses personnages, souvent aidé par des acteurs prodigieux et faits pour ce cinéma, en particulier Nino Manfredi et Vittorio Gassman. De nombreux et véritables chefs-d'œuvre, que certains boudent parfois, sans doute à cause de leur simplicité et de leur succès commercial, bourrés de finesse et d'humour : *Nous nous sommes tant aimés, Affreux, sales et méchants, La terrasse, Une journée particulière, Le bal, La famille, Les nouveaux monstres* (avec Risi et Monicelli), *Macaroni, Splendor.*

Alberto Sordi

Cabotin, Alberto ? C'est juste notre culture française qui nous le fait voir parfois un peu démonstratif. Certes, il en rajoute un peu, mais il est tellement expressif lorsqu'il parle avec les mains. Il a proprement illuminé certains films par des scènes d'anthologie, toujours brillant (on ne change pas la nature) dans les rôles de m'as-tu-vu qui se dégonfle devant l'événement. Pathétique dans *Un bourgeois tout petit petit* de Monicelli, hilarant dans le sketch du «schisme» dans *Les nouveaux monstres*. Porteur d'une image nette et populaire du faux héros attendrissant, il compte beaucoup dans le paysage des années 60 à 80. Ce célibataire, réputé pour son avarice, est né à Rome en 1919.

Vittorio et Paolo Taviani

Porteurs de grands espoirs dans le renouveau du cinéma italien à la fin des années 70, les frères Taviani, d'origine pisane, n'ont, malgré une très belle cote d'estime à l'intérieur et hors des frontières, que partiellement répondu à l'attente. Doués indiscutablement pour raconter les histoires et les mettre en scène, ils apportent un soin d'entomologiste à leurs descriptions et à leurs personnages, ne «lâchant» jamais l'histoire d'un millimètre. Cela donne de fort beaux films (*Padre Padrone, Good morning Babylonia*) sans déchaîner la passion. Tout est cependant bien intéressant, en particulier les moins connus, comme *Kaos, Contes siciliens* ou *Allonsanfan.*

Ugo Tognazzi

Né à Crémone en 1922 et mort à Rome en 1990, il est l'un des comparses attitrés des Risi, Germi, Comencini ou Monicelli. Un physique passe-partout mais l'art de donner de l'épaisseur à des rôles qui en manquent un peu, bref, un talent qu'il serait ingrat de qualifier de sous-mastroiannien. Très populaire en France pour avoir remplacé Poiret aux côtés de Serrault dans *La cage aux folles*, irrésistible dans *Mes chers amis* et *Les nouveaux monstres.*

Massimo Troisi

Disparu bien trop jeune, ce brillant acteur d'une belle sensibilité avait tout pour devenir le Nino Manfredi de l'an 2000. Après *Splendor,* son premier grand rôle, et *Quelle heure est-il ?* La maladie l'emporta à 41 ans (il était né à Naples en 1953), juste après le tournage du *Facteur,* grâce auquel il connut une consécration posthume.

Le peplum

Un genre éminemment romain : depuis les origines du cinéma, on a aimé voir des belles scènes antiques avec des acteurs de tous les pays en toge. On s'est régalé avec les Maciste, et le peplum est devenu un sous-genre avec une nuance assez péjorative. Recourant à un certain second degré, Sergio Leone se donne d'autres moyens pour tirer le genre de l'effet carton-pâte. Après *Les derniers jours de Pompéi* (1959), il tourne Le *colosse de Rhodes*, qui connaîtra un grand succès. Curieusement, c'est aux Etats-Unis que le peplum atteindra sa maturité, grâce à de grosses productions, comme *Quo Vadis* avec Robert Taylor (1951) et les deux chefs-d'œuvre absolus du genre, *Jules César* (1953) et *Cléopâtre* (1963) de Léo Mankiewicz. On peut aussi, bien sûr, citer le *Satyricon* de Fellini (1969) et, dans un autre genre, *Spartacus* (1960) de Kubrick.

Raf Vallone

Un costaud taillé pour les films d'hommes et d'aventures. D'origine calabraise (né à Tropea en 1916), il débute avec *Riz amer* (on peut faire pire) et se distingue en France (avec Carné, Delannoy) comme en Italie (Lattuada, De Sica pour *La Ciociara*). Des rôles forts et une image de baroudeur qu'il réussira à exporter aux Etats-Unis, où il achèvera sa carrière (il est remarquable dans Le cardinal de Preminger).

Alida Valli

D'origine yougoslave, elle joue dès l'âge de quinze ans et devient célèbre à dix-huit (elle tourne une dizaine de films entre 1940 et 1942). Après un essai à demi-transformé à l'étranger (on la voit dans *Le troisième homme*), elle poursuit sa carrière en Italie où Visconti lui offre le rôle de sa vie : la comtesse Serpieri dans *Senso.* Elle enchaîne alors les films, en Italie et en France, mais ne connaîtra plus de situation majeure, son physique, à la fois lisse et un peu dur la rendant idéale pour les seconds rôles (*Les yeux sans visage* de Franju, La Luna de Bertolucci).

Luchino Visconti

Si Pasolini est l'enfant terrible, et Fellini le chef d'orchestre, Visconti est évidemment le prince, le Lampedusa du cinéma italien. Grandiose et en même temps intimiste, un mélange de Proust et Balzac qui aurait tout compris à la chose cinématographique. La musique, la peinture et l'écriture, tous les arts dans un art. Visconti a tout maîtrisé, son œuvre est puissante et unique.

Il faut se représenter le choc que provoqua la vision du *Guépard* en 1964 ou celle de *Mort à Venise* en 1971 ! Impossible que de tels événements se reproduisent aujourd'hui (merci à *Titanic* et *Les visiteurs*, nouveaux vecteurs de la passion cinéphile). Décidément, la mort d'Aschenbach face à la lagune de Venise, sous les puissantes et implacables envolées de la *Cinquième symphonie* de Mahler, nous a rendu irrémédiablement orphelins. Luchino Visconti est né à Milan en 1906, il est mort à Rome en 1976, et il a laissé quelques chefs-d'œuvre à la postérité, toujours entre esthétisme et réalisme, entre poésie et chronique, entre Violence et passion, selon le titre symbolique de son avant-dernier film. A voir, bien sûr, également *Rocco et ses frères, Senso, Le crépuscule des dieux, Les damnés.*

Monica Vitti

Elle est blonde (teinte), elle est belle et un peu mystérieuse, son regard est profond et sensuel. Monica Vitti éclate avec Antonioni dans les années 60 : *L'Avventura, L'éclipse, La nuit, Désert rouge.* Peut-être phagocytée par l'exigence d'une composition forcément un brin hiératique avec le maître du non-dit, elle ne retrouvera jamais des rôles d'une telle épaisseur. Elle a tourné avec Risi, Scola (*Drame de la jalousie*), sa carrière s'arrêtant aux années 80. Elle est née à Rome en 1931.

Gian-Maria Volonte

Il y a de nombreux réalisateurs engagés. Gian-Maria Volonte est un comédien engagé et servit de messager, pour les Petri, Rosi et Montaldo, de la cause à maintes reprises : *Enquête sur un citoyen au-dessus de tout soupçon, La classe ouvrière va au paradis, L'affaire Mattei.* Il fut Vanzetti dans *Sacco et Vanzetti*, film manichéen et inoubliable (l'hymne vibrant scandé par Joan Baez). Gian-Maria Volonte avait un registre suffisamment vaste pour jouer aussi les westerns (*Et pour quelques dollars de plus*) ou le polar psychologique (*Le cercle rouge* avec Melville, *Lucky Luciano*). Né à Milan en 1933, il meurt en tournant *Le regard d'Ulysse* avec Angelopoulos.

Franco Zeffirelli

Un cinéaste classique, bon artisan et adaptateur fidèle d'œuvres littéraires ou musicales. Après s'être fait les dents sur Verdi (La Traviata et Othello), il attaque Shakespeare : *La Mégère apprivoisée*, puis *Roméo et Juliette*, qui lui vaudra une considération internationale malgré un académisme un peu mièvre (Branagh était encore trop petit). La suite de sa carrière se partage entre mélos et grands spectacles familiaux. Il est né à Florence en 1923.

PEINTURE, SCULPTURE, ARCHITECTURE

Albanese

Cette dynastie d'architectes et de sculpteurs des XVIe et XVIIe siècles est originaire de Vicence. Francesco Albanese est l'auteur de quelques monuments religieux de sa ville. Son fils Giovani a dessiné et sculpté le fronton de San Vincenzo et les principales statues. Son deuxième fils Girolamo a participé également, de façon plus discrète, à l'œuvre familiale.

Giacomo Balla (1871-1958)

D'origine turinoise, il s'installe à Rome à la fin du XIXe siècle et participe aux divers mouvements picturaux issus de l'industrialisation. Il est l'un des précurseurs du futurisme en Italie, et, avec toujours quelques longueurs d'avance, prend finalement ses distances avec les courants du moment pour suivre un itinéraire personnel fort intéressant.

Fra Bartolomeo (1472 - 1517)

Ses peintures religieuses, profondes et illuminées de grâce malgré un fond souvent sombre, montrent un caractère sobre et solennel. Ce peintre florentin a été un disciple zélé de Savonarole et a su représenter le mystère de la foi avec beaucoup de conviction. On trouvera ses œuvres en de nombreux lieux toscans, musées et édifices religieux : cathédrales et musée de Lucques, galerie de l'Académie à Florence.

Bassano

Le pater familias est Francesco dit l'Ancien, né à Bassano del Grappa à la fin du XVe siècle. Il peint quelques tableaux religieux avant de passer le relais à son fils Jacopo, le plus éminent de la famille, un des chefs de file de la peinture religieuse vénitienne. Le dessin est moderne, les couleurs vives avec l'utilisation des ocres, une peinture franche et quasi avant-gardiste (musée Ambrosiana de Milan, musée de Bassano). Ses deux fils, Franco dit le Jeune, et Girolamo, ont suivi les traces de leur illustre père, ajoutant une légère touche de personnalité.

Jacopo (1396 - 1470) et Giovanni Bellini (1430 - 1516)

Peintre vénitien du XVe siècle, spécialisé naturellement dans la peinture religieuse, Jacopo intègre, avec un bonheur évident, les différentes influences de l'époque. Il fut le beau-père d'Andrea Mantegna avec lequel on lui trouve en effet une certaine filiation. Gentile et Giovanni, se montrent des successeurs dignes, Giovanni surpassant son père en notoriété (portraits, retables, œuvres à Venise et dans tous les grands musées).

Botticelli Sandro Filipepi (1445 - 1510)

Le maître de la peinture religieuse du XVe siècle est né à Florence. Il incarne, avec la précision du dessin, la douceur de tons et le velouté des formes (anges rondouillards, Madones pleines de grâce, jeunes filles voluptueusement voilées), un courant majeur de son siècle. Quelques-unes de ses œuvres sont mondialement connues : l'*Adoration des Mages, la Naissance de Vénus, le Printemps.* On le trouve, de façon incontournable, à la Galerie des Offices à Florence. Botticelli a travaillé sur les fresques de la chapelle Sixtine et a également illustré *La divine comédie.*

Bramante (1444 - 1514)

Aussi à l'aise dans l'architecture religieuse que dans la peinture, cet artiste délicat, de son vrai nom Donato di Pascuccio, est né à Pesaro et mort à Rome. Il s'illustre dans sa jeunesse en Lombardie, avant d'être admis à la cour des grands. Presque aussi visionnaire qu'un Léonard de Vinci, il réinvente les espaces et les formes, et peut être considéré comme un des premiers «urbanistes» modernes (Sforza, puis le pape Jules II font appel à lui pour la cour du belvédère du Vatican, notamment). Il réalisa le premier plan de saint Pierre de Rome au début du XVIe siècle.

Filippo Brunelleschi (1377 - 1446)

Un des plus fameux architectes de son temps, florentin de naissance : il dessina la célèbre coupole du dôme de sa ville et fut un des précurseurs de la Renaissance. Ami des humanistes, mais aussi des scientifiques, il a su inscrire son art dans un courant artistique et philosophique majeur. C'est aussi un sculpteur très estimable.

Canaletto (1697 - 1768)

C'est tout l'esprit vénitien, de plaisir et de mélancolie, qui flotte dans ses toiles limpides, ses ocres et ses bleus lumineux, ses palazzi resplendissants, ses dessins d'une incroyable précision. Giovanni Canal (c'est son vrai nom) naît et meurt dans la ville des Doges. Comme les œuvres de tous les grands peintres d'une cité aussi touristique qui se sont spécialisés dans la «veduta» (vue de ville, perspective), celles de Canaletto sont un peu galvaudées et parfois même sous-estimées. A connaître, les toiles de sa période londonienne, avec de très jolies vues sur la Tamise.

Antonio Canova (1757 - 1822)

Sculpteur né à Trévise. Après des études classiques où il s'imprègne des influences diverses des grands maîtres, il se spécialise d'abord dans les œuvres mythologiques (*Thésée et le Minotaure*). Elles lui valent une rapide notoriété. Il travaille à Venise, puis à Rome, et les commandes affluent : monuments publics, tombeaux, portraits, notamment de la famille Bonaparte. La plupart de ses œuvres montrent sa finesse et sa capacité à traduire mouvements et émotions. On notera également, sur la fin de sa vie, quelques sujets religieux intéressants. On verra, parmi ses œuvres majeures, Pauline Bonaparte en Vénus victorieuse à la villa Borghèse.

Le Caravage (1571 - 1610)

Un sacré numéro et un tempérament bouillant. Michelangelo Merisi, dans sa vie comme dans son art, fut souvent à la lisière du droit chemin, et parfois nettement au-delà. Son talent, néanmoins, est incontesté. Il sut d'ailleurs, malgré son caractère ombrageux, trouver des mentors et protecteurs pour le placer sur le devant de la scène artistique. Au tournant du siècle, sa notoriété est considérable, et les belles familles romaines apprécient son style et sa fougue dans des œuvres qui empruntent aux peintres flamands comme aux maîtres de la peinture religieuse italienne tout en faisant preuve d'une grande personnalité. Ses frasques deviennent malheureusement trop nombreuses pour être étouffées et, après avoir tué un joueur dans un tripot, il doit fuir à Naples, puis à Malte (uniquement parce que le premier bateau qui accepta de le transporter était celui des chevaliers), où son passage, mémorable, sème le désordre sur l'île de l'Ordre.

Pourchassé par de nombreux ennemis, il continue pourtant à produire : on le voit en Sicile, puis à nouveau à Naples, puis à Porto Ercole où il vient mourir d'une crise de délire. Ses œuvres se trouvent dans les plus grands musées du monde, aux Offices à Florence comme au musée du Vatican ou à la galerie Borghèse à Rome, au Louvre, à l'Ermitage ou à la National Gallery.

Carlo Carra (1881 - Milan 1966)

Un artiste intéressant qui a intégré et exprimé la plupart des courants contemporains. Après ses premiers travaux d'influence impressionniste, il participe au mouvement futuriste, flirte avec les cubistes et les néoprimitifs, sans négliger quelques incursions chez les surréalistes. Il est difficile pourtant, dans la variété et la complexité de son œuvre, de voir davantage qu'un simple cousinage avec certains de ses collègues. A ranger dans la rubrique» contemporains inclassables».

Carrache

Une famille en or de la peinture italienne de la deuxième moitié du XVIe siècle. D'origine bolognaise, les deux frères Annibal et Augustin et leur cousin Ludovic constituent la tribu. Le premier est le plus célèbre, pour ses tableaux religieux allégoriques dans lesquels s'épanouit le maniérisme classique post-Renaissance. Sur la fin de sa vie, la maturité lui apporte davantage de force et de recul, ainsi qu'une certaine sobriété.

Son frère Augustin, même s'il produit lui-même quelques toiles, s'occupe davantage des relations publiques pour le clan, avant de se brouiller avec Annibal. Ludovic, le cousin, est aussi l'aîné (mais il survit dix ans au benjamin Annibal). Son style est simple et net : on pourrait presque dire qu'il est dépoussiéré, qu'il marque comme un retour aux sources, sans artifices rococo, de la peinture religieuse. Ses œuvres sont visibles dans les musées de Bologne, de Parme ou de Milan.

Benvenuto Cellini (1500-1571)

Ce délicat sculpteur florentin a marqué son temps par la qualité de ses travaux mais aussi par le récit de sa vie (*La Vita*), fidèlement transcrite par son assistant. Il est célèbre fort jeune puisque, à vingt ans à peine, il reçoit commande du pape Clément VIII et s'installe à Rome. On lui doit quelques bronzes fameux (en particulier de François Ier) et des portraits remarquables.

Le Corrège (1489-1534)

Originaire de Correggio, comme son nom l'indique, ce maître de la peinture religieuse le dispute dans son domaine aux plus grands, comme Raphaël ou Giotto : technique impeccable, inspiration mystique, richesse et douceur des expressions. On verra, à Parme, ses superbes fresques de la coupole de saint Jean l'Evangéliste et de nombreuses œuvres au musée de la même ville, où il a travaillé la majeure partie de sa vie. Il compose, sur le tard, de très belles toiles sur des thèmes mythologiques.

Crespi

Dans la famille bolognaise des Crespi, le plus connu est le papa, auteur de scènes d'époque particulièrement bien campées. Guiseppe Maria est né en 1665 et mort à Bologne en 1747. Son fils Luigi (1709 - 1779) s'est montré un digne élève de son père, en particulier dans la veine portraitiste. Son fils aîné, Antonio, a surtout rendu de fidèles hommages au travail paternel.

Le Dominiquin (1581 - 1641)

Né à Bologne, il vint travailler à Rome, et en profita pour se rapprocher de la famille Carrache, s'installant notamment avec Annibal à la galerie Farnese. Ses tableaux religieux s'inspirent des maîtres du siècle précédent, Raphaël ou le Corrège. Certains d'entre eux sont conservés à la galerie Borghèse et au musée du Vatican.

Donatello (1386 - 1466)

Une œuvre immense et un accès direct au top ten de la sculpture mondiale. Donatello est un précurseur et un génie, qui a su interpréter le style gothique pour ouvrir la voie des siècles suivants. De son vrai nom Donato di Betto Bardi, il naît et vit à Florence, où ses premiers travaux voient le jour vers 1408. Il intègre, dans des scènes vivantes et stupéfiantes de précision, la mythologie antique ou l'hagiographie, et se montre aussi éblouissant dans l'illustration religieuse que dans le portrait. Nombre de ses œuvres sont des classiques absolus, comme son *David* en bronze, au musée Bargello de Florence, ou *Marc Aurèle devant le Capitole*. On peut voir également quelques-unes de ses œuvres (autels, crucifix) à la basilique de Padoue, ainsi que sa statue équestre de *Gattamelata*, installée en plein air.

Fra Angelico (1400 environ - 1455)

Le grand maître du XVe siècle est né près de Florence à la fin du siècle précédent. Il passa une partie de sa vie au couvent de Fiesole, dont il deviendra prieur en fin de carrière. Dès ses premières œuvres, il se distingue par son interprétation novatrice des courants de l'époque, gothique notamment, par un trait précis, une utilisation rigoureuse de l'espace qui libère davantage qu'il ne contraint, et une grande richesse dans le détail. Ses travaux se trouvent dispersés dans toute l'Italie, aux Offices à Florence, au musée saint Marc, dans le nouveau couvent saint Marc de Florence ou dans la cathédrale d'Orvieto.

Giotto (1265 - 1337)

Un siècle avant Andreï Roublev, 150 ans avant Fra Angelico, Giotto a mis la couleur et l'émotion dans la peinture religieuse. Né vers 1265, il est mort à Florence en 1337 et, loin de se laisser enfermer dans une époque (le Moyen Age, le gothique), il se montre unique, précurseur et intemporel. On admire autant les fresques de l'abbatiale saint François à Assise que ses œuvres de jeunesse, habitées de la plénitude qui transparaît déjà dans celles de l'église Santa Croce (chapelles Peruzzi et Bardi) à Florence ou à Padoue (chapelle Scrovegni). On peut voir ses œuvres dans les plus grands musées italiens et mondiaux.

Francesco Guardi (1712 - 1793)

Certains le considèrent comme le plus grand «védutiste» vénitien, égalant ou même surpassant Canaletto par son inspiration poétique et sa puissance descriptive. Le soin dans le détail rend l'atmosphère de ses tableaux un peu flottante, comme si les sujets étaient «pixelisés» sur la toile. Un artiste étonnant qui n'aurait sans doute pas manqué le mouvement impressionniste un siècle plus tard.

Macerata Sferisterio

Le Guerchin (1591 - 1666)

Artisan d'un certain lyrisme, Giovanni Francesco Barbieri (de son vrai nom) connut une évolution intéressante, en particulier lorsqu'il rejoignit Bologne et la famille Carrache. Ses œuvres sont empreintes d'une véritable puissance qui préfigure des courants bien postérieurs. On peut les voir au musée du Capitole, à Rome et au musée de Bologne.

Leonardo da Vinci (1452 - 1519)

Son apport à l'art pictural aurait probablement suffi à le faire entrer dans l'Histoire, malgré un nombre relativement réduit de tableaux. Comme ce n'est que la moitié de son talent, le reste lui garantit un accès direct à la légende, avec une place acquise au firmament des génies de l'humanité. Avec lui, les grands de son époque s'offraient un artiste génial, un ingénieur (notamment militaire) de premier ordre et même un extraordinaire organisateur de fêtes. Pas étonnant qu'ils se le soient arraché. Léonard apprend les bases de son art (ou de ses arts : peinture, sculpture, etc.), mais aussi ses premières notions de science, à l'atelier de Verrocchio, à Florence, à partir de 1469. De cette première période toscane, on retiendra de sa production *l'Adoration des Mages* et la *Vierge aux Rochers*, tableaux dans lesquels il impose une organisation pyramidale des personnages et l'effacement du contour par le procédé du *sfumato*. Il part ensuite pour Milan (1482) où il se met au service de Ludovic le More (il y restera 20 ans). Là, il se remet sans cesse en question, sous la pression des défis qu'on lui lance, multiplie les recherches et, génie oblige, les découvertes. Il noircit d'innombrables cahiers sur les sujets les plus divers, de la mécanique à l'anatomie. Il se passionne d'ailleurs pour cette dernière au point d'opérer, en toute illégalité (la pratique est interdite par l'Eglise), des dissections sur des cadavres volés dans les cimetières.

Au début du XVIe siècle, il est de retour à Florence et, au milieu d'études scientifiques auxquelles il consacre l'essentiel de son énergie, il prend quand même le temps de peindre la *Joconde*, un des plus célèbres tableaux de l'histoire de la peinture et une étape essentielle dans l'art du portrait. Après un bref passage à Rome, il accepte l'invitation de François Ier et s'installe en France en 1517. Il meurt au Clos Lucé deux ans plus tard. L'héritage qu'il laisse est composé pour l'essentiel de dessins : considérant l'art pictural comme complémentaire de la science, il l'a mis au service de ses recherches. Inversement, ses connaissances scientifiques lui permettaient de renouveler de façon spectaculaire les notions de perspective et d'organisation de ses tableaux. Parmi ses dessins, on a trouvé les plans d'engins aussi révolutionnaires que le sous-marin, l'écluse à sas, l'ancêtre du cardan, du parachute et d'autres machines volantes qui prouvent que Léonard a été un très grand ingénieur en mécanique.

Andrea Mantegna (1431-1506)

Andrea Mantegna, né à Padoue, est l'un des tout premiers de sa catégorie (peinture religieuse du XVe siècle), à placer pratiquement sur le même piédestal que Botticelli. Mantegna, c'est la couleur, la beauté de l'expression, l'allégorie discrète, la qualité de la mise en scène. Il travaille dans sa ville natale, puis se rend à Mantoue (sur commande du prince de Gonzague). Il y restera jusqu'à la fin de sa vie. On peut admirer ses œuvres aux Offices à Florence (un superbe triptyque), à la galerie de l'Académie de Venise, mais aussi à Londres ou à Paris (Louvre).

Masaccio (1401 - 1428)

Une carrière météorique mais qui aura pourtant marqué son temps. Masaccio est un génie précoce qui s'installe à Florence à l'âge de quinze ans et impose très rapidement son style. Il est notamment l'un des tout premiers à utiliser la perspective, comme dans sa célèbre *Vierge à l'Enfant*. Sa personnalité et ses trouvailles de mise en scène ont inspiré nombre de grands artistes des siècles suivants, parmi lesquels Léonard de Vinci ou Michel-Ange.

Michel-Ange (1475 - 1564)

La Toscane, qui a déjà vu naître Léonard de Vinci, s'enorgueillit quelques années plus tard d'un génie d'une dimension au moins équivalente avec Michel-Ange. On connaît le sculpteur et le peintre, mais l'homme est aussi poète ou architecte. Il fait son apprentissage dans l'atelier des Ghirlandaio, puis avec Bertoldo di Giovanni, dans les jardins du palais des Médicis. Il découvre ainsi la statuaire antique, dont la famille possède une abondante collection, et s'assure la protection de Laurent le Magnifique. Il fréquente les plus grands esprits de l'époque et est notamment séduit par les idées de Platon, alors fort commentées.

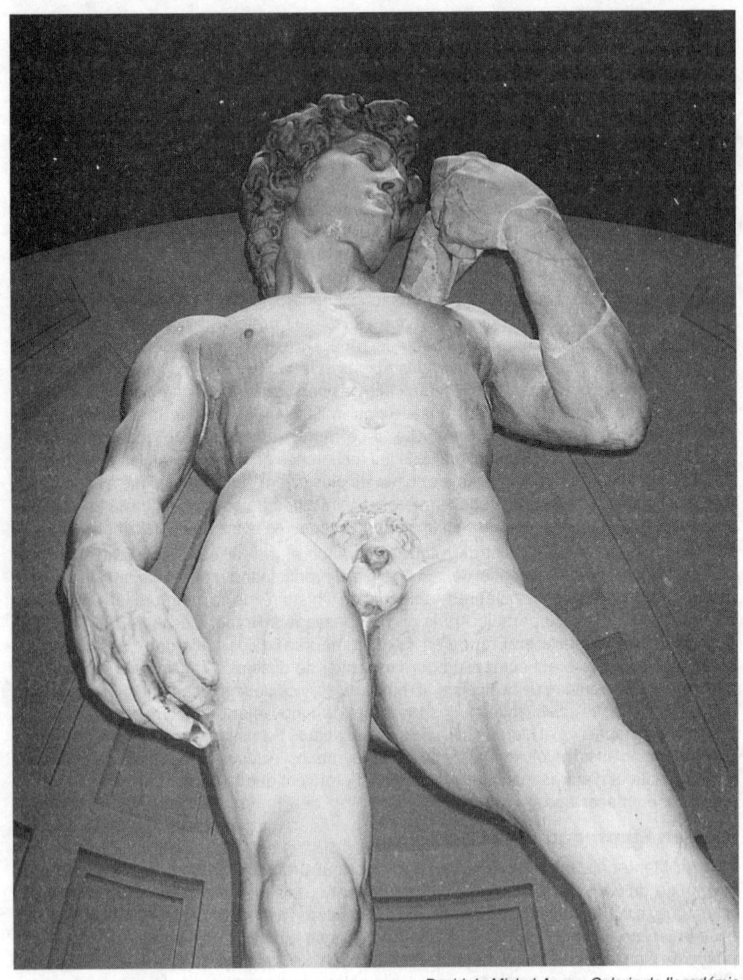

David de Michel-Ange - Galerie de l'académie

Peut-être trop jeune pour être déjà génial, Michel-Ange est bouleversé par la mort de son protecteur et les prédications de Savonarole, et s'enfuit à Bologne, puis à Rome. C'est là que l'artiste mûrit et frappe un premier grand coup avec la pietà de la basilique saint Pierre. On lui reconnaît (à juste titre) toutes les qualités : la perfection technique et l'inspiration heureuse, l'énergie et la précision anatomique. Il navigue entre Rome et Florence, travaillant pour les plus grands (les Médicis à Florence et les papes à Rome) et semant les chefs-d'œuvre comme d'autres les petits cailloux : **le David** ou la chapelle funéraire des Médicis à Florence, la chapelle Sixtine à Rome. A partir de 1534, il choisit définitivement Rome, et son art devient de plus en plus tourmenté, que ce soit en peinture, en sculpture ou en poésie. Cette évolution est particulièrement frappante dans son *Jugement dernier* qui orne la chapelle Sixtine. Il se rapproche du mouvement réformateur des spirituels et ses interrogations métaphysiques transparaissent dans les rares travaux de la fin de sa vie, période qu'il consacre essentiellement à l'architecture. Il devient d'ailleurs architecte officiel du Vatican et travaille à la coupole de saint Pierre ou encore à la place du Capitole. A sa mort, son génie est largement reconnu, et lui a valu maintes biographies.

Le Pérugin (1450 environ - 1523)

Comme beaucoup d'artistes de cette époque, Pietro Vanucci doit son nom à sa ville natale, Pérouse, où il apparut au milieu du XVe siècle et mourut en 1523. Le style classique du Pérugin ne surprend guère, mais il utilise les ressources de l'époque avec bonheur et améliore la perspective. On trouve ses œuvres dans les plus grands musées européens et à la pinacothèque de Pérouse. Le Pérugin a illustré de nombreuses églises toscanes ainsi qu'une partie de la chapelle Sixtine.

Raphaël (1483 - 1520)

Chaque musée d'importance met Raphaël en vitrine. L'effet est assuré, car Raphaëlo Sanzio est une référence mondiale. L'étoile d'Urbino naquit fils de peintre : cela aide l'inspiration, et surtout la technique. Sa carrière est pourtant de courte durée : une vingtaine d'années pour former ce génie de la lumière et de l'expression. Il travaille d'abord dans sa ville natale, puis dans de nombreuses églises et cathédrales de son pays. Des œuvres connues de tous, parmi lesquelles le fameux *Songe du chevalier* ou la *Transfiguration,* ainsi qu'une série de Madones. Parmi ses nombreuses qualités, on peut distinguer la puissance expressive de ses portraits. Si vous passez par Rome, ne manquez pas ses *Stanze* du palais du Vatican.

Jacopo Sansovino (1486 - 1570)

Après avoir travaillé dans l'atelier d'Andrea Sansovino, Jacopo Tatti, sculpteur et architecte, prit le nom de fabrique de son entreprise, comme c'était courant à l'époque. Ayant approché les meilleurs à Rome (Raphaël et Michel-Ange notamment), il fut chargé de l'aménagement de la place saint Marc qu'il réussit avec bonheur à harmoniser et à mettre en scène. Ses sculptures, qui se caractérisent par des jeux d'ombres et de lumières, sont également estimables.

Giambattista Tiepolo (1696 - 1770)

Il est l'une des (seules) grandes figures de la peinture italienne du XVIIIe siècle. Né un an avant Canaletto, il gagne rapidement sa réputation dans le cercle vénitien et reçoit d'importantes commandes à l'aube de ses trente ans (Palazzo Santi notamment). Il travaille ensuite dans toute l'Italie (Udine, Bergame, Milan), s'inspirant progressivement du style de Véronèse, dont il a beaucoup étudié les variations de couleurs. Dans toute l'Europe on réclame son génie, d'Allemagne en Espagne, où il terminera sa vie pour le compte du roi Charles III. Il eut le bonheur d'être assisté presque toute sa carrière par ses deux fils qui l'accompagnaient dans chacun de ses ateliers.

Le Tintoret (1518 - 1594)

Maître incontesté du XVIe siècle, Jacopo Robusti étonne par la variété de ses compositions, de l'allégorie d'influence gothique au maniérisme post-Renaissance. Il est vrai que sa longue carrière lui a permis de traverser tout le XVIe siècle en s'enrichissant de divers courants, mais c'est bien son génie propre qui a permis à cet artiste vénitien d'exprimer sa diversité et la puissance de ses compositions, dans des mises en scène véritablement théâtrales. Tableaux religieux, portraits, illustrations quasi cinématiques d'épisodes historiques : le Tintoret est bien davantage qu'un illustrateur, et ses *Noces de Cana* ou son *Christ devant Pilate* occupent une place de choix dans le patrimoine artistique mondial. Nombre de ses travaux sont visibles dans divers bâtiments vénitiens (dont San Rocco et San Marco), à la galerie de l'Académie et autres grands musées.

Titien (1488 - 1576)

Un dessin précis et dynamique, une remarquable utilisation de l'espace, des jeux de lumières et de sublimes portraits, dont ceux du *Jeune Anglais*, de *François Ier*, de *Charles Quint à cheval*, ou de l'*Homme au Gant*. Elève de Bellini puis de Giorgione, Tiziano Vecellio, né près de Venise vers la fin du XVe siècle, prend de l'ampleur au fil du temps et devient l'un des peintres vénitiens les plus demandés : des réalisations grandioses, au souffle presque palpable, et des succès grandissants, partout en Europe, qui inspireront nombre de peintres des générations futures. On trouvera ses œuvres à la galerie de l'Académie, au palais Pitti à Venise, aux Offices et dans tous les grands musées du monde.

Véronèse (1528 - 1588)

Du grand classique au siècle de la Renaissance : Paolo Caliari est bien né à Vérone, et mort à Venise soixante ans plus tard. Entre-temps, il aura déployé son talent pour divers princes et cardinaux, à Bologne, à Mantoue, avant de s'installer à Venise les vingt dernières années de sa vie. Ses grandes œuvres religieuses ou mythologiques sont, malgré leur académisme, très facilement identifiables par leurs teintes douces, leur velouté et leur richesse. On peut les voir à la galerie de l'Académie et dans les grands musées européens.

LITTERATURE

Vittorio Alfieri (1749 - 1803)

Poète et tragédien piémontais né à Asti, il connaît dans sa jeunesse de grands élans romantiques, puis se passionne pour l'humanisme, influencé notamment par les philosophes français. Il accomplit de nombreux voyages qui, à force de désillusions sur la nature humaine, le poussent vers un individualisme moins généreux. Dès lors, il se recroqueville sur les poètes de l'Antiquité et commence à composer de nombreuses tragédies qui constituent, dans le genre, les œuvres les plus marquantes de la littérature italienne. Stendhal, dans un jugement brillant et acerbe, s'est interrogé sur l'opportunité qu'il y avait de recréer des tragédies antiques lorsqu'on admire tant les Anciens qui, eux, écrivaient pour leur temps sans pasticher leurs ancêtres...

L'Arétin (1492 - 1556)

Pietro Bacci doit son pseudonyme, comme c'était souvent le cas pour les artistes, à son origine. Né à Arezzo donc, en 1492, il se passionne pour les arts, échoue dans la peinture avant de verser dans la littérature. Brillant orateur, il fait merveille dans les salons, s'installe à Rome et fréquente le gratin grâce au fameux Agostino Chigi, grand protecteur des arts. Il joue les courtisans, aiguise ses traits, cultive la satire et donne son avis sur la vie publique et politique dans divers écrits. Chance supplémentaire, un de ses meilleurs potes devient pape (Clément VII). Il tutoie François Ier et Charles Quint, et en profite si bien qu'il se fait de nombreux ennemis jaloux et doit fuir la capitale pour Venise, où le doge Gritti l'accueille à bras ouverts. C'est la grande époque : L'Arétin le licencieux tient la maison la plus enviée d'Italie, toute la Jet-set vénitienne vient y souper (Titien est un de ses intimes) et les belles filles pas farouches y sont légion. Il compose quelques œuvres grivoises et d'autres plus sérieuses que son talent et son aisance lui permettent d'ajuster selon les désirs de l'époque : quelques comédies brillantes, et même des œuvres pieuses pour faire plaisir à l'Eglise et briguer la robe de cardinal dont il rêve. Il meurt cependant avant de l'avoir obtenue.

L'Arioste (1474 - 1533)

Son œuvre capitale, *Orlando Furioso* (*Roland furieux*), est un des poèmes épiques majeurs de la littérature italienne. L'Arioste est reconnu et admiré pour la pureté de son style, son sens de la rythmique et la musicalité de sa langue. A lire évidemment en version originale, éventuellement sous-titrée. Ludovico Ariosto est originaire de Reggio d'Emilia, et se fait remarquer rapidement pour son esprit brillant : il fréquente la noblesse de robe et beaucoup de jolies femmes (il conçoit quelques enfants avec certaines d'entre elles). Il finit même par en épouser une, à cinquante-trois ans, et se retire dans la petite maison qu'il possède à Ferrare pour trouver le véritable sens de la vie : poésie, tranquillité et jardinage.

Ugo Betti (1892 - 1953)

Originaire de Camerino (Marches), il est l'auteur de quelques pièces dramatiques reconnues (*Le Joueur, L'Ile des Chèvre*s) où, à travers la banale souffrance du quotidien, transparaît un profond humanisme. A lire aussi, son autobiographie, *La Piera Alta*, publiée cinq ans avant sa mort.

Giovanni Boccaccio (Boccace, 1313 - 1375)

Le premier grand écrivain italien est peut-être né à Paris, comme l'affirment certains de ses biographes. Il est en tout cas certain qu'il est issu d'une famille riche de Florence et que son père banquier voyage beaucoup : le petit Boccace est envoyé à Naples, où il se passionne pour la vie brillante des artistes de l'époque et pour la littérature en particulier. Il connaît une carrière politique et publique plutôt réussie, malgré les difficultés financières dues au krach (déjà !) de la banque de son père, qui mourut en 1349 en laissant des dettes.

C'est l'année suivante, en 1350, qu'il entame la rédaction du *Décaméron*, et qu'il fait la connaissance de Pétrarque, rencontre capitale pour la littérature italienne. C'est la naissance d'une amitié et d'une entente indéfectibles : le salon de Boccace devient un vivier d'où fuseront toutes les idées humanistes du siècle. Les ouvrages qui suivront en seront imprégnés et, vers la fin de sa vie, il se rapprochera des «bonnes œuvres» pour mériter les bonnes grâces. Boccace n'est peut-être pas Shakespeare mais il a, par la nouveauté et l'inventivité de sa langue, beaucoup apporté à la littérature.

Massimo Bontempelli (1878 - 1960)

Originaire de Côme, un écrivain important de la première moitié du XXe siècle, mais aussi un brillant lettré qui a su aborder tous les genres, du réalisme au surréalisme, et apporter une vision globale sur la littérature italienne qui fait aujourd'hui référence (il est le fondateur de la revue littéraire «Novecento» qui fut interdite par Mussolini, et dont il publiera l'histoire). A lire, *La Femme de mes rêves, Le Fils de deux mères* ou *Des gens dans le temps.*

Carlo et Federico Borromeo

Les Borromeo sont une grande famille lombarde au XVIe siècle. Carlo, né en 1538 sur les rives du lac Majeur, est un théologien très en vue et un homme de bien au service de l'Eglise. Il est canonisé en 1610 (saint Charles-Borromée), vingt-six ans après sa mort. Son cousin Federico a été cardinal et a publié quelques œuvres appréciées sur l'art sacré.

Dino Buzzati (1906 - 1972)

Ses nouvelles (*Le K* et ses cousines), dans leur inimitable veine fantastico-réaliste, firent un tabac dans les années 60. Il y a l'invention, la richesse des images, une musique joyeuse sur des paroles graves. C'est sans doute son expérience de journaliste qui lui donne cette capacité à s'attarder et s'attendrir sur des choses futiles et essentielles. Il est aussi l'auteur d'un roman important du XXe siècle, *Le Désert des Tartares,* dont Zurlini a tiré une adaptation cinématographique très correcte. Il est né à Belluno, dans la province du Frioul.

Italo Calvino (1923, Cuba - Sienne 1985)

Il est une des figures importantes de l'écriture contemporaine. Son *Vicomte pourfendu*, dans sa veine très novatrice, à mi-chemin entre Queneau (qu'il a d'ailleurs traduit) et Cervantès, fut une excellente surprise. Le style réjouissant et peu académique de cet auteur et journaliste se retrouve dans les œuvres suivantes, *Le Baron perché* et *Le Chevalier inexistant*, qu'on pourrait qualifier de «foisonnants et picaresques». Calvino s'est rapproché un temps des post-surréalistes français (il a longuement séjourné à Paris). Il fut membre de l'OULIPO, aux côtés de Perec et Queneau.

Guido Cavalcanti (1260 environ - 1300)

C'est le Villon italien, le premier poète reconnu et influent jusqu'à la Renaissance. Contemporain et familier de Dante, il prend part à la lutte entre guelfes et gibelins et tient une place importante dans la vie florentine. Il n'a d'ailleurs quitté Florence que fort rarement, y est né et y est mort.

Giosue Carducci (1835 - Bologne 1907)

Un poète néoclassique qui a eu souvent la dent dure pour ses collègues contemporains et pour les romantiques à la langue mièvre. Intègre et passionné, il a été admiré de son vivant pour ses prises de position en faveur d'un retour aux «vraies valeurs» et son admiration pour les poètes latins. Il a reçu le prix Nobel en 1906.

Carlo Collodi (1826 - 1890)

La création du personnage de Pinocchio, thème quasi récurrent dans la littérature italienne (l'aspiration à devenir un homme), lui a assuré le succès pour l'éternité.

Né à Florence, de son vrai nom Lorenzo Collodi, il est d'abord journaliste et s'engage pour la construction de l'unité italienne. A l'âge mûr, il compose des œuvres pour enfants, et c'est de cette époque que date la série des aventures de Giannettino (Petit Jean). A partir de 1881, il publie en feuilleton, dans le *Giornale per i bambini,* l'histoire de Pinocchio qui connaîtra un foudroyant succès.

Gabriele D'Annunzio (1863 - 1938)

Ce prince de sang voit le jour aux confins des Abruzzes et des Pouilles, à Francavilla al Mare, et consacre sa vie à la noblesse des sentiments, à la grandeur de l'âme et au souffle lyrique d'une écriture soignée et brillante. Son parcours bien conduit le voit d'abord poète, puis noveliste et, enfin, romancier et auteur dramatique. Ses thèmes de prédilection : la nature et l'amour, vus par un esprit supérieurement intelligent et sensible, qui pourrait être lui-même. D'Annunzio se confond avec ses personnages, entre Dorian Gray et Lampedusa, fascinant encore aujourd'hui de nombreux apprentis dandys. Sa propre vie se déroule en cinérama : il enlève une princesse romaine, vit une aventure orageuse avec une célèbre actrice, devient député nationaliste au début du siècle, et, poursuivi par les créanciers et les maris jaloux, se réfugie à Arcachon où il tient un des salons les plus brillants de l'avant-guerre, rédigeant en français un *Martyre de saint Sébastien* qui sera adapté par Debussy. Il revient dans son pays pour le sauver, devient un as de l'aviation et soutient un siège dans une petite ville qu'il régente en inventant les colifichets du fascisme (les chemises brunes et le salut). Après la guerre, il se retire dans une superbe propriété sur les bords du lac de Garde, offerte par le régime, et y demeure jusqu'à la fin de ses jours, écrivant et jouissant de ses derniers instants dans une sorte de folie baroque, en tyrannisant son entourage. A lire, Le Feu, *L'Aventurier sans aventure* et quelques poèmes bien jolis.

Dante Alighieri (1265 - 1321)

Il est à la fois étrange et rassurant que l'œuvre de Dante ait pu, au Moyen Age, sans FNAC ni Bernard Pivot, connaître un immense succès et traverser les siècles pour le bénéfice des générations suivantes. Il est exact que, en dehors des qualités littéraires et visionnaires de *La divine comédie*, l'argument avait de quoi séduire autant le pouvoir que l'Eglise, qui facilitèrent ainsi une bonne diffusion auprès du public afin qu'il soit influencé favorablement par cette puissante leçon de morale. Mais l'œuvre va évidemment plus loin qu'un simple sermon. Les trois parties, l' «Enfer», le «Purgatoire» et le «Paradis», s'imbriquent dans une brillante allégorie poétique et philosophique pour décrire la quête humaine vers l'Etre suprême. C'est d'ailleurs l'œuvre d'une vie d'homme, composée sur une douzaine d'années à partir de 1308 environ. Le personnage principal de ce moteur puissant d'un christianisme généreux et rigoureux est une femme aimée, Béatrice, morte jeune et béatifiée par l'auteur (on dit que Béatrice pourrait avoir été inspirée par la propre fille de Dante). A Florence, sa vie publique avait été semée d'embûches après des débuts prometteurs : alors qu'il occupait une position avantageuse due à ses prises de position marquées par la droiture et la fermeté, il fut pris dans les luttes intestines entre blancs et noirs (au sein de la ligue des guelfes), jugé et condamné, par contumace, à l'exil. Cet événement qu'il ressent comme une cruelle injustice est aussi un détonateur de son œuvre future, devenue nécessaire pour rétablir une morale qui part en lambeaux. S'il regretta tout le reste de sa vie l'ingratitude des Florentins, il n'eut aucune peine à trouver des appuis dans le reste de l'Italie et termina ses jours à Ravenne, où il repose pour toujours.

Umberto Eco (Alexandrie - Piémont, 1932)

Grande figure médiatique de la littérature italienne contemporaine, Umberto Eco incarne la réussite critique et commerciale de ces vingt dernières années. Professeur à Bologne, journaliste, romancier à succès, rien de ce qui compose la société ne l'indiffère. Il est capable de tirer de l'observation de ses contemporains matière à ses recherches médiévalistes ou ethnographiques. *Le Nom de la rose* reçut le prix Strega en 1981 et le Médicis étranger en 1982 : il fut adapté au cinéma par Jean-Jacques Annaud, avec Sean Connery... et le succès que l'on sait. Eco est également l'auteur du *Pendule de Foucault* et de *L'Ile du jour d'avant* (1994).

Marsile Ficin (Figline 1433 - Careggi)

Son papa voulait qu'il soit médecin, il sera philosophe. Tête de pont de l'école de philosophie platonicienne fondée par Côme de Médicis, il est l'un des premiers à traduire et commenter Platon. Ordonné prêtre, il établit d'intéressantes passerelles entre philosophie et théologie. Accusé de sorcellerie par le pape, il est sauvé par l'intervention de Laurent de Médicis, dont il anime l'Académie. Son prestige pâlit avec la mort de son protecteur, mais il reste l'un des plus brillants esprits italiens de son époque.

Dario Fo (Varese 1926)

Ce Prix Nobel de littérature est un artiste complet, bien dans son siècle, qui considère que toute forme d'art est un spectacle, ou que l'art n'existe pas sans spectateur. Adepte de la grande tradition de la Commedia dell'Arte, il s'est rendu célèbre autant par ses bouffonneries que par ses positions iconoclastes, construisant dans ses ouvrages un monde baroque dans un style inimitable, distancié et populaire à la fois. *Le Doigt dans l'œil* (1953), *Mistero Buffo* (1969), *Mort accidentelle d'un anarchiste* (1971), *Histoire du tigre* (1980), *Johann Padan à la découverte des Amériques* (1991).

Ugo Foscolo (1778 - 1827)

Né sur une île grecque, d'un père chirurgien qu'il perd à l'âge de dix ans, Ugo s'installe à Venise avec ses frères et sœurs en 1794. Là, il connaît précocement amour, gloire et beauté et donne libre cours à son inspiration poétique, dans le madrigal comme dans la tragédie (Thyeste en 1797). Epris de justice et de démocratie, il s'oppose aux visées napoléoniennes et occupe diverses fonctions, à Milan et à Bologne notamment. C'est là, en 1798, qu'il compose la première version de l'œuvre qui lui vaudra de passer à la postérité : *Les dernières lettres de Jacopo Ortis*, sorte de bilan philosophique et historique de la situation européenne, écrit sur un ton à la fois malicieux et acéré. Tel Ronsard, ses émotions amoureuses transparaissent dans ses ouvrages, qui alternent poèmes fougueux et mélancoliques. Il connaît quelques revers, financiers, professionnels et sentimentaux, et termine sa vie à Londres.

Fruttero et Lucentini

Les Erckmann-Chatrian du roman noir psychologique, les Boileau-Narcejac transalpins sont de vrais duettistes très complémentaires. L'un est Turinois, l'autre Romain, et leur collaboration, depuis près de trente ans, n'a jamais faibli en qualité. Comencini adapte leur première œuvre, *La Femme du dimanche*, et leur célébrité soudaine ne se démentira plus. Ils passent au vitriol quelques travers contemporains dans une prose alerte et bien trempée : *La Nuit du grand boss* (1979), *Sienne, côté ombre* (1983), *L'Amant sans domicile fixe* (notre préféré, 1986), *L'Affaire D.* (1989)

Carlo Goldoni (1707 - 1793)

Si Goldoni apparaît comme le chef de file du théâtre italien, c'est qu'il a su, comme Molière ou Marivaux en France, créer un univers théâtral dont la modernité est intemporelle. Né à Venise d'un père médecin, il étudie à Pérouse, puis à Pavie et Padoue, avant de revenir enseigner dans sa ville natale. Il écrit ses premières pièces, et son premier succès est *Bélisaire*, en 1734. Le «théâtre goldonien» prend vraiment tournure avec *La Brave Femme* (1743), *La Veuve rusée* (1748) ou le superbe *La Locandiera* (1753) où il rivalise, sur un ton éminemment personnel, avec les comédies à l'italienne de Shakespeare. Dans ses œuvres suivantes (*Les Rustres, La Villégiature*), il affine le trait pour mettre en avant, avec une ironie sans illusion non dénuée de tendresse, la légèreté de l'âme et les petites faiblesses de la nature humaine.

Antonio Gramsci (1891 - 1937)

Penseur, philosophe et homme politique d'origine sarde, dont se réclame aujourd'hui une bonne partie de la gauche italienne. Il fait ses études à Turin et devient secrétaire du Parti socialiste dès 1917, puis du Parti communiste après la scission, créant le journal *L'Unité*. Il «profite» de l'exil où le confine le pouvoir fasciste (et de la prison, où il meurt) pour rédiger la plupart de ses écrits politiques et philosophiques, analysant notamment Croce et Machiavel ou proposant sa lecture personnelle, et toujours d'actualité, du marxisme.

Giacomo Leopardi (1798 - 1837)

Le comte Leopardi est né dans la province des Marches, à Recanati, au moment où Napoléon commençait à installer son pouvoir. Pressentant sans doute une vie courte, il dévore ses classiques et compose ses premiers vers à onze ans. Leopardi apparaît comme un poète d'instinct, qui compose sous le coup de ses émotions, des œuvres tantôt gaies tantôt empreintes de la plus sombre mélancolie. Intéressante à plus d'un titre, sa *Correspondance* fut publiée un siècle après sa mort.

Machiavel (Niccolò Machiavelli) (Florence 1469 - 1527)

Sous le nom de machiavélisme, l'esprit de sa doctrine est passé dans le langage commun, où il a pris une coloration péjorative. Sa conception de la nature humaine et de l'exercice du pouvoir est pourtant remarquable. Elle est le fruit de ses expériences politiques (il est diplomate pour la République florentine) et d'une culture humaniste qu'il a su dégager de toute considération morale pour renforcer son efficacité. Cette conception, plus réaliste que cynique, éclate dans son célèbre livre *Le Prince,* écrit pendant la période de mise à l'écart qui suit le retour de Julien de Médicis à Florence (1512). Résumée sous la célèbre formule «la fin justifie les moyens», sa doctrine politique se veut une aide à l'unification de l'Italie que Machiavel appelle de ses vœux. Il connaît un retour en grâce vers la fin de sa vie, puisqu'il se voit confier le rôle d'historien de Florence en 1520 et celui de surintendant aux fortifications en 1526. Il n'empêchera pas la chute des Médicis et meurt l'année suivante. Outre ses ouvrages politiques, il laisse une remarquable comédie, *La Mandragore.*

Curzio Malaparte (Toscane 1898 - 1957)

Ne tournons pas autour du pot : Kurt Suckert a bien choisi son pseudonyme par opposition au «tyran» Bonaparte et montra tout au long de son existence une grande indépendance d'esprit autant qu'un orgueil surdimensionné. Il se couvre de gloire sur le front de la Marne, revient gazé et invalide et prend sa carte du Parti fasciste en 1922. Malgré son attirance pour ce qui peut glorifier «l'Ubermensch» nietzschéen, la ligne trop directive du parti finit par lui peser, et il prend, sur la demande de Mussolini lui-même, ses distances avec le «comité central» en acceptant la direction de la *Stampa* à Milan.

Enfin, il rompt officiellement avec les Fascii en 1931 et s'exile. Il en profite pour publier deux brûlots qui le rendent populaire dans toute l'Europe : *Le bonhomme Lénine* et *Technique du coup d'Etat,* ce dernier essai étant très peu apprécié par les dirigeants de son pays, qui le font arrêter dès son retour en Italie et le gardent en résidence surveillée sur les îles Lipari. C'est de ses diverses expériences de la Seconde Guerre mondiale qu'il tire ses deux ouvrages les plus connus : *La Peau* et *Kaputt.* S'il a souvent changé d'idées, et parfois à contre-courant, son œuvre n'en est pas moins homogène, celle d'un homme libre qui assiste, parfois impuissant, à la veulerie et à la lâcheté de ses contemporains.

Alberto Moravia (1907 - 1990)

Pour un coup d'essai, c'est un coup de maître : Alberto publie son premier roman à vingt-deux ans, et c'est un succès immédiat (*Les Indifférents*). Mal disposé à l'égard du fascisme et de son évolution (né à Rome d'une famille israélite), il fait également preuve, dans ses premiers écrits, d'une vigueur décuplée par son désir de revanche sur la vie qui ne l'a pas épargné (tuberculeux, il a passé sa jeunesse dans un sanatorium). Après la guerre, il trouve une sorte de plénitude - amour de la vie, amour de la nature - qui s'accorde avec son inimitable talent de conteur et d'observateur, de la vie romaine et de ses travers (il n'est guère éloigné dans ses *Nouvelles romaines* d'un Restif de la Bretonne ou de Vialatte), de la confusion des sentiments et des secrets de la bourgeoisie. Il écrit alors quelques romans majeurs de la littérature contemporaine italienne qui, adaptés au cinéma par des réalisateurs prestigieux, ont donné quelques films également majeurs (*La Ciociara, Le conformiste*). La fin de sa carrière témoigne d'une lucidité un peu plus cynique et désabusée, avec tout autant de réussite : *Le Mépris* (qui donna le meilleur Godard) ou *L'Ennui* sont des romans d'envergure, malgré leur adéquation un peu mode aux thèmes du cinéma grand public, plus près de Vadim que d'Antonioni.

Cesare Pavese (1908 - Turin 1950)

«La mort viendra et elle aura tes yeux.» C'est le titre d'un recueil posthume de poèmes de Pavese. Seule et froide, cette phrase nue est significative de la capacité du poète à émouvoir avec quelques simples mots. Pavese, c'est un climat, souvent sombre et douloureux, un regard terriblement sensible, plein d'acuité et de gravité, des poèmes et des romans dans lesquels la loupiote de l'espoir est toujours un peu chancelante. Pourtant, tout n'est pas noir dans cette œuvre importante (on ne peut pas écrire «Travailler fatigue» sans avoir un minimum d'humour) : les descriptions bucoliques sont charmantes, les récits de jeunesse ont beaucoup de fraîcheur. Né à Cuneo en 1908, Pavese s'est suicidé aux barbituriques, à Turin, le 26 août 1950. A lire : les poèmes composés après-guerre et, parmi les romans, par exemple, Le Bel Eté, qui fut écrit en 1939.

Pétrarque (1304 - 1374)

L'*alter ego* de Boccace est né, comme l'Arétin, à Arezzo en 1304. Les Ronsard et Du Bellay de la poésie italienne pré-Renaissance ont peut-être une envergure, et au moins une influence beaucoup plus importante que les duettistes ligériens. Avec les difficultés politiques de l'époque (lutte des blancs et des noirs en Toscane), la famille doit s'exiler en Provence. Pétrarque étudie en Avignon, puis revient terminer droit et théologie à Bologne. Pétrarque est, par essence, le poète de l'instant qui passe, de la fugacité du temps et des sentiments, sans cesse heureux sans cesse déçu («et rose elle a vécu...») de «l'insoutenable légèreté de l'être». Mais son œuvre est aussi didactique : il a étudié et assimilé les Anciens, il a proposé une nouvelle poésie, en accord avec l'humanisme rayonnant dans les milieux intellectuels de l'époque, et servit de référence, de son vivant, aux plus grands poètes de son temps. Il menait une vie simple, partagé entre la douce sérénité de la Provence et son pays natal, sachant toujours trouver le coin propice à ses méditations. La plupart de ses poèmes les plus importants ont été réunis dans le recueil *Il Canzoniere*. Voltaire, jamais avare dans le plaisir de tailler, l'a appelé «le génie le plus fécond dans l'art de dire toujours la même chose».

Mario Soldati

Connu des cinéphiles pour une œuvre importante en tant que réalisateur, spécialiste de la comédie et du film d'époque, Mario Soldati est avant tout un écrivain, et pas des moins intéressants. Ce Turinois né en 1906 nous propose en effet une variété plaisante où l'œil du cinéaste est un indéniable atout (*Le Festin du commandeur, Le Vrai Silvestri, Les Deux Villes*).

Italo Svevo (1861 - 1928)

La force de cet écrivain de l'introspection et de l'analyse des sentiments humains réside peut-être dans sa naissance, à Trieste, au lendemain de l'Unité italienne. Dans ce bout du monde qui constitue encore aujourd'hui un monde étrange et fascinant, le petit Ettore Schmitz, de son vrai nom, apprend à observer et à rendre compte de sa recherche dans une langue personnelle. Ami de Joyce, admirateur de Freud, il bénéficia sans doute de l'influence de ces deux chirurgiens de l'âme et de l'esprit. A lire, *Une vie*, qui raconte sa jeunesse, *La Conscience de Zeno* et *Sénilité*. Précurseur, bien avant Nimier ou Camus, il disparut dans un accident de voiture !

Torquato Tasso (le Tasse) (1544 - 1595)

Il n'est pas superflu d'utiliser le véritable nom de ce poète de talent, né à Sorrente, plutôt que son surnom français (le Tasse). Enfant de la balle (son père est lui-même un poète reconnu), le jeune Torquato fourbit ses premières plumes à Venise, vers 1560, entamant dans sa prime jeunesse une de ses œuvres les plus connues, *Jérusalem délivrée,* qu'il publiera dans sa version définitive autour de 1575. Il est introduit à la cour, et protégé par le cardinal d'Este. Cette position lui permet voyages et contacts, et lui donne la liberté de composer des pièces ambitieuses (*Aminta, Le Roi Torrismond*). Devenu un brin paranoïaque à cause d'un relatif insuccès, il se retrouve enfermé dans un asile dont il s'évade pour jouer les trouvères ambulants, avant d'être à nouveau incarcéré pour sept longues années. C'est pendant cette suite d'échecs, de retours en grâce passagers et de nouveaux déboires qu'il composera la plupart de ses œuvres poétiques, marquées par un lyrisme souvent grandiose, mystique et désespéré.

LES NOUVEAUX ROMANCIERS

Antonio Tabucchi (Pise 1943)

Ce professeur de littérature portugaise est déjà un écrivain confirmé et aurait fort bien pu figurer au chapitre précédent. Il possède un art de la description très personnel, comme le rythme du récit, ce qui n'exclut pas un certain maniérisme. Il a écrit *Place d'Italie* (1975). *Nocturne indien* (1984) (adapté au cinéma par Alain Corneau), *Petites équivoques sans importance* (1985), *Les Oiseaux de Beato Angelico* (1987), *L'Ange Noir* (1992), *Pereira Pretend* (1994), *La Tête perdue de Damascino Monteiro.*

Alessandro Baricco

Né à Turin en 1958, c'est la découverte littéraire de ces dernières années. Il a ouvert avec Tabucchi une école du roman pour aider et conseiller les écrivains en herbe. Trois livres, trois succès : *Châteaux de la colère* (1991), *Soie* (1996), *Océan Mer* (1993).

Stefano Benni

Né à Bologne en 1947, il a écrit des articles dans *Panorama* et *Il Manifesto*, avant de publier poésies et romans. Il a aussi travaillé pour le théâtre et le cinéma. *Bar Sport* (1976), *Il bar sotto il mare (Le bar sous la mer)* (1987), *Elianto* (1996). Dans un style plein de verve, de fantaisie et de trouvailles, il invente des mondes tout en raillant avec efficacité celui qui l'entoure.

Enrico Brizzi

Né en 1974, ce très jeune auteur s'est fait immédiatement connaître grâce à un roman déjà culte, *Jack Frusciante a quitté le groupe* (1995, adapté au cinéma en 1996). Ce témoignage sur des adolescents d'aujourd'hui est plein de justesse et recourt à une langue qui a séduit le public. Parallèlement à son travail d'écriture, Brizzi poursuit des études en communication. Il a publié *Bastogne* en 1997.

Andrea de Carlo

Né en 1952, cet auteur talentueux est désormais reconnu comme une valeur sûre. Il reçut pour son premier roman (*Trenno di panna,* 1981) deux prix littéraires, mais c'est *Ucelli da gabbia e da voliera (Oiseaux de cage et de volière*, 1982) qui l'a fait connaître hors de ses frontières. Il a enchaîné avec *Macno* (1984), puis *Yucatan* et *Uto.*

Luca Goldoni

Né en 1928 à Parme, journaliste depuis 1954 à *Il Corriere della* sera pour la rubrique des lecteurs. Il se montre dans ses chroniques et ses livres un spectateur sévère et amusé par les faiblesses et travers de la société.

Susana Tamaro

Née à Trieste en 1957. Petite nièce d'Italo Svevo, son roman *Va dove se parta il cuore (Va où ton cœur te porte*, 1994) a connu un grand succès international. Plus d'un million d'exemplaires vendus en Italie, et une adaptation cinématographique réalisée par la fille de Comencini (le journal qu'une grand-mère écrit avant de mourir pour sa petite-fille qu'elle a élevée et qui a quitté l'Italie pour les Etats-Unis).

Statue de Dante à Florence

SUR PLACE

ARGENT

Change

On trouve dans les grandes villes des points de change à presque chaque coin de rue. Les cours varient assez peu d'un point à l'autre, en revanche les commissions perçues varient du simple au double (éviter à ce titre de changer votre argent à l'hôtel). Ces commissions peuvent être fixes ou variables (parfois plus de 5 %), ce qui modifie la tactique (une somme plus importante est préférable si la commission est fixe). Par souci de sécurité, on préférera les grandes banques aux petits bureaux.

Coût de la vie

Hormis l'essence et les belles chambres d'hôtels, plus nombreuses qu'en France et qui semblent un peu plus chères, le coût de la vie est, à qualité égale, moins élevé qu'en France. «A qualité égale» est, bien sûr, subjectif, mais, par exemple, on ne mange jamais médiocrement au restaurant, même en dessous de 100 F.

POSTE ET TELECOMMUNICATIONS

Poste

La poste italienne a la réputation d'être un peu lente. Disons plutôt que les délais d'acheminement peuvent être un peu aléatoires, mais que, comme en France, le courrier finit toujours par arriver. Que l'on se rassure cependant : une carte postale d'Italie pour la France met moins d'une semaine pour parvenir à son destinataire.

Les horaires de postes sont semblables aux horaires français, avec une prédilection pour l'ouverture matinale seulement, souvent jusqu'à 13 h ou 14 h.

Télécommunications

Pour appeler l'Italie de France : 00 39 + indicatif de la ville sans le 0 initial.

Pour appeler la France de l'Italie : 00 33 + indicatif de la ville sans le 0 initial.

Pour appeler d'une province à l'autre, indicatif complet de la province + numéro du correspondant.

Profitez des périodes de réduction, de 18 h 30 à 8 h (réduction complémentaire après 22 h).

Très pratique, la **carte France Telecom** permet de téléphoner de n'importe quel poste dans le monde entier. Le montant de la communication est prélevé directement sur votre compte téléphonique. Il convient de passer par le numéro France Direct (depuis l'Italie : 172 00 33) qui vous mettra en relation avec un opérateur. Tous les appels sont facturés au tarif français. **Pour tout renseignement** : N° vert 0 800 202 202

Cabines téléphoniques

Deux sortes de cabines, celles à pièces, antiques, fonctionnant mal, en voie de disparition, et celles à cartes (*scheda*), identiques à celles de nos contrées. Si vous téléphonez d'une vieille cabine, prévoyez votre stock de pièces de 200 L. Pour les cabines à cartes, dont l'installation et l'utilisation se généralisent, des cartes (à partir de 1 000 L) sont en vente un peu partout, dans les bureaux de poste, kiosques à journaux ou débits de tabac.

Centres téléphoniques (*Call Centers*)

Assez nombreux en ville, ces centres de téléphonie font concurrence au téléphone de cabine car les prix y sont largement en dessous des tarifs couramment pratiqués.

Téléphone mobile (*telefonino* ou *cellulare*)

En quelques années, plus vite et mieux qu'en France, le pays a été presque parfaitement couvert, et l'on peut appeler avec un mobile d'à peu près n'importe quel coin d'Italie, même le plus perdu.

Le parc de «telefonino» (ou «cellulare») s'est développé à la vitesse grand V, le produit rencontrant un succès d'autant plus spectaculaire que les Italiens adorent bavarder dans la rue. Au restaurant, où il y en a au moins un par table (pendant que la mère fait manger les enfants, le chef de famille ne s'ennuie plus : il téléphone), à la plage, au bar le soir pour régler les ultimes rendez-vous : mieux que partout dans le monde, on comprend combien une telle invention était indispensable à l'Italien et à l'Italienne modernes. Seul petit tracas : cet appareil magique tue un peu la palabre directe puisqu'on peut s'installer seul sur un banc du campo et bavarder tout l'après-midi avec des interlocuteurs virtuels. On devient vite tellement conditionné aux habitudes italiennes que, lorsque quelqu'un se tient l'oreille, on est tout étonné de découvrir qu'au bout de sa main il n'y a aucun «cellulare».

HORAIRES

Les Italiens sont des mélomanes mais pas des métronomes. Il existe pourtant des règles élémentaires pour comprendre les horaires. Tout d'abord, le moment de la «siesta» est sacré, et il est rare de trouver un commerce, un musée ou une banque ouverts entre 13 h et 15 h 30. Outre cette sieste quotidienne, les Italiens commencent en général à travailler assez tard dans la matinée, c'est-à-dire vers 9 h-9 h 30, pour finir un peu plus tard dans la soirée : vers 19 h 30-20 h. Les commerces sont donc généralement ouverts de 9 h à 13 h, puis de 16 h à 20 h, et fermés le dimanche. Les musées, en revanche, sont souvent accessibles au public uniquement le matin jusqu'à 14 h (les jours de forte affluence seulement ou pour les musées très sollicités, on ouvre les portes l'après-midi) et le dimanche jusqu'à 13 h. Les bureaux de poste et les administrations sont également ouverts seulement le matin jusqu'à 13 h ou 14 h. Enfin, les banques ouvrent le matin et généralement une heure ou deux dans l'après-midi (de 15 h à 16 h ou 17 h).

SECURITE

De nombreux confrères prônent une vigilance décuplée en passant les Alpes, et plus particulièrement en franchissant la ligne romaine donnant accès à l'Italie du Sud, celle des mafiosi et de tous ces gens au-dessus des lois. On vous prévient que des bandits en scooter viendront vous arracher sacs et bijoux, que des bandes vous encercleront pour vous attaquer en pleine rue, que d'audacieux pickpockets vous laisseront à demi nu sans que vous ayez le temps de vous en apercevoir. On vous recommande de sortir sans argent et mains dans les poches, et de circuler en voiture portières fermées et vitres remontées. Tout cela n'est pas très épanouissant pour voyager sereinement, et à la limite gâte un peu les vacances. On ne sort qu'en pleine journée, on ne va pas seul dans la vieille ville, on prend systématiquement un taxi pour aller au restaurant le soir et on rentre directement à l'hôtel avec un autre taxi. On s'assoit en terrasse en s'agrippant à son sac d'une main et en buvant de l'autre, et dès que quelqu'un nous adresse la parole, on se demande comment il va subtiliser notre portefeuille.

Nous éviterons évidemment l'excès inverse, qui serait d'encourager l'insouciance totale (quoique !) et de jurer que rien n'arrive jamais. Mais il faut bien préciser que, comme dans les fameuses «cités» banlieusardes françaises où, d'après les médias, tout est à feu et à sang, il y a en Italie des gens qui vivent, qui se promènent - et même qui garent leur voiture - qui font leurs courses. Affirmer qu'un touriste risque gros en se promenant dans une vieille ville, c'est peut-être une précaution qui ne coûte pas grand-chose (s'il n'arrive rien, tant mieux, vous avez eu de la chance), mais c'est un brin méprisant pour cette famille que vous croisez et qui vit tous les jours ici sans mesurer le danger, pour cette mère avec sa poussette qui revient de chez le boulanger, pour ces joueurs de *scopa* qui vivent dans le quartier depuis 70 ans et qui sont largement aussi représentatifs qu'un faux blouson noir dont vous n'apercevrez sans doute jamais le canif.

Ni plus ni moins qu'en France, vous n'avez intérêt à vous balader dans Rome avec votre sac ouvert en bandoulière. Le soir, pas plus qu'en France ou en Allemagne, vous n'arpenterez les rues désertes des quartiers louches sans une toute petite appréhension. Mais ailleurs, au milieu de la foule, de ces gens qui s'amusent et qui sont si contents de sortir, comme tous les soirs (on déambule facilement jusqu'à minuit et au-delà suivant la taille de la ville), vous sentez-vous vraiment menacés ? Si vous êtes en voiture, et en voyage itinérant, allez-vous vous priver de balade parce que les bagages sont dans le coffre ?

En conclusion, des premières marches du Piémont à la pointe de la Calabre, vous apprécierez la gentillesse, la prévenance et la disponibilité des gens à l'égard du touriste. Alors, pour les petits moments de léger stress, justifiés ou non, qui ne seront pas plus nombreux qu'à la porte de chez vous, nous vous recommandons de ne pas trop vous en faire, et de profiter au maximum de vos vacances.

Scippatore (chapardeurs)

Ils opèrent parfois en scooter, à l'arraché, en agrippant un sac ou un collier. On dit même qu'ils montent quelquefois sur les trottoirs pour faucher les sacs posés juste à côté de vous sur une chaise. Bref, tous les touristes sont avertis de ces pratiques de violent chapardage. On ne peut évidemment pas dire que ça n'existe pas, et chacun prendra les précautions utiles. Il serait pourtant dommage à chaque fois que vous voyez deux jeunes Italiens, lunettes noires sur les yeux, juchés sur un scooter, de penser qu'il s'agit de dangereux *scippatore* en quête de forfaits crapuleux. Pensez que tous les jeunes ont un scooter, souvent pour deux, et qu'ils aiment aussi être en vacances comme vous et se balader dans leur ville cheveux au vent. Méfiez-vous à Rome ou à Brindisi, comme à Paris ou à saint Jean-du-Var, dans les coins à touristes qui peuvent attirer des margoulins. Pas moins, et pas forcément plus.

JOURS FERIES

Les jours fériés sont à peu près les mêmes qu'en France (surtout pour les fêtes religieuses) : 1er Janvier, Pâques, 1er Mai, Assomption, Toussaint, Noël, mais aussi le 25 avril (anniversaire de la Libération), le 8 décembre (Immaculée Conception), le 26 décembre pour la Santo Stefano et le 6 janvier pour l'Epiphanie.

Chaque ville célèbre aussi son saint patron : Venise (saint Marc, 25 avril), Florence, Gênes et Turin (saint Jean Baptiste, 24 juin), Bologne (saint Pétrone, 4 octobre), Milan (saint Ambroise, 7 décembre).

On trouve, particulièrement en juillet et en août, sur la devanture de moult établissements, l'inscription *chiuso per ferie,* qui signifie fermé pour congés. En effet, on ne se soucie pas vraiment des périodes de grandes migrations touristiques pour ajuster ses vacances. Les patrons de bar, de *gelateri*, de *trattoria* ou de restaurant prennent leur congé quand bon leur semble, l'été étant bien sûr la période la plus propice pour les voyages.

SANTE

Afin d'éviter tout ennui sur place, munissez-vous du formulaire E-111, que la Sécurité Sociale vous délivre instantanément. Celui-ci vous permet en effet d'avoir vos frais de santé remboursés, en tant que membre de l'Union européenne. Le formulaire E-112 est réservé aux personnes qui suivent un traitement et doivent le poursuivre en vacances.

Voici quelques numéros d'urgence qui pourront vous être utiles sur place. A conserver avec soin. !

Numéros d'urgence

113 - Premiers secours.

112 - Police.

115 - Pompiers.

118 - Urgences médicales.

En règle générale, les conditions de vie et d'hygiène en Italie sont équivalentes à celles de la France, de la Belgique, de la Suisse ou du Canada. Afin que votre séjour se déroule dans les meilleures conditions, veillez à ne pas abuser du soleil ni de la marche. Buvez régulièrement et abondamment, et nourrissez-vous correctement ! Vous trouverez de toute façon tous les médicaments essentiels (aspirine, antiseptique, etc.) dans les pharmacies italiennes.

SOUVENIRS

Un scooter Malaguti ou une véritable Vespa, une bouteille de limoncello, de l'huile d'olive, une bouteille de ferrarelle, un petit bocal de cœurs d'artichauts (ou autre, c'est surtout décoratif), une grappe de piments et d'ail, un *fischietto*, un costume de carabinier, une madone (un Giotto fera très bien l'affaire), un caillou pris au hasard sur le bord de la route et que vous jurerez avoir arraché à Pompéi, une photographie de la file d'attente devant la galerie des Offices à Florence, un cornet de glaces deux parfums (pratique !), un maillot de foot *rosso e nero* du Milan AC ou un *azzurro e nero* si vous vous sentez plus volontiers intégriste (supporter de l'Inter), le 45 tour original de Bobby Solo chantant *Una lacrima sul viso.* Et si vous faites un crochet par Modène, du vinaigre balsamique, une Ferrari et un disque de Pavarotti.

MEDIAS

Presse écrite

L'Italie a une longue tradition de libre expression de la presse écrite. Certains journaux sont d'ailleurs parmi les plus anciens d'Europe, comme *La Gazzetta di Mantova* (1735), *Il Giornale di Bergamo* (1812), *La Nazione* (1859), *La Stampa* (1867), ou encore *Il Corriere della sera* (1876).

C'est pourquoi l'Italie a aujourd'hui encore un nombre important de publications de presse écrite, qu'elle soit quotidienne, hebdomadaire ou périodique. Toutes les tendances, politiques, économiques, sociologiques et culturelles sont ainsi représentées et diffusées. Qu'elle soit d'ampleur nationale (comme *La Republica*), ou locale (comme *Il Piccolo*, journal de Trieste), la presse foisonne en Italie, chaque province édite son propre quotidien. Les journaux les plus importants ne sont pas forcément ceux paraissant dans la capitale, comme c'est le cas en France. De nombreux quotidiens, de Turin, Milan ou Florence, ont une diffusion nationale, voire internationale, ceci s'expliquant par l'organisation particulière de l'Italie, et par son passé.

Ainsi, parmi les quotidiens les plus appréciés dans toute l'Italie, nous trouvons :

Il Corriere della sera (Milan), *La Stampa* (Turin), *La Repubblica* (Rome), *Il Messagero* (Rome), et *L'Unitd* (deux éditions, l'une à Rome, l'autre à Milan).

Sole 24-ore (Milan), *Milano finanza* et *Il Corriere mercantile* (Gênes) sont les plus représentatifs de la presse économique et financière.

Parmi les quotidiens sportifs, citons la *Gazzetta dello sporte* (Milan), qui est incontournable en la matière.

Les magazines hebdomadaires et mensuels tiennent, eux aussi, une place importante dans la vie des Italiens. *L'Espresso, Panorama,* ou *Gente* développent les sujets les plus divers, et sont très utiles pour qui veut comprendre la société italienne contemporaine.

Les journaux étrangers (*Le Monde, L'International Herald Tribune*, ou *La Tribune de Lausanne*) sont parfaitement bien distribués sur tout le territoire.

Radio

Les premières émissions radiophoniques datent du 1er janvier 1925. Très tôt, la RAI (Radio Audizione Italia) est inaugurée. Monopole d'Etat, elle est toute-puissante et incontournable.

Il y a aujourd'hui 3 stations nationales et plusieurs centaines de stations locales... A découvrir en se baladant sur les ondes ! Vous tomberez peut-être sur Europe 1, France Inter, ou Radio-France International...

Télévision

Les premiers programmes télévisuels commencèrent les 1er janvier 1954. Jusqu'en 1975, comme dans de nombreux pays européens, la radio et la télévision restèrent sous contrôle de l'Etat. Suite à la libération de cet espace, de nombreuses chaînes privées et commerciales s'installèrent, comme Canale 5, Rete 4, Italia 1 (appartenant à Silvio Berlusconi). RAI est, bien sûr, la première chaîne italienne.

Plusieurs chaînes étrangères émettent en Italie, comme France 2, TV5, Lapodistria (Yougoslavie), la télévision suisse (en langue italienne) ou Télé Monte-Carlo.

Nous vous conseillons d'aller visiter le site Internet : www.univ-tours.fr/kiosquitalie.html

Il vous mettra en contact avec tous les groupes médiatiques (presse, radio, télévision, agences de presse) italiens, que vous pourrez consulter librement et à loisir !

Nous vous conseillons d'aller visiter la page Web suivante :

www.univ-tours.fr/kiosquitalie.html. Il s'agit d'une liste de liens sur la presse italienne.

HEBERGEMENT

HOTELS

L'hôtellerie italienne est d'une variété et d'une richesse peu communes. Outre les palaces et châteaux aménagés, comme en France, on trouve des lieux magnifiques, anciennes chartreuses, abbayes, arrangées avec ce goût inimitable qui caractérise le pays. Dans l'hôtellerie traditionnelle, le niveau est souvent bon, parfois pittoresque, et presque jamais sordide, même à bas prix. Les tarifs dans le Nord sont un peu plus élevés, à qualité égale, que dans le Sud. Il y a bien quelques cas isolés, comme Venise, où il est difficile de se loger à moins de 300 F correctement, ou Milan, qui est sans doute la ville la plus chère du pays et où passent tous les businessmen indifférents aux tarifs.

Agriturismo

La formule verte marche très bien en Italie comme en France. *L'agriturismo* est à peu près un mixte de la ferme-auberge et la chambre d'hôtes : on y trouve un hébergement et une table, généralement sur une exploitation agricole. Comme chez nous, c'est l'occasion de vivre à l'heure rurale italienne (chambres doubles autour de 50 000 à 100 000 L).

Petit-déjeuner

Vous serez rarement emballés par les petits déjeuners d'hôtels, même les buffets garnis de fruits, fromages et charcuterie. Ce n'est pas vraiment dans la culture italienne, car on ne prend pas réellement de repas du matin au sens britannique ou germanique, œufs brouillés bacon céréales, ni même au sens français, café et tartines beurre confiture. Les Italiens préféreront prendre, dans leur café habituel, un expresso en mangeant éventuellement une brioche ou une pâtisserie.

Le petit-déjeuner est généralement inclus dans le tarif de la chambre. Faites donc bien préciser ce point en demandant si le prix correspond à un «Bed and breakfast» *(prima colazione inclusa)* ou bien à la chambre seule.

Auberges de jeunesse

AIG, Association italienne des auberges de jeunesse. Via poma, 2 ✆ 38 59 43. Une réservation deux bons mois à l'avance est indispensable, surtout en haute saison.

En France, se procurer la carte internationale d'auberges de jeunesse auprès de :

Fédération des auberges de jeunesse. 10, rue Notre-Dame-de-Lorette 75009 Paris ✆ 01 42 85 55 40. Métro : saint Georges, Notre-Dame-de-Lorette.

9, rue de Brantôme 75003 Paris ✆ 01 48 04 70 40. Métro : Rambuteau.

Centre fédéral. 27, rue Pajol 75018 Paris & 01 44 89 87 27. Métro : Max Dormoy, La Chapelle.

RESTAURANTS

La classification est rigoureuse dans toutes les catégories, *trattoria* ou *ristorante* : *antipasti* (les hors d'œuvre, les entrées), *primo piatto* (premier plat, les pâtes, le riz), *secondo piatto* (viande, poisson), *contorni* (légumes) et desserts.

Un repas cher, dans un joli cadre, c'est 100 F. Un repas très cher, dans un endroit luxueux, c'est 200 F. Un repas atrocement coûteux, dans l'un des quelques phares de la cuisine italienne des grandes villes du Nord peut atteindre 400 à 500 F. Ce qui, comparativement, est environ deux fois moins cher qu'en France.

Couvert *coperto* et service

Selon une longue tradition en Italie, le fait de s'asseoir à table est un premier motif de facturation : en général 3 000 L (10 F) par couvert et pain (pan e coperto).

Les restaurants italiens ont pris le pli du reste de l'Europe et les tarifs sont le plus souvent nets. Mais vous aurez parfois la (mauvaise) surprise de découvrir un supplément pour le service, de 10 à 15 %. C'est sans doute écrit quelque part sur le menu, mais comme c'est peu fréquent, vous n'aurez pas forcément le réflexe d'être à l'affût de cette clause.

Fast-food

Pas encore vraiment l'invasion : les Italiens répondent mollement aux appels du pied de l'américanisation en marche ; on boit du Coca comme partout, mais sans excès et, surtout, les fast-foods ne font pas le forcing fracassant pour occuper les plus beaux palazzi des centres-villes. Un MacDo de-ci, de-là, un Burger King presque discret, que l'on double prudemment d'une «paninoteca-pasticceria-gelateria», bref, on ne décourage pas les amateurs, mais la population dans son ensemble résiste bien, ne voulant en aucune manière céder son plat de pâtes contre un double cheese. Ici le vrai fast-food est le «panino» (sandwich) et les consommateurs sont les *paninari*, jeunes branchés qui mangent leurs panini debout.

Surgelato

Cela veut dire «surgelé» bien sûr, mais la mention n'est pas banale, elle est même exceptionnelle pour nous Français. Les restaurants italiens sont au-delà du tabou et ont pris le parti de préciser, pour nombre d'entre eux, si les poissons ou les fruits de mer proposés sont frais ou surgelés. C'est entré dans les mœurs et c'est tout simplement digne d'éloges.

Au bar

Il existe un problème toujours épineux, à régler de façon souvent intuitive suivant l'ambiance et le standing de l'établissement. Installé en terrasse, si vous attendez suffisamment longtemps sans que rien ne se passe, vous devez vous poser la question : le serveur vient-il prendre la commande ou doit-on aller à l'intérieur commander ? Et dans ce dernier cas, doit-on attendre pour régler et emporter les verres ou quelqu'un apportera-t-il les consommations ? Les trois cas de figure peuvent se présenter, en ajoutant la spécificité italienne qui consiste à d'abord passer à la caisse pour pouvoir ensuite commander, le ticket à la main.

Lac de Garde - Rive Sud

TRANSPORTS INTERIEURS

VOITURE

Conduite

Si vous descendez avec votre voiture en Italie ou si vous en louez une, il faut que vous vous mettiez vite aux coutumes locales pour ne pas choquer par un comportement intempestif. Si vous avez déjà conduit au Caire ou à Buenos Aires, pas de problème, vous retrouverez vite vos réflexes. Dans le cas contraire, il faut vous informer sur les pratiques locales. Les règles de conduite et le code sont progressivement moins clairs lorsqu'on descend du nord vers le sud.

Cependant, les Italiens ne sont pas des fous du volant, dangereux et agressifs ! En fait, la conduite en Italie repose sur la liberté individuelle, considérée comme fondamentale (d'où également la résistance têtue au port du casque et de la ceinture de sécurité jugés incommodes), l'adresse et le bon sens. La règle numéro un pour circuler en Italie est : éviter les autres, ne pas gêner la circulation. Et finalement, malgré une apparente anarchie dans les comportements routiers, il y a plutôt moins d'embouteillages à Rome qu'à Paris, et l'accès au cœur des grandes villes se fait sans trop de problèmes. Alors adaptez-vous et ne vous laissez pas intimider ou irriter par les coups de Klaxon multiples : pour les Italiens, klaxonner est naturel et multifonctionnel. Attention ! certaines manœuvres de simple prudence chez nous peuvent devenir dangereuses dans certaines parties de l'Italie : dans le genre classique, s'arrêter à un stop alors qu'il n'y a personne pour vous empêcher de passer. Ne vous livrez à une telle «excentricité» qu'après avoir pris la précaution de vérifier qu'il n'y a pas de véhicule derrière vous qui vous serre d'un peu trop près. Ou alors mettez le «warning» pour le prévenir, car il risque fort d'être surpris par votre arrêt.

API

Une marque de carburant italienne, concurrente d'Agip, la plus représentée sur le territoire. Comme «api» signifie «abeilles», le slogan publicitaire actuel de la marque est finement *Con api, si vola* (Avec api, on vole).

Autoroutes

Les autoroutes italiennes sont nombreuses mais souvent moins «confortables» qu'en France. Leurs rampes d'accès sont courtes et les aires de repos sont pour l'essentiel un morceau de la bande d'arrêt d'urgence situé, pour plus de fraîcheur, sous un pont et donc sans la moindre rampe d'accès pour se lancer. Il s'ensuit que vous devrez klaxonner très fort en entrant sur une autoroute et qu'ensuite vous devrez absolument tenir votre gauche pour éviter les arrivées intempestives à votre droite. Des bolides risquent parfois d'apparaître dans votre rétroviseur tous feux allumés. Gardez votre sang-froid et votre gauche : ils finiront par vous doubler à droite, si bien que ce sont eux qui prendront le risque de rencontrer une automobile entrant sur l'autoroute, et pas vous.

Les péages sont assez chers. Par exemple, il faut compter environ 40 000 L (130 F) pour le trajet Rome-Bologne. Pour le règlement, les cartes de crédit ne sont pas acceptées : il faut payer en liquide ou par Viacard, une sorte de porte-monnaie électronique.

L'autoroute du Sud-Est, en revanche, est entièrement gratuite, et de Naples à Reggio di Calabria, les 500 km vous placent aux portes de la Sicile en un peu plus de quatre heures (prévoyez une circulation soutenue, et beaucoup de virages).

Les stations-service sont fréquentes sur les autoroutes et ne ferment pratiquement pas. Sur le reste du réseau, elles sont plus rares et les pompistes qui peuvent vous servir comme au bon vieux temps se reposent entre 12 h 30 et 15 h 30. Les jours fériés, elles sont fermées mais certaines pompes sont automatiques (avec billets). Attention ! la carte de crédit n'est pas acceptée partout.

Barrières ferroviaires

Les Ponts et Chaussées italiens et les services du ministère de l'Intérieur connaissent la relative indiscipline des Italiens en matière de code de la route. Ainsi, les barrières ferroviaires, si elles ne barraient, comme en France, que la moitié de la chaussée, seraient continuellement franchies. D'abord, parce que chacun pense toujours pouvoir se débrouiller pour passer avant le train. Ensuite, parce que, comme il arrive que les trains ne soient pas tout à fait à l'heure, les barrières restent parfois très longtemps baissées... trop, sans doute, pour la patience commune.

Aussi les barrières de chemin de fer ratissent-elles large, en barrant toute la route, ce qui interdit - a priori - aux voitures de passer. Certes, les vélos, scooters et même motos ne se privent pas, chacun penchant l'engin jusqu'à ce qu'il puisse passer sous la barrière avant de franchir les rails, sans état d'âme ni crainte particulière. Lorsque la barrière se baisse, tout le monde accélère pour essayer de passer, chacun craignant une attente intolérable. C'est souvent cette manœuvre, plus dangereuse en fait que celle des deux-roues, qui provoque les accidents, car certains automobilistes plus imprudents, en espérant passer avec les derniers, se laissent coincer sur la voie. La conclusion est qu'il vaut mieux évidemment avoir le plus grand respect pour ces barrières, et ne pas répondre aux injonctions de ceux qui vous font signe d'accélérer pour passer sous une barrière descendante. Si vous êtes à deux-roues ou à pied, faites comme bon vous semble, mais les vacances sont justement là pour savoir sacrifier son temps à bon escient, ici pour la sécurité. Alors, pour une fois, ne prenez pas exemple sur les petits copains et restez sagement derrière les barrières (l'attente n'excède jamais vingt minutes !).

Essence

Le litre de super coûte environ 2 000 L et le litre de sans-plomb 1 800 L : on retrouve à peu près fidèlement les prix français. Pendant longtemps, l'Italie a été championne d'Europe des tarifs de carburants les plus élevés. Malgré le nucléaire qui fait consommer moins de pétrole, la France a aujourd'hui rattrapé son retard et est devenue aussi chère que son voisin transalpin. A qui la faute ? Au gouvernement français qui, en matière de taxes sur l'essence, est le plus gourmand d'Europe.

Feux

Il semblerait (peut-être n'est-ce qu'une illusion ?) que le «semaforo» soit mieux respecté que jadis en toutes régions, et particulièrement dans le Sud où il n'était pas rare de se voir rappeler à l'ordre s'il vous prenait l'idée de vous arrêter au feu rouge.

Klaxon

L'usage du klaxon n'est pas systématique ou intempestif comme dans certains pays, et, surtout, il n'a pas forcément le caractère agressif que lui prête l'automobiliste français. Inutile donc de bondir de votre voiture à chaque fois, c'est juste un gentil rappel à l'ordre, une façon de se signaler. On klaxonne pour avertir («avertisseur»), pas pour gueuler. Si d'aventure un usager voit sa porte de garage obstruée par un véhicule l'empêchant de sortir, il klaxonne une fois ou deux ; après il attend. Et si le gêneur n'arrive qu'au bout de cinq minutes, il ne vocifère même pas : c'est la planète Mars, non ?

Location

Méfiez-vous des prix annoncés : il faut souvent ajouter les taxes et l'assurance collisions voiture. Au final, les prix ne sont donc pas plus intéressants qu'en France. N'oubliez pas, en plein été, que la climatisation peut être un luxe appréciable.

Pépins

Si vous êtes accidenté avec votre propre véhicule, vous devez sans doute avoir une assistance par l'intermédiaire de votre compagnie d'assurance (faites-vous bien préciser ce point par votre assureur et si ce n'est pas le cas, prenez un contrat supplémentaire auprès d'un spécialiste : Europe Assistance, Mondial Assistance, etc.). Contactez-le dès que possible : ces gens connaissent leur boulot, noueront les contacts et mettront tout en œuvre pour vous tirer de là. Il faut dans ce cas simplement s'armer de patience. Si le pépin est vraiment grave, avec des blessés, on apprécie alors beaucoup que les démarches soient facilitées. Si vous êtes près d'une borne téléphonique, le **numéro d'urgence** est le 116.

Si vous êtes en voiture de location, là encore, il doit y avoir un contrat écrit qui précise la situation. Si vous êtes responsable, vous aurez sans doute une franchise à acquitter (la franchise est généralement perdue en cas de vol ou d'accident responsable, mais bizarrement, on a tendance à se soucier davantage d'un vol éventuel). N'oubliez pas, si vous avez le montant de la franchise en tête, que, dans la plupart des cas, à moins que le tarif qui vous a été donné soit précisé «taxes incluses», il vous faut rajouter la TVA italienne à 19 %. Enfin, il n'est pas du tout évident que le loueur mette à nouveau à votre disposition un autre véhicule. Là encore, il vaut mieux s'en assurer avant le départ.

Si l'accident ne se limite pas à un simple constat mais entraîne l'intervention des gendarmes, ne vous désolez pas trop de votre voyage contrarié, si par chance personne n'est blessé. Contrairement à ce que prétendent quelques malveillants, l'efficacité de l'administration italienne, en tout point du territoire, au sud comme au nord, vaut bien celle des villes et des campagnes françaises.

Nous avons poussé l'expérience - quel sens du sacrifice pour l'information du lecteur ! - jusqu'à un beau plantage en rase campagne. Les carabinieri sont venus de la ville voisine, à une quinzaine de kilomètres, en moins d'une demi-heure, et la dépanneuse quelques minutes après. Un quart d'heure plus tard, nous étions ramenés en ville et, malgré l'heure du déjeuner, notre déposition a été enregistrée, les formalités accomplies (tiens, on ne vous fait pas souffler dans le ballon) et nous pouvions reprendre notre route à peine deux heures après l'accident.

Conseil sans doute superflu, parce que vous auriez le même bon réflexe en n'importe quel point du globe, en France comme en Italie : n'abandonnez pas votre véhicule accidenté avec les bagages à l'intérieur pour aller chercher une assistance un peu plus loin, si jamais vous vous plantez tout seul. Par chance, le réseau des téléphones mobiles est beaucoup plus serré qu'en France, et il suffit généralement d'arrêter un automobiliste et de lui demander de téléphoner à une dépanneuse ou de prévenir les carabinieri : il y a de fortes chances qu'il puisse le faire de sa voiture et avec vous.

Panne et dépannage : en cas de problème grave sur route, composez le 116 (service gratuit 24 h/24 de dépannage pour les voitures immatriculées à l'étranger). Sur autoroute, vous avez comme en France les bornes d'urgence. La carte verte internationale d'assurance voiture (ou un certificat équivalent d'assurance internationale) est valable en Italie et doit être présentée en cas d'accident ou de contrôle de police.

Plaques minéralogiques

Depuis quelque temps, c'est la révolution dans l'immatriculation : désormais, les plaques ne portent plus l'indicatif de la province (les deux premières lettres la désignaient : NA pour Napoli, FI pour Firenze, BA pour Bari, etc., seule Roma ayant le privilège d'être écrit en entier). Tous les véhicules sont maintenant numérotés avec deux premières lettres quelconques évoluant dans l'ordre alphabétique, selon les immatriculations (ce qui explique que toutes les voitures récentes portent A comme première lettre). Cette décision qui rompt avec des décennies de tradition n'a pas fait plaisir à tout le monde, puisqu'elle gomme d'une certaine façon l'affichage du régionalisme. Elle a aussi, par l'anonymat de provenance qu'elle induit, certains avantages. Les touristes qui louent une voiture apprécieront, par exemple, de passer inaperçus lorsqu'ils sont garés au milieu des autochtones. A l'heure actuelle, un large débat s'est ouvert dans le pays entre les pour et les contre, qui souhaitent voir rétabli l'ancien mode.

On remarquera également sur les véhicules les plus anciens que les initiales de la province étaient inscrites orange sur noir, et non pas, comme aujourd'hui, noir sur blanc.

Police

Toujours discrète la présence policière, avec un sens du laisser-vivre que certains apparentent un peu rapidement à du laxisme. D'autres peuvent trouver plaisant de pouvoir faire des centaines de kilomètres sans voir de voitures embusquées traquant le contribuable en infraction.

Routes de montagne

La remarque vaut surtout pour les villages et, à vrai dire, pas seulement pour la montagne : la route passe rarement à travers les villages, et les services de l'Equipement italien ont dû depuis longtemps se pencher sur la question car les déviations qui gardent leur tranquillité et leur charme à ces villages ne datent pas d'hier. Pour la plupart, le voyageur aura sans doute l'envie et la curiosité de faire le détour.

Sécurité routière

S'il y a beaucoup de scooters en Italie, c'est aussi parce qu'on ne met pas de casque. C'est la vraie liberté, et pas une liberté conditionnelle. Si demain (cela ne risque pas d'arriver) on obligeait les «scooteristes» à porter un casque, ce serait pire qu'un bandeau sur les yeux pour la «passeggiata» ou des boules Quiès pour la retransmission du match de foot à la radio : une façon de dénaturer le projet. Cette façon de vivre, répétons-le, est difficilement transposable en France, où la conduite des automobilistes à l'égard des deux-roues est beaucoup moins attentive et donc plus dangereuse. C'est aussi, chez nous, une conséquence de la rigidité, des interdictions multiples et d'une répression bien organisée : lorsque ce n'est pas interdit, lorsqu'il n'y a pas de gendarme, on peut tout se permettre. L'approche est très différente en Italie où franchir une ligne continue, rouler sans casque ou ne pas marquer le stop n'est - a priori - pas considéré comme dangereux, et donc pas réprimé, dans la mesure où chaque manœuvre est effectuée avec la plus grande prudence, qu'elle soit «autorisée» ou «interdite».

Signalisation

Elle est relativement bien faite, et assez fiable. Comme dans de nombreuses villes françaises, elle comporte parfois également quelques failles, la plus horripilante étant de vous bombarder à chaque carrefour de panneaux «centro» (le logo utilisé pour désigner le centre-ville est toujours le même : deux cercles noirs, épais et concentriques, entourant un point noir) que vous suivez en toute confiance pour vous retrouver à quelque endroit un peu glauque et un peu muet où tout à coup plus rien n'est indiqué. On pourrait au moins se fendre d'une dernière pancarte «maintenant débrouille-toi !». Les panneaux de signalisation sont verts pour les autoroutes («autostrades») et bleus pour les routes.

Ville

La circulation dans les grandes villes italiennes ne pose pas plus de problèmes qu'en France. Il n'y a, à Florence ou à Milan, pas vraiment plus d'embouteillages qu'à Paris (plutôt moins), et les citadins, en voiture comme en deux-roues, sont assez habiles pour que les accrochages soient rares.

Stationnement : comme partout, peu de places gratuites en pleine ville. Deux règles «italiennes» à connaître : premièrement, vous pouvez vous arrêter où vous voulez, le klaxon vous dira ensuite éventuellement si vous gênez. Il est habituel de se garer en double ou triple file même quand il y a de la place ailleurs. Deuxièmement : en ville, vous pouvez vous garer en marche avant le long d'un trottoir, plus ou moins loin de celui-ci.

Folgaria - Trentin

Le parking est souvent la meilleure solution pour la sécurité de vos bagages : c'est rarement, comme en France, un endroit souterrain noir et dangereux où tout peut arriver, mais un enclos extérieur administré par un gardien (beaucoup de petits boulots fonctionnent ainsi). Il vous donne un ticket (plutôt modérateur, à 1 500 L l'heure en moyenne) et vous avez à peu près l'assurance que votre voiture est surveillée pendant votre absence. «A peu près», parce qu'à certaines heures, entre 13 h et 16 h par exemple, le gardien disparaît.

Vitesse

Elle est limitée à 110 ou 130 km /h (selon la cylindrée) sur autoroute, à 90 km /h sur route et à 50 km /h en ville.

AUTOCAR

Les autocars constituent une alternative intéressante au train, puisqu'ils desservent davantage de lieux, sont plus ponctuels et plus nombreux. Vous pouvez vous renseigner sur les lignes et les horaires auprès des Offices du tourisme. Enfin, bien que l'essence soit chère, cela reste un moyen de locomotion abordable, à environ 0,30 F le kilomètre.
Le chauffeur d'un autobus s'appelle un *autista* et il est, bien sûr, généralement défendu de parler à l'autista.

TRAIN

Le réseau est dense et les horaires... parfois imprévisibles ! Les retards, s'ils sont fréquents, restent cependant dans une proportion acceptable pour le touriste, inférieure à 15 %. De plus, la vitesse moyenne est faible (autour de 50 km /h), ce qui permet au moins d'admirer le paysage (on est en vacances !). Quant aux tarifs, ceux des chemins de fer italiens (FS : *ferrovie dello stato*) sont les moins élevés d'Europe. Bon à savoir : ils sont dégressifs.
D'autre part, pour ceux qui ne comptent ou ne peuvent pas acheter la carte Interail, l'Eurail Pass ou un billet B.I.J, les chemins de fer italiens proposent des formules intéressantes sur tout le réseau intérieur. Renseignements en France auprès de la **Compagnie italienne de tourisme.** 45, rue du Paradis 75010 Paris © 01 55 77 27 00.

Consigne

Vous attendez le train et vous voulez faire un tour en ville : les gares, même dans les villes d'une certaine importance, sont rarement équipées de consignes automatiques. En revanche, il y a souvent une pièce, fermée et contrôlée, où vous pourrez laisser vos bagages. On vous donne un reçu que vous devez composter (pour avoir l'heure de dépôt) et que vous devrez remettre pour récupérer les bagages.
En revanche, comme la durée de ce gardiennage n'est généralement pas fractionnable par heure, mais uniquement par 24 h ou par demi-journée, la petite balade en ville d'une heure ou deux peut s'avérer assez coûteuse : de l'ordre de 5 000 L par tranche de 12 h et par bagage.

AVION

Les lignes intérieures sont nombreuses et assez coûteuses, et les compagnies - deux ou trois principales, avec notamment Alinord, dont le siège est à Milan - joignent les principaux aéroports du pays.

Alitalia, la compagnie nationale, est l'équivalent, en volume et en fiabilité, d'Air France chez nous. La plaisanterie que s'échangeaient jadis pilotes et navigants *Alitalia = Always leaves in time, always late in arrival* n'est vraiment plus d'actualité, et la ponctualité des avions de la compagnie italienne n'est pas davantage prise en défaut que celle des autres compagnies européennes. Les avions Ulysse sont agréables et fonctionnels (sauf si vous êtes allergique à la couleur verte) ; la liaison Paris - Rome se déroule sans qu'on voie le temps passer.

DEUX-ROUES

Les villes italiennes ne sont pas vraiment adaptées à l'automobile ; c'est donc en toute logique que la pratique du vélo s'y développe. Pour ce qui est des longs trajets, on regrettera qu'il ne soit pas possible d'expédier son vélo par le train. Le vélomoteur et, surtout, le scooter, restent néanmoins très majoritaires en ville, et on voit peu de cyclistes de randonnée sur les routes italiennes.

Scooters, vélomoteurs

On rencontre assez peu de motos : elles appartiennent généralement à ceux qui font de la route. Les citadins n'en ont pas besoin, le vélomoteur suffisant amplement aux déplacements. De plus, la conduite en liberté, sans souci de performance, s'accommode mieux du vélomoteur ou du scooter, même si l'on peut croiser - moins qu'en France - quelques fêlés tentant dérapages et «une-roue».

On trouve de nombreux points de location dans les grandes villes, à Rome en particulier.

Parmi les vedettes élégantes du scooter italien, nous vous recommandons quatre modèles aussi distingués que performants : *l'Aprilia Leonardo*, une sorte de must qui se vend en France aux alentours de 20 000 F, les Piaggio, c'est-à-dire Vespa, Sfera et Hexagon, le modèle le plus puissant de la gamme. *Chez Malaguti* (marque de haute réputation dont les vélomoteurs «à vitesses» enchantaient les jeunes Français dans les années 60), le «Firefox» est à la fois racé et rapide, mais hélas difficile à trouver en France. Les marques japonaises sont également présentes sur le marché italien, en particulier pour les grosses cylindrées, Honda commercialisant notamment un mastodonte de 250 cm^3 qui est presque aussi imposant qu'une Goldwing.

Chez Piaggio, le Liberty, un modèle intermédiaire entre le scooter et le vélomoteur, connaît un beau succès actuellement : il est moins cher et il remplit à peu près le même usage (on peut y tenir à deux, mais difficilement à trois) qu'un véritable scooter, puisqu'il va aussi vite qu'un 50 cm^3.

Dans le domaine du vélomoteur, *Gilera et Malaguti* sont des marques répandues et appréciées. MBK est aussi bien présent sur le marché du scooter avec une gamme vaste, notamment en petites cylindrées.

Motos

Vous vous en rendrez rapidement compte, en Italie, le deux-roues motorisé est omniprésent. Le beau temps en facilite certes l'utilisation, de même que le peu de contrainte législative (pas de casque obligatoire sur les 50 cm^3), mais les raisons de ce succès sont également historiques (voir encadré).

Casque

Les scooters et vélomoteurs étant par essence des véhicules conçus pour circuler librement, il est inconcevable de porter des entraves à cette liberté ; donc pas de casque, on circule cheveux au vent, lunettes sur le nez pour se protéger autant du courant d'air que du soleil. Autre argument en défaveur du casque : sur le scooter, on est souvent deux ; comment ferait-on pour se parler si l'on se bouchait les oreilles avec un casque ? Et pour téléphoner, ce serait encore pire (car le mobile n'est tout de même pas réservé aux automobilistes et au simple piéton : il est même de bon ton de téléphoner en conduisant son scooter). Les Italiens sont très tolérants : le port du casque n'est pas interdit. Certains d'ailleurs en portent à moto (de plus en plus rare quand on va vers le sud).

FERRY

Accès aux îles, Sardaigne, Sicile ou même Corse, à partir de Gênes ou de Livourne. Renseignements auprès de la **Compagnie italienne de tourisme**. 45, rue de Paradis 75010 Paris ✆ 01 55 77 27 00.

TAXI

Tarifs de jours modérés, mais les tarifs de nuit (ou de ville à aéroport) vous paraîtront un peu plus douloureux, avec des prises en charge qui vont selon les villes de 7 000 à 9 000 L, ce qui met la moindre course de 2 km à 15 000 L, soit 50 F.

Histoire des deux-roues motorisés en Italie

Au sortir de la guerre, le pays est appauvri et le deux-roues est le meilleur moyen de motoriser rapidement le pays. Comme au Japon à la même époque, on assiste donc au développement de nombreuses marques produisant de petites cylindrées pratiques et économiques ; la plus fameuse est sans aucun doute Vespa, devenue pratiquement un nom commun... au même titre que Mobylette (initialement un modèle Motobecane) qui jouera le même rôle en France. Aujourd'hui encore, l'Italie compte de nombreux fabricants de scooters. Mais contrairement à la France qui n'a jamais réussi à aller au-delà des petites cylindrées (en attendant, peut-être, le succès de la marque Voxan, apparue en 1995), l'Italie, comme le Japon, a réussi son développement dans les grosses cylindrées.

Plus encore que dans l'automobile, par contraste avec une industrie japonaise à la pointe de la technique, la moto italienne repose sur une personnalité débordante qui fait oublier un certain retard technique et une fiabilité longtemps aléatoire. Comme les Alfa-Romeo des années 70, les grandes marques italiennes de moto ont fourni longtemps des engins aux lignes superbes, aux moteurs un peu caractériels et avec lesquels il valait mieux posséder de sérieuses notions de bricolage. Avec un peu plus de retard que dans l'automobile, la situation s'est améliorée et les marques italiennes ont profité largement du retour en force des motos européennes dans les années 90. Signe des temps, des marques mythiques longtemps disparues renaissent de leurs cendres : Laverda, MV Agusta.

Vespa à Vérone

Une moto italienne, c'est avant tout un moteur bicylindre : Ducati, Moto Guzzi, Laverda... en ont fait leur symbole et la clé de leur succès, au point que les grands constructeurs japonais, longtemps adeptes forcenés du quatre-cylindres (effectivement plus raffiné et plus docile) essaient de copier ce caractère depuis environ deux ans. Les moteurs italiens se distinguent par leur côté vivant, dû à leur sonorité grave et profonde... et à leurs vibrations. C'est grâce à cela que des modèles comme la Ducati 900 Supersport ou la Guzzi 1100 California sont entrés dans la légende. La recette est reconnue et appréciée, à tel point que la marque Aprilia, popularisée par ses succès en compétition mais jusqu'ici cantonnée aux petites cylindrées, a choisi l'architecture moteur bicylindre pour son premier moteur de grosse cylindrée. Il semble donc impossible de concevoir la moto italienne avec plus de deux cylindres. Si l'on a vu des motos italiennes à trois ou six cylindres, les multicylindres les plus fameux de la moto italienne restent les quatre-cylindres MV Agusta. La marque est peut-être encore plus mythique que Ducati ou Guzzi : 16 titres de champion du monde de vitesse, des pilotes de légende (Agostini, champion du monde avec la marque en 500 de 1966 à 1972, Mike Hailwood, Phil Read, John Surtees), et une technologie de pointe, justement autour du quatre-cylindres. Après plus de 20 ans d'absence, le mythe est réapparu, intact, en 1997 : la marque a présenté au salon de Paris une nouvelle machine, aussi belle et technologiquement avancée que ses devancières.

Moteur, ligne... d'accord, mais après ? Eh bien, autour du moteur, le reste de la technique a progressé. La fiabilité, sans rejoindre (encore) celle des machines japonaises, ne pose plus de problèmes particuliers, les suspensions ont progressé pour offrir un meilleur confort. Sachant que les lignes sont toujours aussi belles, on peut penser que ces machines vont toucher un public de plus en plus large. C'est sans doute le calcul qu'ont fait les financiers américains qui ont racheté le groupe Ducati en 1997.

Moyen de transport incontournable pour visiter Venise

ITINERAIRES

Nous vous proposons de visiter l'Italie en quittant un peu les sentiers battus. Bien sûr, Florenc et Venise sont des villes incontournables, et deux mois entiers ne suffiraient même pas pour les visiter entièrement. Mais l'Italie du nord a un tel foisonnement de petits villages médiévaux, de villes symboles de la Renaissance, qu'il serait vraiment dommage de passer à côté. Que vous soyez seul, en famille ou en couple, nous vous invitons à découvrir l'Italie d'une façon peut-être un peu plus poétique... Prenez votre temps, laissez-vous guider par votre imagination ! Voici, à titre d'exemples, quelques itinéraires pour quelques jours, quelques semaines ou quelques mois (à vous de juger...).

LES LACS ROMANTIQUES

Commencez par le lac Majeur. Allez ensuite jusqu'aux îles Borromées, avant d'arriver sur le lac d'Orta. Puis, successivement, rendez-vous aux lacs de Varèse, de Côme, de Lugano, puis d'Iseo, pour finir par le lac de Garde, petit port sympathique... Au programme : balades romantiques en pleine nature et visite des petits villages environnants.

LE PONANT ET LE LEVANT

Ainsi appelle-t-on la Riviera, qui s'étend de Vintimille jusqu'à Gênes (Ponant) et de Gênes jusqu'à la Spezia (Levant).

Partez de Vintimille, à la frontière française, et suivez la côte ligurienne pour découvrir la succession de petits villages en bord de mer... Bordighera, San Remo et ses jardins fleuris, Impéria, Alassio, Albenga, Savona et Gênes (dont la vieille ville est la plus ancienne d'Europe). Et puis, Portofino, Rapallo, Sestri Levanti et la Spezia, confortablement installée au fond d'un golfe magnifique.

A TRAVERS LA SERENISSIME RÉPUBLIQUE

Venise la sublime, Venise la charmante, Venise la mystérieuse... Essayez de mieux la cerner, en partant à la recherche de son passé, à travers Vérone, Vicence et ses mille façades aux styles différents, Padoue et sa basilique, Trévise aux couleurs chatoyantes, Udine, Grado, et, pour finir, Trieste, ville étrange, mi-italienne, mi-yougoslave...

AU CŒUR DES COLLINES

Les villages typiques de la Toscane ne sont peut-être si beaux que grâce aux collines qui les entourent... Offrez-vous un détour reposant et régénérant, et visitez Lucca, puis la Garfagnana. Perdez-vous dans le Chianti, arrêtez-vous à San Gimignano, la ville aux belles tours, repartez sur Volterra, Arezzo (où fut inventé le système de la notation musicale), Cortona et ses ruelles médiévales, Spoleto, et, enfin, Orvieto.

PARCOURS RELIGIEUX

Difficile de conseiller un itinéraire plutôt qu'un autre... Avec son passé, l'Italie regorge d'églises, de chapelles, de basiliques, de cathédrales... Vous pouvez parcourir l'ensemble de la Péninsule avec ce simple fil conducteur ! Voici quand même un itinéraire, à titre indicatif.

Commencez par Assise, ville du célèbre saint François. Visitez ensuite le mont Subasio, avant de vous diriger vers Sienne, Pise et sa cathédrale, puis Florence, véritable musée à ciel ouvert, et terminez par Milan, avec sa collection d'églises et son superbe Duomo.

Modène

LA ROUTE DU SKIEUR

Première étape : les Alpes

A partir de Turin, découvrez Suse, Bardonecchia, Courmayeur, avant de vous reposer à Aoste, surnommée la «Rome des Alpes».

Deuxième étape : les Dolomites

Partez de Bolzano, ville où s'opposent les architectures germanique et du sud, puis baladez-vous dans le Val Gardena, et visitez Cortina, Ortesei, et Trente.

L'ADRIATIQUE ENSOLEILLEE

Commencez ce périple par Ravenne et ses somptueuses mosaïques... Descendez ensuite la côte en vous arrêtant à Rimini la festive, faites un détour par la république de San Marino, retournez sur Pesaro (ville natale du compositeur Rossini), Ancône et ses rues enchevêtrées comme celles des vieilles cités méditerranéennes, et terminez par Ascoli Piceno, à l'extrême limite des Marches.

VILLES D'ART

Turin, tout d'abord, ville classique et baroque à la fois, que les ducs de Savoie rendirent célèbre. Ensuite, Mantoue, où vous pourrez visiter les palais construits par les Gonzague, puis la Parme des Farnèse avec ses peintures du Corrège, et Venise, bien entendu. Continuez par Florence et ses environs, Pise, Arezzo et les fresques de Della Francesca, Sienne et les tableaux de Simone Martini, la basilique d'Assise, et l'élégant palais d'Urbino.

VILLES DE SHOPPING

Et pourquoi ne pas partir à la rencontre de l'Italie mondaine, celle de la haute-couture et des objets de luxe ? Découvrez ainsi en Milan la reine incontestée de la mode chic, et parcourez Florence pour ses antiquaires, ses joailliers, ses dentelles...

Ce ne sont, bien entendu, que quelques itinéraires parmi tant d'autres. L'Italie est tellement riche que tout semble possible... Partir sur les traces de Verdi, célébré pour son centenaire en 2001, organiser un périple œnologique en Lombardie pour rendre honneur au vin italien, ou retourner à la source des célèbres spaghetti, bien meilleures dans leurs régions d'origine... Le plus important n'étant pas de *tout* voir, mais de *bien* voir !

Florence - Immeubles le long de l'Arno

SPORTS

La famille, la religion, le sport. Dans quel ordre apparaît le tiercé ? Cela varie selon les individus. Une chose est certaine : le sport appartient au sentiment national et le maillot «azzurro» de l'équipe nationale inspire à chacun respect et passion. On est supporter de son village, de la ville la plus proche, de la province et du pays. Tout naturellement, parce que les liens sont toujours forts avec le voisinage, le sport est un élément majeur, un ciment supplémentaire de l'esprit de famille.

Quant à la réussite indéniable du sport italien, dans la pratique comme dans la compétition, elle est un résultat de plus du formidable professionnalisme qui sait prendre au bon moment les choses au sérieux. Les clichés circulent sur la décontraction et la nonchalance italienne, mais pendant ce temps la caravane passe : les clubs italiens, dans quelque sport que ce soit, sont parmi les mieux structurés du monde ; le sport est un véhicule, mais aussi un métier, une source de revenus et de pouvoir, une industrie, une donnée économique. Les clubs de football brassent des milliards de lires et sont gérés au millimètre par des capitaines d'industrie qui n'attendent pas moins des capitaines sur le terrain. Les sportifs eux-mêmes savent s'entraîner et préparer leurs compétitions sans rien laisser au hasard : le sport en Italie n'est pas un jeu.

Les champions italiens sont souvent brillants, parfois fantasques et toujours craints. Il n'est guère de discipline sportive importante dans laquelle le sport italien ne soit pas représenté, hormis, curieusement, le golf et le tennis de table ; à un moindre degré le tennis. En revanche, en sport collectif, la réussite est quasi totale : on ne joue pas au hand-ball mais les clubs de football sont les meilleurs du monde, ceux de basket les meilleurs d'Europe avec les clubs grecs, les volleyeurs italiens partagent la suprématie mondiale avec les Hollandais, et même le water-polo est une spécialité.

Les trois sports dominants sont le football, loin devant le cyclisme et l'automobile, chaque automobiliste italien vouant un véritable culte à Ferrari. Si l'on ajoute, de façon saisonnière, le ski et ses champions (Alberto Tomba a beaucoup fait pour la médiatisation de son sport depuis dix ans), on tient l'essentiel des grandes stars du sport italien, auxquelles on peut adjoindre, pour rester en compagnie de vedettes planétaires, quelques noms fameux : ceux du motocycliste Giacomo Agostini, du boxeur Nino Benvenuti, de l'alpiniste Reinhold Messner et des athlètes Sara Simeoni et Pietro Mennea.

JOURNAUX SPORTIFS

La *Gazetta dello Sport* et le *Corriere dello Sport* (dérivé sportif du *Corriere della Sera*) sont quotidiens et bien représentatifs du sport italien : plus de trois quarts de l'espace est consacré au football, seules les grandes vedettes italiennes parviennent à marquer leur empreinte pour d'autres disciplines. C'est le foot, le foot, le foot puis, selon l'événement, l'athlétisme, le cyclisme (deux domaines où les Italiens ne sont pas culs-de-jatte), le volley ou le tennis (deux autres où ils ne sont pas manchots), le ski l'hiver.

ATHLETISME

Livio Berrutti. Le grand sprinter des années 60, qui enflamma le Stadio Olimpico de Rome, debout pour le voir gagner, à la surprise générale, le 200 m des Jeux olympiques. Il entra évidemment, ce jour-là, dans la légende.

Galindo Bordin. Excellents marcheurs et pas mauvais en endurance, les athlètes italiens. La force, le courage et cette qualité unique du «jamais battu», telles étaient les qualités de cet athlète, ô combien représentatif du sport italien. Il remporta la médaille d'or du marathon olympique de Séoul et gagna deux fois celui de New York.

Adolfo Consolini. Il lança ses meilleurs disques après la guerre, régnant sur la discipline durant près de dix ans. Il fut champion olympique en 1948 (la même année, c'était une Française, Micheline Ostermeyer, qui remportait le titre féminin, c'est dire si ça remonte à loin) et médaille d'argent à Helsinki quatre ans plus tard.

Alberto Cova. Excellent finisseur, Alberto était toujours dangereux lorsqu'il avait réussi à attraper le bon wagon d'un 10 000 m. Il fut champion du monde en 1983 et champion olympique à Los Angeles en 1984.

Maurizio Damilano. Les Italiens sont bons marcheurs, et Maurizio fut longtemps la figure de proue de l'école transalpine. Une belle et longue carrière avec un titre olympique à Moscou et deux médailles d'or en championnat du monde, la dernière à Tokyo en 1991.

Fiona May. Médaillée d'argent aux Jeux olympiques de Sidney dans l'épreuve du saut en longueur féminin.

Pietro Mennea. On pensait que, comme les 8,90 m de Beamon en longueur, son record tiendrait jusqu'à l'an 2 000, puisque l'immense Carl Lewis s'était cassé les dents sur ce mythique record de 19,72 sec sur 200 m, qui datait de 1979. Il aura fallu que Michael Johnson, la « statue» de Waco, fasse des miracles à Atlanta : le record de l'élégant Pietro tint pendant 17 ans. C'était un coureur stylé, au départ canon, au déboulé régulier, incroyablement efficace dans le virage. Il fut champion olympique à Moscou, l'année suivant son record, huit ans après sa première médaille de bronze au 100 m de Munich.

Francesco Panetta. Les Kenyans n'avaient pas la main entièrement posée sur le 3 000 m steeple lorsqu'il devint champion du monde en 1987. Il illustre une belle représentation italienne dans cette discipline, confirmée par la suite, notamment par Alessandro Lambruschini, qui enleva une très méritoire médaille de bronze à Atlanta, une des très rares ayant échappé au demi-fond africain.

Sara Simeoni. Dans tous les sens du terme, la grande dame de l'athlétisme italien. Des jambes interminables, un port de diva et une manière inimitable d'effacer la barre du saut en hauteur. Elle entra dans l'histoire en franchissant la première la barre des 2 m en 1978. Elle fut championne olympique deux ans plus tard à Moscou, et obtint deux médailles d'argent, à Montréal et à Los Angeles. Elle a été désignée en 2000 «championne italienne du XXe siècle» par le journal *Gazzetta dello Sport.*

Nicola Vizzoni. A décroché une médaille d'argent au lancer du marteau, en 2000, à Sidney.

CYCLISME

Avec les Français et les Belges, les Italiens sont la troisième grande nation du cyclisme, dont ils ont écrit l'histoire et la légende. Certains coureurs, comme Fausto Coppi, sont devenus des héros pour toute l'Italie. Le Giro (Tour d'Italie) fut créé en 1909, soit six ans seulement après le premier Tour de France. Il resta durant plus de quarante ans une exclusivité italienne puisque le premier coureur non-transalpin à l'emporter fut un Suisse, Hugo Koblet, en 1950, alors que le premier coureur italien à remporter le Tour de France fut Ottavio Bottechia, dès 1924. Le cyclisme italien, hormis ses grandes stars (Coppi, Bartali, Gimondi, Moser, Bugno) a souvent connu de très forts sprinters (Basso dans les années 70, Argentin et aujourd'hui Cipollini) et quelques grimpeurs d'exception, comme Battaglin ou, aujourd'hui, Marco Pantani.

Vittorio Adorni. Souvent placé, cet excellent coureur complet, qui gagna près de 60 courses, dut cependant attendre 1968 pour la consécration de sa longue carrière. Il remporta cette année-là, à trente et un ans, un titre de champion du monde qui réjouit tous les amateurs. La même année, il finissait deuxième du Giro derrière un certain Eddy Merckx, trois ans après avoir remporté l'épreuve.

Moreno Argentin. Rouleur hors pair et meilleur sprinter du peloton durant de nombreuses années. Moreno Argentin était, toutes épreuves confondues, tout simplement le meilleur coureur du monde à la fin des années 80. Il remporta plus de 80 victoires et fut champion du monde en 1986.

Ercole Baldini. Il succéda à la génération des Bartali-Coppi en relevant le défi italien : il remporta le Tour d'Italie et le titre de champion du monde en 1958, ainsi que de nombreuses épreuves contre la montre (il fut l'un des grands adversaires du début de carrière d'Anquetil dans cette discipline). Il fut recordman de l'heure en 1956.

Gino Bartali. Coppi aurait-il été aussi grand sans Bartali ? Son aîné, autre seigneur de la route des années 40 et 50, fut souvent un rival sérieux, et beaucoup plus qu'un faire-valoir. Bartali connut une carrière phénoménale avant et après la guerre, avec un palmarès éblouissant : quatre fois champion d'Italie, trois Tours d'Italie et deux Tours de France à dix ans d'intervalle, en 1938 et en 1948. Cette dernière année, il survola l'épreuve de toute sa classe, remportant douze étapes et gagnant avec 26 mn d'avance sur son second.

Marino Basso. Il était le coureur le plus rapide de sa génération, dans les années 70, remportant au sprint un grand nombre de courses et d'étapes, notamment du Tour de France. Il fut justement récompensé par un titre de champion du monde en 1972, au sprint, vengeant son compatriote Franco Bitossi, rattrapé à quelques hectomètres de la ligne d'arrivée.

Alfredo Binda. La grande figure des années 30, succédant à Bottecchia. Il fut triple champion du monde (1927, 1930 et 1932), remporta cinq Tours d'Italie mais jamais le Tour de France.

Franco Bitossi. «L'homme au cœur fou», s'il n'a pas le palmarès le plus impressionnant du pays, n'en tient pas moins une place à part dans la légende du sport italien. Souffrant d'une affection cardiaque, il déployait pourtant une telle générosité dans l'effort que l'on craignait toujours pour sa santé. Il fut le héros malheureux d'un championnat du monde qu'il mena de bout en bout avant d'être repris par le peloton juste avant l'arrivée.

Ottavio Bottecchia. Il fut le premier coureur italien à gagner le Tour de France, qu'il remporta deux années consécutivement (1924 et 1925). Il eut un triste destin puisqu'il mourut à trente-trois ans, en 1927.

Gianni Bugno. Lorsque Gianni Bugno participait à une course au début des années 90, il en devenait automatiquement le favori. Il était meilleur rouleur, meilleur sprinter, meilleur contre la montre et bon grimpeur. Pourtant, malgré un palmarès très copieux, il ne connut pas la réussite espérée dans les grandes épreuves à étapes (pas de Tour de France, un seul Tour d'Italie). Il reste néanmoins le seul coureur de l'histoire, avec Van Steenbergen et Van Looy, à avoir remporté deux championnats du monde consécutifs.

Claudio Chiappucci. Il serait méchant de dire qu'il fut un des grands seconds rôles de la fin des années 80, car il remporta un certain nombre de victoires dans une carrière marquée par les accessits dans les épreuves majeures (deux fois deuxième et une fois troisième dans le Tour de France, deuxième du championnat du monde en 1994).

Fausto Coppi. Avec son nom de héros de roman, Fausto Coppi était né pour un destin exceptionnel et forcément tragique, un météore dans le ciel «azzurro», une sorte de Marcel Cerdan sauce spaghetti. Né juste après la guerre de 14 dans un petit village piémontais, Castellania, Fausto entama sa prodigieuse carrière par une victoire au Giro en 1940. Il battit une première fois le record de l'heure en 1942 et ne cessa d'engranger les titres jusqu'en 1957. Cinq Tours d'Italie, deux Tours de France, trois titres de champion du monde, sur route et en poursuite, trois fois champion d'Italie, et un nombre impressionnant de victoires en classiques (dont six victoires au Tour de Lombardie). Ceux qui ont connu le Campionissimo disent qu'il semblait voler dans la montagne, malgré son masque de souffrance. Après un Paris-Roubaix gagné de façon éblouissante, un journaliste belge le surnomma le «Léonard de Vinci du vélo». Sa vie est aussi un roman : marié à Bruna et père d'une petite Marina, il rencontra Giulia Occhini, que la presse surnomma «la Dame blanche» car elle le suivait sur les courses et se plaçait à l'arrivée, vêtue de blanc pour qu'il puisse l'apercevoir et que cela lui porte bonheur. Il eut d'elle un petit Faustino qui fut longtemps caché, le divorce étant évidemment impossible pour cette famille très religieuse. En 1959, il courait encore, mais vers la fin de l'année, il tomba malade, victime d'une broncho-pneumonie foudroyante. Il mourut au matin du 2 janvier 1960. L'Italie tout entière suivit les funérailles dans son village natal. Il laissa l'image d'un champion exemplaire, d'un «campionissimo» dans son sport comme dans la vie publique, avec sa distinction, sa gentillesse, son naturel et son intelligence.

Maurizio Fondriest. Coureur complet et rapide au sprint, il remporta de nombreuses classiques, fut numéro un mondial en 91 et 93 et remporta un titre de champion du monde en 1988 d'une façon un peu chanceuse (accrochage entre Criquelion et Bauer alors en tête).

Felice Gimondi. Coureur généreux et intelligent, Felice mena une carrière exemplaire dans les années 60, gagnant à peu près tous les titres majeurs : un Tour de France dans sa jeunesse, trois Tours d'Italie, et un superbe titre de champion du monde en fin de carrière, à trente et un ans, sous l'ère de domination d'Eddy Merckx. Il fut très apprécié dans le peloton pour sa gentillesse, sa simplicité et son fair-play.

Antonio Maspes. Sans rival sur la piste dans les années 50, avec un nombre incalculable de victoires et de records. Il fut le plus rapide pendant près de dix ans, avec sept titres de champion du monde professionnel.

Gastone Nencini. Une belle carrière dans les années 50, avec un Tour d'Italie en 1957 et une fin en apothéose, avec sa victoire surprise dans le Tour de France 1960.

Gianni Motta. Souvent bien placé, dans les classiques comme dans les courses à étapes, Gianni Motta fut un des meilleurs coureurs italiens des années 60, un peu dans l'ombre de Felice Gimondi, ce qui s'est traduit dans son palmarès avec un seul Tour d'Italie à son actif.

Francesco Moser. Ce coureur complet entra dans la légende par ses records de l'heure, qui marquent un tournant dans l'histoire du cyclisme : il renvoyait à une autre époque les exploits précédents d'Eddy Merckx en étant le premier à franchir la barrière mythique des 50 km /h en 1984, pour porter le record à 51,151 km /h, qui resta sa propriété durant neuf ans. Le reste de sa carrière est loin d'être anecdotique, avec plus de deux cents victoires, dont un championnat du monde (en 1977), un Tour d'Italie et trois Paris-Roubaix.

Marco Pantani. Au cœur d'un cyclisme italien spécialisé dans les classiques et le sprint, Pantani a concrétisé les espoirs de son pays dans les courses à étape. S'il est bien le roi de la montagne, il n'est pas toujours suffisamment costaud dans le contre la montre pour inquiéter les coureurs complets comme Jan Ulrich ou Lance Armstrong. Il réalise pourtant dans les cols des numéros exceptionnels, en étant le seul, comme avant lui Charly Gaul ou Lucien Van Impe, à pouvoir exploser sur quelques mètres, laissant tout le monde sur place. Après plusieurs années de réussite très relative (rehaussées néanmoins par quelques beaux coups d'éclat, malheureusement un peu isolés), 1998 marque enfin la vraie consécration de Pantani, vainqueur successivement du Tour de France puis du Giro. Mais il est depuis redescendu de ce sommet, et souvent pour des raisons à la limite de la légalité sportive : exclusion du Tour d'Italie 1999 pour un taux d'hématocrite trop élevé, abandon dans le Tour de France 2000 pour cause de troubles intestinaux (qui ont intrigué plus d'un observateur)... Il a, malgré tout, terminé deuxième du Giro 2000. Un procès pour «fraude sportive» (qui l'accuse d'absorption d'EPO en 1995 et 1999), le premier du genre en Italie, s'est ouvert contre lui à l'automne 2000.

Giuseppe Saronni. Il fut longtemps un grand espoir, ne confirmant que partiellement les promesses. «Beppe» Saronni fut cependant bien un des meilleurs coureurs du peloton dans les années 80, avec deux victoires au Giro et un titre de champion du monde en 1982.

Les termes du sport italien

Calcio. Championnat d'Italie de football.

Catenaccio. Le verrou, le cadenas. Par analogie, le «catenaccio» désignait, dans les années 60, le système défensif des équipes de football italiennes.

Gregario. En cyclisme, un équipier qui fait le travail pour son leader (on dit aussi un «porteur d'eau»).

Libero. Au football, défenseur central qui est «libre», c'est-à-dire qui, dans son rôle défensif, comme éventuellement offensif, n'a pas de contrainte, ni géographique ni de marquage, sur le terrain.

Rosso et Nero. Les «rouge et noir», association de couleurs de maillot qui désigne l'équipe de football du Milan AC.

Scuderia. L'écurie, le terme sous-entendant naturellement qu'il s'agit de Ferrari. Il est plaisant de noter que l'on parle aujourd'hui couramment des écuries de Formule 1, alors que «la Scuderia» ne désignait primitivement que l'équipe au cheval cabré...

Scudetto. Le titre décerné à l'équipe qui remporte le championnat d'Italie de football.

Squadra azzurra. L'équipe italienne dans toutes les disciplines.

Tifosi. Supporters.

Totonero. Par opposition au «totobianco» officiel, le terme désignait (il n'est plus guère employé) les paris clandestins sur les matchs de football. Leur influence fut si considérable dans les années 70 que l'on soupçonna que certains matchs étaient truqués.

FOOTBALL

On se demande parfois si le football n'a pas été inventé en Italie tant il semble naturellement fait pour le génie sportif transalpin. Les Anglais ont inventé les règles, mais ce sont les Italiens qui ont adopté et modernisé le jeu. La Coupe du Monde fut créée en 1930, et si le premier titre alla à l'Uruguay, l'Italie remporta les deux suivants, en 1934 et 1938. Il fallut ensuite attendre 1982 et la fantastique Coupe du Monde en Espagne pour voir les «azzurri» glaner un troisième succès ; entre-temps, l'équipe nationale, ainsi que les grands clubs, aujourd'hui les meilleurs et les plus riches du monde, ont eu le temps de se tailler une réputation et de faire de l'Italie la plus grande nation de football avec le Brésil.

En Italie, le football est une culture. Bien avant le stade de France, on avait construit des stades de 80 000 places, à Milan et à Rome, pour accueillir les tifosi, et les affluences de 50 000 personnes pour un match de championnat ne sont pas rares. Les journaux sportifs (*Gazetta, Corriere dello Sport*) consacrent l'essentiel de leurs colonnes au sport-roi et chaque joueur de première division du calcio, qu'il soit italien et étranger, voit sa prestation dominicale analysée sous toutes les coutures. Le football italien a ses stars, auxquelles il offre les plus gros salaires de la planète, mais le public qui les nourrit se montre très exigeant en contrepartie.

Après une décennie en demi-teinte, la «Squadra Azzura» a manqué de peu le titre de champion d'Europe à l'occasion de l'Euro 2000. Après avoir battu les Hollandais, favoris de la compétition, l'équipe italienne se retrouve en finale face à la France. Les Italiens sont décidés à prendre leur revanche contre ceux qui les avaient éliminés en quart de finale du Mondial 1998. Mais alors que le score leur est favorable jusqu'à la toute dernière minute, leur rêve sera finalement brisé par les Bleus, comme chacun sait... Malgré cette défaite, les Italiens ont prouvé qu'ils étaient enfin revenus au premier plan sur la scène internationale.

La défaite est un drame, et un drame national s'il s'agit de la squadra azzurra ; la victoire donne lieu à des scènes de liesse digne des Sud-Américains. D'ailleurs, le lundi matin, la rubrique nécrologique enregistre régulièrement les décès par crise cardiaque consécutifs à un résultat, heureux ou malheureux, ou à un but. Depuis quelques années, les meilleurs footballeurs français jouent dans le calcio et certains sont devenus de véritables idoles dans leur club (Zidane à la Juve, Thuram à Parme).

Dans ce sport se cristallisent les qualités naturelles des sportifs italiens : l'intelligence de jeu, la cohésion de l'équipe, l'abnégation, la capacité de tenir un résultat, et ce petit plus qui permet de surmonter l'insurmontable. Dans les matchs les plus serrés, il est bien rare qu'une équipe italienne sorte perdante, même si les Coupes du Monde 1994 et 1998 (victoire du Brésil et de la France aux tirs aux buts) ont un peu entamé cette réputation. La finale de l'Euro 2000, que la France gagne par le «but en or» est une autre exception qui confirme la règle, tant les Italiens ont su imposer leur réalisme implacable pendant toute la compétition. Mais avant, il y a eu, par exemple, cette fantastique démonstration de 1982, où, loin d'être favorite, l'Italie avait successivement battu l'Argentine et le Brésil, avant de balayer l'Allemagne en finale, vengeant les petits Français de la terrible épreuve de Séville.

Comme l'équipe nationale, les clubs ont le plus gros palmarès d'Europe, et il est même arrivé que les trois coupes d'Europe soient remportées la même année par un club italien.

• Le **Milan AC** fut le premier vainqueur italien de la Coupe des clubs champions, aujourd'hui Ligue des champions (victoire en 63, puis en 69, 89, 90 et 94). C'est le club des «rossi e neri», du maillot rouge et noir qu'ont porté les grandes stars du football international et les meilleurs joueurs italiens : Baresi, Maldini, Van Basten, Gullit, Savicevic ou George Weah. Milan a remporté deux fois la Coupe des Coupes.

• **L'Inter de Milan** est le grand rival du précédent, ayant également remporté la Coupe des clubs champions en 1964 et 1965. Après une éclipse, l'Inter est revenu sur le devant de la scène avec de très grands joueurs comme Ronaldo et Djorkaeff. L'Inter a aussi gagné trois fois la Coupe UEFA.

• La **Juventus de Turin**, surnommée affectueusement «la vieille dame» par ses supporters. Après avoir connu le sacre européen en 1985 avec Michel Platini (au stade du Heysel à Bruxelles, dans le match contre Liverpool au cours duquel les hooligans bousculèrent et écrasèrent les supporters italiens contre les grilles du stade, faisant 39 victimes), la Juve a retrouvé sa jeunesse avec une équipe très forte d'individualités marquantes (Zidane, Deschamps, Del Piero), remportant à nouveau la Coupe des champions en 1996. La Juve a gagné au total six coupes d'Europe (2 Coupes des champions, 1 Coupe des Coupes, 3 Coupes UEFA).

De nombreux autres clubs se sont illustrés à l'échelle européenne, et leur nom est connu de tous les amateurs : Naples, où joua Maradona, qui remporta la Coupe UEFA en 1989, Parme (Coupe des Coupes en 1993, Coupe UEFA en 1995 et 1999), la Sampdoria de Gênes (Coupe des Coupes en 1990) ou, encore, la Fiorentina (Florence). Rome possède deux grands clubs : l'AS Roma et la Lazio, vainqueur de la Coupe italienne en 2000.

José Altafini. Cet Italo-Brésilien fut la vedette du Milan AC des années 60. Attaquant percutant, il fut la terreur des gardiens durant de nombreuses saisons. Vainqueur de la Coupe des clubs champions en 1963.

Roberto Baggio. Une petite queue de cheval, une excellente couverture de balle et des coups francs «platiniens». C'est Roberto, une vedette sur le terrain comme à la ville. Ballon d'or en 1993, il est, avec Richard Gere, l'un des bouddhistes les moins miséreux de la planète.

Franco Baresi. Une longue et brillante carrière pour ce défenseur fidèle, qui fut capitaine de la Squadra Azzurra et de l'équipe du Milan AC avec laquelle il remporta quatre coupes d'Europe et six scudetti. Il compte plus de quatre-vingts sélections en équipe nationale.

Del Piero. Le nouveau stratège de la Squadra. Un peu fantasque, mais capable, selon l'expression journalistique consacrée, de «faire basculer le match à tout moment». Joue aux côtés de Zinedine Zidane à la Juventus et vainqueur, avec son club, de la Coupe des champions en 1996.

Giacinto Facchetti. Une sorte de modèle symbolisant la défense de fer de l'équipe italienne (Lino Ventura, grand amateur de football, le citait souvent en exemple). Sobre, intègre, efficace de la première à la dernière minute du match, il remporta deux coupes d'Europe avec son club l'Inter de Milan et compte près de 100 sélections (le plus capé après Zoff). Il joua le match historique contre l'Allemagne en 1970 au Mexique et la finale qui suivit, perdue contre le Brésil.

Paolo Maldini. Son papa est sélectionneur, et Paolo, qui fut l'un des plus jeunes internationaux d'Italie, est devenu, à trente ans, l'un des plus titrés, avec trois coupes d'Europe et une centaine de sélections. Très élégant, beau garçon, Paolo Maldini semble toujours avoir le sourire sur le terrain ; membre éminent du Milan AC où il a joué toute sa carrière, il a été capitaine de l'équipe d'Italie.

Sandro Mazzola. La classe, et pas celle d'Aldo Maccione. Sandro est le Beckenbauer italien, une élégance naturelle alliée à une volonté inébranlable. Il gagna deux coupes d'Europe avec l'Inter, en 64 et 65, et suivit ainsi les traces de son père, international lui aussi, disparu en 1949 avec toute l'équipe du Torino dont l'avion s'écrasa à l'atterrissage. Le petit Sandro avait alors sept ans et se jura de devenir footballeur pour compléter la carrière familiale tragiquement restée inachevée.

Giuseppe Meazza. Cette figure de la première heure, qui gagna les deux Coupes du Monde de 1934 et 1938, est aujourd'hui connue du monde entier pour avoir donné son nom au plus grand stade d'Italie, San Siro à Milan.

Gianni Rivera. Un faux air de Mastroianni, une très grande clairvoyance dans le jeu et une technique exceptionnelle en ont fait un des demi-offensifs les plus fameux d'Italie. Il disputa la finale de la Coupe du Monde 70 (et la demi-finale, voir encadré) et remporta deux coupes d'Europe avec le Milan AC.

Luigi Riva. Gigi, né en Sardaigne, resta fidèle à son cher Cagliari, refusant les ponts d'or des grands clubs milanais ou turinois. Rien que cela suffirait à le classer dans la légende. Mais le physique de Gigi l'amoroso, sa puissance et sa détermination devant le but ont bien aidé à peaufiner le portait.

Paolo Rossi. Il arriva à la Coupe du Monde 82 très discuté, presque imposé par le sélectionneur contre l'avis général ; on le trouvait nonchalant, poussif et hors de forme. Finalement, il fut meilleur buteur de ce Mondial en Espagne et remporta pratiquement la coupe à lui tout seul, assommant le Brésil lors d'un match historique : il marque le premier but ; les Brésiliens, archi-favoris, égalisent ; il marque le deuxième but, les Brésiliens reviennent encore à vingt minutes de la fin par Falcao ; il marque un troisième but et l'Italie gagne 3 - 2. Il donne confiance à toute son équipe, qui se hisse en finale et ridiculise l'Allemagne 3 - 1, avec un premier but de Paolo. Il a à peu près tout gagné (dont deux coupes d'Europe avec la Juve, et un Ballon d'Or, l'année du sacre mondial).

Salvatore Schillacci. Il aurait dû être la grande vedette de la Coupe du Monde 90 organisée dans son pays ; malheureusement, si Toto Schillacci termina meilleur buteur de cette compétition, il ne reste pas dans toutes les mémoires comme son prédécesseur Paolo Rossi, son équipe ayant été éliminée en demi-finale par l'Argentine.

Le match du siècle

Il a lieu au Mexique durant la Coupe du Monde 1970 et oppose, en demi-finale, l'Italie à l'Allemagne. Pourquoi le match du siècle ? Parce que tout concourt à ce qu'il en soit ainsi : c'est un choc de géants dont l'issue permettra au vainqueur d'affronter le Brésil de Pelé, au sommet de son art. Il oppose deux immenses nations du footbal : l'Allemagne, qui vient de prendre sa revanche dans un match au couteau, après prolongations, sur les Anglais qui les avaient battus à Wembley en finale quatre ans plus tôt dans des circonstances très particulières (l'arbitre avait accordé un troisième but si douteux aux Anglais que, trente ans après, personne ne peut dire s'il était valable ou pas), et l'Italie, qui retrouve sa superbe après une éclipse d'une quinzaine d'années au niveau de l'équipe nationale, alors que ses clubs, le Milan AC, l'Inter, la Juventus, brillent au niveau européen. Ce match est tragique dans son déroulement, mythique par sa construction et sa distribution, et aujourd'hui suffisamment antique pour être classé dans la légende. C'est la guerre de Troie, c'est Rome face à Carthage, Alexandre face à Darius : deux blocs que l'histoire vénère, avec leurs héros mythologiques. Dans l'équipe allemande, Beckenbauer, qui, avec une épaule démise, passera deux tiers du match le bras collé au corps par des bandages; Uwe Seeler, le vieux lion, capitaine courageux à trente-quatre ans, au style gueule cassée d'un Mac Laglen dans les films de John Ford ; Gerd Muller, l'astucieux buteur, renard des surfaces de réparations, toujours là pour mettre la pointe de sa chaussure, attiré par le filet comme un moustique par une ampoule ; et puis Sepp Maier, le gardien qui tant de fois a sauvé la baraque, Libuda, ailier courtaud et dribbleur incroyablement efficace, Grabowski, l'élégant gaucher qui effleure le ballon, et Overath, joueur de l'ombre sobre et précis, le meilleur joueur du monde avec Pelé durant cette Coupe. En face, il y a les Italiens, et là non plus, pas de la gnognotte, mais tout bonnement le casting du siècle : Mazzola, le beau Sandro, un peu dégarni, mais quelle prestance ; Facchetti, l'arrière inusable, dévoué jusqu'à la mort ; Domenghini, demi inventif et redoutable attaquant ; Rivera, stratège entré à la mi-temps, incarnation du génie italien, lucide et d'une volonté sans faille ; et puis Gigi Riva, la coqueluche de toute l'Italie du Sud, sorte de taureau sarde qui va toujours de l'avant, et encore Boninsegna, le buteur malingre qui trouve dans le ciel le plus couvert une petite ouverture pour placer son coup d'épée. Allemagne-Italie 1970 a été plébiscitée, dans *L'Equipe*, par tous les grands joueurs de la planète, comme le match du siècle. On n'a même pas eu besoin d'inventer le titre.

Le round d'observation est bref, l'entame de match nerveuse. On ne joue pas depuis huit minutes que Boninsegna, récupérant la balle après un dribble laborieux, place une banderille de vingt mètres qui fuse sur le poteau droit de Sepp Maier, bien détendu mais trop court. Ça fait 1 - 0 pour la Squadra, mais, surtout, ça alimente le scénario en cinérama, dans une attente à bouffer son chapeau. Pendant les 82 minutes qui vont suivre, les Allemands vont ramener le ballon cent fois, mille fois devant le rempart italien, sans jamais concrétiser. Par vagues, les grands blonds se jettent sur les petits bleus : on croit qu'ils touchent au but, qu'ils vont enfin atteindre l'autre rive, et il y a toujours un pied, une tête, d'un petit brun latin pour les contrecarrer : c'est un conflit de civilisations, les Celtes contre les Romains, le Nord contre le Sud, et ça devient titanesque. Il y a des poteaux, des balles détournées à la dernière extrémité, des arrêts sur image quand le ballon semble déjà au fond, et puis rien que ce persistant 1 - 0 qui aurait pu solder une simple guerre de tranchée. Le temps est terminé, dans un coin du poste on lit que les 90 mn sont écoulées, le match quasi plié, les spectateurs sur le départ. Encore un flux des blancs, une dernière marée de bon coefficient, personne ne croit plus à cette 91e minute, le blond Held adresse un millième centre dans le paquet. Pour personne ? Des entrailles de ses lignes arrière, un grand aryen wagnérien surgit : il s'appelle Schnellinger, ça lui va tellement bien. Il surgit des Enfers, le torse conquérant des Niebelungen, pour reprendre la balle du plat du pied devant le but ouvert. Albertosi est incrédule en voyant filer le ballon à dix centimètres de ses pieds : on jouera les prolongations.

Gaetano Scirea. Le plus gros palmarès de l'histoire du football européen. Gaetano, défenseur rude et discret, fut champion du monde en 82, champion d'Europe avec la Juve (il était capitaine le soir du Heysel contre Liverpool), et gagna également les deux autres coupes disponibles. Il mourut à trente-six ans dans un accident de voiture.

Giovanni Trappatoni. Alors que son palmarès de joueur est assez copieux (deux coupes d'Europe des clubs champions, une Coupe des Coupes), c'est pour sa réussite en tant qu'entraîneur, de la Juve et de l'Inter, que Trappatoni est universellement connu et admiré. Fin tacticien et directeur à la main ferme, il a tout gagné avec les équipes qu'il a managées (six scudettos et cinq coupes d'Europe). Il a remplacé Dino Zoff au poste d'entraîneur de la Squadra Azzura.

Gianluca Vialli. Une des grandes vedettes actuelles, émigrée en Angleterre après avoir conquis de nombreux titres avec la Sampdoria de Gênes et la Juventus. Il possédait déjà près de soixante sélections avant la Coupe du Monde 98. Un attaquant de grande classe, reconnaissable à son crâne rasé et à sa rapidité d'intervention. Après avoir fait le bonheur de Chelsea comme attaquant, il en est désormais le manager.

Dino Zoff. Le nom de ce fameux gardien de buts est presque un jeu de mots français, mais ce véritable dinosaure des surfaces est tout simplement le joueur italien le plus capé, avec 112 sélections. Il a commencé sa carrière internationale en 1968 et a participé à quatre Coupes du Monde pour remporter la dernière, la plus belle, à quarante ans passés, en 1982. Il a occupé le poste d'entraîneur de la Juventus de Turin (Coupe UEFA 1990), de la Lazio de Rome, puis de l'équipe d'Italie.

SKI

Zeno Colo. Le père des champions actuels. Zeno Colo se distingua aux Jeux d'Oslo en 1952, en s'affirmant dans les trois disciplines (médaille d'or en descente) quatre ans avant la rafle historique de Toni Sailer à Cortina d'Ampezzo.

Deborah Compagnoni. On la surnomme la Bombina et son palmarès est presque aussi étoffé que celui d'Alberto Tomba, alors que sa carrière est loin d'être terminée. Deborah, avec sa frimousse ronde souvent rayonnante, a réussi l'exploit unique de remporter trois médailles d'or dans trois olympiades différentes (super-G à Albertville, géant à Lillehammer et à Nagano).

Gustavo Thoeni. L'un des plus grands skieurs de l'histoire, au même rang que les Stenmark, Killy, Sailer ou Tomba. Un très fort compétiteur, de l'aisance et de l'intelligence au service d'une énergie toujours maîtrisée. Médaille d'or du géant à Sapporo en 1972, et d'argent en slalom à Sapporo et Innsbruck.

Alberto Tomba. Tomba «la Bomba» a explosé un jour de 1988 à Calgary, aux Jeux olympiques. A vingt-et-un ans, l'artiste bolognais remportait deux médailles d'or, l'une en géant, l'autre en spécial. Dix ans plus tard, il a fait une dernière sortie peu glorieuse à Nagano, mais son palmarès et sa personnalité lui gardent une place unique dans le cirque blanc des années 90. Une image de latin lover rigolard jusqu'à la caricature («les veilles de grande compétition, je reste sérieux, au lieu de me mettre au lit à cinq heures du matin avec trois femmes, je me couche à trois heures avec cinq femmes»), des déclarations tonitruantes et un certain mépris pour ses adversaires, tout cela n'empêche pas qu'Alberto est un champion d'exception, au style puissant et coulé, à la volonté d'acier. Il a remporté près de 50 victoires, dont trois médailles d'or (le géant à Albertville), et neuf premières places en Coupe du Monde. Il a souvent fait chavirer l'Italie de bonheur et inspiré crainte et respect à tous ses adversaires (même - et surtout - lorsqu'il finissait à près de deux secondes du vainqueur dans une première manche). Il restera l'un des sportifs transalpins les plus célèbres des années 90.

SKI DE FOND

Toujours de bons résultats pour les Italiens, des champions qui durent et des équipes qui gagnent les relais, comme à Lillehammer où ils avaient réussi à battre les invincibles Norvégiens. Le ski de fond se développa notablement après l'avènement, à Grenoble en 1968, de Franco Nones, qui fut l'un des premiers à vaincre la suprématie nordique en épreuve olympique (médaille d'or sur 30 km). Les stars actuelles s'appellent Silvio Fauner, champion du monde du 50 km, médaille d'or du relais 4 (10 km à Lillehammer et d'argent dans la même course à Nagano, Stefania Belmondo, qui a encore gagné une médaille d'argent à Nagano, six ans après son titre olympique sur 30 km à Albertville (elle cumule six médailles olympiques et plusieurs titres de championne du monde) et Manuela Di Centa, double championne olympique à Lillehammer.

ALPINISME

Deux très grands noms font frissonner tous les escaladeurs dès qu'on les prononce :

Walter Bonatti fut un peu le père de l'alpinisme moderne avec ses ascensions en solitaire dans les années 50, dès l'âge de 21 ans.

Reinhold Messner est une référence, une sorte de maître du piolet : il est le recordman du nombre de sommets de plus de 8 000 m vaincus dans une carrière (une quinzaine).

AVIRON

Pas de problème : les rameurs italiens ne sont pas nombreux au plus haut niveau, mais lorsqu'ils apparaissent dans les classements, ce n'est pas pour faire de la simple figuration !

En vedette, les trois frères Abbagnale. Giuseppe et Carmine tout d'abord, champions olympiques en 84 et 88, médaillés d'argent à Barcelone en 92 et sept fois champions du monde. Le benjamin de la famille, Agostino, n'a pas voulu être en reste et a brillamment suivi ses aînés : deux fois champion du monde, il a remporté trois titres olympiques à Séoul, Atlanta et Sidney.

BASKET-BALL

L'équipe italienne est une des meilleures d'Europe (championne en 1983 et 2000 et finaliste du tournoi olympique à Moscou), et les clubs, qui changent de nom selon leur sponsor, attirent de nombreux grands joueurs de NBA ou d'ailleurs. Le Mobilgirgi de Varèse (jadis l'Ignis de Varèse), le Benetton Trevise, le Kinder Bologne ou le club de Cantu cumulent les titres nationaux et européens. Des nombreuses vedettes du basket italien, on distinguera particulièrement Dino Meneghin, le grand stratège des années 80, et Pier Luigi Marzorati.

BOBSLEIGH

Moins en évidence que dans les années 70, le bob italien reste, à deux ou à quatre, toujours prétendant aux médailles. Le dernier titre mondial date de 1975. Une médaille d'or en bob à deux a été remportée aux Jeux de Nagano en 1998. L'Italie compte un champion de légende, sans doute l'un des plus titrés du siècle : Eugenio Monti, double champion olympique, titulaire de six médailles dans trois olympiades, et onze fois champion du monde.

BOULES

Les titres se partagent avec la France, au sommet de la hiérarchie mondiale. En vedette durant 20 ans, Umberto Granaglia, qui cumule onze titres de champion du monde.

BOXE

S'il existe de nombreux champions américains d'origine italienne (Jack La Motta ou le plus grand de tous les temps, Rocky Marciano, qui ne fut jamais battu dans sa catégorie des lourds), on ne compte que trois champions du monde italiens de grande envergure :

Primo Carnera fut le deuxième Européen, après Max Schmelling, à remporter le titre mondial des poids lourds, en 1933.

Nino Benvenuti fut l'idole de son pays à la fin des années 60, en prenant le titre des moyens à Emil Griffith ; il conserva avec panache sa tunique pendant trois ans avant d'avoir la malchance, comme notre Jean-Claude Bouttier national, de trouver sur sa route le meilleur poids moyen de tous les temps, Carlos Monzon.

Gianfranco Rosi fut un très grand super-welter, dominant la catégorie durant près de sept ans entre 1988 et 1994, champion du monde WBC, puis IBF.

COURSE AUTOMOBILE

Les Italiens construisent des voitures fabuleuses et, en plus, ils savent les conduire. A leurs marques mythiques, ils associent des coureurs de légende, des destins tragiques et de panache.

Si Maserati remporta deux titres avec Fangio, c'est bien **Ferrari,** la marque au cheval cabré (voir le chapitre «Automobile»), surnommée tout simplement aujourd'hui la «Scuderia», qui représente pour tout le monde le sport automobile italien. Ferrari est la marque qui a disputé le plus de Grands Prix en Formule 1 (environ 600) et, avec une petite avance sur Mac Laren, celle également qui détient le plus grand nombre de victoires (135 à la fin de la saison 2000). La Scuderia totalise 10 titres de champion du monde des pilotes, et 10 également de champion du monde des constructeurs, avec 6 doublés pilotes/constructeurs (en 1961, 1964, 1975, 1977, 1979, et 2000). Le doublé obtenu en 2000 avec Michael Schumacher a permis à Ferrari de revenir enfin au tout premier plan, plus de 20 ans après le dernier titre de champion du monde des pilotes (Jody Scheckter). L'écurie a également remporté 9 fois les 24 Heures du Mans.

Michele Alboreto. Un beau grand brun ténébreux au style coulé et élégant, qui fit les beaux jours de la Scuderia. Il remporta cinq Grands Prix et termina deuxième du championnat du monde 1985 (derrière Prost qui gagnait son premier titre). Il a disputé près de deux cents courses en Formule 1.

Alberto Ascari. Il fut l'un des grands rivaux de Fangio et priva l'Argentin de deux titres de champion du monde, qu'il remporta en 1952 et 1953. C'était un battant, mais aussi un seigneur que tout le monde appréciait, à l'époque des pionniers qui ne couraient pas encore pour vendre des cigarettes. Il pilota pour Lancia, puis pour Ferrari et se tua à Monza, pendant des essais, le 26 mai 1955.

Elio de Angelis. Fougueux et prometteur à ses débuts (vainqueur du Grand Prix d'Autriche en 1982), il tarda à confirmer, mais remporta cependant deux Grands Prix de Formule 1 sur les 108 courses disputées. Il se tua à vingt-huit ans lors d'une séance d'essai.

Lorenzo Bandini. Il était l'un des meilleurs de sa génération, au début des années 60, et l'un des adversaires les plus valeureux du grand Jim Clark. Sa fin tragique, en 1967 (brûlé vif dans sa voiture lors du Grand Prix de Monaco), bouleversa le monde entier.

Attilio Bettega. Il succéda, dans les années 80, à Sandro Munari dans le cœur des passionnés de rallye automobile. Attilio avait la fougue, l'adresse et le courage d'aller très vite sur tous les terrains. Son accident mortel dans le tour de Corse 85, à quelques kilomètres de Corte, reste un des épisodes les plus tristes de l'histoire des rallyes et précipita la mort des fameuses «groupes B».

Massimo Biasion. Il devint le porte-drapeau des courses de rallye après l'accident de Bettega, et sut réchauffer le cœur des tifosis avec ses deux titres de champion du monde en 1988 et 1989. Il remporta deux fois le rallye de Monte-Carlo.

Giuseppe Farina. Le championnat du monde de Formule 1 semble avoir été créé à son intention. Car c'est bien lui qui décrocha le premier titre mondial, sur Alfa Romeo, un an avant Juan-Manuel Fangio. Il remporta également le premier Grand Prix de F1 de l'histoire, à Silverstone, le 13 mai 1950.

Sandro Munari. Sandro et sa Lancia Stratos, c'était Alexandre et Bucéphale : un couple mythique homme-monture qui survolait les rallyes et semblait danser sur la neige et la glace avec une grâce et une efficacité inégalée. Parfois, dans le Turini, quand vient la nuit, on peut encore voir les phares de la Stratos balayer la neige... Sandro Munari est le recordman du nombre de victoires au rallye de Monte-Carlo, avec quatre titres.

EQUITATION

Qui ne se souvient des frères d'Inzeo, élégants cavaliers et compétiteurs acharnés ? Raimondo fut champion olympique à Rome, alors que Piero prenait le bronze, comme à Melbourne en 56 où son frère avait obtenu l'argent. Les deux frangins poursuivirent une carrière auréolée de succès jusqu'en 1972 à Munich (bronze par équipes).

ESCRIME

Comme la France, l'Italie est une grande nation de maîtres d'armes, plus de dix fois championne du monde au fleuret par équipes. Les individualités sont nombreuses :

Andrea Borella. Outre son titre individuel en 86, Borella emmena l'équipe d'Italie de fleuret sur tous les fronts entre 1980 et 1990 : quatre titres mondiaux, un titre olympique dans un palmarès très riche.

Francesca Bortolozzi-Borella. Avec Giovanna Trillini, une des meilleures fleurettistes de sa génération, championne du monde en 1993, double championne olympique par équipes (à Barcelone et à Atlanta).

Stefano Cerioni. Un beau palmarès pour ce fleurettiste des années 80, avec un titre olympique à Séoul et une médaille de bronze à Los Angeles.

Fabio Dal Zotto. Fougue et aisance caractérisent ce génial fleurettiste qui fut le plus jeune médaillé d'or olympique de l'histoire (à dix-neuf ans, à Montréal).

Edoardo Mangiarotti. Tireur complet, il s'exprimait aussi bien au fleuret qu'à l'épée. Souvent en compétition avec Christian d'Oriola dans les années 50, il remporta, au cours d'une très riche carrière, six médailles d'or, un record, et sept autres breloques en or ou en argent.

Angelo Mazzoni. Avec Eric Srecki, il est le grand épéiste des années 90. Deux titres olympiques par équipes à Atlanta et à Sidney, une vingtaine de victoires en Coupe du Monde.

Nedo et Aldo Nado. Les mousquetaires des années 20. Aussi à l'aise au sabre qu'au fleuret, ils ne dédaignaient pas l'épée. Neuf médailles d'or à eux deux, dont six (trois chacun) obtenues en équipe dans les trois disciplines.

Mauro Numa. Dans les années 80, les Italiens raflaient tout. Mauro fut champion olympique de fleuret individuel à Los Angeles et gagna également la médaille d'or par équipes.

Carlo Pavesi. Il anima l'équipe italienne d'épée dans les années 50, remportant le titre individuel à Melbourne (1956) et trois titres olympiques par équipes en plus de ses quatre titres mondiaux.

Alessandro Puccini. La génération 90 au fleuret : médaille d'or à Atlanta en 1996, double champion du monde par équipes.

Giovanna Trillini. Championne olympique individuelle de fleuret à Barcelone en 1992, elle remporta également trois titres olympiques par équipes en 1992, 1996 et 2000 et cinq titres mondiaux, dont trois par équipes. En 2000, aux Jeux olympiques de Sidney, elle obtient une médaille de bronze en fleuret individuel.

Valentina Vezzali. Cette autre spécialiste du fleuret a un tout aussi beau palmarès : trois titres de championne du monde (en épreuve individuelle en 1999 et en épreuve par équipes en 1997 et 1998) et quatre médailles olympiques (l'or par équipes en 1996 et en 2000, l'argent en individuel en 1996, puis l'or en individuel en 2000, devant Giovanna Trillini, qui obtint le bronze).

GYMNASTIQUE

Les Italiens étaient les rois des agrès au début du siècle et le concours olympique par équipes leur offrit la médaille d'or à quatre reprises entre 1908 et 1924. Plus discrets depuis l'avènement des Russes, Chinois ou Japonais, ils comptent néanmoins quelques individualités contemporaines marquantes :

Youri Chechi. Spécialiste des anneaux : quatre titres mondiaux, une médaille d'or olympique et une invincibilité qui lui a valu le surnom de «Seigneur des anneaux».

Franco Menichelli. Excellent au sol dans les années 60, il remporta la médaille d'or olympique à Tokyo. Il remporta également une médaille d'argent aux anneaux en 1968 à Mexico.

JUDO

Ezio Gamba (champion olympique à Moscou), Emmanuela Pierantozzi (double championne du monde, médaillée d'or à Barcelone et de bronze à Sidney) et Giuseppe Maddaloni (champion olympique à Sidney) sont les principaux champions d'un sport beaucoup moins pratiqué qu'en France.

LUTTE

Bien que ce sport soit aussi confidentiel que chez nous, on ne peut ignorer Vincenzo Maenza qui fut double champion olympique à Los Angeles (1984) et Séoul (1988), et médaille d'argent à Barcelone (1992).

MOTOCYCLISME

Les moteurs ont un si joli bruit sur une Guzzi, une Ducati ou une Aprilia. Alors, forcément, il y a aussi des pilotes qui savent se débrouiller.

Giacomo Agostini. Le plus grand champion motocycliste de l'histoire pour de nombreux fans et en tout cas pour tous les Italiens. Un physique de séducteur, 15 titres de champion du monde, dont huit dans la catégorie reine des 500 cm3. Il a remporté plus de 120 courses, presque imposé le port du joli foulard blanc au-dessus de la combinaison de cuir noir et fait la splendeur d'une écurie qui lui était presque entièrement dédiée, celle du comte Agusta (MV Agusta).

Massimiliano Biaggi. Ses fans français l'appellent Max, autant par familiarité que pour saluer ses performances (on peut aussi préciser «Mad Max»). Quadruple champion du monde en 250 cm3 de 94 à 97 (sur Aprilia, puis Honda), il a décidé de monter en 500 cm3 pour la saison 98 et est entré dans l'histoire en remportant sa première course dans cette catégorie.

Luca Cadalora. Une belle carrière depuis 1985, avec un premier titre en 125 cm3 dès 1986, avant ses succès en 250 cm3 (91 et 92). Sur le podium des 500 cm3 en 94, 95 et 96.

Loris Capirossi. Un spécialiste des petites cylindrées (double champion du monde des 125 cm3) qui a fini par s'imposer en 250 cm3 avec plusieurs victoires en Grand Prix.

Eddy Orioli. Un des grands spécialistes du rallye-raid, trois fois champion du monde d'enduro et quadruple vainqueur du Paris-Dakar.

Valentino Rossi. Ne l'appelez pas Tino Rossi, il a horreur de ça. Pas du tout glamoureux, malgré ses frasques dans le paddock, Valentino cherche avant tout la vitesse et l'efficacité. Son titre de champion du monde de 125 cm3 a été obtenu avec un brio inégalé, et déjà acquis plusieurs courses avant la fin du championnat, tant son avance était considérable.

NATATION, PLONGEE

Quelques champions de dimension mondiale : Giorgio Lamberti (recordman du monde du 200 m nage libre et champion du monde en 1991), Domenico Fioravanti (double champion olympique à Sidney en 100 m et 200 m brasse) et Massimiliano Rosolino (trois médailles à Sidney dont un titre en 200 m 4 nages). Chez les femmes, il faut remonter aux années 70 et à la suprématie européenne de Novella Caligaris, spécialiste du 400 m et du 800 m (une médaille d'argent, deux de bronze). En revanche, l'Italie possède l'un des deux plongeurs les plus titrés de l'histoire (l'autre est l'Américain Greg Louganis) avec Klaus Dibiasi (triple champion olympique, deux titres mondiaux).

Portonovo - Ancova - La Torre

Puisqu'on évoque la plongée, on ne peut pas oublier de mentionner les exploits «grand bleu» des plongeurs en apnée. Dans le sillage du fameux Enzo Maiorca, l'incontestable vedette est aujourd'hui Umberto Pelizzari, qui bat record sur record et semble aujourd'hui être plus proche du poisson des profondeurs que de l'être humain. Son équivalent féminin est Angela Bandini, également recordwoman du monde, et qui descend plus loin (105 m) que ne le fit jamais Jacques Mayol, le héros du *Grand Bleu.*

RUGBY

Forte des bons résultats de son équipe nationale et de la compétitivité de ses clubs à l'échelon européen, l'Italie a rejoint en 2000 le Tournoi des 5 nations, rebaptisé logiquement «Tournoi des 6 nations». Néanmoins, dans la première édition de cette «nouvelle» compétition, les Italiens ont terminé à la dernière place (avec un seul match gagné).

TENNIS

Comme les autres sports de raquette (les Italiens semblent ignorer le squash, le badminton et le tennis de table), le tennis ne mobilise pas les foules et les joueurs de haut niveau sont peu nombreux dans l'histoire. On n'oublie cependant pas Nicola Pietrangeli et son superbe toucher, qui fit une grande carrière dans les années 60, Adriano Panatta, qui remporta Roland-Garros en 1976 et la coupe Davis la même année avec Corrado Barazzuti. Vingt ans plus tard, l'Italie aimerait bien compter sur le fantasque Gaudenzi, mais il s'avère capable du meilleur comme du pire.

VOLLEY-BALL

Les clubs sont au plus haut niveau européen avec de nombreux titres glanés par Parme, Modène, Ravenne ou Trévise. L'équipe nationale a été vice-championne olympique à Atlanta et championne du monde en 1990, 1994 et 1998. Elle partage les titres avec la Hollande depuis une dizaine d'années.

WATER-POLO

En Italie, le water-polo n'est pas vraiment un barbotage dans la piscine, mais une affaire d'état et un sujet de thèse : voyez donc Palombella Rossa de Nani Moretti pour vous en convaincre. L'équipe d'Italie est toujours bien placée dans les compétitions internationales, championne olympique en 1992, championne du monde en 1994.

Trentin - VTT

AUTOMOBILE

Parmi les choses qui viennent immédiatement à l'esprit lorsqu'on évoque l'Italie, l'automobile vient en bonne place. Il est vrai que peu de pays comptent autant de constructeurs prestigieux... Ferrari, Maserati, Lamborghini, Alfa-Romeo, Lancia, etc. Autant de noms qui font rêver tous les passionnés. Seules l'Angleterre et l'Allemagne peuvent prétendre rivaliser, et encore. Quant à la France, il y a bien longtemps qu'elle a enterré toutes ses vieilles gloires. Même la brève renaissance de Bugatti, à la fin des années quatre-vingt, est partie d'Italie.

A quoi tient cette fascination que suscitent les voitures italiennes ? Certainement à une approche toujours passionnelle de la question : le fameux tempérament latin, tant raillé, a trouvé là matière à s'exprimer pour le meilleur. Face à la concurrence internationale, les voitures italiennes, à quelque niveau de gamme que ce soit, se distinguent par un petit plus, une alchimie qui tient à la fois à l'agrément des moteurs, à l'élégance de la ligne, en bref, à des critères bien peu objectifs mais propres à enflammer les passionnés.

Una bella macchina

La ligne est un aspect essentiel pour l'automobile italienne, quitte à lui sacrifier quelques aspects bassement matériels... Les stores vénitiens de la lunette arrière d'une Lamborghini Miura ou le volume arrière d'une Alfa-Romeo GTV n'auraient probablement pas résisté à une analyse un minimum rationelle. Les Italiens se sont donc affirmés comme les maîtres du style automobile. Non, bien sûr, qu'il n'y ait pas de bons stylistes ou de belles voitures ailleurs, mais les signatures italiennes ont un prestige unique, un peu à l'image des griffes de la haute couture française : des noms comme Pininfarina, Bertone, Gandini, Giugiaro ou Zagato se sont imposés pour eux-mêmes, au point de s'afficher sur certaines de leurs créations. Reconnaissance de ce savoir-faire qui confine au génie (si, si !), le musée d'Art Moderne de New-York possède depuis longtemps dans ses collections un coupé Cisitalia dessiné par Pinifarina, élevant ainsi la carosserie italienne du design à l'art. Le centre George Pompidou à Paris a également accueilli il y a quelques années une remarquable exposition sur les grands maîtres de la carrosserie italienne.

Sans aller aussi loin dans l'assimilation louangeuse, reconnaissons que, aujourd'hui encore, bon nombre d'automobiles italiennes se distinguent par un style particulièrement brillant et prennent le risque de déplaire. Attitude courante dans des marchés de niche, comme les coupés ou les cabriolets où de nombreux pays proposent des créations intéressantes, mais attitude plus rare et plus courageuse dans les catégories courantes : on peut difficilement comparer l'impact visuel d'une Fiat Bravo ou d'une Alfa 156 à celui de leurs concurrentes. C'est une arme à double tranchant dans la guerre commerciale que se livrent les constructeurs dans une vieille Europe au marché saturé : certains clients sont dégoûtés radicalement par des formes qu'ils considèrent comme trop voyantes, mais d'autres sont séduits au point d'en oublier de réclamer les x % de remise qu'il n'aurait pas manqué de réclamer pour un véhicule plus banal. C'est certainement l'envie qui sauvera la vente de véhicules neufs du naufrage complet.

Mais la beauté ne s'arrête pas à la ligne. Car après tout, le propriétaire d'une voiture passe plus de temps au volant qu'à tourner autour. L'intérieur est donc très important pour la qualité de vie. Là encore, les Italiens se distinguent. Précisons tout de suite que s'ils sont les rois de la carrosserie, ils se font coiffer par les Anglais pour l'aménagement intérieur.

Mais ils n'en restent pas moins loin devant des constructeurs français ou allemands qui persistent à imposer à leurs clients des planches de bord tristes à mourir. Par des formes originales, une instrumentation complète et au dessin agréable et des teintes plus claires, les constructeurs italiens présentent dans l'ensemble des réalisations plus plaisantes. Lancia et Maserati notamment font très fort dans ce domaine. Bien sûr, les sceptiques rétorqueront qu'un beau tableau de bord, c'est bien, mais qu'un tableau de bord qui ne part pas en morceaux au bout de quelques milliers de kilomètres, c'est mieux. Il est vrai que la finition des voitures italiennes a longtemps été sujette à caution et n'a pas, encore aujourd'hui, le niveau des meilleures (Audi étant probablement l'exemple à suivre) ; mais la situation n'est plus catastrophique, loin de là, et les Italiens rattrapent la concurrence alors que leur style a, lui, encore quelques longueurs d'avance.

AVANTI MUSICA

Herbert von Karajan, que ses musiciens ne considéraient pas précisément comme un inculte en matière de musique, a déclaré un jour qu'il éprouvait autant de plaisir à conduire sa Ferrari qu'à diriger le Philharmonique de Berlin. Si le compliment est peut-être exagéré (personne n'a jamais écrit de *Concerto pour douze cylindres !*), il a au moins le mérite de mettre en lumière un autre atout des voitures italiennes : la sonorité, voire même la musique, de leurs moteurs. Alors que la plupart des constructeurs se préoccupent surtout de faire taire au maximum leurs mécaniques, les Italiens s'attachent autant, sinon plus pour les marques au passé sportif, à la qualité du son qu'à sa quantité. Au premier rang de ces constructeurs mélomanes (si l'on excepte les constructeurs de prestige), Alfa Romeo régale les amateurs, de ses quatre cylindres boxer à son V6, en passant par son légendaire double arbre. La sonorité rauque et grave de ces moteurs, qui s'envole dans les aigus à haut régime, est une source constante de plaisir pour les propriétaires d'Alfa. Même une simple Fiat met un point d'honneur à «sonner italien». C'est particulièrement vrai (et agréable) avec le moteur cinq cylindres qui équipe plusieurs modèles de sa gamme et de celle de Lancia.

Mais c'est, bien sûr, dans les marques de prestige que ce goût musical trouve le mieux à s'exprimer. Les moteurs douze cylindres représentent à ce titre le summum pour l'amateur, or il n'y a que les constructeurs italiens pour les exploiter «bruyamment», quand les constructeurs allemands ou anglais les montent dans des berlines de luxe hyper-insonorisées (quel gâchis !). Ferrari et Lamborghini sont ainsi probablement les Stradivarius de l'automobile. D'ailleurs, il y a chez Ferrari un homme dont le seul rôle est de veiller à accorder au mieux les sensations sonores des nouveaux modèles au label sportif de la marque. Bien sûr, cet amour pour les belles musiques n'est pas de tout repos : le niveau sonore dans une Ferrari à 130 km /h est de plus de 80 db, quand une Mercedes est nettement sous les 70 db (pour une oreille humaine, on considère que la gêne double tous les 2 db...). L'amour est aveugle, on le savait depuis longtemps, mais il semble que chez les amoureux des voitures italiennes il soit également sourd.

UNE AFFAIRE D'HOMMES

Il ne s'agit pas ici de faire l'apologie du machisme. D'ailleurs, Enzo Ferrari lui-même reconnaissait aux femmes de réelles qualités de conductrice (pas très féminine pourtant la dureté des commandes de ses voitures). Non, il s'agit de souligner l'importance des individualités dans l'automobile italienne, de faire ressortir quelques noms dont l'action a profondément influencé l'histoire de l'automobile italienne. Il y a bien sûr, avant tout, les créateurs des différentes marques, au premier rang desquels Enzo Ferrari. Sa personnalité «entière», voire tyrannique, a beaucoup contribué à forger l'image de la marque et plane encore sur ses successeurs. Le cas de Lamborghini est également intéressant : l'histoire a retenu que Ferrucio Lamborghini décida de construire ses propres voitures après avoir été éconduit par Enzo Ferrari à qui il reprochait que ses voitures étaient difficiles à conduire. Lamborghini a donc commencé par produire des voitures de Grand Tourisme, élégantes et raffinées, jusqu'à ce qu'un jeune ingénieur, Gianpaolo Dallara, s'avise de concevoir une voiture révolutionnaire et extrémiste, et réussisse à convaincre le patron de la produire. La Miura était née et Lamborghini devenait un spécialiste des voitures «sauvages», à côté desquelles les Ferrari critiquées par Ferrucio devenaient presque de doux agneaux !

Nous avons déjà évoqué les stylistes, pièces maîtresses du succès des voitures italiennes ; derrière les moteurs, autre élément essentiel, se cachent des ingénieurs de talent, parmi lesquels émergent des noms comme Aurelio Lampredi (père de moteurs Fiat-Lancia après un passage chez Ferrari), Gioacchino Colombo (à l'origine du V12 Ferrari) ou Orazio Satta (directeur technique d'Alfa de 46 à la fin des années 70). Remarquables passionnés également, ce qui est plus rare, quelques-uns des grands gestionnaires à la tête des différentes firmes ont su laisser une importante marge de manœuvre aux ingénieurs et stylistes, aux dépens parfois des contraintes budgétaires : citons par exemple Paolo Cantarella, pdg de Fiat, qui a su autoriser la commercialisation de produits marginaux comme le Coupé Fiat ou la Barchetta, alors, qu'à la même époque, Jacques Calvet renonçait à celle d'un Spider 106. Si une telle attitude a un coût budgétaire évident en période de rationalisation extrême, elle a aussi le mérite de maintenir à l'automobile italienne ce petit plus passionnel face à la concurrence internationale.

ACHETER UNE ITALIENNE

La qualité actuelle des voitures italiennes (finition, fiabilité, confort) est pour ainsi dire au niveau des meilleures, tandis que le style et les motorisations préservent un réel agrément de conduite. C'est particulièrement vrai des Fiat et Lancia 5 cylindres et des dernières Alfa Romeo 156 (voiture de l'année 98), avec lesquelles le tempérament Alfa ne se paye enfin plus de suspensions exagérément raides ou d'une finition déplorable. Cependant, les normes de bruit et le poids toujours plus important lié à l'équipement (les voitures italiennes n'ont de plus jamais été des modèles de légèreté) ont quelque peu altéré l'agrément des moteurs par rapport à leurs aînées. Or, on trouve, par exemple dans les journaux spécialisés dans l'automobile de collection, de nombreux coupés ou cabriolets italiens des années soixante-dix à des prix plus que raisonnables (15 000 à 50 000 F). Le plaisir de conduite (et de possession) est au rendez-vous, avec des lignes à la signature souvent prestigieuse (Bertone, Pinifarina) et des mécaniques chaleureuses (tous les puristes vous le diront : une injection électronique ultraraffinée est à des années-lumière du charme de gros carburateurs double corps). Les Alfa Romeo GTV ou Spider, les Fiat 124 Spider ou X1-9, les Lancia Fulvia ou Beta ne demandent qu'à faire le bonheur des amateurs. L'offre est relativement abondante et, comme ces véhicules ont été produits en abondance, la plupart des pièces sont facilement disponibles auprès de clubs ou de garages spécialisés. Mais le rêve demande quelques précautions pour ne pas se transformer en cauchemar : si les mécaniques sont généralement solides (à condition d'être bien traitées), il convient de se méfier des deux maux ravageurs des italiennes de ces années-là : une protection contre la corrosion plus adaptée au soleil de l'Italie du Sud qu'aux pluies du nord de la France et un système électrique où pannes et faux contacts sont (presque) quotidiens. Les frais occasionnés par une réfection complète sont souvent bien au-delà de la valeur du véhicule et la belle italienne finit à la casse. Difficile donc d'en faire une utilisation quotidienne, mais pour la balade du week-end, et avec un minimum de précautions au moment de l'achat (les clubs de marque peuvent être d'un grand secours), le rapport prix-plaisir est incomparablement supérieur à celui offert par une familiale moderne insipide et facturée plus de 100 000 F. A vous de voir si vous êtes prêt à tenter l'aventure. Les plus courageux pourront même la tenter avec les Maserati Biturbo, mécaniquement très délicates, mais qui offrent plus de 200 chevaux à partir de 50 000 F. Sensations garanties : un trajet en Biturbo laisse plus de souvenirs que tous les manèges de la Foire du Trône ! Enfin, pour les plus fortunés, sachez que des mythes comme Ferrari ou Lamborghini sont accessibles à partir de 150 000 F (Ferrari 308 GT4 ou Lamborghini Espada), mais que le coût d'entretien est au niveau du prix initial du véhicule et non de sa valeur actuelle : mieux vaut donc prévoir (très) large.

L'AVENIR DE L'AUTOMOBILE ITALIENNE

Il se joue presque exclusivement au sein du groupe Fiat, propriétaire de Fiat donc, mais aussi de Lancia, Alfa Romeo, Ferrari et Maserati. Officiellement, Fiat occupe le terrain «bas de gamme», Lancia le créneau du luxe raisonnable et Alfa Romeo celui du sport, tandis qu'en haut de gamme, Maserati se positionne face aux berlines et coupés de luxe (allemands et anglais essentiellement) et Ferrari sur le terrain des coupés sportifs de très haut de gamme. Pour ce faire, ces deux dernières marques sont placées sous une direction unique (les dirigeants de Ferrari ayant récemment pris en charge Maserati) et indépendante de celle de Fiat. Plus bas dans la gamme, après quelques années de tâtonnement juste après la reprise d'Alfa par Fiat dans les années quatre-vingt, l'équilibre semble s'instaurer peu à peu.

Alfa, après des années à perdre son âme dans une course pour devenir un constructeur généraliste, redevient au sein du groupe le spécialiste qu'il n'aurait jamais dû cesser d'être, avec des produits à forte personnalité conçus pour séduire les uns et non plus pour ne pas déplaire à tous les autres (la nuance est d'importance). Lancia semble avoir maintenant atteint le niveau de qualité requis pour devenir une alternative crédible à Mercedes dans le domaine des automobiles de luxe et ses intérieurs gardent tout leur charme. Cependant, le groupe Fiat souffre, comme d'ailleurs les constructeurs français, d'une trop grande dépendance à l'égard de son marché intérieur et, plus généralement, du Marché européen, largement saturé et où les espoirs de croissance sont très faibles. Il lui faut donc poursuivre ses efforts d'internationalisation, commencés par exemple au niveau de l'Amérique du Sud. Nous avons dit plus haut que l'avenir se jouait presque exclusivement chez Fiat.

Derrière ce «presque» se cache essentiellement Lamborghini, rachetée par un groupe indonésien et qui ne semble pas vouloir baisser les bras. Outre la déclinaison régulière de la Diablo (qui existe désormais en quatre roues motrices et roadster), on parle régulièrement d'un redéploiement de la gamme sur le modèle de celle des années quatre-vingt : un haut de gamme extrême à moteur V12 (la Diablo actuellement), une voiture de sport plus raisonnable, concurrente des Ferrari F355 et Porsche 911 (le projet autour d'un moteur V10 semble abandonné au profit d'un plus raisonnable V8 emprunté à un grand constructeur) et un véhicule de loisir type 4x4, dans la lignée du monstrueux LM002. On parle beaucoup donc, mais les réalisations concrètes tardent à venir. Autre constructeur de prestige, De Tomaso, dont on ne connaissait plus que la Pantera, un coupé à moteur américain maintes fois remanié depuis les années soixante-dix, a lui opté pour le processus inverse et, alors que presque personne n'en parlait plus, a sorti deux nouveaux modèles ces dernières années : la Guara est un coupé deux places ultrasportif à moteur V8 BMW, la Bigua un cabriolet un peu plus tranquille (300 chevaux tout de même) qui, comme sa glorieuse aînée Pantera, est allé chercher son moteur aux USA (heureusement pour lui, la technologie US a évolué).

LES GRANDES MARQUES ET LEUR HISTOIRE

Alfa Romeo

En 1910, naît à Milan l'Anonima Lombarda Fabbrica Automobili, ou Alfa. Le premier modèle de la nouvelle marque, la 24 HP, qui inaugure le célèbre blason aux armes de Milan, atteint déjà les 100 km /h. Le blason, justement, a peu évolué jusqu'à nos jours, à un détail près : hérité des croisés, il représente le Biscione, le dragon mangeur d'homme, mais au fil du temps, le malheureux dévoré a changé de forme et évoque aujourd'hui davantage une flamme. En 1915, l'ingénieur Nicola Romeo prend la gestion de la marque et, à la fin de la guerre, celle-ci devient Alfa Romeo. Le début des années vingt voit l'implication grandissante de la marque en compétition ; c'est l'ère des célèbres 6C et 8C, qui imposent Alfa parmi les meilleurs constructeurs mondiaux. Mais il ne s'en vend qu'une poignée, à une élite fortunée, et ce n'est pas suffisant pour faire face à la crise ; la société est nationalisée en 1933. Après-guerre, Alfa renoue rapidement avec les succès sportifs, mais opte cette fois pour la grande série afin de ne pas renouveler les erreurs du passé. Commence alors le règne de l'ingénieur Orazio Satta et l'âge d'or d'Alfa Romeo. Le moteur quatre cylindres double arbre des 1900, Giulietta puis Giulia, fait le bonheur des conducteurs sportifs.

Tout semble aller bien, mais du sauveur d'hier vient le naufrage : à la fin des années soixante, l'Etat italien se met en tête d'utiliser Alfa Romeo pour dynamiser le sud du pays et lance Alfa-Sud, complètement indépendant d'Alfa-Nord. Le véhicule, produit à partir de 1972, est plutôt réussi mais le désordre le plus complet entoure sa production, dramatiquement non rentable. Alfa-Nord est vidée de ses finances pour éponger l'hémorragie et n'a plus les moyens de développer sa propre gamme, techniquement de plus en plus dépassée. La crise n'arrange rien et c'est le début d'une longue agonie. L'image de prestige est passablement écornée, mais elle attire encore des convoitises, et Ford propose à l'Etat italien de racheter Alfa Romeo. C'est presque chose faite en 1986, mais Fiat, dont le succès repose alors quasi exclusivement sur son marché intérieur, ne peut prendre le risque de laisser entrer le loup dans sa bergerie et surenchérit. Alfa Romeo fait donc aujourd'hui partie du groupe Fiat et, après quelques années de tâtonnement, semble enfin repartie du bon pied avec le succès technique, critique et, semble-t-il, commercial, de la 156. Il ne faut jamais désespérer d'une grande marque.

Ferrari

Le mythe, certainement la plus grande marque automobile pour la plupart des gens, connaisseurs ou non, devant les Porsche ou les Rolls Royce. Cette réputation est le fruit d'une présence ininterrompue en compétition (et d'un palmarès impressionnant), de moteurs aussi mélodieux que performants et de lignes exceptionnelles. Est-elle justifiée ? La question ne se pose même plus, et le fait que d'autres voitures de sport aient été en leur temps plus fiables, plus faciles à conduire, plus novatrices, etc. est sans intérêt. Ferrari existe, pour ses voitures de route, sans concurrence : on veut une Ferrari, point. On la veut pour elle-même et non parce qu'elle est supérieure à ses concurrentes.

Privilège du mythe. Il est cependant juste de dire que les Ferrari actuelles, si elles ont évidemment gardé toute leur aura, sont également objectivement nettement au-dessus de la mêlée du tout-venant des voitures de sport : les châssis sont au meilleur niveau (ce qui est relativement récent, la marque ayant de tout temps privilégié les moteurs), le confort et la finition au niveau de l'investissement, la technologie de haut niveau (après des années de traditionalisme un peu forcé), tandis que lignes et tempérament moteur sont dignes de la glorieuse lignée.

Ferrari est ce que son créateur en a fait : remarquable chef d'équipe (il se définissait comme un «agitateur»), Enzo Ferrari a su attirer à lui les meilleurs, ingénieurs, pilotes ou stylistes, et en tirer la quintessence, au prix de clashs retentissants quand sa très forte personnalité se heurtait à un autre ego surdéveloppé. Après une carrière de pilote honorable, Enzo Ferrari prend en charge le département course d'Alfa Romeo dans les années trente au sein de la Scuderia Ferrari. Celle-ci arbore déjà le fameux blason : sur le fond jaune de la ville de Modène, un petit cheval noir cabré offert à Ferrari par la mère de Francesco Baracca, pilote de chasse de la Première Guerre mondiale. Ironie du sort, ce cheval serait en fait le symbole de la ville allemande de Stuttgart, pris par le pilote sur un avion allemand abattu, et donc le symbole... de Porsche, éternel concurrent sur la piste comme sur la route, qui a pris logiquement pour emblème les armes de sa ville de résidence. A la fin des années trente, l'usine Alfa décide de reprendre en main son département compétition et d'absorber la Scuderia ; Enzo Ferrari se cabre et c'est la rupture. Ferrari en tant que marque s'apprête à naître.

La date de naissance officielle est le 11 mai 1947, avec l'engagement en compétition sous le nom de Ferrari du premier modèle de la marque, la 125 S, à 12 cylindres. Dès le 25 mai, c'est la première victoire et le mythe est en route. Ferrari ne s'intéresse alors qu'à la compétition, mais, assez vite, quelques clients commencent à utiliser leur Ferrari sur la route. Les années cinquante sont financièrement difficiles pour la petite marque et elle doit sa survie à deux mécènes : Lancia, qui après la mort de son pilote vedette offre à Ferrari, en 1955, tout son équipement compétition, et Fiat qui lui apporte une précieuse aide financière. En 1959, Enzo Ferrari consent à produire, en collaboration avec Pininfarina, des voitures de série : les 150 exemplaires trouvent aussitôt preneurs et Ferrari comprend qu'il vient de trouver un moyen de financer son implication en compétition. 12 cylindres, la compétition, Pininfarina et l'ombre de Fiat : tous les éléments de l'histoire de la marque sont déjà en place.

Les années soixante sont une période faste pour la marque, qui collectionne les succès sportifs, en Formule 1 et en Sport-Proto, et voit son succès commercial et sa production s'accroître de matière importante. Les voitures de ces années-là comptent parmi les plus prestigieuses de la marque : la lignée des 250 GT est à son apogée, avec notamment le superbe spider California et la 250 GTO. Les 275 GTB et, surtout, 365 GTB4 Daytona illustrent à merveille le concept de la sportive deux places à moteur avant (auquel la marque vient de revenir avec la 550 Maranello), la Dino 206 GT amorce le règne de Ferrari plus abordable et du moteur central, enfin en compétition, outre la GTO déjà citée (aujourd'hui la voiture la plus chère du monde), la 330 P4 séduit autant par ses performances que par ses lignes magnifiques. Pourtant, très marqué par un drame familial (la mort de son fils en 1956), Enzo Ferrari se désintéresse des voitures de production ; il est donc réceptif en 1963 aux propositions de Ford de racheter la marque. Mais à condition de conserver un contrôle de fait sur toutes les activités. Ford refuse, les négociations tournent court et c'est avec Fiat que se fera l'affaire, en 1969. A signaler qu'aujourd'hui encore, près de 10 ans après la disparition d'Enzo Ferrari, la marque dispose toujours au sein du groupe Fiat d'une gestion autonome. Ford se vengera en battant Ferrari sur la piste en Endurance et, après avoir encore échoué à acheter une marque italienne dans les années quatre-vingt (Alfa Romeo), se rabattra sur les marques anglaises (Ford possède actuellement Aston Martin et Jaguar).

Grâce au soutien financier du groupe Fiat, Ferrari traverse la crise, maintient son activité sportive, recentrée sur la Formule 1, et poursuit une production élitiste quand d'autres marques concurrentes se perdent à développer des gammes financièrement plus abordables. Enzo Ferrari meurt en août 1988. Le prix de ses voitures flambe de manière délirante, malgré une gamme critiquée par certains pour son retard technique (la presse spécialisée épingle la 348 en particulier). Avec les années quatre-vingt-dix, le tir est magnifiquement rectifié, la gamme est irréprochable, techniquement et «passionnellement».

La marque, qui a fêté ses cinquante ans, peut regarder l'avenir avec sérénité. Il n'y avait guère que dans le domaine de la compétition que Ferrari avait du mal à rattraper son passé. Un titre de champion du monde des constructeurs en 1983, puis 16 ans d'attente pour en obtenir un nouveau, en 1999. Mêmes difficultés dans le championnat du monde des pilotes, remporté en 1979 avec Jody Scheckter. Autant dire que la victoire de Michael Schumacher en 2000 sur Ferrari a été un événement de premier ordre, puisque la Scuderia s'est adjugé le titre de champion du monde des pilotes (le premier depuis plus de 20 ans), doublé de celui des constructeurs (déjà obtenu l'année précédente). Cette double victoire a célébré le retour au premier plan de l'écurie mythique et consacré le travail patient de son directeur sportif, le Français Jean Todt.

Fiat

Sigle de la Fabbrica Italiana Automobili Torino, la marque a été fondée en 1899 par Giovanni Agnelli, dont les descendants sont toujours aux commandes du groupe... et portent le même prénom. A peine fondée, la marque rachète déjà des concurrents : c'est la Ceirano qui devient ainsi la première Fiat. Giovanni Agnelli impose des choix techniques raisonnables et une production très diversifiée : pièces automobiles, machines agricoles, avions, etc. Cette volonté s'est perpétuée jusqu'à aujourd'hui et le groupe est impliqué dans de nombreux secteurs. Grâce à la variété de ses modèles et à sa politique raisonnable, Fiat supporte correctement la crise et sort en 1936 un modèle phare de son histoire, la minuscule Fiat 500. Après-guerre, Giovanni Agnelli, mort en 1945, est remplacé par un proche collaborateur, Vittorio Valletta, qui gère sans trop de difficulté la reconversion et maintient une politique de gamme large. La nouveauté, c'est la décentralisation accrue des usines, dans toute l'Italie. Gamme large certes, mais Fiat connaît surtout le succès avec ses petites cylindrées : 500, 600, 850 installent la réputation de Fiat sur ce créneau. Les années soixante sont florissantes pour Fiat : la situation financière saine permet quelques excès sportifs, avec la production de coupés et cabriolets et le retour à la compétition abandonnée en 1927 ; le groupe grandit en absorbant Autobianchi en 67, puis Lancia et Ferrari en 69 ; enfin, cette même année, techniquement, la production prend un virage important avec l'adoption de la traction avant. Cette technique va s'imposer progressivement à tous les niveaux de la gamme. Avec la marque Lancia présente en haut de gamme, puis l'absorption d'Alfa Romeo en 86, se confirme le retrait de Fiat du haut de gamme. Par contre, la floraison de coupés et cabriolets des années soixante trouve un écho bien agréable dans la production actuelle, et le Coupé Fiat turbo 5 cylindres propose les 250 km /h les moins chers du marché. En revanche, la succession pose problème avec le décès, à 33 ans, du successeur désigné.

Lamborghini

Ferrucio Lamborghini, qui a fait fortune dans les tracteurs, adore les voitures de sport et se plaint à Enzo Ferrari de l'embrayage de sa Ferrari. Celui-ci lui conseille de se limiter à la conduite des tracteurs... C'est vexant et c'est la pique de trop qui décide Lamborghini à créer sa propre marque. Le symbole en devient le taureau (son signe astrologique). La première Lamborghini, la 350 GTV, apparaît en 1963 et Ferrari prend une première claque, avec un modèle techniquement beaucoup plus raffiné (moteur et châssis) que ses propres voitures. En 66, le raffinement technique se met au service de la sauvagerie sur route, par la grâce d'un jeune ingénieur de talent, Dallara. C'est la Miura qui amorce le règne des Lamborghini extrêmes ; cette digne lignée s'est poursuivie avec la Countach, puis la Diablo. Mais Lamborghini ne se limite pas à ces monstres : la tradition du moteur avant dans des voitures raffinées a donné naissance à des produits remarquables, souvent injustement restés dans l'ombre des enfants terribles de la famille. Exception notable, l'Espada, la Lamborghini la plus vendue de très loin, doit son succès, entre autres, à sa ligne et à son homogénéité. Au début des années soixante-dix, la marque connaît d'importantes difficultés : seule l'Espada se vend à peu près correctement et Lamborghini perd un contrat de 5 000 tracteurs avec le nouveau gouvernement bolivien. Lamborghini descend alors en gamme, avec un modèle à moteur V8, la très réussie Uracco. Celle-ci vient trop tard et l'arrivée de la Countach en remplacement de la Miura n'améliore pas la situation, car la crise du pétrole arrive entre-temps. Ferrucio Lamborghini cède en deux temps toutes ses parts et la marque tente de survivre, par exemple en produisant la M1 pour BMW. Echec encore et la marque est reprise par les frères Mimran à la fin de la décennie.

La fin des années quatre-vingt est plus réjouissante et Chrysler en profite pour s'offrir cette belle danseuse en 1987. Mais il n'y a plus qu'une voiture dans la gamme, la Diablo, hors de prix. La crise des années quatre-vingt-dix fait retomber le soufflet et c'est un groupe indonésien qui a pris les commandes. La Diablo continue d'exister et d'évoluer, mais la survie de la marque passe par un modèle plus raisonnable capable de générer des volumes de ventes plus importants. La crise asiatique pourrait accélérer le passage de flambeau entre les actuels propriétaires de la marque (Indonésiens et Malais) et un pool de banquiers européens candidats à l'aventure. Le salon de Genève 1999 doit voir le lancement de la remplaçante de la Diablo et l'an 2000 celui de la petite Lambo.

Lancia

La marque et son état d'esprit (le raffinement technique au service du luxe) sont nés de la volonté de Vincenzo Lancia, pilote et ingénieur, dès 1906. Les débuts de la marque sont remarquables : les modèles, baptisés de lettres grecques (la tradition dure toujours), introduisent des innovations considérables, comme le moteur monobloc (1909) ou les roues en tôle (1912). Après la guerre, la marque continue sur sa lancée et présente son chef-d'œuvre en 1922 avec la Lambda, première voiture au monde à structure autoporteuse et à roues avant indépendantes. Le nom de Lancia est respecté de tous les amateurs d'automobiles de luxe. Vincenzo Lancia meurt en 1938 et c'est son fils qui lui succède. Après-guerre, la marque repart en trombe avec ses succès en compétition, mais perd en 55 son plus grand champion avec la mort d'Ascari. Le service compétition est cédé à Ferrari et Gianni Lancia se désinvestit de l'entreprise, dont l'ingénieur Fessia prend le contrôle. La marque garde son esprit d'innovation, puisque la Flavia est en 1960 la première traction avant italienne. En 1969, la marque passe sous le contrôle de Fiat, ce qui fait craindre le pire aux fidèles. Si la berline Beta, premier modèle de l'ère Fiat, leur donne raison à cause de son esthétique moyenne, la technique est à la hauteur, malgré des moteurs Fiat, et les coupés qui en sont dérivés sont bien dignes de l'écusson Lancia. Elégantes dans leurs lignes et, surtout, dans leurs intérieurs (les Thema 8-32 et LX sont à ce titre de pures merveilles), les Lancia modernes sont dignes de leurs aînées, même si elles sont loin d'être aussi novatrices. Le plaisir de conduite est toujours là, la qualité de fabrication est bien maîtrisée depuis le début des années quatre-vingt-dix et l'avenir se présente donc bien, pour la marque comme pour ses heureux clients.

Maserati

La marque est une affaire de famille : Alfieri Maserati la crée en 1914, bientôt rejoint par deux de ses sept frères tandis qu'un autre, artiste peintre, dessine le fameux sigle au Trident. La marque ne se consacre alors qu'à la compétition et, comme Alfa Romeo, va en être victime. Les frères Maserati sont contraints de céder leur société à Adolfo Orsi (ils créeront en 1947 la marque OSCA). Ce dernier tire les leçons du passé et, au sortir de la Deuxième Guerre mondiale, Maserati se met à la production de véhicules de série, avec le modèle A6. C'est un succès, à tel point qu'en 1957 et malgré un palmarès remarquable, la marque se retire de la compétition. Les modèles de série, autour de remarquables moteurs 6 et 8 cylindres, se distinguent des autres grandes marques italiennes concurrentes par un état d'esprit plus Grand Tourisme que Sport : lignes plus élégantes qu'agressives, mécaniques souples. En 1968, Orsi cède Maserati à Citroën. Si cette union donne naissance à l'une des plus fameuses Citroën de l'histoire, la SM, elle n'est pas une réussite pour la marque italienne, que les Français se montrent bien incapables de gérer correctement. En 1975, Citroën renonce et met Maserati en liquidation ; elle est reprise par Alejandro De Tomaso. La marque s'empêtre alors dans des problèmes de fiabilité désastreux pour son image, et la Biturbo, quasiment le seul modèle des années quatre-vingt, souffle le chaud et le froid : mécanique fabuleuse, intérieur flatteur, mais fiabilité et qualités routières très critiquables. La situation se dégrade donc et Fiat finit par racheter l'entreprise. Regonflée par les capitaux du groupe, Maserati développe une nouvelle gamme, sous l'égide de Ferrari qui a le contrôle total et indépendant de la marque depuis 1997. La qualité des voitures s'améliore et les projets d'avenir se précisent, plaçant Maserati dans la stratégie de groupe entre Lancia-Alfa et Ferrari : un concurrent des Jaguar et des BMW ou Mercedes haut de gamme. Il est encore trop tôt pour juger, mais les premiers fruits de la reprise sont encourageants, avec des produits modernes et originaux qui puisent leur nom dans le glorieux passé de la marque : après les nouvelles Ghibli et Quattroporte, on parle d'une nouvelle Mistral.

ABECEDAIRE

ANIMAUX

La moitié des familles italiennes possèdent un animal domestique : on compte 8,5 millions de chats et 6,8 millions de chiens.

On voit beaucoup plus de chats que de chiens errants. On les tue moins quand ils sont petits, et ils sont plus nombreux à errer et à mettre bas dans la nature. Par voie de conséquence, ils sont assez souvent maigrichons : ils courent beaucoup, ils sont nombreux et ils n'ont pas grand-chose à manger.

BARBIERE

Ah ! Mesdames ! Vous ne connaîtrez pas l'extase de se faire faire la barbe par un authentique «barbiere» d'un vieux quartier d'une petite ville. Les instruments, l'ambiance, la méticulosité de l'artiste au travail, du barbouillage au blaireau jusqu'au rinçage rafraîchissant, avec le léger et délicieusement angoissant crissement de la lame sur la peau, tout cela est tellement plus jouissif que le zinzin d'un rasoir électrique ou que le banal auto-rasage devant la glace.

CAISSE

Le principe de paiement dans les bars et «gelaterias» est lié à la probabilité d'une trop grande affluence : on va à la caisse annoncer ce que l'on désire, on paie, on reçoit le ticket, et l'on va voir ensuite le garçon à qui l'on confie son ticket («lo scontrino») en répétant sa commande. Il vérifie alors le montant avant de vous servir. En terrasse, le serveur peut aussi directement s'occuper de vous, à la manière traditionnelle ; il encaisse généralement en apportant les consommations. Il est plus rare - uniquement en périodes creuses - que vous puissiez être servi directement derrière le comptoir et payer ensuite.

CHATS

On croise, à Rome, une multitude de chats de toutes races et plus ou moins en forme. Plus nombreux dans les quartiers populaires et typiques (comptez-les dans le Ghetto, vous n'aurez pas assez de vos deux mains), ils participent assurément de la vie romaine. Si vous vous prenez d'amitié pour l'un d'eux mais que vous ne pouvez l'emmener dans vos bagages, rendez-vous au Largo Arenula, à côté de vestiges de maisons romaines : ici se tient astucieusement un refuge pour chats abandonnés.

COMITATO SALVA ROMA

Ce comité plein d'ambitions qui répand ses affiches à travers toute la capitale prétend lutter en vrac contre le bétonnage, la criminalité, la circulation, les parkings, le chômage, la corruption, les camps de nomades, la pollution, les dégradations, la bureaucratie, l'état des banlieues, l'immigration clandestine, etc. Un petit air démago qu'on connaît aussi par chez nous.

Florence - Duomo

COIFFURES

Si la queue de cheval reste un standard apprécié pour les garçons (cheveux très tirés vers l'arrière, de préférence ondulés, noirs, avec lunettes de soleil impérativement), la mode est de plus en plus au crâne totalement rasé, à la Marco Pantani, permettant de radicaliser une calvitie naissante. Les filles s'y sont mises également, pour un aspect esthétique que chacun appréciera. Les coupes mixtes - rasé jusqu'au sommet du crâne pour laisser un petit disque de gazon sur le dessus - semblent en perte de vitesse.

COURTOISIE

Les Italiens râleurs ? Pas vraiment. Une fois expliqué que les coups de klaxon sont plus culturels qu'agressifs, une fois dit qu'ils se mettent en semi-colère facilement (le lait monte, mais redescend également rapidement si l'on coupe le feu), il n'y aura plus qu'à insister sur le côté cool et la patience dont ils peuvent faire preuve dans les circonstances où cela ne donne rien de s'énerver. En un mot, il y a un certain contrôle, une prévenance et une spontanéité à rendre service qui rend la vie un peu plus facile.

CRISE

La crise, c'est forcément la faute au gouvernement. En Italie comme en France, même combat : quand la gauche revient au pouvoir, c'est l'occasion pour tous les déçus qui pensent que ça va moins bien qu'avant de trouver les bonnes raisons. Commerçants, hôteliers, chauffeurs de taxi y vont de leur rengaine, au nord comme au sud, aussi bien dans les Pouilles qu'en Piémont : «S'il y a moins de touristes, c'est la faute aux communistes» (ça rime, mais ce n'est pas vraiment exact, vu la faible représentation communiste au gouvernement). Pourquoi ma bonne dame ? «Ben parce qu'il y a moins de travail et plus de taxes, qui font monter les prix et freinent l'embauche». Voilà pourquoi le tourisme peut chuter si fort (certains avancent le chiffre de 40 % de baisse). Ne cherchez pas la logique, il n'y en a pas. Mais en ces périodes d'inquiétude générale (on annonce des taux records de chômage en Italie du Sud), le moindre prétexte alimente les récriminations.

DECES (avis de)

Dans tout le pays, c'est une tradition de communication : les avis de décès sont placardés dans tout le village, dans toute la ville, avec l'horaire d'inhumation. Ce qui peut nous paraître parfaitement lugubre - il y a parfois les photos - est ici considéré comme un égard naturel pour prévenir tous ceux qui ont connu le défunt. Il n'empêche, tous ces cadres noirs posés sur les murs, ça laisse quand même une drôle d'impression.

FONTAINES

La promenade est souvent assoiffante, notamment par les jours de forte chaleur. Les grandes villes (Rome particulièrement) possèdent un nombre important de fontaines. On les trouve souvent autour des grandes places touristiques, dans les parcs et les squares. En revanche, on peut se demander si l'eau est potable. La réponse est oui et trois fois oui. C'est une eau de source qui en jaillit, toujours fraîche et délicieuse. Un petit truc bien pratique : obturez l'orifice principal, un autre petit trou a été astucieusement percé au milieu du tuyau et fait sourdre l'eau verticalement, de sorte que l'on puisse se rafraîchir sans se contorsionner.

GELATI (glaces)

Une composante capitale dans les chaudes journées d'été. Chaque ville, et presque chaque quartier dans les grandes agglomérations, possède une gelateria favorite, celle où les gens passent et se retrouvent pour déguster en bavardant un «cornetto» (le cornet) ou une «coppetta» (le petit pot). Vous choisissez votre taille (les prix varient en général de 1 500 L à 5 000 L) et vous adaptez le nombre de parfums à la dimension. Dans la plupart des gelaterias, il faut d'abord passer à la caisse et payer avant d'aller chercher le fruit de son désir en présentant le ticket.

GRANDS ET PETITS MAGASINS

Les chaînes de toutes les grandes villes : Upim, Standa et Rinascente.

HABILLEMENT

Les trottoirs italiens ressemblent parfois aux tapis des défilés de mode. On peut même en ressentir un complexe en se remémorant nos rues grises où l'on ne croise que des vêtements tristes. La plupart des jeunes, des femmes et des hommes de la «vie active» soignent leur look par culture, par souci naturel d'élégance. Les jeunes filles portent à l'heure du thé des tenues que nombre de Françaises oseraient à peine arborer en soirée, les jeunes gens, en scooter comme au bureau, qu'ils soient «négligé chic» ou «ville», ne sont jamais «n'importe comment». Les hommes d'affaires, même en plein été, ont de superbes costumes et d'impeccables cravates sur leur chemise blanche, sous laquelle on peut, indiscrètement, encore soupçonner le fameux tricot de peau «Marcel» («la canottiera») sans manches. Pour les autres, ceux qui ne sont ni politiques ni businessmen, la cravate est inutile. La chemise, souvent blanche, est portée avec décontraction, et on peut même en relever les manches (surtout jamais de «chemisette» à manches courtes).

Si vous n'allez pas au bureau et si vous ne voulez pas ressembler à un touriste étranger, vous devez porter votre polo, ou même éventuellement votre chemise, par-dessus le pantalon et non rentré. Idem sur un bermuda (très bien), en n'oubliant pas les lunettes de soleil. Le polo bleu cobalt sur un bermuda jaune pâle est une combinaison de bon goût.

Vous pouvez opter, en ville, pour la tenue «mastroiannienne» : strict costume noir légèrement froissé, voire fatigué, mais indiscutablement élégant, avec une chemise blanche sans cravate, le premier bouton ouvert, en adoptant la dégaine blasée de Ben Gazzara dans *Meutre d'un bookmaker chinois*. Si l'on vous prend pour un garçon de café, c'est que c'est raté. Revenir alors au bermuda et au polo.

Sur la plage, les tongues sont à proscrire, tout comme les plastiques, quand bien même elles seraient signées Sonia Rykiel. C'est Scholl et ses dérivées qui sont résolument «on the wave», semelles de bois et forme orthopédique, avec, éventuellement, en raffinement suprême, un dessus à picots pour favoriser la circulation sanguine du fakir qui sommeille en vous.

HANDICAPES

Davantage, semble-t-il, que chez nous, on prend soin de garantir les accès et de faciliter la vie des handicapés. Les trottoirs s'abaissent pour les fauteuils - rien d'original, sauf que c'est presque systématique, même dans les petites villes. Les plans inclinés sont présents presque partout, notamment dans les hôtels, à côté des marches. Plus étonnant encore : observez bien les nouvelles pièces de monnaie italienne (la pièce de 500 L par exemple), qui portent des petites pointes du type Braille en relief, aidant ainsi les aveugles à les reconnaître. Idem dans les ascenseurs modernes où chaque étage est signalé par un numéro et par son équivalent en Braille.

IMMOBILIER

On est, au centre de Milan, dans la zone des prix parisiens, voire un peu au-delà pour certains quartiers : la ville des affaires est réputée comme la plus coûteuse des villes italiennes, mais il est bien clair qu'un joli petit F5 près de la place saint Marc à Venise est inabordable (et d'ailleurs cela ne se trouve pas). Turin, Florence et même Parme ne sont pas non plus très bon marché.

MAFIA

L'origine du mot n'est pas plus claire que la «cosa» elle-même... Certains étymologistes y voient un dérivé d'un mot toscan signifiant «misère», d'autres une expression d'origine arabe qui se traduirait par «la protection des pauvres».

Toujours est-il que la mafia est bien d'origine sicilienne. La Corse a ses bandits d'honneur, les mafiosi étaient aussi des Robin des Bois qui volaient aux riches pour donner aux pauvres dans l'imagerie populaire.

Ce n'est qu'au fil du temps que la mafia s'est structurée en une véritable société secrète, avec l'implacable «omertà» (la loi du silence qui condamne à mort, avec une pierre dans la bouche, celui qui la transgresse), et une organisation multinationale à faire pâlir les scénaristes de James Bond.

A cause de ses ramifications dans le monde social, économique et politique, elle est en Italie surnommée la «pieuvre». Seules quelques figures, comme Salvatore Giuliano, qui n'est d'ailleurs pas considéré comme mafieux par ceux qui le défendent, ont rendu un temps service à l'image mafieuse par leur résistance à l'envahisseur durant la guerre. Les «cousines» de la mafia sont la Camorra à Naples, la N'Dranghetta en Calabre, la sacra Corona Unità dans les Pouilles et, bien sûr, la Cosa Nostra aux Etats-Unis.

En 1986, la moitié des revenus de la mafia provenaient de la drogue, l'autre de la corruption, du racket, des enlèvements et des demandes de rançon... De nombreuses personnalités officielles, juges, policiers, laissent leur vie dans ce combat : le préfet de Palerme Della Chiesa en 1983, les juges Falcone et Borsellino en 1992... Ces deux derniers assassinats ont créé un choc salvateur dans la population qui montre qu'elle en a assez de cette loi du silence et de la peur.

Par ailleurs, la loi sur les repentis et des recherches policières actives ont permis l'arrestation de grands dirigeants mafieux. Toto (Salvatore) Rina, le numéro un de la mafia qui était recherché depuis vingt-trois ans, a été arrêté en janvier 1993 (il aurait fait des déclarations très compromettantes pour l'ancien président du Conseil Giulio Andreotti) et le numéro deux, Nitto Santa Paola, en mai de la même année. Actuellement, le dernier grand chef, Bernardo Provenzano, est activement recherché par la police (avec l'aide de photos datant de 1958).

Tout a été dit, et filmé sur la mafia, mais il faut voir et revoir la saga des Parrain de Coppola, d'après le livre de Mario Puzo.

MANI PULITE

«Mains propres» : le nom qui désigne l'opération de grande envergure menée dans les milieux politiques pour combattre la corruption, et qui touche les plus hautes instances de l'Etat. L'un des juges chargés de cette opération, Di Pietro, est au centre d'une polémique, son rôle de «chevalier blanc» l'exposant évidemment à toutes les attaques. L'un de ses collègues l'accuse de s'être lui-même laissé corrompre en acceptant de l'argent d'un financier en 1993. Un procès est en cours.

MARCHE NOIR

Un sport national, un peu plus efficacement combattu, à en croire ceux qui s'en plaignent : «avant, on pouvait se débrouiller», entend-on. A moins que, tout simplement, même ces petits boulots clandestins connaissent le déclin par manque de clientèle.

MSI

Le mouvement nationaliste d'extrême droite de Gian Franco Fini, Allianza Nazionale (MSI = Movemento Sociale Italiano), est très présent dans le Sud, où il a remporté le plus de voix lors des dernières élections. Dans de très nombreux villages du sud de l'Italie, on voit fleurir des affiches du MSI qui restent là sans que quiconque ne les arrache. Bien que prétendant s'éloigner de la doctrine fasciste, ce mouvement en est relativement proche, historiquement et concrètement.

PARTI COMMUNISTE

L'ancien PCI (Partito Communista Italiano) s'appelle désormais PDS (Partito Democratico della Sinistra), combattu désormais par les «purs et durs» de Rifondazione Communista.

PASSEGGIATA

A partir de 16 h, ou plus tard selon la saison, dans toutes les rues d'Italie, c'est l'heure de la «passeggiata», c'est-à-dire la promenade, généralement sur le corso, sur la piazza ou le campo, l'endroit le plus central, le plus animé. On le fait dans un sens, puis dans un autre.

On s'arrête pour bavarder lorsqu'on rencontre une personne de connaissance, ce qui, normalement, doit arriver plusieurs fois dans une traversée. Parfois, lorsqu'on a retrouvé son groupe d'amis préférés, on s'assoit sur les bancs, sur le scooter, ou l'on reste debout, et la conversation peut durer une heure et plus.

La passeggiata, c'est très important pour la convivialité. En France, on a souvent tendance à aller d'un point à un autre, assez bêtement. En Italie, on déambule, et personne ne trouve bizarre que vous repassiez plusieurs fois au même endroit. La plupart du temps, et presque toujours en ce qui concerne les ados, les sexes ne se mélangent pas (encore heureux !) : les filles ensemble, les garçons entre eux, ou alors on est en couple, et non plus en groupe.

Les promenades en général, celle d'avant le repas comme celle d'après, ont aussi une autre fonction que celle de maintenir la conversation hors téléphone. C'est l'occasion de se retrouver, de se rassembler sans rester devant la télé et, avant tout, de réunir les générations, perpétuant ainsi les bonnes et vraies traditions. Pendant les vacances scolaires, par exemple, on voit dans toutes les villes ce qu'on ne voit que dans les stations balnéaires ou au 14 Juillet en France : les familles sont dehors, mangent une glace sur la place côtoyant les jeunes en groupes, qui s'arrêtent et causent sans la moindre difficulté, les seniors avec les juniors, les enfants avec les jeunes filles, les cousines avec leurs cousins, pour le grand rassemblement vespéral.

PIETONS

Conseils aux piétons pour ceux qui renonceraient à conduire ou qui auraient à quitter momentanément leur voiture. Les voitures ayant toujours la priorité, ne traversez jamais la rue quand vous en voyez une, ou alors courez.

Ne descendez pas sur la chaussée pour faire une photo avec un peu de recul, il y va de votre vie. Méfiez-vous aussi des feux rouges et des passages piétons qui ne sont, on le verra, que de simples indications. Si une voiture s'arrête pour vous laisser passer (c'est toujours une femme), redoublez de vigilance : celle d'à côté ne s'arrêtera pas et celle qui est derrière va la doubler en klaxonnant avec force. Les personnes âgées qui renonceraient à courir pour traverser les rues se muniront d'une canne et traverseront lentement et de préférence en boitant : les conducteurs émus par leur détresse s'arrêteront. Le fauteuil roulant fera aussi l'affaire.

CARABINIERI, policiers

On ne peut qu'être admiratif devant l'élégance des policiers italiens, qui arborent des tenues estivales à faire pâlir un amiral : pantalon blanc, chemise blanche, le tout admirablement coupé, et casquette bleu marine. On ne sait si les lunettes de soleil, non uniformes, sont offertes par l'administration. Les «carabinieri» (gendarmes) ne sont pas en reste, magnifiques avec leurs bottes de cuir noir et leurs pantalons à bandes rouges.

RELIGION

Il n'y a pas que les personnes âgées qui respectent les principes religieux. Il n'est pas rare que des jeunes passent devant la cathédrale en se signant. D'ailleurs, n'est-ce pas une forme de reconnaissance de l'assistance divine que d'utiliser les marches des édifices religieux pour en faire, selon la vocation du lieu, un carrefour de rencontres ?

RISPETTA IL TUO AMBIANTE

«Respecte ton environnement» : ce conseil aux usagers (on tutoie facilement en Italie et le pluriel de politesse, qui est un «ils» et non un «vous», est assez peu usité) est loin d'être superflu. En particulier sur les lieux touristiques, où les vacanciers ont tendance à se relâcher un peu. Et comme il arrive assez souvent que les plages ne soient pas régulièrement nettoyées et les ordures pas ramassées, cela peut faire assez vite désordre, à tel point qu'un tel panneau peut paraître dérisoire, vu l'état patent de l'environnement en question. Que l'on se rassure : il y a - peut-être un peu grâce à ce genre de campagne - un mieux certain, et ce genre de désagrément est peu fréquent en ville, et encore moins en campagne.

SEXY

Lorsqu'on se balade en Italie l'été, en ville comme au bord de la mer, les garçons et les filles aiment mettre en valeur leur physique, et, même si ce n'est pas le Brésil, il flotte dans l'air comme un évident parfum de séduction. Les formes moulantes, les larges échancrures permettent au corps de s'exprimer.
C'est aussi une forme de langage qui n'a pas d'autre connotation que d'enregistrer et de transmettre une simple donnée biologique. Même si les touristes restent parfois éberlués devant ce déferlement de *bei ragazzi* et de *belle ragazze*. Quant à cette particularité, que l'on ose à peine qualifier de culturelle, ne serait-il pas simpliste de n'y voir qu'une survivance machiste, alors qu'elle est si naturellement partagée ?

SIESTE

Dans le Sud, et particulièrement en été, l'heure de la sieste est sacrée, et si les commerces peuvent couramment rester ouverts jusqu'à 13 h ou 13 h 30, il n'est pas question d'ouvrir l'œil et la porte avant 16 h. Au-delà de cette heure fatidique, tout s'anime, des villes entières sortent pour peupler les places, les terrasses, les bancs.

SPEGNERE IL MOTORE A BARRIERE CHIUSE

Eteindre le moteur lorsque la barrière est fermée. Il s'agit des barrières ferroviaires. Une fois baissée, comme on ne peut pas vraiment prévoir quand le train va passer, mieux vaut en effet couper le contact et s'armer de patience. Et puis, c'est moins polluant.

TABAC

Nous avons la carotte, à l'histoire singulière, en enseigne des débits de tabac. L'Italie possède également une curiosité en ce domaine : vous noterez que l'enseigne officielle comporte toujours la mention *sale e tabacchi* puisqu'à l'origine, on vendait toujours dans les mêmes établissements le sel et le tabac.

TOILETTES

Souvent fort accueillantes et pimpantes, les toilettes publiques sont victimes du laisser-aller de certains usagers. Rien à redire côté féminin, en revanche, les *uomini* sont tellement cool qu'ils répugnent à soulever le couvercle. Pour les plus adroits cela passe inaperçu. Les toilettes «à l'italienne» se doivent de posséder un bidet.

VICO

Ces venelles, ou petits chemins citadins, s'appellent «vicolo» ou même «vico», plus particulièrement dans le Sud.

VIETATO FUMARE

Cela veut dire «interdit de fumer», et si, par hasard, vous aviez des préjugés sur les interdictions non respectées en Italie, il vous faudra les réviser car celles concernant l'environnement sont très suivies. Si, dans un bar, vous passez outre cette inscription, il est à peu près certain que vous risquez une réprimande. Parfois, on embauche même un gamin qui passe avec une pancarte reprenant l'inscription *vietato fumare*.
Sachez qu'il n'existe pas de loi obligeant le restaurateur ou le cafetier à mettre à disposition de sa clientèle un espace «fumeurs» et un espace «non-fumeurs». On notera cependant la relative discipline des convives : les restaurants sont ainsi généralement peu enfumés.

ZERODODICI

Que cette enseigne des magasins Benetton ne vous dépayse pas, la traduction nous est plus familière : «0-12», qui désigne les boutiques pour les petits.

GASTRONOMIE

Parmi les préoccupations du touriste en Italie, la gastronomie tient à coup sûr une large place et, que l'on soit un esthète ou un routard, on ne peut rester indifférent à ces parfums, à cette générosité de la cuisine italienne, pas plus qu'au coucher du soleil depuis la terrasse de la villa Cimbroni ou au plafond de la Sixtine.

Parce que la pasta, l'huile d'olive, la sauge et le romarin, la rughetta et l'osso buco, c'est autant l'Italie que le palais des Doges, les collines de Montepulciano (tiens, si l'on parlait du vin !) ou le Colisée.

Les Romains étaient déjà de bons mangeurs et l'Italie peaufine sa cuisine depuis près de deux mille ans, bien en avance sur nos ancêtres les Gaulois. Dans le monde entier, on mange italien, plus facilement que français, et cette gastronomie, à la fois légère et abondante, est peut-être celle qui a le langage le plus simple et le plus évident. Le monde entier peut savourer des spaghetti bolognaise parce que leur goût est universel (ceux qui n'aiment pas la tomate sont sensiblement moins nombreux que ceux qui n'aiment pas le foie gras). Confectionnée à partir d'ingrédients simples, la cuisine italienne est plus élaborée qu'il n'y paraît et l'application avec laquelle chaque mamma ou chaque chef construit des sauces à la fois savantes et savoureuses est une qualité toute transalpine.

Il paraît naturel qu'un pays aussi riche culturellement ait développé, dans le domaine culinaire comme dans d'autres, des spécificités régionales qui colorent un peu plus la carte de la Botte. Glissant du Piémont à la Calabre, traversant des champs d'oliviers ou de rudes montagnes, le plaisir est de trouver, au hasard du relief et des frontières provinciales, de nouvelles saveurs, de nouveaux plats.

Si les pâtes restent incontournables (il est presque inconvenant de faire un repas sans elles), la célèbre pizza est loin d'être le plat national («l'Italie est le seul pays du monde où l'on ne mange pas de pizza», disait un chroniqueur gastronomique). Si votre séjour n'est pas démesurément long, il vous faudra connaître l'essentiel : les viandes typiques (*saltinbocca*, *bocconcini*, escalopes de veau à toutes les sauces...), un maximum de variétés de pâtes, sans oublier l'entrée et la sortie, les merveilleux «antipasti» (hors-d'œuvre) et les non moins extraordinaires «gelate» (glaces).

On ne pourra clore cette introduction sans évoquer le vin italien, souvent d'excellente qualité dans les petits prix. Le vin au pichet, ou la bouteille à 5 000 L dans un restaurant n'est jamais une affreuse piquette, car la production de masse est qualitativement supérieure à celle de bien d'autres pays. Et si les vins français gardent toutes leurs prérogatives, grâce à une plus grande variété de terroirs, d'ensoleillement et même de cépages, on passe d'excellents moments en visitant l'Italie viticole.

LES REPAS

Tôt le matin, on prend la «prima colazione», le petit-déjeuner, ou un en-cas (*spuntino*). Le repas de midi, c'est la *seconda colazione*, ou *pranzo*, qui donne une idée plus consistante. Dans la tradition, on peut prendre encore deux autres colazione assez légères dans la journée, l'une vers 18 h et la dernière avant de se coucher. Aujourd'hui, bien sûr, et surtout dans les villes, on ne se prive pas de véritables fêtes culinaires en soirée.

Le repas type

Antipasti : ces hors-d'œuvre, toujours servis à profusion, se composent de légumes frais accompagnés ou non de diverses sauces, de marinades (poivrons grillés, anchois, cœurs d'artichaut...), suivis par les inégalables charcuteries (jambons d'Aoste, de Parme, San Daniele, «pancetta», «coppa», salami, «bresaola», mortadella et saucissons typiques de chaque région). Le «zampone», pied de cochon farci, vient de Modène. Le carpaccio que les Français aiment tant se fait avec de fines tranches de filet de bœuf mariné dans l'huile d'olive, herbes et condiments. On le sert en entrée ou en secondo, accompagné de parmesan en copeaux (et surtout pas râpé, malheureux !).

Il primo piatto : les pâtes ou le risotto, mais parfois aussi des entrées chaudes, des potages («minestre», «minestroni»).

Il secondo piatto : la viande ou le poisson. En général, les viandes commandées au restaurant ne sont pas «accompagnées» et il faut lire le paragraphe «contorni» pour choisir ce qui vous convient. Les poissons sont généralement présentés entiers devant le client au restaurant, pour qu'il juge de leur fraîcheur et choisisse selon la taille.

I contorni : ces garnitures de légumes sont à base de pomme de terre ou de légumes verts crus ou cuits.

I dolci : les desserts sont souvent aux œufs, comme les sabayons (*zabaïone)*, les *zuppa inglese* (biscuit au rhum fourré crème vanille), et parfois aromatisés. Dans tout le pays, on peut déguster le tiramisù, délicieux entremets au *mascarpone* (fromage frais) et au café. On trouve également régulièrement sur les cartes des tartes au citron, meringuées ou non, le *semifreddo,* un entremets à la crème glacée, et bien sûr des glaces, que nous vous conseillons de prendre, en cornet ou en pot, dans les gelaterias.

Le pain

Une composante importante qui est rarement négligée au niveau qualitatif. Le pain est parfois facturé avec le couvert, et parfois inclus dans le prix du repas. On vous met aussi à disposition dans le panier, en plus du pain blanc, des *crostini* (pain gratiné aux olives, aux herbes...), des *grissini* (gressins), en forme de bâton, originaires du Piémont, et il faut goûter (en boulangerie ou sur la carte des restaurants) la *bruschetta*, pain grillé frotté à l'ail et nappé d'huile d'olive sur lequel on pose de la tomate concassée et écrasée, et la *focaccia*, une sorte de galette, originaire de Ligurie, à pâte à pizza, garnie de divers ingrédients, éventuellement en sandwich et farcie.

Les pizzas

On l'a dit, la pizza n'est pas indispensable dans un repas. Pourtant, les pizzerias ne sont pas seulement là pour les touristes et les Italiens eux-mêmes, finalement, cèdent à ce petit plaisir, en apéritif-entrée. On rappellera donc les classiques, que chacun connaît généralement en France.

- **napolitaine** : c'est la basique, recouverte de tomates et d'anchois, avec des olives noires et avec ou sans mozzarella (les puristes préfèrent sans) et aromatisée à l'origan ;
- **margherita** : aux couleurs de l'Italie : tomate, fromage (mozzarella) et basilic pour la couleur verte (et le parfum) ;
- **calzone** (chausson) : la pâte se referme sur la garniture. L'idée est tellement bonne que certains cuisiniers l'ont reprise pour certains plats de viande (une escalope et des champignons) qui cuit ainsi à l'étouffée, libérant tout son arôme à l'ouverture ;
- **quatre saisons** : divisée en quatre quarts, la pizza est garnie avec quatre ingrédients principaux, généralement champignons, jambon, cœurs d'artichauts, olives ;
- **bianca** : la pizza blanche, vous l'aurez peut-être deviné, c'est une pizza qui brille... par son absence de tomate. De même pour le «rizo in bianco», ou la «pasta in bianco». On dit même parfois (car c'est un peu exceptionnel, un repas sans tomate) : «mangiare in bianco».

La pizza se décline selon les régions : en Sicile, on rajoute des poivrons et du salami, en Calabre des câpres (et l'on remplace parfois l'huile d'olive par du saindoux), dans les Pouilles des oignons.

Les sauces et accompagnements de base pour les pâtes :

- **bolognaise** : à base de viande hachée, de préférence avec les spaghetti ou fettucini. C'est aussi la sauce utilisée pour les lasagne ;
- **al pesto** : au basilic ;
- **olio e aglio** : la façon la plus simplement savoureuse d'accompagner les spaghetti. De l'ail pressé et une bonne huile d'olive. Préparez votre sauce à l'avance pour que l'ail et l'huile d'olive soient parfaitement mélangés ;
- **alla panna** : à la crème ;
- **all'amatriciana** : à la tomate et au lard ou pancetta, généralement avec des oignons ;
- **burro e salvia** : beurre et sauge. Excellent avec les raviolis par exemple ;
- **carbonara** : aux œufs (à inclure frais), avec du lard et du fromage fondu dans une crème ;
- **à la napolitaine** : tout simplement à la tomate.

La polenta

Cette bouillie de semoule fut de tout temps un aliment de base dans de nombreuses régions. On la fabriquait avec des céréales diverses, avant que Christophe Colomb ne rapporte le maïs dans ses bagages. L'usage du maïs allait se généraliser dans la fabrication de la polenta, particulièrement au nord, en Lombardie et en Vénétie. La polenta est très facile à faire, mais il y a une règle d'or à laquelle il ne faut pas déroger : toujours remuer jusqu'à la fin de la cuisson. Il y a, en Italie, une «culture-polenta» qui creuse encore un peu plus le fossé Nord-Sud : les «polentoni» sont au nord, les «macaroni» sont au sud. C'est un accompagnement idéal qui met en valeur les viandes en sauce et les ragoûts, même si la polenta est aussi servie avec le poisson, comme à Venise.

Les fromages

Difficile d'éviter le chapitre : avec les rois gorgonzola et parmesan (*parmiggiano*), la production italienne est riche de nombreuses variétés (peut-être pas autant qu'en France) en toutes régions. Parmi les plus connus :

- **gorgonzola** : fabriqué à l'origine à Gorgonzola, près de Milan, c'est un fromage de vache dans lequel on cultive une moisissure ;
- **mozzarella** : la véritable «mozza» est fabriquée avec du lait de bufflonne. On la produit essentiellement autour de Rome et de Naples ;
- **parmesan** : cuit, à pâte dure, il est fabriqué autour de Parme, Reggio nell'Emila, Mantoue, Bologne et Modène. Il se présente entier sous la forme d'un tonnelet qui pèse en moyenne 35 kg. On le consomme «fresco» (moins de 18 mois) ou «vecchio» (jusqu'à deux ans). Au-delà, il est «stravecchio» (très vieux) ;
- **ricotta** : très bon frais en accompagnement ou farce de pâtes, d'omelettes ou de dessert. C'est un peu l'équivalent du «brocciu» corse ;
- **pecorino** : à base de lait de brebis. D'origine sarde, il est également produit dans le Latium et en Sicile (il est alors un peu plus piquant) ;
- **grana** : principalement consommé râpé (notre parmesan courant), il est aussi agréable entier ; il est produit dans 26 provinces autour du Pô et en Vénétie ;
- **asiago** : un fromage de montagne que l'on peut utiliser râpé à maturité ;
- **fontina** : à base de lait entier, originaire de la région d'Aoste ;
- **mascarpone** : fromage frais élaboré à partir de crème de lait. On l'utilise dans le tiramisù notamment ;
- **provolone** : fromage à pâte dure, lisse et un peu élastique ;
- **taleggio** : un goût assez neutre, agréable. Il est originaire de Lombardie.

LEXIQUE CULINAIRE DE BASE

sale .... sel
pepe .... poivre
olio .... huile
aceto .... vinaigre
pane .... pain
cipolla .... oignon
aglio .... ail
forchetta .... fourchette
coltello .... couteau
cucchiaio .... cuiller
bicchiere .... verre.
cucina .... cuisine
carne .... viande
pesce .... poisson
frutti di mare .... fruits de mer
frittata .... omelette
sugo .... sauce
verdura .... légumes verts
legumi .... légumes verts ou secs
insalata mista .... salade composée
cotto .... cuit
fritto .... frit
arrosto .... rôti
brasato .... braisé
spiedino .... brochettes
alla griglia .... grillé
spezzatino .... ragoût
cotolette .... côtelettes
scaloppe .... escalopes
filetto .... filet
lombata .... faux-filet
bistecca .... bifteck
fegato .... foie
trippe .... tripes
costata .... entrecôte
involtini .... paupiettes
polpette .... boulettes

BEVANDE .... **BOISSONS**
Acqua .... eau
minerale .... minérale
frizzante .... gazeuse
naturale .... plate
acqua del rubinetto ..... eau du robinet (à éviter au restaurant tout le monde boit de l'eau minérale, très peu chère, et en outre elle n'est pas meilleure que chez nous, et même parfois pire).
vino .... vin
rosso .... rouge
bianco .... blanc
rosato .... rosé
aperitivi .... apéritifs
spumante ..... mousseux (comme l'Asti)
digestivi .... digestifs
grappa .... eau-de-vie traditionnelle parfumée aux herbes et que l'aubergiste propose naturellement - sans pousser à la consommation - après un bon repas
liquori .... liqueurs

ANTIPASTI .... **HORS-D'ŒUVRE**
pomodoro .... tomate
peperone .... poivron
acciuga .... anchois
salume .... charcuterie
prosciutto .... jambon
salsiccia .... saucisse
affettatti .... tout ce qui est tranché

PRIMO PIATTO .... **PREMIER PLAT**
pasta .... pâte
minestra-zuppa-minestrone ..... soupe
brodo .... bouillon
risotto .... riz cuit pilaf avec beurre (beaucoup, il doit devenir crémeux après mélange), oignons, tomate et vin blanc.

SECONDO PIATTO .... **SECOND PLAT**
(plat principal)
manzo .... bœuf
vitello .... veau
maiale .... porc
agnello .... agneau
abbacchio .... agneau de lait
coniglio .... lapin
capretto .... chevreau
lepre .... lièvre
faggiano .... faisan
cinghiale .... sanglier
pollo .... poulet
gallina .... poule
anatra .... canard
faraona .... pintade
piccione .... pigeon
tacchina .... dinde.

aragosta .... langouste
gambero .... écrevisse ou homard
gamberetti .... crevettes
gamberoni .... grosses crevettes (nos gambas)
scampi .... langoustines
granchio .... crabe
calamaro .... calmar
cozze .... moules
vongole .... coques
seppia .... seiche
ostriche .... huîtres
Sarde-sardine .... sardine
orata .... daurade
cernia .... mérou
spigola .... loup, bar
baccalà .... morue
razza .... raie
salmone .... saumon
tonno .... thon
pesce spada .... espadon
trota .... truite
luccio .... brochet.

CONTORNI .... **GARNITURES**
zucchini .... courgettes
pomodori .... tomates
funghi .... champignons
patate .... pomme de terre
patatine .... frites
peperoni .... poivrons
melanzane .... aubergines
fagioli .... haricots
fagiolini .... haricots verts
spinacci .... épinards
carciofi .... artichauts
finocchio .... fenouil
cavolo .... chou
asparago .... asperge

EN FIN DE REPAS
Formaggi .... fromages
Dolci .... desserts ou gâteaux
Gelati .... glaces
torte-crostate .... tartes
frutti .... fruits
mela .... pomme
pera .... poire
fragola .... fraise
lampone .... framboise
arancia .... orange
limone .... citron
albicocca .... abricot
banana .... banane
fico .... figue
prugna .... prune
pesca .... pêche
pompelmo .... pamplemousse

LES BOISSONS

La bière : *birra*

Les Italiens se sont peut-être mis un peu tard à la bière, mais ils sont en train de refaire le terrain perdu. Il n'est pas rare de voir les repas de famille se dérouler à grand renfort de houblon, et les fêtes de la bière se multiplient à travers le pays. Cela pourrait passer pour sacrilège, mais l'accompagnement vaut aussi pour la pizza, constituant alors un apéritif-repas très prisé.

Même si les heureuses spécialités - café, thé froid - sont encore en forme, la bière locale (Nastro Azzurro principalement) connaît un succès grandissant. Les étrangères (hormis Heineken) sont timidement représentées, mais le goût des Transalpins en la matière semble s'affiner et la qualité devrait se développer avec la quantité.

On la consomme «alla bottiglia» ou «alla spina» (à la pression).

Le vin

Les Français sont si fiers - et à juste titre - de leurs vins, qu'ils oublient souvent que l'Italie est un concurrent sérieux, y compris au niveau qualitatif. Certes, la variété des climats et des sols avantage notre pays, mais un effort qualitatif est fait depuis longtemps de l'autre côté des Alpes, et les vinifications sont parfaitement menées, sur les cépages locaux comme ceux d'importation. Point capital, la diffusion : le vin au restaurant reste un produit de consommation courante et non un produit de luxe, et une bonne bouteille coûte sur table de 30 à 60 F, c'est-à-dire trois fois moins qu'en France.

Qui plus est, aux prix de base, vous trouverez un choix considérable. De plus, le vin au pichet, de la maison, ou du village, est presque systématique. Le litre est souvent facturé à 6 000 L, soit 20 F.

La plupart des régions sont productrices et les cépages les plus répandus sont, en blancs : le chardonnay, le malvoisie, le muscat (moscato), le pinot gris ; le trebbiano (Toscane, Emilie) et le cataratto (Sicile) ; en rouges : le barbera (Piémont), le cabernet, le lambrusco (Emilie-Romagne), le merlot, le cabernet ; le montepulciano (pas seulement en Toscane, mais aussi dans les Abruzzes, le Molise, etc.), le nebbiolo (à la base du barolo), le sangiovese, un des plus prestigieux, que l'on retrouve dans le chianti et les grands vins toscans.

Si les vins italiens n'atteignent pas, en tarifs, les sommets français, certains, comme le tignanello, le brunelli di Montalcino et quelques vieux barolo sont activement recherchés par les connaisseurs et fort coûteux sur table (les grands restaurants italiens en France vendent certaines de ces bouteilles 1 000 F et plus).

Le vin santo, spécialité toscane, est un délicieux apéritif, mais aussi un vin de dessert, dans lequel on trempe des gâteaux secs aux amandes («cantucci»).

Acqua minerale

Bien sûr, il s'agit d'eau minérale, avec un détail qu'il vaut mieux connaître : par défaut, commander de l'acqua minerale sans autre précision vous conduit à obtenir généralement de l'eau minérale gazeuse («frizzante»). Il vous faut donc ajouter «liscia» (lisse) ou «naturale» pour avoir de l'eau plate.

L'eau au restaurant est parfois donnée, et de toute façon à un prix très inférieur au prix français : la grande bouteille (à ce prix, il n'y a jamais de demi-bouteilles) coûte en moyenne 2 000 L, soit un peu plus de 6 F.

C'est un vrai délice que d'aller au petit bonheur la chance à la découverte du monde diversifié des eaux minérales italiennes. Si la Ferrarelle, originaire de Campanie (goûtez aussi la Traficante, desservie par son nom, mais fine et légère), est sur les tables de toute l'Italie, comme la San Pellegrino, pour ce qui concerne les frizzante (on dit aussi «effervescente»), la variété en eaux plates rivalise quasiment avec celle des vins. Ne tentez pas de retenir tous les noms : les restaurants ont généralement une seule marque, mais la bouteille présentée est aussi rarement la même que précédemment, voire que celle du voisin.

Un petit penchant pour l'eau des montagneuses Abruzzes : nous avons goûté avec délice l'eau de Canistro Terme, Santa Croce Sponga. L'Acqua Perla est légère, légèrement «gasata», bien minérale. Elle est produite à Monte San Salvino, près d'Arezzo.

La Cutolo Rionero est faite à Rionero in Vulture, dans la province de Potenza : fraîche et minérale, elle a le goût des torrents de montagne, comme certaines eaux du Massif central. Leonardo Primaluna : une eau plate, neutre, agréable, originaire de Lombardie.

Boissons aux fruits

Parmi les boissons non alcoolisées que l'on consomme volontiers l'été pour se rafraîchir :
- granita : de la glace pilée avec du sirop à tous les parfums de fruit ;
- frullate : il s'agit de lait battu avec des fruits frais (un genre de milk-shake non glacé).

Limoncello

Une liqueur de citron très envoûtante, lorsque la nuit s'avance, et qu'il est temps de passer aux choses sérieuses. Toutes les générations apprécient ce mélange d'amer et de sucré, cette douceur piquante au fond de la gorge. Le «limoncello» (on entend parfois «lemoncino») est présent dans toute l'Italie et vous n'aurez aucun mal à vous approvisionner pour ramener un joli souvenir, d'autant que les designers multiplient les efforts pour faire de jolies bouteilles. En dégustation, essayez avec de la bière ; quand l'amertume de la bière entre en collision avec la suavité, c'est imparable.

Il caffè

Un moment presque sacré de la fin de repas. On se demande parfois comment il se fait que dans le moindre boui-boui en Italie, le café soit supérieur à celui des meilleurs restaurants français. L'explication en est difficile : les origines ne sont pas meilleures puisqu'on sait chez nous, aussi bien que chez les Italiens, importer les meilleurs arabicas du monde.

Les machines, certes d'origine italienne, sont les mêmes puisqu'elles équipent aussi les établissements français. Il doit donc tout simplement s'agir, et c'en est presque humiliant, de ce fameux savoir-faire, dans la préparation de la mouture, dans le soin de la fabrication et, surtout, dans le goût (nombre de nos compatriotes, y compris parmi les professionnels, semblent ignorer la saveur d'un bon café).

On peut se consoler en se disant que les Américains, qui ont, eux aussi, accès aux plus beaux grains de la planète (à commencer par ceux de la proche Jamaïque), continuent imperturbablement à servir et à boire une triste lavasse. Alors ne boudons pas notre plaisir en tapant à coup sûr : le café servi en Italie est huit fois sur dix parfait, deux fois moyen et jamais mauvais. Soit à peu près l'inverse de la France. Le café, c'est aussi une culture, parfaitement implantée de l'autre côté des Alpes.

Dans les bars italiens, on trouve souvent, à côté des machines, d'étranges petits récipients, comme de minuscules pots de crème à couvercle : ils sont là pour emporter le café, pour qu'il ne se renverse pas et qu'il garde sa chaleur. Ce café serré est une des nombreuses et légitimes fiertés de l'Italie.

Le café peut être consommé de différentes façons :

- espresso ou ristretto (quelques centilitres très concentrés au fond d'une tasse) ;
- macchiato : «taché», c'est-à-dire servi avec une goutte de lait ;
- lungo : allongé d'eau (pour les touristes et Anglo-Saxons) ;
- corretto : «corrigé» à la grappa ;
- cappuccino : «le petit capucin», du nom des moines à la capuche («cappuccio») marron. C'est un grand café recouvert de lait mousseux et saupoudré de cacao ;
- con panna : recouvert de crème fouettée.

LA CUISINE PAR REGION

Piémont et val d'Aoste

Les deux régions, autonomes depuis 50 ans seulement, proposent des cuisines relativement proches. Dans les deux cas, la nature s'est faite généreuse et a permis de développer des recettes riches et variées. Ainsi, l'abondance de pâturages de qualité a permis l'élevage et donc de multiples plats à base de viande. Le gibier est également à l'honneur. Pour accompagner ces viandes, les sauces se parfument souvent de champignons, et notamment les truffes blanches d'Alba, adorées des gastronomes. En accompagnement, les risotti sont rois, grâce à la production de riz de la plaine du Pô.

Dans le val d'Aoste, les alpages permettent de disposer en abondance de produits laitiers de qualité, et notamment des fromages. Ce n'est pas un hasard si le plat typique de la région est la «fontina», une fondue au fromage. Dans le Piémont, le plat typique est également une fondue, mais on utilise de l'huile d'olive, relevée d'ail et d'anchois et dans laquelle on fait cuire des carrés de légumes (navets, choux, poivrons, etc.). En dessert, le Piémont propose ses célèbres biscuits de Novare et ses nombreuses spécialités à base de chocolat.

Ces deux régions sont également un trésor pour les amateurs de vins, de tous les vins. Le Piémont propose aussi bien des vins rouges (barbaresco, barbera, barolo, gattinara), blancs (cortese, greco, pinot bianco, riesling) que des vins doux (muscat, vin mousseux d'Asti et vermouth). A un degré d'alcool nettement plus élevé, le Piémont est également la région de production de la célèbre grappa de Barolo et de Moscato. Le val d'Aoste n'est pas en reste, tout au moins en ce qui concerne les vins rouges (gamay, müller-thurgan, petit rouge, pinot noir) et blancs (chardonnay, moncenise, morgex, pinot gris).

Lombardie

La cuisine lombarde est riche de sa grande diversité, même si elle ne présente pas le raffinement de certaines voisines. Mais cela ne l'empêche pas d'avoir offert au monde reconnaissant quelques recettes fameuses, comme l'osso buco (du veau en sauce), le risotto alla milanese ou le panettone.

Sa riche production céréalière lui a permis de développer de multiples recettes à base de riz, de pâtes ou de polenta. En matière de viande, on est assez loin de la richesse du Piémont et l'essentiel des recettes utilisent du veau, notamment donc pour l'osso buco. Quand elles ne nourrissent pas leurs veaux, les vaches produisent un lait de qualité, qui permet à la région de revendiquer la paternité de fromages aussi fameux que le gorgonzola ou le mascarpone. Au dessert, la région propose plutôt des biscuits ou viennoiseries, avec les brioches (panettone ou colomba) et les amaretti de Saronne (sorte de macarons). Plus déroutant, la «mostarda», servie en accompagnement des viandes, est une spécialité de Crémone à base de fruits macérés au vinaigre.

Enfin, la région produit plusieurs vins classés en DOC, de toutes sortes (des rouges à la grappa). A signaler parmi ces productions l'Amaretto, une liqueur d'amande de Saronno.

Le Trentin - Haut-Adige

Comme ses voisins, le Trentin profite d'une production agricole de qualité pour proposer de nombreuses recettes à base de légumes ou de céréales : on retrouve ainsi la polenta, les gnocchi. L'élevage fournit beurre et fromage, abondamment utilisés en cuisine : citons notamment le fromage «pestolato», parfumé au poivre et à la grappa.

Dans le Haut-Adrige, l'influence de l'Autriche toute proche est très nette, ce qui donne une cuisine typiquement montagneuse, simple et robuste : beaucoup de charcuterie («würstel», «speck»), des légumes comme les pommes de terre ou la choucroute («crauto»). Les fromages évoquent également leurs voisins germaniques, jusque dans leurs noms : «sterzinger», «almkaese».

En dessert, l'influence autrichienne se retrouve dans le strudel, mais les amateurs se régaleront des fruits d'excellente qualité, de culture comme sauvages (baies).

En matière de vins, les deux régions proposent leur lot de rouges (marzemino, merlot ; guncina, caldaro) ou de blancs (nosiola, vernaccia ; sylvaner, terlano, traminer), tout à fait honorables.

La Vénétie

Tirée par Venise, la région propose une gastronomie largement issue de la mer, mais profite aussi de nombreux apports étrangers, permis par le dynamisme commercial des Vénitiens. La cuisine vénitienne propose donc toutes sortes de plats à base de poisson ou de fruits de mer, relevés d'épices variées : des pâtes, des soupes, des risotti, etc. On goûtera, par exemple, les «cichetti» (dés de poisson frits), le «risotto nero o con le seppie» (risotto aux seiches) ou les ravioli de poisson. Si vous n'aimez pas le poisson, il vous reste encore un large choix, par exemple le «fegato alla Veneziana» (recette de foie de veau).

En dessert, on vous servira une brioche proche du panettone, le «pandoro», mais surtout le célèbre tiramisù, à base de mascarpone.

En boisson, la carte des vins vénitiens est impressionnante, quelle que soit votre couleur préférée : bardolino, merlot, valpolicella (rouge), gambellara, pinot, soave (blanc).

Frioul-Vénétie julienne

Comme son nom l'indique, la région est proche de la Vénétie et cette proximité influence la cuisine, avec de nombreuses recettes à base de poissons et de fruits de mer. Vers le nord-est, cette influence méditerranéenne se mêle à des recettes venues d'Europe de l'Est (Grèce, Hongrie par exemple) pour créer une cuisine résolument originale, avec des assortiments de goûts originaux (pâtes sucrées par exemple). On y sert des plats de viande (goulash notamment) et de gibiers, accompagnés de légumes comme les topinanbours ou la chicorée.

Cette influence slave se retrouve en dessert sous forme des pâtisseries à base de fruits confits, qui évoquent fortement l'Europe de l'Est.

Les boissons alcoolisées sont variées et de qualité. Outre des cépages de rouges ou de blancs assez classiques (cabernet, pinot, sylvaner, sauvignon), on trouve des vins de dessert savoureux (comme le verduzzo), ainsi que des prunes et grappas de qualité.

Ligurie

La richesse naturelle de la région permet une multitude de recettes, avec des produits variés et de qualité, issus de la mer, des cultures maraîchères, mais aussi des bois (champignons, châtaignes, etc.). Seule la viande est un peu absente, au profit des poissons et fruits de mer. A une base classique de pâtes, gnocchi et risotti s'ajoute une longue tradition de fougasses. Toutes ces recettes se caractérisent par un emploi abondant et parfumé de nombreuses herbes, du basilic à la menthe, en passant par l'origan ou le fenouil.

On trouve essentiellement des fromages de brebis, par exemple le «pecorino», une des bases de la sauce typique de Ligurie, le «pesto». En revanche, la région ne propose pas de dessert particulièrement marquant ; vous pourrez vous en consoler avec quelques crus de vins blancs remarquables (barbarossa, dolcetto, sciacchetrà).

Emilie-Romagne

La région est souvent considérée comme le cœur gastronomique de l'Italie. Les célèbres spaghetti à la bolognaise viennent de là, c'est tout dire ; c'est de là également que vient le célèbre jambon de Parme ou le parmesan. Cette cuisine est plutôt riche (Bologne est surnommée «la ville grasse») et met à l'honneur viandes et charcuterie. Outre le jambon de Parme, on peut citer dans ce domaine la pancetta, la mortadelle de Bologne ou le zampone de Modène (pieds de porc). Tous ces produits servent, entre autres, à confectionner de multiples recettes de pâtes, aux formes les plus variées (agnolini, ravioli, tortelli, etc.). Pour compléter cette profusion, les vins ne sont pas en reste, avec des crus comme le guttunio, le lambrusco, le sangiovese (rouge), l'albana, le malvasia, le trebbiano (blanc), mais aussi des brandys renommés et une excellente liqueur de noix, le nocino. Pour en finir avec les liquides, signalons une longue tradition régionale, le vinaigre balsamique. Sa préparation, longue (de 5 à 12 ans) et soignée (passage par des tonneaux de bois différents), lui donne un goût puissant et très recherché.

Toscane

La richesse de la Toscane ne se limite pas à l'architecture. Sa cuisine, qui abonde en saveurs variées, comporte pâtes, légumes, poissons, charcuterie, et la région est réputée pour sa viande de bœuf. Le «bistecca alla fiorentina», mariné à l'huile d'olive, est un régal. Toujours dans le domaine des viandes, la Toscane propose de nombreuses recettes à base de gibier, les plus fameuses ayant pour base sangliers et faisans.

En dessert, on peut compter sur un grand choix de gâteaux secs, comme le «cantuccini» ou le panforte de Sienne. Il serait, bien sûr, terriblement frustrant de ne pas avoir de vins à la hauteur de toutes ces bonnes choses. Heureusement, le chianti, le brunello de Montalcino (rouge), l'etrusco, le san gimignano (blanc ou encore le moscato d'Alba (muscat) vous mettent à l'abri d'une telle déception.

Marches

Les plaines sont fertiles, la mer généreuse... Il n'en fallait pas plus pour que la région puisse pratiquer une cuisine variée, où des produits de qualité sont cuisinés plutôt simplement afin de faire ressortir toutes leurs saveurs. On y trouve donc aussi bien des pâtes, des poissons, toutes sortes de viandes et de charcuterie, avec juste ce qu'il faut d'herbes aromatiques. Citons ainsi les «vincisgrassi», variante des lasagnes, ou le «brodetto marchigiano», à base de poisson. Dans les vins, on trouve avant tout du blanc : verdicchio, falerio, bianchello.

Ombrie

Paysage vert de collines, l'Ombrie propose champignons, gibier, mais aussi viande d'élevage et légumes, pour des recettes simples et savoureuses. Les truffes parfument de nombreux plats, dont les célèbres «spaghetti al tartufo» ou le gibier. Norcia est également réputée pour la qualité de sa charcuterie, Pérouse pour son chocolat. De quoi satisfaire tout le monde, y compris les amateurs de poisson puisque l'Ombrie compense son absence de débouché maritime par la présence du lac Trasimène, riche en poissons.

Pour la boisson, la variété assez réduite est compensée par une qualité des plus appréciables, tant pour les rouges (amelia, rubesco) et les blancs (orvieto, trebbiano) que pour les liqueurs (sacrantino, vinsanti).

LANGUE

L'ITALIEN AUJOURD'HUI

L'Italie, en tant que pays unifié, est de création récente (conquête de Rome et fin du processus d'unification en 1870, voir «Histoire»). Dans ces conditions, on ne s'étonnera pas du nombre important de dialectes : en fonction de son histoire et des différentes influences qu'elle a subies, chaque région, chaque province, voire chaque ville, a sa propre langue, bien vivante et souvent largement utilisée. Ces langues ont une base commune de latin et de grec, qui s'est tout d'abord mêlée aux langues préexistantes, puis enrichie d'emprunts aux différents envahisseurs barbares, notamment germains.

Bien sûr, ces dialectes ne donnent pas l'impression de changer de pays à chaque kilomètre parcouru : les régions voisines ont un passé parfois commun, et donc des langues proches. Ne croyez pas que les sonorités du Sud sont chantantes et celles du Nord plus dures (le calabrais est même assez guttural). Les linguistes en herbe pourront s'amuser, par exemple, à pister les emprunts à l'allemand ou au français dans le Nord, à l'albanais ou à l'arabe dans le Sud, sans oublier l'espagnol ou le turc. Cette richesse culturelle, vivante et audible, est un plaisir pour les oreilles, même si elle risque de faire douter les plus fervents italophones de leurs compétences !

Suite à l'Unité, il a bien fallu tout de même harmoniser les parlers et c'est, parmi toutes les langues du pays, le toscan qui s'est imposé comme base de l'italien actuel. Les grandes institutions nationales et les médias ont été appelés à la rescousse pour l'imposer dans tout le pays : en première ligne l'école et l'armée.

Mais pourquoi est-ce le toscan qui s'est imposé comme langue, alors que l'Unité avait plutôt mis en valeur le Piémont ? La littérature avait déjà imposé le toscan par l'intermédiaire de trois grands auteurs des XIIIe et XIVe siècles, piliers de la littérature italienne : Dante, Pétrarque et Boccace. Mais c'est surtout pendant la Renaissance que cette langue s'affirme, grâce au rôle phare de Florence et à ses multiples échanges avec la plupart des régions italiennes. C'est donc l'art qui a prévalu sur la politique pour le choix de la langue italienne, ce dont se réjouiront les rêveurs. Autre motif de réjouissance pour les amoureux de l'accent chantant, c'est une langue de l'Italie du Centre qui s'est imposée.

MOTS FRANÇAIS D'ORIGINE ITALIENNE

A partir du XVIe siècle, se développe en Europe, et particulièrement en France, l'influence des grands Etats italiens. Outre leur rôle moteur dans la Renaissance (de nombreux artistes italiens viennent travailler en France), ces Etats s'immiscent dans la politique française : on pense notamment aux Médicis, qui fournissent deux reines à la France (Marie et Catherine), et à des hommes comme Concini et Mazarin, quasiment arrivés dans leurs valises. L'Italie fascine, notamment les grands écrivains français de l'époque, et les emprunts aux langues italiennes se multiplient.

Voici quelques exemples passés dans le langage courant :

alarme : alle arme, aux armes, le signal pour se précipiter à l'armurerie.

alerte : all'erta, sur la hauteur, où l'on se mettait pour guetter et donner l'alerte.

appartement : appartamento.

aquarelle : acquarello.

arpège : arpeggio.

balcon : balcone.

bandit : bandito, c'est-à-dire banni.

banque : banca, le banc, c'est-à-dire la planche sur laquelle s'installaient les marchands.

banqueroute : banca rotta, rompu ; emprunté à l'usage qui voulait qu'on détruise le comptoir d'un marchand pour signifier sa faillite.

banquet : banchetto.

biscotte : biscotta, littéralement cuit deux fois.

brigand : brigante, à l'origine les membres d'une brigade («brigata»), à une époque où les soldats ne se distinguaient pas vraiment par leur respect des populations locales.

caleçon : calzone.

cardan : de Jérôme Cardan (Cardano), son inventeur.

carène : carena.

cavalcade : cavalcata, initialement un défilé de cavaliers.

corsaire : corsaro.

dessin : disegno.

écurie : scuderia.

escalope : scaloppe.

escarpin : scarpino, littéralement petite chaussure.

festin : festino.

frégate : fregata, qui désignait un bateau à rames.

pantalon : pantalone.

pantoufle : pantofola.

solfège : solfeggio.

sérénade : serenata.

ticket : scontrino.

virtuose : virtuoso.

L'ITALIEN ET VOUS

Prononciation

En matière de prononciation, la première chose à savoir est que toutes les lettres d'un mot se prononcent : adieu «e» muets ou nasales, bonjour doubles consonnes. Sachez ensuite que e = é ou è, ce = tché, ch = qu, ci = tchi, gh = gu, gli = lyi, qu = cu, sc = ch, u = ou.

Accentuation

Si l'italien est si chantant, c'est aussi en partie grâce aux accentuations. Les plus fréquentes portent sur l'avant-dernière syllabe, mais elles peuvent aussi concerner la syllabe précédente (donc l'avant-avant-dernière syllabe) ou, assez rarement, la suivante (donc la dernière, l'accent est alors signalé à l'écrit).

Les genres et les nombres

Les exceptions sont nombreuses, mais on peut néanmoins dégager quelques grands principes. Les mots masculins se terminent le plus souvent en «o» au singulier et en «i» au pluriel. Pour les mots féminins, la règle générale est un singulier en «a» et un pluriel en «e». Attention, un mot se terminant par «e» peut être un singulier (masculin ou féminin) et prend alors un «i» au pluriel. Les mots qui se terminent par une consonne ou une voyelle accentuée sont en principe invariables.

La négation

On met tout simplement «non» devant le groupe verbal. (Exemple : j'aime = amo, je n'aime pas = non amo).

L'ITALIEN DANS CE GUIDE

Orthographe

Nous avons, dans l'ensemble, suivi l'usage courant, quitte à commettre quelques entorses à l'orthographe italienne. C'est ainsi que nous avons parfois francisé les pluriels («des palazzos»), rajouté des «s» là où ils sont inutiles («des spaghettis») et, très souvent, utilisé la graphie et le mot italien lorsqu'il devient familier. C'est ainsi que, comme le voyageur le retiendra vite, «le duomo», c'est la cathédrale (comme on dit le «Munster» à Strasbourg), «la piazza», c'est la place, «la via», c'est la rue, «la chiesa» l'église, etc.

Noms des villes

Nous avons, dans la majeure partie des cas, opté pour le nom italien des villes, qui nous a semblé plus commode et plus immédiat, sauf pour le cas des très grandes villes : Rome, Bologne, Milan, Turin, Sienne, Parme. En revanche, pour les villes moyennes, nous avons tranché dans le sens de l'usage commun pour les Français : c'est ainsi que Perugia est bien francisée en Pérouse, mais que Taranto est restée telle quelle, la dénomination Tarente ne nous paraissant pas suffisamment familière.

Petit lexique de base

Bonjour .... *buongiorno*
bonsoir .... *buona sera*
bonne nuit .... *buona notte*
salut .... *ciao*
au revoir .... *arrivederci*
monsieur .... *signore*
madame .... *signora*
s'il vous plaît .... *per favore*
excusez-moi .... *scusi*
merci .... *grazie*
je vous en prie .... *prego*
oui .... *sì*
non .... *no*
je ne sais pas .... *non (lo) so*
je ne comprends pas .... *non capisco*
je ne parle pas italien ... *non parlo italiano*
pourquoi ? perché ?, quand ? .... *quando*
où (est) ? .... *dove (è)*
comment (dit-on) ? ...... come (se dice)
combien ? (ça coûte) ... *quanto ? (costa)*
beaucoup .... *molto*
peu .... *poco*
plus .... *più*
moins .... *meno*
trop .... *troppo*
assez .... *abbastanza*
tout .... *tutto*
rien .... *niente*
je voudrais .... *vorrei*
d'accord .... *va bene*
près .... *vicino*
loin .... *lontano*
à droite .... *a destra*
à gauche .... *a sinistra*
en haut .... *in alto-su*
en bas .... *in basso-giù*
ici .... *qui-qua*
au fond .... *in fond*

Les chiffres (*le cifre*)

1 .... *uno*
2 .... *due*
3 .... *tre*
4 .... *quattro*
5 .... *cinque*
6 .... *sei*
7 .... *sette*
8 .... *otto*
9 .... *nove*
10 .... *dieci*
11 .... *undici*
12 .... *dodici*
13 .... *tredici*
14 .... *quattordici*
15 .... *quindici*
16 .... *sedici*
17 .... *diciassette*
18 .... *diciotto*
19 .... *diciannove*
20 .... *venti*
21 .... *ventuno*
22 .... *ventidue*
28 .... *ventotto*
30 .... *trenta*
31 .... *trentuno*
32 .... *trentadue*
38 .... *trentotto*
40 .... *quaranta*
50 .... *cinquanta*
60 .... *sessanta*
70 .... *settanta*
80 .... *ottanta*
90 .... *novanta*
100 .... *cento*
1000 .... *mille*
2000 .... *duemila*
1 million .... *un millione*
premier .... *primo*
deuxième .... *secondo*
troisième .... *terzo*
dernier .... *último*

Le temps (*il tempo*)

quelle heure est-il ? .... *che ora è ?*
à quelle heure ? .... *a che ora ?*
il est midi .... *è mezzogiorno*
il est minuit .... *è mezzanotte*
ce matin (le) ..... *stamattina (la mattina)*
ce soir (le) .... *stasera (la sera)*
cette nuit (la) .... *stanotte (la notte)*
l'après-midi .... *il pomeriggio*
le jour .... *il giorno*
la nuit .... *la notte*
une heure .... *un ora*
une minute .... *un minuto*

une seconde .... *un secondo*
il est une heure .... *è l'una*
il est quatre heures ...... *sono le quattro*
il est huit heures dix ..*sono le otto e dieci*
il est six heures et quart *sono le sei e un quarto*
il est trois heures et demie ..*sono le tre e mezzo*
il est cinq heures ....*sono le cinco*
moins vingt *meno venti*
il est quatre heures ....*sono le*
moins le quart *quattro meno un quarto*
aujourd'hui ....*oggi*
demain ....*domani*
hier ....*ieri*
tôt ....*presto*
tard ....*tardi*
bientôt ....*fra poco*
tout de suite ....*subito*
une semaine ....*una settimana*
un mois ....*un mese*
janvier ....*gennaio*
février ....*febbraio*
mars ....*marzo*
avril ....*aprile*
mai ....*maggio*
juin ....*giugno*
juillet ....*luglio*
août ....*agosto*
septembre ....*settembre*
octobre ....*ottobre*
novembre ....*novembre*
décembre ....*dicembre*

Voyager *(viaggiare)*

Un billet ....*un biglietto*
une carte ....*una tessera*
aller simple ....*solo andata*
aller-retour ....*andata e ritorno*
réduction ....*sconto*
la gare ....*la stazione*
le train ....*il treno*
l'avion ....*l'aereo*
le bus ....*il bus*
la voiture ....*la macchina*
le ferry ....*il traghetto*
l'arrivée ....*l'arrivo*
le départ ....*la partenza*
l'arrêt (bus) ....*la fermata*
la voiture (wagon) ....*la carrozza*
le quai ....*il binario*
le terminus ....*il capolinea*
la couchette ....*la cuccetta*
à quelle heure part ? ....*a che ora parte*
d'où part ? ....*da dove parte*
la rue ....*la via*
le boulevard ....*il corso*
l'avenue ....*il viale*
le croisement ....*l'incrocio*
la place ....*la piazza*
la fontaine ....*la fontana*
le palais ....*il palazzo*
le musée ....*il museo*
l'église ....*la chiesa*
la cathédrale ....*il duomo*
le magasin ....*il negozio*
le centre-ville ....*il centro città*
la mer ....*il mare*
la plage ....*la spiaggia*
Ouvert ....aperto
fermé ....chiuso

Hôtel (albergo), restaurant (ristorante)

allo ....*pronto*
parlez-vous francais ? ...*parla francese ?*
une table ....*una tavola*
l'addition ....*il conto*
toilettes ....*gabinetto*
le couvert ....*il coperto*
réserver ....*prenotare*
une chambre simple .*una camera singola*
une chambre double .*una camera doppia*
avec/sans salle de bain .*con/senza bagno*
une serviette de bain ...*un asciugamano*
une couverture ....*una copert.*

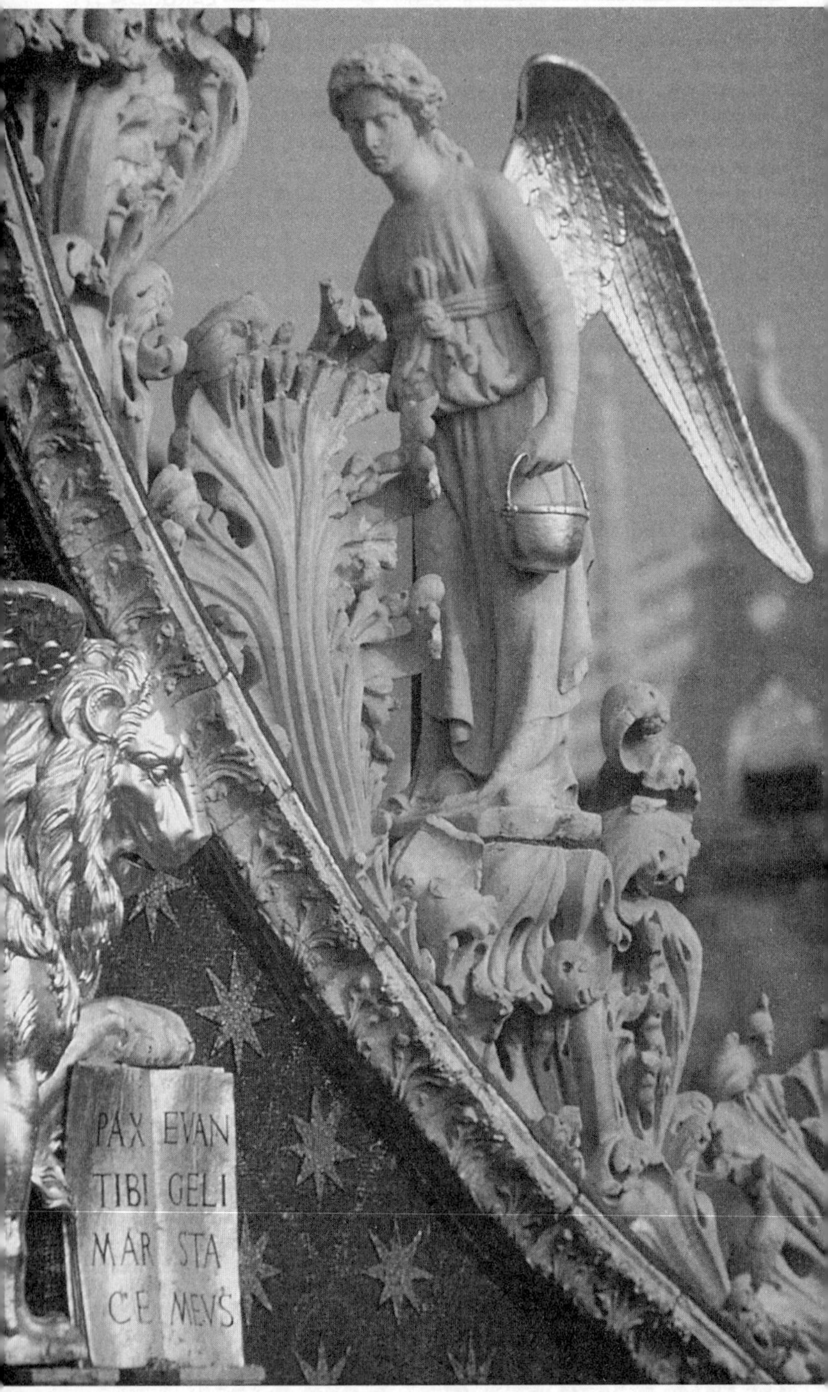

Venise

EMILIE-ROMAGNE

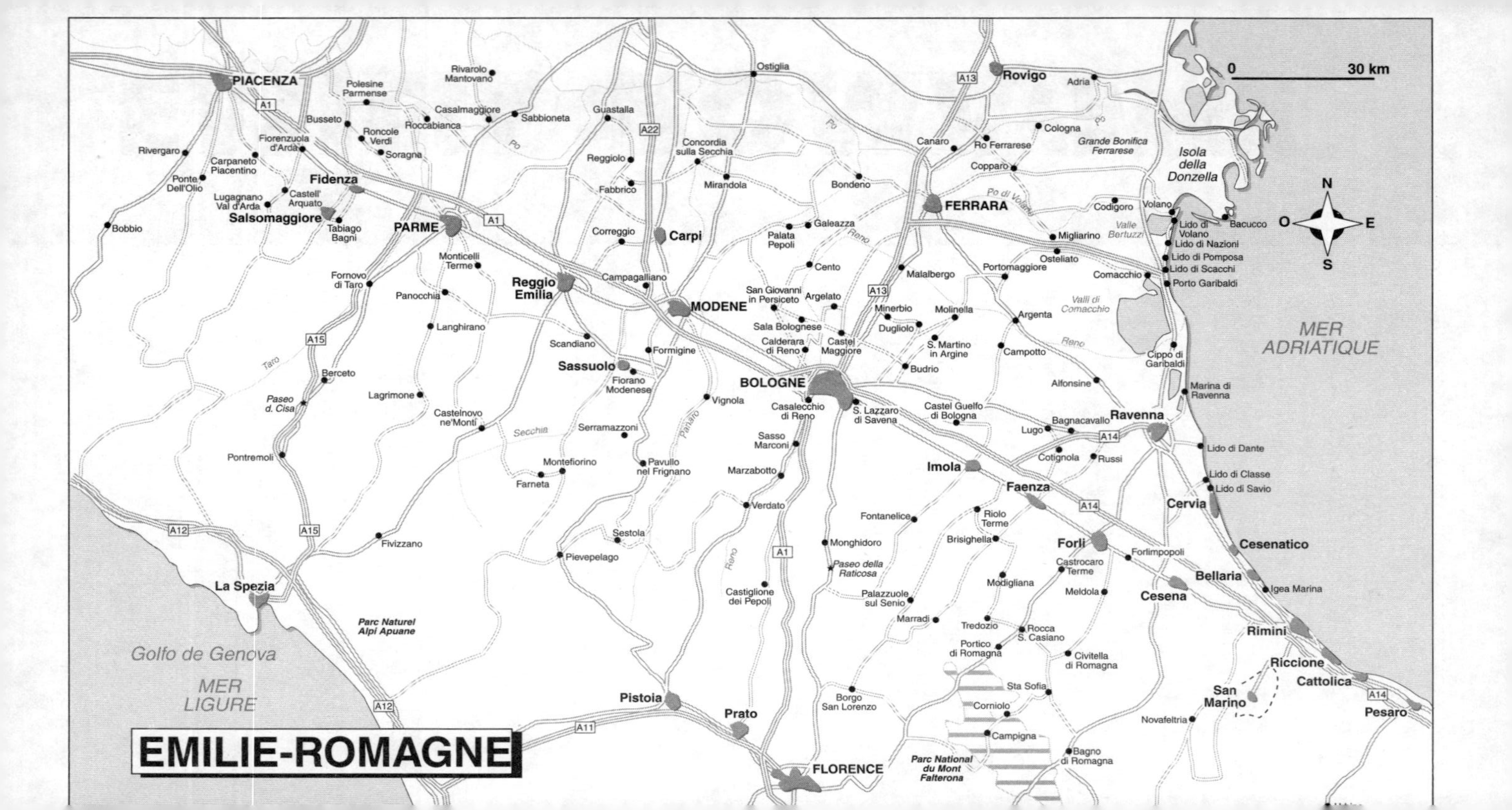
EMILIE-ROMAGNE
0
30 km
N
S
O
E
MER ADRIATIQUE
MER LIGURE
Golfo de Genova
PIACENZA
Rivergaro
Ponte Dell'Olio
Bobbio
Carpaneto Piacentino
Fiorenzuola d'Arda
Busseto
Polesine Parmense
Roncole Verdi
Soragna
Roccabianca
Casalmaggiore
Rivarolo Mantovano
Sabbioneta
Fidenza
Castell' Arquato
Lugagnano Val d'Arda
Salsomaggiore
Tabiago Bagni
PARME
Monticelli Terme
Fornovo di Taro
Panocchia
Langhirano
Berceto
Taro
Paseo d. Cisa
Lagrimone
Castelnovo ne'Monti
Pontremoli
Fivizzano
La Spezia
Parc Naturel Alpi Apuane
Guastalla
Reggiolo
Fabbrico
Correggio
Reggio Emilia
Campagalliano
Scandiano
Sassuolo
Fiorano Modenese
Secchia
Serramazzoni
Montefiorino
Farneta
Sestola
Pievepelago
Ostiglia
Concordia sulla Secchia
Mirandola
Carpi
MODENE
Formigine
Vignola
Panaro
Pavullo nel Frignano
Bondeno
Palata Pepoli
Galeazza
Cento
San Giovanni in Persiceto
Argelato
Sala Bolognese
Calderara di Reno
Castel Maggiore
BOLOGNE
Casalecchio di Reno
S. Lazzaro di Savena
Sasso Marconi
Marzabotto
Verdato
Reno
Castiglione dei Pepoli
Monghidoro
Paseo della Raticosa
Pistoia
Prato
FLORENCE
Borgo San Lorenzo
Rovigo
Adria
Canaro
Ro Ferrarese
Cologna
Po
Grande Bonifica Ferrarese
Copparo
Po di Volano
FERRARA
Codigoro
Valle Bertuzzi
Migliarino
Ostellato
Malalbergo
Portomaggiore
Minerbio
Dugliolo
Molinella
S. Martino in Argine
Budrio
Argenta
Campotto
Valli di Comacchio
Alfonsine
Castel Guelfo di Bologna
Imola
Fontanelice
Palazzuole sul Senio
Marradi
Lugo
Bagnacavallo
Cotignola
Russi
Faenza
Riolo Terme
Brisighella
Modigliana
Tredozio
Portico di Romagna
Rocca S. Casiano
Castrocaro Terme
Forli
Forlimpopoli
Meldola
Civitella di Romagna
Sta Sofia
Corniolo
Campigna
Bagno di Romagna
Parc National du Mont Falterona
Isola della Donzella
Volano
Lido di Volano
Bacucco
Lido di Nazioni
Lido di Pomposa
Lido di Scacchi
Comacchio
Porto Garibaldi
Cippo di Garibaldi
Marina di Ravenna
Ravenna
Lido di Dante
Lido di Classe
Lido di Savio
Cervia
Cesenatico
Bellaria
Igea Marina
Cesena
Rimini
Riccione
Cattolica
San Marino
Novafeltria
Pesaro
A1
A11
A12
A13
A14
A15
A22

EMILIE-ROMAGNE

On se réfère souvent à cette région comme s'il s'agissait d'un territoire homogène cimenté par une histoire commune. En réalité il n'en est rien : les différences entre les communautés émiliennes et romagnoles sont même fortes, à tel point que, depuis quelques années, on pense à les séparer pour créer en deux régions.

Cependant, on peut relever plusieurs points communs. Tout d'abord, la générosité et l'hospitalité de leurs habitants. Ensuite, les richesses économiques et artistiques qui sont réparties dans des villes bien policées et très fonctionnelles. Enfin, la gastronomie, également riche, savoureuse et en accord avec les goûts simples de jadis.

L'Emilie, qui comprend, *grosso modo*, les régions de Piacenza, Parme, Reggio Emilia et Modène, est considérée depuis toujours comme une «terre de transit ». Les bergers, les marchands étrusques, les légions romaines et les hordes barbares traversèrent cette «Via Emilia » qui donna son nom à la province. Puis ce furent les innombrables croisades qui, après la traversée des Apennins, prenaient la route de la Méditerranée. Une route toujours droite, sans détour, le long de laquelle se construisaient des villes, à des distances stratégiques l'une de l'autre (à un jour de marche maximum).

Cette configuration est restée inchangée pendant des siècles. De plus, elle a conditionné les constructions ferroviaires et autoroutières qui suivent en parallèle la droite ligne des centres habités. Tout autour, c'est la campagne émilienne, la plaine du Pô riche en terrains fertiles avec, en lisière, les collines qui jouent le rôle de «charnière » entre les terres agricoles et fluviales de la Romagne. La Romagne va des confins de la plaine Padane jusqu'à l'Adriatique. Ce territoire est depuis toujours une terre légendaire, avec un peuple bien enraciné et qui a toujours défendu jalousement ses singularités. Cependant, les traditions populaires disparaissent maintenant une à une. Parallèlement, on assiste à la multiplication des musées paysans et à de nombreuses tentatives de revalorisation du dialecte. La Romagne, qui depuis des années utilise la micro-informatique pour développer sa politique touristique, ne manque pas une occasion d'ajouter à son image quelques signes d'authenticité et de couleur locale. C'est ainsi que dans les boîtes de nuit les plus courantes de la côte, la «piadina » (un vieux pain paysan) est devenue incontournable ; on y boit aussi plus de Sangiovese que de Coca-Cola.

Modène

BOLOGNE ET SA REGION

BOLOGNE

En raison de sa forme fuselée, de grands voyageurs comme Montaigne ou Gœthe l'ont décrite comme un navire calé au bord de la plaine padane. Ses belles rues larges inspirent un sentiment de bien-être qui semble partagé par toute la ville. Au XIIIe siècle, pour résoudre un problème de surpopulation, Bologne eut largement recours à la solution du portique, ce qui donne à la ville son aspect actuel. Pour créer de nouveaux logements, on construisit sur les façades des maisons des avancées, soutenues par des poutres maîtresses, ce qui laissait le passage libre à la circulation et protégeait les gens des intempéries et du soleil.

Très vite, Bologne s'est dotée de 35 kilomètres d'arcades, devenant ainsi la ville qui compte aujourd'hui le plus de portiques au monde. «Les arcades de Bologne», écrit, avec une pointe de malice, l'écrivain Luca Goldoni, « sont au moins aussi célèbres que les canaux de Venise.» Sans ces arcades, les Bolonais ne seraient pas aussi universellement connus comme flâneurs (*tiratardi*), noctambules et bons vivants. En réalité, ils y travaillent aussi, et sous ces arcades s'abritent les plus extraordinaires et les plus lumineux centres commerciaux qu'une ville moderne puisse offrir.

De l'étrusque Felsina et de la romaine Bolonia il reste peu ou rien. Son rôle majeur, la ville le joua au Moyen Age, lorsqu'elle fut une des premières à se déclarer commune autonome en s'opposant à Frédéric Barberousse et à Frédéric II.

Les luttes qui s'ensuivirent la firent passer des seigneuries des Pepoli, des Visconti et des Bentivoglio aux mains de la papauté en 1506. Même sous la domination du cardinal Paleotti, Bologne continua à avoir une influence culturelle et artistique extraordinaire. Elle s'affirma à cette époque comme le foyer de la plus importante école de peinture de la Contre-Réforme, avec des noms comme ceux de Carrache et Guido Reni. La musique s'y développa vers la fin du Moyen Age grâce à l'importante chapelle de S. Petronio. Au même moment, son université attirait les plus grands savants de l'époque et gagnait à la ville son surnom de «docte».

L'ambiance intellectuelle favorisa la pénétration des idées des Lumières qui préfigurèrent la naissance, cent ans plus tard (en 1872), du premier groupe socialiste conduit par Andrea Costa, et menant en 1892 à la fondation du parti socialiste.

Remarque : un habitant de Bologne est un Bolonais, il faudrait donc parler de sauce *bolonaise* et non *bolognaise*. L'erreur est si courante qu'on nous pardonnera de la faire.

TRANSPORTS

Gare. Piazza delle Medaglie d'Oro © 24 64 90. *Informations de 7 h à 21 h.*

Gare routière. Piazza XX Settembre © 35 03 01.

Aéroport G. Marconi. Borgo Panogale © 64 79 615.

Bus interurbains. Terminal, Piazza XX Settembre © 24 83 74/35 03 01.

Bus intra-urbains A.C.T. Piazza Re Enzo, 1 © 29 02 90.

Radio-taxi CO.TA.BO. © 37 27 27/37 37 50/37 47 18.

Taxi C.A.T. © 53 41 41.

PRATIQUE

Indicatif téléphonique : 051.

Offices du tourisme

Piazza Maggiore, 6 ✆ 23 96 60. *Ouvert de 9 h à 13 h et de 14 h 30 à 19 h du lundi au samedi, et de 9 h à 13 h le dimanche et les jours fériés.*

Via de Castagnoli, 3 ✆ 21 87 51.

Consulat de France

Via Guerrazzi, 1 ✆ 23 05 05.

Poste

Piazza Minghetti & 23 06 99. *Ouverte de 8 h 15 à 18 h du lundi au vendredi, et de 8 h 15 à 12 h 20 le samedi.*

Police

Piazza Maggiore, 6 ✆ 26 66 26.

Téléphones publics

ASST. Piazza Otto Agosto, 24. *Ouvert de 7 h à 22 h.*

SIP. Via Fossalta 4/e et Stazione FS. *Ouverts de 8 h à 21 h 30.*

Distributeur bancaire

Banca dí America e d'Italia. Via Marconi, 13 ✆ 33 64 11. *Banque ouverte du lundi au vendredi de 8 h 20 à 13 h 20 et de 14 h 45 à 15 h 45.*

Bureaux de change

A la gare. *Bureau ouvert de 7 h 15 à 13 h 15 et de 14 h 15 à 19 h 30.*

A l'aéroport. *Bureau ouvert de 8 h 20 à 13 h 20 et de 14 h 35 à 17 h.*

HEBERGEMENT

Hôtel Panorama. Via Livraghi, 1 (4e étage), Bologne ✆ 22 18 02/22 72 05 - Fax 26 63 60. *80 000 L environ. Réservation obligatoire.* 9 chambres. Un hôtel bien tenu et de bon accueil, et puis, du 4e étage, on a un beau... panorama.

Saragozza Mouble. Via Senzanome, 10, Bologne ✆ 33 02 58. *Compter 100 000/ 180 000 L.* 31 chambres avec téléphone, télévision. Bar. Visa. Un hôtel dans le centre historique de Bologne, bien tenu et sans prétention.

Hôtel dei Commercianti. Via de Pignattari, 11, Bologne ✆ 23 30 52 - Fax 22 47 33. *Compter 210 000/300 000 L. Fermé en janvier et février.* 35 chambres avec téléphone, télévision, climatisation, réfrigérateur. Accès handicapés, garages. American Express, Visa, Diner's Club. Cet hôtel situé en plein centre occupe les beaux murs d'un vieux palazzo du Moyen Age. Demander une chambre avec vue sur l'église de San Petronio.

Hôtel Corona d'Oro. Via Oberdan, 12, Bologne ✆ 23 64 56 - Fax 26 26 79. *Compter 300 000/460 000 L. Fermé en août.* 35 chambres avec téléphone, télévision, climatisation, réfrigérateur. Garages. American Express, Visa, Diner's Club. Un des meilleurs hôtels de Bologne, très bien situé, au style hétéroclite, à dominante Liberty pour le hall et l'escalier.

Grand Hôtel Baglioni. Via Indipendenza, 8, Bologne ✆ 225 445 - Fax 23 48 40. *Compter 395 000/620 000 L.* 125 chambres avec téléphone, télévision, climatisation, réfrigérateur. Garages, restaurant (*70 000/105 000 L ; fermé le dimanche)*. Interdit aux animaux. American Express, Visa, Diner's Club. C'est l'hôtel-roi de la ville. Le prix est à la hauteur du cadre enchanteur de ce palazzo du XVIe siècle, ancienne propriété de la famille Fava ; quelques salles ont été peintes par Carracci (le salon Europa, au premier étage). Les chambres, néoclassiques, sont très belles. Des stars, comme Ava Gardner, Clark Gable et Humphrey Bogart, y ont dormi, de même que des scientifiques comme Alexander Fleming ou des musiciens comme Andrès Segovia. Très bon et très raffiné restaurant Carracci.

Auberges

Auberge de jeunesse San Sisto. Via Viadagola, 14, Bologne ©-Fax 51 92 02. *50 lits à 18 000 L, petit-déjeuner inclus. Ouverte du 20 janvier au 19 décembre de 7 h à 10 h et de 15 h 30 à 23 h 30.* Parking. Située à 6 km de la gare de Bologne. Bus 93 pour le centre-ville à 500 m. Annexe Via Viadagola, 5.

Agriturismo Villa Gaidello Club. Via Gaidello, 18, Castelfranco Emìlia © 059/92 68 06. *Appartements 200 000 L, repas 50 000/70 000 L. Fermé en août.* 30 kilomètres au nord-ouest de Bologne. Récemment rénovée, cette charmante ferme au milieu des champs, très confortable, vous permettra de découvrir sa cuisine, et la région à vélo.

Agriturismo Il Loghetto. Via Zenzalino Castenaso © 051/60 52 218. *Chambres 100 000/150 000 L, repas 40 000/50 000 L. Fermé en janvier et août.* 15 kilomètres à l'est de Bologne. Grande maison restaurée, avec immense jardin, près du parc régional de Gessi Bolognesi. Billard, cours de décoration florale et observation d'animaux.

Agriturismo Tizzano. A Monteombraro, Via Lamizze, 1197, Zocca © 059/98 95 81. *Chambres 35 000 L, pension 60 000 L. Ouvert d'avril à septembre.* 25 kilomètres au sud-ouest de Bologne. Située dans un pittoresque bourg, c'est une construction récente à l'atmosphère sereine, où la vie est rythmée par les travaux agricoles, la pêche et l'observation des animaux.

RESTAURANTS

La renommée de Bologne commence à sa table. Ce n'est pas sans raison qu'on l'appelle aussi «la grasse». Sa légende gastronomique est liée aux tortellini qui, comme tout le monde ne le sait pas, sont fils... du nombril de Vénus. D'après la légende du Tasse, «La Secchia Rapita», Vénus, descendue sur terre avec Mars et Bacchus, vint loger dans une auberge. Le maître de céans, reluquant la déesse demi-nue, prit un bout de pâte fraîche que la servante était en train d'étirer et, l'enroulant autour de son doigt, se mit en devoir de modeler le nombril de Vénus. C'est ainsi que naquit le tortellino (pâte fraîche farcie d'aloyau de porc, de jambon cru, de mortadelle, de parmesan, d'œuf et de noix de muscade). Et il est vrai qu'il semble difficile de visiter Bologne sans sacrifier quelque peu à sa tradition gloutonne. Un des meilleurs souvenirs à emporter chez soi est justement un bon kilo de tortellini traditionnels.

Bottega del vino Olindo Faccioli. Via Altabella, 15/b, Bologne © 22 31 71. *Compter entre 35 000 et 45 000 L. Fermé le dimanche, et entre le 15 juillet et le 15 août.* Cette osteria traditionnelle, ouverte depuis les lointaines années 20, est maintenant entièrement rénovée. Le menu affiché à l'entrée change chaque jour. La cave est bonne, et pose un problème de choix embarrassant entre ses 410 étiquettes différentes.

Rosteria Luciano. Via Nazario Sauro, 19, Bologne © 23 12 49. *Compter 45 000/85 000 L. Fermé le mercredi, en août, à Noël et au Jour de l'an. Réservation obligatoire.* 60 couverts. Climatisation. American Express, Visa, Diner's Club. Très bonne cuisine et bonne cave.

Restaurant Diana. Via Indipendenza, 24, Bologne © 23 13 02. *60 000/85 000 L. Fermé le lundi et en août. Réservation obligatoire.* 100/150 couverts. Jardin, climatisation. American Express, Visa, Diner's Club. Intérieur Art Déco et terrasse en été où l'on déguste une cuisine du terroir.

Restaurant Il Bitone. Via Emilia Levante, 111, Bologne © 54 61 10. *70 000/100 000 L. Fermé le lundi, le mardi et en août. Réservation obligatoire.* 90 couverts.. Restaurant justement réputé à Bologne. Agréable jardin où l'on dîne l'été. Climatisation.

Restaurant Battibecco. Via Battibecco, 4, Bologne © 22 32 98. *85 000/165 000 L. Fermé le dimanche, du 25 décembre au 2 janvier et du 10 au 20 août. Réservation obligatoire.* 80 couverts. Climatisation, jardin. American Express, Visa, Diner's Club. Endroit agréable, où l'on déguste aussi bien des spécialités de poisson que de viande, cuisinées avec un véritable savoir-faire.

Restaurant Cordon Bleu. Via Saffi, 36, Bologne © 43 717. *A partir de 80 000 L. Fermé le dimanche, le lundi à midi et un mois pendant l'été.* Ce restaurant dépend du Grand Hôtel Elite. On y déguste une cuisine chic et raffinée avec des spécialités d'autrefois, telle que la «cabarazzata», des ravioli farcis de viande, de courge, de raisins secs et de macaron. La poitrine de canard à la vignolese et le filet accompagné de purée de fraises sont tous deux excellents.

Restaurant Papagallo. Piazza della Mercanzia, 3/c, Bologne ✆ 23 28 07. *65 000/110 000 L. Fermé le dimanche et également le samedi soir en été. Réservation obligatoire.* 80 couverts. Climatisation. American Express, Visa, Diner's Club. Ce restaurant est considéré comme le temple de la gastronomie bolonaise. Son cadre de style Liberty se marie à merveille avec une cuisine qui «ensorcela» en son temps Albert Einstein. Les «crespelle», les tortellini et les lasagnes sont véritablement fantastiques.

SORTIR

La tournée des bistrots

«Le bistrot est un genre littéraire bien avant d'être un lieu de perdition et de réjouissances», proclamait le poète Gabriele D'Annunzio en vidant son verre. A Bologne, le bistrot est très à la mode. Fréquenté par les prolétaires et les snobs, les paysans et les étudiants, il est un lieu où toutes les classes et différences se mélangent. On trouve 180 bistrots dans la ville, mais rares sont ceux qui répondent aux quatre critères de base : un vin excellent, des plats originaux et irrésistibles, un bon rapport qualité-prix et, enfin, le point le plus important, l'ambiance, qui, faite de petites choses indicibles et vagues, est ou n'est pas.

La tournée des bistrots bolonais commence avec :

Cantina Bentivoglio. Via Mascarella, 4/b ✆ 26 54 16. *Fermé le lundi.* Près de l'université, c'est le lieu de prédilection des étudiants. Tagliolini au jambon et toasts au fromage fondu agrémentent les soirées, du mardi au samedi, au son du jazz.

Osteria del Sole. Vicolo Ranocchi. Ce bistrot situé derrière l'Archiginnasio ouvre «vers le soir» et n'a pas le téléphone. Il a cent ans «certifiés», et possède une cohorte de bouteilles qui permettrait de soutenir un siège d'une durée presque aussi longue.

Pour commencer la journée à l'aube, on pourra prendre un bon café au **Buscaglione**, situé Piazza Maggiore, juste en face de la basilique de S. Petronio. A la recherche d'un «lever de grand seigneur», on se rendra au **Mocambo** (Via d'Azeglio, 1/e), où le cappuccino est servi dans des tasses bordées d'or. On peut, sur demande, faire graver son nom sur sa tasse.

MANIFESTATIONS

Avril : Foire du livre pour enfants (informations : Bolognafiere, Piazza della Costituzione, 6.)

Mai : Sagra (fête votive) de S. Rita, Via Zamboni.

Juin : Festa della Spiga ai Molini Corticella (Fête de l'épi aux moulins Corticella).

Juillet : Sagra del cantastorie. Une compétition entre chanteurs des rues.

POINTS D'INTERET

Sur les traces de Giorgio Morandi...

C'est l'un des plus grands peintres italiens de ce siècle, qui ne quitta jamais Bologne. «Les grands ne bougent pas», dit-on à Bologne, en rappelant que Cézanne et Picasso ont, eux aussi, vécu presque toujours sur un même petit bout de terre. Morandi se trouvait bien à Bologne car tous deux se ressemblaient : ils avaient en commun une certaine réserve aristocratique et provinciale. Les places, les rues et les ruelles que Morandi parcourait chaque jour sont aujourd'hui encore les plus authentiques de Bologne et témoignent le mieux de l'extraordinaire équilibre de cette ville.

Le trajet que faisait Morandi pour aller de chez lui, au numéro 36 de la Via Fondazza, jusqu'à l'Académie des beaux-arts, passe par ces rues que les Bolonais prennent lorsqu'ils désirent se promener à l'écart de la foule. Via Fondazza est une rue populaire remplie de boutiques d'artisans, à proximité de la Casa Carducci, des villas des grands médecins Murri et Gasparini et des Giardini Margherita. C'est la Bologne du début du siècle avec son architecture en grande partie Liberty. A partir de la Via Fondazza, la Strada Maggiore conduit vers le centre, puis, une fois dépassées les décorations baroques de la cour du Palazzo Ercolani, on rejoint le très beau portique des Servi adossé à l'église qui abrite la *Madonna* de Cimabue et les fresques de Vitale. Là, ont lieu des concerts de musique pour orgue de Bach.

En allant vers la Piazza Aldrovandi, on traverse le marché si vivant de la Bologne de tous les jours, pour ensuite déboucher sur la Via Giuseppe Petroni. C'est ici la Bologne la plus cultivée et la plus magique, le centre de la vie universitaire où le médiéval, le baroque et le XVIIIe siècle s'entrelacent étroitement. De là, on peut aller vers la Piazza Verdi et, en longeant les arcades (XVe siècle) des anciennes écuries du Palazzo Bentivoglio, admirer la façade du Teatro Comunale, construit par Antonio Bibiena. Enfin, on arrive dans la rue des Beaux-Arts, juste à la hauteur de la fameuse Pinacoteca Nazionale, qui possède une des plus grandes collections d'Europe et que Morandi visitait sans se lasser.

Musée Giorgio Morandi. Piazza Maggiore, 6 ✆ 20 36 46.

Piazza Maggiore. C'est l'endroit de la ville le plus riche en monuments. On trouve sur cette place le Palazzo dei Banchi (des banques), datant de 1568 et qui abritait autrefois les bureaux des banquiers, le Palazzo dei Notai (des notaires) et l'église de S. Petronio.

Basilique San Petronio. Cette église dédiée au saint patron est une des plus belles créations de l'architecture gothique italienne. Sa construction commença en 1390 et s'acheva en 1659. Il était prévu qu'elle devienne la plus grande basilique du monde ; elle n'est «que» la cinquième. Il faut voir le portail central de Jacopo Della Quercia et, à l'intérieur, les fresques du Quattrocento. Au-dessus du grand autel se trouve l'orgue le plus ancien d'Italie.

Palazzo del Podestà. Ce palais datant du XIIIe siècle a été refait à la Renaissance. Le rez-de-chaussée à arcades est traversé par deux voies qui se croisent sous une grosse voûte.

Palazzo Comunale. Cette construction de brique du XIIIe siècle, d'aspect grandiose, est divisée en deux parties. Au centre, le portail dessiné par Galeazzo Alessi date de 1555. Sur le balcon, on peut voir la statue du pape Grégoire XIII, natif de Bologne, à qui nous devons la réforme du calendrier, et, sur la façade, une vierge en terre cuite de Nicolo dell'Arca. Nous vous conseillons de vous aventurer à l'intérieur pour admirer ses cours.

Piazza del Nettuno. Cette place est aussi appelée Piazza del Gigante (place du Géant) à cause de l'imposante statue de Neptune qui orne la fontaine. Réalisée par Giambologna, en 1556, pour embellir le centre de la ville, cette fontaine devint le lieu de prédilection des vendeurs de légumes, des lavandières et des artisans. Un édit fut proclamé, menaçant de 50 coups de fouet quiconque s'en servirait comme d'un lavoir.

La Metropolitana San Pietro. Il ne s'agit pas du métro de Bologne, mais de la cathédrale de S. Pietro. Construite vers l'an mille, elle fut détruite par un incendie en 1141. Refaite entre le XVIIe et le XVIIIe siècle, elle abrite une superbe *Annonciation* de Ludovico Carracci.

Les deux tours penchées. Via Rizzoli. Elles sont un peu le symbole de la ville et parmi les dernières des quelque 200 tours médiévales. La plus haute (97,60 mètres) est la Torre degli Asinelli, bâtie dans les premières années du XIIe siècle. Du haut de cette tour, qui est le point le plus haut de la ville, se découvre un superbe panorama (*ouverte de 9 h à 18 h*). Ceux qui ont du souffle et des jambes vigoureuses se trouveront nettement avantagés : il n'y a pas d'ascenseur et il faut escalader les 498 marches qui mènent à son sommet.

A côté se trouve la **Torre Garisenda** (48,16 mètres de haut), mentionnée au chant XXXI de l'*Enfer* de Dante. Elle fut commandée par Filippo et Oddo Garisendi en 1109, mais s'effondra peu de temps après à cause d'un glissement de terrain. Il faut dire qu'elle penche sérieusement. D'après Montaigne, qui visita l'endroit dans la seconde moitié du XVIe siècle, cette tour, de toute façon, n'était pas destinée à tenir très longtemps. Gœthe, en revanche, accordait du crédit à la thèse fantaisiste selon laquelle un architecte fou l'aurait volontairement construite tordue afin qu'elle se distingue des autres tours de la ville.

Chiesa di San Domenico. On trouvera cette église dans la partie sud de la ville, sur la place du même nom. Elle fut construite, entre 1221 et 1233, par les pères dominicains. L'intérieur conserve des témoignages artistiques d'une grande beauté. Dans la nef de droite, on pourra visiter la chapelle de Saint-Dominique, qui abrite le fameux tombeau du saint, un sarcophage orné de bas-reliefs que Nicolas Pisano débuta en 1267, repris ensuite au XVe par Nicolo dell'Arca, et auquel Michel-Ange donna la touche finale. On pourra également admirer dans une des chapelles une œuvre de Filippino Lippi intitulée le *Mariage mystique de sainte Catherine*.

Santo Stefano. Il s'agit non pas d'une seule église mais d'un ensemble comprenant l'église du Crucifix du XIe siècle, l'église du Calvaire ou du Saint-Sépulcre, très belle, de la même période, l'église de la Trinité du XIIIe, et, enfin, la plus ancienne, celle des Saints-Vitale et Agricola, donnant sur la place Santo Stefano. Chapelles, cryptes, cloîtres s'enchaînent dans une composition unique, dégageant une atmosphère d'une grande sérénité.

Chiesa Santa Maria dei Servi. Ce bel édifice gothique conserve la Maestà de Cimabue, dans une des chapelles derrière l'autel, et également un beau retable Renaissance d'Antonio Montorsoli. Malheureusement, l'église était récemment fermée pour travaux.

Chiesa San Giacomo Maggiore. Piazza Rossini. Cette église gothique du XIIIe siècle possède de nombreuses peintures Renaissance, notamment dans les chapelles Bentivoglio et Poggi, ainsi que dans l'oratoire Santa Cecilia, où l'on peut également admirer des fresques d'Amico Aspertini.

Piazza Verdi et université. Le théâtre municipal, construction du XVIIIe siècle d'Antonio Galli, dit «Il Bibiena». Le très bel intérieur fut décoré par de Busi et Samoggia. Plus loin, dans la Via Zamboni, le siège central de l'université de Bologne datant du XIe siècle (la plus vieille d'Europe) est installé, depuis le XVIe, dans le palais Poggi. L'intérieur présente des fresques de Pellegrino Tibaldi et de Niccolo dell'Abate.

Pinacoteca Nazionale. Via Belle Arti, 56 ✆ 24 32 22. *Ouverte tous les jours, sauf le lundi, de 9 h à 14 h et de 9 h à 13 h les dimanches et jours fériés*. Un musée extrêmement riche, à ne pas manquer ! Importante collection de peintres bolonais du XIVe au XVIIe siècle. Parmi les œuvres les plus significatives : *San Giorgio e il Drago* (Saint Georges terrassant le dragon) de Vitale da Bologna, l'*Estasi di Santa Cecilia* (l'Extase de sainte Cécile) de Raphaël, le *Samsone Vittorioso* (Samson victorieux) et le *Ritratto della Madre* (Portrait de la Mère), tous deux de Guido Reni.

Musée civique médiéval. Via Manzoni, 4 ✆ 22 89 12. *Ouvert de 9 h à 14 h. Les samedis, dimanches et jours fériés de 9 h à 13 h et de 15 h 30 à 19 h. Fermé le mardi, le 25 décembre et le 1er janvier.* Abrité dans le beau palais Ghisilardi Fava, du XVe siècle, il renferme de nombreux objets d'art : bronzes, armes, reliquaires, ainsi que des tombes sculptées où reposent les professeurs qui enseignaient à l'époque à l'université de Bologne.

Museo Civico e Archeologico. Via dell'Archiginnasio, 2 ✆ 23 38 49. *Ouvert de 9 h à 14 h. Les samedis, dimanches et jours fériés de 9 h à 13 h et de 15 h 30 à 19 h. Fermé le lundi, le 25 décembre et le 1er Janvier.* Collections préhistoriques et étrusques.

SHOPPING

Ville idéale pour faire quelques achats, Bologne présente au visiteur des tentations de toutes sortes. La rue tout indiquée pour les amateurs d'antiquités est la Via d'Azeglio. Les montres de collection se trouvent chez **Piretti** (Via Val di Setta, 36 ✆ 67 79 076).

On trouve de superbes marionnettes chez **Demetrio Prensini,** le fameux fabricant dont l'atelier est situé au n° 12 de la Via Vittorio Veneto.

Des vêtements convenant aux goûts les plus divers dans plusieurs endroits de la ville. Pour lui : **Nicoletti** (Via Ugo Bassi, 1 et 8).

Gastronomie

La gastronomie est reine à Bologne, avec le parmesan, la mortadelle et les jambons faits de main de maître. La charcuterie s'achète chez **Tamburini** (Via Cipraie, 1), chez **Ceccarelli** (Via Ugo Bassi, 25), à la **Vecchia Bologna** (Via Dagnini, 14/2). Le parmesan d'origine contrôlée peut se trouver à **La Baïta** (Via Peschiere Vecchie, 3), chez **Brini** (Via Ugo Bassi, 19) et chez **Verardi** (Via Persicetana Vecchia, 20/5).

DANS LES ENVIRONS

Le voyage à **Ponteccio** (il faut sortir au péage de Sasso Marconi sur l'autoroute A1) conduit au cœur de la culture paysanne émilienne. C'est là, dans la villa Griffone, que Guglielmo Marconi réussit, en août 1895, à émettre le premier signal d'onde radioélectrique. Aujourd'hui, des laboratoires y sont installés. En continuant vers Colle Ameno, on pourra visiter le superbe Palazzo de Rossi ; c'est un château médiéval avec une belle loggia et un charmant jardin. Tout près de là, la Trattoria del Castello propose une excellente cuisine campagnarde.

Enfin, notre itinéraire conduit à **Porretta Terme**, un village à l'ambiance paysanne tout à fait intacte, qui possède des thermes aux eaux salées, iodées et sulfureuses. On peut, éventuellement, y prendre un bain car ces eaux, dit-on, sont bonnes pour les rhumatismes. Et, si l'on ne tient pas revenir le jour même à Bologne, s'arrêter à l'**Hôtel Santoli, Via Roma, 3, ✆ 05 34/23 206 - Fax 22 744.**

FERRARA

C'est la ville idéale pour rouler à bicyclette. Il semblerait même que ses habitants soient nés avec deux roues à la place des pieds. Il serait bon que les visiteurs fassent comme les autochtones, étant donné l'étendue de la zone piétonne, les difficultés incontestables pour circuler et se garer et, par-dessus tout, l'étroitesse des rues de la partie médiévale de la ville.

Ferrara est une ville peu fréquentée par les touristes, bien qu'elle soit sans doute l'une des plus belles de la région. Elle combine la solide architecture de Florence et la mélancolie sensuelle de Venise, accentuée par la présence des brumes qui l'entourent pendant presque toute l'année. «Ferrara est une ville réservée à quelques-uns», écrivit le critique d'art Federico Zeri «dès qu'on la voit la première fois, on a la sensation de l'avoir toujours connue. En réalité, on a seulement rêvé l'équilibre de sa géométrie urbaine, les dédales de ses ruelles anciennes, et les perspectives masquées par des rideaux de brume.»

Et l'écrivain ferrarais Giorgio Bassani a situé dans sa ville natale l'action de son très beau roman, *Le Jardin des Finzi Contini.*

Bien que très ancienne, Ferrara a acquis le titre de «première ville moderne d'Europe» grâce aux interventions des Estensi, les seigneurs qui ont dominé la cité pendant deux cents ans. La très importante et récente restauration des murailles du XVe siècle prouve que Ferrara conserve avec soin et orgueil les témoignages de sa splendeur passée.

TRANSPORTS

Gare. Informations © 77 03 40. *Consigne ouverte tous les jours de 8 h à 20 h.*

Bus. Terminal et bureau ACFT. Rampari di San Paolo © 59 94 92.

Radio-taxi Ferrara © 90 09 00.

PRATIQUE

Indicatif téléphonique : 0532.

Office du tourisme

Corso Giovecca, 21 © 20 93 70 - Fax 21 22 66. *Ouvert du lundi au samedi de 9 h à 13 h et de 14 h à 18 h. Le dimanche de 14 h 30 à 17 h 30.*

Informations à Città. Piazza Municipio, 21/a © 24 02 63.

Poste Viale Cavour, 27. *Ouverte du lundi au samedi de 8 h à 19 h.*

Telecom Largo Castello, 30 © 49 791. *Ouvert du lundi au samedi de 8 h à 20 h.*

Police © 29 43 11.

HEBERGEMENT

Hôtels

Casa degli Artisti. Via Vittoria, 66, Ferrara © 76 10 38. *Compter 30 000/65 000 L.* Bien situé, bien tenu et de bon rapport qualité-prix.

Hôtel Ripagrande. Via Ripagrande, 21, Ferrara © 76 52 50 - Fax 76 43 77. *Compter 250 000/330 000 L.* 40 chambres avec téléphone, télévision, climatisation, réfrigérateur. Garages, parking, garderie d'enfants, restaurant. American Express, Visa, Diner's Club. Un hôtel luxueux, installé dans un palais Renaissance, où se tint jadis un conseil qui entérina l'accord de paix entre les différentes seigneuries de la région.

Hôtel Duchessa Isabella. Via Palestro, 70, Ferrara © 20 21 21/20 *26 38.* *Compter 360/540 000 L.* 28 chambres avec téléphone, télévision, climatisation, réfrigérateur. Accès handicapés, garages, parking, parc. American Express, Visa, Diner's Club. Un palazzo du XVIe siècle aux plafonds à caissons et splendides fresques. Les hôtes pourront se promener dans un carrosse tiré par un cheval blanc !

Auberges

Camping Estense. Via Gramicia, 5, Ferrara ✆ 52 791. Propre. Prendre le bus n° 11.

Chambres d'hôtes Locandà Borgo Nuovo. Via Cairoli, 29, Ferrara ✆ 21 11 00 - Fax 24 80 00. *Compter 130 000/160 000 L.* 4 chambres avec téléphone, télévision, climatisation, réfrigérateur. Interdit aux animaux. Location de vélos. American Express, Visa, Diner's Club. Dans le centre historique, charmante maison d'hôtes privilégiant l'accueil et l'intimité. Petite cour intérieure.

Agriturismo Ospitalità Rurale A Ca'Bianca, Via Panaria, 30, Finale Emìlia ✆ 05 35/78 99 77. *Chambres 40 000 L, demi-pension 50 000/60 00 L, appartements 50 000 L/personne. Ouvert tous les jours.* 35 kilomètres à l'ouest de Ferrara, non loin d'un confluent du Pô. Vous pourrez faire du canoë, du tir à l'arc, du ping-pong... Salle de jeux pour les enfants, terrain pour camping et caravanes. Ambiance sympathique.

Agriturismo Novara. A Dogato,Via Ferrara, 61, Ostellato ✆ 05 33/65 10 97. *Chambres 40 000 L, repas 20 000 L. Ouvert tous les jours.* 30 kilomètres à l'est de Ferrara. Près du parc de Delta, une villa de haut standing avec une restauration de qualité. Non loin se trouve la plage de Ldi Ferraresi.

RESTAURANTS

Antica trattoria Il Cucco. Via Voltacasotto, 3, Ferrara ✆ 76 00 26. *40 000 L environ.* C'est une vieille osteria de 1897, rénovée. Le gratin de macaroni et les *cappellacci* faits à la main sont, avec la courge (*zucca*), ce qu'elle offre de meilleur.

Osteria Al Brindisi. Via Adelardi, 11, Ferrara ✆ 20 91 42. *20 000/50 000 L environ.* On dit que c'est la plus ancienne auberge du monde, et elle est signalée dans le livre des records Guinness. S'attablèrent ici l'Arioste, le Tasse, Carducci, Cellini, Titien et même Copernic. Elle assure un service d'œnothèque avec plus de 600 étiquettes de vins italiens. A tout moment, on peut accompagner le vin de gratin de macaroni en abaisse salée, des toasts de salama et, sur réservation, d' *i cappellaci con la zucca.*

Alla Vecchia Chitarra. Via Ravenna, 11, Ferrara ✆ 62 204. *55 000 L environ. Fermé le mardi et du 1er au 15 août.* On peut déguster ici des spécialités ferraraises, depuis la *salama da sugo* jusqu'à l'anguille de Comacchio.

Quel fantastico Giovedi. Via Castelnuovo, 9, Ferrara ✆ 76 05 70. *40 000/80 000 L. Fermé le mercredi, du 10 juillet au 10 août et les 10 derniers jours de janvier. Réservation obligatoire.* 40 couverts. Climatisation. American Express, Visa, Diner's Club. Non, Marco n'a pas ouvert son restaurant un jeudi, il s'agit du titre d'un roman de Steinbeck. A part cela, c'est très bon. Ambiance relativement élégante.

Restaurant Provvidenza. Corso Ercole d'Este, 92, Ferrara ✆ 20 51 87. *50 000/ 70 000 L. Fermé le lundi et du 11 au 17 août. Réservation obligatoire.* 80/110 couverts. Climatisation. American Express, Visa, Diner's Club. Cuisine raffinée et petit jardin très agréable.

MANIFESTATIONS

Le premier samedi et le premier dimanche de chaque mois : marché aux bibelots anciens et aux objets de collection sur la Piazza Municipio.

Mai : Palio di San Giorgio. C'est la joute la plus ancienne d'Italie. Elle remonte à 1279, lorsqu'on fêta le seigneur de la ville, Azzo VII Novello d'Este, vainqueur du vicaire de l'Empereur allemand à la bataille de Cassano d'Adda. Le poète Arioste la mentionne dans le chant I de l'*Orlando Furioso*. Le palio se dispute le dernier dimanche du mois de mai ou, en cas de mauvais temps, le premier dimanche de juin.

Il se déroule sur la Piazza Ariostea, en quatre courses opposant les huit quartiers de la ville. En plus du palio a lieu un défilé historique avec 800 personnages en costumes ferrarais du XVe siècle. Informations : Ente Palio ✆ 75 12 63.

Juin : Arteforum Festival. C'est une manifestation qui regroupe de jeunes musiciens dans la cour du Castello Estense.

Août : Buskers Festival. Ce rassemblement international autour du musicien globe-trotter se déroule dans les rues et sur les places du centre historique.

POINTS D'INTERET

Castello Estense. *Ouvert de 9 h à 18 h et de 9 h 30 à 17 h 30 en hiver. Fermé le lundi.* La décision de construire ce château fut prise, en 1385, par Nicolas II, ce qui entraîna un véritable soulèvement populaire à cause de la forte pression fiscale qui en découlait, et qui coïncidait avec une période de guerre, d'épidémie et de famine. Pour cette raison, sa construction ne fut achevée qu'au XVe siècle. Le château devint alors une des résidences seigneuriales les plus fastueuses de la Renaissance. Outre la cour du XVe siècle, on peut y visiter quelques salons peints par Bastianino et le Salone dei Giochi avec des fresques de Filippi. Dans les souterrains, les cachots rappellent l'histoire d'amour malheureuse entre Parisina Malatesta, mère de Nicolas III, et son beau-fils Ugo. C'est ici qu'ils furent enfermés avant d'être décapités.

Cathédrale. *Ouverte de 7 h 20 à 12 h et de 16 h à 19 h 30.* Elle fut érigée entre le XIIe et le XIVe siècle dans un style romano-gothique. D'intéressantes sculptures ornent le portail central. Sur le flanc droit s'élève le majestueux campanile en marbre, construit, entre 1451 et 1596, d'après le dessin de Leon Battista Alberti. A l'intérieur se trouvent les œuvres de Guercino, de Francia et le Jugement Dernier de Bastianino (dans l'abside). On peut également y visiter un petit musée (*ouvert de 10 h à 12 h et de 15 h à 17 h*).

Eglise de San Francesco. D'origine médiévale, elle a été rénovée en 1494 par Biagio Rossetti, l'architecte des Estensi. L'intérieur est riche en œuvres d'art du XVe et du XVIe siècle.

Maison Romei. Via Savonarola, 30 ✆ 24 03 41. *Ouverte du lundi au vendredi de 8 h 30 à 14 h et les week-ends de 8 h 30 à 17 h.* Belle maison du XVe, somptueusement décorée, ayant appartenu à un riche marchand de Ferrara. Aujourd'hui elle regroupe différents objets et œuvres d'art qui ornaient autrefois les églises de la ville.

Palazzo Schifanoia. Via Scandiana, 23 ✆ 64 178. *Ouvert tous les jours de 9 h à 19 h. Fermé les jours fériés.* Ce fut le lieu des divertissements de la cour des Estensi. La première partie, commandée par Alberto V d'Este, date de 1385. Le remaniement le plus important est dû au duc Borso qui, entre 1465 et 1469, fit surélever l'édifice d'un étage. Ce qui fait de Schifanoia un monument exceptionnel est la décoration du Salone dei Mesi, une extraordinaire série de fresques qui représente un des aboutissements les plus importants non seulement de l'école de Ferrara mais aussi de l'entière Renaissance italienne. L'intérieur abrite le Museo Civico (*que l'on peut visiter de 9 h à 19 h*).

Palazzo de Ludovico il Moro. Via XX Settembre, 124. *Ouvert de 9 h à 14 h. Fermé le lundi.* C'est le chef-d'œuvre inachevé de Rossetti, qui en commença la construction pour l'ambassadeur d'Ercole Ier, à la cour du duc de Milan. Le palais possède une superbe cour et, au rez-de-chaussée, des fresques de grande valeur.

L'étage noble abrite le **Musée archéologique national** (*✆ 66 299 ; ouvert de 9 h à 14 h et de 9 h à 18 h entre mai et septembre ; fermé le lundi).* Ce musée conserve des pièces provenant des nécropoles de Spina, de la période du VIe au IIIe siècle av. J.- C.

Palazzo dei Diamanti et Pinacothèque nationale. Corso Ercole I d'Este. Ce palais est appelé ainsi à cause des 1 200 bossages de marbre en pointes de diamant qui ornent sa façade. Il fut commencé en 1492 et achevé pendant la seconde moitié du XVIe siècle. Il fut restauré après avoir subi des destructions importantes lors de la Deuxième Guerre mondiale.

C'est le siège de la **Pinacothèque nationale** (*ouverte de 9 h à 14 h et de 9 h à 13 h le dimanche ; fermée le lundi).* Y sont conservés des tableaux de la peinture ferraraise du XIVe et du XVe siècle. On pourra y admirer, entre autres, un Christ de Mantegna, des œuvres de Benvenuto Tisi, dit *Il Garofalo*, célèbre peintre de Ferrara, un *Transito della Vergine* de Carpaccio. Au rez-de-chaussée se tient la Galleria d'Arte Moderna, qui présente régulièrement d'intéressantes expositions temporaires, tandis que sous les arcades de la pinacothèque se trouve la *Statua degli Archeologi* de Giorgio de Chirico.

Balade

Dans ses recoins, Ferrara offre au visiteur curieux qui la découvre de surprenantes révélations. De la Via delle Volte, au sud de la cathédrale, qui nous replonge instantanément dans une époque médiévale, au Corso della Giovecca, en faisant un détour par la Via Savonarola, écarquillez bien vos yeux, des surprises vous attendent...

SHOPPING

Les banquets des Estensi jouissaient d'une grande renommée en Italie et à l'étranger. On raconte que le cardinal Ippolito d'Este, le grand protecteur d'Arioste, y est mort d'indigestion après un repas pantagruélique. Un des sommets de la gastronomie ferraraise est la *salama da sugo*, que l'on peut acheter chez **Valerio Roncarati** dans la Via Fabbri, au numéro 76 (✆ 76 39 17). Une autre bonne adresse pour de la charcuterie d'origine contrôlée est la **Goloseria**, Via Garibaldi, 29 (✆ 20 66 36). Le gâteau ferrarais le plus connu est le «pampepato», que l'on mange pendant les fêtes de Noël. Bas, rond et de couleur sombre, c'est un mélange de farine, d'amandes, de cacao et de fruits confits, recouvert de chocolat fondant. Il eut son moment de gloire quand, en 1953, on vit Staline en manger. On le trouve au **Caffè Europa**, sur le Corso Giovecca, ou au **Bar Nazionale**, sur le Corso Martiri della Libertà. Les cappellacci faits à la main peuvent s'acheter chez **Nugnes**, sur le Corso Isonzo I (✆ 20 33 11 ; *fermé le lundi et le dimanche après-midi*), ou chez **Toselli**, dans la Via Bologna, au numéro 179 (✆ 90 37 76 ; *fermé le lundi*).

Si l'on veut acheter d'authentiques produits de l'artisanat local, il faut aller faire un tour à la boutique de **Stefano Bottoni** (Via Montebello, 34/a ✆ 21 376). L'atelier, ouvert en 1894 par le grand-père de **Stefano**, produit des objets rares, d'une grande finesse d'exécution, et réalisés à partir du fer, du cuivre et du laiton.

Ferrara - Castello Estense

DANS LES ENVIRONS

Argenta

Indicatif téléphonique : 0532.

On y arrive en suivant la nationale 16, l'Adriatique (sortie à Portomaggiore). Situé à 34 kilomètres de Ferrara, Argenta présente un croisement réussi entre l'art, le milieu naturel et la gastronomie. La cuisine locale puise son inspiration dans les ressources du terroir, telles que les grenouilles de la vallée, frites ou en bouillon, les anguilles, le poisson-chat accompagné de polenta et les tortellini à la courge.

A Argenta même, on peut visiter la Chiesa di S. Domenico, où est installée la pinacothèque communale. Cette église est un magnifique exemple de l'architecture du XVe siècle, avec, à l'intérieur, une *Madonna in trono* de Garofalo (de 1513) ainsi qu'un polyptyque d'Antonio Aleotti datant de 1496. D'autres témoignages de l'art d'Argenta sont visibles sur la façade de S. Croce, dans la Via Aleotti. Sur le parvis de l'église collégiale de S. Nicolo se dresse le monument dédié à Don Minzoni. Enfin, le monument le plus cher à la tradition d'Argenta est le temple de la Celletta, situé au bord du fleuve Pô et construit en 1607.

Oasi di campotto

A la portée de toutes les jambes, les parcours naturalistes du Parco Oasi delle valli di Argenta e Marmorta permettent de faire d'intéressantes découvertes écologiques. Quelques enjambées supplémentaires vous amènent à la péninsule voisine de Boscoforte où nidifient de nombreuses espèces rares. Le long de la Via Cardinala, peu avant d'arriver à Campotto, on verra le **Casino di Campotto**, une construction de la fin du XVIIIe siècle qui abrite le **Centre de documentation historico-naturaliste** (© 80 80 58). Si l'on veut effectuer une visite guidée à la réserve (Oasi) de Campotto, il faut penser à réserver quelques jours à l'avance au Centre de documentation ou au **syndicat d'initiative** (Pro Loco) (© 80 43 26 ; *seulement en période d'été*). Dans tous les cas, on peut accéder seul ou en groupe, et pendant toute l'année, à une partie importante de la réserve.

Celle-ci compte 1 600 hectares, et offre au visiteur le spectacle d'une nature foisonnante, pleine de vie, attirante et fascinante. Trouvent ici refuge des animaux avicoles (belettes, renards, blaireaux, lièvres), des oiseaux aquatiques de différentes espèces (anatidés, rallidés, ardéidés), ainsi que des rapaces diurnes et nocturnes. Parmi les roseaux de la cannaie poussent de nombreuses plantes aquatiques et, entre autres, des nénuphars.

Réserve de Boscoforte

En suivant les panneaux indicateurs pour Comacchio, on arrive à une déviation (à droite) qui, par la Via Rotta delle Martinelle, mène au bord du fleuve, le Reno, où commence la réserve de Boscoforte.

Elle compte 500 hectares de dunes de sable, entrecoupés de bassins d'eau douce et de petites mares d'eau saumâtre où vivent des espèces comme la tadorne, la sterne (ou hirondelle de mer), la mouette rouge, le héron, le *mignattino piombato* et la loutre.

La visite serait incomplète sans un saut à l'atelier d'Aldo Bergamini (Via Amendola, 39, à S. Biagio di Argenta © 05 32/80 90 29). Le père d'Aldo commença, il y a 50 ans, à fabriquer les «richiami» (appeaux), des oiseaux faits avec de la «tipha» (un roseau sauvage qui pousse dans les vallées d'Argenta), du jonc et d'autres herbes aquatiques. Le fils Aldo perpétue la tradition paternelle, mais comme on ne chasse plus depuis que la zone est protégée, ses richiami sont devenus purs objets de décoration. Les prix vont de 10 000 à 50 000 L.

On peut visiter la réserve en prenant contact avec la Ligue italienne pour la protection des oiseaux, la LIPU, dont le siège central est à Parme (© 05 21/33 414).

En septembre, fête gastronomique Sapere e Sapori (savoir et saveurs), avec un menu à base de poire Williams.

Le delta du Pô

A la limite de la province ferraraise (à 60 kilomètres de Ferrara), entre l'embouchure du Pô et la ville de Ravenne. C'est une grande étendue de terres humides, faite de dunes, de buissons et de forêt méditerranéenne.

En partant du nord, on arrive au Boscone della Mesola, qui fut d'abord la propriété des Estensi, puis celle du pape. Le terrain est couvert de dunes et de chênes verts.

Les visites y sont autorisées seulement le samedi et le dimanche, de 8 h à une heure après le coucher de soleil. On peut aussi y accéder par canot. **Informations** : © 05 33/99 98 17.

Pour obtenir des programmes détaillés sur les excursions, téléphonez aux gardes forestiers de **Bosco Mesola** (✆ 05 33/99 40 38). Avec de bonnes jumelles, on pourra observer des cerfs, des daims et de nombreux oiseaux sauvages.

Plus au sud, l'abbaye bénédictine de Pomposa (IXe siècle) se dresse au-dessus des vallées asséchées. La vallée de l'embouchure du Volano, située à quelques kilomètres, est un milieu naturel vraiment enchanteur. La petite réserve gérée par le Fondo Ambiente Italiano (siège à Milan ✆ 02/46 93 413) abrite dans ses roseaux des oiseaux rares. Les autorisations pour la visiter doivent être demandées à la société **Bonifiche Terreni** (Viale Cavour, 86, à Ferrara ✆ 05 32/34 244). Le panorama que l'on découvre à partir des abris d'où l'on observe les oiseaux est constitué des vallées de Comacchio, une des régions marécageuses les plus importantes d'Europe.

COMACCHIO

Pratique

Indicatif téléphonique : 0533.

Comacchio est au cœur du delta méridional du Pô ; c'est, depuis des temps immémoriaux, une ville d'eau, un lieu charnière entre la terre et la mer. Son admirable centre historique fut entièrement refait après le XVIe siècle. La ville avait été détruite par Venise, qui voyait dans les riches commerçants de Comacchio et dans sa flotte une véritable épine plantée dans son flanc.

Points d'intérêt

Comacchio exporte **les anguilles** : une fois marinées et mises en boîte, elles s'envolent pour le nord de l'Europe. Sur place, en revanche, on les consomme fraîches, préparées en filets et cuites sur la braise. Les grandes lagunes saumâtres (plus de 10 000 hectares) sont riches en poissons et en oiseaux. On peut accomplir un parcours d'intérêt à la fois historique et écologique en allant à pied ou en barque dans ce que l'on appelle le Museo delle Valli. C'est un ensemble de mamelons, de canaux, de végétation, d'oiseaux, avec des petites constructions pour la pêche, remises à neuf. En arrivant en autobus ou en voiture, on se garera sur le parking situé à côté de la première étape du parcours : la Casa di vigilanza Foce. A l'intérieur, on trouvera une exposition historico-naturaliste, l'observatoire ainsi que le Centre d'information culturelle et touristique. On va jusqu'à l'embarcadère à pied, pour ensuite visiter en barque les *casoni* (maisons typiques) et les étangs. Dans quelques casoni on travaille encore le roseau.

Informations : Si. Val. Co. Via Mazzini, 200 ✆ 81 159.

On ne peut pas aller à Comacchio sans rendre visite à l'atelier de **Pietro Mangherini**, dans la Via Filippo Carli, au numéro 29. Depuis plus de 15 ans, cet artisan construit des barques en faisant le gros du travail à la main. Les plus vendues sont celles qui servent à la navigation dans les lagunes ; on les appelle des «mamalucco» et elles sont longues de 5 mètres. Elles coûtent moins d'un million de lires.

Le 7 juin se déroule la fête traditionnelle de la Madonna del Mare. En août, c'est un déferlement de *sagra* (fête votive). Du 10 au 13, c'est la Sagra di San Cassiano, dans le centre historique. Le 14, la Festa dell'ospitalità à Porto Garibaldi, sans oublier la fête du 15 août, sur le lac.

LA MER DES ESTENSI

Quand on parle de la côte adriatique, on pense tout naturellement aux plages-spectacles de Rimini-Riccione. Ce n'est pas lui faire justice, car le littoral ferrarais, avec ses sept «lido» (lido della Spina, lido degli Estensi, Porto Garibaldi, lido degli Scacchi, lido di Pomposa, lido delle Nazioni et lido di Volano), offre de nombreuses possibilités à ceux qui désirent passer des vacances reposantes dans un lieu naturel insolite. Ils y découvriront de multiples curiosités archéologiques (les vestiges de la ville étrusque de Spina sont à 5 kilomètres de Comacchio) ainsi que des itinéraires propices aux randonnées naturalistes dans les lagunes entre les embouchures du Pô et du Reno. Ce littoral est un paradis pour les pêcheurs. On y organise régulièrement des sorties de pêche au thon et au maquereau.

LE LITTORAL

➥ DE RAVENNE A RIMINI

RAVENNE

«Ravenne, nuit glauque rutilante d'or... naufragée du bout du monde», écrivait le poète D'Annunzio en racontant la décadence de cette ville surgie sur la lagune adriatique. A l'époque romaine, voulant exploiter une situation géographique idéale pour les échanges commerciaux, avec ses voies fluviales et lagunaires pénétrant à l'intérieur des terres, Auguste fit construire le port de Classe, aujourd'hui ensablé, où il fit équiper une flotte. L'empereur Claude l'entoura de murailles, tandis qu'en 402 Honorius déplaça le siège impérial de Milan à Ravenne. Ici commença sa période de gloire : de 493 à 526, la ville accueillit la cour de Théodoric, roi des Goths.
Un véritable quartier goth vit le jour dans la partie est de la ville. Le palais impérial fut embelli et devint le siège du roi. Ravenne resplendit d'art et de culture. Le christianisme aryen des Goths insuffla à la création artistique une extraordinaire vitalité.

Ravenne atteignit son apogée sous Justinien, qui, vers la moitié du VIe siècle, l'élut capitale de l'Italie byzantine. C'est à ce moment qu'apparut le chef-d'œuvre architectural de San Vitale ainsi que le meilleur de l'art byzantin (surtout à caractère religieux).

De cet univers, il reste aujourd'hui de magnifiques églises, dont la basilique Sant'Apollinaire Nuovo, et, à l'extérieur des murailles, le stupéfiant mausolée royal. Restent aussi les marbres et les statues échappés aux razzias de Charlemagne, qui fit transférer au musée d'Aquisgrana d'innombrables objets d'époque romaine et paléochrétienne.

Mais Ravenne n'est pas seulement un grand musée byzantin. C'est aussi une ville qui a mille trésors cachés dans ce que le poète Diego Valeri, au début du siècle, appelait «ces chères rues lentes et tordues comme ensommeillées» et qui, somme toute, ont très peu changé. De petites cours, des cloîtres et des jardins se cachent dans les mille recoins de cette ville, née, comme Venise, sur une île, mais qui, contrairement à la ville lagunaire, a toujours lutté pour rejoindre la terre ferme. Elle se trouve aujourd'hui entre deux eaux, à quelques kilomètres de l'Adriatique.

TRANSPORTS

Gare. Piazza Farini © 21 78 84.

Bus. Terminal à la gare ferroviaire. Bus régionaux ATR et bus municipaux ATM. *Bureau ouvert du lundi au samedi de 6 h 30 à 20 h 30 et le dimanche de 7 h à 20 h 30.*

PRATIQUE

Indicatif téléphonique : 0544.

Office du tourisme Via Salara, 8 © 35 444. *Ouvert tous les jours de 8 h 30 à 19 h.*

Consulat de France Via Giachino Rasponi © 29 21 26 00.

Poste Piazza Garibaldi, 1. *Ouverte du lundi au vendredi de 8 h 15 à 18 h et le samedi de 8 h 15 à 13 h 30.*

Banques

Elles sont regroupées Via Diaz.

Téléphones publics

SIP. Via Rasponi, 22. *Ouvert tous les jours de 8 h 30 à 21 h 30.*

Albergo Diana. Via Rossi, 4. *De 20 h à 8 h du matin.*

HEBERGEMENT

Hôtels

Ostello per le Gioventu Dante. Via Aurelio Nicolodi, 12, Ravenne ✆-Fax 42 11 64. *140 lits à 22 000 L, petit-déjeuner inclus. Ouvert du premier avril au 31 octobre de 7 h à 10 h et de 15 h 30 à 23 h 30.* Restaurant, parking. A 1 km de la gare de Ravenna, dans le quartier de Trieste. Bus n° 1 et 11 à 200 m.

Hôtel Centrale Byron. Via IV Novembre, 14, Ravenne ✆ 21 22 25 - Fax 34 114. *95 000/120 000 L.* 54 chambres avec téléphone, télévision, climatisation, réfrigérateur. Interdit aux animaux. American Express, Visa, Diner's Club. Mélange d'élégance et de confort moderne.

Hôtel Diana. Via G Rossi, 47, Ravenne ✆ 39 164 - Fax 30 001. *140 000/180 000 L.* 33 chambres avec téléphone, télévision, climatisation, réfrigérateur. Accès handicapés, garages, parc. American Express, Visa, Diner's Club. Central et agréable, d'autant qu'il a été récemment rénové.

Hôtel Italia. Viale Pallavicini, 4/6, Ravenne ✆ 21 23 63 - Fax 21 70 04. *150 000/200 000 L.* 42 chambres avec téléphone, télévision, climatisation. Parking. American Express, Visa, Diner's Club. Pour profiter de la ville en toute tranquillité.

Hôtel Bisanzio. Via Salara, 30, Ravenne ✆ 21 71 11 - Fax 32 359. *145 000/220 000 L. Fermé en janvier.* 38 chambres avec téléphone, télévision, climatisation, réfrigérateur. Parc, garages. American Express, Visa, Diner's Club. Elégance et sobriété pour cet hôtel du centre de Ravenne qui possède un agréable jardin intérieur.

RESTAURANTS

Ristorante Pizzeria Guidarello. Via Gessi, 9, Ravenne ✆ 21 36 84. *20 000 L environ. Fermé le lundi.* La décoration laisse un peu à désirer, mais la cuisine est copieuse et bonne, à des prix relativement économiques. Près de la cathédrale.

Trattoria Al Gallo. Via Maggiore, 87, Ravenne ✆ 21 37 75. *50 000/65 000 L. Fermé le dimanche soir, le lundi, le mardi, à Noël et à Pâques. Réservation obligatoire.* 40/60 couverts. Jardin, climatisation. American Express, Visa, Diner's Club. On mange dans un beau jardin, sous une fraîche pergola. Cuisine romagnole typique avec spécialités végétariennes. Ne pas manquer les beignets au fromage fondu et les truffes.

Enoteca Ca'de Ven. Via Corrado Ricci, 24, Ravenne ✆ 30 163. *Fermé le lundi.* Installé dans une ancienne pharmacie dont on a conservé les hautes étagères en bois, cette Ca' de Ven, qui signifie en italien *casa del vino* (maison du vin), nous propose une exquise *piadana* accompagnée d'un verre de bon vin romagnole.

Restaurant Chilo. Via Maggiore, 62, Ravenne ✆ 36 206. *30 000/55 000 L. Fermé le jeudi. Réservation obligatoire.* 80/110 couverts. Jardin. American Express, Visa, Diner's Club. On y mange bien. Petite cour intérieure agréable pour dîner en été.

Restaurant Le Tre Spade. Via Faentina, 136, Ravenne ✆ 50 05 22 - Fax 50 08 20. *60 000/90 000 L. Fermé le dimanche soir, le lundi et en août. Réservation obligatoire.* 60/100 couverts. Parking, jardin, climatisation. American Express, Visa, Diner's Club. Un restaurant qui passe pour le meilleur de la ville. De temps en temps, on peut y voir un membre de la famille Ferruzzi ou le financier Raul Gardini. Les «tagliolini con rucola», une herbe aromatique un peu amère, et petits pois, ainsi que les tartelettes aux asperges sont un régal.

MANIFESTATIONS

Le troisième samedi et le troisième dimanche de chaque mois, entre la Piazza Garibaldi et la Via Gordini, se tient le marché aux antiquités.

Carnaval : il donne lieu à la représentation populaire de la Mariola, qui s'inspire de la Commedia dell' Arte et fut évoquée par Cervantès.

Juin-juillet : Ravenna Festival, dirigé par Riccardo Muti, avec la participation des musiciens italiens les plus importants. Pour connaître le programme, s'adresser à la Fondazione «Ravenna Manifestazioni» (Via Gordini, 27 ✆ 48 24 94). Ceux qui souhaiteraient organiser un séjour à l'occasion du festival, devront s'adresser à «Ravenna Marketing Turistico» (Via Corrado Ricci, 8 ✆ 39 585).

Juillet-août : Festival international de musique d'orgue dans la basilique S. Vitale. **Informations** : *Associazione Polifonica* (Via Guaccimanni, 11 ✆ 37 032).

Fin août : Festival Ravenna Jazz. **Informations** : théâtre Alighieri (Via Mariani, 2 ✆ 32 577).

Septembre : commémoration traditionnelle de la mort de Dante Alighieri, avec le don de l'huile des collines toscanes.

Octobre : Bourse mondiale du tourisme religieux.

POINTS D'INTERET

La Basilica di S. Vitale. Via San Vitale, 17 ✆ 34 424. *Ouverte de 8 h 30 à 18 h 30 et de 8 h 30 à 13 h 30 les dimanches et jours fériés.* Cette basilique à la forme octogonale fut érigée en 525 et consacrée en 547 sous l'empereur Justinien. C'est un exemple parfait de l'art paléochrétien. L'intérieur est d'une surprenante beauté grâce, en particulier, à des superbes mosaïques, dans un excellent état de conservation.

Mausoleo di Galla Placidia. C'est un genre de chapelle à croix latine que fit construire l'impératrice Théodora pour abriter son sépulcre. L'intérieur conserve de splendides mosaïques, les plus anciennes de Ravenne. Le mausolée doit son nom à l'impératrice Galla Placidia, fille de Théodose Ier, qui y fut enterré un certain temps.

Museo Nazionale ✆ 34 424. *Ouvert en été de 8 h 30 à 19 h 30 et de 8 h 30 à 13 h 30 les dimanches et jours fériés. Fermé le lundi.* Il est installé dans le vieux monastère bénédictin, à côté de la basilique San Vitale. Il conserve des pièces de l'époque romaine et paléochrétienne.

Baptistère néonien. Via Battistero. *Ouvert de 9 h à 18 h 30 et de 9 h à 12 h les dimanches et jours fériés.* Tout près de la cathédrale. Construit au Ve siècle, il conserve de belles mosaïques.

Museo Arcivescovile. Piazza Arcivescovado ✆ 33 696. *Ouvert de 9 h à 19 h et de 9 h à 12 h les dimanches et jours fériés.* Ce musée de l'Archevêché possède la célèbre Cattedra di Maximien (chaire de Maximien), œuvre d'artistes alexandrins du VIe siècle, ainsi qu'une des plus importantes sculptures sur ivoire de tous les temps.

Tombe de Dante Alighieri. Via Guido di Polenta. *Visites de 9 h à 19 h.* Le plus grand poète italien arriva à Ravenne en 1317 et y mourut en 1321. La structure actuelle remonte à 1780 ; elle abrite l'ancienne tombe sur laquelle Pietro Lombardo sculpta, en 1483, l'effigie du poète.

Pinacoteca comunale. Via di Roma, 13 ✆ 35 625. *Ouverte de 9 h à 11 h et de 14 h 30 à 17 h 30. Fermée le lundi.* La pinacothèque se trouve dans la Logetta Lombardesca, qui donne sur l'ancien monastère des Canonici Lateranensi. Elle conserve des peintures de l'école émilienne, toscane et vénète, du XIVe au XVIIe siècle. A voir, en particulier, une *Crucifixion* de Lorenzo Monaco et, parmi les sculptures, la fameuse statue funéraire de Guidarello Guidarelli, réalisée en 1525 par Tullio Lombardo.

Basilica Sant'Apollinare Nuovo. Via di Roma. *Ouverte de 8 h 30 à 18 h 30.* Par la beauté de ses mosaïques, cette église rivalise avec San Vitale. Elle fut construite au début du VIe siècle par l'empereur Théodoric. Les superbes mosaïques visibles sur la partie inférieure des nefs représentent une procession de martyrs allant à la rencontre de Jésus.

Baptistère des Ariens. Via Paolo Costa et Via Roma. *Ouvert de 8 h 30 à 12 h 30 et de 14 h 30 à 19 h. Seulement le matin les dimanches et jours fériés.* Ancien lieu de culte des Aryens (sorte de secte qui remettait en question la virginité de Marie), il fut, comme les autres, construit sous Théodoric au Ve siècle, comme les autres il est de forme octogonale et, comme les autres, il présente de belles mosaïques...

Mausoleo di Teodorico. Via delle Industrie. *Ouvert de 8 h 30 à 19 h 30.* En hiver, jusqu'à 18 h seulement. Isolé, se détachant sur un fond de cyprès, ce mausolée est à moins de deux kilomètres du centre, en sortant par la Porta Serrata. Il fut érigé à l'initiative du roi goth, et abrite sa sépulture. A l'intérieur, on verra une coupole taillée dans un seul bloc de calcaire.

Basilica di S. Apollinare in Classe. Route de Rimini à Classe (5 km de Ravenne) ✆ 52 70 04. *Ouverte de 8 h à 12 h et de 14 h à 18 h. En hiver, de 9 h à 12 h et de 14 h à 18 h (le gardien dort une heure de plus).* Située sur la route de Rimini, elle est l'unique vestige de la ville de Classe, l'ancien port de Ravenne. Cette basilique est superbe, et ce serait vraiment dommage de ne pas la visiter. A sa gauche, on verra la pinède qui inspira Dante et Byron.

Museo di Strumenti musicali meccanici (Instruments de musique mécaniques). Route Adriatique, 16, Savio. *Ouvert tous les jours à partir de 10 h.* Dans cet endroit fascinant sont rassemblés des orgues de Barbarie, des accordéons, des pianos mécaniques, des phonographes et d'autres pièces rarissimes des temps où la hi-fi n'était encore qu'un rêve.

SHOPPING

On peut commencer à flâner le long des étalages du marché couvert de la Via IV Novembre, en admirant cette construction Liberty pleine de charme.

Ravenne est connue pour la passion qu'ont ses habitants pour un vieux jeu chinois qu'ils pratiquent dans beaucoup de bars : le «mah-jong». Le seul à le vendre en Italie est Lodovico Valvassori, dans son magasin de la Via Matteucci, où l'on trouve aussi d'anciens jeux de l'oie.

Ravenne - Mosaïque à la basilique de San Vitale

DANS LES ENVIRONS

Forêt de Classe

D'après l'historien Suétone, la forêt immémoriale qui se trouve à l'ouest de Classe était si épaisse qu'un jour Jules César s'y perdit. Et Dante Alighieri, évoquant le Paradis terrestre, parle d'une «forêt divine, épaisse et vivante». Le bois d'alors était différent des pinèdes d'aujourd'hui, qui conservent pourtant un charme indéniable avec leurs pins aux silhouettes élégantes.

Fort de ces prestigieuses références, il ne vous reste plus qu'à louer une bicyclette pour parcourir les 5 ou 6 kilomètres qui séparent le centre de Ravenne des pinèdes de Classe, et aller ensuite dans les réserves de Punta Alberete et de Valle Mandriole, peuplées d'oiseaux migrateurs, fleuries d'orchidées, de chèvrefeuille et d'églantiers toujours verts.

La commune de Ravenne a mis au point des cartes détaillées avec toutes les caractéristiques de la région, ainsi qu'une riche nomenclature de la flore et de la faune locales. Informations :

Assessorato all'Ambiente. Via Ricci, 29 ✆ 48 24 08.

Centro Informazione di Ca' Vecchia. Via Fossatone ✆ 44 68 66.

Mirabilandia

Le plus grand parc d'attractions de la Romagne s'est ouvert à Savio, à dix minutes de Ravenne. Il s'appelle «Mirabilandia» et est littéralement plongé dans la verdure.

Dispersés sur une étendue de 400 000 mètres carrés, on trouvera quelques dizaines de bars, de restaurants, de fast-food et de discothèques, en plus de la «cité des jeux et des divertissements» qui possède le plus grand huit d'Europe, entièrement en bois. Ce parc est ouvert de 10 h du matin à minuit ; on termine la «journée» par un spectacle de lumières laser et de feux d'artifice. Un conseil : prenez le train jusqu'à Lido di Savio, où un bus navette assure le transport gratuit jusqu'à Mirabilandia.

LUGO DI ROMAGNA

Pratique

Indicatif téléphonique : 0545.

Situé à 25 kilomètres de Ravenne, c'est le lieu de naissance de Francesco Baracca, l'as de l'aviation italienne de la Première Guerre mondiale. A la Rocca (construction du XVIe siècle), actuellement siège de l'hôtel de ville, on peut visiter le salon baroque où sont exposés des souvenirs et des reliques de l'aviateur tombé sur le Montello en 1918. Lugo offre aussi une occasion de visiter (et, éventuellement, de faire quelques achats) l'Angelo vintage Palace (Corso Garibaldi, 59 ✆ 35 200), un palazzo de trois étages où se tient le centre mondial d'importation, de vente, de location et d'exposition du vêtement d'occasion. Au rez-de-chaussée : des jeans américains d'importation directe ainsi que des articles destinés principalement à un public jeune. Au premier étage : une salle au charme rétro où l'on vend des vêtements des années 20, 30 et 40. Les connaisseurs trouveront ici les mythiques jeans «Levi's 501». Au second étage sont rassemblés plus de 6 000 couvre-chefs, lesquels, avec des milliers d'accessoires divers, constituent un véritable musée du look.

Le deuxième dimanche du mois (sauf en juillet, août et septembre), rendez-vous à la Loggia del Paviglione, où se tient un marché très vivant d'objets modernes plus ou moins curieux.

FAENZA

Pratique

Indicatif téléphonique : 0546.

Office du tourisme. Piazza del Popolo, 1 ✆ 25 231 - Fax 25 231.

Située à 31 kilomètres de Ravenne, Faenza est la patrie de la céramique, dont on regroupe les différentes variétés sous le terme de «maiolica» : cet art a rendu Faenza fameuse depuis des siècles, à tel point qu'en français maiolica se traduit par faïence.

Museo delle Ceramiche. Via Campidoro, 2, à l'angle de la Via Baccarini. *Ouvert de 9 h 30 à 18 h en été, de 9 h 30 à 13 h et de 14 h 30 à 17 h 30 en hiver. Fermé le lundi.* Il expose des céramiques de toutes les époques et de tous les pays. Depuis les faïences de la Renaissance italienne jusqu'aux céramiques précolombiennes, certaines remontant à la préhistoire et d'autres récentes, œuvres de Chagall, Léger, Matisse, Picasso et Rouault.

De juin à septembre, se déroule au Palais des Expositions, un salon international de la céramique d'art. **Informations** : Ente Ceramica Faenza, Via Risorgimento, 3 ✆ 62 11 11.

Fêtes et manifestations

Le troisième samedi de juin : le Torneo degli Glandieratori, disputé par les cinq quartiers de la ville.

Le troisième dimanche de juin : le Giuramento dei Cavalieri.

Le quatrième dimanche de juin : le Palio del Niballo. Le spectacle commence dans la soirée. Les participants des différents quartiers, en costumes de cavaliers du Moyen Age, se mesurent dans un jeu d'adresse consistant à toucher avec une lance un petit disque fixé sur le bras d'un pantin maure, appelé Niballo. Informations au Comitato del Palio del Niballo, Corso Garibaldi, 2 ✆ 66 34 45.

Au début du mois de janvier a lieu, Piazza del Popolo, la célèbre sagra, la Notte de Biso, une manifestation populaire avec dégustation de vin cuit et des spécialités gastronomiques. A minuit, on sacrifie le Niballo dans les flammes du bûcher. La fête s'achève sur ce geste symbolique, destiné à porter chance pour la nouvelle année à toutes les personnes présentes.

RIMINI

L'image la plus répandue de ce coin de l'Adriatique est celle d'un gigantesque supermarché de vacances. Elle ne tient pas compte de la réalité historique d'une ville dont les origines remontent à l'Antiquité. La naissance de Rimini date de 268 av. J.-C., quand les Romains décidèrent d'implanter là une colonie afin de contrôler la plaine du Pô. Ce rôle de «gardien» s'accrût avec le temps, comme le montrent les grandes réalisations d'édifices publics de l'époque d'Auguste. Le témoignage le plus important de cette période est l'arc érigé en 27 av. J.-C. en l'honneur de l'empereur.

Rimini ne retrouva un faste semblable qu'au moment de la Renaissance, sous la seigneurie de Sigismondo Malatesta. De grands artistes se mirent au service de ce prince : il y eut Filippo Brunelleschi, Piero Della Francesca, Agostino di Duccio et Leon Battista Alberti. Les monuments les plus représentatifs de cette époque sont le château Sigismondo et le temple Malatestiano. A présent, la renommée de Rimini est liée au phénomène touristique qui en a fait la plage la plus fréquentée d'Italie. Pourtant, c'est un processus qui a des origines lointaines car ce fut le comte Ruggero Baldini qui fit construire, en 1843, le premier établissement balnéaire. Vingt ans plus tard apparurent les premières villas aristocratiques et le majestueux hôtel Kursaal de style néoclassique. Enfin, en 1912, un plan de programmation minutieux fixa le destin des 12 kilomètres de littoral allant de Rimini à Riccione. Ce fut la consécration de Rimini en tant que ville de loisirs.

■ TRANSPORTS

Gare. Piazzale C. Battisti, Via Dante ✆ 53 512.

Bus TRAM. Viale Roma ✆ 24 547 - Fax 39 08 26. Bus interurbains.

Aéroport Miramare Civil Airport. Via Flaminia ✆ 71 57 11.

Location de voitures

Hertz. Viale Triste, 16/a ✆ 53 110.

■ PRATIQUE

Indicatif téléphonique : 0541.

Office du tourisme Piazza Malatesta, 28 ✆ 71 63 71. *Ouvert tous les jours de 8 h à 20 h.*
P. le Fellini, 3 ✆ 56 90 02. *Ouvert tous les jours de 8 h à 20 h, l'hiver de 8 h à 14 h.*

Consulat de France Via Nuova Circonvallazione Nord, 232 ✆ 74 01 05.

Poste Corso Augusto, 8 © 78 16 73. Ouverte du lundi au vendredi de 8 h 10 à 17 h 30, le samedi de 8 h 10 à 13 h.

Telecom Piazza Ferrari, 22. Ouvert tous les jours de 8 h à 22 h.

HEBERGEMENT

L'infrastructure hôtelière de Rimini est diversifiée et pour toutes les bourses : de 20 000 L pour un petit hôtel sans prétention à 900 000 L pour une suite dans le Grand Hôtel de la Piazzale Indipendenza. N'hésitez pas à vous renseigner auprès de l'APT, qui vous orientera suivant vos besoins.

Hôtel Nancy. Via Leopardi, 11, Rimini © 38 17 31 - Fax 38 73 74. *135 000 L. Ouvert de Pâques à la mi-septembre.* 32 chambres avec téléphone, télévision. Parking. Interdit aux animaux de grosse taille. American Express, Visa, Diner's Club. Relativement calme, non loin de la mer.

Hôtel della Porta.Via Costa, 85, à Santarcangelo (à l'ouest de Rimini) © 62 21 52 - Fax 62 21 68. *120 000/160 000 L.* 15 chambres avec téléphone, télévision, climatisation, réfrigérateur. Parc, parking, garages, accès handicapés, salle de gym, sauna. Interdit aux gros animaux. American Express, Visa, Diner's Club. Hôtel très agréable à 15 km de Rimini.

Nous avons sélectionné dans votre guide l'hôtel **Della Porta**, à Santarcangelo di Romagna. Accueil digne d'un hôtel de luxe, très grande amabilité, chambre à la hauteur de l'accueil (réfrigérateur rempli de boissons, climatisation, serviettes de bain douillettes, luxueux nécessaire de toilette, hygiène irréprochable). Malheureusement cet hôtel n'a pas de restaurant, mais cela permet de connaître les adresses locales. Le prix était également correct. *Pierre Marcolini, Le Blanc-Mesnil*

Hôtel della Porta. Santarcangelo di Romagna © 62 21 52 - Fax 60 01 68. *140 000/200 000 L. Ouvert de Pâques à la mi-septembre.* 15 chambres avec téléphone, télévision. Parking. Interdit aux animaux. American Express, Visa, Diner's Club. Hôtel plutôt calme, à proximité de la mer.

Camping

Camping Italia International. Via Toscanelli, 112, Viserba di Rimini (1,5 km au nord de Rimini) © 73 28 82. Pour profiter du littoral en toute tranquillité.

Agriturismo Mulino di Culmolle. A Poggio alla Lastra, località Mulino di Culmolle, 50, Bagno di Romagna © 05 43/91 30 39. *Demi-pension 80 000 L, appartements 250 000 L/personne. Fermé de mars à octobre.* 50 kilomètres au sud-ouest de Rimini. Bâtisse rénovée, près du parc national de la forêt Casentinesi, qui ravira les amateurs de la montagne et de la pêche. Camping possible.

Agriturismo

Agriturismo Palazzo Marcosanti. A Sant'Andrea, Via Ripa Bianca, 13, Pòggio Berni © 05 41/62 95 22. *Chambres 195 000 L. Fermé de janvier à février et en novembre.* 15 kilomètres au sud-ouest de la côte (Rimini). Une immense forteresse avec une vue panoramique unique. Splendide région à découvrir à vélo.

Agriturismo Torre del Poggio. Via dei Poggi, 2064, Saludècio © 05 41/85 71 90. *Chambres 40 000 L, demi-pension 60 000 L. Fermé de mi-septembre à octobre.* 20 kilomètres au sud de la côte (Rimini). Maison moderne et accueillante, non loin de la plage. Salle de jeux pour les enfants, ping-pong, participation aux travaux agricoles.

RESTAURANTS

A Rimini, on mange et on boit à toute heure du jour et de la nuit. Entre bars, restaurants et pizzerias, la ville possède plus de 900 établissements. Les adresses qui suivent sont donc celles qui sortent de l'ordinaire.

Restaurant Lo Squero. Lungomare Tintori, 7, Rimini © 27 676. *75 000/105 000 L. Fermé le mardi en hiver et de novembre à la mi-janvier. Réservation obligatoire.* 100 couverts. American Express, Visa, Diner's Club. Sa terrasse, qui donne sur la mer, est extrêmement agréable. Le menu est à base de poisson. A signaler, l'excellent bar au romarin.

Europa Da Piero et Gilberto. Via Roma, 51, Rimini ✆ 28 761. *Environ 55 000/75 000 L. Fermé le dimanche. Réservation obligatoire.* 80 couverts. Climatisation. American Express, Visa, Diner's Club. Une cuisine à base de poisson, considérée comme la meilleure de la ville.

SORTIR

Trouver la bonne discothèque parmi la centaine que comptent Rimini et ses alentours n'est pas chose facile. Cependant, pour goûter au plus vite à l'atmosphère kitsch des nuits de Rimini, on peut faire une première tentative au **Paradiso** ou à la **Bandiera Gialla.** On y va en famille pour une évasion en douceur. On sortira des sentiers battus en allant à **Aquafan** (Via Pistoia, à Riccione ✆ 60 30 50), qui propose ses jeux aquatiques et une boîte ouverte jusqu'à l'aube. Deux discothèques de Rimini rappellent celles d'Ibiza : **Pacha,** aux allures orientales, et **Ku.**

Enfin, on peut également se détendre au Disco Doc et au Cocorico (à Riccione).

MANIFESTATIONS

Laisser derrière soi le Grand Hôtel puis, au bout du Viale Principe Eugenio, traverser la voie ferrée. Là est la ville antique, encore vivante et non entamée par l'argent du tourisme. Pris entre l'arc d'Auguste et le pont de Tibère, c'est le coin le plus vrai de la ville où, tous les deux ans, chaque premier week-end de septembre, se déroule la **Festa del Borgo**, une kermesse de deux jours avec des spectacles d'improvisation et des mazurkas. Le tout accompagné des piadine (pain azyme de la région) et de poisson frit.

Avril : Aquilonata sul Mare, sur la plage, devant le port.

Août-septembre : Sagra musicale malatestiana.

POINTS D'INTERET

Piazza Cavour. Le centre historique de la ville. On y voit la statue du pape Paul V et une fontaine du XVIe siècle, bordée par le Palazzo del Podestà, le Palazzo Comunale et le Palazzo dell'Arengo. Celui-ci date de 1204, et conserve dans son salon de l'étage supérieur une grande fresque du XIVe siècle représentant le Jugement dernier et une autre du XVIe figurant la Cène.

Piazza Tre Martiri. Elle occupe l'emplacement de l'ancien forum romain. Selon la légende, Jules César harangua ici ses soldats après avoir franchi le Rubicon en 49 av. J.- C. S'y trouvent aussi la Torre dell'Orologio et le petit temple de S. Antoine.

Tempio Malatestiano. Via IV Novembre ✆ 51 130. *Ouvert tous les jours de 7 h à 12 h et de 15 h à 19 h.* C'est un beau monument Renaissance, le plus important de la ville. Il date du XIIe siècle, mais fut rénové entre 1447 et 1460, selon la volonté de Sigismondo Malatesta, qui y est enterré (sa tombe est sur la droite). La façade est l'œuvre d'Alberti.

Arco di Augusto. Le plus ancien des arcs romains. Il fut construit en 27 av. J.- C. en l'honneur d'Auguste, qui avait relié la Via Flaminia et la Via Emilia.

Castel Sigismondo. Au bout de la Piazza Malatesta. Il fut réalisé en 1446, d'après les dessins de Sigismondo, qui profita des conseils de Brunelleschi. Il n'en subsiste que des vestiges restaurés.

Museo e Pinacoteca comunale. Via Gambalunga, 27 ✆ 70 43 25. *Ouvert du mardi au dimanche de 8 h 30 à 13 h et de 15 h 30 à 20 h 30. De septembre à juin, ouvert seulement le matin de 8 h à 13 h.* Le musée conserve des pièces archéologiques, des céramiques, des tapisseries et des médailles de la Renaissance. Quant à la pinacothèque, elle possède des œuvres d'artistes du XIVe siècle, dont une pietà de Giovanni Bellini et un retable de Ghirlandaio. Le musée et la pinacothèque sont installés dans la Biblioteca Civica.

Museo delle Arti Primitive (Arts primitifs). Palazzo della Podestà ✆ 23 922. *Ouvert du lundi au samedi de 8 h à 13 h et le vendredi et samedi de 16 h à 18 h.* Riche collection ethnographique, africaine, océanique et précolombienne, avec des sculptures, des masques, des fétiches et différents autres objets utilitaires ou culturels.

DANS LES ENVIRONS

San Marino

Office du tourisme. Contra Omagnano, 20 © 05 49 88 24 00.

Pour vous y rendre, n'oubliez pas d'emporter votre passeport ; le visa d'entrée coûte 2 000 L. Le logement y est particulièrement cher, tout comme les restaurants. Aussi vaut-il mieux n'y passer qu'une journée. Un service d'autobus quotidien assure la liaison entre la ville de l'Adriatique et le petit Etat distant de seulement 13 kilomètres. Accrochée sur les pentes du mont Titano, c'est la plus ancienne république d'Europe. Elle aurait été fondée en 301 par Marino, un tailleur de pierre de l'île dalmate de Rab, fuyant les persécutions de Dioclétien. L'indépendance de cette république minuscule (61 kilomètres carrés) fut reconnue par Napoléon, puis confirmée par le congrès de Vienne. Elle frappe sa monnaie, émet des timbres et décerne ses propres décorations. Son économie pleine de vitalité la fait surnommer la «Vaduz» romagnole. La Torre della Cesta, le Palazzo del Governo et la Chiesa di San Francesco sont les monuments les plus importants de la ville. C'est ici que se déroulent les défilés du 1er avril et du 1er octobre à l'issue desquels on nomme les capitaines régents. A San Marino, on peut acheter principalement des monnaies et des timbres. Les premières à l'atelier de Giuseppe Arzilli, une des gloires locales, et les seconds à **Filatelia e Numismatica**, dans la Contrada dei Magazzeni, 21.

A ne pas manquer, le Palio des arbalétriers du 3 septembre. Cette joute obéit à des règles fixées en 1537.

Cesena

Sur le chemin allant de Rimini à Forli, on pénètre dans la Romagne, où eurent lieu les carnages les plus sanglants entre guelfes et gibelins. Une halte à mi-chemin, à Cesena, permet de visiter la Bibliothèque Malatestiana. *Ouverte de 9 h à 13 h et de 15 h à 19 h ; de 15 h à 18 h le samedi, fermée le lundi matin.* Toujours à Cesena, le parc Malatesta, qui vient de rouvrir après une «restauration écologique» très soignée, invite aux promenades.

Forli

En arrivant, on se trouve accueilli par la Rocca di Ravaldino, forteresse dans laquelle Catherine Sforza résista pendant 25 jours à l'assaut de César Borgia. C'est aujourd'hui une prison dont on peut visiter une partie. A voir aussi la Basilica di S. Mercuriale du IXe siècle. Mais la visite la plus intéressante est celle du Musée ethnographique, qui expose des outils de travail artisanaux, des brouettes, charrettes et attelages servant aux travaux des champs ainsi qu'une maison rustique romagnole parfaitement reconstituée.

Si l'on aime le folklore, il convient de retenir deux dates : le 6 septembre, dans le centre historique de Terra del Sole (à quelques kilomètres de Forli, sur la route de Castrocaro), le Palio di Santa Reparata, une fête historique en costumes du XVIe siècle, avec des épreuves de tir à la corde et à l'arbalète entre les participants de différents bourgs. Du 12 au 14 septembre, à Forlimpopoli, à mi-chemin entre Forli et Cesena, se déroule Un Giorno nella Rocca (une journée dans la forteresse), défilé historique avec un palio, rappelant une ancienne fête populaire du XVIe siècle qui célébrait la victoire de Brunello Zampeschi, l'ancien seigneur de la ville.

Forêt de Campigna

Comunità Montana © 05 75/52 571.

Centre alpin de Forli © 05 43/98 00 74.

C'est un bout de l'Appenin romagnole, situé à environ 55 km de Forli (sur la nationale 310, après avoir traversé Meldole, Civitella di Romagna, Santa Sofia et Cornolio). Cette réserve de plus de 20 000 hectares, d'une grande richesse écologique, permet de faire des excursions pendant toute l'année. La plus facile est celle qui part du Comando delle Guardie Forestali (poste des gardes forestiers), de Campigna, en suivant un sentier battu jusqu'à la hauteur de Poggio Ballatoio. On prend ensuite un sentier sur la droite qui traverse un bois de sapins blancs. Après une demi-heure de marche, on arrive à Villaneta (888 mètres d'altitude) ; on traverse ensuite le torrent Abetio, pour arriver enfin à la Cresta di Poggio Ballatoio (à 907 mètres d'altitude) et au refuge du même nom. En s'y attardant un peu, on aura l'occasion d'observer la faune de la forêt et d'y dormir.

MODENE ET L'OUEST

MODENE

Il y a toujours eu une grande rivalité entre Modène et Bologne. Bien plus que les 39 kilomètres, c'est une brouille vieille de plusieurs siècles qui sépare ces deux villes. Cet antagonisme se nourrit d'épisodes aussi grotesques que celui de la Secchia Rapita (le seau enlevé). Dans une pièce (appelée la Ghirlandia) de la tour du Duomo est encore pendu au plafond un seau, que les Modénais victorieux arrachèrent aux Bolonais après la bataille de Zapolino, en 1325.

La ville est devenue aujourd'hui un grand centre industriel, avec des industries automobiles parmi les plus prestigieuses, comme Ferrari, Maserati, Lamborghini, De Tomaso. «Ce qui est fascinant», remarque Giorgio Fini, amateur éclairé des plaisirs de la table et propriétaire d'un des restaurants historiques de la ville, «c'est le retour de l'ancien». Ainsi, à côté de l'Académie militaire, une des institutions les plus traditionnelles d'Italie, des parcelles de champs cultivés donnent à la riche Modène une atmosphère de douceur et de tranquillité. Cette ville semble avoir toujours concilié le charme élégant et raffiné de la cour des Estensi et le péché de gourmandise, gras et délectable. Sans oublier les scandales «roses» qui, aux yeux de toute l'Italie, confèrent à Modène une réputation un peu sulfureuse.

TRANSPORTS

Gare. Piazza Dante Alighieri ✆ 21 82 26.

Bus ACTM. Via Fabriani ✆ 30 88 01.

PRATIQUE

Indicatif téléphonique : 059.

Office du tourisme

Piazza Grande, 17 ✆ 20 66 60 - Fax 20 66 59. *Ouvert de 10 h 30 à 12 h 30 et de 16 h à 9 h. Fermé le mercredi et le dimanche.*

Poste centrale Via Emilia, 86 ✆ 24 35 09. *Ouvert du lundi au samedi de 8 h 15 à 19 h 15.*

Telecom Via Università, 21. *Ouvert du lundi au vendredi de 8 h 30 à 12 h 30 et de 14 h 30 à 17 h 30.*

Banque Credito Italiano Via Emilia, 102 ✆ 41 21 11. Bureau de change.

HEBERGEMENT

Les hôtels de Modène sont à la fois chers et peu nombreux. Il vaut mieux dormir dans les villes voisines, comme Carpi, Spilimberto ou Mirandola.

Hôtel Roma. Via Farini, 44, Modène ✆ 22 22 18 - Fax 22 37 47. *100 000/135 000 L.* 53 chambres avec téléphone, télévision, réfrigérateur. Accès handicapés, garages. American Express, Visa, Diner's Club. Tout le confort dans un édifice d'époque.

Hôtel Eden. Via Emilia Ouest, 666, Modène ✆ 33 56 60 - Fax 82 01 08. *100 000/180 000 L.* 84 chambres avec téléphone, télévision, réfrigérateur. Accès handicapés, garages, parking, parc, climatisation. American Express, Visa, Diner's Club. Moderne et confortable, avec des chambres spacieuses.

Hôtel Canalgrande. Corso Canalgrande, 6, Modène ✆ 21 71 60 - Fax 22 16 74. *205 000/298 000 L.* 78 chambres avec téléphone, télévision, climatisation, réfrigérateur. Garages, restaurant (*35 000/45 000 L*). American Express, Visa, Diner's Club. En plein centre-ville, un hôtel à l'architecture néoclassique qui ne manque pas de charme, entouré d'un grand parc.

RESTAURANTS

Osteria Giusti. Vicolo Squallore, 46, Modène © 22 25 33. *50 000 L environ. Fermé les dimanche et lundi, et en août, novembre et décembre. Ouvert seulement à midi.* Cette trattoria, ouverte depuis près de trois siècles, est située au cœur de la ville. Aux murs, les jambons et les «culatelli» accueillent le client de façon prometteuse. On y sert des plats traditionnels de la région, comme le risotto aux haricots «borlotti», nos cocos roses, avec pommes de terre et saucisse, tortellini de chapon en bouillon, «luganeghe» au vinaigre balsamique.

Restaurant Bianca. Via Spaccini, 24, Modène © 31 15 24. *45 000/65 000 L. Fermé le samedi à midi, le dimanche, en août, à Noël et au Jour de l'an. Réservation obligatoire.* 80/100 couverts. Parking, climatisation, jardin. American Express, Visa, Diner's Club. Cuisine traditionnelle et copieuse dans un cadre rustique. L'été, on dîne sous la pergola.

Restaurant Borso d'Este. Piazza Roma, 5, Modène © 21 41 14. *Environ 65 000/85 000 L. Fermé le samedi, le dimanche à midi et en août. Réservation obligatoire.* 40 couverts. Climatisation. American Express, Visa, Diner's Club. Situé dans le centre-ville, cet élégant restaurant offre une cuisine très créative. Sont excellents : le filet au vinaigre balsamique, la selle de lapin au romarin, et la meringue viennoise avec du chocolat chaud et du coulis de fraise.

MANIFESTATIONS

Le 31 janvier : fête de S. Geminiano, patron de la ville, avec foire et corrida dans les rues du centre historique.

Le quatrième dimanche de chaque mois, sauf en juillet et septembre, foire aux antiquités sur la Piazza Grande.

POINTS D'INTERET

Le Duomo. *Ouvert de septembre à juin, de 7 h à 12 h 30, et en juillet-août de 6 h 30 à 12 h 30 et de 15 h 30 à 19 h.* C'est le principal monument de la ville. La pose de la première pierre remonte à 1099, mais il ne fut réellement achevé qu'en 1323. Sur ses côtés s'ouvrent la Porta dei Principi et la très riche Porta Regia, de style gothique, avec des bas-reliefs d'Agostino di Duccio. A côté se dresse la Ghirlandina, une tour du XIIIe siècle haute de 88 mètres, symbole de la ville (*ouverte de 10 h à 13 h et de 15 h à 19 h, sauf le samedi*).

Palazzo Ducale. L'ancien palais royal des Estensi fut construit vers 1629. Il est aujourd'hui le siège de l'Académie militaire.

Palazzo dei Musei. Ce palais, construit en 1753, abrite la galerie et la bibliothèque Estense. La galerie (*ouverte de 9 h à 19 h les mardis, vendredis et samedis ; de 9 h à 14 h les mercredis et jeudis ; de 9 h à 13 h le dimanche*) présente des œuvres de l'école émilienne et vénète du XIVe au XVIIe siècle. On pourra y admirer le *Saint Antoine de Padoue* de Cosmè Tura ainsi que des œuvres du Greco et de Vélasquez.

Quant à la **bibliothèque** (*ouverte du lundi au jeudi de 9 h à 19 h, le vendredi et le samedi de 9 h à 13 h 40*), elle contient des livres d'enluminures italiens, dont la fameuse Bible de Borso d'Este. Le palais abrite également le Musée archéologique.

DANS LES ENVIRONS

Nonantola

Sur la rive droite du Panaro. Ce village est célèbre par son abbaye, fondée, dit-on, en 751, par Anselme, duc du Frioul, qui avait abandonné la vie de cour pour se consacrer à la méditation. L'intérieur de l'abbaye laisse apercevoir des détails architecturaux inhabituels ainsi que deux chefs-d'œuvre oubliés : le polyptyque de Michele Lamberti et la sculpture sur marbre blanc de Giacomo Silla de Longhi.

Vignola

A moins de 7 kilomètres de Castelvetro se trouve la commune de Vignola, avec la très belle forteresse du XVe siècle, la Rocca Boncompagni. Entre le 11 et le 26 avril, s'y déroule la sagra (fête votive) des cerisiers en fleur, dont le défilé des chars floraux est le point culminant.

Pievepelago et le Lago Santo (lac Saint)

Lieu enchanteur situé aux confins de la Toscane, à 1 500 mètres d'altitude. Pour éviter tout problème, il serait bon de téléphoner au Rifugio Giovo (✆ 08 36 ; ouvert tous les jours), qui mettra une jeep à votre disposition pour vous conduire sur place. Le refuge Giovo vous offrira de confortables chambres, ce qui ne gâchera en rien cet endroit déjà extraordinaire.

PARME

Tite-Live signale que Parme naquit en 183 av. J.-C., le long de la Via Emilia. Elle connut, en tant que duché indépendant, trois siècles de splendeur avec les Farnese, les Bourbons et Marie-Louise de Habsbourg. Ils donnèrent à la ville une dimension européenne qu'elle garde encore de nos jours. Marcel Proust y a séjourné, voulant, disait-il, connaître cette ville après avoir lu *La Chartreuse de Parme* de Stendhal. Il suffit de parcourir une des rues qui partent de la place centrale, la Piazza Garibaldi, pour comprendre pourquoi Parme est une des villes italiennes où l'on vit le mieux. Un peu aristocratique, un peu révolutionnaire, Parme possède un charme qui lui est propre.

Une stèle est posée contre le mur du jardin San Paolo (Via Pietro Giordani), où se rencontrèrent pour la première fois Clélia Conti et Fabrice del Dongo. Elle commémore à la fois l'auteur de *La Chartreuse de Parme* et ses infortunés héros.

TRANSPORTS

Gare. Piazza delle Chiesa ✆ 77 11 18. *Consigne ouverte de 6 h 30 à 13 h 30 et de 14 h 30 à 20 h 30.* Bureau de change également.

Bus. Viale P. Toschi ✆ 21 41.

PRATIQUE

Indicatif téléphonique : 0521.

Office du tourisme.

Via Melloni, 5 ✆ 23 47 35. *Ouvert du lundi au vendredi de 9 h à 12 h 30 et de 15 h à 18 h. Fermé le samedi après-midi.*

Consulat de France. Via Carducci, 24 ✆ 20 63 68.

Poste centrale. Via G. Verdi, 25. *Ouverte du lundi au samedi de 8 h 15 à 18 h, et le samedi de 8 h 15 à 12 h 50.*

Téléphones publics SIP. Piazza Garibaldi. *Ouvert tous les jours de 7 h 30 à 24 h.*

Bureaux de change, Credito Romagnolo. Via Mazzini 8/a. *Ouvert du lundi au vendredi de 8 h 50 à 13 h 20 et de 15 h à 16 h 30, le samedi de 8 h 20 à 11 h 50.*

Index général à la fin de ce guide

HEBERGEMENT

Albergo Leon D'Oro. Viale Fratti, 4, Parme © 77 31 82. *60 000 L environ. Réservation obligatoire.* Restaurant (15 000 L ; fermé en août). Bon rapport qualité-prix.

Farnese International Hotel. Via Reggio, 51/a, Parme © 99 42 47 - Fax 99 23 17. *105 000/159 000 L.* 76 chambres tout confort. Accès handicapés, parking, vélos, restaurant, parc. Cartes bleues. Un hôtel moderne et bien équipé.

Hôtel Verdi. Viale Pasini, 18, Parme © 29 35 39 - Fax 29 35 59. *255 000/290 000 L.* 20 chambres avec téléphone, télévision, climatisation, réfrigérateur. Restaurant (*50 000/60 000 L*), parking. Interdit aux animaux. American Express, Visa, Diner's Club. Un hôtel agréable, au décor Liberty, non loin du palais ducal et de ses jardins.

Auberge de jeunesse Citadella. Parco Citadella, 5, Parme © 96 14 34. *50 lits à 20 000 L. Ouverte du 1er avril au 31 octobre, de 6 h 30 à 10 h et de 15 h 30 à 23 h 30.* Dans une forteresse du XVe siècle. Propre. A 1,5 km de la gare de Parme. Bus à 400 m.

Casa della Giovane. Via del Conservatorio, 11, Parme © 28 32 29/28 63 62. *30 000 L environ. Ferme à 22 h 30.* Réservé aux femmes. Bien tenu et relativement économique.

Agriturismo Ca'D'Ranier. Località Groppizioso, 21, Tizzano Val Parma © 05 21/86 03 04. *Chambres et pension 90 000 L. Fermé de mi-janvier à février.* 45 kilomètres de Parme. Agréable maison de campagne près du parc régional. On y profite des cours de poterie, d'équitation, des cueillettes dans les bois et des excursions.

RESTAURANTS

La Sorella Pachini. Strada Farini, 27, Parme © 23 35 38. *25 000 L environ.* A midi uniquement. Derrière la charcuterie se cache un très bon restaurant où l'on peut déjeuner.

Antica osteria Fontana. Via Farini, 22/a, Parme © 28 60 37. *Environ 30 000 L. Fermé le dimanche, le lundi, à midi et du 20 juillet au 20 août.* Sans doute, la plus ancienne de Parme, elle est fréquentée par les jeunes avocats de la ville. Le vin y est excellent. De très bons casse-croûte au fromage et au saucisson. Les autres plats varient suivant la saison.

Trattoria Dei Corrieri. Via Conservatorio, 1, Parme © 23 44 26. *Environ 35 000 L. Fermé le dimanche.* Dans le centre historique vit le jour au début du siècle. Les courriers s'y arrêtaient pour manger une soupe. Le cadre est sympathique et les prix raisonnables. En été, on s'assoit sous une pergola. Les «cheveux d'ange» en bouillon et les tortelli aux fines herbes sont les plats principaux.

Restaurant Il Cortile. Borgo Paglia, 3, Parme © 28 57 79. *30 000/50 000 L. Fermé le dimanche et le lundi à midi, et du 1er au 22 août. Réservation obligatoire.* 80 couverts. En été, sous une véranda, on déguste de la bonne cuisine accompagnée d'excellents vins sélectionnés.

Restaurant Gallo d'Oro. Borgo della Salina, 3, Parme © 20 88 46. *40 000 L. Fermé le dimanche.* On y sert un jambon de Parme excellent, fondant à souhait.

Restaurant L'Angiol d'Or. Viccolo Scutellari, 1, Parme © 28 26 32. *60 000/70 000 L. Fermé le dimanche, à Noël, les 14 et 15 août et du 10 au 20 janvier. Réservation obligatoire.* 50/70 couverts. Jardin, climatisation. American Express, Visa, Diner's Club. Une cuisine savoureuse dans une ambiance raffinée.

MANIFESTATIONS

Parme est aussi la ville des jouets et des bibelots de collection. Outre la grande exposition annuelle, **Marcante in Fiera**, ont lieu trois autres foires : **l'Isola del Tempo** (en automne), le Vetrine **Incantate** (avant Noël) et **Bagarre** (en juin). Des petits soldats aux vieux gramophones, des juke-box aux montres, des jouets en fer-blanc aux miniatures, on y trouve de tout.

POINTS D'INTERET

Duomo. C'est une des plus grandes réalisations d'art roman du XIIe siècle. Une admirable fresque de 1526, l'*Assunzione della Vergine* (Assomption de la Sainte Vierge) par Correggio, décore la coupole.

Baptistère. *Ouvert de 9 h à 12 h et de 15 h à 19 h.* Une construction romano-gothique de 1196. A l'intérieur, on pourra admirer 12 statues, œuvres d'Antelani.

Chiesa di S. Giovanni. Située derrière le Duomo, elle conserve d'importantes fresques de Correggio (XVIe siècle). Un monastère avec trois cloîtres jouxte cette église, derrière laquelle on trouvera la fameuse pharmacie évangéliste de San Giovanni, ouverte par les bénédictins en 1201. Elle ferma en 1881. Depuis, elle a été restaurée, et rouverte en 1951.

Palazzo Ducale. *Visites entre 8 h 30 et 12 h 30.* Il fut construit en 1564 par Ottavio Farnese. C'est aujourd'hui le siège de la gendarmerie.

Teatro Farnese. Erigé entre 1618 et 1619, c'est le prototype du théâtre baroque à l'italienne. Les peintures, les colonnes, les statues, tout y est en trompe l'œil. Presque entièrement détruit en 1944 par les bombardements, il est aujourd'hui restauré.

Museo Civico Glauco Lombardi. *Ouvert tous les jours, sauf le lundi et le dimanche après-midi, de 9 h 30 à 12 h 30 et de 16 h à 18 h (de 15 h à 17 h d'octobre à avril).* Le musée conserve d'importantes reliques de la période des Bourbons et de Marie-Louise de Habsbourg.

Galleria Nazionale. Palazzo della Pilotta. *Ouverte de 9 h à 14 h, fermée le lundi.* Elle rassemble des collections de peintures de Parme du XVe au XVIIIe siècle, avec des œuvres du Corrège et du Parmesan, mais également une ébauche de Léonard de Vinci et du Greco.

La Camera di San Paolo (chambre du Corrège). *Ouverte de 9 h à 13 h 30.* C'était la salle à manger de l'appartement de l'abbesse du couvent de Saint-Paul. Décorée par des fresques de Correggio.

Certosa di Parme (la chartreuse de Parme). *Visites de février à octobre, de 9 h à 12 h et de 15 h à 18 h. De novembre à janvier, de 9 h à 12 h et de 14 h à 16 h.* Cette chartreuse qui inspira Stendhal est à un peu moins de 4 kilomètres de Parme, sur la route de Colorno. Construite en 1265, elle est actuellement occupée par un centre carcéral de réinsertion. On peut la visiter en s'adressant directement à la Direction carcérale.

Shopping

La **Piazza Garibaldi** est au cœur du centre commerçant où brillent de tous leurs feux les vitrines des magasins les plus tentants.

DANS LES ENVIRONS

Piacenza

Indicatif téléphonique : 0523.

Office du tourisme. Piazzetta Mercatini, 7 ✆ 32 93 24. Ouvert de 9 h à 12 h 30 et de 16 h à 18 h 30, le jeudi de 9 h à 12 h 30.

«Il faudrait avoir le courage d'y arriver en barque, en remontant le Pô», écrit Enzo Biagi. On pourrait voir alors, dans la brume matinale, le petit ange du Duomo flotter en plein ciel. Ville agricole, Plaisance ne manque pas d'attraits de toutes sortes. Il y a la Piazza dei Cavalli, dominée par le Palazzo Comunale du XIIIe siècle, avec deux statues équestres des Farnese. Mais aussi le Palazzo Scotti da Sarnato, d'une architecture allègre du XVIIIe siècle, et des jardins intérieurs très bien conservés.

A l'atelier de Diego et Giorgio Gobbi, que l'on peut visiter au n°145 de la Via Mazzini, on pourra faire connaissance avec la facture des orgues d'église ou électroniques. Cependant, si l'on a l'esprit tourné vers la gastronomie, on s'y laissera tenter par de succulentes *pancette* et autres jambons fumés.

Enfin, on peut faire un repas un peu particulier, entre les murs d'un château, à Rivalta, à quelques kilomètres de Plaisance. Le restaurant est tenu par d'anciens bouchers qui connaissent leur métier. Les viandes et les charcuteries sont excellentes !

Manifestations les 4 et 5 juillet, pendant la fête de Sant'Antonino, le patron de la ville.

Bussetto

Indicatif téléphonique : 0524.

Contrairement au dicton qui veut que nul ne soit prophète en son pays, Verdi eut avec Bussetto, sa ville natale, située à 37 kilomètres de Parme, un rapport privilégié. Né en 1813, il y trouva à la fois son mécène, son protecteur et son futur beau-père en la personne d'Antonio Barezzi, un grossiste en alcools et en denrées coloniales, passionné de musique.

Quand Verdi partit s'inscrire au Conservatoire de Milan, et après qu'il fut recalé parce qu'il «n'avait pas les qualités suffisantes», ses amis de Bussetto le ramenèrent au pays et, de leurs propres deniers, lui payèrent des cours privés. Plus tard, quand ces mêmes amis apprirent que Verdi était sur le point d'accepter un poste d'organiste à Monza, ils le firent revenir quasiment de force.

Busseto est un véritable musée consacré à Verdi. Mais il ne faut pas oublier d'y goûter la *spongata*, le gâteau de fête traditionnel. La meilleure période pour se rendre à Busseto est le mois de juin, quand se déroule le concours international des voix verdiennes.

Points d'intérêt

Théâtre Verdi. Ouvert de 9 h 30 à 12 h et de 15 h à 17 h 30. Situé dans la Rocca (datant de 1250), il fut inauguré en 1868.

La villa Verdi. Résidence que le compositeur acheta à Sant'Agata (à 4 kilomètres de Busseto), religieusement maintenue en l'état. A voir absolument.

Castell' Arquato

Indicatif téléphonique : 0523.

A mi-chemin entre Parme et Piacenza. On parvient à ce petit village en quittant l'autoroute à la hauteur de Fiorenzuola. L'idéal est d'y arriver le 12 juillet, lorsque se tient sur la place le traditionnel repas médiéval. Conçue comme un camp militaire à l'époque romaine, Castell' Arquato est restée, pendant des siècles, une forteresse inexpugnable.

Un des passe-temps favoris des gens du coin est d'aller sur la grève du torrent Arda, à la recherche des fossiles. Ceux qui sont visibles au musée (© 05 23/80 38 22) sont stupéfiants : ce sont les restes de deux baleines, retrouvés près du village et qui remontent à trois millions d'années environ, quand la mer recouvrait toute la plaine du Pô.

A voir aussi, la très belle Rocca Viscontea. Cette forteresse, construite en 1343, prend une superbe couleur rouge lorsqu'elle est touchée par les rayons du soleil.

CHATEAUX

Les collines entre Parme et Reggio Emilia sont riches en châteaux, vestiges des petites principautés qui résistèrent jusqu'au XVIIIe siècle au démantèlement des grandes seigneuries.

Torrechiara

Indicatif téléphonique : 0521.

Un des plus beaux, de plus impressionnants exemples d'architecture, construit à la demande de Pier Maria Rossi pour Bianca Pellegrini, une noble dame milanaise pour laquelle ce grand seigneur perdit la tête. Le château, à 15 kilomètres de Parme, garde tout son éclat, avec ses tours angulaires et, surtout, sa Camera d'Oro (chambre d'or) aux murs recouverts de briquettes, autrefois dorées et peintes par Benedetto Bembo. Pour visiter la chambre, qui a vue sur une ravissante série de loggias dominant la vallée, il faut réserver en téléphonant au © 85 52 55.

A proximité du château, la Badia (© 85 51 58) est un monastère où les moines bénédictins produisent et vendent des baumes antirides.

Mamiano

Au retour, en direction de Parme, un détour vers Mamiano offre l'occasion de visiter la villa-musée qui conserve la collection de la fondation Magnani-Rocca. Ce musée, entouré d'un merveilleux parc, expose des tableaux de Dürer, Goya, Renoir et Cézanne.

Château de Montechiarugolo

Ouvert le samedi de 14 h à 16 h et le dimanche de 14 h à 18 h. Un peu plus loin, se trouve le majestueux château de Montechiarugolo. Erigé en 1225, il a surtout servi de forteresse militaire.

Château de Soragna

A quelques kilomètres de Busseto. Ouvert de 9 h à 12 h et de 14 h à 17 h, fermé du 30 novembre au 1er mars. L'histoire de ce château est liée à celle d'Isabelle Farnese, qui se fit nonne après avoir été victime d'un incendie qui la défigura. La forteresse, ou la Rocca, date de 1077 ; elle a été construite par l'empereur Henri IV. Le deuxième dimanche du mois de mai, il y a, à Soragna, une fête très curieuse : celle du nez le plus long !

REGGIO EMILIA

C'est une ville concrète, posée, qui n'a rien à voir avec le tourisme de masse des plages romagnoles ni avec le charme aristocratique de sa voisine Parme. Et, cependant, en se promenant vers la Piazza Prampolini, au cœur de la ville, on se rendra compte qu'à Reggio Emilia, la tranquillité provinciale voisine avec la plus grande élégance. Sous les arcades du Palazzo Comunale, une bannière tricolore proclame : «Qui dove nacque per sempre» (ici naquit à jamais). En effet, c'est ici que flotta pour la première fois, en 1797, l'étendard vert, blanc et rouge, devenu le drapeau national.

■ PRATIQUE

Indicatif téléphonique : 0522.

Office du tourisme. Palazzo Salvador Allende, Corso Garibaldi ✆ 59 45 91 50.

■ HEBERGEMENT

Hôtel Posta. Piazza C. Battisti, 4 ✆ 43 29 44. *180 000/240 000 L.* 43 chambres avec téléphone, télévision, climatisation, réfrigérateur. Garages. Interdit aux animaux. American Express, Visa, Diner's Club. Une bonne adresse au cœur de la ville, à condition d'aimer le style rococo...

■ MANIFESTATIONS

Septembre : à partir du 8, et pendant toute la semaine, se tient, devant l'église Madonna della Ghiara, une foire à l'artisanat.

Novembre : fête du patron de la ville, saint Prospero.

■ POINTS D'INTERET

Palazzo Comunale. Commencé en 1414, il a été remanié plusieurs fois. Il présente aujourd'hui un aspect XVIIIe siècle. A l'intérieur se trouve la Sala del Tricolore.

Duomo. Erigé au IXe siècle, il a été refait au XIIIe. On y verra plusieurs monuments funéraires réalisés par Benedetto et Prospero Spani ainsi qu'une *Assunzione dei Santi de Guercino.*

Eglise Madonna della Ghiara. Cette église sanctuaire est située en face du Palazzo Ducale, sur le Corso Garibaldi. L'intérieur, grandiose, en forme de croix grecque, est richement décoré de fresques de l'école bolonaise du XVIIe siècle. Avec, en particulier, sur l'autel, un *Cristo in Croce* (Christ en croix) de Guernico.

Teatro Municipale. Centre culturel et artistique de la ville, ce théâtre fut inauguré en 1847. Il accueille régulièrement des monstres sacrés de la danse. C'était le lieu de prédilection de Béjart lorsqu'il dirigeait la «Compagnie du XXe siècle».

Galleria Parmeggiani. Un étrange édifice de style médiéval, ancienne propriété d'un marchand d'art excentrique qui, au début du siècle, collectionna jusqu'à plus soif des objets anciens et des tableaux français. Mais la plupart d'entre eux sont des faux.

Musées

A côté de la Piazza Cavour, sont groupés au même endroit : le **Museo Spallanzani** d'histoire naturelle, le **Museo del Risorgimento e della Resistenza**, le **Museo Archeologico**, avec la collection Chierici portant sur la préhistoire de la région du Pô, et, enfin, la **galerie d'art Antonio Fontanesi.**

Le vinaigre au raisin blanc, ou vinaigre balsamique

De nombreuses informations circulent sur ce produit, très prisé des gourmets et dont le secret de fabrication se transmet de génération en génération. Le terme de «balsamique» associé au vinaigre apparaît pour la première fois en 1700, dans une région bien précise, comprise entre Modène et la limite de Reggio Emilia.

La production du vinaigre au raisin blanc obéit à une même technique de base : la lente fermentation acétique de moût de raisin, cuit à feu direct dans une cuve ouverte. Cependant, pour obtenir le vrai vinaigre balsamique, il faut plusieurs décennies, ou même un siècle et plus, suivant le nombre désiré de phases d'affinement et de vieillissement.

Le vinaigre balsamique obtenu avec le raisin de Modène et, en particulier, le Trebbiano, est d'un usage culinaire très varié mais on doit toujours tenir compte du fait que c'est un produit précieux : il est recommandé d'en user avec parcimonie (sur les salades, les viandes ou les gâteaux). Le sommet du raffinement est le dessert de fraises «au balsamique».

SHOPPING

Céramiques et terres cuites artistiques chez **Giovanni Solazzo** (Via Cantorana, 9), où l'on trouve des pièces uniques. Vases Liberty associés aux coiffeuses à la **Bottega di Dalila Davoli** (Via Montesermone, 3). Orgues mécaniques d'inspiration baroque, à l'atelier du facteur **Pier Paolo Bigi**, au numéro 21 de la Via dell' Oldo.

DANS LES ENVIRONS

Collines de Canossa

Pro Loco (syndicat d'initiative). Quattro Castella ✆ 05 22/88 64 13.

C'est à Canossa qu'en 1077 l'empereur Henri IV attendit pendant trois jours devant le château, dans le froid glacé du mois de janvier, le pardon du pape Grégoire VII. Les environs témoignent encore de la splendeur que fit régner ici la comtesse Mathilde, grande fervente de l'Eglise. De cette époque demeurent les beaux vestiges du château de Canossa (*ouvert tous les jours, sauf le lundi)*, la splendide forteresse de Rossena bien conservée (*privée mais ouverte au public*) ainsi que le château, lui aussi en bon état, dans le village de Quattro Castella. C'est ici que, le dernier dimanche de mai, se déroule chaque année le célèbre défilé en costumes d'époque retraçant le couronnement de Mathilde, vice-reine d'Italie.

Entre les bourgs de Montecavalo et Quattro Castella, un agréable détour œnologique passe par la **ferme de Venturini Baldini** (✆ 05 22/88 70 72) qui produit un lambrusco de grande qualité.

PETITES CAPITALES DE LA PLAINE

Dans l'enthousiasme créatif de la Renaissance, beaucoup de villes devinrent de véritables îlots de bonheur. On peut en faire un tour rapide en partant de Guastalla.

Guastalla

Première commune libre d'Emilie. Entre 1539 et 1746, elle fut le siège de la principauté des Gonzague, qui la restructurèrent selon la théorie de la «cité idéale». Le Palazzo Ducale commandé par Ferrante I, le Duomo, entièrement refait au XIXe siècle, les arcades de la Via Garibaldi et l'antique synagogue sont à découvrir. Par ailleurs, la digue sur le Pô, aménagée à la fin du XVIIe siècle, constitue une agréable promenade.

Gualtieri

Indicatif téléphonique : 0522.

A trois kilomètres de Guastalla se trouve Gualtieri qui, en 1567, devint la capitale du marquisat de Cornelio Bentivoglio. Les plans de la ville furent dessinés par le célèbre urbaniste Gianbattista Aleotta, dit l'Argenta, qui, inspiré par l'espace théâtral, fit ressembler la Piazza Bentivoglio à une grande scène. Sont à voir aussi, le volumineux Palazzo Bentivoglio en brique de terre cuite du XVIe siècle, avec ses salons décorés de fresques (le plus beau est le salon des géants, «sala dei giganti»), ainsi que la Torre Civica, donnant sur la Piazza Bentivoglio.

Corregio

Centre le plus important de la plaine et sa capitale jusqu'en 1630 sous les Correggio. Le Palazzo dei Principi (1507) abrite aujourd'hui le Museo Civico, qui expose un très beau Christ de Mantegna. On pourra également visiter la Basilica dei SS. Michele e Quirino, la Chiesa di S. Francesco (datant de 1470) ainsi que la maison du peintre Correggio, la grande gloire locale.

Reggio Emilia - Duomo

Bologne - Tour de Garisenda et des Arsinelli

FRIOUL-VENETIE JULIENNE

FRIOUL VENETIE JULIENNE

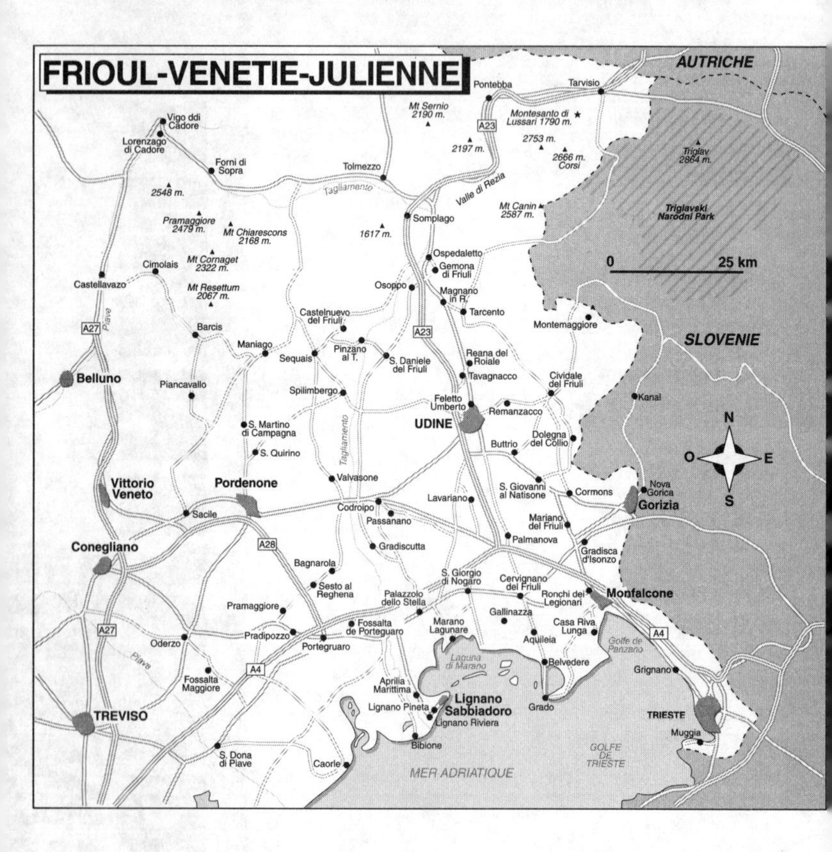

Région extrême, frontalière, le Frioul-Vénétie- Julienne est située dans la partie orientale de l'Italie, à la frontière de la Yougoslavie et de l'Autriche. Son territoire est de 7 845 km^2 et sa population compte environ 1 203 000 habitants. Elle est divisée en quatre provinces : Gorizia, Trieste, Pordenone et Udine ; elle est régie par un statut spécial d'autonomie. Trieste et Udine jouent à parts égales leurs rôles de *prima donna*, Trieste est le chef-lieu : charme slave et élégance autrichienne, tandis qu'Udine revendique sa propre langue, un passé personnel et des atours vénitiens que la première n'a pas. Udine est le cœur du Frioul, la «petite Patrie» qui, après la tragédie du tremblement de terre qui l'a secouée il y a seize ans, a su en peu de temps cicatriser ses blessures. On rattacha à cette partie historique du Frioul des bouts de la Vénétie-Julienne (Collio, Carso, Trieste et Gorizia), qui passa sous souveraineté italienne entre les deux guerres mondiales, pour être rétrocédée et, enfin, rachetée au terme du dernier conflit. Un entrelacs de faits, de gens et de migrations en tout genre a marqué, depuis la fin de la Préhistoire, le destin de cette région. Ici se sont succédé, à différentes époques, les Ventici, les Celtes, les Istri, les Romains, les Lombards, les Avari, les Slovènes, les chevaliers Teutoniques, les prélats byzantins, les patriciens vénitiens et les marchands du Danube.

Avec Gorizia, la «Nice autrichienne», autre ville importante de la région, les centres urbains font preuve d'un dynamisme nouveau, comme le montre en particulier l'important développement côtier que représente la multiplication des petites villes balnéaires. Cependant, la grâce de la région tient à l'atmosphère impalpable et immuable de sa campagne paisible : dans l'oasis naturaliste de la lagune de Marano, sur les hauts pâturages ponctués d'étables et de granges, sur les collines de morènes du Tagliamento. Les vignobles les plus recherchés d'Italie mûrissent sur les doux versants du Collio. De vastes étendues de maïs interrompues par d'interminables rangées de peupliers, d'où s'élancent les clochers des petites églises de campagne, dessinent le paysage calme et doux du «bas Frioul».

Des villes comme Aquileia et Cividale ont un patrimoine artistique à faire rêver. Le rempart des montagnes de la Carnia rappelle d'anciennes solitudes, ces grandes forêts où la Serenissima trouvait le meilleur bois pour ses bateaux. Le Frioul-Vénétie-Julienne se caractérise avant tout par une civilisation paysanne, même si la fièvre commerciale et des industries bien implantées n'y manquent pas. Certes, chaque noyau urbain est ici riche de trésors, d'événements historiques et de légendes, mais sans être en rupture avec le tissu de la civilisation rurale ; il s'y insère au contraire comme une pierre précieuse, et c'est ainsi que se forme, de la rencontre fantastique entre des châteaux, des forteresses, des tours, des murs crénelés, des bourgs fortifiés et du milieu naturel, l'étonnante harmonie d'une région à découvrir.

Circulation

L'axe principal est l'autoroute A4, qui relie les quatre chefs-lieux avec Venise et Padoue. Pour aller en Autriche, prendre la route Pontebbana n° 13 et la A23 après Palmanova, ou bien la route Carnica n° 52 bis qui mène au col du mont Croce Carnico. Pour passer en Yougoslavie, on peut prendre le Ferretti ou le Rabuiese (après Trieste) pour descendre en Istrie, ou encore la Casa Rossa et S. Andrea (à Gorizia) pour les autres destinations à l'intérieur du pays. Le réseau ferroviaire permet une communication régulière avec Venise, Milan ainsi qu'avec l'Autriche et la Yougoslavie. L'aéroport de Ronchidei Legionari, à mi-chemin entre Udine et Trieste, sert d'escale aux principaux vols italiens ainsi qu'aux liaisons en provenance de Monaco et de Budapest.

Gastronomie

Elle correspond à la réalité des différents milieux naturels qui composent la région : Udine et la Carnia sont de petits pays montagneux dont la cuisine populaire se compose de soupes d'orge, de haricots, de polenta et de fromage. La Carnia offre des *cialsone*, des gnocchi au beurre accompagnés de courgettes farcies. Plat typique, le frico aux pommes de terre est un plat consistant et très simple, capable de remplir l'estomac pour des heures entières. Sur la côte, les repas se composent essentiellement de poisson, soit dans des soupes savoureuses, soit doré sur le grill. Le tout accompagné de vins du Collio et des coteaux orientaux, dont les blancs figurent parmi les plus fameux d'Italie.

Udine - Piazza della Liberta

LE LITTORAL

TRIESTE

«Nous étions une petite darse de pêcheurs pirates et nous savions nous servir de Rome, de l'Autriche et résister et lutter... Le soleil est clair sur la mer et sur la ville. Sur le rivage, Trieste s'éveille pleine de roulis et de couleurs, tandis que nos vapeurs lèvent l'ancre vers Bombay et Salonique...», écrivait une des grandes figures de la littérature locale, le Triestin Scipio Slataper. Peu après lui, un autre poète illustre, Umberto Saba, déclarait, mais en vers cette foi : «Trieste a une grâce revêche / si elle plaît c'est comme un mauvais garçon âpre et vorace / aux yeux bleus et aux mains trop grandes / pour faire le don d'une fleur.» Point de rencontre d'ethnies diverses, Trieste ne se laisse pas décrypter en une seule et hâtive lecture. On pourra pourtant sentir le battement du cœur qui inspira Svevo, Saba et Joyce, et partir sur les traces de souvenirs perdus ou à demi effacés. Le visage de cette belle cité marine est changeant mais sera toujours celui de la ville aux mille esprits. En 1719, Charles VI de Habsbourg déclara «port franc» l'ensemble des 600 maisons qui s'adossaient à la colline San Giusto et à son église. Ce fut le début du développement et de la prospérité de Trieste, qui devint ainsi un passage obligé vers l'Europe centrale et le Moyen-Orient.

Si on vient par la route côtière, on verra deux châteaux, tels deux austères hérauts, se dresser peu avant l'entrée de la ville. Le château de Duino, qui inspira les élégies du même nom à Rainer Maria Rilke, a vu passer dans ses salons des musiciens comme Strauss et Liszt (son épinette se trouve encore dans le salon), des écrivains comme Mark Twain et des nobles comme Maximilien de Habsbourg. Ce fut aussi la dernière étape de l'archiduc Ferdinand d'Autriche, qui y séjourna juste avant de partir à Sarajevo, où il fut assassiné. La promenade dédiée à Rainer Maria Rilke serpente à pic au-dessus de la mer, de Sistania jusqu'aux confins du parc du château.

A présent, on y accueille des congrès de haut niveau, c'est donc dans ce cadre que l'on pourra loger. *Les visites ont lieu tous les jours de 9 h à 13 h et de 15 h à 19 h mais seulement par groupes de 20 à 25 personnes ; les visites individuelles (et guidées) se déroulent le lundi à 18 h et le samedi à 11 h.*

Le château de Miramar fut une résidence princière au XIXe siècle. Célébré par Carducci, il abrita Maximilien d'Autriche et sa femme Charlotte avant la fin dramatique qui les attendait : lui tué au Mexique par Benito Juárez et elle rendue folle par la douleur. Le revêtement en pierre claire à l'extérieur et l'ameublement sombre des intérieurs témoignent du goût éclectique qui était à la mode à la fin du XIXe siècle. Le château abrite le Museo Storico (*ouvert tous les jours de 14 h 30 à 18 h et de 9 h 30 à 12 h 30 les jours fériés*). Sur la bande de mer qui lui fait face, le WWF de Trieste a créé un parc marin dans lequel les activités balnéaires sont interdites. Le parc du château est, lui, habité en toute liberté par de nombreuses familles d'écureuils.

TRANSPORTS

Aéroport. Ronchi dei Legionari. Via Aquileia ✆ 77 32 24 / 77 32 25.

Gare centrale. Piazza della Libertà, 8 ✆ 41 26 95.

Bus ACT. Via d'Alviano, 15. Billets en vente chez les marchands de journaux, de tabac et dans les cafés voisins des arrêts de bus.

Bus extra-urbains. Gare routière. Piazza della Libertà, 11 ✆ 42 50 01. Lignes intérieures pour la Slovénie et la Croatie.

Tram. Trieste-Opicina. Départ de la Piazza Oberdan toutes les 22 minutes.

Radio-taxis (24 h/24) ✆ 30 77 30.

Bateaux

Adriatica di Navigazione. Agence Agemar ✆ 36 32 22 - Fax 36 37 37. Liaisons avec la Grèce, l'Albanie, la Slovénie et la Croatie.

Anek Lines ✆ 36 43 86. Liaisons avec la Grèce.

Capitainerie du port. Riva Tre Novembre, 13 ✆ 36 66 66.

Location de voitures

Avis. Piazza della Libertà c/o Silos ✆ 42 15 21. Aéroport ✆ 04 81 / 77 7 0 85.

Maggiore. Viale Miramare, 2. Gare centrale FS ✆ 42 13 23.

Hertz. Piazza della Libertà c/o Silos ✆ 42 21 22. Aéroport ✆ 04 81 / 77 7 0 25.

International Rent a Car. Riva Grumula, 6 ✆ 30 34 40 / 21 69 68.

Europ Car. Via Mazzini, 1 ✆ 36 79 44. Aéroport ✆ 04 81 / 77 89 20.

Parkings

Il Silos. Piazza della Libertà, 9 ✆ 44 924.

Il Giulia. Via Giulia, 75 / 3 ✆ 35 09 30.

Foro Ulpiano. Foro Ulpiano ✆ 36 22 62.

Central Park. Via Fabio Severo, 23 ✆ 77 17 19. Conti. Via Conti, 9 / 1 ✆ 63 26 88.

PRATIQUE

Indicatif téléphonique : 040.

Office du tourisme

Via San Nicolò, 20 ✆ 67 96 111 - Fax 67 96 299. Demandez la brochure «Triesti eventi Luglio-Agosto» (si vous êtes là en juillet-août).

Consulat de France. Piazza Unità d'Italia, 7.

Poste. Piazza Vittorio Veneto, 1 ✆ 36 82 24.

Police. ✆ 37 901.

Change

Banco d'America e d'Italia. Via Roma, 7.

Cambiavalute Ghega. Via Ghega, 8.

Centralcambio. Via Torrebianca, 19.

Assomar. Piazza della Libertà, 9.

Bernardi. Via Roma, 22.

HEBERGEMENT

Hôtel della Posta. Via Sistiana, 51 @ 29 91 03 -Fax 29 10 01. *110 000 / 155 000 L. Fermé de la mi-décembre à la mi-janvier et le samedi et le dimanche d'octobre à mai.* 28 chambres avec téléphone, télévision, climatisation. Pratique et accueillant, avec des chambres donnant sur la mer.

Grand Hôtel Duchi d'Aosta. Piazza Unità Italia, 2, Trieste ✆ 76 000 11 - Fax 36 60 92. *310 000 / 415 000 L.* 52 chambres avec téléphone, télévision, climatisation, réfrigérateur. Garages, restaurant Harry's Grill. American Express, Visa, Diner's Club. Dans la tradition du début du siècle : service irréprochable et excellent restaurant.

Camping

Camping Marepineta à Sistiana Monte ✆ 29 92 64. *Ouvert du 1er mai au 30 septembre.*

Auberge de jeunesse

Auberge de jeunesse Trieste Grignan. Viale Miramare, 331 &/ Fax 22 41 02. *74 lits à 20 000 L, petit déjeuner inclus. Ouverte de 7 h à 10 h et de 12 h à 24 h.* Parking, restaurant. A 35 km de l'aéroport, 8 km du port, 5 km de la gare de Trieste et à 200 m de l'arrêt de bus. Quand on vous dit que c'est facile d'accès !

RESTAURANTS

Restaurant Elefante Bianco. Riva Tre Novembre, 3 © 36 57 84. *35 000 / 75 000 L. Fermé le samedi à midi et le dimanche. Réservation obligatoire.* 35 / 70 couverts. American Express, Visa, Diner's Club. Jardin d'hiver et terrasse pour l'été. Méfiez-vous, il y a beaucoup de monde.

Restaurant al Granzo. Piazza Venezia, 7 © 30 67 88. *50 000 L. Fermé le mercredi. 80 / 160 couverts.* Jardin. American Express, Visa, Diner's Club. Autrefois lieu de rendez-vous des pêcheurs, ce local à l'atmosphère marine propose d'excellents plateaux de fruits de mer. Spécialités de poisson.

Restaurant Ai Fiori. Piazza Hortis, 7 © 30 06 33. *50 000 / 80 000 L. Fermé le dimanche et lundi, du 15 juin au 15 juillet. Réservation obligatoire.* 40 / 50 couverts. Climatisation. American Express, Visa, Diner's Club. Raffinement. Excellente cave. Spécialités de poisson.

Antica Trattoria Suban. Via Comici, 2 © 54 368 - Fax 57 90 20. *60 000 L. Fermé le lundi à midi et le mardi. Réservation obligatoire.* 80 couverts. American Express, Visa, Diner's Club. La vue que l'on a du haut de la ville n'a d'égale que la cuisine de la famille Suban, d'origine française, et qui est depuis trois générations la pierre angulaire de la bonne table triestine. Vieilles recettes remises au goût du jour. Jardin.

Restaurant Harry's Grill. Hôtel Duchi d'Aosta. Piazza dell'Unità d'Italia © 62 081. *80 000 à 135 000 L environ.* Comme l'hôtel, ce restaurant raffiné vous replonge dans une autre époque. Excellent poisson.

MANIFESTATIONS

La manifestation locale la plus alléchante est le **Festival de l'opérette** (juin-août), qui a lieu au théâtre Verdi avec la participation des meilleurs interprètes mondiaux du genre. Il faut réserver très longtemps à l'avance au © 63 19 48.

Salon des antiquaires © 30 48 88. Début novembre. Renseignements au Palais des Congrès de la Stazione Marittima.

BALADE

Ouverte sur le front de mer, située en plein cœur de Trieste, la **Piazza dell'Unità** ne fait qu'un avec le môle du port Audace, qui est la promenade favorite des Triestins. Les contours actuels de la place remontent au XIXe siècle, cependant on peut y remarquer des monuments datant du XVIIIe siècle, comme le Palazzo Pitteri, la statue de Charles VI et la fontaine avec l'allégorie des Quatre Continents. Le Caffè degli Specchi (des miroirs) donne aussi sur cette place ; fondé en 1840, c'est l'un des plus anciens de la ville (Piazza Libertà, 7 © 60 533).

La cathédrale et le château de San Giusto se trouvent derrière la Piazza dell'Unità, sur la colline à partir de laquelle s'est développée la ville. San Giusto est le résultat de la réunion, au XIVe siècle, de deux édifices : l'oratoire de San Giusto du IXe siècle et l'église de Santa Maria Assunta du XIe. Sa façade est romane, sa rosace gothique, et son beau clocher date du XIVe siècle. De magnifiques mosaïques en ornent l'intérieur. On entre dans le baptistère par la nef de gauche. En descendant la colline, on arrive à la Città Vecchia (vieille ville), la mémoire vive de Trieste. En partie restaurée, elle est toujours très animée entre le Vicolo della Bora et l'Arco di Riccardo. Dans la Via Cavana, on peut, en passant, admirer la pharmacie Serravallo.

La Piazza Sant'Antonio Nuovo est le centre du Borgo Teresiano, qui s'est formé au XVIIIe siècle sur l'emplacement des anciennes salines. C'est dans ce faubourg, Via San Lazzaro, 8, que se trouvaient la maison et le cabinet d'Edoardo Weiss, le fameux disciple de Freud, qui importa la psychanalyse en Italie et fut l'analyste du grand poète triestin Umberto Saba.

A partir du Borgo Teresiano, on peut aller Piazza Oberdan pour découvrir une institution triestine parmi les plus vénérées : «le tram d'Opcina», un train à crémaillère qui permet des raccourcis inoubliables au-dessus de la ville.

Viale XX Settembre : bordée d'arbres, zone piétonne, c'est la promenade préférée des Triestins, qui l'appellent *il Viale*. Quand ils décident de faire une pause, ce ne peut être qu'à l'une des tables de ses meilleures gelateria : Pipolo au n° 11 et Zampolli au n° 25.

Cafés littéraires

Ils font partie des cafés «historiques» de la ville. Parmi les rescapés des quelque 40 cafés littéraires qui abritèrent au siècle dernier les plus grandes ardeurs intellectuelles et de nombreuses manifestations de la Trieste des Habsbourg, on peut citer, outre le **Caffè degli Specchi** mentionné plus haut, **l'Antico Caffè Tommaseo**, Riva 3 Novembre, 5, le plus chargé d'histoire et toujours le lieu de retrouvailles de l'intelligentsia de la ville ; **le Caffè San Marco**, Via Cesare Battisti, 18, reconstruit après la première guerre et qui devint le rendez-vous des intellectuels tels que Saba, Svevo et Giotti ; le **Caffè dell' Albergo Duchi d'Aosta** ainsi que la pâtisserie **Penso**, Via Diaz, 11, et, enfin, le café-pâtisserie **Pirona, Largo** Barriera Vecchia, 12, où Joyce aimait venir déguster des gâteaux parmi les vitrines au style floral tant prisé à la fin du siècle.

Le café lui-même s'apprécie suivant les différentes torréfactions. On peut en découvrir d'exceptionnelles, d'autant que Trieste est le premier port à recevoir et à distribuer le précieux grain : **Torrefazione Caffè Trieste**, Piazza Goldoni, 10 ; **Caffè San Giusto**, Via Cosulich, 9 ; **Torrefazione Guatemala**, Via Padovan, 4 ; **Torrefazione La Cubana**, Via Torrebianca, 15.

■ POINTS D'INTERET

Musée du Château de San Giusto. Piazza della Cattedrale, 34. *Ouvert de 9 h à 13 h. Fermé le lundi. Château ouvert de 8 h au coucher du soleil.* Armes, meubles et tapisseries.

Civico Museo Sartorio. Largo Papa Giovanni XXIII. *Ouvert de 9 h à 13 h. Fermé le lundi.* En partie réaménagé, c'est un bâtiment du XIXe siècle où sont exposés meubles, peintures, icônes et céramiques. On y trouvera également une bibliothèque.

Civico Museo Morpurgo. Via Imbriani, 5. *Ouvert de 10 h à 13 h. Fermé le lundi.* Mobilier, tableaux, gravures et documents sur l'histoire et les coutumes de Trieste.

Civico Museo del Mare. Via Campo Marzio, 5 ✆ 30 49 87. *Ouvert de 9 h à 13 h. Fermé le lundi.* Maquettes de bateaux, instruments de navigation.

■ SHOPPING

La Bomboniera, Via XX Ottobre, 3, est une pâtisserie légendaire, spécialisée dans les gâteaux de tradition autrichienne : tarte Dobusch, Sacher, strudel, pinza et fave.

Libreria Antiquari Umberto Saba (livres anciens). Via San Nicolo, 30.

Antiquaire Giardino. Via Mazzini, 12. Objets et meubles du début du siècle.

Marchés

Marché de la Piazza Ponterosso. *Tous les jours.* Poissons, fruits et légumes, fleurs.

Marché aux poissons de la Riva N. Sauro, 1. Idem.

Marché de la Piazza della Libertà. *Tous les jours, sauf le lundi.* Produits en tout genre.

Marché couvert de la Via Carducci. *Tous les jours.* Alimentation, produits en tout genre.

Foire à la brocante de la vieille ville. *Tous les troisièmes dimanches du mois.*

LES LAGUNES

Lagune de Marano

Une centaine de kilomètres envahis en été par les touristes, avec la possibilité cependant de trouver de grands espaces de liberté, grâce à l'étendue des plages et à la sérénité d'un arrière-pays dans une campagne toujours pleine de séduction. En hiver, la région, en partie déserte, est à déconseiller, à l'exclusion des centres artistiques et des villes importantes toujours dignes d'intérêt.

Lignano Sabbiadoro

Indicatif téléphonique : 0431.

Office du tourisme. Via Latisana, 42 ✆ 71 821.

A 59 km d'Udine et à 100 km de Trieste. L'ensemble est formé de trois agglomérations : Lignano Sabbiadoro, Lignano Riviera et Lignano Pineta, le plan de cette dernière obéissant à une forme spiralée. Le tout est moderne et destiné à mettre en valeur les longues plages de sable fin et doré (8 km), avec, à l'arrière, le couvert végétal de la pinède et le spectacle de la lagune. Tout est bien organisé pour aider ceux qui voudraient aller à l'aventure en solitaire et découvrir les beautés du pays à cheval. Les divertissements sont nombreux : discothèques, complexes sportifs et parc d'attractions Aquasplash.

Marano Lagunare

Indicatif téléphonique : 0431.

Pour ceux qui voudraient fuir pendant une journée (ou des vacances entières) la vie de plagiste afin de goûter aux délices de la nature, c'est là le refuge idéal. La lagune de Marano, avec celle de Grado, occupe la dépression entre l'embouchure du Tagliamento et, à l'est, le delta de l'Isonzo. C'est un paysage très suggestif constitué d'infinis dépôts limoneux, d'îles minuscules ayant chacune son nom et où l'on peut voir encore quelques casoni, traditionnelles cabanes en paille et en jonc qui, maintenant remises à neuf, s'arrachent comme des petits pains pour servir de maisons secondaires.

Tout le paysage est fait de canaux, d'avancées sablonneuses (*barene*) émergeant des eaux, d'églises en ruine et de chapelles qui, sur quelques îles (Sant'Andrea, San Pietro d'Orio, San Giuliano, Gorgo), témoignent de la présence de communautés monastiques qui ont trouvé là, dans le passé, un milieu convenant à la vie contemplative. Entre toutes, on peut visiter l'île de Barbana, but du pèlerinage de la Madonna Barbana à laquelle est consacrée l'église. La fête a lieu dans la lagune, le premier dimanche de juillet. C'est une procession impressionnante où la statue de la Madone est montée sur des barques décorées de fanions. La faune qui peuple le monde de lumière et d'azur de la lagune est constituée d'un nombre infini d'espèces d'oiseaux, parmi lesquels on trouve le cygne sauvage, des hérons, des cormorans et des faucons di plaude.

Pour les tours organisés sur la lagune : **Motonave Saturno**, transport de passagers di Geremia Regeni, Via Guglielmo Marconi, 6, Marano Lagunare © 04 31 67 177.

Association des guides naturalistes de la région : Via Tagliamento, 9, Udine © 04 32 28 41 22.

LE GOLFE DE TRIESTE

AQUILEIA

A six kilomètres de Cervignano. Le long boulevard ombragé qui mène à Grado coupe en deux la ville, que les chroniques de l'Antiquité décrivent comme «la plus opulente et la plus magnifique». Peuplée à l'époque de 200 000 habitants, elle était à la croisée des chemins commerciaux. Dans son port fluvial accostaient les embarcations venues d'Orient, chargées de soie, d'ambre et d'épices. Elle devint colonie romaine en 181 av. J.-C. et servit de poste avancé à la pénétration romaine vers le nord du Danube.

Elle fut, pendant une courte période, la seconde ville de l'Empire romain. Le faste d'antan est toujours visible lorsqu'on prend, en direction de Grado, la route qui sépare l'agglomération en deux et que l'on passe entre les colonnes de l'ancien forum, au bord du grand mausolée et des restes de la voie romaine.

Une ville ensevelie se cache encore sous les champs de maïs et sous les chemins qui longent les canaux. Au début de la décadence, au moment des invasions d'Attila, les habitants se réfugièrent dans les îles et cachèrent les objets les plus précieux au fond d'un puits qu'ils recouvrirent de terre. Ce puits n'a jamais été retrouvé et il est toujours vivant dans l'imaginaire populaire : on attend encore le jour de la grande découverte. Aquileia brilla une nouvelle fois sous le pouvoir temporel du patriarcat de l'an mille, avant que le siège patriarcal ne soit transporté à Udine.

Pratique

Indicatif téléphonique : 0431.

Office du tourisme. A.P.T. de Grado et d'Aquileia. Viale Dante Alighieri, 72 © 89 91.

Informations touristiques. Piazza Capitolo © 91 94 91. Ouvert tous les jours d'avril de 14 h 30 à 18 h, d'avril à octobre, du vendredi au mercredi de 9 h à 13 h et de 16 h à 18 h.

Points d'intérêt

Basilique. *Ouverte tous les jours de 8 h 30 à 19 h, en hiver de 8 h à 12 h 30 et de 15 h à 18 h. Crypte ouverte du lundi au samedi de 9 h à 15 h et le dimanche de 9 h à 13 h.* C'est la plus grande construction d'art roman de la ville. Elle fut commandée par le patriarche Poppone en 1021, pour agrandir l'église. Son intérieur est constitué de trois nefs et d'un sol en mosaïque d'une rare beauté. Dans les différents autels latéraux, les sarcophages des patriarches alternent avec les peintures sur bois d'artistes importants. A voir aussi, la crypte décorée d'autres mosaïques et, derrière la basilique, le cimetière des Caduti d'où provient la dépouille du soldat inconnu, placée sur l'autel de la Patrie à Rome.

Musée archéologique. Via Roma. *Ouvert de 9 h à 14 h et de 9 h à 13 h les jours fériés, fermé le lundi.* On y trouve toutes les pièces mises au jour par des fouilles : une collection d'objets en verre, d'ambres gravés et de bustes funéraires.

GRADO

On accède à Grado par Aquileia (à 24 km) ou directement par l'autoroute A4, en sortant au péage de Palmanova et en parcourant 28 kilomètres. Et aussi depuis l'aéroport de Ronchi dei Legionari (à 18 km) ou à partir de la gare de Cervignano (à 16 km).

«Fille d'Aquileia et mère de Venise», ainsi aime à se définir cette belle bourgade, située sur une île entre la lagune et la mer. Son nom vient du latin ad aquas gradatas , faisant allusion à la déclivité du bord de mer. Le bourg est né quand les habitants d'Aquileia, fuyant les hordes d'Attila en 452, se réfugièrent sur ces îlots déserts, y fondant une nouvelle patrie. La plage de Grado, connue pour la finesse de son sable et la qualité de son climat, est renommée pour ses vertus thérapeutiques depuis 1873, date à laquelle le médecin florentin Giuseppe Barellai y créa «un hospice marin».

Des restaurateurs autrichiens arrivèrent aussitôt à Grado et ouvrirent des hôtels où affluait la clientèle qui, une fois descendue du train, prenait la diligence à Cervignano et enfin le bateau... C'est de cette manière que l'ancien village, fait de sentiers, de placettes et d'églises paléochrétiennes, est devenu en se développant le Grado actuel, petite station balnéaire et centre de convalescence avec ses cures de bains de sable et sa kinésithérapie. Cependant, le cœur historique de la ville garde toujours intacts son charme et sa beauté.

Pratique

Indicatif téléphonique : 0431.

Manifestations

Perdon di Barbana. Procession de barques, le premier dimanche de juillet.

Points d'intérêt

Basilique de Sant'Eufemia. Elle a été construite sur le modèle de la basilique civile romaine. Des hautes fenêtres tombent des gerbes de lumière illuminant le splendide sol en mosaïque du VIe siècle. Une belle chaire du XIIe siècle est surmontée d'une coupole mauresque. Les chapiteaux des colonnes sont remarquables. Le campanile est du XVe siècle. Au-dessus du grand autel, le retable en argent date de 1372. Sur la gauche de la basilique, on trouve le baptistère du Ve siècle et, sur la droite, le Lapidario, un petit musée qui réunit des inscriptions, des autels et des pièces romaines.

Basilique Santa Maria delle Grazie. Du Ve ou VIe siècle, elle est du type de celle que l'on trouve à Ravenne et possède une belle mosaïque.

Trieste - Castello Miramore

UDINE ET L'INTERIEUR

UDINE

Dame provinciale, élégante et réservée, d'empreinte aristocratique bien que située au milieu d'une vaste zone agricole, Udine possède un centre historique qui représente un véritable trésor : la Piazza della Libertà, avec le Palazzo del Comune, la Loggia del Lionello datant du XVe siècle et le Porticato de San Giovanni surmonté par la tour de l'Horloge (1527). On parla d'Udine pour la première fois en 983 après J.-C., et le Parlamento della Patria fut créé en 1230. Du XIIIe au XVe siècle, ce fut la résidence des patriarches d'Aquileia, dont le patriarcat s'est achevé en 1420, lorsque la ville se rendit aux troupes de la république de Venise. Au XVIIIe siècle, elle devint le siège de l'archevêché, puis, avec Napoléon, elle passa à l'Autriche. Elle ne redevint italienne qu'en 1866.

TRANSPORTS

Gare. Viale Europa Unità ✆ 50 36 56. Informations de 7 h à 21 h.

Bus Autolinea Ferrari. Viale Europa Unità ✆ 20 39 41.

PRATIQUE

Indicatif téléphonique : 0432.

Office du tourisme Piazza I Maggio, 7 ✆ 29 52 72. *Ouvert le lundi de 9 h à 13 h et de 15 h à 18 h.*

Club alpin italien Via B. Odorico, 3 ✆ 50 42 90.

Société alpine du Frioul Via Odorico, 3. *Ouverte du lundi au samedi de 10 h à 19 h et le dimanche de 12 h à 19 h.*

Poste Via Veneto, 42 ✆ 50 19 93. *Ouverte du lundi au vendredi de 8 h à 19 h 30.*

Via Roma, 25. *Ouverte du lundi au samedi de 8 h 10 à 13 h 15.*

Telecom Via Savorgnana, 13 ✆ 27 81. *Ouvert de 9 h à 12 h 30 et de 16 h à 19 h 30.*

Police Via Prefettura, 16 ✆ 50 28 41.

Banco

Ambrosiana Veneto. Via Vittorio Veneto, 21 ✆ 51 74 11. *Ouverte du lundi au vendredi de 8 h 20 à 13 h 20 et de 14 h 45 à 15 h 45.* Service de change.

HEBERGEMENT

Hôtel Suite Inn. Via di Tiepolo, 25 ✆ 50 16 83. *65 000 / 80 000 L.* Très accueillant.

Hôtel Astoria Italia. Piazza XX Settembre ✆ 50 50 91 - Fax 50 90 70. *130 000 / 180 000 L.* Garages, climatisation, accès handicapés, restaurant. Bon rapport qualité-prix.

Albergo Là di Moret. Viale Tricesimo, 276 ✆ / Fax 54 50 96. *140 000 / 200 000 L.* Parc, parking, accès handicapés, piscine, tennis, sauna. Restaurant (*40 000 / 60 000 L ; fermé le dimanche et le lundi soir*). Un hôtel raffiné et de tout confort, tenu par la même famille depuis le début du siècle. Un peu excentré.

Agriturismo

Agriturismo Locandà al Castello. Via del Castello, 20 ✆ 73 32 42 - Fax 70 09 01. *Chambre 145 000 L, demi-pension 260 000 L.* Parc, accès handicapés, parking, restaurant. American Express, Visa, Diner's Club. Située dans un ancien couvent de jésuites, une auberge généreuse comme on les aime.

RESTAURANTS

Osteria Vecchio Stallo. Via Viola, 7 ✆ 21 296. *Environ 20 000 L. Fermé le mercredi.* Un bistrot classique. On mange sous les arcades en été. Plats traditionnels, strictement frioulans : orge et haricots, gnocchi de pommes de terre, omelettes aux herbes, fricot de pommes de terre.

Restaurant Alla Vedova. Via Tavagnacco, 9 ✆ 47 02 91. *45 000 / 60 000 L. Fermé le dimanche soir et le lundi.* Parking, jardin. Bon et sympathique. On déguste les vins de la propriété et, en été, on dîne dans le jardin.

Restaurant Caffè Contarena. Piazza Libertà, 10 ✆ 51 27 41. *Environ 65 000 L. Fermé le mercredi.* C'est le plus vieux restaurant de la ville. Au XVIIe siècle, c'était déjà un débit de «vins, grappa, pain et cuisine». Aujourd'hui, on peut admirer ses mosaïques en or et argent et son style Liberty. Excellents jambons, «granseole» et terrines de foie d'oie.

POINTS D'INTERET

Château. *Ouvert de 9 h 30 à 12 h 30 et de 15 h à 18 h. Fermé le dimanche après-midi et le lundi.* Après l'Arco Bollani, on monte vers la Piazza Libertà. La légende veut que la colline ait été érigée par les guerriers d'Attila pour permettre à ce dernier de mieux contempler les lueurs de l'incendie d'Aquileia. Le symbole d'Udine est ce château ou, plus précisément, l'ange protecteur perché en haut d'une petite coupole. Cette construction du XVIe siècle occupe l'emplacement de l'ancien palais des Patriarches. Elle abrite aujourd'hui le Museo Civico et la Galleria di Storia e Arte, riches en tableaux de grands artistes de Venise et du Frioul. On peut visiter l'église S. Maria al Castello en le demandant au gardien du musée du château. Au VIIIe siècle, cette église était déjà la première paroisse de la ville.

Oratorio della Purità. Piazza Duomo. Il contient des fresques de Tiepolo. Pour les voir, demander à la sacristie du Duomo. Le Duomo présente, à l'extérieur, des décorations gothiques du XIVe siècle et, à l'intérieur, des peintures de Tiepolo.

Musée des Arts et des Traditions populaires. Palazzo Maniago, Via Vola, 3. *Ouvert de 9 h 30 à 12 h 30 et de 15 h à 18 h. Fermé le dimanche après-midi et le lundi.* Objets d'art populaire du Frioul, du VIIIe siècle à nos jours.

Piazza Matteotti. L'un des endroits les plus caractéristiques de la ville. Aquarelle d'un autre temps, où de petites femmes vendent leurs herbes des champs (de moins en moins) tout autour de l'église de San Giacomo, sur un fond de belles maisons colorées, semblable à un décor de cinéma.

SHOPPING

A partir de la Piazza San Giacomo, un passage sur le côté de l'église mène chez **Quendolo,** le plus grand magasin de produits du Frioul, dont les célèbres «scarpuss» (savates en velours avec semelle en pneu de bicyclette).

CIVIDALE DEL FRIULI

Alboino, roi des Lombards, arrivé en 568 avec son armée aux confins de l'Italie, choisit pour capitale de son royaume le petit municipe romain de Cividale. C'est sous le nom de Civitas qu'il le transmit à son neveu Gisulfo. Les vestiges lombards y sont d'un extrême intérêt. En 737, le patriarche d'Aquileia, Callisto, s'installa à Cividale et, depuis lors, le premier dimanche de janvier, on célèbre dans le Duomo la traditionnelle «messa dello spadone» : l'officiant, un casque à plumet sur la tête, bénit l'assemblée des fidèles, une épée dégainée dans la main droite, un précieux missel dans la main gauche.

Pratique

Indicatif téléphonique : 0432.

Office du tourisme. Corso Paolino ✆ 73 13 98. *Ouvert du lundi au vendredi de 9 h à 13 h et de 15 h à 18 h. Le samedi de 9 h à 13 h.*

Poste. Aquilea, 10 ✆ 73 11 57. *Ouverte du lundi au vendredi de 8 h 30 à 17 h 30 et le samedi de 8 h 30 à 13 h.* Possibilité de change (*du lundi au vendredi de 8 h 30 à 16 h 30*).

Points d'intérêt

Palazzo Pretorio. Construit vers la fin du XVIe siècle, il se trouve sur la Piazza del Duomo.

Palazzo Comunale. Egalement sur la Piazza del Duomo, il comporte des portiques et des fenêtres doubles.

Le Duomo. Commencé en 1457 dans le style gothique vénitien, il fut retravaillé dans des formes Renaissance au XVIe siècle. Au-dessus du grand autel, le retable en argent bosselé du début du XIIIe siècle est remarquable.

On accède au **Museo Cristiano** par la nef de droite (*voir horaires du Duomo, plus le dimanche de 9 h à 12 h*). S'y trouvent le baptistère octogonal de Callisto (VIIIe siècle), le sarcophage du duc Ratchis (VIIIe siècle) ainsi qu'une chaire patriarcale et des fresques prises au Tempietto (oratoire) lombard.

Musée archéologique national. Piazza del Duomo. Y sont exposés différentes pièces lombardes (armes, outils) trouvées dans des tombes et le précieux voile brodé (XIIIe siècle) de la sainte Benvenuta Boiani.

Cividale del Friuli

Tempietto Lombard (oratoire lombard). *Ouvert tous les jours en été de 10 h à 13 h et de 15 h 30 à 18 h 30, en hiver le matin seulement.* Dans le quartier Brossana, surplombant le Natisone, c'est le monument d'art le plus remarquable de Cividale (VIIIe siècle), avec ses colonnes en marbre grec du Ve siècle. De très belles décorations en stuc et des fresques originales complètent l'exceptionnelle beauté et la richesse du lieu.

Pour faire des promenades à cheval dans la région de Cividale : «**Associazione Friulana di Equitazione Forum Julii**», Via Gemona, 131 ✆ 04 32 15 202. Le centre dispose de 30 chevaux, dont 24 pour la randonnée et 6 pour le dressage.

TOLMEZZO

52 km de route qui grimpe vers la montagne pour admirer la beauté de la Carnia. A Tolmezzo, la visite qui vaut le détour est celle du Museo Carnico d*es arts et traditions populaires, dans le Palazzo Campeis (*de 9 h à 12 h et de 15 h à 18 h). Ici, la Carnia et le Frioul nous permettent d'admirer la grandeur de leurs traditions à travers les broderies, les peintures, les céramiques, les meubles et autres objets manufacturés du temps passé.

PASSARIANO

Pratique

Indicatif téléphonique : 0432.

Points dintérêt

Villa Manin. *Visites de 9 h 30 à 12 h 30 et de 14 h à 17 h ou de 15 h à 18 h. Fermée le lundi.* Il s'agit de la résidence du dernier doge de Venise. Son vaste parc était célèbre au XVIIIe siècle pour ses «plaisirs champêtres». L'ensemble, grandiose, étend sa splendeur sur les quelques maisons du bourg dans le silence idéal de la campagne environnante. Le doge Manin a fait construire sa villa sur les vestiges d'une maison de campagne du XVIe siècle. Napoléon y séjourna en 1797, afin de mettre au point les préliminaires de la paix de Campoformio, qui précipitèrent la fin de la république de Venise. Décorés de fresques, les salons spacieux de la villa accueillent chaque été d'importantes manifestations.

SAN DANIELE

Sur le chemin de Tarvisio, 32 km de fuite vers des contrées verdoyantes, intemporelles, à la rencontre des jambons de San Daniele dont c'est ici le lieu de fabrication. On trouve des producteurs de jambon un peu partout et la possibilité d'en acheter directement.

PORDENONE

«Le petit Milan du Frioul», comme l'a nommée l'écrivain Carlo Sgorlon, en raison de sa capacité d'entreprise et du rapide développement de son industrie. La ville a un beau centre ancien, qui s'étend autour du Corso Garibaldi et du Corso Vittorio Emanuele.

TRANSPORTS

Bus. Terminal Piazza Risorgimento, 2.

Location de voitures. Avis. Via Grigoletti ✆ 30 025.

PRATIQUE

Indicatif téléphonique : 0434.

Office du tourisme. CorsoVittorio Emanuele II, 38 ✆ 21 912 ou 52 12 18 - Fax 52 38 14.

Téléphones publics. Via Cesare Battisti.

HEBERGEMENT - RESTAURANTS

Park Hôtel. Via Mazzini, 43 ✆ 27 901 - Fax 52 23 53. *110 000 / 220 000 L.* 67 chambres avec téléphone, télévision, climatisation, réfrigérateur. Parking, accès handicapés. Interdit aux animaux. American Express, Visa, Diner's Club. Bien situé. Moderne et fonctionnel.

Villa Ottoboni. Piazzetta Ottoboni, 2 ✆ 20 88 91 - Fax 20 81 48. *140 000 / 220 000 L.* 96 chambres avec téléphone, télévision, climatisation, réfrigérateur. Parc, parking, garages, restaurant. Interdit aux animaux. American Express, Visa, Diner's Club. Dans le cadre fantastique d'une villa du XVIe siècle, capable à l'époque d'héberger deux cents dames et chevaliers lors des rendez-vous de chasse.

Restaurant

Ristorante Noncello. Via Marconi, 34 ✆ 52 30 14. *Compter 55 000 L. Fermé le samedi matin et le dimanche.* Un service simple pour des plats très créatifs, dont une «grigliata mista» véritablement unique.

POINTS D'INTERET

Au n° 52 du Corso Vittorio Emanuele se dresse le **Palazzo Mantica** abritant des fresques de Pordenone (pseudonyme dérivant du lieu de naissance du peintre Antonio de Sacchis, qui vivait là au début du XVIe siècle).

A voir également, le Palazzo Comunale du XIVe siècle, qui évoque lui aussi Venise avec ses deux Maures qui flanquent la cloche de la tour de l'Horloge, le **Duomo** du XVe siècle et le **Museo Civico**, Corso V. Emanuele, 51 (*ouvert de 9 h 30 à 12 h 30 et de 15 h à 18 h ; fermé le lundi*). On y découvrira de très belles statues en bois et le chef-d'œuvre de Pordenone : la Pala San Gottardo.

GORIZIA

La ville rêve encore des Habsbourg et de la «mittel-Europa». Située au pied de la colline qui mène au château, elle a gardé son caractère XIXe siècle de ville-jardin, où les Viennois venaient en masse, attirés par la douceur du climat. La vie de la commune est concentrée autour du château (première moitié du XVIe siècle) et du quartier qui l'entoure.

Pratique

Indicatif téléphonique : 0481.

Office du tourisme. Via A. Diaz, 16 ✆ 53 38 70.

Points d'intérêt

Piazza della Vittoria. L'église baroque de Sant'Ignazio et la fontaine XVIIIe de Neptune.

Le Duomo. Un monument médiéval, c'est toujours appréciable !

Le château. C'était la demeure des comtes de Gorizia et des dignitaires de l'Empire, ennemis acharnés de la république de Venise. Des remparts, on peut voir les champs de bataille du Carso et de l'Isonzo. Face à la rudesse du Carso, le paysage du Collio, qui va de Tarcento à Gorizia, offre au regard une douce succession de collines parsemées de vignobles. Les vins blancs qu'ils produisent sont parmi les plus recherchés d'Italie, comme le tokay, d'origine hongroise, et le piccolit, un cru extrêmement rare dont les fameuses bouteilles sont presque introuvables. Les bars-caves jalonnent les ruelles du bourg, de même que les «frasche», qui bordent en général les routes de campagne, sont l'élément principal du paysage.

Dans les environs

Palmanova

Indicatif téléphonique : 0432.

Office du tourisme. Borso Udine, 4 / c ✆ 92 91 06. *Ouvert du mardi au dimanche de 10 h à 12 h.*

Construite en forme d'étoile à neuf branches par les Vénitiens, au XVIe siècle, Palmanova offre un exemple remarquable de ville fortifiée ayant conservé son implantation d'origine, agrandie en partie par Napoléon. Six routes partent de la place principale, hexagonale ; trois mènent aux portes qui furent dessinées par V. Scamozzi. Nous sommes au centre de la ville. Avec un guide et à la lueur d'une torche, on pourra visiter l'intérieur des fortifications.

LIGURIE

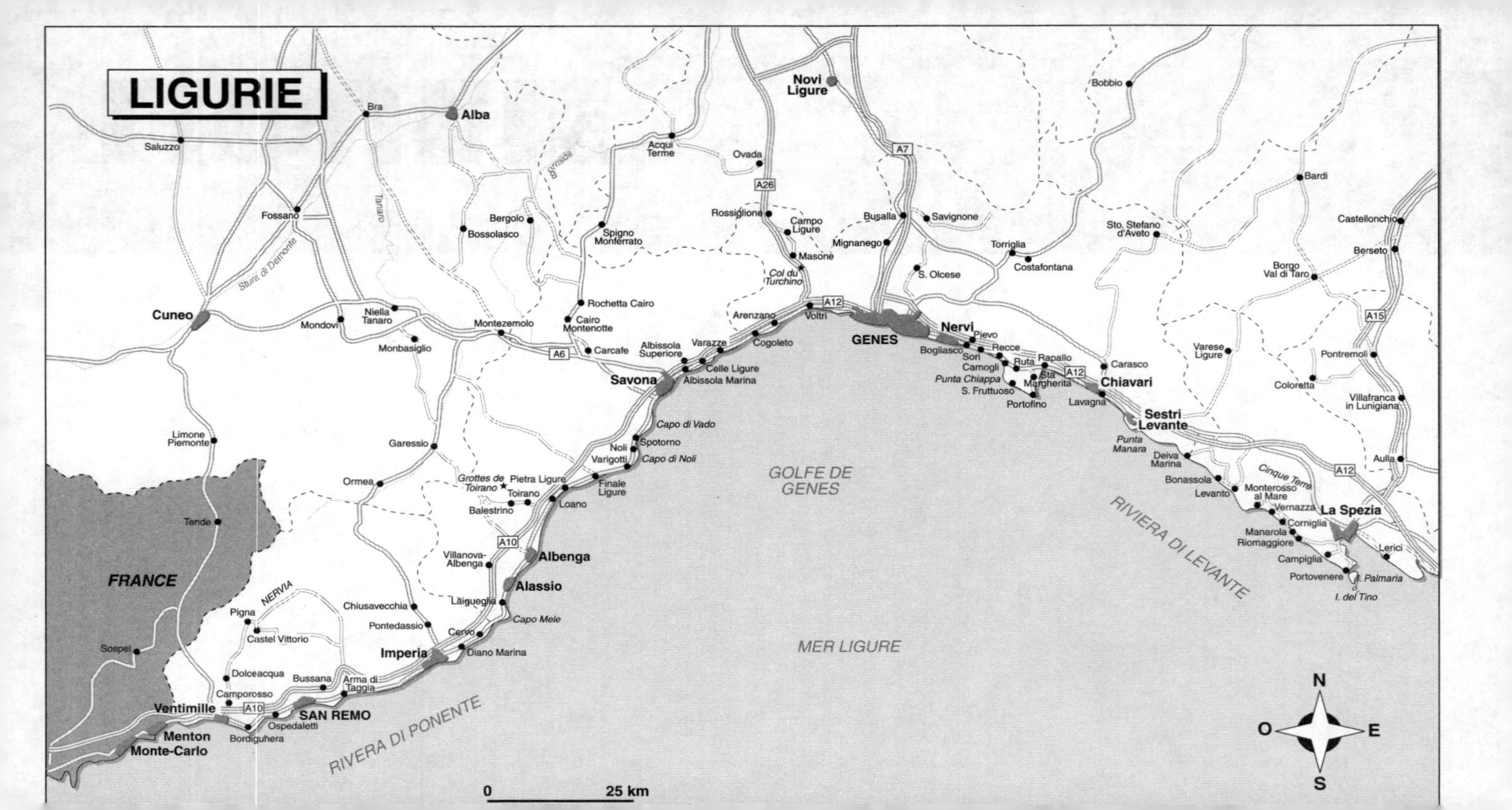

LIGURIE
Bra
Alba
Saluzzo
Novi Ligure
Bobbio
A7
Acqui Terme
Ovada
A26
Bardi
Fossano
Tanaro
Bergolo
Bossolasco
Spigno Monferrato
Rossiglione
Campo Ligure
Busalla
Savignone
Sto. Stefano d'Aveto
Castellonchio
Mignanego
Masone
Torriglia
Costafontana
Berseto
Sture di Demonte
Col du Turchino
S. Olcese
Borgo Val di Taro
Rochetta Cairo
Cuneo
Niella Tanaro
Mondovi
Cairo Montenotte
Montezemolo
Arenzano
Voltri
A12
GENES
Nervi
Pievo
A15
Monbasiglio
Carcafe
A6
Albissola Superiore
Varazze
Cogoleto
Bogliasco
Sori
Recce
Camogli
Ruta
Rapallo
Varese Ligure
Carasco
Pontremoli
Celle Ligure
Savona
Albissola Marina
Punta Chiappa
S. Fruttuoso
Sta Margherita
Portofino
Chiavari
Lavagna
Coloretta
Villafranca in Lunigiana
Sestri Levante
Capo di Vado
Limone Piemonte
Garessio
Noli
Spotorno
Varigotti
Capo di Noli
Punta Manara
Deiva Marina
Aulla
Cinque Terre
GOLFE DE GENES
Ormea
Grottes de Toirano
Pietra Ligure
Toirano
Finale Ligure
Bonassola
Levanto
Monterosso al Mare
Vernazza
Tende
Balestrino
Loano
RIVIERA DI LEVANTE
La Spezia
Corniglia
Manarola
Riomaggiore
A10
Villanova-Albenga
Albenga
Lerici
Campiglia
FRANCE
NERVIA
Alassio
Portovenere
I. Palmaria
I. del Tino
Pigna
Chiusavecchia
Laiguelia
Capo Mele
Castel Vittorio
Pontedassio
Cervo
Sospel
Imperia
Diano Marina
MER LIGURE
Dolceacqua
Bussana
Arma di Taggia
Camporosso
N
Ventimille
SAN REMO
O
E
Menton
Ospedaletti
Bordiguhera
Monte-Carlo
RIVERA DI PONENTE
S
0
25 km

LIGURIE

En février, les mimosas sont en fleur et on trouve déjà sur les marchés les premières salades de chicorée amère. Fin septembre, les journées sont fraîches mais la mer est encore chaude, bien que pas toujours transparente à cause de nombreuses résidences secondaires de la région. La Ligurie offre pourtant à ses visiteurs des vallées et des villes préservées. Il suffit pour s'en rendre compte de tourner le dos à l'autoroute des Fleurs, qui relie, en deux heures environ, Vintimille à La Spezia, et de pénétrer dans les vallées de l'Apennin.

Là, sur des pentes abruptes, l'homme a creusé des terrasses pour y planter des potagers et des oliviers. Il a aussi construit des villages de pierre qui ont résisté au temps. Sur les murets, dans de vieilles boîtes de lait, pousse l'exubérant basilic au parfum rendu inimitable par l'air marin.

Le long de la côte, on rencontre des petits ports et des villages qui ont su conserver le charme d'autrefois, grâce aux villas des riches familles génoises et aux arcades sous lesquelles s'ouvrent des boutiques pleines de surprises. En hiver, ces petites villes se parent d'un charme particulier, un peu décadent : plages vides, promenades battues par le vent et rues dont les habitants reprennent possession, en même temps que les chats, acteurs immanquablement présents.

L'été est peut-être la saison la moins intéressante. En effet, durant cette période, vous croiserez la foule des vacanciers, et des Génois qui, après le travail, se déversent sur les plages.

Pour visiter la Ligurie, un seul itinéraire s'impose donc : suivre la nationale Aurelia en direction de l'est. Vous verrez alors les plus beaux lieux de villégiature et vous vous arrêterez sur les plus belles plages. Pour les passionnés de vitesse et pour les gens pressés, une seule solution : l'autoroute A10.

De juin à septembre, surtout pendant les week-ends, vous risquez d'être bloqués, tant sur l'autoroute que sur la nationale, par des kilomètres de bouchons provoqués par les familles qui remontent vers Gênes et les villes du Nord de l'Italie.

Pour les gourmets

La cuisine ligure se reconnaît au parfum des herbes (basilic, marjolaine, romarin) et à la saveur de l'huile d'olive. Le basilic entre dans la composition du pistou, avec les pignons, le fromage, l'huile et l'ail, et agrémente les lasagnes très fines et carrées.

La sauce aux noix accompagne, quant à elle, les *pansoti*, ravioli farcis aux légumes. Il est aujourd'hui plus difficile de trouver les deux sortes de morue, le *stoccafisso*, morue séchée à l'air, et la *baccala*. Ce sont pourtant des plats historiques qui, grâce aux méthodes nouvelles de conservation, triomphèrent de la famine.

Vous vous régalerez également de légumes farcis embaumant la marjolaine et de tartes salées ; en particulier la *pascaline*, plat traditionnel de Pâques à base d'artichauts, formé de trente-trois feuilles symbolisant l'âge du Christ à sa mort. Pour finir, citons la reine de la Ligurie, la fougasse aux oignons ou au fromage, toujours assaisonnée d'huile d'olive.

Burano

PROVINCE DE SAN REMO

VINTIMILLE

Ville frontalière, Vintimille, Ventimiglia pour l'Italie, fut pendant des siècles le centre commercial le plus important de la Ligurie de l'Ouest. Une prédominance qui s'explique par sa position stratégique au croisement de la voie romaine vers la Gaule et de l'antique route du sel vers le Piémont. Le centre historique, aujourd'hui en ruine, surgit à droite du fleuve Roia.

PRATIQUE

Indicatif téléphonique : 0184.

Office du tourisme. Via Cavour, 61 © 35 11 83. *Ouvert du lundi au samedi de 8 h à 19 h et le dimanche de 9 h à 13 h.*

Consulat de France. Via Martiri della Libertà, 2 © 35 12 64.

Poste. Via della Repubblica, 8. *Ouverte du lundi au samedi de 8 h 10 à 18 h (fermée le dernier jour ouvrable de chaque mois).*

HEBERGEMENT

Hôtel Aurora. Via Pelloux, 42/b, Bordighera © 26 13 11. *110 000/170 000 L.* 30 chambres. Dans un site verdoyant et tourné vers la mer. Belle terrasse-solarium et vue panoramique.

Hôtel Sole e Mare, Via Marconi, 12, Vintimille © 35 18 54 - Fax 23 09 88. *120 000/150 000 L. Fermé du 15 novembre au 15 décembre.* 28 chambres avec téléphone et télévision. Jardin, parking. Interdit aux animaux. American Express, Visa, Diner's Club. Près de la mer et non loin du centre. De nombreuses chambres avec balcon.

Hôtel Parigi. Lungomare Argentina, 18, Bordighera © 26 14 05 - Fax 26 04 21. *195 000/230 000 L.* 55 chambres avec téléphone et télévision. Sauna, piscine couverte, plage privée, parking, accès handicapés. Interdit aux animaux. American Express, Visa, Diner's Club. L'hôtel, dans le style des vieilles résidences anglaises, donne sur une belle plage privée.

Agriturismo

L'association **Torri Superiore** (Via Torri Superiore, 5 © 21 52 90) gère un vieux village à l'intérieur des terres dont elle a reconstruit les vieilles maisons. Tous les week-ends, du 15 juillet au 31 août, elle offre l'hospitalité dans le village (40 lits), dans des structures indépendantes à Torri Inferiore et, également, sur un terrain de camping aménagé (30 places sous tente). Attention, il est interdit de fumer en dehors des lieux réservés. Possibilités d'excursions dans le parc de la vallée des Merveilles et le long des sentiers naturels. Renseignements : © 21 52 90.

Villa Loreto. Via Giulio Cesare, 37, Bordighera © 29 43 32. *Ouvert de décembre à septembre. Ferme à 21 h, en juillet-août à 22 h.* Cet établissement tenu par des religieuses est réservé aux couples et aux femmes. Calme.

Agriturismo Terre Bianche. Località Arcagna, Dolceacqua © 01 84/31 426. *Chambres 60 000/80 000 L, pension 110 000/130 000 L, repas 35 000/60 000 L. Fermé de l'Epiphanie à février.* 10 kilomètres au nord de la côte (Ventimiglia). Ancienne maison en pierre très bien située, près de Dolceaqua, de la mer et des montagnes que vous découvrirez à cheval. Cuisine provençale et ligure.

Faites-nous part de vos coups de cœur

RESTAURANTS

Restaurant Marco Polo. Passegiatta Cavalotti Vintimille ✆ 35 26 78. *55 000/85 000 L. Fermé le dimanche soir et le lundi en basse saison. Réservation obligatoire.* 70 couverts. Jardin. American Express, Visa. Bon rapport qualité-prix.

Restaurant Ustaria d'a Porta Marina, Via C. Colombo, 9/a Vintimille ✆ 35 16 50. *55 000/90 000 L. Fermé le mardi soir et le mercredi, et 15 jours entre novembre et décembre.* 60 couverts. Climatisation. American Express, Visa, Diner's Club. Ambiance rustique dans ce palais du XVIIIe. Nappes blanches, pâtes maison, légumes du potager et huile pressée sur place. Parmi les spécialités : gnocchi verts *alla boraggine* et ravioli de poisson.

Restaurant Via Romana. Via Romana, 57, Bordighera ✆ 26 66 81. *85 000/145 000 L. Fermé le mercredi et le jeudi à midi. Réservation obligatoire.* 40 couverts. Climatisation. American Express, Visa, Diner's Club. Grande cuisine dans une ambiance élégante. Spécialités de poisson.

Restaurant Carletto, Via Vittorio Emanuele, 339, Bordighera ✆ 26 17 25. *90 000/140 000 L. Fermé le mercredi. Réservation obligatoire.* 35 couverts. Climatisation. American Express, Visa, Diner's Club. Au menu : farfalle à la langouste, loup de mer aux artichauts ou aux cèpes. Laissez-vous tenter par les bons petits vins du cru, rouges ou rosés, dont celui de Dolceacqua, le tout dans une ambiance raffinée.

MANIFESTATIONS

Le 14 août : régates, après le défilé historique et l'exhibition des porteurs de drapeaux.

Du 15 au 30 septembre : parade nationale des drapeaux et championnat italien des porteurs de drapeaux (individuel, en couple ou par équipe).

Bataille de fleurs, en juin, et Festival de musique ancienne, en juillet.

POINTS D'INTERET

Teatro Romano. Il appartient aux ruines de l'antique Albintimilium (IIe siècle).

Monastère des Chanoinesses. Il se trouve place de la Cathédrale.

Cathédrale. Construite au XIe siècle dans le style roman, elle présente un beau portail de 1222 et une crypte ornée d'une sculpture préromane.

Baptistère. De forme octogonale, il possède des fonds baptismaux anciens et des vestiges de sculptures lombardes.

Musée préhistorique des Balzi Rossi. Porte San Ludivico ✆ 38 113. Le musée expose les restes préhistoriques des plus anciens habitants de la Ligurie, retrouvés dans les grottes des *Balzi Rossi*. Il s'agit des squelettes d'un homme, d'une femme et d'un adolescent enterrés avec leurs ornements de coquillages et de dents de cerf. Ils avaient une haute stature et un physique athlétique, un crâne volumineux, un visage bas et large, des pommettes saillantes, un nez étroit, un menton massif et proéminent.

Jardin de la villa Hanbury. Mortola Inferiore. C'est le plus grand Jardin botanique d'Italie : 18 hectares de collines qui descendent de la Via Aurelia à la mer. Y poussent des agaves américains bariolés, des yuccas, des cèdres du Liban, des glycines chinoises. En 1868, Sir Thomas Hanbury acheta le palais situé sur le promontoire de Montola et transforma son parc en un paradis de plus de 6 000 plantes arrosées de ruisseaux, parsemé de fontaines et de grottes obscures. Vous vous perdrez dans un labyrinthe de sentiers qui s'enfoncent dans des vergers de dattiers, de bananiers et d'arbres à papayes. Près du vieux pressoir à huile, vous admirerez l'un des cyprès les plus hauts du monde.

Loisirs

Pour les bons marcheurs, Ventimiglia est le point de départ d'un itinéraire de grande randonnée, *l'Alta Via dei Monti Liguri*, qui va jusqu'à La Spezia. Ce sont, en tout, 440 km divisés en 44 étapes. L'itinéraire est signalé par des écriteaux (AV sur fond blanc entre deux rectangles rouges). Vous trouverez une description précise des parcours dans le guide Alta Via dei Monti Liguri (éditions Centro Unione Studi Camere Liguri).

DANS LES ENVIRONS

Bordighera

Indicatif téléphonique : 0184.

C'est le lieu de villégiature préféré des Anglais depuis l'engouement suscité par le roman *Il Dottor Antonio* de Giovanni Ruffini, publié en 1855. Grands boulevards ombragés, maisons de maître, hôtels : le centre conserve en partie les structures du XVe siècle.

En janvier et février s'y déroule un festival de musique de chambre. Le 10 février : chars, groupes folkloriques et batailles de fleurs.

Enfin, ne partez pas de Bordighera sans avoir goûté le *cubaite* (sorte de gaufre au caramel).

La chapelle San Ampelio. *Ouverte le dimanche matin à partir de 9 h.* Surplombant la côte, elle fut habitée, d'après la légende, par un ermite.

Gioardino Esotico Pallanca. Via Madonna della Ruota, 1. *Ouvert du mardi au dimanche de 9 h à 12 h et de 15 h 30 à 19 h 30.* Pour un dépaysement complet, une balade parmi les cactus et les plantes exotiques de ce jardin est recommandée.

Museo Bicknell. Via Romano, 39 © 26 36 01. Cet Institut international d'études sur la Ligurie expose des moulages et des vestiges préhistoriques provenant du mont Bego.

Vallée de la Nervia

C'est une succession de bourgs médiévaux bien conservés. Autrefois, c'était une étape importante sur la route du sel qui relie la Ligurie à la Suisse. Après Camporosso, on grimpe à Dolce Acqua, pittoresque bourg médiéval divisé par la Nervia en deux parties, La Terra et Il Borgo, dominé par les ruines du Castello Doria.

Au bout de la vallée se trouvent les villages de Pigna, avec une belle loge médiévale, et de Castelvittorio, aux maisons adossées au clocher. Un détour bucolique.

Ospedaletti

Indicatif téléphonique : 0184.

Ospedaletti conserve encore l'aspect caractéristique du vieux village perdu dans la nature environnante, malgré le développement important du tourisme et de l'industrie des fleurs. A l'arrière de la ville, au-delà des terrains en terrasses où se pratique la culture des œillets, de grandes pinèdes s'étendent jusqu'aux Monte Bignone et Monte Caggio.

Parcourez donc le **Corso Regina Margherita** et flânez entre les arbres odoriférants.

Pinacoteca e Bibliografia Rambaldi di Coldirodi. Coldirodi © 80 304. Peintures du XVe au XIXe siècle.

SAN REMO

La ville des fleurs, du casino et du festival de la chanson italienne bénéficie, depuis le siècle dernier, des faveurs des touristes anglais. Ce n'est pas un hasard si le premier hôtel, créé en 1860 et toujours en activité, s'appelle « Londres». Par la suite, on vit arriver dans la ville Maria Alexandrovna, impératrice de Russie, et Frédéric Guillaume, prince héritier d'Allemagne, entraînant derrière eux la crème de l'aristocratie européenne. Entre la fin des années 1800 et la Deuxième Guerre mondiale apparurent des hôtels, des villas, un casino, des équipements sportifs, des parcs et des jardins.

En même temps, la construction de serres modifiait le paysage autour de la ville et faisait de San Remo le marché aux fleurs le plus important d'Italie.

PRATIQUE

Indicatif téléphonique : 0184.

Office du tourisme. Largo Nuvolini, 1 © 57 15 71 - Fax 50 76 49. *Ouvert du lundi au samedi de 8 h à 19 h et le dimanche de 9 h à 13 h.*

Consulat de France. Via Martiri della Libertà © 80 222.

Distributeur bancaire. Corso Mombello, 27.

HEBERGEMENT

Hôtel Pensione l'Oasi. Salita Poggio, 37/39 ✆ 57 61 13. *50 000 / 80 000 L.* Dans la zone résidentielle, à quelques pas de la mer. Direction et cuisine familiales.

Hôtel Paradiso. Via Roccasterone, 12 ✆ 57 12 11 - Fax 57 81 76. *160 000 L.* 41 chambres avec téléphone, télévision et réfrigérateur. Parking, plage privée. American Express, Visa, Diner's Club. Ambiance calme et détendue au milieu de la verdure et non loin de la mer.

Grand Hôtel Londra. Corso Matuzia, 2 ✆ 66 80 00 - Fax 66 80 73. *190 000 / 310 000 L. Fermé de la mi-octobre à la mi-décembre.* 135 chambres climatisées, avec téléphone, télévision, réfrigérateur. Parc, parking, piscine, solarium, accès handicapés. Interdit aux animaux. Situé en bord de mer, sur l'agréable promenade de l'Impératrice, à 300 mètres du casino, ce vieux palais, particulièrement bien rénové, est entouré d'un jardin de fleurs méditerranéennes et de palmiers. Ambiance et confort raffinés.

RESTAURANTS

Restaurant Osteria del Marinaio. Via Gaudio, 28 ✆ 50 19 19. *80 000/130 000 L. Fermé le lundi et en octobre et décembre. Réservation obligatoire.* 20 couverts. Climatisation. Minuscule restaurant de poisson près du marché aux poissons. Les poissons sont donc particulièrement frais. Spécialités de... poisson.

Restaurant Da Paolo e Barbara. Via Roma, 47 ✆ 53 16 53. *75 000 L. Fermé le mercredi et le jeudi à midi en été, de la mi-décembre à l'Epiphanie et 10 jours en juin-juillet.* 35 couverts. Climatisation. American Express, Visa, Diner's Club. Paolo est un jeune chef dont on n'a pas fini de parler, et pour cause !

Restaurant Da Gianinno. Lungomare Trento e Trieste, 23 ✆ 50 40 14. *90 000/ 150 000 L. Fermé le dimanche soir et le lundi, et du 15 au 31 mai. Réservation obligatoire.* 50 couverts. Climatisation. American Express, Visa, Diner's Club. L'indispensable restaurant chic du coin.

SORTIR

Le casino. Corso Inglesi, 18 ✆ 53 40 01. *Ouvert de 10 h à 3 h.* De style Liberty, cette véritable institution, ouverte depuis 1905, est le lieu idéal pour passer une soirée différente. Tapis verts, chemin de fer, trente et quarante, roulette classique et américaine... Laissez-vous également hypnotiser par le cliquetis des pièces qui se déversent des machines à sous.

Le Roff Garden. Pendant l'été, le Roff Garden propose des soirées musicales. La vie, en été, y est trépidante.

Discothèque Odéon. Corso Matteotti, 178. L'une des discothèques les plus prisées de la ville.

MANIFESTATIONS

Festival de la chanson italienne, Teatro Ariston, Corso Matteotti ✆ 85 685.

En octobre : Festival de la chanson d'auteur, club Tenco.

Le 19 mars : course cycliste San Remo-Milan.

En mai : Concours international de guitare classique.

En août : Salon des antiquaires, en août.

Chaque année, lors des «Journées Prix Nobel», la ville accueille les personnalités auxquelles ce prix a été décerné.

POINTS D'INTERET

Piazza Castello. Point de départ de la visite du centre médiéval de la Pigna, qui monte en cercles dans un dédale de ruelles, d'escaliers et de placettes.

Sanctuaire de la Madonna della Costa. Piazza Assunta, 2 ✆ 85 076. Construit au XVIIIe siècle, il s'ouvre sur une terrasse panoramique.

Cathédrale de San Siro. Piazza San Siro, 51. De style romano-gothique, elle fait le lien entre la vieille ville et la ville nouvelle. A côté, le clocher baroque, cher au cœur des Sanrémois.

Palazzo Borea d'Olmo. Corso Matteotti. L'édifice civil le plus important de la ville, situé entre les magasins de luxe et le casino municipal.

San Basileo. Eglise russe orthodoxe, dont les coupoles en forme d'oignon rappellent le séjour de l'impératrice Alexandrovna.

Balade

Prendre le Corso Imperatrice, ainsi nommé en souvenir de l'impératrice Alexandrovna qui offrit à la ville les palmiers qui bordent la promenade. Au-delà du parc Marsiglia, vous rejoindrez le Corso degli Inglesi, qui monte dans les collines à travers villas et jardins.

Autre alternative, la promenade en bord de mer qui longe le Corso Trento e Trieste. Elle vous mènera au jardin public de la Maison communale.

SHOPPING

Les rues incontournables pour leurs boutiques sont les Via **Matteotti, Palazzo, Corrado**, Manzoni, Roma, Gaudio et le Corso Garibaldi.

Un maître argentier (Via Pietro Cavri, 20) tient une boutique spécialisée dans le travail des objets en or et en argent : coquillages, broches, colliers et bracelets.

Cose di Carta. Via Corradi, 75. Cet atelier artisanal de reliure propose des articles de cadeaux réalisés avec 200 types de papiers différents. Le choix est varié : boîtes de grandes dimensions, agendas, cadres, porte-photos, porte-objets, albums de photos.

Marché

Marché aux fleurs, pavillons entre Piazza Colombo et Corso Garibaldi. Tous les matins, à l'aube, c'est spectaculaire.

ARMA DI TAGGIA

La commune de Taggia est formée de deux ensembles : le centre historique (Taggia) et le centre moderne (Arma), situé sur la côte.

Placée juste à la sortie de la vallée Argentina, la vieille ville est l'une des plus intéressantes de la Riviera di Ponente et date probablement du Moyen Age. A cette époque, les habitants qui fuyaient devant les invasions des Sarrasins se réfugièrent sur les collines. La bourgade, encore entourée des vieux remparts, est traversée par une longue route bordée d'arcades. Tout au long de la Via Dalmazzo et de la Via Soleri, de nombreux palais du Moyen Age et de la Renaissance alignent portails en ardoise décorée, frontons et porches. Sur la côte, le centre d'Arma s'est développé au cours des dix dernières années.

PRATIQUE

Indicatif téléphonique : 0184.

Office du tourisme Via Boselli © 43 733.

Distributeur bancaire Via Benglino, 9.

POINTS D'INTERET

San Domenico. Construit en 1490, ce couvent fut, pendant trois siècles, le principal centre culturel et artistique de la Ligurie occidentale. Dans l'église gothique, vous pourrez admirer les peintures de Brera. Le cloître du couvent donne sur un réfectoire et sur une salle chapitrale ornée de fresques de Canavesio.

Madonna del Canneto. Une belle église cachée par les oliviers qui entourent le pays. L'intérieur présente des fresques intéressantes.

Madonna dell'Arma. Cette église occupe une grotte qui, durant le Paléolithique moyen, abrita une communauté de chasseurs.

Museo del Convento dei Padri Domenicani. Piazza San Cristoforo, 6 © 47 62 54. Œuvres du XIIe au XIVe siècle.

Après le pont médiéval qui traverse le torrent Taggia, un sentier vous conduira en dix minutes à l'église de **San Martino**. A l'inverse, un chemin muletier vous fera grimper à Castellaro et au sanctuaire de Lampedusa.

MANIFESTATIONS

Deuxième dimanche de février : fête de San Benedetto Revelli. La population met le feu à d'énormes bûchers de bois et tire les «fugari» (feux d'artifice caractéristiques). La ville célèbre la mémoire du saint qui la sauva au Moyen Age de l'invasion des pirates.

28 juillet : le bal de la Mort. Tradition ancienne. La congrégation, qui célèbre le culte de Marie-Madeleine, chante et danse toute la nuit. La danse de la Mort est exécutée par un garçon et une fille.

En février : défilé de costumes évoquant les métiers anciens.

Fin juillet : fête de Sant'Erasmo, feu d'artifice tiré sur la mer.

SHOPPING

Paolo Guardieri. Via Ninio Pesce (Galleria Florida). Spécialiste du travail de la corne (bœuf, buffle, cerf, renne et mouflon), dont il fabrique des manches de couteaux, des boîtes et des bibelots.

Brocante, le dernier dimanche du mois, le long des arcades de Via Solieri. En fouinant, vous ferez des affaires : lits de fer, céramiques, jouets anciens, bijoux Liberty ou des années 60.

DANS LES ENVIRONS

Bussana

Depuis Arma di Taggia, vous pouvez, à l'intérieur des terres, rejoindre B**ussana,** un village détruit par le tremblement de terre de 1867.

A 6 h 25 du premier jour de Carême, la terre commença à bouger. En quelques minutes, Bussana, qui avait durant des siècles résisté à l'invasion des pirates sarrasins, devint un amas de ruines. Les habitants décidèrent de reconstruire un nouveau village dans la plaine du torrent Armea. Le vieux village resta abandonné aux pluies et à la végétation qui l'étouffa entièrement.

Au début des années 60, le village a ressuscité grâce au travail d'un groupe d'artistes et d'artisans. Ils ont reconstruit les maisons en ruine et ouvert des boutiques d'artisanat. Vous vous laisserez prendre à l'atmosphère étrange qui se dégage des ruines, des ateliers et des auberges. Dans ces dernières, vous pourrez déguster un verre de vin, tout en bavardant avec des artistes italiens ou étrangers.

IMPERIA

La ville est née du rapprochement administratif de Oneglia et Porto Maurizio, deux cités originales au parcours historique différent. Porto Maurizio, historiquement proche de Gênes, a une vocation tournée vers le tourisme. Le centre, découpé en ellipses concentriques et accroché à la colline, a été conservé pratiquement intact. Les édifices sont disposés en rang sur deux tracés. On peut y voir des palais du XVIIe et du XVIIIe siècle aux façades austères et aux intérieurs fastueux. Oneglia, quant à elle, ne peut renier ses origines piémontaises. En effet, ses rues à arcades sont rectilignes. L'architecture des quartiers du centre remonte au XIXe siècle et aux origines du développement économique de la ville, célèbre par ses fabriques d'huile et de pâtes. Le port d'Imperia est l'escale principale de l'extrémité de la Ligurie occidentale.

PRATIQUE

Indicatif téléphonique : 0183.

Office du tourisme Viale Matteoti, 54/a ✆ 29 49 47.

Distributeur bancaire Via Berio, 2.

HEBERGEMENT

Hôtel Centro. Piazza Unità Nazionale, 4, Imperia ✆ 27 37 71 - Fax 27 37 72. *75 000/120 000 L.* 23 chambres avec téléphone, télévision, réfrigérateur. Parking, climatisation, solarium. American Express, Visa, Diner's Club. A Oneglia, près de la gare, un hôtel confortable.

Agriturismo

Agriturismo Il Castagno. Via San Bernardo, 39, Mendàtica © 01 83/32 87 18. *Chambres 55 000 L, pension 90 000 L, appartements 50 000 L par personne. Ouvert tous les jours.* 40 kilomètres à l'ouest de la côte. Maison en pierre ancienne dans le village, près des Alpes, avec vue sur la mer. Idéale en hiver et en été pour les sports de montagne. Restaurant de spécialités régionales.

RESTAURANTS

Restaurant Pane e Vino. Via de Geneys, 52, Imperia © 29 00 44. Dissimulé sous un vieux porche, ce bar à vins propose une réserve de 600 crus mais aussi d'appétissants amuse-gueule, des charcuteries diverses, des fromages italiens et français.

Restaurant Osteria dell'Olio Grasso. Piazza Parasio, 36, Imperia © 60 815. Cet antique moulin à huile est devenu une auberge rustique, avec bancs d'église et tables de bois. Soupe à l'oignon, poisson grillé, filet au poivre vert.

MANIFESTATIONS

En septembre : fête des bateaux, rassemblement de bateaux à voiles. Goélettes et superbes navires participent aux régates. Concerts et expositions.

POINTS D'INTERET

Il Duomo. Piazza del Duomo. De style néoclassique et de proportions volumineuses, il émerge au milieu des édifices.

San Giovanni Battista. Via San Giovanni. Collégiale baroque. L'intérieur et les trois nefs sont bordés de colonnes et de nombreuses coupoles. Les fresques sont superbes.

Oliveto Sperimentale. Villa Ludovici, Garbella. Cette oliveraie expérimentale, rouverte récemment sur l'initiative de la chambre de commerce et de l'administration provinciale, expose une récolte de 54 variétés d'huiles d'olive méditerranéennes.

Museo Navale del Ponente Ligure. Piazza Del Duomo, 4 © 65 15 41. *Ouvert mercredi et samedi de 17 h à 20 h ; en été de 21 h à 23 h. Le mardi est réservé aux écoliers. Entrée libre.* Exposition de reliques marines, d'estampes et de cartes géographiques.

Museo dell'Istituto Storico della Resistenza. Via Cascione, 96 © 65 07 66. *Ouvert tous les jours, sauf mardi et dimanche, de 15 h à 18 h. Entrée libre.*

Museo dell'Olio. Via Garessio, 13, c/o Oleificio F. lli Carli © 27 101 - Fax 23 236. *Ouvert tous les jours, sauf mardi et dimanche, de 15 h à 18 h. Entrée libre.* Objets relatifs à la culture et à la pression de l'olive.

Balade

De la Piazza Ulisse Calvi, vous débouchez Via Serrati. La rue grimpe dans un plaisant quartier de villas et de jardins de cyprès, d'agaves et de palmiers. Les Via XX Settembre et San Giovanni sont des rues piétonnes.

SHOPPING

Le centre commercial s'abrite sous les arcades des Via Bonfante, Belgrano et della Repubblica, et dans le port, le long de la Calata G. B. Cuneo. Vous y trouverez des boutiques artisanales et des magasins de produits typiques.

Conuigi Persico. Calata Cuneo, 39. Anchois et olives en saumure.

Giovanni Campoverde. Via San Giovanni, 54. Même chose.

Quelques adresses où vous pourrez acheter directement l'huile d'olive extra-vierge, spécialité de la région :

Fratelli Carli, Via Garessio, 11-13

Frantoio di S. Agata, Frazione Sant Agata

Oliandolo di Nanni Ardoino, Piazza De Amicis, 20

Isnardi, Via XX Aprile, 71

Frantoio Bianco, Via Nazionale, 245

Oleificio di Laura Maraveldi, Piazza Chiesa, 1, Bergomaro (produit son huile avec un pressoir à pierre).

Marché aux poissons (Calata G. B Cuneo, 39, Oneglia Porto) les mardi et samedi.

Marché aux poissons (Imperia Porto Maurizio) les lundi et jeudi.

DANS LES ENVIRONS

Entre **Pontedassio et Chisavecchia**, vous trouverez l'ancien pressoir à huile «Girolema». Vous admirerez ses quatre grosses machines à dents de bois et vous visiterez un centre didactique, un laboratoire et un espace d'exposition-vente. Vous pourrez y acheter des produits dérivés de l'huile.

Diano Marina

Indicatif téléphonique : 0183.

Jusqu'au XVIIe siècle, Diano désignait une communauté retirée dans les montagnes de Castello. Tout d'abord, les habitants se spécialisèrent dans la culture de l'olivier. Ils pratiquaient le commerce de l'huile avec la république de Mendatica, aux limites du Piémont, et avec Porto Maurizio. Diano Marina s'est développée le long des côtes. Le centre-ville a été reconstruit après le tremblement de terre de 1887. Le centre historique conserve les caractéristiques de l'ancienne ville. Ses remparts sont accrochés aux collines et dominent la plaine côtière.

CERVO

Pratique

Indicatif téléphonique : 0183.

Accrochée au versant d'une montagne descendant à pic vers la mer, Cervo est une vieille ville médiévale aux rues parallèles, reliées par des ruelles et d'étroits escaliers qui descendent du château.

Manifestations

En été, sur le parvis de l'église aux «coraux» se déroule le Festival international de la musique de chambre. Le 25 novembre, la foire de Sainte-Catherine.

Points d'intéret

Une possible promenade vous mènera jusqu'aux pressoirs à huile de Fieschi, Molino di Fico, Tre Molini. Production d'huile extra-fine.

Via Salineri. Axe principal du vieux cœur de la ville, la rue est flanquée d'édifices anciens aux portails de pierre travaillée.

San Giovanni Battista. Eglise dite «aux coraux» parce que construite avec le produit de la pêche du corail. Entre le XVIIe et le XVIIIe siècle, les pêcheurs locaux plongeaient dans les eaux de la Sardaigne et de la Corse pour en ramener le précieux mollusque. La chaire de marbre blanc du XVIe siècle est remarquable.

Château. Il domine Cervo, et constitue un exemple intéressant d'architecture civile et militaire du Moyen Age ligure. En bas, s'étend la ville aux maisons bien rangées et aux beaux palais baroques qui marquèrent le développement de l'habitat au XVIIe siècle.

Palazzo Morchio. Municipio (hôtel de ville). Construit à la fin du XVIIe siècle par Falcone Morchio, sénateur de la république de Gênes. Le portail en ardoise, du plus pur style génois, est magnifique.

Museo Etnografico del Ponente Ligure. Piazza Santa Caterina, 1 ✆ 40 81 97. Situé dans les salles de l'ancien hôpital Saint-Antoine. Exposition des outils de travail des marins et des paysans de l'intérieur des terres.

PROVINCE DE SAVONA

➥ D'Albenga à Savona

Cette route suit la côte de la Riviera di Ponente. Aux serres de fleurs succèdent les champs d'oliviers parés de leurs filets rouges caractéristiques, tendus pour recueillir les fruits dont on tire une huile parfumée, au goût délicat. La Via Aurelia est ponctuée sur toute sa longueur de villes balnéaires charmantes mais quelquefois enlaidies de résidences secondaires et d'édifices à l'architecture déplorable. Par chance, l'intérieur des terres conserve intact son charme d'autrefois.

ALBENGA

L'antique et puissante «Albium Ingaunum», capitale de la Ligurie, était l'un des centres les plus importants du Ponente. Par la suite, elle devint une cité romaine renommée et, plus tard encore, une commune médiévale. Elle dut se soumettre à Gênes en 1251.

Ici les principaux monuments datent de la Renaissance (XIIe au XVe siècle), quand Albenga était une cité libre et que ses habitants s'enrichissaient dans le commerce sur mer et sur terre. Aujourd'hui, la ville conserve intact son centre historique entouré de murailles, d'où émergent les belles case-torri, symboles d'une autre époque.

Le développement du tourisme et de la production horticole (derrière la ville s'étend la plus grande plaine d'alluvions de la Ligurie) a contraint Albenga à se tourner vers la mer.

Office du tourisme. Via Ricci © 55 90 58.

HEBERGEMENT

Hôtel Sole Mare. Lungomare Colombo, 15, Albenga © 51 817 - Fax 52 752. *Environ 150 000 L.* 28 chambres, dont certaines ont une terrasse sur la mer. Confortable.

Agriturismo

Agriturismo Il Colletto. A Campochiesa, Via Cavour, 34, Albenga © 01 82/21 858. *Appartements 200 000 L. Fermé en janvier.* Sur la côte, 10 kilomètres au nord d'Alàssio. Grande propriété divisée en appartements. Terrain de sport aménagé pour balades à cheval et à pied, jeux...

RESTAURANTS

Restaurant Punta San Martino. Regione San Martino Albenga © 51 225. *Environ 50 000 L. Fermé le lundi et de l'Epiphanie à février. Réservation obligatoire.* 50/70 couverts. Parking. American Express, Visa, Diner's Club. Ancienne construction du XVIe siècle, noyée dans la verdure, avec vue sur la mer. Bonne cuisine régionale de poissons et de viandes. Spécialités de champignons.

Restaurant Minisport. Viale Italia, 35, Albenga © 53 458. *Environ 60 000 L. Fermé le mercredi en hiver. Réservation obligatoire.* 65/80 couverts. Climatisation, parking. American Express, Visa, Diner's Club. Décor rustique mais soigné. Les recettes de poissons, saumon, moules farcies et calmars n'ont pas de secret pour Ivana Alessandri.

POINTS D'INTERET

Battistero. Via Ricci. Ce vieil édifice ligure paléochrétien, de forme octogonale, se dresse à côté de la Loggia del Palazzo Vecchio. A l'intérieur, on marche sur une belle mosaïque de style lombard du Ve siècle.

San Michele. Piazza San Michele. Construite sur une basilique paléochrétienne, l'église conserve une structure gothico-romane que n'a pas entamée sa rénovation. Le campanile de 1390 forme avec la tour de la mairie la trilogie des tours de la justice, du gouvernement et de la prière.

Piazza dei Leoni. Entourée de maisons du Moyen Age et dominée par une tour à créneaux remontant à l'an 1300, la place est décorée de trois lions datant de la Renaissance.

Palazzo Costa del Carretto di Balestrino. Piazza dei Leoni. Construit au XVIe siècle sur l'emplacement du marché des cordonniers, il conserve des inscriptions romaines de la cité.

Civico Museo Inguano e Battistero. Palazzo Vecchio del Comune. Piazza San Michele ✆ 51 215. Situé dans un beau palais orné d'une loge et d'une grande tour à double fenêtre, le musée expose des documents et des pièces archéologiques de l'époque préromane et médiévale.

Museo Navale Romano, Palazzo Peloso-Cipolla. Piazza San Michele ✆ 51 215. Expose les vestiges d'un chargement d'amphores à vin d'un navire du Ier siècle. Le musée abrite le Centre expérimental d'archéologie sous-marine.

ALASSIO

Connue dans les années 60 comme la ville des artistes et des dandys, Alàssio a été découverte à la fin du siècle dernier par les touristes anglais, en voyage romantique en Italie. Son climat doux et sec, ses longues plages de sable fin, l'intérieur de ses terres vertes plantées de vergers et d'oliviers font d'Alàssio un lieu de villégiature fort agréable. Aujourd'hui encore, ses villas et ses jardins évoquent l'élégante atmosphère du temps passé.

PRATIQUE

Indicatif téléphonique : 0182.

Office du tourisme. Via Gibb, 26 ✆ 64 03 46.

HEBERGEMENT - RESTAURANT

Hôtel Eden. Passeggiata Cadorna, 20, Alàssio ✆ 64 02 81 - Fax 64 30 37. *Environ 150 000 L.* L'établissement résulte de la réunion de deux belles villas du siècle dernier. Tranquille, il offre une terrasse pour les dîners estivaux.

Grand Hôtel Diana. Via Garibaldi, 110, Alàssio ✆ 64 27 01 - Fax 64 03 04. *250 000/350 000 L. Fermé de la mi-janvier à la mi-février.* 51 chambres avec téléphone, télévision, climatisation, réfrigérateur. Parc, parking, sauna, plage privée, piscine couverte. American Express, Visa, Diner's Club. Un hôtel blanc, en bord de mer, avec une belle terrasse aménagée.

Restaurant

Restaurant Palma. Via Cavour, 5, Alàssio ✆ 64 03 14. *90 000/110 000 L. Fermé le lundi, le mardi à midi et le dimanche en hiver. Réservation obligatoire.* 30 couverts. Climatisation. American Express, Visa, Diner's Club. Un restaurant tenu depuis 1922 par la famille Viglietti. Décoration provençale, lumières diffuses et plats de la tradition ligure avec une réelle note de créativité. Au menu : ravioli de loup de mer au fumet de crustacés et courgettes fondantes, tournedos du pêcheur.

MANIFESTATION

Le 25 juillet : Fête de la mer. Défilé de barques fleuries et animations variées.

POINTS D'INTERET

Il Muretto. A l'intérieur des jardins Chopin, le mur de céramique porte les signatures de nombreuses idoles du cinéma et de la chanson.

Sant' Ambrogio. Portail et clocher du XVIe siècle.

Santa Croce. Cette église romane domine la route qui mène à Albenga.

Balade

La Passeggiata Italia, puis Il Budello du Corso XX Settembre permettent de traverser le centre en longeant le littoral.

DANS LES ENVIRONS

Laigueglia

Indicatif téléphonique : 0182.

La ville a conservé le plan traditionnel de la cité ligure. Ses rues sont parallèles au littoral. Village de pêcheurs au Moyen Age, Laigueglia est aujourd'hui une station balnéaire. De la plage, on aperçoit les palais du XVIIe et du XVIIIe siècle et de petites places où étaient déchargées les marchandises. Elles témoignent de l'importance passée de Laigueglia dans le commerce maritime et la pêche au corail.

• Points d'intérêt

San Matteo. Eglise baroque de la seconde moitié du XVIIIe siècle. La façade à plan courbe est flanquée de chaque côté de deux clochers. L'intérieur, en forme de croix grecque, possède un crucifix d'Andrea De Ferrari et la Pentecôte de Castellino Castello.

Colla Micheri

Vous pouvez faire une promenade qui vous mènera jusqu'à **Colla Micheri**, minuscule village rural perdu dans les oliviers, et situé entre Lagueglia et la vallée de Merula. Le village appartient à l'ethnologue norvégien Thor Heyerdahl, qui l'a restauré et mis en valeur.

LOANO

Centre balnéaire et résidentiel, la ville fut achetée par Oberto Doria en 1262 et passa, en 1505, dans le giron de la famille Fieschi. Charles V, en 1547, l'offrit à Andrea Doria. Les vastes édifices résultant du développement du tourisme ont malheureusement détruit le centre historique. Il n'en reste que quelques bâtiments qui remontent à l'époque de la seigneurie des Doria, notamment le Palazzo Comunale. Construit au XVIe siècle par la famille Doria, il conserve les vestiges d'une grande mosaïque romaine.

PRATIQUE

Indicatif téléphonique : 019.

Office du tourisme. Corso Europa © 19 67 54 26.

HEBERGEMENT-RESTAURANTS

Hôtel Villa Mary. Viale Tito Minniti, 6, Loano © 66 83 68 - Fax 66 82 45. *60 000/120 000 L.* Près du petit port touristique. Ambiance de vacances.

Hôtel Garden Lido. Lungomare Nazario Sauro, 9, Loano © 66 96 66 - Fax 66 85 52. *170 000/230 000 L. Fermé de la mi-octobre à la mi-décembre.* 90 chambres avec téléphone, télévision. Parc, parking, sauna, plage privée, piscine, climatisation. Interdit aux animaux. American Express, Visa, Diner's Club. Hôtel proche de la mer. Beau jardin.

Restaurants

Restaurant Vecchia Trattoria. Via Rosa Raimondi, 3, Loano & 66 71 62. *60 000/110 000 L. Fermé le lundi en basse saison. Réservation obligatoire.* 35 couverts. Local typique dans le centre historique, à l'ambiance rustique et fréquenté par les pêcheurs. Sur la table, vous trouverez sept variétés de pain maison.

Restaurant Bagatto. Via Ricciardi, 24, Loano © 67 58 44. *Environ 50 000 L. Fermé le mercredi. Réservation obligatoire.* 50 couverts. Visa. Dans une ambiance rustique, cuisine à base de poisson.

MANIFESTATIONS

Le 25 juillet : Fête de la mer et sacre de l'huile d'olive, à Balestrino. La région, qui se vante de produire 17 qualités d'huile d'olive différentes, présente ses meilleures productions.

POINTS D'INTERET

Balade

La Via Aurelia, qui part du centre de la ville, conduit à la Via Ponatassi, ancien tracé de la route Julia Augusta. On admirera les vestiges du pont romain, toujours utilisé.

DANS LES ENVIRONS

Grottes de Toirano

Elles étaient déjà habitées par l'homme à l'époque des mammouths, des rennes et des ours. Il est tout à fait spectaculaire de pénétrer sous la montagne. Le guide vous conduira à travers des paysages fantastiques de concrétions d'albâtre. Le parcours d'un kilomètre et demi dure plus d'une heure et vous mènera le long de méandres aux noms curieux : le «couloir à 8», le «couloir des empreintes», «l'antre de Cybèle». La plus belle des grottes est celle dite «de la sorcière» qui, entre stalactites et stalagmites, garde des empreintes humaines. Dans la salle du *laghetto*, une étendue d'eau limpide est habitée par une colonie de crustacés entièrement transparents, phénomène expliqué par l'absence totale de lumière.

Heures de visites : de 9 h 30 à 11 h 30 et de 14 h 30 à 17 h. La visite complète dure une heure et demie. Il est conseillé de se munir de vêtements chauds. Réservations et renseignements au 01 82 98 062.

Sur la place, près de l'entrée, se trouve le Musée préhistorique de la vallée Varatella.

Balestrino

On accède à Balestrino (à moins de 10 kilomètres) par une petite route qui chemine entre les oliviers. La petite ville est dominée par un château fort imposant qui appartenait aux marquis Balestrino. Blottie au pied du château, la bourgade de pierre est complètement déserte. Elle fut abandonnée à la suite d'un tremblement de terre.

PIETRA LIGURE

Le nom de la ville vient de la roche à laquelle s'agrippe le château. La vieille ville, constituée de palais du XVIIe siècle et de vieilles maisons, a été en partie épargnée par l'expansion des résidences secondaires et des hôtels.

Indicatif téléphonique : 019.

Manifestations

Foire à la brocante, tous les derniers samedis matin du mois et chaque dimanche.

En juillet et en août, Pietra Ligure accueille le festival théâtral Borgio Verezzi.

Balade

Visitez les quartiers de Borgo, qui conservent presque intact leur centre historique. Allez également jeter un coup d'œil à Verezzi, composé de quatre petites agglomérations situées à des altitudes différentes. Leur architecture les rend toutes intéressantes et curieuses à visiter. A voir, l'église San Nicolo di Bari du XVIIIe siècle, flanquée de deux clochers. En partant de la Piazza XX Settembre, des passages souterrains permettent d'accéder à La Marina. Là commence le bord de mer, avec ses palmiers et ses jardins donnant sur une belle plage de sable fin et de galets.

Mise en garde *Le monde du tourisme et celui de l'industrie des voyages sont en perpétuelle transformation. Des établissements peuvent fermer entre le passage de nos rédacteurs et la sortie de nos guides. De même, les numéros de téléphone et les prix sont parfois l'objet de changements qui ne relèvent pas de notre responsabilité. Nous prions les lecteurs de nous excuser pour les erreurs qu'ils pourraient trouver dans les rubriques pratiques de ce guide.*

FINALE

Trois villes (**Pia, Marina et Borgo**) que la récente expansion économique a soudées en une seule agglomération.

Gare. Piazza Vittorio Veneto.

PRATIQUE

Indicatif téléphonique : 019.

Office du tourisme. Via San Pietro, 14 © 69 25 31. *Ouvert du lundi au samedi de 9 h à 12 h 30 et de 15 h 30 à 19 h, le dimanche de 9 h à 12 h.*

Poste. Via della Concezione, 27. Ouverte du lundi au vendredi de 8 h 10 à 18 h, le samedi de 8 h 10 à 12 h.

Banca. Banca Carige. Via Garibaldi, 4. *Ouverte du lundi au vendredi de 8 h 20 à 13 h 30 et de 14 h 30 à 16 h, le samedi de 8 h 10 à 12 h.*

HEBERGEMENT- RESTAURANTS

Hôtel Miramare. Via San Pietro, 9, Finale © 69 24 67 - Fax 69 54 67. *Environ 110 000 L.* Contre la plage, il fut choisi par le metteur en scène Lattuada pour son film *La Plage.*

Luxe

Hôtel Punta Est. Via Aurelia, 1, Finale ©/Fax 60 06 11. *300 000/400 000 L. Ouvert de mai à septembre.* 39 chambres avec téléphone, télévision et réfrigérateur. Parc, parking, plage privée, piscine, tennis, restaurant, piano-bar. Cette villa du XVIIIe siècle, au décor raffiné, est enfouie dans un ravissant parc donnant sur la mer.

Agriturismo

L'association Alberghi e turismo. Via de Raimondi, 29, Finale © 69 42 52. *Ouverte de mai à la mi-octobre du mardi au dimanche, de 10 h à 13 h et de 14 h 30 à 18 h 30.* On vous y aidera à trouver une chambre en cas de problème.

Agriturismo Casalina. A Montagna, Via Chicchezza, 7, Quiliano © 019/88 76 04. *Chambres 50 000/60 000 L. Fermé en janvier.* Superbe maison provençale entourée d'une forêt, près de la mer. Activités : VTT, visite des alentours, massages.

Camping San Martino. Le Manie, près de Finale © 69 80 04. Dans un parc naturel de pins, de chênes verts et d'arbousiers, un beau camping à seulement 6 km de la mer. Bicyclette, équitation, promenades à cheval en compagnie d'un moniteur.

Auberge de jeunesse (Ostello per la giuventù) Wüillermin. Via Caviglia, 46, Finale Marina ©/Fax 69 05 15. *71 lits à 20 000 L, petit-déjeuner inclus. Ouvert de 7 h à 10 h et de 15 h 30 à 23 h 30 du 15 mars au 15 octobre.* Une demeure ancienne nichée dans un beau jardin. Possède une bibliothèque.

Restaurants

Restaurant La Lampara. Vico Tubino, 4, Finale © 69 24 30. *70 000/90 000 L.* De style classique, avec deux salles intimes et accueillantes. Nous vous conseillons les spaghetti aux palourdes, les *trofiette* à la sauce de langoustine, et le poisson grillé.

Manifestations

Festa del Marchesto en juillet, et **Festival théâtral dialectal**, en juillet et août.

Foire aux antiquités et à la brocante, premiers samedi et dimanche du mois.

POINTS D'INTERET

Lungomare Italia. Finale Marina. Belle promenade ombragée par les palmiers, en bord de mer.

San Giovanni Battista. Finale Marina. Commencée en 1619 et consacrée en 1675, l'église s'ouvre sur une façade «mouvementée» et riche de statues et de stucs.

Castelfranco. Finale Marina. Construit par la ville de Gênes en 1365, sur les pentes du Gottaro, le château fut le point fort de la défense espagnole au XVIIe siècle. La rampe d'accès conduit à une petite place intérieure, dominée par les tours octogonales de San Bartolomeo.

Santa Maria di Pia. L'église du XIIe siècle a un intérieur baroque et une seule nef. Les deux cloîtres de l'abbaye bénédictine voisine abritent les œuvres de Della Robbia et d'Antonio Brilla.

Caverna delle Arene Candide. La grotte creusée dans le calcaire a fourni d'importants témoignages préhistoriques, en particulier une tombe paléolithique et une sépulture néolithique.

Le Mura. Finalborgo. XVe siècle, les murailles médiévales de la ville.

San Biagio. Finalborgo. Collégiale baroque, riche en œuvres d'art. Le campanile octogonal, de 1463, est superbe.

Castel Gavone. Finalborgo. En ruines, un des meilleurs exemples d'architecture militaire ligure.

Nostra Signoria di Loreto. Finalborgo. Eglise de la Renaissance de forme carrée, avec une coupole en demi-cercle. Petit presbytère attenant.

Civico Museo del Finale, Chiostro di Santa Caterina, Finalborgo. Via Nicotera ✆ 69 00 20. *Ouvert de 9 h à 12 h et de 14 h 30 à 16 h 30. Fermé le lundi.* Intéressante documentation paléontologique et naturaliste sur Finale et ses grottes.

■ DANS LES ENVIRONS

Rocca di Perti, Calvisio

Un chemin qui part de l'église de Nostra Signoria de Loreto vous conduit, en 30 minutes, à travers la **vallée de Montesordo**, exemple de vallée fossilière, à la **Rocca di Perti** ou à l'**Arma di Pollera**, une caverne creusée dans la roche.

Autre possibilité : suivre le petit chemin Bedina qui monte à **Calvisio**, village rural de moyenne altitude, typique avec ses *casazze*, grandes habitations carrées de pierre.

Varigotti est un village de pêcheurs à l'architecture typiquement méditerranéenne. Il est dominé par les ruines d'un château médiéval et les vestiges du *castrum byzantino-lombard*. Le panorama sur la côte est superbe. L'église de San Lorenzo Vecchio, plantée sur un promontoire qui domine la mer, date du haut Moyen Age.

NOLI

L'antique et prospère république de Noli est aujourd'hui l'une des plus élégantes villes de toute la Riviera di Ponente, avec ses nombreuses tours se profilant à l'horizon. En effet, chaque famille qui avait fourni une galère à Gênes avait le droit de construire une tour. Les monuments du vieux centre historique conservent leur charme d'autrefois. Le Corso Italia sépare les maisons de la plage et borde le centre historique. Des arcades, qui autrefois servaient de passages couverts et d'abris à bateaux, il ne demeure que quelques porches et la Loggia della Repubblica. Au petit matin, c'est là que les pêcheurs remontent leurs filets.

Indicatif téléphonique : 019.

Régates historiques, en septembre.

Palazzo del Comune. Corso Italia. Datant du XIVe siècle, il possède des fresques du haut Moyen Age. A côté, une haute tour crénelée du XIIIe siècle.

Torre del Canto. Piazzetta Morando. De forme trapézoïdale et compacte, avec de rares ouvertures, cette tour est d'inspiration romane dans sa partie basse.

Cathédrale. Via Sartorio. Sous la modeste structure baroque, la cathédrale laisse apparaître, sur les côtés et sur la façade, son origine médiévale. Le portail date de 1611.

San Paragorio. Via al Collegio. Cette église du XIe siècle est le monument religieux le plus important de la ville. Sur le côté, elle est ornée d'un portique gothique du XIVe siècle. A l'intérieur, vous admirerez des fonds baptismaux et des vestiges de fresques du XIVe et du XVe siècle.

Castello Ursino. Construit au XIIe siècle, le château domine la ville. Au milieu des ruines subsiste une courtine de murailles, avec ses tours et ses chemins de garde.

SPOTORNO

Important centre de villégiature. Le développement intensif du tourisme a transformé de manière notable le centre historique de la ville. Les fonds marins, classés parmi les plus beaux de la Ligurie, deviendront peut-être, dans l'avenir, un parc sous-marin.

Indicatif téléphonique : 019.

Points d'intérêt

Eglise paroissiale. Elle date du XVIe siècle. L'unique nef possède des chapelles décorées.

Il Castello. Le château remonte au XIVe siècle. Vaste enceinte carrée et courtine renforcée de loges à chaque angle.

Dans les environs

La petite île de **Bergeggi**, dominée par le vieux phare de Vada Sabatia devenu par la suite un monastère.

SAVONA

Savona est une importante escale maritime, comme en témoigne le volume du trafic supérieur à 15 millions de tonnes (principalement de pétrole et de charbon). Le centre historique est entouré de fortifications. Ne tentez pas d'entrer en voiture dans le quadrilatère formé par les Via Paleocapa, Corso Italia, Pietro Giuria, Gramsci et Orefici.

PRATIQUE

Indicatif téléphonique : 019.

Office du tourisme. Piazza del Popolo © 82 05 22.

HEBERGEMENT

Hôtel Ariston. Via Giordano, 11/r, Savona © 80 56 33 - Fax 85 32 71. *100 000/140 000 L.* 26 chambres avec téléphone, télévision, réfrigérateur. Parking. American Express, Visa, Diner's Club. Chambres avec vue sur la mer. Ambiance familiale.

Hôtel Riviera Suisse. Via Paleocapa, 24, Savona © 85 08 53 - Fax 85 34 35. *110 000/165 000 L. Fermé à Noël.* 80 chambres avec téléphone, télévision, réfrigérateur. Parking, accès handicapés. American Express, Visa, Diner's Club. Entre le port et la gare. Décoré avec goût.

Auberge de jeunesse

Auberge de jeunesse Priamar. Fortezza Priamar, Corso Mazzini, Savona © 81 26 53. *60 lits à 20 000 L, petit déjeuner compris. Ouverte de 7 h à 10 h et de 15 h 30 à 23 h 30.* Restaurant. Près de la gare et à 1 km du centre (bus n° 2, 7 et 8 à proximité). La construction est très ancienne. Dispose également de chambres pour les familles.

Agriturismo

Agriturismo Argentea. A Campo, Via Val Lerone, 50, Arenzano © 010/91 35 367. *Chambres 100 000 L, pension 160 000 L. Ouvert tous les jours.* Sur la côte, 20 kilomètres à l'ouest de Genova.

Agriturismo La Celestina. Località Gallareto, Piana Crìxia © 019/57 02 92. *Demi-pension 65 000 L. Fermé de l'Epiphanie à mars.* 35 kilomètres au nord-ouest de la côte (Savona). Ferme hospitalière près du parc régional de Langhe di Piana Crixia. Cuisine et vins régionaux. Ping-pong, participation aux travaux agricoles.

RESTAURANTS

Restaurant Vino e Farinata. Via Pia, 15/r, Savona. *20 000/45 000 L. Fermé le dimanche et le lundi, et de la mi-août à la mi-septembre.* 120 couverts. Climatisation. Un établissement tout simplement sympathique.

Restaurant Da Bacco. Via Quarda Superiore, 17/19/r, Savona © 83 35 350. *Compter 60 000 L. Fermé le dimanche, de Noël à la mi-janvier et à Pâques.* 80/120 couverts. American Express, Visa, Diner's Club. Situé presque en face de la tour de Leon Pancaldo, le restaurant est décoré de tables de bistrot et de chaises rouges en bois. Au menu : plats typiques ligures, beignets de morue, espadon fumé, *troffie* au basilic, seiches aux petits pois.

MANIFESTATIONS

Marché hebdomadaire : le lundi de 9 h à 18 h.

Brocante : tous les premiers samedis et chaque dimanche du mois.

Exposition de céramiques d'art : août et septembre.

Foire de Savone et Salon du commerce, du tourisme et de l'artisanat : août.

Pâques : pendant la Semaine sainte, des processions dans toutes les rues de la ville rappellent la mort et la Résurrection du Christ.

18 mars : fête de la Madonna di Misericordia.

21 avril : Paliu di Burghi, course traditionnelle de chevaux et désignation du palio.

POINTS D'INTERET

Fortezza del Priamar. Construite dans les années 1542-1543, par la puissante République qui avait soumis la Maison de Savoie. Mazzini y fut incarcéré entre 1830 et 1831.

Torre di Leon Pancaldo. Elevée en souvenir du navigateur savenois, compagnon de Magellan.

Via Paleocapa. L'artère principale de la ville est bordée d'arcades. Les rues parallèles qui mènent au port conservent de fameux exemples de l'architecture civile médiévale.

Palazzo della Rovere. Via Pia. Œuvre inachevée de la Renaissance, elle fut entreprise par Sangallo, qui désirait l'inscrire dans l'environnement des maisons médiévales.

Palazzo degli Anziani. Cet ouvrage du XIVe siècle est l'un des rares édifices qui aient résisté au temps. Il en va de même des tours Corsi et Guarnieri, ainsi que du Brandale (XIIe siècle).

Il Duomo. Il date du XVIe siècle. De nombreuses œuvres enrichissent son intérieur. Sur la droite, vous admirerez la chapelle Sixtine, construite au XVe siècle à la demande du pape Sixte IV pour servir de mausolée à ses parents.

ALBISSOLA MARINA

Ce lieu de villégiature paisible est connu pour ses fabriques de céramique. Un artisanat qui remonte au XVIIe siècle, à l'époque où les frères Conrado fondèrent en France la fabrique de Nevers. Le centre historique se trouve à côté du torrent Riobasco et s'étale le long de la mer.

Pratique

Indicatif téléphonique : 019.

Office du tourisme. Piazza Sisto IV ✆ 48 16 48.

Manifestations

Jusqu'au 6 janvier : crèches populaires avec des personnages grandeurnature réalisés en carton.

Points d'intérêt

Suivre la **promenade des artistes**, le long de la mer, pavée de polychromes signés de peintres modernes (Sassu, Grippa, Capogrossi et Fontana).

San Nicolo. Eglise du XVIIIe siècle, construite sur les ruines d'une autre, plus ancienne. A l'intérieur, trois nefs décorées de fresques de Francesco Gandolfi.

Nostra Signoria della Concordia. Construite à la fin du XIVe siècle. Intérieur baroque.

Museo della Ceramica, Villa Durazzo Fareggiana. Via Salomoni, 117 ✆ 48 06 22. Expose des pièces intéressantes, œuvres de céramistes locaux.

Museo di Villa Trucco. Corso Ferrari, 191 ✆ 48 16 48. Céramiques de Trucco et d'Arturo Martini. Certaines œuvres proviennent de l'hôpital San Martino.

Shopping

Le long de la Via Aurelia, de nombreuses boutiques proposent des **céramiques.**

Table des distances page 8

CELLE LIGURE

Office du tourisme Via Boagno ✆ 99 00 21.

Bien que ce petit port s'étale autour d'une baie coincée entre les rails du chemin de fer et la nationale Aurelia, les maisons présentent les teintes typiques qui s'harmonisent avec les couleurs éclatantes des barques. A Levante, le centre balnéaire est une longue suite d'hôtels, de villas et de résidences secondaires.

Indicatif téléphonique : 019.

Manifestations

En février : carnaval Cellese, défilé de chars allégoriques, cortège de personnages déguisés et la traditionnelle «brisure de la marmite».

En juin : Falo di San Giovanni, sur la jetée.

En août : carnaval de la mi-été, défilé de chars et cortège de déguisements, en musique. Spectacles.

Points d'intérêt

San Michele. La paroisse du XVIIe siècle possède un clocher médiéval. A l'intérieur, un polyptyque du XVIIe siècle, diverses peintures et sculptures.

Dimora di Francesco Della Rovere. Pecorile. Dans cette maison est né, en 1414, Francesco Della Rovere, le futur pape Sixte IV.

Dans les environs

• Bottini

Par la **Via Cassisi,** vous rejoindrez rapidement **Bottini,** où vous vous arrêterez sur une jolie place bordée de villas et ombragée par une pinède vieille de plusieurs siècles (aujourd'hui, parc public). La belle promenade qui serpente entre Celle et le centre mène jusqu'à la mer et permet de découvrir au fond le belvédère de la Crocetta.

VARAZZE

Ce lieu classique de vacances est connu pour ses belles plages et pour ses chantiers navals. Le centre historique bordé de vieilles murailles court le long de l'actuelle Via Buranello, et mérite toute votre attention.

Office du tourisme Viale Nazioni Unite, 1 ✆ 93 46 09.

Points d'intérêt

Sant'Ambrogio. La collégiale du XVIe siècle, flanquée d'un beau clocher romano-gothique. Sa façade, de style roman, est incluse dans un morceau de la muraille. A l'intérieur, trois nefs décorées de fresques de Giuseppe Isola et de Lazzaro Maestri.

Dans les environs

En longeant la mer, on découvre un paysage envoûtant dominé par les Bianchi e Neri, récifs blancs et noirs, qui constituent le repère des pêcheurs et des marins. La promenade de trois kilomètres conduit à La Punta Invrea.

PROVINCE DE GENES

GENES

Pétrarque l'a décrite comme une ville royale, superbe par ses hommes et ses murs. Au siècle dernier, Stendhal regrettait que Gênes se fût consacrée uniquement aux affaires et que, d'une manière générale, elle ne fût «qu'un labyrinthe de rues larges de quatre pieds». Depuis, l'eau est passée sous les ponts et la ville s'est développée. Aujourd'hui, elle s'étend de manière continue, sur 35 kilomètres, le long de la côte de Voltri à Nervi.

La meilleure vision de Gênes est, sans aucun doute, celle qu'on en a en arrivant par la mer : vous aurez l'impression de l'avoir toujours connue. Vous reconnaîtrez ses bateaux et ses pilotis, la jetée surélevée, le quartier de Caricamento, les maisons de maître de la Via XX Settembre, les villas dans les collines, les casernes populaires, et puis, tout là-haut, la ligne des fortifications qui entourent la ville. Le charme de Gênes réside dans le contraste ambigu entre les quartiers chics et les quartiers populaires, qui cohabitent sous la lanterne, symbole de la ville. Microcosmes d'un monde disparu qui résistent à l'avancée du temps.

L'antique empire maritime des Ligures est né en 381 d'une colonie romaine. Après les invasions barbares, les évêques, gouverneurs de la ville, confortent leur pouvoir. Commune indépendante en 1162, Gênes assoit son pouvoir économique et politique tout en étendant progressivement sa domination. Malgré les luttes sanglantes entre guelfi et ghibellini, la ville réussit à maintenir sa prédominance économique, symbolisée par l'existence de la Banque San Giorgio. En 1528, la constitution d'Andrea Doria la rend indépendante, mais la découverte de l'Amérique lui fait perdre ses colonies et son pouvoir sur les mers. A la suite de la Révolution française, Gênes s'allie à la France et doit ainsi supporter le terrible assaut des Autrichiens.

Après la victoire de Napoléon, à Marengo (1800), la ville est annexée à la France. En 1814, le royaume de Sardaigne récupère Gênes et la Ligurie. L'unité politique italienne doit beaucoup à Gênes. Car l'expédition de libération de la Sicile, partie du port de Quarto, fut conduite par Garibaldi.

Pour célébrer le 500e anniversaire de la découverte de l'Amérique, Gênes s'est refait une beauté. L'architecte Renzo Piano a voulu «arranger» le vieux port et le quai d'embarquement de la vieille ville. Par chance, la spéculation immobilière n'a pas encore atteint les vieux quartiers de Via Pre et Via del Campo, et le tissu populaire reste vivant et fort. On y respire encore l'atmosphère saumâtre, colorée et mystérieuse de la Gênes maritime de toujours. Mais la ville est en crise. Les activités portuaires, en particulier, sont menacées et le nombre des mythiques «camalli», les dockers, a considérablement diminué.

Le développement de Gênes sur les collines, les montées d'escaliers, les passages souterrains en font une ville où il est difficile de circuler.

Débarrassez-vous de votre voiture sur un des nombreux parkings, laissez-vous guider par votre instinct et partez à la découverte. Vous rencontrerez des endroits délicieux. Vous tomberez en admiration devant des petites chapelles dédiées à la Vierge. Vous respirerez les parfums des anciens fastes, et vous fouinerez dans des boutiques pleines de surprises. Et vous vous laisserez prendre au charme de Gênes !

Avertissement : Le périphérique surélevé, qui, dès la sortie de l'autoroute de Milan, conduit à la Viale delle Brigate Partigiane, est un «monument» construit sur l'initiative de l'administration locale qui a choisi de sacrifier la Via Gramsci aux exigences du trafic automobile.

Faites-nous part de vos coups de cœur

TRANSPORTS

Gare Principe, annexe. Piazza Acquaverde ✆ 27 42 938. Ouverte du lundi au vendredi de 8 h à 20 h.

Aéroport international C. Colombo ✆ 60 151.

Taxi

Piazza Dante ✆ 58 65 24.

Caricamento ✆ 20 46 32.

Di Negro ✆ 26 21 77.

Nunziata ✆ 29 82 32.

Bus

La ville est desservie par un réseau important de lignes urbaines et extra-urbaines. Les funiculaires et les ascenseurs sont des particularités de Gênes.

Le tarif aller simple est d'environ 1 500 L, valable 1 h 30.

Billet spécial, valable tous les jours de 9 h à 18 h, et samedi, dimanche et jours fériés en continu. Ce billet est valable sur les réseaux AMT et FS (Nervi, Voltri, Acquasanta, Pondecimo).

Billet quotidien valable 24 h dès lors qu'il est composté sur tout le réseau urbain. Renseignements / AMT, Via D'Annunzio, 8/r ✆ 49 97 414.

De nombreuses lignes relient les extrémités de la ville au centre. L'aéroport est desservi par les lignes de bus qui partent de Piazza Verdi, Piazza De Ferrari, Piazza Acquaverde, Via Cornigliano.

Tour touristique de la ville en bus. Viaggi Universali ✆ 30 32 31 - Amt. Via Montaldo ✆ 59 97 213.

Funiculaires

Le funiculaire *della Zecca* part du Largo Zecca et grimpe la colline del Righi, à 300 mètres au-dessus de la mer. Le funiculaire de Principe mène à Granarolo et celui de Piazza Portello à Corso Magenta.

Ascenseurs

Ponte Monumentale - Corso A. Podesta • V. Crocco - Corso Magenta • Portello - Castelletto Levante • Villa Scassi - Via Cantore • Piazza Manin - Via Contardo • V. D. Col - Mura degli Angeli • Montegalletto - Via Balbi • Galleria Garibaldi - Castelletto Ponente • Via Montello - Via Ponteretto.

Transports maritimes

Capitaneria di Porto. Ponte dei Mille ✆ 26 74 51.

Gare maritime ✆ 25 66 82/24 125 34/23 61.

Gare maritime, annexe. Terminal Crociere A3 ✆ 24 63 685.

Toute la côte ligure est desservie par une ligne de petits bateaux qui font escale dans les ports les plus typiques.

Cooperativa battelieri del Porto di Genova. Calata Zingari ✆ 26 57 12 (circuits à Cinque Terre et Portofino). Catamarano, Alàssio, Loano, Portofino, Monte Carlo.

Servizio Marexpress. Calata degli Zingari, Stazione marittima ✆ 25 59 75.

Linee marittime, Corsica ferries. Piazza Dante, 5 ✆ 59 33 01 ou 25 54 24.

Grandi Traghetti. Via Fieschi, 17 ✆ 58 93 31.

Tirrenia. Ponte Colombo ✆ 25 80 41.

Navarma. Via Ponte Reale, 2 ✆ 20 56 51.

Location de voitures

Avis ✆ 4701400.

Europcar ✆ 65 04 881/56 51 53/58 08 67.

Eurodollar ✆ 65 12 716/31 51 66/31 30 27.

Hertz ✆ 65 12 422/59 21 01.

PRATIQUE

Indicatif téléphonique : 010.

Offices du tourisme

Via Fieschi, 15 ✆ 54 10 46 - Fax 54 851.

Via Roma, 11/r ✆ 57 67 91- Fax 58 14 08. Au 2e étage. *Ouvert du lundi au jeudi de 8 h à 13 h 15 et de 14 h à 18 h. Le vendredi et le samedi de 8 h à 13 h 30.*

Informegiovani (renseignements pour les jeunes) Palazzo Ducale. Piazza Matteotti, 5 ✆ 20 07 00. *Ouvert du mardi au vendredi, de 10 h à 13 h et de 15 h à 18 h.*

Centre culturel franco-italien. Via Garibaldi, 20 ✆ 24 76 336.

Consulat de France Via Garibaldi, 20 ✆ 20 08 79.

Poste principale Piazza Dante, 4 ✆ 25 94 687. Ouverte du lundi au samedi, de 8 h 10 à 19 h 40.

Police Via Diaz ✆ 53 661.

Laverie automatique Via della Maddalena, 94/r.

Change

Basso. P. Via Gramsci, 245/r ✆ 26 10 67.
Canepa. Via Gramsci, 217/r ✆ 26 28 05.
Frisione-L. G. Via San Lorenzo, 109/r ✆ 29 56 14.
Guimar Tours. Via Balbi, 192/r @ 25 63 37.
Gusberti G. Via Balbi, 192/r ✆ 26 21 13.
Cambio Favaretto. Via XXV Aprile, 6/r ✆ 29 59 08.

Distributeurs

P. d. Americhe, 1, Corte Lambruschini.
Via XXV Aprile (à l'angle de la Piazza de Ferrari).
Via D'Annunzio, 35.
Piazza Dante, 30/r.
Via Assotti, 100/r.
Piazza Manin, 1/br.

HEBERGEMENT

Les hôteliers et les agences de voyages sont à l'origine d'une campagne publicitaire appelée *Genova ti Aspetta*. Cette offre spéciale concerne les résidents des hôtels 3 et 4 étoiles de Gênes et de Nervi. La *carta cortesia* vous permettra de bénéficier d'un escompte de 20 à 50 % sur les excursions, les visites guidées, les spectacles de théâtre et les attractions.

Renseignements ✆ 51 67 16 / 30 21 42 / 24 70 854 / 28 03 16.

Pour les jeunes (et les fins de mois difficiles), il est conseillé de s'adresser à l'**Associazione Albergatori per la Gioventù, Via Cairoli, 2 ✆ 29 82 84.** *Ouvert du lundi au vendredi de 9 h 30 à 11 h 30 et de 15 h à 18 h. Fermé le mercredi après-midi.*

Hôtel Vittoria e Orlandini. Via Balbi, 33 ✆ 26 19 23 - Fax 24 62 656. *120 000/ 150 000 L.* 47 chambres avec téléphone, télévision, climatisation, réfrigérateur. Parking, restaurant. American Express, Visa, Diner's Club. Sur une des collines de Gênes, au calme, non loin de la gare Porta Principe. Façade des années 50, chambres simples et propres avec balcon.

Hôtel Agnello d'Oro. Vico delle Monachette, 6 ✆ 24 62 084 - Fax 24 62 327. *130 000/ 160 000 L.* 35 chambres avec téléphone, télévision. Parking. American Express, Visa, Diner's Club. Près de la gare Porta Principe. Il tire son nom de la vieille enseigne de la famille Costa. Le bâtiment, richement décoré, est composé d'une partie ancienne (XVIIe siècle) et d'une autre, plus récente.

Hôtel Brignolle. Vico del Corallo, 13 ✆ 56 16 51 - Fax 56 59 90. *140 000/180 000 L.* 26 chambres avec téléphone, télévision, climatisation, réfrigérateur. Parking, bar. Interdit aux animaux. American Express, Visa. Dans une petite rue, près de la gare du même nom, le Brignolle occupe les étages supérieurs d'un palais. Chambres simples et bien tenues.

Hôtel Viale Sauli. Viale Sauli, 5 © 56 13 97 - Fax 59 00 92. *150 000/200 000 L.* 56 chambres avec téléphone, télévision, climatisation, réfrigérateur. Parking, accès handicapés. American Express, Visa, Diner's Club. Aménagé avec goût, dans un style actuel, l'hôtel occupe trois étages d'un bâtiment moderne, non loin du centre-ville. Les chambres, de grand confort, ont un sol de marbre.

Hôtel Savoia Majestic. Via Arsenale di Terra, 5 © 24 64 132/26 16 41 - Fax 26 18 83. *290 000/440 000 L.* 121 chambres avec téléphone, télévision, climatisation, réfrigérateur. Parking, accès handicapés. American Express, Visa, Diner's Club. Proche de la gare, cet hôtel a conservé la décoration élégante du palace classique.

Auberge de jeunesse

Auberge de jeunesse. Via Costanzi, 120/n &/Fax 24 22 457. *213 lits à 22 000 L, petit-déjeuner inclus. Ouverte de 7 h à 10 h et de 15 h 30 à 23 h 30 du 21 décembre au 22 janvier.* Parking, machines à laver, restaurant, accès handicapés. Bien située, près de la gare du funiculaire. Le bus n° 40, à 50 m, part toutes les dix minutes pour le centre-ville.

RESTAURANTS

Pour vous pénétrer de l'atmosphère du vieux Gênes, arrêtez-vous dans une des *friggitorie* (aujourd'hui moins nombreuses à cause du développement des fast-foods). C'est une institution génoise et de la Ligurie. Ces boutiques, minuscules et carrelées de blanc, offrent des plats simples et appétissants : légumes farcis, beignets de poissons et de légumes, soupe de farine, tartes salées, calmars.

En voici quelques adresses :

Via del Campo, 33 : beignets de morue, purée de châtaignes, beignets de légumes, mousse de bettes, parts de pizza, fougasses. Vous vous installez à de grandes tables, avec des nappes et des serviettes aux carreaux bleus et blancs.

Au 113 di Sotto Ripa, à la **Friggitoria Genovese** : pizzas et soupe de farine, écrevisses, frites...

Frigittoria, au 21 Rosso di Sotto Ripa del Palazzo della Misericordia : vieille de 5 siècles, c'est l'une des plus anciennes de Gênes.

Restaurant La Buona Terra. Via Montevideo, 7/r © 31 92 17. *Fermé le dimanche.* Tout proche de la gare de Brignole, ce restaurant propose des plats rigoureusement naturels.

Restaurant Spano. Via Santa Zita, 35/r © 58 85 45. *Environ 25 000 L.* Cette auberge sans nom inscrit les plats du jour sur un tableau noir. Au menu : plats bouillis, riz à la tomate et au basilic, soupe de farine, beignets de morue, fougasse maison.

Restaurant Osteria dell'Oca d'Oro. Vico Domoculta, 14/r © 58 85 51/54 65 11. *20 000/40 000 L. Fermé le mardi et en août.* 80 couverts. Visa. Un restaurant à l'atmosphère rustique situé en plein centre.

Restaurant Gigino. Via Romana della Castagna, 27/r © 37 72 080. *20 000/40 000 L. Fermé le dimanche soir et le lundi.* 50 couverts. American Express, Visa, Diner's Club. Vieille auberge spécialisée dans les plats de gibier. Ravioli de canard et pâtes au jus de gibier.

Restaurant Pintori. Via San Bernando, 68/r © 20 08 84. *40 000/60 000 L. Fermé le dimanche, le lundi et 15 jours en août.* 35 couverts. American Express, Visa, Diner's Club. Dans une rue bordée d'anciennes maisons seigneuriales, ce restaurant sarde propose, depuis 1961, de délicieux plats de viandes et de poissons frais du jour.

Bruxaboschi. Via F. Mignone, 8 © 34 50 302. *Compter 50 000 L. Fermé le dimanche soir et le lundi à midi, à Noël et en août. Réservation obligatoire.* 150 couverts. Parking, jardin. American Express, Visa, Diner's Club. Excellente cuisine du terroir, à déguster sur les collines qui surplombent la ville.

SORTIR

Pour l'apéritif ou le petit-déjeuner, notez les adresses suivantes.

Romanengo. Via Orefici, 31-33-35/r © 20 39 15. Pâtisserie historique, carrelée de blanc et de noir, au plafond décoré. Elle est spécialisée dans les gâteaux en pâte d'amande, les chocolats et les fruits confits. Vous serez séduit par les compositions gourmandes décorées de reproductions de Gênes.

Tout près, **Klaiguti, Piazza Oziglia, 96 © 29 65 02.** Café historique fondé en 1828.

Caffè degli Specchi. Salita Pollaiuoli, 43/r © 28 12 93. Egalement agréable pour l'apéritif.

Gênes ne brille pas par sa vie nocturne. Le soir, les Génois préfèrent s'installer près de la Riviera, à Nervi, où le beau monde se donne rendez-vous. Si vous souhaitez vous mettre au courant des discothèques à la mode et des animations culturelles, consultez le quotidien local, Il Secolo XIX. Nous pouvons cependant vous conseiller le **Senhor do Bonfim**, Passeggiata Anita Garibaldi, et le **Nessundorma** (comprenez : personne ne dort), Via Porta d'Archi, 74/r.

Les amateurs des concerts classiques, des ballets et de l'opéra surveillent le programme du **Teatro Carlo Felice**. Billets vendus Galleria Cardinal Sirii ✆ 58 93 29.

Quant aux amateurs de théâtre, ils consultent le programme du **Teatro delle Tosse Sant Agostino**. Piazza Negri, 2 ✆ 24 70 793 - Villetta Dinegro. Piazzale Mazzini, 1. Billets vendus du lundi au samedi de 13 h à 20 h.

Gênes - Piazza de Ferrari

MANIFESTATIONS

Le 23 juin : fête de la saint Jean, traditionnelle cérémonie inspirée des rites anciens de purification. Veille autour du feu de joie. Chaque année, on tente d'avoir le feu le plus lumineux possible.

Le 29 juin : régates di San Pietro. Y participent les équipages des différents quartiers de la ville.

En octobre : Salon nautique.

Crèche, avant Noël. Représentation suggestive de la Nativité en costumes traditionnels ligures.

Fête de la Nativité : le jour de Noël.

Réveillon du 31 décembre. Depuis 1307, les Génois offrent au maire un petit tronc et quelques rameaux de laurier.

En juin : Regata e Corteo Storico delle Quatre Antiche Repubbliche Marinare. Les «galères» foncent sous la poussée de huit navigateurs et tentent de gagner la course, rappelant ainsi les rivalités qui opposèrent autrefois Pise, Amalfi, Venise et Gênes.

Foire internationale de Gênes ✆ 53 911.

POINTS D'INTERET

Le port et la vieille ville

Longtemps en travaux, la **Piazza Caricamento** et le vieux port commencent une vie nouvelle. Passé les vieilles barrières du port se dressent les pavillons de l'ex-Deposito Franco avec ses fresques du XVIIe siècle. Le Ponte Spinola accueille l'aquarium spécialisé dans la faune et la flore de la Méditerranée.

Piazza Caricamento. Ancienne escale marchande et rue à arcades sous lesquelles s'ouvrent des boutiques colorées. L'endroit est magique.

Palazzo San Giorgio. Piazza Caricamento. Cet ancien palais de la mer, orné d'intéressantes fresques extérieures, a été rénové pour la commémoration de la découverte de l'Amérique.

Porta del Molo. Piazza Porta del Molo. Exemple d'architecture militaire du XVIe siècle, elle présente la particularité d'être largement ouverte vers la ville et resserrée vers la mer.

Piazza Banchi. Située derrière le Caricamento, la place est drapée de drapeaux anciens. L'église de San Pietro (1572) se découpe sur le fond. Sa nef centrale et la grande coupole octogonale sont admirables. Sur la place se trouve la Loggia dei Mercanti, commencée en 1598 ; elle abrita, de 1855 à 1942, la première Bourse d'affaires d'Italie.

Via San Luca. Via del Campo Via Pre. C'est le Carruggio Dritto médiéval, une voie unique qui relie le Borgo aux premières murailles. Aspect austère des case-torri (maisons-tours) et somptuosité des palais : Palazzo Spinola (Via San Luca, 14. Voir aussi la rubrique «Musées»), Palazzo Centurione (Via San Luca, 2), Palazzo Pallavicino (Piazza Fossatello, 21), Palazzo Grimaldi (Via San Luca, 84-88) et Palazzo Salvago (Via San Luca, 12). Aujourd'hui, cette rue très animée, entre boutiques et marchés improvisés, est tout à fait fascinante.

San Giovanni di Pre. Piazza della Commenda. Cette église sans façade fut construite en 1180 à la demande des Cavalieri Gerosolimitani, ou della Commenda, pour y héberger les pèlerins en route pour la Terre sainte.

Porta dei Vacca. Piazza Metelino. Porte des remparts du XIIe siècle, avec deux tours élevées.

Santa Maria di Castello. Piazza Santa Maria di Castello. L'un des monuments religieux les plus importants de Gênes (*visites à la demande*). Reconstruite en style roman au XIIe siècle, elle fut embellie au XVe par l'ajout d'un couvent et de deux cloîtres.

San Lorenzo. Piazza San Lorenzo. *Ouverte du lundi au samedi de 8 h à 21 h et de 15 h à 18 h 30, le dimanche de 12 h à 18 h 30*. La cathédrale possède une façade à bandeaux blancs et noirs, trois portails gothiques, et est ornée de deux grands lions.

Piazza San Matteo. Place forte des Doria (du XIIe au XVIIe siècle), elle a conservé l'aspect et l'atmosphère du Moyen Age. Sur l'un de ses côtés, l'église noire et blanche San Matteo s'élance vers le ciel (la crypte conserve les restes d'Andrea Doria). *On peut la visiter du lundi au samedi de 7 h 30 à 12 h et de 16 h à 18 h 30, et le dimanche de 9 h à 12 h et de 16 h à 18 h 30*. Sur ses autres côtés, des palais fastueux veillent, composant une symphonie noire et blanche éblouissante.

Torre degli Embriaci, Salita alla Torre Embriaci. Construction de pierre couronnée d'arceaux, c'est l'unique tour à avoir échappé à une ordonnance de 1296 qui règlementait la hauteur de toutes les tours de la ville.

San Donato. Piazza San Donato, 21. Construite au XIIe siècle, l'église conserve le portail d'origine flanqué d'un beau clocher octogonal.

Porta Soprano. Piano di San Andrea. Unique passage reliant les murailles à la route romaine dont la porte est flanquée de deux tours jumelles, fort impressionnantes.

Palazzo Ducale. Piazza Matteotti. Conçu et réalisé par Andrea Ceresola entre 1590 et 1620, ce palais à façade néoclasssique a regagné un peu de sa gloire passée. Il est devenu aujourd'hui un très grand centre artistique et culturel.

Chiesa del Gesu. Piazza Matteotti. Bel exemple d'architecture baroque, cette église possède de nombreuses toiles, dont deux de Rubens.

Piazza de Ferrari. Réalisée au siècle dernier et pourvue d'une belle fontaine, cette place est l'un des nombreux cœurs de la ville. Le théâtre Carlo Felice y exhibe sa parure postmoderne.

Via XX Settembre. Bordée d'arcades et légèrement en pente, la rue relie la Piazza De Ferrari et la Via Cadorna. Les palais de la bourgeoisie génoise du début du siècle y affichent leur charme discret.

Via Garibaldi. Elle fut appelée autrefois la Strada Nuova dei Palazzi. Au numéro 9 de la rue, se dresse le Palais municipal, ou Palazzo Tursi (*ouvert du lundi au vendredi de 8 h 30 à 12 h et de 13 h à 16 h 30*), un grand édifice à la cour rectangulaire et à la longue façade. Egalement, le Palazzo Bianco et le Palazzo Rosso réunis par une belle cour intérieure (pour les visites, voir à la rubrique «Musées»).

Santa Annunziata. Piazza Andorlini. Construite en 1520, de style haut-gothique, l'église possède un intérieur lumineux en croix latine et deux rangées de chapelles latérales.

Palazzo Durazzo Pallavicini. Via Balbi, 1. Conçu en 1618 par Bartolomeo Bianco, exemple intact et fastueux d'une maison de maître décorée de manière originale, le palais possède des archives et une belle bibliothèque du XVIIIe siècle.

La ville moderne

Castello d'Albertis. Piazza Acquaverde. Construit en 1886, en style néoromain, il est considéré comme l'édifice le plus significatif du renouveau génois. A l'intérieur, de riches collections ethnographiques et nautiques.

Spanata dell'Acquasola. Piazza Corvetto. Le grand parc public occupe l'emplacement d'un ancien bastion.

San Stefano. Piazza Santo Stefano. Eglise romano-gothique (XIIe siècle).

Santa Maria Assunta in Carignano. Piazza Carignano. Une des œuvres les plus connues de Galeazzo Alessi (1550). En forme de croix latine inscrite dans un quadrilatère, elle possède une coupole centrale et quatre angles qui permettent à la lumière d'éclairer un intérieur décoré de nombreuses fresques. Les deux clochers sont intéressants.

Le cimetière de Staglieno. Il monte le long de la vallée de Bisagno. Niché parmi les arbres, c'est le plus grand cimetière d'Europe, avec ses plates-bandes fleuries, ses statues et ses formidables chapelles familiales. C'est une ville baroque où vous pourrez errer une journée entière, si toute cette consécration de la mort ne vous terrasse pas...

Musées

Galleria di Palazzo Bianco. Via Garibaldi, 11 ✆ 29 18 03. *Ouvert mardi, jeudi, vendredi et dimanche de 9 h à 13 h, et le mercredi et samedi de 9 h à 19 h. Fermé le lundi. Entrée 6 000 L.* La pinacothèque, ordonnée de manière exemplaire, expose des œuvres de peintres génois des XIIIe et XIVe siècles, ainsi que des artistes flamands et espagnols du XVIIe siècle.

Galleria del Palazzo Rosso. Via Garibaldi, 18 ✆ 28 26 41. *Ouvert mardi, jeudi, vendredi et dimanche de 9 h à 13 h, et le mercredi et samedi de 9 h à 19 h. Fermé le lundi. Entrée 6 000 L.* La plus vaste exposition d'œuvres de la ville et l'une des plus importantes sur le plan national. Les 39 salles, presque toutes décorées de fresques, proposent un vaste panorama des écoles génoise, émilienne, flamande et espagnole du XIIIe au XVe siècle. Quelques pièces de décoration originales, comme des porcelaines chinoises et des faïences françaises.

Museo del Risorgimento. Instituto Mazziniano © 20 75 53. *Ouvert en alternance une semaine sur deux de 9 h à 12 h ou de 14 h à 19 h. Fermé le lundi.* Dans la maison natale de Giuseppe Mazzini, exposition de cadres, reliques et gravures.

Galleria Nazionale di Palazzo Spinola. Piazza di Pellicceria, 1 © 29 46 61. *Ouvert le dimanche et lundi de 9 h à 13 h et les autres jours de 10 h à 19 h.* Meubles, bibelots de prix et une riche collection d'œuvres d'art. Parmi celles-ci, une sculpture de Giovanni Pisano et des peintures d'Antonello da Messina, Bernando Srozzi et Joos van Cleve.

Museo di Architettura e Scultura Ligure di Sant' Agostino. Piazza Sarzano, 21 © 20 16 85. *Ouvert du mardi au samedi de 9 h à 19 h et le dimanche de 9 h à 12 h 30. Fermé le lundi.* Une vaste documentation sur l'évolution de la figuration à Gênes, du Moyen Age au XVIIIe siècle.

Museo del Tesoro di San Lorenzo, Cattedrale San Lorenzo. Piazza San Lorenzo © 29 66 95/28 26 41 (Beni culturali). *Ouvert du mardi au dimanche de 9 h 30 à 11 h 45 et de 15 h à 17 h 45. Fermé le lundi.* Une riche collection d'objets d'orfèvrerie et d'argenterie du IXe au XIXe siècle.

Pinacoteca dell'Accademia Linguistica di Belle Arti. Piazza de Ferrari, 5 © 58 19 57. *Ouvert du lundi au samedi de 9 h à 13 h, fermé le dimanche et jours fériés. Entrée gratuite.* Peintres du XVe au XIXe siècle.

Galleria di Palazzo Reale. Via Balbi, 10 © 24 70 640. *Ouvert du dimanche au mercredi de 9 h à 13 h 15 et le jeudi, vendredi et samedi de 9 h à 13 h. Entrée : 8 000 L.* Peintres des XVIIe et XVIIIe siècles, sculptures baroques, tapisseries et céramiques orientales.

Museo Americanistico F. Lunardi. Corso Solferino 25-29, Villa Gruber © 81 47 37. *Ouvert en alternance une semaine sur deux : le matin de 9 h à 13 h ou l'après-midi de 14 h à 17 h. Fermé le lundi.* Une riche collection archéologique précolombienne.

Museo d'Arte Orientale E. Chiossone, Villetta Dinegro. Piazzale Mazzini © 54 22 85. *Ouvert du mardi au samedi de 9 h à 17 h ; dimanche de 9 h à 12 h 30, fermé le lundi.* Vaste collection de sculptures et de peintures japonaises et chinoises. Objets d'art oriental, de la préhistoire au siècle dernier.

Museo Civico di Storia Naturale G. Doria. Via Brigata Liguria, 9 © 56 45 67. *Ouvert de 9 h à 12 h et de 15 h à 17 h. Fermé le vendredi et le lundi.* Spécimens zoologiques d'Afrique et des Indes orientales. Section spécialisée en ornithologie ligure. La section de paléontologie et la collection de minéraux sont également intéressantes.

Museo Archeologico. Villa Pallavicini, Pegli © 68 02 04. *Ouvert de 9 h à 17 h et le dimanche de 9 h à 12 h. Fermé le lundi.* Le palais, enfoui dans un parc, abrite un jardin botanique et une serre du début du XIXe siècle. Le musée expose des objets paléontologiques de la Ligurie, des pièces préromaines et romaines, et l'entière collection de vases antiques du prince Oddone.

Museo Navale. Villa Doria, Piazza Bonavino, 7, Pegli © 69 69 885. *Ouvert du lundi au samedi de 9 h à 19 h et le dimanche de 9 h à 12 h 30. Fermé le lundi.* Objets illustrant l'histoire des marines ligure, italienne et européenne.

Aquarium de Gênes. Porto Antico, Ponte Spinola © 24 88 011/24 81 205. *Ouvert les mardi, mercredi et vendredi de 9 h 30 à 19 h. Le jeudi, samedi, dimanche et les jours fériés, de 9 h 30 à 20 h 30. Fermé le lundi.* Le plus grand parc marin d'Europe.

Balade

Du Corso Marconi, la large promenade fleurie qui passe devant les maisons résidentielles d'Albaro vous conduira, par le Corso Italia, jusqu'au pittoresque petit Porto di Boccadasse : c'est un coin de Gênes resté intact. Tournant le dos à la mer, vous pourrez monter vers les remparts et aux forts Castellaccio, Sperone, Begato, Tenaglia qui entourent la ville. Vous aurez de là-haut une vision panoramique de tout le golfe.

Attention : le centre historique est fermé à la circulation. De ce fait, vous ne pourrez pas circuler Piazza delle Fontane Morose, Via Roma, Via XXV Aprile, Piazza De Ferrari, Via Dante, Via Fieschi, Via San Lorenzo, Via della Mercanzia, Via Luccoli, Via Garibaldi, Piazza Caricamento, Via delle Fontane, Largo Zecca.

SHOPPING

La vieille ville, tout autour de la **Piazza Caricamento** et le long de la **Via Pre** et de la Via del Campo, est un vrai paradis pour les achats. L'atmosphère rappelle un peu le souk arabe ; les petites boutiques d'épices et de fruits secs côtoient les grossistes qui bradent les chaussures. Les Nord-Africains vendent des cigarettes, les Sénégalais des lunettes et des bracelets porte-bonheur. L'air quelque peu mal famé du quartier ne doit pas vous alarmer. A condition de faire attention à votre portefeuille, vous voilà prêt à partir à la découverte d'un Gênes plus vrai et moins sophistiqué que celui fréquenté par les touristes.

Les meilleurs achats se font le long de la Via San Luca, Via del Campo, Via Pre : électroménager, magasins de chaussures (Timberland d'occasion), matériel pour camping et trekking.

Dans les boutiques de **Sottoripa,** vous respirerez les parfums de la Gênes d'autrefois et vous ferez des provisions (thon à l'huile, olives, fruits secs).

Au petit marché de Via Pre : vêtements d'occasion et vêtements militaires. Les arcades de Via XX Settembre abritent une suite ininterrompue de boutiques, de magasins d'occasions et de librairies.

L'amateur de bric-à-brac trouvera son bonheur au petit m**arché aux puces, Piazza Lavagna** (*tous les jours à partir de 9 h*) : cristaux, jouets anciens, briquets, cartes postales, monnaies, livres, stylos et crayons s'y côtoient.

Tout près, l'**Atelier de la Poupée,** Via Canneto, 56 ✆ 58 74 73. Située à deux pas de la cathédrale de San Lorenzo, la boutique confectionne des garde-robes colorées pour poupées, des habits duf XIXe siècle de soie et de velours brodé, des dentelles, des nœuds, des chapeaux de velours fleuris et douces plumes.

Marchés

Marché aux puces. Piazza Lavagna, tous les jours à partir de 9 h.

Marché aux fleurs. Pavillon D de la Foire. Entrée place Kennedy, le samedi de 9 h 30 à 10 h 45.

Piccolo Mondo Antico. Lungomare Pegli, 59/r.

Mercato Orientale. Piazzetta Sant'Elena, au bord de Via Gramsci.

Bouquinistes : livres d'occasion et reproductions. Piazza Bianchi, Piazza Colombo, Via XII Ottobre, Via XX Settembre.

Brocantes. Près de Borgo Incrociati, Sarzano, Maddaleno, Pre, Via Canevari.

DANS LES ENVIRONS

Cogoleto

Indicatif téléphonique : 010.

Cette petite ville côtière à la structure linéaire est bordée par une promenade de palmiers, et par une plage de sable fin et de galets où accostent les barques de pêcheurs. La rue principale, parallèle à la nationale Aurelia, permet de rejoindre la mer par l'intermédiaire de petites rues transversales, appelées *scali.* Revendication douteuse, la légende fait naître Christophe Colomb à Cogoleto.

En tournant le dos à la mer et à la gare, on grimpe à travers les pins jusqu'à Scriborasca. Après un quart d'heure de marche, on atteint un superbe point de vue sur la mer.

Arenzano

Dans une crique protégée de Capo di San Martino, se niche un centre balnéaire dominé par le spectaculaire Grand Hôtel créé en 1915, autour duquel s'éparpille une kyrielle de maisons de maître. Ces dernières années, le développement du tourisme a transformé la pinède en une zone de résidences secondaires. La promenade n'en est pas moins agréable à travers les passages et les montées d'escaliers du centre, entre les boutiques de vêtements et les vieilles vitrines qui exposent des gourmandises légères.

Le bord de mer commence Piazza Mazzini et se poursuit à l'ombre des pins, des palmiers et des tamarins. Du port, part une promenade qui suit le tracé du vieux chemin de fer et conduit jusqu'à Capo San Martino.

Le premier week-end de septembre : marche internationale Mer et Montagne.

Grand marché tous les vendredis matin : légumes, fruits, fromages et charcuterie.

Casella

Les amoureux des voyages originaux peuvent prendre «le petit train» pour Casella. Ce train, à écartement réduit, pénètre, immédiatement après Gênes, dans l'intérieur des terres et roule lentement pendant 25 kilomètres sur un parcours montagneux. Vous monterez entre les maisons éparpillées et des pinèdes. Le panorama sur Gênes et son port s'élargit, tournant après tournant. Pour mieux profiter de la vue, il est préférable de s'installer à droite. A chaque arrêt, on peut descendre du train. A Campi, ne manquez pas de visiter les fortifications du XVIIIe siècle. A Sant'Olcese, profitez-en pour faire une promenade botanique. A Crocetta ou à Casella, faites une halte gourmande et dégustez les produits de Gênes.

Sentier botanique Ciae

Noyé dans les bois, le sentier conduit de Ronco di Sant' Olcese au village de Ciae, abandonné depuis trente ans et qui n'était accessible que par un chemin muletier. Le sentier a été tracé, en 1984, par les volontaires de la brigade antifeu. Le long du parcours, vous pourrez reconnaître 22 espèces de plantes, classées et identifiables grâce à de petits panneaux descriptifs. Le moyen le plus facile pour arriver au point de départ du sentier est d'emprunter le petit train pour Casella.

➥ DE GENES A SAN MARGHERITA

Cette partie de la Riviera di Levante offre une succession de vues sur la côte et les villages parmi les plus typiques de la Ligurie. A partir de Nervi, suivez la nationale Aurelia, bordée de jardins et de villages. Dépassez les localités de Bogliasco, Pieve Ligure et Sori, aux toits caractéristiques d'ardoises. A Recco, abandonnez l'Aurelia et prenez le littoral jusqu'à Camogli. La petite route à tournants qui monte de Camogli vous conduira jusqu'à Ruta.

Le «sentier bleu» est un parcours de grande randonnée de 140 kilomètres. Il traverse les collines vertes et longe la mer bleue. Il permet de descendre de Nervi à Portovenere, à travers les oliviers, le lierre rampant, les pins et le maquis méditerranéen. Ce parcours de dix étapes traverse des régions quasi abandonnées et croise parfois des basiliques offrant de beaux panoramas. Chaque étape, avec son kilométrage exact, est indiquée de façon claire. **Le Centro Studi dell' Unione Camere Liguri** a édité un guide pratique avec les descriptions précises et toutes les indications utiles.

NERVI

Au XIXe siècle, Nervi était une station d'hiver réputée. Ses grands hôtels, ses villas, ses jardins et ses rues bordées de palmiers en témoignent encore.

Le parc Serra-Groppolo est contigu à la promenade du bord de mer *Anita Garibaldi*. La vue sur la côte du Levant est unique, en particulier celle sur le promontoire de Portofino. A mi-parcours, arrêtez-vous à la tour Gropollo, construite au XVIe siècle.

En juillet : Festival international de la danse, avec la participation de danseurs de renommée mondiale.

Pratique

Indicatif téléphonique : 010.

Points d'intérêt

Viale delle Palme. Evoque le temps du tourisme à la Belle Epoque.

San Siro. Via alla Chiesa Plebana. A la limite du centre historique et toute proche du petit port, une église qui date de la seconde moitié du XIIIe siècle. L'intérieur, à une seule nef, est décoré de fresques du siècle dernier.

Galleria d'Arte Moderna. Villa Serra, Via Capoluogo, 3 ✆ 32 60 25. La galerie d'art moderne est blottie dans le jardin historique Serro-Grapollo, au milieu des plantes méditerranéennes et exotiques. Elle propose une collection de sculptures, de peintures, de dessins d'artistes ligures des XIXe et XXe siècles.

Museo Luxoro. Villa Luxoro, Via Mafalda di Savoia ✆ 32 26 73. Meubles, dessins et peintures de l'école génoise des XVIIe et XVIIIe siècles.

PIEVE LIGURE

Sur la côte haute et escarpée, Pieve Ligure est une tranquille ville balnéaire perdue dans la nature. Le centre historique, Pieve Alta, dont les origines remontent au haut Moyen Age, surgit sur le versant de la montagne de Santa Croce.

San Michele. Monte Santa Croce. L'église paroissiale du XVIIe siècle a une façade étrange, riche de décorations et de stucs.

SORI

Petit village niché dans une crique du golfe Paradiso, à l'embouchure du torrent Sori.

Point d'intérêt

Santa Margherita. Construite entre 1711 et 1714, l'église présente une belle façade courbe et un clocher à plan elliptique. A l'intérieur, on peut admirer des œuvres de peintres ligures du XVIIIe siècle.

Dans les environs

Grimpez le long des coteaux Montone. Une heure de marche vous mènera à l'église romantique de **Santa Apollinare**, qui domine la mer à une altitude de 260 mètres.

RECCO

Encastré dans une petite crique à l'embouchure de la vallée du torrent du même nom, le village est d'un aspect moderne. En fait, il fut reconstruit entièrement à la suite des bombardements de la Seconde Guerre mondiale. Recco tire sa renommée de la fabrication de la fougasse, la meilleure de toute la Ligurie.

Pratique

Indicatif téléphonique : 0185.

Manifestations

En mars : Carossezzo Recchese (carnaval), défilé de masques et de chars allégoriques à travers les rues. Pantomimes dans les quartiers de la ville.

En mai : Festa della Focaccia.

Point d'intérêt

Chiesa di San Giovanni Battista e Giovanni Bono. Possède de nombreuses œuvres, parmi lesquelles la *Decollazione del Battista* d'Andrea Ansaldo et la *Predica del Battista* de Matteo Picasso.

CAMOGLI

Camogli se trouve dans une cuvette couverte d'oliviers et d'arbres fruitiers. C'est un ancien village de marins, fermé à l'est par le promontoire de Portofino. Les hommes y sont, de père en fils, toujours marins et, ainsi, toujours absents. Le lieu mérite, de ce fait, le nom de «village aux femmes». Les habitations, resserrées autour du cœur ancien du bourg, conservent la vieille structure des ports de pêche, avec leurs passages étroits, leurs escaliers, leurs arcades, leurs porches, leurs filets, et leurs chats qui dorment au soleil.

Pratique

Indicatif téléphonique : 0185.

Office du tourisme. Via XX Settembre, 33 ✆ 77 10 66.

Manifestations

En mai : sacre du poisson, en l'honneur du saint patron des pêcheurs. Sur la petite place devant le port, on jette des tonnes de poissons dans une immense poêle de 5 mètres de diamètre. Grande «bouffe» collective, digne de Marco Ferreri.

Le premier dimanche d'août : procession Stella Maris. La nuit, l'eau du golfe s'illumine de mille feux.

Sorties en mer. Servizio Motobarche Golfo Paradiso, Via Scalo, 2 ✆ 77 20 91.

Point d'intérêt

Centre historique. Il se découvre sur le petit port fermé par une jetée du XVIIe siècle, et expose ses hautes et étroites maisons de pierre aux façades polychromes.

Santa Maria Assunta. Construite au XIIe siècle, l'église a subi de nombreux remaniements. Sa façade néoclassique est décorée de doubles rangées de bandes d'encadrement ioniques.

Civico Museo Marinaro e Civico Museo Archeologico. Via Gio Bono Ferrari, 41 © 77 15 70. Expose instruments de bord, estampes, voiliers dans des bouteilles, souvenirs et documents de la navigation à voile.

Acquario Tirreno. Castello della Dragonera. Via Isola © 77 02 35. Présente, dans 23 aquariums, les espèces de poissons les plus répandues dans le golfe Paradiso.

Dans les environs

A partir de Camogli, vous pourrez faire des excursions inoubliables le long du versant occidental et méridional du promontoire de Portofino. Vous pourrez également rejoindre Punta Chiappa et San Fruttuoso, par des sentiers qui se faufilent dans le maquis méditerranéen.

RUTA

Ruta est restée telle que l'a connue Nietzsche lors de ses séjours, avec ses maisons et ses villas éparpillées sous les pins et les châtaigniers. C'est un point de départ pour de superbes promenades dans le parc naturel des monts de Portofino. Le sentier qui part de l'église San Michele conduit aux monts Esoli en longeant la crête. On a ainsi une belle vue sur les deux versants, la vallée de Recco et il Tigullio. Après le mont Ampola, le sentier grimpe jusqu'au sanctuaire de la Madonna del Caravaggio, où le panorama est superbe (650 mètres d'altitude).

Points d'intérêt

La Parrocchiale. Edifiée au XVIIe siècle, elle possède une petite statue de Schiaffino et, dans le presbytère, deux toiles baroques de l'école génoise.

San Michele. L'intérieur, en pierre, est superbe avec son plafond de bois à chevrons.

PORTOFINO

Cité par Pline, le vieux village de pêcheurs de corail conserve (quasiment) intact son charme d'autrefois. Fréquenté par toutes les célébrités, Portofino est le lieu touristique le plus prisé de toute la Ligurie. Son promontoire est un enchantement.

PRATIQUE

Indicatif téléphonique : 0185.

Office du tourisme. Via Roma, 35 © 26 90 24. Ouvert tous les jours, de 9 h 30 à 13 h et de 13 h 30 à 18 h 30 en été et de 9 h 30 à 12 h 30 et de 15 h à 18 h en hiver.

Poste. Via Roma, 32 © 26 91 67.

Change. Via Roma, 14.

Banques

Carige. Via Roma © 26 93 54.

Bancomat del Banco di Chiavari (distributeur). Via Roma, 14/16.

HEBERGEMENT-RESTAURANTS

Hôtel Piccolo. Via Duca degli Abruzzi, 31, Portofino © 26 90 15 - Fax 26 96 21.
180 000/320 000 L. Fermé du 4 novembre au 26 décembre. 23 chambres avec téléphone, télévision, réfrigérateur. Jardin, accès handicapés, parking, plage privée, restaurant. American Express, Visa, Diner's Club. Il a beau être petit, rien ne manque à cet hôtel charmant à l'accueil sympathique. Ses balcons donnent sur la mer.

Hôtel Nazionale. Via Roma, 8, Portofino ✆ 26 95 75 - Fax 26 95 78. *300 000 L. Ouvert du 15 mars au 30 novembre.* 12 chambres avec téléphone, télévision, climatisation, réfrigérateur. Visa. Installé sur le port, au centre de l'agitation diurne, mais également nocturne...

Restaurants

Restaurant Da Puny. Piazza Martiri Olivetta, 5, Portofino ✆ 26 90 37. *45 000/70 000 L. Fermé le jeudi et de la mi-décembre à la mi-février. Réservation obligatoire.* 50/75 couverts. Les deux petites salles donnent sur une belle terrasse panoramique avec vue sur le port. Spécialités de poisson.

Restaurant Il Pitosforo. Molo Umberto, 19, Portofino ✆ 26 90 20. *70 000/100 000 L. Fermé le mardi, le mercredi à midi et en janvier et février. Réservation obligatoire.* 120 couverts. American Express, Visa, Diner's Club. Décoration entre le moderne et le typique. Ambiance «yacht». Cuisine originale.

Sortir

Bar Sole. Piazza Olivetta. Pour l'apéritif.

POINTS D'INTERET

Le port. Entouré des typiques maisons ligures bien rangées, aux façades traditionnellement polychromes.

Fortezza di San Giorgio. Construite en 1554 par le Milanais Giovanni Maria Olgiati, elle offre une vue unique sur la côte et la mer.

San Giorgio. Reconstruite en 1950, sur les ruines d'un édifice du XIIe siècle, l'église conserve les reliques du saint.

Shopping

Portofino tire une partie de sa renommée de ses dentelles travaillées, avec créativité, par les femmes assises devant leur porte. Vous pourrez en acheter à l'entrée du village.

DANS LES ENVIRONS

Sous l'église de San Giorgio, une petite route conduit, entre oliviers et jardins, au **phare** qui s'accroche à la roche **Punta del Capo**.

San Sebastiano

Autre possibilité, prendre le sentier qui mène à la chapelle de **San Sebastiano**. Au-delà, vous arriverez à San Fruttuoso. Près du Monte delle Bocche, vous croiserez la route qui conduit à **Portofino Vetta** (416 mètres d'altitude).

Attention : Le centre historique est fermé à la circulation.

SAN MARGHERITA LIGURE

Une promenade de bord de mer élégante (ombragée de chênes verts et de palmiers, elle conduit de la Piazza Vittorio Veneto jusqu'au port et est encombrée le soir), des yachts ancrés dans le port touristique, des hôtels et des propriétés de vacances. Le tourisme a quelque peu modifié l'aspect du vieux village formé de deux bourgs, Corte et Pesciano.

TRANSPORTS

Gare. Piazza Federico Raoul Nobili ✆ 28 66 30. *Consigne ouverte tous les jours de 5 h 35 à 19 h 50 (1 500 L /bagage).*

Bus Tigullio. Piazza Vittorio Veneto. *Bureau ouvert tous les jours de 7 h 10 à 19 h 40.*

PRATIQUE

Indicatif téléphonique : 0185.

Office du tourisme. Via XXV Aprile, 4 ✆ 28 74 86 - Fax 29 02 22. *Ouvert du lundi au samedi de 9 h à 12 h 30 et de 15 h à 19 h. Le dimanche de 9 h à 12 h 30.*

Poste. Via Roma, 36 ✆ 28 88 40. *Ouverte du lundi au vendredi de 8 h 10 à 17 h 30 et le samedi de 8 h 10 à 12 h.*

Banques

San Paolo di Torino (distributeur Bancomat). Piazza San Bernardo, 2 ✆ 28 21 07.

Banca Carige. Via Bottaro ✆ 28 91 82.

HEBERGEMENT-RESTAURANTS

Hôtel Villa Anita. Via Tigullio, 10, San Margherita Ligure ✆ 28 65 43 - Fax 28 30 05. *65 000/120 000 L. Fermé de la mi-octobre à la mi-décembre.* 12 chambres avec téléphone, télévision. Parc, parking. Interdit aux animaux. Visa. Une petite maison du début du siècle dominant la ville au milieu de la verdure. Accueillant.

Imperiale Palace Hôtel. Via Pagana, 19, San Margherita Ligure ✆ 28 89 91 - Fax 28 46 51. *360 000/610 000 L. Ouvert d'avril à novembre.* 102 chambres avec téléphone, télévision, climatisation, réfrigérateur. Parc, parking, plage privée, piscine, restaurant. American Express, Visa, Diner's Club. Le Palace dans toute sa splendeur, entouré d'un superbe parc. Laissez les murs de cet hôtel vous raconter son histoire, qui commença en 1910...

Restaurants

Trattoria Cesarina. Via Mameli, 2/c, San Margherita Ligure ✆ 28 60 59. *85 000 L. Fermé le mercredi et en décembre. Réservation obligatoire.* 50 couverts. American Express, Visa. Un lieu accueillant où l'on sert le saumon mariné, les taglierini au bouillon de poulet et les spaghetti aux langoustines.

SORTIR

Discothèque Covo di Nord-Est. Lungomare Rossetti, 1 ✆ 28 65 58. La discothèque la plus en vogue de la côte ligure.

Carion di Paraggi. La terrasse avec vue sur la mer est superbe.

Une autre possibilité de sortie consiste à aller s'asseoir aux petites tables du **Bar Vittoria**, Via Gramsci, 43, pour y déguster le *paciugo*, le plus classique ou le plus original (glace, fruit, crème fouettée et sirop).

MANIFESTATIONS

En mars : Fête du printemps. Sur la plage sont préparées des omelettes géantes pour tous les gens présents. A la fin de la soirée, deux grands feux sont allumés pour saluer l'arrivée du printemps.

POINTS D'INTERET

Le port. Vous aimerez y flâner le soir, quand les pêcheurs déchargent le poisson du jour.

Parco Comunale di Villa Durazzo. Plantes exotiques, chemins de petits cailloux blancs et noirs, fontaines et statues de pierre. Le parc est situé sur la colline qui sépare les deux anciens bourgs.

Villa Durazzo Centurione. L'imposante maison carrée possède de grandes fenêtres qui trouent la façade. Le jardin à l'italienne est superbe et offre un vaste panorama sur la ville et le golfe de Tigullio.

Chiesa dei Cappuccini. Edifiée en 1608, elle conserve un crucifix du XVe siècle et une sculpture d'art provençal du XVIIIe.

SHOPPING

Panificio Pimanonti. Via dell'Arco, 24 ✆ 28 75 52. Une boutique où vous trouverez la meilleure fougasse de toute la ville.

Marché au poisson. Lungomare Marconi.

Da Seghezzo. Via Cavour, 1. Spécialités du monde entier : vins, whiskies, huiles extra-vierges venant des collines voisines. A essayer absolument : la spécialité de la maison, la gaufre recouverte de chocolat.

Da Bima. Largo Giusti, 2. Gâteaux ligures d'autrefois, tels le *pandolce* et le *sacripantina* .

DANS LES ENVIRONS

Paraggi

La route côtière qui parcourt le versant sud-est du promontoire mène à **Paraggi,** autrefois un enchanteur village de pêcheurs et maintenant le refuge de couples romantiques en fuite.

SESTRI LEVANTI

Une très fine bande de terre prise entre deux golfes et un promontoire rocheux. Sa beauté a enchanté des écrivains célèbres, comme Andersen, qui l'a décrite comme la «baie des fées». Du Sestri d'autrefois, quand elle était une étape sur la route pour Padania, il reste quelques maisons dans le centre historique. A celles-ci se sont ajoutés des demeures élégantes et des hôtels de charme, si bien que le village est devenu un centre balnéaire à la mode.

La promenade en bord de mer part de la place Matteotti pour rejoindre le port.

PRATIQUE

Indicatif téléphonique : 0185.

Office du tourisme Via XX Settembre, 33 ✆ 45 70 11.

Banques

Distributeur Bancomat. Piazza Pilo, 5.

Credito di Torino (distributeur Bancomat). Via Fasce.

Poste Via Fasce.

HEBERGEMENT

Hôtel Due Mari. Vico del Coro, 18, Sestri Levante ✆ 42 695 - Fax 42 698. *130 000/ 175 000 L. Fermé 15 jours entre novembre et décembre.* 26 chambres avec téléphone, télévision, réfrigérateur. Parc, parking, climatisation, plage privée, restaurant. American Express, Visa. Un antique palais s'ouvrant sur les deux golfes, d'où son nom de *due mari* (deux mers). Les salles du restaurant donnent sur un beau jardin intérieur.

Hôtel Helvetia. Via Cappuccini, 43, Sestri Levante © 41 175 - Fax 45 72 16. *180 000/250 000 L. Fermé de la mi-novembre à la mi-décembre.* 24 chambres avec téléphone, télévision, climatisation, réfrigérateur. Parc, parking, plage privée, vélos. American Express, Visa. Accueil vraiment sympathique de la famille Pernigotti. Une bonne adresse.

Hôtel Miramare. Via Cappellini, 9, Sestri Levante © 48 08 55 - Fax 41 055. *190 000/340 000 L. Ouvert de mars à octobre.* 43 chambres avec téléphone, télévision, climatisation, réfrigérateur. Parc, parking, plage privée. Interdit aux animaux. American Express, Visa. Récemment rénové en hôtel de luxe. Confortable, avec un beau jardin sur la mer.

Agriturismo

Agriturismo. Samuele Ranch. Via Fiume, 12, Castiglione Chiavarese © 01 85/40 82 56. *Chambres 60 000 L. Ouvert tous les jours.* 10 km à l'est de la côte (Sestri Levante). Idéal si vous voulez vous occuper à temps plein de chevaux, vous balader dans un cadre sauvage.

RESTAURANTS

Restaurant Polpo Mario. Via XXV Aprile, 163, Sestri Levante © 48 02 03. *50 000/85 000 L. Fermé le lundi. Réservation obligatoire.* 100 couverts. Climatisation. American Express, Visa, Diner's Club. Bonne cuisine et riche carte des vins.

Restaurant San Marco. Via Pilade Queirolo, Sestri Levante © 41 459. *40 000/60 000 L. Fermé le mercredi, sauf en août, du 15 au 30 novembre et du 1er au 15 février. Réservation obligatoire.* 90/130 couverts. American Express, Visa, Diner's Club. Situé sur le port, cet établissement accueillant offre de très bonnes spécialités de poisson avec une touche de créativité.

Restaurant Sant'Anna. Lungomare De Scalzo, 60, Sestri Levante © 41 004. *Fermé le jeudi.* Sa grande salle lumineuse et vitrée donne sur la mer. Cuisine de poissons.

Restaurant El Pescador. Via Pilade Queirolo, 1, Sestri Levante © 42 888. *50 000/80 000 L. Fermé le mardi et de la mi-décembre à la mi-février. Réservation obligatoire.* 90 couverts. Parking, climatisation. American Express, Visa, Diner's Club. Bon restaurant de poisson, avec une carte des vins très convenable. Spécialités de champignons. Agréable véranda donnant sur la mer.

MANIFESTATIONS

En mai : prix littéraire national.

Du 1er au 3 juillet : fête patronale.

En septembre : course Remiero.

En octobre : sacre de l'automne.

POINTS D'INTERET

San Nicolo. Construite en 1151, l'église fut remaniée au XVe siècle en style baroque. La façade est décorée de plaques commémoratives et d'épigraphes médiévales.

Parc du Grand Hôtel dei Castelli. Il occupe une grande partie du promontoire. De la pointe la plus élevée, jaillit la petite tour qui permit au scientifique Marconi de faire ses premières expériences avec les ondes courtes.

Baia del Silenzio. La perspective suggestive de la Via Cappuccini est entourée de belles maisons, reflets du Sestri d'autrefois.

Museo Galleria Rizzi. Via Cappuccini, 8 © 41 422. *Ouvert jeudi, samedi, dimanche de 15 h 30 à 17 h 30.* Peintures des écoles flamande et italienne, sculptures et céramiques.

SHOPPING

La fougasse du boulanger **Tosi** (124, del Vecchio Caruggi) est inoubliable.

Vous trouverez les meilleures glaces au **Bar Centrale** (Corso Colombo, 43), étape obligatoire des sorties nocturnes.

Essayez aussi les glaces de la gelateria **Gourmet,** Lungomare Descalzo.

Bateaux en bouteille (un an de travail) : Luigi Lubrano, Via Antica Romana Occidentale, 280.

DANS LES ENVIRONS

Deiva Marina

Deiva Marina est un village médiéval qui s'étale le long d'une plage tranquille de sable et de galets. L'église de Sant'Antonio Abate, construite en 1730, conserve des tableaux des XVIIIe et XIXe siècles et un orgue mécanique de la marque Agati, de 1848.

Une autre idée d'escapade à partir de Sestri Levanti : un sentier démarre de la Via XXV Aprile, et monte, entre pins et maquis, au couvent des Capucins. Il s'achève au **Monte Castello** (265 mètres), qui domine la **Punta Manara**.

➥ Reprenez l'Aurelia, qui monte et descend en suivant la côte boisée et parsemée de maisons, et visitez, tour à tour, **Zoagli, Chiavari** et **Lavagna,** jusqu'au pittoresque promontoire de **Sestri Levante**. L'itinéraire est très fréquenté l'été, en particulier durant les week-ends. Il est préférable de l'éviter durant les périodes de grande circulation.

RAPALLO

Autrefois, Rapallo était exclusivement fréquenté par l'élite qui habitait dans des villas somptueuses et se rendait uniquement dans les cafés du bord de mer. Aujourd'hui, le développement intensif et incontrôlé des constructions bon marché fait de Rapallo le centre du tourisme de masse le plus important et le mieux équipé de la Riviera dell'Este.

Le bord de mer Vittorio Veneto commence sur la Piazza Pastene et se déroule, ombragé de palmiers et bordé d'hôtels et de cafés.

Pratique

Indicatif téléphonique : 0185.

Office du tourisme. Via Diaz, 9 ✆ 23 03 46.

Points d'intérêt

Le centre historique. Formé de quelques vieilles maisons, d'arcades, et d'un marché très animé où se trouve l'Oratorio Bianchi du XVIIe siècle.

Il Castello. L'édifice du XVIe, avec sa structure à absides, se dresse sur un récif au-dessus de la mer.

Museo Civico, Oratorio Bianchi. Piazza delle Nazioni ✆ 68 01. *Ouvert tous les jours de 9 h à 12 h et de 15 h à 18 h.* Riche collection de dentelles.

Dans les environs

De la gare, part un chemin qui monte le long du torrent San Francesco, au milieu des oliviers et des cyprès. Après onze kilomètres, le chemin débouche sur le sanctuaire de la **Madonna di Montallegro.** Le funiculaire qui part de la ville y conduit également.

➥ Derrière la chaîne des montagnes qui entourent le golfe de Rapallo s'étend la vallée **Fontanabuona**, entièrement boisée. On rejoint facilement Chiavari en passant par **Carasco**, mais également en empruntant la route Rapallo-Montallegro qui franchit la crête de la Crocetta.

Dans la vallée, on extrait l'ardoise, cette pierre noire aux reflets d'argent utilisée dans toute la Ligurie pour couvrir les toits ou encadrer les portes des maisons. Toujours employée de nos jours dans le bâtiment, elle sert également à fabriquer plateaux, porte-bijoux, porte-cendriers.

ZOAGLI

Au cœur des collines d'oliviers, la ville est célèbre pour ses damas. Mais n'oubliez pas de visiter l'église de Sant' Ambrogio et celle de San Pantaleon. Pour vous y rendre, suivez le tracé de l'antique route romaine aux alentours des tunnels de Castellaro. A partir de la plage, commence la promenade de bord de mer, qui coupe à travers les rochers d'où jaillissent les deux tours de défense du XVIe siècle.

Manifestations

Le 28 juillet : festa di San Pantaleo. Jeux populaires et fête gastronomique.

Shopping

Les tissus et les damas en vente dans la famille Gaggioli sont absolument uniques. Les ouvriers n'en produisent pas plus de soixante centimètres par jour, et vous pourrez les voir au travail.

Famiglia Gaggioli. Statale Aurelia, 208/a ✆ 25 90 57.

CHIAVARI

Petite ville aux antiques traditions, Chiavari a réussi à conserver un joli centre à arcades et à petites places. Au XVIIe siècle, ses fortifications étaient parmi les plus belles d'Europe.

Office du tourisme Corso Assarotti, 1 ✆ 32 51 98.

Points d'intérêt

San Giovanni Battista. Reconstruite en 1624, elle possède une façade de marbre et une fresque dans la lunette du portail.

San Francesco. Date du XIIIe siècle. En 1866, l'église fut fermée au culte. Actuellement, la municipalité l'utilise pour ses manifestations culturelles.

Palazzo Marara. La façade de cet édifice baroque, construit aux alentours de 1730, comporte un portail imposant.

Museo Archeologico per la Preistoria e Protostoria del Tigullio. Palazzo Rocca. Via Costaguta, 4 ✆ 32 08 29. *Ouvert en semaine, de 9 h à 19 h 15, et les jours fériés de 15 h 15 à 19 h 45, fermé le lundi.* Expose les découvertes des fouilles des tombeaux de l'époque pré-romaine (VIIIe et VIIe siècle av. J.-C.) et la collection de tableaux de la famille Rocca, du XVIe au XVIIIe siècle.

Quadreria di Palazzo Torriglia. Piazza Mazzini, 1 ✆ 31 02 41. *Ouvert du lundi au vendredi de 9 h à 12 h et de 15 h à 18 h.* Œuvres du XVIe au XVIIe siècle, de l'époque génoise, napolitaine, vénitienne et bolognaise.

Shopping

Sous les arcades *del carrugio diritto* et de la Via Martiri della Liberazione se succèdent des boutiques anciennes et des magasins élégants.

Sac. Via Bancoleri, 60 ✆ 30 55 51. Cette coopérative travaille la *canna d'India* et autres bois précieux pour fabriquer les chaises de Chiavari, célèbres pour leur légèreté (moins d'un kilo) et marquées par une tradition de plus de cent cinquante ans.

Salima. Via dei Revello, 33 ✆ 30 11 19. Spécialiste du travail des textiles (soie, lin et coton), que les ouvriers transforment en macramé pour en faire des dessus-de-lit et des torchons.

Marchés

Exposition-vente d'antiquités, le second week-end de chaque mois. Une centaine d'antiquaires exposent dès le samedi après-midi.

LAVAGNA

L'ancien territoire de la famille des Fieschi est irrigué par les alluvions de l'Entella et se cache dans des collines couvertes d'oliviers. La Via Aurelia et le chemin de fer le coupent en deux parties ; au sud, les plages, les chantiers navals, les hôtels avec vue sur la mer ; au nord, la vieille ville aux rues bordées d'arcades et au charme indéfinissable d'autrefois.

Indicatif téléphonique : 0185.

Manifestations

Le 14 août : Torta dei Fieschi. Pour célébrer le souvenir du mariage, en 1240, entre le comte Opizzone Fieschi et dame Bianca de Bianchi di Siena, les habitants préparent une tarte de dix mètres de diamètre.

Points d'intérêt

Santo Stefano. Reconstruite en 1653, l'église possède une belle volée d'escaliers baroques qui s'élancent vers la façade aux deux clochers symétriques donnant sur le parvis pavé.

PROVINCE DE LA SPEZIA

LA SPEZIA

Napoléon écrivait : «C'est le plus beau port de l'univers, sa rade est supérieure à celle de Toulon, sa défense est facile tant sur terre que par mer.» De fait, La Spezia est la plus grande base navale militaire italienne et un important port de marchandises. Ce n'est pas un hasard.

Au Moyen Age, La Spezia était un petit village (acheté et fortifié par les Fieschi) qui, en 1276, passa à la république de Gênes. La cité médiévale s'est développée au pied *del Poggio* et autour de la Via del Prione. Les fortifications remontent aux XIVe et XVIIe siècles.

La Spezia connut une véritable révolution urbaine et industrielle entre 1860 et 1865, avec le transfert dans son port de la marine militaire basée à Gênes et la construction de l'arsenal de Cavour. Elle conserve de cette époque une structure urbaine particulière, avec de longues rues ombragées. La ville moderne s'est développée à partir des années 20, vers l'est et dans la plaine de Migliarina.

Attention ! Dans le centre historique, certaines rues sont interdites à la circulation : Via del Prione, Piazza Sant'Agostino, Corso Cavour de 15 h 30 à 19 h 30. Les zones à circulation réduite et réservée aux riverains sont : Via Manzoni, Via Ferruccio (du côté de la mer) et Via Don Minzoni.

TRANSPORTS

Taxis ✆ 36 179 ou 22 040.

Bateaux. Corsica Ferries ✆ 21 282.

PRATIQUE

Indicatif téléphonique : 0187.

Office du tourisme. Via Mazzini, 47 ✆ 71 89 97.

Consulat de France. Via Sapri, 81 ✆ 77 05 54.

Poste. Piazza Verde ✆ 28 476. Ouverte du lundi au samedi de 8 h à 14 h.

Téléphone . Via de Passano, 30. Ouvert tous les jours de 8 h à 22 h.

Distributeur. Bancomat. Corso Nazionale, 252.

HEBERGEMENT-RESTAURANTS

Hôtel Diana. Via Colombo, 30 ✆ 73 40 97. *60 000/105 000 L.* 19 chambres. Dans le quartier des jardins.

Hôtel Jolly del Golfo. Via XX Settembre, 2 ✆ 73 95 55 - Fax 22 129. *270 000/320 000 L.* 113 chambres avec téléphone, télévision, climatisation, réfrigérateur. Parking. American Express, Visa, Diner's Club. Un hôtel proche du port, à l'ambiance animée. Service agréable.

Agriturismo

Agriturismo Carnea. A Carnea, Via San Rocco, 10, Follo ✆ 01 87/94 70 70. *Chambres 60 000 L. Fermé en février.* 10 kilomètres au nord de la côte (La Spezia). Point de départ idéal pour les trekkings. Camping possible. Vous apprécierez la cuisine biologique, végétarienne, à déguster en admirant la vue.

Restaurants

Restaurant La Pia Centenaria. Via Magenta, 12-14 ✆ 50 31 41. *Environ 30 000 L.* Cette ancienne boutique de vente de la *farinata* et de la fougasse a conservé l'enseigne d'autrefois. Vous y mangerez fromages frais, saucisson et jambon, soupe de châtaignes aux pignons et fougasses de toute sorte.

Restaurant Antica Osteria del Caran. Via Genova, 1 © 70 37 77. *40 000/60 000 L. Fermé le mardi et en novembre. Réservation obligatoire.* 80/200 couverts. Jardins. A l'extérieur, on trouve encore les bancs où s'asseyaient autrefois les charretiers pour se restaurer de saucisson et de vin. Spécialités : la *mes-ciua* (une soupe rustique) et de nombreuses variétés de poissons (anchois frais) et fruits de mer.

Restaurant Piccolo Mondo. Via Gramsci, 63 © 73 36 54. *Environ 50 000 L.* A deux pas du tribunal, un restaurant à la longue tradition de plats à base de poissons, moules, palourdes, praires. Les fougasses aux oignons sont délicieuses.

MANIFESTATIONS

Premier dimanche d'août : *festa del Mare. Palio del Golfo.* Les embarcations représentant les villages du bord de mer tentent de gagner la coupe.

Du 17 au 19 mars : Sagra di San Giuseppe, saint patron de la ville. Un marché important attire 800 vendeurs ambulants le long du Viale Mazzini et du Viale Italia.

Festa di San Venerio. Cortèges de barques illuminées jusqu'à Lerici.

POINTS D'INTERET

Castel San Giorgio. Il domine la cité médiévale. Bâti au XIIe siècle, en même temps que les remparts de Nicolo Fieschi, le château fut reconstruit en 1327. On lui ajouta un second rempart. L'édifice conserve sa forme originelle avec un bastion arrondi et des bastions d'angle du XVIIe siècle.

Santa Maria Assunta. Via della Canonica. Construite en 1271, l'église fut plusieurs fois agrandie et rénovée. La façade est de style moderne. L'intérieur conserve un vitrail d'Andrea Della Robbia.

L'Arsenal militaire. Il occupe tout le secteur sud de la ville et constitue la principale base maritime de *l'Alto Tirreno.* On peut le visiter le 19 mars, jour de la fête du saint patron de la ville. A l'intérieur se trouve le Musée technique naval.

Grotta della Madonna. Via Nervesa della Battaglia. *Ouvert du mardi au samedi de 9 h à 13 h et de 15 h à 19 h. Le dimanche de 9 h à 13 h. Fermé le lundi. Entrée libre.* Riche de concrétions calcaires, la grotte descend sur vingt mètres vers un petit lac. Vous admirerez la grande stalagmite de plus de trois mètres, découverte en 1909.

Museo Navale della Marina Militare. Piazza Chiodo © 71 76 00. *Ouvert tous les jours de 9 h à 12 h et de 14 h à 18 h. Du lundi au vendredi, de 14 h à 18 h.* Fondé en 1870, au moment du transfert du musée naval de Gênes, le Museo Navale fut reconstruit après les bombardements. Il expose une riche collection de figures de proue, d'armes et de reliques.

Museo dei Trasporti. Deposito A.T.C. del Canaletto. Via del Canaletto, 100 © 50 31 23. *Visites sur rendez-vous.* Ce musée propose un panorama complet de l'histoire des transports italiens et conserve des archives historiques.

SHOPPING

Via del Prione, Via Chiodo et **Corso Cavour** sont les rues du shopping.

Marchés

Marché aux fleurs, aux fruits et d'alimentation générale (Piazza Cavour) tous les matins, du lundi au samedi.

Marché de l'habillement et de la chaussure, tous les vendredis (Viale Garibaldi) et tous les mardis (Via Reggio Emilia).

DANS LES ENVIRONS

Biassa et Campiglia

Nous vous conseillons le tour des collines qui dominent la ville. N'oubliez pas une visite aux villages de **Biassa** et de **Campiglia.**

Un service d'autobus et de vaporetti part de la promenade Morin pour faire le tour du golfe et des îles.

Varese Ligure

Prendre la route pour le *Passo di Cento Croci* afin d'aller admirer **Il Borgo Rotondo,** exemple rare d'une ville circulaire, fondée par les Fieschi au XIIIe siècle, pour des raisons commerciales et militaires.

➥ Autour du golfe

La région qui entoure le golfe de La Spezia et son port agité représente la véritable Ligurie, éloignée des grands itinéraires touristiques et attachée aux traditions.

La nationale qui monte jusqu'au passage de Bracco, au milieu des pinèdes vastes et parfumées, passe loin de Levante et de Bonassola, petits endroits délicieux. L'absence de routes côtières a valu à ces villages le privilège d'avoir pu conserver leurs caractéristiques originelles.

AMEGLIA

La ville surgit sur le sommet d'une colline, avec ses maisons hautes et étroites qui se serrent autour du château comme dans une spirale. Le site était déjà habité à l'époque préromaine, comme en témoignent les sépultures récemment découvertes.

Points d'intérêt

San Vincenzo et San Anastasio. L'église conserve un vieux portail de marbre, une lunette en bas-relief de 1546 et, dans la nef droite, un tabernacle du XVe siècle.

Municipio. Piazza Francesco Sforza. De style Renaissance, c'était la résidence habituelle de l'évêque de Luni. A côté, se dressent une tour cylindrique de la fin du Moyen Age et les restes des remparts.

Castelnuovo Magra. Château fort du XIe siècle. Dante y fut hébergé. L'église Renaissance de Santa Maria Assunta conserve de nombreux tableaux, dont un *Calvaire* de Brueghel.

BONASSOLA

S'ouvrant sur un petit golfe niché entre oliviers et vignes, Bonassola était autrefois la cible préférée des pirates. Cette situation dura jusqu'à la création d'un service de secours destiné à porter assistance aux habitants pillés. La plage sablonneuse est superbe.

Indicatif téléphonique : 0187

Point d'intérêt

Santa Caterina. Une église baroque où l'on pourra voir les ex-voto des marins.

Excursion. En longeant la côte occidentale, vous arriverez à la chapelle de la Madonna della Punta, qui domine la mer.

Profitez du sommet rocheux de la **Vergine della Punta** qui vous offrira une vue exceptionnelle sur la côte.

LEVANTO

Protégé par un vaste amphithéâtre naturel couvert de châtaigniers et d'oliviers, Levanto s'est transformé, au fil du temps, en un lieu destiné exclusivement au tourisme. Le centre historique est agréable et conserve de belles maisons médiévales.

Pratique

Indicatif téléphonique : 0187.

Office du tourisme. Piazza Cavour © 80 81 25.

Manifestations

Le 5 mai : foire de San Gottardo.

Du 23 au 25 juillet : Fête de la mer. Parachutisme acrobatique, défilé de drapeaux, cortège historique de nuit et feu d'artifice sur la mer.

Le 25 juillet : foire de San Giacomo.

Points d'intérêt

Casa Restani. Via Grillo. Maison de marchands ligures, avec arcades et ogives formant un arc.

Loggia del Comune. Piazza del Popolo. Elle remonte au XIIIe siècle et présente des colonnes formant un arc et des chapiteaux romans.

Sant Andrea. Une église paroissiale gothique dont la façade est à bandes noires et blanches. Tableaux de G. Braccesco.

Mostra Permanente della Cultura Materiale, Casa del Capitano del Popolo. Piazzetta Massola, 4 ✆ 80 84 96. Exposition d'objets, de photographies et de témoignages de la culture locale. Egalement, une petite bibliothèque à caractère ethno-linguistique.

Excursion. Juste avant la bifurcation pour Bonassola, un sentier monte jusqu'à la pointe du **mont Rossala**, d'où l'on jouit d'un panorama unique, parfois jusqu'à l'île d'Elbe et la Corse.

LERICI

Célèbre station touristique depuis l'époque de Byron et de Shelley, qui avaient rebaptisé l'endroit «le golfe des poètes». C'est dans ces eaux que mourut Shelley. D'autres hôtes illustres y séjournèrent : D. H. Lawrence, Mantegazza, Benelli.

Le centre historique, entouré de maisons hautes et multicolores, s'avance sur la mer.

Le bord de mer se termine sur la Piazza Garibaldi, ouverte sur le port.

Entre les rochers de Fiascherino s'étend une belle plage. De là, vous pourrez vous rendre par deux routes différentes soit à Tellaro, soit à Montemarcello.

Office du tourisme. Via Gerini, 40 ✆ 96 73 46.

Manifestations

Les 25 et 26 mars : fiera della Madonna di Maralunga.

En août : manifestations en l'honneur de saint Erasme.

Noël sous l'eau, le 24 décembre.

Points d'intérêt

Il Castello. On parvient au château en prenant la Scalinata, qui monte entre les vieilles maisons et les jardins entourés de murs. Construit par les Pisans au XVIIe siècle, le château fut renforcé par les Génois, qui firent élever la grande tour pentagonale et ajoutèrent le corps principal, les bastions et les autres structures.

San Francesco. Reconstruite au XVIIe siècle sur les ruines d'une église plus ancienne, elle possède de nombreuses peintures et sculptures des XVe et XVIe siècles.

Villa Magni. San Terenzo. La demeure de Shelley accueille une exposition consacrée au poète romantique.

Dans les environs

Entre Lerici et Tellaro, au-dessus de **Fiascherino**, vous pourrez apercevoir les ruines du village de Barbazzano perdu dans les champs d'oliviers. Le village fut abandonné après l'invasion des Maures, au XVe siècle.

PORTOVENERE

A l'extrémité occidentale du golfe, à 12 kilomètres de La Spezia, Portovenere est l'une des perles de la Ligurie et une étape romantique des amoureux de la mer. Jusqu'au XVe siècle, ce fut la sentinelle de Gênes ainsi qu'une étape marchande. Les deux blocs d'édifices construits sur les flancs du Carruggio représentaient une double ceinture protectrice. Les case-torri polychromes s'ouvrent sur la jetée Doria et sur le petit port.

En été, la petite ville est envahie par les touristes. Il est préférable de la visiter en hiver.

Pratique

Indicatif téléphonique : 0187.

Office du tourisme. Piazza Bastreri, 1 ✆ 79 06 91.

Manifestations

Du 9 au 19 septembre : festa di San Venerio. Pendant la cérémonie, vous aurez librement accès à l'ermitage du saint, sur l'île de Tino.

Points d'intérêt

San Pietro. Située sur un rocher protégé des assauts de la mer, cette église aurait été construite par saint Pierre lui-même, sur les ruines d'un temple dédié à Vénus.

Grotta dell'Arpaia. Vous rejoindrez la grotte en descendant l'escalier rapide, à côté de San Pietro. On raconte que Byron y arriva après avoir traversé le golfe à la nage.

Castello. Reconstruit entre le XVIIe et le XVIIIe siècle, le château, accroché au rocher, domine le village. Il est composé de deux corps distincts réunis par les remparts.

Shopping

Grotta dell'Artigiano di Bruno Baracco. Via Cappellini. Céramiques, coquillages, coraux et fossiles.

Frantoio Sassarini. Vente d'huile d'olive extra-pure, celle que laissent les paysans en paiement du pressurage de leurs propres olives, selon une coutume vieille de plusieurs siècles.

Dans les environs

Par mer, vous pourrez visiter les îles **Palmaria del Tino et del Tinetto**, avec leurs nombreuses grottes et les ruines d'un ancien monastère.

SARZANA

Aux confins de la Ligurie et de la Toscane, la ville a toujours occupé une position stratégique, économique et politique importante. Le centre historique se situe le long de l'antique route Francigena, qui reliait Rome aux Flandres. Les palais les plus importants se trouvent sur cette artère. Ils ont été rénovés au XVIIIe et au XIXe siècle.

Manifestations

Les 4 et 5 avril : fiera delle Nocciole.

Le 6 mai : fiera de Santa Croce.

En août : Foire nationale aux antiquités. Les exposants viennent de toute l'Italie. Exposition de vins des collines de Luni.

Le 22 octobre : fiera di San Lazzaro.

Le 11 novembre : fiera di San Martino.

Points d'intérêt

Sant Andrea. Via dei Fondachi. L'antique église, baptistère et siège de la jurisprudence de la commune, a une façade avec un portail du XIVe siècle.

Cathédrale di Santa Maria Assunta. De style romano-gothique, elle date du XIIIe siècle, l'époque où Sarzana obtint un siège à l'évêché de Luni. Elle subit alors de très notables remaniements, les plus marquants ayant été réalisés à la demande du pape Nicolo V, au XVe siècle.

Palazzo Remedi. Piazza Matteotti, 43. Conserve un portail du XIVe siècle. Dans l'atrium sont exposés sculptures et médaillons des XVIIe et XVIIIe siècles.

San Francesco. L'église, bien rénovée, date du XIIIe siècle. L'intérieur, à une seule nef, conserve dans le transept la voûte originelle en croix.

Cittadella. Cette puissante forteresse fut construite au XVe siècle par Laurent le Magnifique.

Balade

A partir de la Porta Romana, la rue plantée de platanes suit l'ancien tracé de la Via Aurelia. Il y a aussi la belle route panoramique de deux kilomètres qui monte à la forteresse de Sarzanello. De là, on a une vue admirable sur toute la plaine du fleuve Magra.

Shopping

Le **centre historique**, la **Piazza Matteotti**, la **Via Mazzini**, la **Via Gramsci** et la **Piazza Garibaldi** accueillent de nombreux magasins et des boutiques d'antiquaires.

Gennaro Paolo. Via Mulini, 38 ✆ 62 40 82. Boutique spécialisée dans le travail du fer forgé.

La Bricole. Via Landinelli, 24 © 62 44 76. Décoration à la main sur verres et céramiques. Parmi les objets, cadres, coussins peints et poupées.

Soffitta nella Strada (grenier dans la rue). En août, à Pâques et les premiers dimanches du mois, Salon de la brocante et de l'artisanat.

LE CINQUE TERRE

Comme l'indique leur nom, il s'agit de cinq villages accrochés à une côte rocheuse et sauvage. Les hommes ont arraché à la montagne d'étroites bandes de terre afin d'y cultiver la vigne qui donne l'inimitable sciacchetra. De l'autre côte du golfe s'étend la côte tant aimée des poètes Byron et Shelley. Ce dernier disait d'elle : «La scène était d'une beauté inimaginable, le bleu éloigné des eaux, la baie presque enfermée dans la terre, le château de Lerici tout proche... La mer calme ne laissant ni sable ni galet, tout cela formait un ensemble que l'on ne peut voir que dans les paysages de Salvator Rosa.»

Monterosso, Vernazza, Corniglia, Manarola, Riomaggiore. Ce sont les noms des cinq villages considérés comme les plus beaux de la Ligurie. Le manque d'espace et l'absence de routes ont favorisé le maintien des anciennes structures : maisons accrochées aux rochers, ruelles étroites, escaliers. Tout autour, c'est un paysage - avec les cultures de vignes et d'oliviers en terrasses - où la beauté de la nature se marie à celle de l'œuvre humaine.

Vous vous trouvez au paradis des marcheurs, et vous vous délecterez du plaisir de fouler les sentiers qui serpentent au milieu des vignes, des oliviers et du vert maquis méditerranéen. Le sentier n° 1 (signalé en rouge), qui suit la crête, est le plus difficile : Portovenere-Campiglia-Foce-Drigniana-Levanto. Le sentier n° 2 (signalé en bleu) suit la côte : Portovenere-Campiglia Riomaggiore-Corniglia-Vernazza-Monterosso-Levanto.

Pour les romantiques, une promenade facile s'impose, «la route de l'Amour», qui va de Corniglia à Riomaggiore.

Attention ! Le centre historique est fermé à la circulation. Seuls les points extrêmes des Cinque Terre (Monterosso et Riomaggiore) sont ouverts. Vous rejoindrez les autres villages en bateau, en train ou à pied. A Monterosso, un grand parking fonctionnel a été aménagé sur une péninsule artificielle.

MONTEROSSO

Monterrosso s'étale le long d'une grande plage. C'est la ville la plus importante des Cinque Terre. Elle conserve les vestiges des anciennes murailles, bastions et tours. Le bord de mer est ponctué de restaurants, d'hôtels et de restaurants.

Transports

Gare. Via Fegina, au nord de la ville.

Bateaux. Navigazione Golfo dei Porto © 96 76 76.

Taxi © 75 57 30.

Pratique

Indicatif téléphonique : 0187.

Office du tourisme. Via Fegina © 81 75 06. *Ouvert d'avril à octobre du lundi au samedi, de 10 h à 12 h et de 15 h à 19 h, le dimanche de 10 h à 12 h.* Bureau de change.

Hébergement

Hôtel Porto Roca. Via Corone, 1, Monterosso © 81 75 02 - Fax 81 76 92. *350 000/430 000 L. Ouvert d'avril à novembre.* 43 chambres avec téléphone, télévision, climatisation, réfrigérateur. Parc, plage privée, restaurant. Interdit aux animaux. American Express, Visa. Au milieu des rochers donnant à pic sur la mer, un hôtel dans un jardin romantique.

Points d'intérêt

San Giovanni Battista. Eglise paroissiale du XIXe siècle. De très beaux fonds baptismaux.

San Francesco. Cette église de l'ancien couvent des Capucins a été consacrée par l'évêque de Luni en 1623.

Excursion Un sentier qui passe à travers les oliviers conduit au sanctuaire de la Madonna di Soviere (464 mètres).

CORNIGLIA

Le village est accroché à un rocher tombant à pic sur la mer, à la limite d'un vallon couvert de vignobles. Un sentier grimpe jusqu'au sanctuaire San Bernardino. De là, vous jouirez d'une vue superbe sur la côte jusqu'à Montenero.

Points d'intérêt

San Pietro. Construite en 1334, sur les ruines d'une chapelle plus ancienne, l'église présente une façade simple et une rosace en marbre, œuvre des maîtres-compagnons Matteo et Pietro da Campilio.

MANAROLA

Construite dans un couloir naturel qui se termine par un promontoire rocheux, la ville fut fondée, à la fin du XIIe siècle, par les habitants d'une vieille ville située à l'intérieur des terres, près de la côte.

Le sentier qui part de la gare porte le nom romantique de Via dell'Amore. Creusé dans la roche, il tombe à pic sur la mer. Vous aurez une vue superbe sur les Cinq Terres.

Point d'intérêt

San Lorenzo. De style gothique, l'église est caractérisée par un portail ogival du XIVe siècle.

RIOMAGGIORE

Une grappe de maisons rangées le long de la petite vallée, à l'embouchure de la mer. Niché dans les oliviers et les vignes, le petit port est délicieux.

Manifestations

Du 7 au 9 juin : festa della Madonna di Montenero.

Le 24 juillet : foire di San Giovanni Battista.

En septembre : sacre du raisin.

Point d'intérêt

San Giovanni Battista. L'église du XIVe siècle possède trois nefs séparées par des arcs ogivaux élégants. A l'intérieur, des tableaux de Domenico Fiasella et un crucifix en bois de Maragliano.

Dans les environs

Un sentier rejoint le sanctuaire de la Madonna del Montenero, aux origines très anciennes. On raconte qu'en 790 arrivèrent en grand nombre dans ces lieux des réfugiés grecs. Il leur fut consenti de pouvoir pratiquer le métier de berger et de fonder un village, Cacinagora, le «marché du fromage».

VERNAZZA

Jusqu'en 1209, Vernazza appartenait à la république de Gênes. C'est l'unique port entre Sesri Levante et La Spezia. Les maisons sont enchevêtrées les unes dans les autres. Les escaliers rejoignent la seule rue du village, qui longe le torrent Vernazzola.

Hébergement

Agriturismo Mare e Monti - 5 Terre. A Veppo, località Saltino, Rocchetta di Vara ✆ 01 87/71 85 50. *Chambres 70 000 L, demi-pension 90 000 L.* 15 kilomètres au nord de la côte (La Spezia). Entre mer et montagnes, on vous propose des excursions à pied ou à cheval vers le mont Liguri, et des cours de peinture. Camping possible.

Agriturismo 5 Terre. Località Gaggiola, Pignone ✆ 01 87/88 80 87. *Chambres 45 000 L, demi-pension 80 000 L. Fermé du 1er novembre à la mi-décembre.* 10 kilomètres au nord-est de la côte (La Spezia). Cadre sauvage et paisible, à découvrir à pied ou à cheval.

Point d'intérêt

Un sentier monte jusqu'au sanctuaire de la Madonna di Reggio (317 mètres).

Santa Margherita d'Antiochia. De style gothico-ligure, elle est construite sur un rocher qui surplombe la mer. Belle vue sur le port et le village.

LOMBARDIE

LOMBARDIE
N
O
E
S
SUISSE
VALLE MAGGIA
VALLE MESOLCINA
Col du Saint bernard
3225 m.
Maggia
Locarno
Bellinzona
Gravedo
Pianello di Lario
Lac de Lugano
LUGANO
Menaggio
Tremezzo
Castiglione d'I.
Mandello del Lario
Lac de Côme
Parc National du Val Grande
Mont Cervin 4478 m.
Porto Valtravaglia
Luino
Verbania
Lavena
Grantola
Morcote
Lac Majeur
Laveno
Arcumeggia
Mottarone
Stresa
Gavirate
Biandronno
VARESE
Chiasso
COME
Erba
Angera
Arona
Castiglione Olona
Cantu
Sesto Calende
Caste Seprio
Tradate
Giussano
Somma Lombardo
Arsago
Cassano-Magnano
Carate Brianza
Sesia
Gallarate
Saronno
Busto Arsizio
Legnano
Biella
Ticino
Rho
MILAN
Ivrea
Novara
Abbiategrasso
Morimondo
Dora Baltea
Vigevano
Vercelli
Certosa di Pavia
Mortara
PO
Garlasco
Casale Monferrato
Carbonara al Ticino
Lomello
TURIN
Mezzanino
Bezzole
Chieri
Valenza
Isola San Antonio
Voghera
Montalto Pavese
Rivanazzano
Asti
Alessandria
Salice Terme
Tanaro
Tortona
Bormida
Novi Ligure
Cantalupo Ligure
Mont Lesima 1724 m.
Zerba
0
30 km
Busalla
Savignone

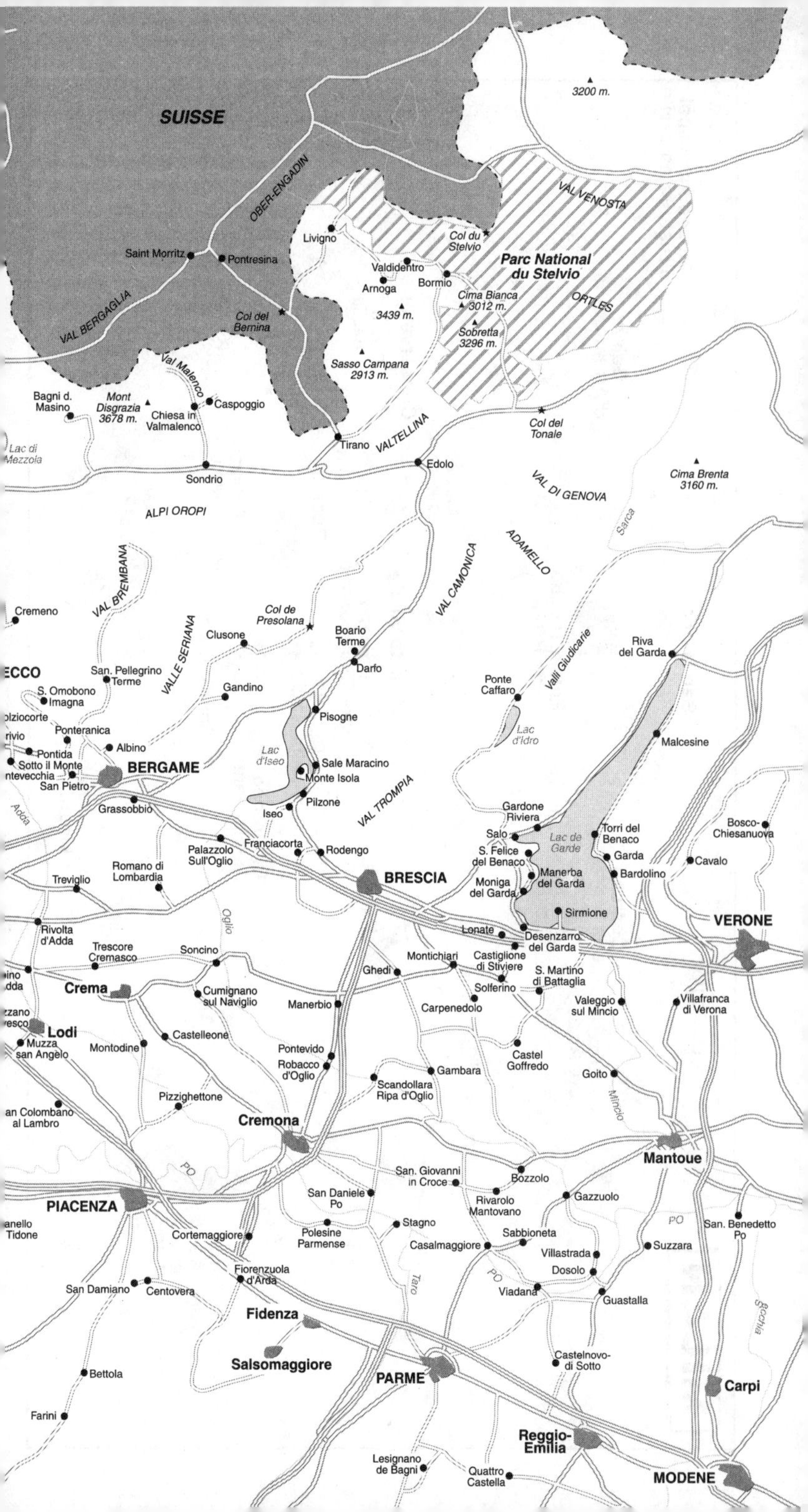

3200 m.
SUISSE
OBER-ENGADIN
VAL VENOSTA
Livigno
Col du Stelvio
Parc National du Stelvio
Saint Morritz
Pontresina
Valdidentro
Arnoga
Bormio
Cima Bianca 3012 m.
ORTLES
3439 m.
VAL BERGAGLIA
Col del Bernina
Sobretta 3296 m.
Val Malenco
Sasso Campana 2913 m.
Bagni d. Masino
Mont Disgrazia 3678 m.
Chiesa in Valmalenco
Caspoggio
Col del Tonale
Tirano
VALTELLINA
Lac di Mezzola
Edolo
Cima Brenta 3160 m.
Sondrio
VAL DI GENOVA
ALPI OROPI
Sarca
ADAMELLO
VAL BREMBANA
VAL CAMONICA
Cremeno
Col de Presolana
VALLE SERIANA
Clusone
Boario Terme
Valli Giudicarie
Riva del Garda
ECCO
San. Pellegrino Terme
Darfo
Ponte Caffaro
S. Omobono Imagna
Gandino
olziocorte
Pisogne
Lac d'Idro
Malcesine
rivio
Ponteranica
Albino
Pontida
Lac d'Iseo
Sale Maracino
Sotto il Monte
BERGAME
ntevecchia
San Pietro
Monte Isola
VAL TROMPIA
Adda
Grassobbio
Pilzone
Gardone Riviera
Iseo
Bosco-Chiesanuova
Salo
Lac de Garde
Torri del Benaco
Palazzolo Sull'Oglio
Franciacorta
Rodengo
S. Felice del Benaco
Garda
Cavalo
Romano di Lombardia
Manerba del Garda
Bardolino
Treviglio
BRESCIA
Moniga del Garda
Oglio
Sirmione
Rivolta d'Adda
Lonate
Desenzarro del Garda
VERONE
Trescore Cremasco
Soncino
Montichiari
Castiglione di Stiviere
ino
.dda
Ghedi
S. Martino di Battaglia
Crema
Cumignano sul Naviglio
Solferino
Valeggio sul Mincio
Villafranca di Verona
zzano
vesco
Manerbio
Carpenedolo
Lodi
Castelleone
Mouzza san Angelo
Montodine
Castel Goffredo
Pontevido
Robacco d'Oglio
Gambara
Goito
Scandollara Ripa d'Oglio
Mincio
Pizzighettone
an Colombano al Lambro
Cremona
Mantoue
PO
San. Giovanni in Croce
Bozzolo
San Daniele Po
Rivarolo Mantovano
Gazzuolo
PIACENZA
PO
anello
Tidone
Stagno
San. Benedetto Po
Cortemaggiore
Polesine Parmense
Sabbioneta
Casalmaggiore
Suzzara
Villastrada
Taro
PO
Fiorenzuola d'Arda
Dosolo
San Damiano
Centovera
Viadana
Guastalla
ecchia
Fidenza
Castelnovo-di Sotto
Salsomaggiore
PARME
Carpi
Bettola
Farini
Reggio-Emilia
Lesignano de Bagni
Quattro Castella
MODENE

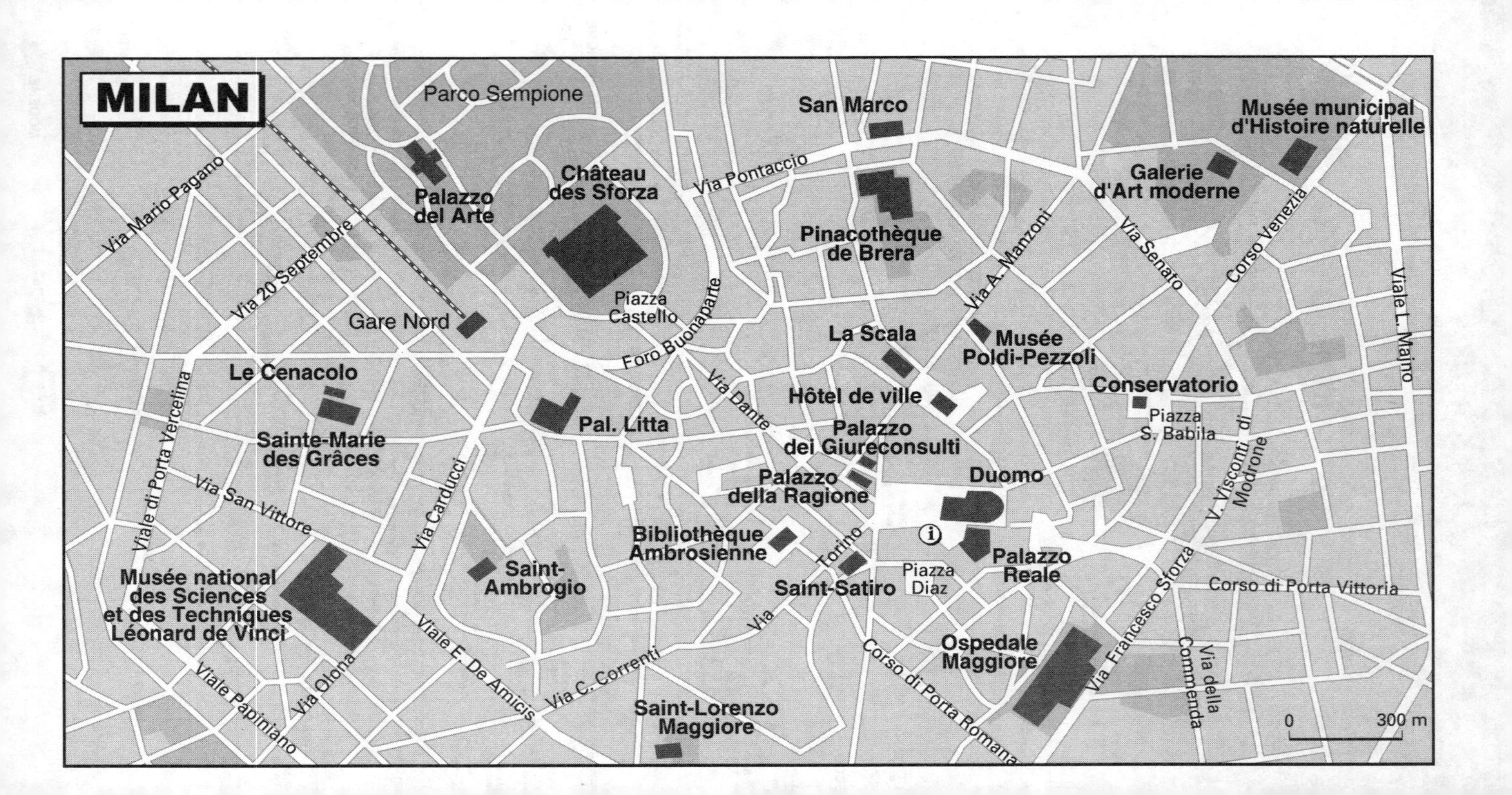
MILAN
Parco Sempione
San Marco
Musée municipal d'Histoire naturelle
Galerie d'Art moderne
Château des Sforza
Palazzo del Arte
Via Pontaccio
Pinacothèque de Brera
Via Mario Pagano
Via 20 Septembre
Piazza Castello
Gare Nord
Foro Buonaparte
Via A. Manzoni
Via Senato
Corso Venezia
Viale L. Majno
La Scala
Musée Poldi-Pezzoli
Le Cenacolo
Hôtel de ville
Conservatorio
Piazza S. Babila
Via Dante
Pal. Litta
Palazzo dei Giureconsulti
Sainte-Marie des Grâces
Viale di Porta Vercellina
Via San Vittore
Palazzo della Ragione
Duomo
V. Visconti di Modrone
Via Carducci
Bibliothèque Ambrosienne
Torino
Palazzo Reale
Piazza Diaz
Saint-Ambrogio
Saint-Satiro
Musée national des Sciences et des Techniques Léonard de Vinci
Via
Corso di Porta Vittoria
Via Francesco Sforza
Ospedale Maggiore
Viale E. De Amicis
Via C. Correnti
Corso di Porta Romana
Via della Commenda
Viale Papiniano
Via Olona
Saint-Lorenzo Maggiore
0
300 m

MILAN

Capitale économique, financière et culturelle, Milan est la plus européenne des villes d'Italie. La mode, les journaux, les informations, la publicité : tout naît dans cette ville chaotique et contradictoire, séduisante et repoussante, accueillante et polluée. Sa richesse et son dynamisme ont favorisé de forts mouvements d'opinion qui veulent en faire la capitale d'un Etat indépendant de Rome, la grande rivale, totalement différente en esprit et en atmosphère. Les voyageurs de l'époque romantique aimaient Milan, mais ce n'était certes pas la Milan d'aujourd'hui qu'ils avaient devant les yeux.

Les opérations d'urbanisme de l'époque fasciste et celles qui ont suivi la Seconde Guerre mondiale ont littéralement transfiguré l'aspect de la cité. Il suffit d'évoquer la couverture des Navigli, ces canaux navigables qui pénétraient jusqu'au centre, et qui offraient un décor de ponts, de petites places, de jardins et de reflets qui ne se retrouvent désormais que sur les vieilles estampes ou les photos du début du siècle.

Aujourd'hui le visage le plus classique de Milan est celui d'une ville aux rues constamment envahies par la circulation et aux mesures périodiquement alarmistes du taux de pollution.

Le centre historique est de moins en moins habité. A la périphérie s'élèvent d'énormes agglomérations satellites, véritables cités-dortoirs qui abritent la majorité des travailleurs dits «pendulaires qui, chaque jour, envahissent le centre-ville.

Et pourtant Milan n'est pas New York. Si l'on sait les chercher, on trouve encore des coins qui préservent le caractère de l'ancienne cité : vieilles églises, palais d'époque Liberty, musées et galeries satisfont les désirs des plus exigeants amateurs d'art. Comme toutes les villes d'affaires, Milan est un peu négligée par les flux touristiques internationaux. Nous tenterons cependant de donner quelques indications pour vous aider à découvrir ce qui reste de la Milan qui enflamma les poètes.

Comme toute métropole, Milan a sa faune d'irréguliers, de marginaux et de délinquants. Très répandus mais pacifiques, les laveurs de pare-brise nord-africains (tout feu rouge a les siens) et les vendeurs ambulants sénégalais (en particulier dans le centre). Le vrai péril vient des voleurs à la tire, près des principaux monuments et dans le métro. Evitez de laisser visibles autoradio, sacs ou vêtements dans une voiture. Les autoradios sont l'article le plus recherché des toxicomanes. Les vols de sacs, de bijoux ou d'appareils de photo existent mais ne sont pas si fréquents. A éviter le soir : les parcs, jardins et rues des environs de la gare centrale.

La Lombardie

La Lombardie est une région géographique aux limites bien définies : les Alpes au nord, le Pô au sud, le Tessin et le lac Majeur à l'ouest, le Mincio et le lac de Garde à l'est. Et pourtant, sur cette superficie de 23 857 km2 se répartit une population parmi les plus hétérogènes et changeantes d'Italie.

L'immigration, l'attraction de la grande ville, le croisement de cultures diverses ont favorisé la perte d'identité provinciale de cette région, créant par réaction des mouvements autonomistes et en partie xénophobes qui ont recueilli de nombreux suffrages, en particulier dans les zones les moins développées. Cette région réputée pour être la zone industrielle d'Italie par excellence, ne l'est réellement qu'autour de Milan et de Brescia. Elle conserve en revanche une face méridionale totalement agricole et une zone septentrionale lacustre et montagneuse. Le paysage de la Lombardie est doux, assez varié, puisqu'il passe de la montagne la plus accidentée à la plaine fertile.

Plus de la moitié de la population vit autour de Milan, même si un phénomène de retour à la campagne est en cours qui pourrait avoir, dans un proche avenir, des effets positifs.

Bien qu'elle ne soit pas considérée comme l'une des régions spécifiquement touristiques de l'Italie, la Lombardie a des possibilités importantes, aussi bien en été (lac de Côme, lac de Garde et lac Majeur) qu'en hiver (stations de ski de la Valtelline et du Haut Val Brembana), et offre également au visiteur de riches cités d'art (Mantoue, Bergame, Pavie et Milan elle-même).

HISTOIRE

Cité d'origine celtique, chef-lieu de l'Insubria Mediolanum (c'est son nom antique), elle fut conquise par les Romains en 197 av. J.-C. et devint très vite l'une des principales cités de la République, puis de l'Empire. En 292, sous l'empereur Maximus, elle en fut même la capitale. Après avoir été la résidence impériale, Milan reste le principal centre économique et militaire de l'empire d'Occident.

En 374, Ambroise, un Germain nommé gouverneur de la ville, est élu évêque, pour apaiser les querelles entre catholiques et aryens, querelles consécutives à une révolte du peuple. Béatifié par la suite, il sera l'une des plus importantes figures du christianisme latin et inspirera toute la vie religieuse de Milan, que l'on appelle encore aujourd'hui l'Ambrosienne.

Redevenue capitale sous Honorius, Milan réussit à maintenir un rôle de première importance pendant l'invasion des Goths, même si la décision des Lombards d'installer la capitale de leur royaume dans la Pavie voisine entraîne une certaine décadence de son rôle politique.

Pendant le haut Moyen Age, la cité connaît une période de gouvernement par les évêques (Ariberto de Intiminiano en est le représentant le plus illustre de 1018 à 1045), mais les luttes intestines et l'apparition du mouvement réformiste et paupériste de la Pataria contraignent les évêques à recentrer leur pouvoir dans le domaine religieux, laissant le champ libre à la naissance de la commune. Dans les premières années du XIIe siècle, Milan est déjà une commune puissante, capable de coaliser autour d'elle une grande partie des forces hostiles à la politique d'expansion des Hohenstaufen. Les communes de Lombardie, d'abord alliées à l'Empereur par crainte d'aider l'ambitieuse cité, se rallient ensuite à Milan pour défendre leurs propres intérêts. En 1176, près de Legnano, les troupes de la Ligue lombarde, formée des communes anti-impérialistes, défient les troupes de l'Empereur, sanctionnant le rôle de leader de Milan dans toute la plaine du Pô, malgré l'opposition des villes hostiles : Lodi, Crémone, Pavie, Bergame et Plaisance. Même Frédéric II ne réussit pas à détruire son prestige. Il faudra de féroces disputes entre les partis et le triomphe du parti populaire pour mettre en crise la commune et préparer le passage au régime de la seigneurie.

Les Della Torre, ou Torriani (1277), d'abord, puis les Visconti se substituent au pouvoir de la commune sous une forme de plus en plus absolue. En 1330, Azzone Visconti est nommé seigneur perpétuel de la ville, qui entame une politique d'expansion et se constitue en un Etat dont la dimension maximale sera atteinte sous Gian Galeazzo, nommé duc en 1395. Dès lors, on parle du duché de Milan, un Etat qui contestera à la république de Venise la suprématie territoriale sur l'Italie du Nord.

En 1447, le duc Filippo Maria étant mort sans enfants, la cité se donne pour une courte période une constitution républicaine : la République Ambrosienne. Puis elle devient la proie d'un condottiere, Francesco Sforza, qui instaure une dynastie, courte dans le temps mais intense par son activité. Sous le règne de son successeur, Ludovico il Moro, personnage ambigu mais fascinant, Milan a une cour splendide peuplée d'artistes (dont Léonard de Vinci) et s'enrichit de nombreux monuments. La liberté et la splendeur de Milan s'achèvent avec la descente en Italie de Charles VIII de Valois, roi de France appelé à l'aide par Ludovico lui-même, puis avec celle de François Ier. La ville, après la défaite de Pavie (1525), tombe aux mains des Espagnols, qui la garderont jusqu'en 1713.

De la domination espagnole, Milan n'a pas gardé un bon souvenir. Il suffit de lire le roman historique d'Allessandro Manzoni, Les Fiancés, dont l'action se situe au XVIIe siècle, pour comprendre à quel point le comportement des occupants fut stérile et spoliant.

La domination autrichienne, qui impose à Milan le plan de réforme voulu par Marie-Thérèse, est plus heureuse. Et pourtant, dès le règne de Bonaparte en Italie, puis après le congrès de Vienne qui restitue la Lombardie à l'Autriche dans les premières décennies du XIXe siècle, les intellectuels et l'aristocratie locale créent un fort mouvement d'opinion qui explose avec les Cinq Journées de Milan (19-23 mars 1848). Ce mouvement contraint les troupes commandées par le général Radetzky, détesté de la population, à une fuite momentanée hors de la ville. C'est l'époque où Giuseppe Verdi, Manzoni et Foscolo vivent à Milan. Mais c'est seulement en 1859 que Victor Emmanuel II fera son entrée dans la ville et que celle-ci fera partie du royaume d'Italie.

Participant alors pleinement au développement industriel du XIXe siècle, la ville explose en des schémas haussmanniens et s'entoure de faubourgs industriels. Le contraste est frappant entre le centre-ville tortueux et médiéval et les nouveaux quartiers fin-de-siècle qui l'entourent. Milan devient le centre industriel et économique du pays. Une puissante bourgeoisie se crée, qui s'affiche dans ce développement immobilier. Sous le fascisme, Milan garde son importance économique. De cette époque datent l'énorme gare centrale et les bâtiments modernes du centre des affaires (Piazza dei Affari).

Martyrisée par la guerre et les bombardements, théâtre d'une résistance militaire et civile courageuse, Milan sort prostrée du deuxième conflit mondial. Dans les années 50, grâce, entre autres, à la foire commerciale, elle est à nouveau la ville la plus dynamique d'Italie. Sa transformation de centre industriel en centre de services et de création connaît son apogée dans les années 70 et 80, lorsque la ville se voit consacrée capitale mondiale du design et de la mode.

TRANSPORTS

Gare centrale ✆ **72 52 43 70.** *Bureau ouvert du lundi au samedi de 8 h à 18 h, le dimanche de 9 h à 12 h 30 et de 13 h 30 à 18 h.*

Réseau routier

Nœud routier de première importance, Milan est facilement accessible de toute l'Italie par autoroute : de Gênes par l'A7 ; de Turin par l'A4, qui poursuit sur Bergame, Brescia et Venise ; de Suisse par l'A9 et de Rome, Florence et Bologne par l'A1.

La ville est entièrement ceinturée d'un système de rocades qui relie les différentes autoroutes. Toutes sont à péage, et une longue file d'attente est à craindre à l'entrée comme à la sortie. Les périphériques sont d'ailleurs presque toujours encombrés et l'on est à peu près certain de finir dans d'ennuyeux bouchons. Le destin de ceux qui prennent les routes nationales n'est pas plus enviable car elles sont totalement impraticables aux heures de pointe.

Liaisons ferroviaires

Gare centrale. Informations de 7 h à 23 h (consigne de 4 h à minuit).

Liaisons bien assurées avec l'Italie et l'étranger.

Gare Centrale (IS). Piazza Duca d'Aosta. Liaisons internationales.

Gare de Piazza Garibaldi (FS). Largo Freud. Liaisons locales avec le Nord de la Lombardie.

Gare de Lambrate (FS). Liaisons avec le Sud de la Lombardie.

Gare des Ferrovie Norte. Piazzale Cadorna. Compagnie privée reliant Milan à Varese, Novare, Côme et Erba.

Liaisons aériennes

Il existe deux aéroports à Milan :

Linate, l'aéroport international, n'est qu'à 3 km du centre urbain ; liaison par l'autobus 73 et en taxi. Bien que relativement proche du centre-ville, cet aéroport est curieusement exclu de tout projet de raccordement au métro.

L'aéroport international de la **Malpensa** se trouve dans la province de Varese, à 45 km de Milan. Il est relié par des navettes qui partent de la gare centrale (Bus STAM).

Renseignements pour les deux aéroports ✆ 74 85 22 00.

Air France. Place Cavour, 2 ✆ 77 381.

Transports urbains

Le centre historique est fermé à la circulation de 9 h à 18 h. L'accès en est autorisé aux voitures immatriculées à l'étranger.

Milan a un plan circulaire, avec un réseau de rues centripètes et d'avenues concentriques (" circonvallazione "). Le trafic sur ces circonvallazione est intense. Il est difficile de se garer, sauf près de certaines stations du métro : Gobba (ligne verte) près du périphérique Est ; Romolo (ligne verte) ; Pagano (ligne rouge) et Gorla (ligne rouge).

Attention, lourdes amendes et mises à la fourrière sanctionnent les stationnements en zone interdite. En résumé, il est difficile de circuler en voiture, plus encore de se garer. Ajoutons que la sécurité d'une voiture en stationnement est relative quel que soit l'endroit de la ville, et que les seuls hôtels recommandables pratiquent des prix prohibitifs. Il est donc, *a priori*, plus futé, sans vouloir aucun mal à Milan, cité unique et riche de nombreux centres d'intérêt, de choisir un hôtel dans l'une des petites villes périphériques reliées par le train, d'y laisser la voiture sous bonne surveillance (parking de l'hôtel) et de faire le banlieusard du tourisme, en économisant stress et argent contre quelques demi-heures de sommeil en moins.

Bus et tram

L'ATM (Agenzia Transporti Milanese) assure un réseau dense de lignes de bus, tramways et trolleybus. Vous pouvez acheter les billets dans les kiosques à journaux ou, si vous avez de la monnaie, dans les distributeurs automatiques prévus à cet effet. Renseignements à la gare centrale ✆ 48 03 24 03, de 8 h à 20 h.

La ceinture extérieure est desservie par les bus 29 et 30, tandis que les bus 96 et 97 desservent la ceinture intérieure. Quant au tram n° 1, il relie la gare centrale à la Piazza Scala.

Les bus, modernes et assez fréquents, ainsi que les taxis, très coûteux, sont de toute façon les victimes fréquentes des embouteillages, en particulier Via For Latini et Corso XXII Mar. Ils se montrent donc d'une totale indifférence quant à la ponctualité.

Métro

Avec le même billet, on peut prendre les trois lignes de métro existantes : la rouge (ligne n° 1), qui va du quartier des «pensioni» au centre-ville ; la verte (ligne n° 2), qui relie les trois gares de Milan ; et la jaune (ligne n° 3), qui va de la gare centrale jusqu'au sud de la ville.

Taxis

De couleur jaune, ils stationnent sur les places principales de la ville et près des gares. Ils coûtent assez cher. **Radio-taxi** : ✆ 52 51 ; 53 53 ; 83 83 ; 85 85.

Parkings

Il n'y a pas de ville européenne où les parkings soient aussi rares qu'à Milan. A vous dégoûter d'utiliser une voiture ! Les parkings privés couverts sont extrêmement chers.

■ PRATIQUE

Indicatif téléphonique : 02.

Office du tourisme

Via Marconi, 1 ✆ 72 52 43 00 - Fax 72 52 43 50. *Ouvert du lundi au vendredi de 8 h à 20 h, le samedi de 9 h à 13 h et de 14 h à 19 h, le dimanche de 9 h à 13 h et de 14 h à 17 h.*

Pour vous intégrer à la vie locale, il faut vous procurer l'indispensable *Un mese a Milano* (délivré à l'Office du tourisme). Ce précieux guide qui répertorie les différentes manifestations vous aidera à être là où il faut, quand il le faut.

Dans le même esprit, chaque jeudi, les deux principaux quotidiens italiens, *Le Corriere della sera* et *La Repubblica*, sortent un supplément, *Vivi Milano* et *Tutto Milano*, qui donnent des conseils pour la semaine et un choix complet de restaurants, choisis en fonction du quartier, du genre de cuisine et du prix.

Consulat de France . Via della Moscova, 12 ✆ 65 59 141 - Fax 65 59 13 44.

Maison de la France. Via Larga, 7 ✆ 16 61 16 216 - Fax 02 58 48 62 27.

Centre culturel français. Corso Magenta, 63 ✆ 48 59 191.

Poste. Via Cardusio, 4 ✆ 86 92 069. *Ouverte du lundi au vendredi de 8 h 30 à 19 h 30, le samedi de 8 h 30 à 13 h.*

Banques

Ouvertes en général du lundi au vendredi de 8 h 30 à 13 h 30 et certaines de 14 h 30 à 16 h 30. Pour changer de l'argent, adressez-vous aux guichets de la Banca d'America e d'Italia et de la Banca Nazionale del Lavoro 2.

HEBERGEMENT

Nous n'indiquerons pas d'hôtels «bien et pas cher» dans lesquels on puisse garantir un service décent. Milan est une ville chère qui destine ses meilleures offres touristiques à qui peut payer le maximum.

Tout compris

Pour un week-end à Milan, ce forfait comprend le logement pour deux nuits, une visite guidée de la ville, une entrée au casino de Campione d'Italie (sur le lac de Lugano), une dégustation dans un bar typique et des prix chez les commerçants. S'informer auprès de l'Office du tourisme Piazza del Duomo.

Hôtel Aurora. Corso Buenos Aires, 18 ✆ 20 49 285/20 47 960. *90 000 L environ. Fermé en août. Visa.* Pratique.

Hôtel San Marco. Via Piccini, 25 ✆ 20 49 536 ; 29 51 64 14 ou 29 51 63 16 - Fax 29 51 32 43. *95 000/125 000 L.* Chambres avec téléphone et télévision. American Express, Visa, Diner's Club. Prix très raisonnables pour cet hôtel accueillant, non loin de la gare.

Hôtel Ariosto. Via Ariosto, 22 ✆ 48 17 844 - Fax 49 80 516. *175 000/260 000 L. Fermé 15 jours en août.* 48 chambres avec téléphone, télévision, climatisation, réfrigérateur. Garages. American Express, Visa, Diner's Club. Un hôtel ancien entièrement rénové. A mi-chemin entre la foire et Santa Maria delle Grazie.

Antica Locandà dei Mercanti. Via San Tomaso, 6 ✆ 80 54 080 - Fax 80 54 090. *200 000/400 000 L.* 10 chambres avec téléphone. Interdit aux chiens. Visa, Diner's Club. Installé dans le quartier de la Scala, ce charmant petit hôtel vous ravira car il offre une bonne alternative entre les hôtels de luxe et les autres. Une adresse à retenir !

Mini Hôtel Tiziano. Via Tiziano, 6 ✆ 46 99 035 - Fax 48 12 153. *200 000/290 000 L.* 54 chambres avec téléphone, télévision, climatisation, réfrigérateur. Parc, garages. American Express, Visa, Diner's Club. Dans le quartier de la foire, un établissement petit et raffiné, avec un jardin intérieur.

Hôtel Excelsior Gallia. Piazza Duca d'Aosta, 9 ✆ 67 851 - Fax 66 71 32 39. *500 000/700 000 L.* 237 chambres avec téléphone, télévision, climatisation, réfrigérateur. Garages, salle de gym, sauna, restaurant, piano-bar. Interdit aux animaux. American Express, Visa, Diner's Club. A côté de la gare centrale, un monument de l'hôtellerie milanaise. Architecture début du siècle, chambres modernes meublées d'époque. Le restaurant est réputé. Un bon classique.

Hôtel Spadari al Duomo. Via Spadari, 11 ✆ 72 00 23 71 - Fax 86 11 84. *360 000/450 000 L.* 40 chambres avec téléphone, télévision, climatisation, réfrigérateur. Garages. Interdit aux animaux. American Express, Visa, Diner's Club. Une bonne adresse pour les amateurs d'art contemporain (mais aussi pour les autres), puisque les propriétaires ont installé dans leur hôtel une galerie et exposent les œuvres de jeunes artistes.

Hôtel Pierre Milano. Via de Amicis, 32 ✆ 72 00 05 81 - Fax 80 52 157. *450 000/550 000 L. Fermé en août.* 49 chambres avec téléphone, télévision, climatisation, réfrigérateur. Accès handicapés, garage, restaurant, piano-bar. American Express, Visa, Diner's Club. Le fameux hôtel de New York en miniature. Même charme et même confort. Le bar est très en vogue pour l'apéritif ou pour prendre un verre après le dîner.

Grand Hôtel Duomo. Via San Raffaele, 1 ✆ 28 833 - Fax 86 46 20 27. *495 000/695 000 L.* 153 chambres avec téléphone, télévision, climatisation, réfrigérateur. Accès handicapés, garage. American Express, Visa, Diner's Club. Un des hôtels les plus connus de Milan, sur la Piazza Duomo, face à la cathédrale. Mérite sa réputation.

Hôtel Four Seasons. Via Gesù, 8 ✆ 77 088 - Fax 77 08 50 00. *990 000/1 255 000 L.* 98 chambres avec téléphone, télévision, magnétoscope, climatisation, réfrigérateur. Parc, accès handicapés, garages, salle de gym, restaurants, piano-bars. American Express, Visa, Diner's Club. Installé dans un ancien couvent du XVe siècle qui a conservé sa colonnade ainsi que son cloître. Tout est impeccable dans cet hôtel raffiné à souhait ! Le top du top...

En dehors de Milan

Hôtel De La Ville. Viale Regina Margherita, 15, Monza ✆ 38 25 81 - Fax 36 76 47. *300 000/400 000 L. Fermé en août et du 24 décembre au 5 janvier.* 55 chambres avec téléphone, télévision, climatisation, réfrigérateur. Parking, garages, accès handicapés, restaurant Derby Grill. Interdit aux animaux. American Express, Visa, Diner's Club. Elégant hôtel près du parc de Monza, fréquenté surtout par le tourisme d'affaires. Tout confort et grand raffinement. Une très bonne adresse à seulement 15 km de Milan.

Hôtel Palace. Via Cresmiero, 10, Crema © 81 487 - Fax 86 876. *115 000/180 000 L. Fermé 15 jours en août.* 46 chambres. Parc, garages, climatisation. Hôtel confortable au «look» résolument moderne, dans le centre historique de la ville.

Albergo del Sole. Via Trabattoni, 22, Maleo © 03 77 /58 142 - Fax 03 77/ 45 80 58. *160 000/260 000 L. Fermé le dimanche soir et le lundi, en janvier et en août.* 8 chambres. Parc, garages, restaurant (65 000/95 000 L). Depuis peu, Franco Colombani a ouvert ce gîte très agréable, complétant ainsi son restaurant déjà très réputé dans la région.

Agriturismo

Agriturismo Cascina Caremma. Via Cascina Caremma, Besate © 90 50 020. *Chambres 50 000 L, demi-pension 75 000 L. Fermé en août.* 25 kilomètres au sud-ouest de Milan. Maison pittoresque, typique de la Lombardie, au cœur d'une exploitation d'agriculture biologique. Les alentours sont à visiter (parc de Ticino).

Camping

Camping autodroma di Monza. Monza (20 km de Milan) © 38 77 71. *Ouvert d'avril à septembre.* Au milieu du parc de la villa Reale.

Auberge de jeunesse

Auberge de jeunesse Piero Rotta. Via Martino Bassi, 2 ©/Fax 39 26 70 95. *26 000 L, petit-déjeuner inclus. Ouvert de 7 h à 10 h et de 17 h à 0 h 30 du 13 janvier au 23 décembre.* 350 lits. Parking, lave-linge. A 3 km de la gare centrale, à 1,5 km du métro et à 300 m des bus 90 et 91.

■ RESTAURANTS

Le risotto au safran est la spécialité milanaise par excellence. Suivent la côtelette de veau panée, les tripes (*busecca*), les côtes de porc (*carsolla*), et l'osso buco pour accompagner le risotto. Le panettone est une sorte de brioche de Noël aux raisins secs et aux fruits confits.

Bien et pas cher

Pour ceux qui ne veulent pas se contenter des fast-foods américains très fréquentés, les chaînes de self-service Ciao et Italy and Italy, fast-food à l'italienne de Corso Venezia, sont d'élégantes alternatives.

On peut trouver des petits restaurants à bas prix autour de l'université.

Enfin et surtout, tous les petits bars du centre-ville préparent des en-cas très frais, chauds (*tavola calda*) ou froids, que l'on consomme le plus souvent debout et qui sont excellents.

Quartier des Navigli

Bonne table

Ristorante Pizzeria Grand'Italia. Via Palermo, 5 © 87 77 59. *20 000 L environ. Fermé le mardi.* Une bonne adresse, jeune et conviviale.

Restaurant Pizzeria Le Briciole. Via Camperio, 17 © 87 71 85 ou 81 41 14. *Environ 40 000 L. Fermé le lundi à midi et le samedi à midi.* Bon rapport qualité-prix. Clientèle assez jeune. Pizzas de très bonne qualité et spécialités génoises.

Masuelli San Marco. Viale Umbria, 80 © 55 18 41 38. *55 000/85 000 L. Fermé le dimanche et le lundi à midi.* Cuisine simple et bonne. Climatisation.

Rigolo. Largo Trèves © 86 46 32 20. *50 000/70 000 L. Fermé le lundi et en août. Réservation obligatoire.* 130 couverts. Climatisation. American Express, Visa, Diner's Club. Clientèle d'habitués. Accueil sympathique.

Trattoria della Pesa. Via Pasubio, 10 © 65 55 741. *75 000 L. Fermé le dimanche et en août.* Très bon restaurant. Cuisine agréable et bien préparée.

Restaurant Langhe. Corso Como, 6 © 6 55 42 79. *60 000/95 000 L. Fermé le dimanche, à Noël et 3 semaines en juillet.* 90/120 couverts. Climatisation. Bonne cuisine piémontaise dans une sympathique ambiance traditionnelle.

Torre di Pisa. Via Fiori Chiari, 21 © 87 48 77. *40 000/50 000 L. Fermé le dimanche. Réservation obligatoire.* 100 couverts. Climatisation. Un bon restaurant à la clientèle plutôt branchée. Spécialités toscanes.

Luxe

Boeucc. Piazza Belgioioso, 2 ✆ 76 02 02 24. *70 000/105 000 L. Fermé le samedi et le dimanche à midi. Réservation obligatoire.* Parking, climatisation. American Express. Il est toujours de bon ton de se montrer à la terrasse de ce restaurant quand les beaux jours arrivent. La fraîche véranda est agréable en été.

Don Lisander. Via Manzoni, 12 ✆ 76 02 01 30. *60 000/105 000 L. Fermé le samedi soir et le dimanche. Réservation obligatoire.* 40/150 couverts. Jardin. Cuisine raffinée dans cet élégant restaurant qui déploie une agréable terrasse en été.

Trattoria Bagutta. Via Bagutta, 14 ✆ 76 00 27 67. *60 000/100 000 L. Fermé le dimanche et à Noël. Réservation obligatoire.* 200 couverts. Jardin. American Express, Visa, Diner's Club. C'est ici que, chaque année, est décerné le prix littéraire du même nom (Bagutta). La cuisine, toscane, n'a pas grand intérêt mais le jardin est agréable en été.

Alfredo Gran San Bernardo. Via Borgese, 14 ✆ 33 19 000 - Fax 29 00 68 59. *85 000/ 115 000 L. Fermé le dimanche (et les samedis en juin-juillet), à Noël et en août. Réservation obligatoire.* 60 couverts. Climatisation. American Express, Visa, Diner's Club. L'un des temples de la cuisine milanaise. Elégant.

Don Carlos. Via Manzoni, 29 (restaurant du Grand Hôtel de Milan). *120 000 L. Ouvert seulement le soir, fermé le dimanche.* 50 couverts. Ce célèbre restaurant a gardé l'atmosphère aristocratique de sa grande époque. C'est ici que l'on se retrouve, après la Scala.

Aimo e Nadia. Via Montecuccoli, 6 ✆ 41 68 86 - Fax 48 30 20 05. *110 000/160 000 L. Fermé le samedi à midi et le dimanche, en août et du 31 décembre au 6 janvier. Réservation obligatoire.* 40 couverts. Climatisation. American Express, Visa, Diner's Club. Cuisine traditionnelle recherchée. Des plats bons et originaux.

SORTIR

Dans la journée

Dans la journée, les Milanais travaillent intensément, et les occasions de se retrouver sont rares. Voici deux ou trois adresses de pâtisseries ou de glaciers réputés :

Gelateria Jack Frost. Via Felice Casati, 25. *Fermé le mercredi.* Un délice.

Umberto. Piazza Cinque Giornate. A la hauteur de la réputation italienne...

Gelateria Frullati Viel. Piazza Cairoli. Spécialité de glaces aux fruits. Un des plus connus.

Il Gelarista. Piazza Sempione, 2. Spécialité de sorbets aux fruits.

Marchesi. Via Santa Maria alla Porta, 1. Savoureux chocolats et fruits confits fabriqués par le plus célèbre confiseur de Milan, dans une atmosphère d'un autre temps. On y trouve également les meilleurs panettone de Noël.

Taveggia. Via Visconti de Modrone, 2. Salon de thé chic, gâteaux et petits fours.

Le soir

Les zones les plus curieuses et les plus attirantes sont le quartier de Brera et celui des Navigli. On y trouve quantité de petits «bouchons» typiques, plus ou moins dans le vent. Quelques suggestions :

Grilloparlante. Alzaia Naviglio Grande, 36. Ambiance sympa. Musique soul, reggae.

Blues Canal. Via Casale, 7. Irish pub. Musique à fond, live le samedi soir.

Moscatelli. Corso Garibaldi, 93. *Fermé le lundi.* Bar à vin sympathique à l'ambiance conviviale.

City Square. Via Castelbarco, 13 ✆ 58 31 06 82. Beaucoup d'espace et un rock déchaîné. Dans un ancien théâtre.

Parco delle Rose. Via F. Massimo, 36 ✆ 55 21 25 26. Il y en a pour tous les goûts, de la valse au rock et au kitsch. En été, on danse dehors, près de la piscine.

Plastic. Viale Umbria, 120 ✆ 73 39 96. *Ouvert du mardi au dimanche jusqu'à 3 h.* Local mythique de Milan, avec mobilier Modern Style et musique d'époque.

Magia Music Meeting. Via Salutati, 2. Temple du rock, de la bière et des cocktails.

Il Capolinea. Via Ludovico il Moro, 119 ✆ 89 12 20 24. *Fermé le lundi.* Un endroit sympa où l'on écoute du jazz, souvent en live (Paolo Conte y joua !).

MANIFESTATIONS

Les manifestations qui se déroulent à Milan, qu'elles soient d'ordre économique ou culturel, sont innombrables.

La Foire commerciale n'est plus ce qu'elle était, mais le vieux quartier des foires, situé au centre de la ville, abrite, à un rythme ininterrompu, des expositions spécialisées de tous les secteurs économiques.

Le Théâtre de la Scala, l'un des plus fameux temples de l'art lyrique du monde, propose, de décembre à juillet, une riche saison d'opéras, de concerts et de ballets. Hélas, les billets sont souvent introuvables. Il faut s'en remettre au «tout compris» des agences de voyages qui comportent parfois cette option ambitieuse.

D'importantes **expositions artistiques** ont lieu au Palazzo Reale. Celles de design se tiennent au Palais de la Triennale.

L'Office du tourisme publie chaque mois un guide de tous les événements qui se produisent dans la ville. La fête patronale a lieu, bien entendu, le jour de la Saint-Ambroise, le 7 décembre. Sur les places qui entourent l'église dédiée au saint et dans les rues avoisinantes se tient une braderie populaire, dite des O'Bei-O'Bei, où l'on trouve véritablement de tout.

Manifestations folkloriques :

Le cortège des Rois Mages, de San Ambrogio à San Eustorgio, le jour de l'Epiphanie.

La fête des Navigli (canaux), le premier dimanche de juin, dans le «Quartier latin» de Milan.

Enfin, de septembre à juin, le dernier dimanche de chaque mois, **un grand marché des antiquaires** a lieu le long des *Navigli*.

POINTS D'INTERET

Duomo. Piazza del Duomo. *Ouvert tous les jours de 7 h à 17 h, d'octobre à mai de 9 h à 16 h (tenue correcte exigée). L'ascenseur qui permet d'accéder aux toits est ouvert de 9 h à 17 h 30.* La cathédrale de Milan est l'un des exemples les plus parfaits du style gothique en Italie. Commencée en 1386, elle ne sera achevée, pour sa façade, qu'en 1813. Par sa taille, c'est la troisième du monde.

Monastero Maggiore (San Maurizio). Corso Magenta. *Ouverte le matin seulement.* Cette petite église des carmélites est entièrement ornée de fresques peintes par Bernardino Luini au XVIe siècle.

San Ambrogio. Exemple remarquable du style roman lombard qui remonte au IVe siècle. Son aspect actuel date des reconstructions des IXe et XIe siècles.

Santa Maria delle Grazie. Piazza Santa Maria delle Grazie. *Ouverte de 8 h 15 à 13 h 45 en semaine, les jours fériés jusqu'à 13 h. Fermée le lundi.* Ensemble spectaculaire du XVe siècle, avec une grande abside, œuvre de Donato Bramante (1492). A côté, se trouve le joli cloître du couvent des Dominicains. Sur la place, devant l'église, on pourra admirer le célèbre cénacle avec la Cène de Léonard de Vinci.

San Lorenzo. Corso de Porta Ticinese. *Ouverte du lundi au samedi de 8 h à 12 h et de 15 h à 18 h, le dimanche de 10 h 30 à 11 h 15 et de 15 h à 17 h 30.* Eglise paléochrétienne à plan central. Plusieurs fois restaurée, elle conserve des mosaïques du IVe siècle. Sur la place, 16 colonnes romaines.

San Eustorgio. *Ouverte tous les jours de 8 h à 12 h et de 15 h à 19 h.* Reliée à la précédente par le parc des Basiliques. Eglise romane, elle abrite sur l'un des côtés la chapelle des Portinari, bijou de l'art Renaissance du XVe siècle, ornée de fresques de V. Foppa (1468).

San Nazario et Celso. Corso di Porta Romana. *Ouverte tous les jours de 8 h 30 à 12 h et de 15 h à 18 h 30.* Près de l'université, avec la chapelle Trivulzio de l'époque Renaissance.

Santa Maria près de Satiro. Via Torino. Petite église remarquable par le chœur en trompe l'œil du Bramante.

Musées

Pinacothèque de Brera. Via Brera, 28 ✆ 72 26 31. *Ouverte de 9 h à 17 h 30 du mardi au samedi et le dimanche de 9 h à 12 h 30.* Très importantes collections de peinture, dont des chefs-d'œuvre de Raphaël, Tintoret, Mantegna, Bellini, Piero Della Francesca et de tous les principaux peintres lombards.

Musée des sciences et des techniques Leonardo da Vinci. Via San Vittore, 21 ✆ 48 55 51. *Ouvert du mardi au dimanche de 9 h 30 à 16 h 50. Fermé le lundi.* L'un des musées les plus riches d'Europe.

Musée du Château. Château Sforza, Piazza Castello ✆ 62 08 39 47. *Ouvert du mardi au dimanche de 9 h 30 à 12 h 30 et de 14 h 30 à 17 h 30.* Possibilité de visites guidées sur rendez-vous au 80 59 854. Consacré à l'art antique et à la sculpture du Moyen Age.

Musée Poldi Pezzoli. Via Manzzoni, 12 ✆ 79 48 89. *Ouvert du mardi au vendredi de 9 h 30 à 12 h 30 et de 14 h 30 à 18 h, le samedi de 9 h 30 à 12 h 30 et de 14 h 30 à 19 h 30, le dimanche de 9 h 30 à 12 h 30. Fermé le lundi et d'avril à septembre.* Importante collection d'art. Peintures de Botticelli, Pollaiolo, etc. Egalement des collections d'arts dits mineurs (horlogerie notamment).

Galerie d'Art moderne. Via Palestro, 16 ✆ 76 00 28 19. *Ouverte du mardi au dimanche de 9 h 30 à 17 h 30.* Dans la Villa Comunale, peintures et sculptures du XIXe et XXe siècle.

Musée de la Scala. Piazza Scala. *Ouvert du lundi au samedi de 9 h à 12 h et de 14 h à 18 h. Le dimanche de 9 h 30 à 12 h (du 1er mai au 31 octobre).* Incontournable pour les passionnés de l'art lyrique.

Palais et rues monumentales

Palazzo Reale. Piazza del Duomo, 14. Expositions temporaires. Abrite également le musée del Duomo, qui regroupe des pièces de la cathédrale. *Ouvert du mardi au dimanche de 9 h 30 à 12 h 30 et de 15 h à 18 h.*

Villa Reale. Via Palestro. De style néoclassique, elle fut construite en 1790. Sa façade regarde les jardins publics.

Corso Venezia. Belle avenue avec de beaux palais de différentes époques, dont le Palazzo Serbelloni.

Corso Magenta. Pour le Palazzo Litta.

Piazza Scala. Avec la Scala et le Palazzo Marini, siège de la mairie (1558).

Galleria Vittorio Emanuele. Datant de 1865, elle relie la Piazza Scala à la Piazza del Duomo. C'est le lieu de ralliement des Milanais.

Castello Sforzesco. Complexe monumental en brique, avec des tours spectaculaires et des cours élégantes (XVe siècle).

Piazza Mercanti. Seul ensemble de la Milan médiévale à avoir subsisté. On y voit, hélas, un fast-food !

Endroits curieux

Piazza San Alexandro. Un coin de Rome au cœur de Milan.

Navigli. Ce qui reste de la cité qui fut et qui n'est plus.

Via Degli Omenon. Demeure du sculpteur aventurier Leone Leoni (1509-1590), avec une curieuse façade ornée de cariatides masculines (les Omenoni).

Santa Maria del Carmine. Place à la saveur populaire.

Piazza Borromeo et environs. La Milan du silence et des cours à découvrir.

SHOPPING

Via della Spiga : piétonne et chic (Armani, Valentino...).

Via Montenapoleone : piétonne de jour seulement. Au n° 27, on trouve le magasin Pratesi, spécialiste du linge de maison.

Via Bigli et San Andrea : ce sont les rues de la mode, avec les show-rooms des stylistes les plus en vogue et les boutiques prestigieuses de chaussures, bijoux et accessoires.

Via Durini : pratiquement occupée par les show-rooms, dont le Caffè Moda, mélange de boutiques et de restaurants. Un «Museum Shop» y est consacré à la vente d'objets «status symbol ".

Corso Vittorio Emanuele : zone piétonne. La plus ancienne galerie commerciale. Au 79, la librairie Rizzoli vous ravira si vous êtes amateurs de beaux livres.

Via Torino et Via Dante : elles se signalent par des commerces plus simples et plus jeunes.

Via Solferino, Corso Garibaldi et environs : zone en développement, avec ses boutiques raffinées et originales. C'est au 32 de la Via Solferino que l'on trouve l'Enoteca Cotti, si vous souhaitez rapporter des vins de la région.

Enfin Corso Buenos Aires : longue artère rectiligne avec toutes sortes de boutiques plus populaires.

Grands magasins : La Rianascente, le grand magasin historique Piazza del Duomo, avec son restaurant panoramique en terrasse, et Coin, Piazza Cinque Giornate.

Milan est aussi la ville du design. Rendez-vous chez Memphis Design, chez De Padova, Corso Venezia, 14, ou encore chez High Tech, Piazza 25 Aprile, 14.

DANS LES ENVIRONS

Chiaravalle

Renseignements au © 53 98 443. Entre les champs cultivés et les voies ferrées, se dresse le clocher de la plus importante des abbayes cisterciennes d'Italie, fondée par saint Bernard de Clairvaux lui-même. La communauté monastique gère aussi une petite hôtellerie qui n'accueille que des hommes.

A peu de distance, se trouve l'**abbaye des Bénédictines de Viboldone** (© 98 40 03). Dans l'église, importantes fresques du XIVe siècle. Cette abbaye a également une hôtellerie.

Les Navigli

Ce sont des canaux. A l'origine ils furent créés par le détournement d'une partie du débit du Ticino, pour assurer la défense de Milan contre les armées de Frédéric Barberousse (1170). On ne connaissait pas à cette époque l'usage des écluses. Améliorés par la suite, ils servirent à l'irrigation et aux transports. On dit que Léonard de Vinci y travailla. Plus tard, les riches Milanais construisirent sur leurs berges des villas d'agrément. Le réseau des Navigli prenait et prend encore sa source près de Sesto Calende, à la sortie du lac Majeur, et retourne au Ticino dans la région de Pavie.

De conception relativement simple, ils ont, sur certaines sections, des débits rapides qui rendent la remontée du courant pénible.

En usage jusqu'au début du siècle, ils alimentaient Milan en matériaux pondéreux et en produits maraîchers. On dit que le Dôme est arrivé à Milan par les Navigli. Devenus inutiles et pestilentiels, ils ont été couverts à Milan, ce que l'on peut regretter pour le pittoresque, mais pas pour la circulation.

Les sections les plus intéressantes de ce qui reste des Navigli se trouvent au sud de Milan, vers Pavie. C'est entre Abbiategrasso et Magenta que l'on trouve la section la mieux conservée et les plus belles villas des XVIIIe et XIXe siècles.

➥ DE MILAN A PAVIE

Milan, Abbiategrasso, Morimondo, Vigevano, Mortara, Lomello, Voghera, Varzi, Broni, Stradella, Pavie, Certosa, Milan (environ 250 km)

Indicatif téléphonique : 0383.

En suivant le cours du Naviglio Grande, on quitte la banlieue occidentale de Milan pour s'enfoncer dans la plaine du Pô.

Il faut au moins deux jours pour suivre cet itinéraire qui fait alterner deux types de paysages : la plaine, occupée par les rizières, et les collines de la région au sud de Pavie, au-delà du Pô (Oltrepo Pavese), couvertes de vignobles qui produisent des vins blancs très prisés.

De longues files rectilignes de peupliers, des monuments et des vestiges du passé se suivent jusqu'à ce que l'on atteigne la belle et noble ville de Pavie, cité romaine et lombarde, capitale de royaume et, aujourd'hui, centre universitaire de premier plan. Le dernier joyau du parcours est la chartreuse de Pavie, d'où l'on regagne Milan.

Une variante permet de rejoindre **Crema et Crémone.**

On roule sur des routes nationales ou provinciales, où la circulation se fait de plus en plus rare à mesure que l'on s'éloigne de Milan. En plaine, les lignes droites invitent à la vitesse, mais prenez garde à ne pas finir dans le fossé. A l'inverse, les collines de la région de Pavie ont des pentes raides et des routes tortueuses. Mais la circulation est faible et permet de conduire en profitant du panorama.

ABBIATEGRASSO

On l'atteint en suivant le Naviglio Grande, par lequel étaient acheminées jadis les marchandises qui affluaient jusqu'au centre de la cité. C'est aujourd'hui un canal peu utilisé. Mais le long de ses rives ont été construites les nombreuses villas des familles nobles milanaises, que l'on peut encore admirer aujourd'hui. A Abbiategrasso, on visitera le centre historique, le château et l'église de Santa Maria Nuova, avec son élégante façade à portique quadruple, dernière œuvre du Bramante.

ABBAYE DE MORIMONDO

A 6 km d'Abbiategrasso, se dresse l'une des abbayes cisterciennes les plus pittoresques d'Italie. Fondée par des moines de l'abbaye de Morimond (Haute-Marne), elle fut achevée en 1290, puis tomba en ruine lorsqu'elle fut fermée à l'époque de Napoléon. L'église de Santa Maria a une belle nef gothique.

Fête de saint Bernard, le dernier dimanche d'août.

PARC DU TESSIN

C'est l'une des plus grandes zones naturelles protégées de Lombardie. Entre Abbiategrasso et Pavie, on en traverse l'une des parties les plus intéressantes. L'environnement fluvial a été restauré en respectant l'équilibre hydrobiologique, les habitats et les cultures (**Centre d'informations**, Consortium du parc du Tessin, Pontevecchio di Magenta ✆ 02 97 94 401).

VIGEVANO

Indicatif téléphonique : 0381

Capitale de la chaussure en Italie, c'est surtout une ville entièrement centrée sur sa place ducale, l'une des plus belles réalisations de la Renaissance, dessinée, dit-on, par Léonard de Vinci sur ordre de Ludovic le Maure en 1492. La place était le lieu de fêtes, de joutes et de tournois, et elle a maintenu intacte son allure de décor de théâtre. Elle est dominée par le château Sforza, résidence estivale de la cour de Milan, par une tour-horloge de Bramante et par la cathédrale. Celle-ci, construite à une époque plus tardive, a une curieuse façade concave.

Depuis la sacristie, on peut voir le trésor de la cathédrale, riche collection d'art sacré. A noter deux autres églises gothiques intéressantes, San Pietro Martire et San Francesco.

SFORZESCA

Curieux exemple de demeure rurale princière de plan carré. Construite en 1486, elle était destinée à servir de réserve de chasse aux Sforza. Léonard de Vinci y aurait séjourné.

MORTARA

L'étymologie du nom de ce gros centre agricole est assez étrange: «mortis ara» ou «champ des morts ". Son origine remonte à une furieuse bataille qui opposa les Francs de Charlemagne et les Lombards de Desiderio. Les Lombards furent vaincus.

A Mortara, on fête le saucisson d'oie le dernier samedi de septembre (tous les prétextes sont bons !). Course de l'oie et défilé en costume avec étendards. Joutes étranges.

LOMELLO

Ce petit centre de culture donne son nom à toute la région, la Lomellina. Ancien siège de comté impérial, Lomelo a gardé de son époque de splendeur le château, le baptistère octogonal de Saint-Jean aux Fontaines, du IVe siècle, et l'église de Santa Maria Maggiore, du XIe siècle.

RIZIERES

L'eau des rizières est une caractéristique du paysage de la Lombardie peu connue des touristes. C'est une culture très ancienne, qui remonte au XVIe siècle et qui a inspiré quelques épisodes des films néoréalistes italiens d'après-guerre. Tout le monde se souvient du personnage de la Mondina, les pieds dans l'eau toute la journée, et de son chant spontané (Silvana Mangano dans Riz amer de De Santis, 1949).

VOGHERA ET L'OLTREPO

Région de collines qui, comme son nom l'indique, est de l'autre côté du Pô par rapport à Pavie et à Milan. On y trouve les vignes à travers lesquelles se déroule notre parcours de Voghera à Broni.

SALICE TERME

Cité voisine de Rivanazzano, Salice est une importante station thermale. Ses eaux conviennent en particulier aux maladies respiratoires (voir le grand parc de la station thermale). **Informations au syndicat d'initiative,** Via Marconi, 8 © 03 83/91 207.

SANT'ALBERTO DI BUTRIO

Selon la légende, c'est dans cette ancienne abbaye, isolée dans la verdure d'une petite vallée, que mourut en exil, en 1330, le roi d'Angleterre Edouard III. Fermée en 1810, l'abbaye se présente encore sous un aspect fortifié et comporte au moins trois églises : San Antonio et Santa Maria, qui communiquent entre elles, et San Alberto, où sont conservées les reliques du saint ermite fondateur.

VARZI

Dans le centre de la ville subsiste un quartier médiéval avec ses rues à arcades. Varzi est réputée pour ses saucissons, et, durant la première quinzaine de juin, on y célèbre la fête du saucisson et de la tarte aux amandes.

MONTALTO PAVESE

On y arrive en traversant de douces collines. La ville est dominée par un château qui compte de nombreuses œuvres d'art.

BRONI ET STRADELLA

Ces deux villes sont d'importants centres vinicoles, sur les premières pentes de l'Oltrepo (région au-delà du Pô, au sud).

Le 3e dimanche de septembre a lieu à Broni la fête du raisin, avec défilé de chars et foire œnologique.

➥ DE MILAN A COME

Milan, Monza, Montevecchia, Inverigo, Cantù, Erba et Côme. Variante : Erba, Bosisio Parini, Brivio, Bergame (120 km)

Sortir de Milan, passer entre des usines et des immeubles qu'on appellerait en France des HLM, et se retrouver soudain dans la verdure est une sensation assez agréable. Cet itinéraire peut être parcouru en un seul jour, en partant et en retournant à Milan. Il peut servir de circuit pour rejoindre Côme ou, si l'on prend la variante indiquée, Bergame.

Par route : le trafic est intense entre Milan et Monza, surtout aux heures de pointe. Par la suite, il est soutenu mais supportable. Il n'y a aucun problème de parking dans les petites villes. Usage fréquent d'un disque de stationnement.

En train : gare de la Porta Garibaldi. Milan - Monza - Carimate - Cantù - Côme et gare de Cadorna à Milan - Erba - Inverigo - Lurago d'Erbe - Merone - Erba - Côme.

Les liaisons ferroviaires entre la Brianza et Milan sont fréquentes et véhiculent chaque jour des milliers de banlieusards, les *pendolari*. Pour éviter de se trouver bloqué dans des embouteillages et pour goûter la paix agreste introuvable à Milan, il est conseillé de choisir un hôtel en Brianza et de prendre le train pour visiter Milan.

Il y a cinquante ans, la Brianza, région de collines qui s'étend de Milan à Côme et à Bergame, était le but de vacances favori des riches Milanais : les très nombreuses villas qui ornent encore la région en témoignent. Le paysage harmonieux qui a ému les peintres et les poètes a eu maille à partir avec le développement industriel. Malgré tout, pendant les week-ends de mars à octobre, la Brianza reste l'objectif des sorties en masse des habitants de Milan et de ses tristes faubourgs. Cet itinéraire vaut plus par l'atmosphère que dégage le paysage que par le contexte culturel.

MONZA

Cette ville située à 15 km au nord-est de Milan est surtout connue pour son Grand Prix de Formule 1. Cependant, une petite visite s'impose car Monza possède d'autres atouts.

Pratique

Indicatif téléphonique : 039

Points d'intérêt

Villa Reale. Créée à la demande de Ferdinand d'Autriche comme lieu de villégiature, c'est un bel ensemble mi-baroque mi-néoclassique, avec un parc magnifique. Eugène de Beauharnais, vice-roi d'Italie, y séjourna ainsi que les rois de la Maison de Savoie. L'architecte, Piermarini, est aussi celui de la Scala de Milan.

Arengario. Ce beau bâtiment du Moyen Age est l'ancien palais communal, où étaient lus les décrets impériaux.

Cathédrale. C'est une construction du Moyen Age (XIIe-XIVe siècles). Des fresques y racontent l'histoire de la reine Teodolinde. Dans l'église se trouve la fameuse couronne de fer des rois lombards, que la légende veut forgée sur un clou de la Croix. C'est la pièce maîtresse d'un important trésor d'art sacré.

Notre circuit passe par un parc qui comporte aussi des buvettes, des restaurants, et même un camping. Fromages typiques à la Maison du Fromage, Via Italia, 19, Monza.

MONTEVECCHIA

L'un des endroits les plus caractéristiques de la Brianza, fameux pour ses fromages de chèvre. Au sommet de la petite colline couverte de vignobles, se dresse le petit sanctuaire de la Madonne du Carmel. On y trouvera des petites auberges typiques où l'on déguste les fromages, le vin et les saucissons de production locale.

INVERIGO

L'un des célèbres «balcons» de la Brianza, dominé par la rotonde, curieux édifice néoclassique de l'architecte Cagnola. Au lieu-dit Cremnago, voir la villa Perego, l'une des plus belles de la région.

CANTU

Indicatif téléphonique : 031

La basilique de Galliano est un important ensemble religieux du VIIIe siècle, décoré de fresques. Outre son club de basket-ball, la réputation de cette ville est due à ses fabriques de meubles et de dentelles. Ces dernières sont fabriquées selon la technique des fuseaux et navettes importée de France au XVIe siècle.

ERBA ET CIVATE

Indicatif téléphonique : 031

La villa Amalia, grande construction néoclassique admirablement située, est fréquentée par les artistes et les poètes. Les environs d'Erba sont constellés de lacs : vers Côme, le lac de Montorfano, grand étang circulaire bordé en grande partie par un golf. Vers Lecco, les lacs d'Alserio, de Pusiano, d'Oggiono.

Dans les environs d'Erba, il faut aller au village de Civate et, de là, monter à la basilique de San Pietro al Monte. On ne peut l'atteindre qu'à pied, par un sentier assez pentu, en 30 minutes environ. Il s'agit d'une vaste construction du IXe siècle. De là, on a une vue étendue sur toute la plaine. Dans la basilique, de belles fresques illustrent l'Apocalypse.

➥ DE MILAN A VARESE

Milan, Saronno, Castelseprio, Torba, Castiglione Olona, Varese, Valganna, Luino, Laveno, Angera, Sesto Calende, Arsago Seprio, Gallarate, Legnano, Milan (environ 180 kilomètres)

Parmi toutes les excursions classiques que l'on peut entreprendre pour fuir Milan, la province de Varese occupe une place assez importante. Les collines de Varesotto, les Préalpes, le lac Majeur sont des objectifs privilégiés. L'itinéraire que nous vous proposons (il demande deux jours) conduit hors de la ville en suivant l'autoroute des lacs (A7) jusqu'au péage de Saronno. Prenez alors la direction de Côme-Chiasso, puis la route nationale 233 en direction de Varese jusqu'à Tradate. Suivez les indications vers Castelseprio, important centre archéologique médiéval.

De là, une brève déviation à travers bois conduit au monastère de Torba, récemment ouvert aux visites après restauration, et à Castiglione Olona. C'est une île toscane en Lombardie (disent les dépliants touristiques) ; elle doit ce surnom à ses fresques fameuses et à sa foire aux antiquaires. Varese n'est pas loin, avec ses jardins et son aspect de petite capitale.

Du chef-lieu, on monte vers la Valganna pittoresque pour redescendre en virages serrés vers Luino, belle cité du lac Majeur. En suivant la côte, on passe à Laveno, ville des céramiques, puis à Angera et à Sesto Calende, où le Ticino reprend vie en sortant du lac.

Les routes qui sortent de Milan sont très encombrées, surtout à la fermeture des bureaux. Trafic intense également sur les autoroutes vers le nord. Les petites routes de campagne et celles du Valganna sont en revanche calmes et attirantes. La route du bord du lac Majeur est très fréquentée, surtout le dimanche.

SARONNO

Centre industriel important aux confins des provinces de Côme et de Varese. On y trouve un grand sanctuaire de la Madone des Miracles, commencé en 1458. A l'intérieur, des fresques parmi les plus importantes de la Renaissance en Lombardie (Gaudenzio Ferrari dans la coupole et Bernardino Luini dans la chapelle de la Madone). En matière gastronomique, la spécialité du pays est une liqueur, l'Amaretto di Saronno, que l'on déguste avec des biscuits.

CASTELSEPRIO

Dans une zone boisée, parmi les bruyères, se trouvent les ruines d'une importante cité du haut Moyen Age. Ce sont les restes de la capitale d'un comté qui s'étendait jusqu'au Tessin. Elle fut détruite par les Visconti en 1265. Seule l'église de Santa Maria Foris Portas est restée intacte. On y verra des fresques antérieures au Xe siècle.

En été, à Castelseprio mais aussi à Torba et Castiglione Olona, on croise ménestrels, jongleurs et danseurs médiévaux qui font revivre ces décors d'époque.

CASTIGLIONE OLONA

Indicatif téléphonique : 0331

Petite ville pittoresque de la vallée d'Olona, c'est une création du cardinal Branda-Castiglioni : après avoir participé à plusieurs conciles, il s'y retira en la faisant reconstruire entièrement, de 1421 à 1441. C'est l'endroit le plus intéressant du circuit. A voir, en particulier, sur la Piazza Garibaldi au centre du bourg, la maison des Castiglioni et l'église de Villa, toutes deux de la Renaissance, la collégiale gothique et le baptistère, ornés de fresques de Masolino Da Panicale (1428). Ce Da Panicale, Florentin, fut le maître de Masaccio, et tous deux ont peint les fresques de Santa Maria del Carmine à Florence. C'est pour cette raison que l'on qualifie parfois Castiglione Olona de Toscane perdue au centre de la Lombardie.

Course des châteaux les 14 et 15 juin. C'est le Palio dei Castelli, jeux et concours entre les quartiers de la ville en costumes folkloriques. Le premier dimanche de chaque mois se tient la foire du Cardinal : antiquités, brocantes et curiosités variées.

Via Mazzini, on trouvera un **atelier d'ébénisterie d'art** appartenant à un Français.

➥ DE MILAN A CREMONA

Milan, Rivolta d'Adda, Pizzighettone, Crémone (120 kilomètres)

Quittez Milan par la nationale Rivoltana, qui relie l'aéroport di Linate à la base d'hydravions, et immédiatement vous vous sentirez noyés dans les effluves parfumés de la plaine du Pô. Rangées de peupliers et grandes exploitations agricoles aux structures de brique rouge vous accompagneront dans votre trajet vers l'Adda.

Après Rivolta et Spino, Crema, noble cité de style Renaissance et rivale historique de Crémone ; vous croiserez les gros centres agricoles de Soncino, Casteleone et Soresinà. Enfin vous arriverez à Crémone, belle ville silencieuse.

RIVOLTA D'ADDA

Au bord du fleuve, le parc de la Préhistoire, dans un environnement naturel et bien conservé. Vous pourrez y admirer la maquette grandeur nature d'un dinosaure.

SPINO

Environnement naturel très agréable, grâce aux nombreuses sources qui proviennent des montagnes et surgissent dans la plaine après des kilomètres de parcours souterrain. Vous les découvrirez au fil de vos promenades. Vous pouvez également obtenir les renseignements nécessaires à la mairie ou à l'Office du tourisme.

PANDINO

Le château offre l'un des exemples les mieux conservés de forteresse lombarde.

CREMA

La Piazza del Duomo est une belle place à l'ambiance suggestive, bordée de palais du XVIe siècle et où se trouve également *il Torrazzo* (petite tour), témoin de la rivalité implacable entre Crema et Crémone. Tout autour de la place partent des petites rues et des passages dans lesquels vous aurez plaisir à flâner.

Indicatif téléphonique : 0373

Points d'intérêt

Il Duomo. Une étonnante construction de brique rouge, édifiée entre 1284 et 1341. La haute façade ornée de rosaces et de petites colonnes est peu banale.

S. S. Trinita. Belle église baroque de 1739 à la curieuse façade.

Museo Civico. *Ouvert du lundi au vendredi de 14 h 30 à 18 h 30, le samedi et le dimanche ouvert le matin. Entrée libre.* Hébergé dans l'ancien couvent de Sant'Agostino, il présente de nombreux documents sur la vie lombarde et autres pièces archéologiques dans un environnement médiéval.

Santuario di Santa Maria della Croce. Eglise agréable située à la périphérie.

SONCINO

Indicatif téléphonique : 0374

Points d'intérêt

Rocca Sforzesca. Ce bastion imposant du XVe siècle possède une entrée commune avec la maison des Stampatori.

Remparts. Bien conservés, ils comportent des habitations de l'époque médiévale.

Casa degli Stampatori. Siège originel des éditions juives Nathan, créées en 1480. Musée de la Presse et centre d'études.

CUMIGNANO SUL NAVIGLIO

Petit village à l'ambiance rurale, à 30 kilomètres de Crémone, et qui est traversé par deux canaux navigables. De jolies petites cascades se forment à leur confluence. Dans les alentours, de belles cascades plus importantes.

CASTELLEONE

Santa Maria di Bressanaro. Eglise en brique, d'origine très ancienne mais de style Renaissance (1460). L'intérieur est superbe.

PIZZIGHETTONE

Sur cette ville plane l'ombre de François 1er de Valois. En effet, après sa défaite à Pavie, le souverain François fut enfermé à Pizzighettone durant quelques mois. Vous trouverez des traces de son passage au musée sis dans la grande tour médiévale (il Torrione) qui domine la ville, au Palazzo Municipale (admirable reproduction de son armure) et dans l'église paroissiale (où sont exposés divers dons du roi François 1er).

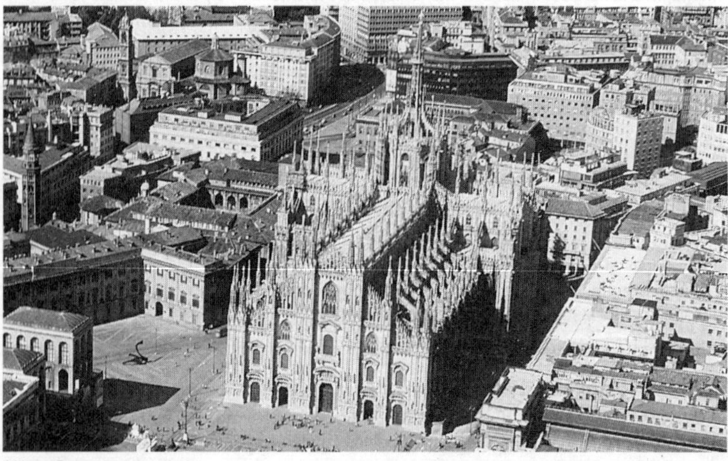

Milan - Duomo

AUTOUR DU LAC DE COME

COME

Côme est une ville repliée sur elle-même, encore partiellement bornée par ses remparts, et par le lac étroit et sombre comme un fjord qui s'échappe vers le nord où les Alpes l'attendent. Elle est composée d'un centre historique, bien conservé et parfaitement adapté pour jouer son rôle de zone piétonne (c'est le premier exemple réussi en Italie, avec de beaux palais, des églises et des jardins cachés), et des faubourgs nouveaux qui s'étirent vers les collines. La ville compte aujourd'hui un peu plus de 100 000 habitants. Bien que ce soit une ville riveraine, elle n'a rien de la frivolité et de l'allégresse mondaine de ses voisines des rives du lac (Bellagio par exemple). Cette ville riche et laborieuse est la capitale italienne de l'industrie de la soie, à laquelle elle consacre chaque année des foires et des expositions spécialisées.

Les origines de la ville sont très anciennes : ce fut un important castrum romain où naquirent les deux Pline. Commune libre au Moyen Age, elle fut toujours favorable au parti impérial contre Milan. C'est la patrie du pape Innocent IX et de l'inventeur de la pile, Alessandro Volta.

Aujourd'hui, on y vient en toute saison pour le lac, qui resplendit en particulier à la fin du printemps (avril-juin) et à l'automne (septembre-octobre). Pour ceux qui aiment l'eau et les sports nautiques, il vaut évidemment mieux choisir l'été qui est aussi idéal pour les promenades sur les sentiers de montagne.

Côme est une cité frontalière, à moins de 5 km de la frontière suisse. Mais elle n'a rien de cette animation un rien équivoque qui caractérise les villes frontières. Les habitants de Côme, les Comaschi, sont peu disponibles, trop préoccupés par leurs affaires pour s'ouvrir aux autres. Le touriste qui arrive se sent un peu étranger et désorienté, surtout si Côme est son premier contact avec la réalité italienne en venant de Suisse. Riche et bourgeoise, Côme préfère s'enfermer dans ses habitudes plutôt que se livrer. Et pourtant, la présence de son lac la favorise. C'est pourquoi, en dehors de la belle saison qui amène sur le lac des touristes de Milan et des environs, Côme apparaît comme une ville triste.

TRANSPORTS

Radio-taxi ✆ 57 57 00.

Trains

Gare

Il existe deux gares, San Giovanni, d'où partent les lignes internationales, et la gare locale, Piazza Matteotti.

- Ligne internationale Bâle-Chiasso-Milan.
- Gare Como-San Giovanni-Piazzale San Gottardo ✆ 26 14 94.
- Ligne des Ferrovie Nord Milano : Largo Leopardi ✆ 30 42 00.
- Gare de Como Borghi e Lago : liaisons avec Milan. Tout à fait à conseiller si, de Milan, on veut visiter Côme sans sa voiture. On peut sans peine visiter Côme, monter à Brunate et retourner à Milan dans la journée.

Bateau

Embarcadère sur les bords du lac, face à la Piazza Cavour.

Navigation sur le lac. Embarcadère Piazza Cavour et Lungo Lario ✆ 57 92 11. Pour au mieux profiter du lac.

Parking

Parking municipal. Via Auguadri, 10 © 27 32 53. *Ouvert de 6 h 30 à 20 h du lundi au samedi.*

Parking Rubini. Via Rubini, 18 © 27 80 00. *Ouvert de 8 h à 20 h du lundi au samedi.*

Parking Lasca. Piazza Volta, 42 © 27 72 97. *Ouvert de 7 h à 23 h 45.*

Bus

Bus SPT. Piazza Matteotti © 24 72 47. *Bureau ouvert du lundi au vendredi de 8 h à 12 h et de 15 h à 18 h, le samedi de 8 h à 12 h.*

Azienda Comasca Trasporti. Via Morazzone, 25 © 30 36 46.

Circulation

Accès routier : autoroute de Bâle par le Saint-Gothard et Chiasso (sortir à Chiasso ou à Côme Nord). Autoroute des lacs A4 de Milan (sortir à Como Sud-Gandate). Route nationale : Regina de Menaggio ou celle des «Giovi ", voie rapide Milan-Meda-Lentate.

Le centre historique est interdit à la circulation. Il y a quelques places de parking près de la villa Olmi et le long des remparts (sauf les mardi, jeudi et samedi, jours de marché).

PRATIQUE

Indicatif téléphonique : 031

Office du tourisme. Piazza Cavour, 17 © 33 00 111. *Ouvert du lundi au samedi de 9 h à 12 h et de 14 h 30 à 18 h 30, et le dimanche matin de mai à octobre.* Service de change.

Poste . Via Gallo, 4 © 26 93 36. *Ouverte du lundi au vendredi de 8 h 15 à 18 h et le samedi de 8 h 15 à 11 h.*

Téléphones SIP. Via Albertolli.

Change. Banca nazionale del Lavoro. Piazza Cavour, 34 © 31 31. *Ouverte de 8 h 20 à 13 h 20 et de 14 h 30 à 16 h du mardi au vendredi.*

Côme - Villa Olmo

HEBERGEMENT

Park Hotel. Viale F. Rosselli, 20 ✆ 57 26 15 - Fax 57 43 02. *105 000/150 000 L. Ouvert de mars à novembre.* 41 chambres avec téléphone, télévision. Accès handicapés, parking. Visa. Simple, de standard moyen sans beaucoup de charme, mais facile à atteindre par le périphérique : idéal pour un court passage.

Albergo Tre Re. Piazza Boldoni, 20 ✆ 26 53 74 - Fax 24 13 49. *135 000/160 000 L. Fermé entre décembre et janvier.* 31 chambres avec téléphone, télévision, climatisation. Parking, garages, accès handicapés. Interdit aux animaux. Visa. Hôtel traditionnel installé dans un ancien couvent rénové. Situé en plein centre, près du lac et de la cathédrale.

Albergo Firenze. Piazza Volta, 16 ✆ 30 03 33 - Fax 30 01 01. *110 000/170 000 L.* 40 chambres avec téléphone, télévision, réfrigérateur. Accès handicapés, garages. American Express, Visa, Diner's Club. Au cœur de la ville, un vieil hôtel entièrement restauré, qui a gardé le charme d'autrefois malgré tout un confort moderne.

Hôtel Terminus. Lungo Lario Trieste, 14 ✆ 32 91 11 - Fax 30 25 50. *230 000/340 000 L.* 38 chambres avec téléphone, télévision, climatisation, réfrigérateur. Parc, accès handicapés, garages, parking, salle de gym, sauna, restaurant. American Express, Visa, Diner's Club. Cet hôtel confortable, installé dans un palais du début du siècle, a conservé son style Art déco et une architecture intéressante avec des vérandas.

Auberge de jeunesse

Auberge de jeunesse Villa Olmo. Via Bellinzona, 2 (dans le parc de la villa Olmo) ✆/Fax 57 38 00. *20 000 L, petit-déjeuner inclus. Ouverte de 7 h à 10 h et de 15 h 30 à 23 h 30 du 1er mars au 30 novembre.* 76 lits. Restaurant, laverie, parking, location de deux-roues et de bateaux. Auberge très sympathique, à 1 km de la gare de Côme et à 20 mn du centre en bus (n° 1, 6, 11, 14).

RESTAURANTS

La cuisine locale ne brille pas par son originalité. Elle tourne autour du poisson du lac accommodé de différentes manières. A noter, le poisson mariné au vinaigre dit *carpione*. Pour le reste, on a le choix entre une cuisine typiquement lombarde (risotto, pot-au-feu, polenta) et des essais de créativité sans grand intérêt.

La *cotizza*, à base de farine, d'œuf, de lait et de sucre, est le gâteau typique de la région, devenu, hélas, pratiquement introuvable dans les restaurants.

Le restaurant traditionnel est le *crotto*, que l'on trouve aussi en Valteline et dans le Tessin. Il est en voie de disparition. Le plus souvent établi dans une grotte, sous les arbres, avec des tables à l'extérieur et un terrain de boules.

Pizzeria Taverna Messicana. Piazza Mazzini, 5/6 ✆ 26 24 63. *Environ 15 000 L. Fermé le lundi.* Dans le centre historique de Côme, avec jardin. Copieux. Goûtez les ravioli !

Bars, pâtisseries

Hemingway Pub. Vicolo Macello, 3. En plein centre, un lieu de rencontre élégant, très britannique. Snack possible.

L'Ultimo Caffè. Via Giulini, 3. Bar bondé, avec musique à la mode.

Charleston. Via Monti, 26. Jazz et atmosphère au diapason dans l'un des endroits les plus appréciés de la ville.

Pâtisserie Bolla. Piazzetta Boldoni. La plus typique des pâtisseries comascaises.

Pâtisserie Monti. Piazza Cavour, 21. *Ouverte tous les jours en été de 7 h à 2 h.* Pour déguster de bonnes glaces au bord du lac, ou la resta, spécialité de Côme.

POINTS D'INTERET

Cathédrale. Piazza del Duomo. *Ouverte de 7 h à 12 h et de 15 h à 19 h.* Cette œuvre des maîtres Cumacini fut commencée en 1396. Sa façade de 1445 est marquée par un style intéressant de transition entre le gothique et la Renaissance. Sur cette façade, deux statues représenteraient les Plines. La porte gauche, dite de la Rana, est d'une exécution raffinée.

Broletto. Palais communal, mitoyen de la cathédrale, avec des tours du XIIe siècle.

San Abbondio. Basilique du XIe siècle de style roman lombard. Ce style fort répandu était célèbre par la qualité des maçons et architectes de Côme, les maîtres Cumacini. De nombreux exemples existent en France, en particulier en Alsace. La façade est rythmée de grandes lésènes verticales qui correspondent aux cinq nefs.

San Fedele. Via V. Emanuele. Basilique du XIIe siècle qui donne sur l'une des plus jolies places de Côme. Abside hexagonale et portail extérieur avec des bas-reliefs romans sculptés. Le corps de San Fedele martyr y repose.

San Carpoforo. Sur la route du château Baradello, c'est l'une des plus anciennes églises romanes de Côme. La tradition veut qu'elle ait été fondée par l'évêque Felice à la place du temple de Mercure. A l'intérieur, un escalier mène à la crypte (sonner chez les sœurs).

Castello Baradello. Via Castel Baradello © 59 28 05. *Ouvert le jeudi, samedi, dimanche et jours fériés de 10 h à 12 h et de 14 h 30 à 17 h (autres jours sur réservation).* En montant le long de la route du même nom (étroite mais avec une jolie vue), on parvient aux restes du donjon (haut de 35 mètres) et des murailles. Construit sous Frédéric Barberousse, le château doit sa sinistre réputation au supplice de Napo Torriani qui, battu par Ottone Visconti à Desio, fut emprisonné jusqu'à sa mort (soit pendant 19 mois) dans une cage suspendue aux murailles.

Tempio Voltiano. Viale Marconi © 57 47 05. *Ouvert d'avril à septembre de 10 h à 12 h et de 15 h à 18 h. D'octobre à mars de 10 h à 12 h et de 14 h à 16 h. Fermé le lundi.* Donnant sur le lac, au bout du quai dit Lungolago Trento, cet austère bâtiment de style néoclassique abrite un musée dédié à l'un des plus illustres natifs de Côme, Alessandro Volta (1745-1827), inventeur de la pile électrique.

Promenade de la villa Olmo. En poursuivant le long du lac, après le monument aux morts (de l'architecte futuriste Antonio Saint Elia) et le port de plaisance, commence la promenade pédestre. Pittoresque et romantique, elle longe les embarcadères et les terrasses de quelques villas du XVIIIe siècle donnant sur le lac. Certaines d'entre elles sont agrémentées de balustrades Liberty en fer forgé que colonisent avec élégance des glycines centenaires.

Villa Olmo. Via Cantoni © 25 24 43. *Ouverte de 8 h à 18 h. Fermée les jours fériés. Entrée libre.* La villa Olmo tient son nom d'un orme qu'abritait le jardin donnant sur le lac. Cet arbre, plus que centenaire et célèbre, a été abattu en 89 par la foudre et remplacé par un orme malheureusement bien jeune. La villa reçoit des expositions et des séminaires. Beau parc public.

Pinacothèque. Palazzo Volpi, Via Diaz, 84 © 26 98 69. *Ouverte du mardi au samedi de 9 h 30 à 12 h 30 et de 14 h à 17 h, le dimanche de 10 h à 13 h. Fermée le lundi.* Elle expose des toiles du XVIIe siècle, des fresques du XIVe et des œuvres de l'importante école des peintres abstraits de la région de Côme.

Musée archéologique Giovo. Piazza Medaglie d'Oro Comasche © 27 13 43. *Ouvert de 9 h 30 à 12 h 30 et de 14 h à 17 h, dimanche de 10 h à 13 h. Fermé le lundi.* Objets préhistoriques (IXe-VIIe siècles av. J.-C.), assyro-babyloniens, égyptiens et romains.

SHOPPING

Les rues commerçantes de Côme sont les rues piétonnes, en particulier la Via Vittorio Emanuele et la Via Luini, réunies entre elles par de nombreuses petites ruelles. *Les boutiques sont ouvertes en général de 9 h à 12 h 30 et de 15 h à 19 h 30, du mardi au samedi. Elles sont fermées le lundi.*

Au sud-ouest de Côme, à la sortie de l'autoroute, de nombreuses grandes surfaces se sont récemment ouvertes.

A Côme, on achète évidemment surtout de la soie.

LAC DE COME

Avec sa forme en «Y» renversé, c'est le troisième lac d'Italie en surface mais c'est le plus profond. C'est un lac glaciaire, qui reçoit l'Adda au nord, à la sortie de la vallée de la Valtelline. L'Adda ressort du lac à Lecco, à l'extrémité sud-est. Par contre, de Côme, aucun fleuve ne s'échappe, c'est un cul-de-sac. Les montagnes boisées qui l'entourent de toute part tombent à pic dans l'eau, ce qui ne laisse que peu de place pour les plages. La route et les petites bourgades se sont donc accrochées sur les berges de façon parfois acrobatique.

L'activité locale essentielle n'est pas la baignade mais plutôt la voile et le windsurf, qui exploitent des vents parfois impétueux, la «brève» ou le «tiffano», vents du matin et du soir. C'est aussi le ski nautique (les champions de ce sport viennent du lac de Côme, en particulier de Bellagio et de Lezzeno) et les courses de hors-bord (en septembre a lieu la célèbre course des Cent miles). Les sites de régates les plus célèbres sont Pianello et Domao.

La branche occidentale a des berges sinueuses avec des golfes et des sortes de calanques où se trouvent des villas, de petites localités historiques (Brienno, Urio, Moltrasio) et des bourgs un peu plus importants (Argegno, Menaggio, Tremezzo, Gravedona). Toutes ces localités ont en commun des venelles en pente rapide et des petits ports où il n'est pas rare de voir une *lucia*, barque typique surmontée d'un toit en bois tressé.

En face de Lenno, à quelques kilomètres de Côme sur la rive occidentale, se trouve la petite île boisée de Comacina, la seule île du lac, jadis habitée, qui ne garde du passé que les ruines d'une ancienne église et un restaurant plus typique que nature.

La rive occidentale est plus uniformément verticale et d'accès difficile, si l'on exclut la péninsule de Piona où subsiste l'abbaye cistercienne de Santa Maria. De Bellano, on peut faire une excursion intéressante dans le Valsassina, dans les stations de ski de Bargio et Mobbio. Vers le sud, on rejoint Lecco.

Entre les deux branches du lac se trouve la presqu'île de Bellagio. C'est un must. On peut rejoindre Bellagio à partir de Côme ou de Lecco, en suivant le bord du lac par une route difficile ; on peut aussi partir d'Erba et traverser la montagne par Canzo. Mais la meilleure solution reste le vieux vaporetto allant de Côme à Bellagio, et l'hydrofoil au retour, ou l'inverse. C'est de loin la meilleure façon de voir le Lario.

Argegno

Agréable petit village et point de départ d'une excursion au val d'Intelvi. Voir, à Ponna, le musée de la Civilisation paysanne.

Bellagio

Localité touristique la plus célèbre du lac, elle a connu ses heures de gloire à la Belle Epoque.

Pratique

Indicatif téléphonique : 031

Office du tourisme. Piazza della Chiesa, 4 ✆ 95 02 04.

Points d'intérêt

La villa Melzi et ses jardins ✆ 95 03 18. *Ouverte de 9 h à 18 h 30 d'avril à octobre.*

La villa Serbelloni. *Visites guidées de 11 h à 16 h. Fermée le lundi.* Agréable vue panoramique sur le lac.

La villa Giulia et son parc à l'italienne. Le panorama est somptueux et le cadre agréablement reposant.

Promenez-vous également à travers les ruelles de Bellagio.

Bellano

Pour les gorges effrayantes et spectaculaires du torrent Pioverna.

Gravedona

Sur les bords du lac, l'église romane de Santa Maria del Tiglio, avec ses pierres noires et blanches. Le palais Gallio, carré avec des tours angulaires. Au printemps, exposition annuelle de camélias.

Lecco

Cette ville d'aspect industriel donne son nom à la région du Lecchese. Elle possède quelques vieilles rues intéressantes. On y trouve la maison de villégiature des Manzoni, famille du célèbre auteur des *Promessi sposi* (*Les Fiancés*). L'écrivain s'y installa définitivement en 1810.

Indicatif téléphonique : 0341

Points d'intérêt

Villa Manzoni. Via Guanella, 1 ✆ 48 12 47. *Ouverte du mardi au dimanche de 9 h 30 à 14 h. Fermée le lundi.*

Moltrasio

La villa **Passalacqua** et ses jardins.

Ossuccio

Eglise romane de Santa Maria Maddalena, avec son campanile gothique du XVe.

D'Ossuccio, on peut rejoindre l'île **Comacina** (la seule du lac de Côme) en louant des barques à rames. Restes d'une abbaye romane, l'oratoire San Giovanni et restaurant au bord de l'eau.

Pianello

C'est l'endroit idéal pour les amateurs de voile.

Museo La raccolta della Barca Lariana. Via Statale, 139 ✆ 87 235. *Ouvert tous les jours en juillet de 14 h 30 à 18 h 30 et de Pâques à novembre seulement le samedi et le dimanche de 10 h 30 à 12 h 30. Visites sur réservation en dehors de ces périodes.* Le musée des embarcations du Lario présente, à travers 14 salles, plus de 200 types d'embarcations différentes.

Piona

L'abbaye cistercienne et son beau cloître gothique. Les moines produisent un élixir apprécié mais très fort (80° !). On peut passer la nuit à l'hôtellerie en cas d'abus.

Torno

La villa Pliniana, du XVe siècle, fut fréquentée, entre autres, par Byron et Stendhal.

TREMEZZO

Pratique

Indicatif téléphonique : 0344

Office du tourisme. Via Regina, 3 ✆ 40 493.

HEBERGEMENT

Autour du lac de Côme, on peut passer une nuit mais aussi une semaine de vacances en combinant le lac, la montagne et le tourisme culturel. Ce qui est rare en Lombardie. C'est agréable et reposant.

Albergo Posta. Piazza San Rocco, 5, Moltrasio ✆ 031/29 04 44 - Fax 031/29 06 57. *120 000 L en pension complète. Fermé en janvier-février.* 20 chambres avec téléphone, télévision, climatisation, réfrigérateur. Parc, parking, restaurant. Visa, Diner's Club, American Express. Hôtel tout confort avec vue sur le lac. Au restaurant, c*ompter 45 000/90 000 L.*

Villa Simplicitas e Solferino. San Fedele d'Intelvi ✆ 031/83 11 32. *115 000 L. Ouvert d'avril à octobre.* 10 chambres. Parking, restaurant. Délicieuse villa du XIXe siècle, meublée d'époque, retirée dans l'une des plus belles vallées alpines de la région du lac, à 800 mètres d'altitude. Les propriétaires en ont fait un lieu presque magique où l'on se sent vraiment bien. Un conseil, laissez-vous tenter, vous ne le regretterez pas !

Hôtel San Giorgio. Via Regina, 81, Lenno ✆ 03 44/40 415 - Fax 03 44/41 591. *210 000 L. Ouvert de la mi-avril à septembre.* 26 chambres avec téléphone. Parc, garages, parking, tennis, restaurant. Interdit aux animaux. American Express, Visa, Diner's Club. Dans une vieille villa, un hôtel familial avec un grand jardin près du lac. Un endroit très agréable.

Villa Flora. Via Torrazza, 10, Torno ✆ 031/41 92 22 - Fax 031/41 83 18. *100 000 L. Fermé de l'Epiphanie à la mi-mars.* 20 chambres avec téléphone, télévision. Parking, plage privée, piscine, restaurant. Interdit aux animaux. Visa, American Express. Villa du XIXe siècle, magnifiquement située, avec restaurant donnant sur le lac. Accueil un peu froid.

Villa Giulia Al Terrazzo. Via Parè, 73, Valmadrera ✆ 03 41/58 31 06 - Fax 03 41/20 11 18. *140 000/215 000 L.* 12 chambres avec téléphone, télévision, climatisation, réfrigérateur. Parc, parking, restaurant. American Express, Visa, Diner's Club. On y vient surtout pour son restaurant mais l'hôtel, dans une ancienne villa du XIXe, n'est pas mal non plus.

Hôtel Florence. Piazza Mazzimi, 46, Bellagio ✆ 031/95 02 16 - Fax 031/95 15 29. *260 000/320 000 L. Ouvert d'avril à octobre.* 34 chambres avec téléphone, télévision. Visa. A l'ombre du prestigieux Serbelloni, ce charmant hôtel ne manque pas d'atouts, lui non plus, et ce, en partie, grâce à la convivialité de ses propriétaires. Un bon choix !

Grand Hotel Victoria. Lungolago Castelli, 7/11, Menaggio ✆ 03 44/32 003 - Fax 03 44/32 992. *175 000/260 000 L, 230 000/270 000 L.* 53 chambres avec téléphone, télévision, climatisation, réfrigérateur. Parc, accès handicapés, garages, parking, piscine, tennis, restaurant. American Express, Visa, Diner's Club. Un hôtel d'une autre époque, au centre de la ville la plus «chic» du lac.

Grand Hôtel Imperiale. Via Durini, Moltrasio ✆ 031/34 61 11 - Fax 031/34 61 20. *250 000/450 000 L.* 92 chambres avec téléphone, télévision, climatisation, réfrigérateur. Parc, parking, garages, piscine, tennis, salle de gym. Interdit aux animaux de grosse taille. Restaurant (*45 000/85 000 L*). Bon rapport qualité-prix. Une bonne adresse accueillante.

Grand Hôtel Villa Serbelloni. Via Roma, 1, Bellaggio ✆ 031/95 02 16 - Fax 031/95 15 29. *515 000/790 000 L. Ouvert du 1er avril au 31 octobre.* 88 chambres avec téléphone, télévision, climatisation, réfrigérateur. Parc, accès handicapés, garages, parking, plage privée, piscine, tennis, salle de gym, restaurant. L'un des top du lac. Pour un séjour princier tel que l'apprécia Flaubert, qui y séjourna.

Auberges de jeunesse

Auberge de jeunesse La Primula. Via Quattro Novembre, 86, Cassate ✆ 03 44/32 356 - Fax 03 44/32 356. *20 000 L, petit-déjeuner inclus. Ouverte de 7 h à 10 h et de 17 h à 0 h 30 du 15 mars au 5 novembre.* 50 lits. Parking, laverie, bateaux. Bus à 100 m. A 4 km de Lenno.

Auberge de jeunesse de Domaso. Via Case Sparse, 12 ✆ 03 44/96 094. *10 lits à 18 000 L, petit-déjeuner inclus. Ouvert de 7 h à 2 h 30 du 1er mars au 31 octobre.* Restaurant, parking, bateaux, bus à 50 m. A 16 km de Colico.

Agriturismo

Agriturismo Locanda Mosé. Località Pian di Nesso, Nesso ✆ 031/91 79 09. *Chambres 50 000L, demi-pension 65 000 L. Fermé en décembre.* Sur le Lago di Como, 15 kilomètres au nord-est de Como. Grande maison de caractère située dans un cadre enchanteur. Emplacement pour camping. Cuisine régionale excellente.

RESTAURANTS

Ce ne sont pas les restaurants qui manquent. Il est difficile de faire un choix. Nous avons préféré sélectionner des endroits sûrs, où la tradition du poisson se marie à la fantaisie et à une ambiance intéressante.

Restaurant Pergola. Pescallo di Bellaggio ✆ 031/95 02 63. *50 000 L environ.* Sous des voûtes et avec jardin sur le lac. Spécialités de poisson. Endroit agréable.

Taverna Bleu. Via Puricelli, 4, Sala-Comacina ✆ 03 44/55 107. *50 000 L. Fermé le mardi. Réservation obligatoire.* 60 couverts. Jardin, parking. Bon restaurant au bord de l'eau et l'un des rares à ne pas augmenter ses prix en été.

Restaurant al Veluu. Via Rogaro, 11, Rogaro di Tremezzo (2 km) ✆ 03 44/40 510. *Compter 60 000 L. Ouvert de la mi-mars à la mi-octobre, fermé le mardi. Réservation obligatoire.* 40/70 couverts. Parking, jardin. American Express, Visa. Bon restaurant avec une vue superbe sur le lac.

Restaurant Crotto del Misto. Località Crotto, Lezzeno ✆ 031/91 45 41. *55 000/ 70 000 L. Ouvert de mars à novembre. Fermé le mardi, sauf en juillet et août. Réservation obligatoire.* 200 couverts. Jardin, parking. American Express, Visa, Diner's Club. Autrefois cantine et lieu de rendez-vous des pêcheurs, c'est aujourd'hui le restaurant le plus connu du lac, spécialisé dans le poisson, en particulier le lavaret. Chambres disponibles.

Restaurant Crotto dei Platani. Via Regina, 73, Brienno ✆ 031/81 40 38. *50 000/ 75 000 L. Fermé le mardi. Réservation obligatoire.* 40/80 couverts. Jardin, parking. American Express, Visa. Dans un bâtiment historique du XVIIIe siècle, un des restaurants réputés du lac. Cuisine créative sur des bases classiques.

POINT D'INTERET

Villa Carlotta © **40 405/41 011.** *Ouverte d'avril à septembre de 9 h à 18 h, de mars à octobre de 9 h à 11 h 30 et de 14 h à 16 h 30.* On peut y voir des sculptures de Canova. Superbe jardin avec des azalées au printemps.

VARESE

Varese ne fut jamais un centre politique important dans l'histoire de la Lombardie. Elle fut toujours dans l'ombre de sa voisine Milan. Au Moyen Age, elle appartint aux Torriani, puis aux Visconti et, enfin, à Milan. Une seule particularité curieuse : la domination des Estensi de Modène, de 1765 à 1780. Pour le reste, son histoire se confond avec celle du nord de la Lombardie. Varese ne devint chef-lieu de province qu'en 1927.

C'est une ville riche et bourgeoise comme peu d'autres villes en Italie, avec un centre-ville d'aspect plutôt moderne qui s'est étendu dans les années 30. Les traces du passé y sont rares, mais on y trouve de nombreux magasins et occasions de shopping.

TRANSPORTS

Voiture

De Milan, autoroute des lacs et route nationale 233. Trafic intense et difficultés de stationnement en centre-ville.

Train

Ferrovie del Nord-Milano © 28 67 05.

Ligne Nord Milan. Direction Saronno-Laveno. C'est une bonne solution pour une journée à Varese à partir de Milan. En prenant le train à Milan (Piazzale Cadorna), on arrive à Varese (Piazzali Trieste).

Aéroport

Varese est proche de Milano Malpensa pour les liaisons intercontinentales et d'Agno, en Suisse, pour les liaisons européennes.

Taxis

Piazzale Trieste © 28 21 21.
Piazza Trento © 23 62 66.
Piazza Montegrappa © 28 16 00.

Navigation sur le lac

Laveno Mombello. Via Stazione Nord © 66 71 28.

PRATIQUE

Indicatif téléphonique : 0331.

Offices du tourisme

Viale Ippodromo, 9 © 28 46 24 ; 23 90 70 - Fax 23 80 93.

Via Carrobio, 2 © 28 36 04.

Police

Questura Centrale.

Piazza Libertà © 28 23 46.

Carabiniers.

Via Magenta, 48 © 28 03 00.

Police de la route.

Via Pasubio, 6 © 23 30 88.

Police municipale.

Via Sempione, 20 © 28 30 00.

Poste. Via Milano, 1 et Via Francesco Cairo.

Téléphone. Via Cimarosa.

HEBERGEMENT - RESTAURANTS

Hôtel Colonne. Via Fincara, 37 (Sacro Monte, à 6 km de Varese) ✆ 22 46 33 - Fax 82 15 93. *130 000/200 000 L. Fermé en janvier.* 10 chambres avec téléphone, télévision, réfrigérateur. Parc, accès handicapés, parking, restaurant. Interdit aux animaux de grosse taille. American Express, Visa. Véritablement charmant, et on y mange bien.

Hôtel Madonnina. Largo Lanfranco da Ligurno, 1 (à Cantello, à 9 km de Varese) ✆ 41 77 31 - Fax 41 84 03. *118 000/157 000 L.* 13 chambres avec téléphone, télévision. Parc, accès handicapés, parking. American Express, Visa, Diner's Club. L'élégance et le confort des chambres sont à la hauteur du très bon restaurant, réputé dans la région !

Camping

Les campings sont nombreux au bord du lac Majeur (Sesto Calende, Angera, Ispra, Leggiuno, Germignaga) et au bord du lac de Varese (Gavirate, Comabbio). Très agréable, celui de Trelago dans le Valganna.

Agriturismo

Agriturismo Goccia d'Oro Ranch. Bizzozero, Via dei Vignò, 134, Varese ✆ 03 32/ 26 53 89. *Chambres 50 000 L, demi-pension 65 000 L. Fermé en janvier.* Situation intéressante pour les passionnés d'excursions, car cette maison avec vue panoramique se trouve près du parc Campo de Fiori.

Auberge de jeunesse

Auberge de jeunesse. Via Marzorati, près du collège de Filippi. Un établissement malheureusement ouvert uniquement en été.

Restaurants

Restaurant Teatro. Via Croce, 3 ✆ 24 11 24. *65 000/100 000 L. Fermé le mardi. Réservation obligatoire.* 45/70 couverts. Climatisation. American Express, Visa, Diner's Club. Spécialités de champignons et de truffes.

Restaurant Lago Maggiore. Via Carrobbio, 19 &/ Fax 23 11 83. *80 000/125 000 L. Fermé le dimanche et le lundi à midi.* 35 couverts. American Express, Visa, Diner's Club. Elégant, avec un service et une cuisine de grande qualité.

POINTS D'INTERET

Villa Estense. Aujourd'hui transformée en mairie, ce fut la résidence du duc de Modène, François III d'Este. Remarquable surtout pour ses jardins à l'italienne.

Baptistère San Giovanni et basilique San Vittore. Le baptistère est une construction romane du XIIe siècle avec des fresques du XIVe. La basilique, du XVIe siècle, possède des peintures du peintre local Morazzone, l'un des principaux interprètes du maniérisme lombard.

Le Sacro Monte de Varese. C'est ce qu'il y a de plus intéressant à voir. Suivant les idéaux de la Contre-Réforme, un Sacro Monte est constitué d'une série de chapelles d'architectures variées dans lesquelles sont reconstituées en grandeur nature des scènes de la Bible, de la vie du Christ ou des saints. Ces scènes sont représentées par des personnages en terre cuite ou en plâtre peint, en général dans un style très expressif. Souvent ces scènes se complètent d'un trompe-l'œil peint sur les murs de la chapelle.

Les pèlerins suivent le déroulement de l'histoire en passant d'une chapelle à l'autre. Ce type de propagande religieuse se répandit au XVIIe siècle en Lombardie (à Orta et à Varallo) et au Piémont (Crea).

Le **Sacro Monte de Varese**, construit entre 1604 et 1680, est l'un des plus achevés et des plus homogènes. Il comporte 14 chapelles réparties sur 2 km d'une voie de pèlerinage très raide qui monte jusqu'au sanctuaire de Santa Maria del Monte (880 mètres d'altitude). Devant le sanctuaire, la vue est superbe, par beau temps, sur les collines de la région de Varese. Il vaut mieux visiter ce lieu en semaine pour éviter de jouer des coudes parmi la foule des pèlerins chantant des cantiques, et pour jouir dans le silence du panorama et des petits chefs-d'œuvre d'architecture utopiste.

DANS LES ENVIRONS

Campo dei Fiori

Le Campo dei Fiori (ou le Liberty, égaré à 1 226 mètres d'altitude) est la montagne qui domine Varese. On y accède par une route sinueuse de 13 kilomètres qui aboutit au Grand Hôtel, somptueuse construction Liberty de l'architecte Sommaruga (1908). L'hôtel est fermé depuis longtemps ainsi que le funiculaire qui le reliait à Varese (à voir, la gare du funiculaire, autre exemple de style Liberty à Varese). On peut aussi atteindre le Campo dei Fiori à pied, en partant de Santa Maria del Monte après avoir parcouru le Sacro Monte. C'est une superbe excursion, avec des aperçus magnifiques sur les Préalpes et sur la plaine du Pô.

LAC DE VARESE

Petit miroir d'eau récemment rendu à la vie après avoir été malmené par une grave pollution. De Varese, suivre les indications routières «Lago».

Biandronno

Sur le lac de Varese, la petite île de Virginia présente des restes préhistoriques lacustres. Le samedi et dimanche, de Biandronno, on l'atteint en barque (environ 2 000 L).

Gavirate

Musée de la Pipe. Via Voltorre, 1. *Entrée libre.* Une curiosité pour les fumeurs.

A Gavirate, il faut goûter les célèbres gâteaux *Brutti e Buoni* .

Valganna

En suivant la direction de Luino, on rencontre d'abord, à Induno Olona, les curieux bâtiments de la brasserie Poretti datant du début du siècle. Puis, en suivant la direction de Porto Ceresio, on peut faire un détour par la villa Cicogna Mozzoni à Bisuschio : très beau jardin à l'italienne (*ouvert d'avril à novembre de 9 h à 12 h et de 15 h à 19 h. Entrée : 3 500 L).*

Retournez à Induno Olona car en continuant vers **Porto Ceresio**, on atteint en peu de temps le lac de Lugano et la Suisse. D'Induno Olonna, vous vous engagez dans la vallée préférée des Varesans le dimanche pour la fraîcheur de ses grottes. On passe les lacs de Ganna et de Ghirla. Près de Ganna, ne manquez pas l'ancien prieuré clunisien de San Gemolo, du IIe siècle, récemment restauré et transformé en Centre culturel.

Luino

Indicatif téléphonique : 0332

Jolie cité du bord du lac Majeur, avec, sur la colline, un centre historique bien conservé. Le marché du mercredi est très ancien et connu jusqu'en Suisse. De Luino, on peut prendre le ferry-boat pour l'autre rive du lac Majeur, voir la ville de Stresa et la rive piémontaise.

Arcumeggia

En suivant la route côtière jusqu'à Portovaltravaglia, faites un détour par Arcumeggia, petit centre rural devenu fameux grâce aux fresques peintes sur les maisons et les murs par des artistes contemporains. Les murs sont ainsi devenus œuvres d'art.

Laveno

Indicatif téléphonique : 0332

Une autre localité riveraine, fameuse par sa tradition de céramique. Dans la localité de Cerro, on trouvera un musée intéressant consacré à la production locale de 1895 à 1960. *Fermé le lundi, ouvert l'après-midi seulement du mardi au jeudi, et toute la journée du vendredi au dimanche.*

Concours de barques illuminées et feux d'artifice le 15 août.

Ranco

Indicatif téléphonique : 0331

Ce pays a l'avantage d'être évité par la route côtière. On y trouve un musée national des Transports (*fermé le lundi ; entrée libre*), avec locomotives, diligences, vieux tramways. Il est installé dans le jardin d'une belle villa au nom évocateur de «Fantasia».

Santa Caterina del Sasso

A Leggiuno, abandonnez la route principale et, après avoir laissé la voiture sur une petite place, descendez par un escalier très raide jusqu'au bord du lac. Le sanctuaire, tenu aujourd'hui par des pères dominicains, est tout un ensemble de constructions - dont une église peinte à fresques - d'époques diverses (la plus ancienne date du XIIe siècle) et taillées dans la roche.

Angera

Le majestueux **château** d'Angera domine le lac du haut d'une colline. Il appartient à la famille Borromée. C'est l'un des ensembles les mieux conservés de la région. Il comporte de nombreux points de vue pittoresques, des fresques du XIVe siècle et un curieux musée de la Poupée d'époque. Des terrasses du château, vue panoramique sur le lac. *Le château est ouvert de 9 h 30 à 12 h 30 et de 14 h à 18 h ; en juillet et en août de 9 h 30 à 12 h 30 et de 15 h à 19 h. Il est fermé de novembre à mars.*

Le dernier dimanche de septembre a lieu **la fête du raisin**, avec corso fleuri le long du lac.

A Angera, on trouve des liqueurs originales de la distillerie Rossi.

Arsago Seprio

La basilique de San Vittore (IVe siècle) et le baptistère du XIe siècle sont l'un des principaux exemples du roman lombard. Dans le pays, on trouve aussi un petit musée archéologique ouvert les samedi et dimanche.

Gallarate

Gros centre industriel et commercial. On y trouve un **musée d'Art moderne** (Via Milano, 21 ; *fermé le lundi*).

Et pour les amoureux de la moto, impossible de passer sous silence le **musée MV-Agusta**, marque mythique qui, pendant des années, domina les grands prix des 500 cm3 (Via Matteotti ; *ouvert seulement le dimanche jusqu'à 18 h 30*).

L'aéroport international de la Malpensa est proche de Gallarate.

Legnano

Lieu de la grande bataille entre Milan et Frédéric Barberousse (1170). A Castellanga, cité voisine de Legnano, les curieux pourront voir la fondation Pisano. C'est, à l'air libre, dans un parc, une présentation d'œuvres modernes : sculptures et mosaïques. Une collection assez unique de mosaïques de F. Léger (*entrée gratuite ; ouvert de 10 h à 12 h et de 15 h à 17 h*).

PAVIE ET LE SUD

PAVIE

Cette ville arrosée par le Ticino est l'une des plus importantes de la Lombardie. Elle possède un centre historique bien conservé avec quelques joyaux d'architecture, mais elle est aussi connue pour son université, l'une des plus anciennes et des plus réputées d'Italie. Dissimulant sous son aspect somnolent et provincial une importante vie culturelle, Pavie, ville de cercles et de club privés, n'est ni extravertie ni communicative. Mais ce n'est pas pour autant qu'il faut l'ignorer...

Aux confins de la plaine et des collines de son Oltrepô, consacré au vin, sous l'influence de son fleuve, le Tessin majestueux qui se jette dans le Pô à peu de distance, Pavie est une ville fascinante et multiforme qui vaut en tout cas une visite.

Située sur les rives d'un fleuve navigable et au croisement d'importantes voies de communication, Pavie ne pouvait que devenir, dès l'antiquité archaïque, un centre de première importance. Elle fut ensuite un municipe romain sous le nom de Ticinum, puis elle connut sa période de plus grande gloire à l'époque des Barbares. Conquise en 523 par les Lombards, elle fut la capitale de leur royaume, puis celle du royaume d'Italie jusqu'au XIe siècle. Eglises, monastères et tradition scolastique remontent à cette époque. Ville puissante, ennemie de Milan et alliée de l'empereur Frédéric Barberousse, sacré roi d'Italie à San Michele, Pavie tombe sous la domination des Visconti de Milan, qui tiennent leur cour dans le château et fondent l'université en 1361.

En 1525, sous ses murs, a lieu une fameuse bataille qui oppose le roi de France, François Ier, aux Espagnols de Charles Quint. Sous domination espagnole, la ville entre dans une période de décadence dont elle ne sortira qu'au XVIIIe siècle, sous le règne de Marie-Thérèse et de Joseph II de Habsbourg. Les souverains autrichiens redonnent du lustre à l'université. Le destin de Pavie se confond dès lors avec celui de toutes les villes lombardes. Libérée de la domination autrichienne par les guerres d'indépendance, elle entre dans le royaume d'Italie tout en maintenant le prestige de son université.

TRANSPORTS

Gare . ✆ 23 000. *Consigne tous les jours de 6 h à 21 h 30.*

Bus SGEA . ✆ 37 54 05. Terminal Via Trieste.

Taxi ✆ 27 439.

PRATIQUE

Indicatif téléphonique : 0382

Office du tourisme

Via Fabio Filzi, 2 ✆ 27 238 ou 27 706 - Fax 32 221. *Ouvert du lundi au samedi de 8 h 30 à 12 h 30 et de 14 h à 18 h.*

Poste. Piazza della Posta, 2 ✆ 29 765. Ouverte du lundi au samedi de 8 h à 17 h 30.

Telecom. Via Galliano, 8 ✆ 38 21. *Ouvert du lundi au vendredi de 9 h à 12 h 30 et de 14 h 30 à 18 h.*

Banca . Popolare Romano. Piazza del Duomo.

HEBERGEMENT

Hôtel Ariston. Via Scopoli, 10/d ✆ 34 33 34 - Fax 25 667. *110 000/160 000 L. Fermé du 25 décembre au 16 janvier.* 60 chambres avec téléphone, télévision. American Express, Visa, Diner's Club. Hôtel moderne au standard européen.

Camping

Camping Ticino. Via Mascherpa, 10 ✆ 52 70 94. Ouvert du 14 mars au 14 octobre.

Agriturismo La Torreta. Staghiglione, Borgo Priòlo ✆ 03 83/87 24 47. *Chambres 50 000 L, pension 70 000 L. Fermé en janvier.* 30 kilomètres au sud de Pavie. Importante exploitation pouvant également accueillir caravanes et tentes. Tennis, piscine, tir à l'arc, ping-pong, équitation.

Agriturismo Maccarini. Località Gravanago, Fortunago ✆ 03 83/87 55 80. *Chambres 50 000 L, demi-pension 75 000 L, appartements 50 000/150 000 L, avec repas. Fermé en janvier et septembre.* 40 km au sud de Pavie. Ferme rénovée, entourée de superbes paysages. Décoration rustique. Observation d'animaux assurée pour les amoureux de la nature.

Agriturismo Adriana Tarantani. Località Tre Venti, Ruìno ✆ 03 85/95 59 03. *Chambres 30 000/50 000 L, pension 60 000/75 000 L. Fermé en février.* 35 kilomètres au sud de Pavie. Ferme familiale et lieu privilégié pour les amateurs de la nature et des animaux. Balades à cheval. Terrain pour tentes et caravanes.

Une légende

On raconte que le roi de France, François Ier de Valois, battu par le roi d'Espagne, Charles Quint, lors de la bataille qui se déroula sous les murs de Pavie, trouva refuge dans une masure où une paysanne faisait cuire un bouillon. Selon l'usage misérable de l'époque, le bouillon se consommait dans une écuelle avec du pain de millet trempé. Intimidée par la haute condition de son hôte et désirant faire belle figure, la paysanne courut au poulailler, prit deux œufs et les cassa directement dans le bouillon chaud. Ainsi naquit la zuppa Pavese, qui se prépare encore de nos jours avec du bouillon chaud, des croûtons de pain sec et un œuf frais. On ignore le jugement que porta le souverain sur la recette mais le succès qu'elle remporta aux siècles suivants laisse croire que le roi de France, tout fatigué et blessé qu'il fût, apprécia à sa juste valeur ce plat simple et nourrissant.

RESTAURANTS

La cuisine du Pavese fait appel au riz produit sur place, aux légumes, aux charcuteries, aux grenouilles, aux escargots et aux crevettes d'eau douce. Le légendaire risotto de la chartreuse est d'ailleurs un mélange de ces produits. Des charcuteries de tout genre, de la bonne viande et des tartes (celles aux amandes de Varzi sont fameuses) complètent un menu du Pavese, qui ne dédaigne pas non plus les poissons de rivière.

Antica Osteria del Previ. Via Milazzo, 65 ✆ 26 203. *50 000/80 000 L. Fermé le dimanche et entre juillet et août. Réservation obligatoire.* 50/70 couverts. Climatisation. Visa. Spécialités de risotto, poissons et anguilles d'eau douce.

Restaurant Marechiaro. Piazza Vittoria, 9 ✆ 23 739. *Environ 30 000 L. Fermé le lundi.* Visa. Ambiance typiquement italienne. Les pâtes sont très bonnes !

Locando Vecchia. Via Cardinal Riboldi, 2 ✆ 30 41 32. *60 000/95 000 L. Fermé le lundi et le mercredi à midi. Réservation obligatoire.* 60 couverts. Climatisation. Ambiance sélecte et cuisine régionale réinventée.

SORTIR

Les étudiants se retrouvent en général à la terrasse du bar **Araldo,** situé derrière l'université. Le bar **Da Einstein**, le long du canal, est un endroit agréable.

Plus tard, pour ceux qui ont du mal à dormir, **l'Insomnia Caffè**, Via Emilio Gravas, 21, vous ouvre ses portes à partir de 22 h 30, sauf le mercredi.

POINTS D'INTERET

Château. *Ouvert de 9 h à 13 h 30. Fermé le lundi.* Entouré de jardins, ce château construit par les Visconti (1360-1365) est une bâtisse imposante de plan carré avec deux tours puissantes. Belle cour intérieure à portiques et loggias. Il abrite le Musée municipal (*ouvert de juin à novembre, du mardi au samedi, de 9 h à 12 h et de 15 h à 18 h*).

San Pietro in Ciel d'Oro. *Ouverte tous les jours de 7 h à 12 h et de 15 h à 19 h 30.* Cette église très ancienne est d'origine lombarde, mais doit son aspect actuel à la période romane. Elle abrite les restes illustres de saint Augustin, rapportés d'Ippone au VIIIe siècle par le roi Liutprando, ainsi que ceux du philosophe Severino Boezio (Boece) et du roi Liutprando lui-même.

Université © 50 41. Elle fut créée en 1361, sous la forme encore largement visible d'un édifice en brique. Elle fut, bien sûr, plusieurs fois réaménagée. Ainsi sa façade principale est du XVIIIe siècle, les cours intérieures du XVIIe.

Santa Maria del Carmine. Elle compte parmi les principales églises gothiques de Pavie. Belles façades et, à l'intérieur, des fresques du XVe siècle.

Tours médiévales. Le centre historique de Pavie fut jadis hérissé d'une véritable forêt de tours, chacune manifestant la puissance d'une famille de notables. Il n'en reste que de rares spécimens.

Broletto. On désigne sous ce nom l'ancien hôtel de ville du XIIIe siècle.

Cathédrale (Duomo). *Ouverte de 7 h à 12 h et de 14 h 30 à 19 h.* Il s'agit de l'une des œuvres les plus importantes de la Renaissance, et on la doit essentiellement à l'architecte Amadeo, avec quelques apports du Bramante. La coupole est moderne.

Eglise San Michele. Ouverte tous les jours de 8 h à 12 h et de 15 h à 18 h. Le principal monument religieux de Pavie, celui où se déroulaient les couronnements des rois et des empereurs. L'aspect actuel est roman, même si la fondation de l'église remonte à l'époque lombarde. A remarquer surtout, la façade et l'intérieur à trois nefs, avec son «triforium» réservé aux femmes.

San Teodoro. Autre église romane importante, du XIe siècle, avec, à l'intérieur, des fresques du XIIIe siècle représentant la ville à l'époque.

Pont couvert. L'un des symboles de Pavie. Long de 182 mètres sur cinq arcades, c'est la reconstruction d'un pont de 1352, détruit par un bombardement en 1944.

SHOPPING

Vin et gourmandises l'emportent dans cette province essentiellement agricole : à Mortara, le saucisson d'oie ; à Cilavegna, les asperges ; à Parona, les *offelle*, sortes de biscuits sucrés en pâte feuilletée ; les vins à Santa Maria della Versa, Broni et Stradella, et les saucissons et tartes aux amandes à Varzi.

DANS LES ENVIRONS

Certosa di Pavia

La chartreuse. *Ouverte de 9 h à 11 h 30 et de 14 h 30 à 18 h (17 h 30 en mars, avril, septembre et octobre, et 16 h 30 en hiver). Fermée le lundi. Visites guidées sur demande.* La chartreuse est un joyau de la plaine padane. Au XVe siècle, la construction d'une chartreuse signalait la puissance et la richesse des grandes familles et des dynasties. Quand Gian Galeazzo Visconti entreprit de bâtir cet édifice religieux en 1396, c'était pour y déposer les dépouilles mortelles de sa famille. La tâche fut confiée à l'architecte Bernardo de Venezia, puis à Giovani et Guniforte Solari, et enfin à Amadeo : les travaux durèrent plus d'un siècle et furent fréquemment interrompus.

Aujourd'hui, l'ensemble habité par des moines cisterciens est presque intact. De l'entrée, on arrive directement dans la cour devant la façade d'Amadeo, bel exemple d'architecture Renaissance, ornée de somptueuse marqueterie de marbres de toutes les couleurs. L'intérieur de l'église, aux élégantes et harmonieuses proportions, est une sorte de musée de l'art Renaissance lombard : des tableaux du Bergognone et de Daniele Crespi, les monuments funéraires de Gian Galeazzo Visconti (par G. Romano, 1497) ainsi que ceux de Béatrice d'Este et de Ludovic le Maure par Cristoforo Solari (1497) .

Outre l'église, on visite le petit **cloître,** le **réfectoire** et le **grand cloître** dans lequel donnent les 24 **cellules** des chartreux.

CREMONE

Ville d'eau (le Pô reçoit tout près les eaux de l'Adda et de l'Oglio) et de tradition, riche mais discrète, Crémone est le symbole d'une Italie méconnue mais déterminée en matière d'économie et de société.

Fondée en 218 av. J.-C., Crémone fut une cité romaine à l'importance commerciale non négligeable. Détruite par les Lombards, elle renaît comme commune libre, au Moyen Age, et devient rapidement une grande puissance de la plaine du Pô. De même que Côme, elle se montre hostile à Milan et favorable à Barberousse (1154). Après la brève domination des Cavalcabo (1154), elle tombe sous la coupe de la capitale lombarde, avant d'être conquise par Venise. Son sort sera alors semblable à celui des autres villes du duché. Patrie des familles de luthiers, Crémone peut également s'enorgueillir d'être la ville natale des frères Campi, issus de l'une des plus importantes dynasties de peintres du XVIe siècle.

Moutarde, nougat, grande tour, violons. Voilà énoncés quatre bons motifs de visiter Crémone, la plus silencieuse et discrète des villes lombardes. Au milieu d'une des campagnes les plus riches et fertiles d'Italie, la ville, au centre historique bien conservé, vit de ces quatre gloires.

Commençons par la plus noble, **le violon.** Crémone est considérée comme la capitale de cet instrument. Les familles Amati, Guarneri et, surtout, les Stradivari réalisèrent, entre 1500 et 1700, les violons les plus précieux et les plus renommés du monde. Certains d'entre eux sont conservés au Palazzo Comunale. Cette tradition reste vivante à Crémone. Vous en aurez pour preuve la présence d'une école de lutherie, d'une école de paléographie et de philologie musicale.

Il Torrazzo est, quant à lui, le symbole le plus évident de Crémone. Construit en 1267, **le clocher du Duomo** est devenu, grâce à ses 112 mètres de hauteur, le monument le plus célèbre de la ville. Un escalier en colimaçon permet d'accéder tout en haut et d'admirer une vue exceptionnelle sur la cité et la campagne.

Il torrone (**le nougat**) est l'une des douceurs préférées des Italiens et... des dentistes. Autrefois il torrone était la gourmandise de Noël. Il se fait toujours à base d'amandes, de miel et de blancs d'œufs. Vous en trouverez de nombreuses variantes, la plus classique étant blanche et «dure».

La moutarde : rien à voir avec la moutarde française, à laquelle on l'assimile souvent. La moutarde crémoise est un plat au goût «Renaissance», composé de fruits pris dans une sauce piquante et servi comme accompagnement de viandes bouillies.

TRANSPORTS

Gare. Via Dante, 68 ✆ 22 237.

Bus Autostazione della Via Dante ✆ **29 212.** Vente de billets à la gare ou à la Pasticceria Mezzadri, Via Dante, 105.

Taxis ✆ 21 300 ou 26 740.

PRATIQUE

Indicatif téléphonique : 0372

Office du tourisme Piazza del Commune, 5 ✆ 21 722.

Poste Via Verdi, 21 ✆ 27 135. Ouverte le samedi matin.

HEBERGEMENT - RESTAURANTS

Hôtel Continental. Piazza della Libertà, 26 ✆/Fax 43 41 41. *150 000/200 000 L.* 57 chambres avec téléphone, télévision, climatisation, réfrigérateur. Garages, parking. Hôtel de construction récente. Idéal pour les voyages d'affaires.

Restaurants

Restaurant Alba. Via Persico, 40 ✆ 43 37 00. *35 000/45 000 L. Fermé les dimanche et lundi.* Visa. Cuisine simple et bonne dans un établissement familial.

Trattoria del Cigno. Via del Cigno, 7 ✆ 21 361. *30 000 L. Fermé le dimanche, en janvier, et du 20 juillet au 4 octobre. Réservation obligatoire.* 50 couverts. Climatisation. Ce restaurant au décor de céramique, très fréquenté par les habitants de la ville, a une atmosphère bien à lui.

Restaurant Ceresole. Via Ceresole, 4 ✆ 23 322 - Fax 42 12 68. *60 000/80 000 L. Fermé le dimanche soir et le lundi, en janvier et en août.* 45 couverts. Situé en plein centre, et élégant, c'est le restaurant le plus réputé de la ville. Spécialités de poissons d'eau douce.

MANIFESTATIONS

Le 13 novembre : fête de Sant'Omobono, saint patron de la ville.

En été, une série de concerts en ville et dans les lieux les plus évocateurs de la région (Cremona estate, Luglio in musica, Festival di Cremona, Saison lyrique). Une manière plaisante de découvrir les environs de Crémone, en suivant le fil rouge du programme musical, symbole de l'importance de la musique dans l'histoire de cette terre généreuse qui a donné naissance à Monteverdi, Vitali et Ponchielli.

POINTS D'INTERET

Il Duomo. L'un des édifices religieux les plus intéressants de l'Italie du Nord. Construit en 1107, il arbore la couleur rouge typique de la brique de cette partie de la plaine du Pô. Son aspect est globalement roman, même si des éléments de styles différents s'y ajoutent. Les trois façades sont d'importance inégale. L'intérieur, impressionnant, en forme de croix latine, possède trois nefs et des peintures célèbres de l'école de Crémone du XVIe siècle, en particulier les œuvres des frères Campi et de Pordenone.

Baptistère. Cette église de brique, commencée en 1164, est de forme octogonale, et présente de belles fenêtres jumelées et des petites loges. L'intérieur est roman.

Loggia dei Militi. Edifice civil de 1292, avec de grandes ogives sur les côtés.

Palazzo Comunale. Edifice à arcades, souvent rénové, il accueille une collection de violons anciens dans la «saletta dei violoni».

San Agostino. Superbe église de style gothique aux proportions grandioses. A l'intérieur, de belles fresques de Bonifacio Bembo.

San Sigismondo. A la périphérie, près de l'hôpital. L'un des meilleurs exemples d'église de style pré-Renaissance lombarde (1463).

Museo Stradivari. Via Palestro, 17 ✆ 46 18 86. *Ouvert du mardi au samedi de 8 h 30 à 17 h 45. Le dimanche et jours fériés de 9 h 15 à 12 h 15 et de 15 h à 18 h.* Il possède des documents sur la riche vie musicale de la ville.

LOISIRS

Croisières

Contrairement à la France, où la **navigation** sur les canaux est praticable et répandue, en Italie cette pratique est quasiment impossible. Cela est dû autant au caractère tortueux des canaux qu'à leur mauvais état. Une possibilité est néanmoins offerte à Crémone, où la société de navigation intérieure a son siège (✆ 25 546) et où elle organise des croisières le long du Pô sur le navire *Stradivari.*

➥ LA TERRE DES GONZAGUE

Crémone, Casalmaggiore, Sabbioneta, Viadana, Mantoue
(100 km environ)

A la sortie de Crémone, la départementale en direction de San Daniele Pô court entre les champs cultivés et les petites exploitations agricoles. C'est la partie la plus intéressante du parcours. Après avoir dépassé le centre agricole de Casalmaggiore, vous découvrirez la petite ville de Sabbioneta, cité d'art persan perdue dans la plaine. Un véritable bijou. Après cette étape, la nationale 358 permet de rejoindre Viadana, située sur les rives du fleuve. Le Pô vous accompagnera jusqu'à Dosolo. Juste après, une petite route de campagne (Villastrada, La Chiaviche, Cesole) vous fera franchir l'Oglio, affluent du Pô. Sur un fond de paysage lacustre, vous arriverez à Mantoue, couchée au milieu de ses lacs.

Vous pouvez boucler cet itinéraire en une seule journée (Mantoue exceptée).

Les petites routes de campagne qui suivent le Pô sont, quant à elles, étroites. La signalisation est suffisante. D'octobre à avril, risque de brouillard. Evitez l'itinéraire durant cette période. Vous pouvez faire facilement le parcours Mantoue-Crémone à bicyclette, mais il vous faudra emporter l'engin de votre lieu de départ.

CASALMAGGIORE

Santuario di N. S. della Fontana. Annexe du couvent des Pères Capucins, ce sanctuaire possède une fontaine miraculeuse. Le peintre Parmigianino est enterré dans ses murs. La maison des pèlerins est équipée pour accueillir des groupes.

SABBIONETA, la petite Athènes

Bourg insignifiant de province jusqu'en 1444, Sabbioneta devint à cette date le fief d'une branche cadette des Gonzague. Le duc Vespasiano (1532-1591) transforma la ville en une véritable petite capitale. Il y insuffla une vie culturelle intense qui valut à la ville le titre de «petite Athènes ". Après la mort du duc, la ville déclina rapidement et retourna au silence de la plaine. De cet âge d'or, restent cependant les murailles et un tissu urbain bien conservé.

Pratique

Indicatif téléphonique : 0375

Office du tourisme. Via Vespiano Gonzaga, 31 ✆ 52 039. Ouvert du lundi au vendredi de 9 h à 12 h et de 14 h 30 à 18 h, le samedi et le dimanche de 9 h à 12 h et de 13 h 30 à 19 h. D'octobre à mars, ouvert du mardi au dimanche, de 9 h à 12 h et de 13 h 30 à 17 h (ou 18 h).

Points d'intérêt

Teatro. Complexe architectural spectaculaire, édifié à partir de 1588, d'après le projet de Vincenzo Scamozzi, élève de Palladio. L'un des plus beaux théâtres d'Italie.

Palazzo Ducale. Vespasiano Gonzaga était ambitieux mais pauvre. Les monuments qui furent construits à sa demande ont de la grâce et de la dignité, mais ils manquent de puissance. S'ils sont simples extérieurement, ils renferment de véritables richesses à l'intérieur. La galerie des ancêtres est particulièrement évocatrice.

Corridor Grande. Long de 110 mètres, il accueillait autrefois la collection d'œuvres d'art du duc de Gonzague.

Palazzo del Giardino. Sa construction remonte à 1588. L'extérieur est de brique ; l'intérieur est décoré de manière originale.

Chiesa dell'Incoronata. Bâtie en 1586, selon un plan octogonal, l'église renferme le mausolée de Vespasien.

Synagogue. Edifiée en 1824, elle est le témoignage de l'existence, à l'époque, d'une communauté juive importante, encouragée par la tolérance du duc.

VIADANA

Le centre historique. Vieilles maisons à arcades. La place, entourée de palais, est édifiée selon un plan régulier

CURTATONE ET LA VALLEE DU MINCIO

La région abrite une importante réserve naturelle régionale.

A Curtatone et au cœur du parc naturel de Mincio, près du sanctuaire des Grazie, tous les ans, du 14 au 17 août, se déroule la kermesse des Madonnari. Des peintres des rues décorent les trottoirs avec des craies de couleur pour représenter la Madone la plus belle. De Curtatone à Mantoue, vous longerez le lac Superior, formé par les eaux du Mincio.

MANTOUE

Ville de Virgile et des Gonzague, son apparence est trompeuse. Vue de l'extérieur, elle a l'air d'une ville endormie, d'une traditionnelle ville d'art italienne, se reposant sur les lauriers de sa gloire passée. La réalité est toute autre. La ville des Gonzague est aujourd'hui l'un des centres industriels les plus dynamiques d'Italie. Riche, ambitieuse, volontaire, la nouvelle aristocratie mantovese a voulu conserver à Mantoue le rôle de référence qui était le sien pendant la Renaissance. C'est ainsi que se sont développées de nombreuses industries (conserves, métallurgie, chimie, vêtements).

Mantoue peut ainsi s'enorgueillir, à défaut de mieux, d'un fort esprit d'initiative. La cité a des origines très anciennes, ce dont personne ne doutera. Virgile, l'un de ses fils prodiges, fait remonter ses origines aux Etrusques. Mais c'est d'être le berceau natal du poète qui permit à Mantoue de s'élever au-dessus des autres petites cités romaines de la plaine du Pô. Au Moyen Age, Mantoue, entourée de marécages, était pratiquement une île isolée. C'est alors qu'elle choisit de se poser en commune libre et hostile au gouvernement impérial. Ses habitants disciplinèrent les eaux et en firent les lacs que nous pouvons admirer encore aujourd'hui.

La fortune de la ville est cependant liée à celle de la famille Gonzague, qui tint les rênes du pouvoir de 1328 à 1707, faisant de la cité un haut lieu politique, artistique et culturel. Durant quatre siècles, les artistes aimèrent à y travailler. Parmi les plus célèbres, nous citerons Pisanello, Leon Battista Alberti, Laurana et Mantegna, Poliziano et Giulio Romano, Monteverdi et Luvara. Passée sous domination autrichienne, française, puis à nouveau autrichienne, la ville fut le théâtre des guerres d'indépendance. Des batailles décisives se sont déroulées dans ses environs (Curtatone, Montanara, Goito, Solferino).

Saisons

Comme pour toutes les villes de la «basse» Lombardie, les mois de mai, juin et septembre sont les plus agréables pour visiter Mantoue. Vous ne souffrirez ainsi ni du froid brouillard de l'hiver ni de la chaleur accablante de l'été.

Attention ! Des hordes rugissantes d'écoliers envahissent Mantoue, au printemps en particulier. Pour qui souhaite apprécier en silence la beauté imposante du Palazzo Ducale, la rencontre d'une partie de cette horde peut immédiatement mettre fin à ce rêve.

■ TRANSPORTS

Gare. Piazza Don Leoni ✆ 32 16 47. Consigne ouverte de 6 h à 21 h.

Bus APAM. Piazza Mondadori ✆ 32 72 37.

Taxi ✆ 32 53 51

Faites-nous part de vos coups de cœur

PRATIQUE

Indicatif téléphonique : 0376

Office du tourisme. Piazza A. Mantegna, 6 ✆ 32 82 53 - Fax 36 32 92.

Poste. Piazza Martiri Belfiore, 15 ✆ 32 64 03. *Ouverte le samedi matin.*

Police Piazza Sordello, 46 ✆ 20 51.

HEBERGEMENT

Hôtel Rechigi. Via Calvi, 30 ✆ 32 07 81 - Fax 32 02 91. *210 000/300 000 L.* 60 chambres avec téléphone, télévision, climatisation, réfrigérateur. Parc, accès handicapés, garages, sauna. American Express, Visa, Diner's Club. Un grand hôtel où l'accueil est bon.

Hôtel San Lorenzo. Piazza Concordia, 14 ✆ 22 05 00 - Fax 32 71 94. *270 000/320 000 L.* 32 chambres avec téléphone, télévision, climatisation, réfrigérateur. Garages. Interdit aux animaux. American Express, Visa, Diner's Club. Le nec plus ultra des hôtels de la ville, pour sa position centrale, son atmosphère et son confort.

Auberge de jeunesse

Auberge de jeunesse Sparafucile. Strada Legnaghese Lunetta di San Giorgio ✆ 37 24 65. *Ouverte de 7 h 30 à 11 h 30 et de 19 h à 20 h d'avril à octobre.* 62 lits. Située dans un édifice médiéval sur les rives du lac de Mezzo, qui hébergea, selon la légende, Sparafucile, le légendaire «tueur» de l'opéra Rigoletto.

Agriturismo et camping

Agriturismo Corte Schiarino Lena. Sant'Antonio, Strada Madalena, 7/9, Porto Mantovano ✆ 03 76/32 82 38. *Appartements 750 000 L. Ouvert de mi-mars à octobre.* Appartements spacieux et confortables, dans une villa près du lac Supérieur. Cuisine et vins régionaux très bons.

Agriturismo Le Sorgive. Via Piridello, 6, Solferino ✆ 03 76/85 40 28. *Chambres 40 000/60 000 L, appartements 120 000/180 000 L. Fermé en février.* 35 kilomètres au nord-ouest de Mantoue. Centre hippique et restaurant indépendants. Jolie maison provençale avec piscine, où on vous propose cours de judo et récolte d'herbes médicinales.

Camping Sparafucile. Annexe de l'auberge de jeunesse située dans son parc.

RESTAURANTS

La cuisine de Mantoue est l'une des plus riches et des plus appréciées du Nord de l'Italie. La position géographique de la ville, au centre de trois régions (Vénétie, Emilie, Romagne), la possibilité de pouvoir marier la viande et l'abondant poisson d'eau douce (tradition de la Renaissance, en vogue sous les Gonzague et redécouverte aujourd'hui par les philologues de la gastronomie), sont deux raisons qui font de la cuisine mantovese un objectif de choix pour les gourmets. Parmi les plats typiques, vous apprécierez les ravioli farcis à la citrouille, le risotto au porc et les *bigoi*, gros spaghetti faits à la main et accompagnés d'une sauce aux anchois.

Fast-food Il Punto. Via Solferino, 36 ✆ 32 75 52. *Environ 20 000 L. Fermé le dimanche.* 90 couverts. Près de la gare. Ambiance sympathique. Cuisine régionale et prix modiques.

Self-service Virgiliano. Piazza Virgiliana, 57 ✆ 32 26 01. *Environ 20 000 L. Fermé le samedi et le dimanche.* Près de la gare. Ambiance traditionnelle et cuisine typique.

Restaurant Rigoletto. Stranda Cipata, 10 ✆ 37 11 67. *Compter 60 000 L. Fermé le lundi.* 400 couverts. Parking, jardin. American Express, Visa. Mariage heureux entre cuisine traditionnelle et crêperie dans une villa du XIXe siècle. Service estival dans le jardin.

Restaurant Cigno-Trattoria dei Martini. Piazza d'Arco, 1 ✆ 32 71 01. *65 000/90 000 L.* Fermé le lundi ainsi que mardi soir. Climatisation, jardin. Situé au cœur du centre historique, dans une maison du XVIe siècle. Cuisine savoureuse et recherchée. Bon rapport qualité-prix.

Restaurant Aquila Nigra. Vicolo Bonaccolsi, 4 ✆ 32 71 80. *70 000/105 000 L. Fermé les dimanche et lundi, à Noël et en août.* 70 couverts. Climatisation. Situation centrale. Restaurant raffiné. Bonne cuisine régionale à des prix tout à fait raisonnables.

MANIFESTIONS

Le 18 mars : fête de saint Anselme, patron de la ville.

Procession du Vendredi saint : la manifestation la plus populaire de Mantoue. Les vases sacrés qui contiennent la terre imprégnée du sang de Jésus sont portés en procession dans toutes les rues de la ville.

POINTS D'INTERET

Piazza Sordello. La place est entourée de nobles édifices, pour la plupart crénelés, qui donnent à l'ensemble une impression d'unité. L'édifice le plus remarquable de la place est le Palazzo Ducale.

Palazzo Ducale. Piazza Sordello © 32 02 83. *Ouvert du mardi au samedi de 9 h à 14 h et de 14 h 30 à 18 h. Le dimanche et le lundi de 9 h à 14 h. Visite guidée.* L'un des plus importants monuments italiens. Construit à partir de deux palais déjà existants, il fut transformé par les Gonzague, au fil du temps, en une véritable citadelle. Parmi les nombreuses œuvres d'art dont il est riche, vous admirerez le célèbre tableau Camera degli Sposi d'Andrea Mantegna, considéré comme l'un des plus grands chefs-d'œuvre de la Renaissance italienne.

Duomo. Face au Palazzo Ducale. Sa façade résulte d'un remaniement au XVIIIe siècle, le clocher est d'origine romane.

Sant'Andrea. Ce chef-d'œuvre de la Renaissance italienne est l'une des œuvres principales de l'architecte florentin Leon Battista Alberti. Vous admirerez, autour de la nef, une voûte en berceau et une superbe coupole.

Piazza della Erbe. Au cœur de la vie citadine, cette place abrite le Palazzo della Ragione, monument civil important de Mantoue.

Rotonda di San Lorenzo. Edifice circulaire du XIe siècle.

San Sebastiano. Autre création de Leon Battista Alberti, de style Renaissance.

Palazzo del Te © 32 32 66/36 58 86. *Ouvert du mardi au dimanche de 9 h à 18 h. Fermé le lundi matin et le lundi après-midi de 13 h à 18 h.* Monument civil aussi important que le palais ducal, il fut conçu par le peintre et architecte Giulio Romano, afin d'offrir un lieu de plaisir et d'évasion au duc Federico II Gonzague. C'est l'un des meilleurs exemples du maniérisme italien, célèbre pour ses fresques profanes.

San Francesco. Eglise gothique, elle abrite des fresques du XIVe siècle attribuées à Tommaso da Modena.

Teatro Accademico Bibiena. Via Accademia, 47 © 32 76 53. *Ouvert tous les jours de 9 h à 12 h 30 et de 15 h à 18 h.* Datant du XVIIe siècle, il est dû à l'architecte Francesco Galli Bibiena.

SHOPPING

Le marché se tient tous les jeudis sur la Piazza delle Erbe. Vous pourrez y acheter les délicieux produits gastronomiques de la région (particulièrement les charcuteries, dont l'excellent saucisson de Mantoue).

A Mantoue, la gourmandise également se veut élégante ; les nombreuses boutiques fines de la ville en sont la preuve.

Pâtisserie : au **Bigno d'Oro**, Corso Vittorio Emanuele, 63. Vous pourrez y acheter les gâteaux traditionnels du coin, mais aussi d'autres, exotiques et originaux.

Charcuterie traditionnelle : Andreoli, Via Ferrari, à San Giacomo alle Segnate. Egalement chez Italo **Giovannini,** à Sermide.

Produits laitiers : Latteria Sociale Carlo Poma, Villa Poma.

Enfin, allez goûter la *sbrizolona* (tarte à la pâte sablée) au célèbre Caffè Caravatti, qui trône fièrement sur la Piazza delle Erbe depuis 1865.

DANS LES ENVIRONS

A San Bendetto Po

à 20 kilomètres au sud de Mantoue, vous trouverez la grande abbaye de Polirone, autrefois parmi les plus grandes de l'Italie du Nord. Longtemps abandonnée, elle vient d'être rendue à son ancienne splendeur et transformée en musée. Le Museo Civico Polironiano s'épanouit dans cette ambiance feutrée d'ancien couvent. Une façon originale de visiter l'abbaye est d'utiliser les services de la société des navires (Negrini Ilario Navigazione ✆ 66 81 10). Deux heures suffisent pour le parcours entier.

➥ VERS BRESCIA

Mantoue, Goito, Solferino, Castiglione delle Stiviere, Sirmione, Desenzano, Lonato, Salo, Gardone, Brescia (100 kilomètres environ)

Quittez la noble Mantoue, perdue dans le silence de ses lacs, et montez vers les collines qui s'arrondissent en amphithéâtre autour de Brescia. Vous croiserez de petits bourgs ruraux riches d'histoire et de souvenirs de batailles menées pour l'indépendance de l'Italie.

Goito, Solferino, San Martino constituent trois belles étapes avant d'arriver à la splendide Sirmione, tournée vers le lac de Garde et chantée par le poète Catulle. La partie méridionale du plus grand des lacs italiens est couverte de vignes et se prête au plaisir du tourisme lacustre. Desenzano, Salo et surtout Gardone sont trois villes de villégiature plaisantes et attrayantes. De Gardone à Brescia, une route sinueuse traverse la montagne sauvage et rocheuse. Les vallées de l'acier italien s'y insèrent tristement. C'est également la vallée des armes, depuis l'époque de la *Serenissima*, qui y enfermait les prisonniers musulmans, experts en armes blanches. Ils fabriquaient épées et boucliers. Aujourd'hui, ses pistolets et ses fusils sont parmi les plus renommés au monde.

De Mantoue à la côte du lac de Garde, la nationale 236 court au milieu des collines. La circulation est régulière. En revanche, la route côtière autour du lac de Garde présente un risque élevé de circulation intense, principalement en été et les jours fériés.

Découvrez la route des vins qui relie Volta, Mantoue, Monzanbano, Castellaro, Solferino et Castiglione delle Stiviere. Elle est peu connue, mais présente un grand intérêt ethnologique. L'Ente Provinciale del Turismo, à Mantoue, met à votre disposition une belle carte géographique illustrée présentant cette route (texte en français).

CASTELLARO LAGUSTRELLO

Village adorable, blotti sur les rives d'un petit lac au charme préservé.

SOLFERINO

Le Museo della Battaglia rassemble tous les souvenirs relatifs aux victoires de Napoléon III sur les Autrichiens (1859). Le 24 juin, la reconstitution de la bataille de Solferino conclut un mois de liesse populaire, de spectacles, de dégustations.

SAN MARTINO

Ici se déroula, à peu près à la même époque, une bataille semblable à celle de Solferino. Un musée lui est consacré.

CASTIGLIONE DELLE STIVIERE

Le Genevois Henri Dunant y eut un jour l'idée de créer la Croix-Rouge pour secourir les blessés de Solferino et de San Martino. C'est également la patrie de San Luigi

Gonzague. En juin, une splendide évocation historique en costumes lui est dédiée.

SIRMIONE

L'une des perles du lac de Garde mais, aussi futés que nous soyons, nous ne sommes pas les seuls à le savoir. Forte affluence en saison. **Indicatif téléphonique : 030.**

Rocca Scaligera et Villa Romana (grottes de Catulle). *Ouvert d'octobre à mars, de 9 h à 16 h; d'avril à septembre, de 9 h à 18 h ; en juillet et août de 9 h à 19 h (de 9 h à 13 h les dimanche et lundi en toutes saisons).*

Château des Scaglieri. *Ouvert de 9 h à 18 h, les dimanche et lundi jusqu'à 13 h en haute saison et de 9 h à 13 h en hiver.* Un château du XIIIe siècle, avec un musée.

Le vendredi, un marché se tient sur la Piazza Montebaldo ; le lundi, au quartier Colombare.

DESENZANO

Petit port ancien, où a lieu un marché d'antiquités le premier dimanche de chaque mois.

Indicatif téléphonique : 030

Points d'intérêt

Villa romaine. Via Degli Scavi. Un édifice datant des IIe-IVe siècles apr. J.-C., avec un superbe dallage en mosaïque.

Santa Maria Maddalena. Eglise du XVIe siècle. S'y trouve un tableau de Tiepolo.

A Denzano, sont organisées les régates delle Bisse. Les *bisse* (embarcations semblables aux gondoles), s'affrontent sur le lac. Défilé en costumes et feux d'artifice spectaculaires (dernier dimanche de juillet).

Pour les glaces, une seule adresse : Master Gelateria, Piazza Matteotti.

SALO

C'est à Salo que s'installa à une époque la république fasciste de Mussolini. Les rives du lac et le gothique Duomo (belles peintures de Moretto) méritent une petite visite. L'endroit a véritablement beaucoup de charme.

GARDONE RIVIERA

Villas, grands hôtels, promenades, Gardone est un lieu de séjour prisé depuis le XIXe siècle.

Indicatif téléphonique : 0365

Points d'intérêt

Villa del Vittoriale. *Ouvert tous les jours de 9 h à 12 h et de 14 h à 18 h. Fermée le lundi.* Cette villa, la maison du poète Gabriele D'Annunzio, est l'une des plus curieuses constructions de l'entre-deux-guerres. Un mélange de style Liberty, du fantastique et du kitsch. Dans le jardin, cohabitent un sous-marin, la proue d'un navire et un théâtre ouvert.

ALPES BERGAMASQUES

BRESCIA

Seconde ville de Lombardie par son nombre d'habitants, Brescia est située au centre d'une des régions les plus riches d'Italie. La ville n'en possède pas moins, dans un contexte urbain essentiellement moderne, conforme à son activité industrielle et commerciale, des monuments historiques d'une grande importance artistique et culturelle. Brescia, dite «la lionne d'Italie» (en souvenir de sa participation héroïque à tous les mouvements de l'indépendance italienne), ne peut être considérée comme un lieu fascinant ou propice à un long séjour. Mais, si vous vous trouvez sur le lac de Garde tout proche, prenez une journée pour visiter ses monuments à l'intérêt artistique certain.

Cité d'origine celte (Galli Cenomani), elle acquiert une certaine indépendance à l'époque romaine (Brixia). Commune libre au Moyen Age, elle se rallie à la Ligue lombarde et passe sous la domination de différentes seigneuries. De 1426 à 1497, elle fait partie de la République vénitienne. Vaincue par l'Autriche, elle se révolte durant les fameux «dix jours de Brescia ", en 1849. La ville a connu d'autres épisodes héroïques pendant l'occupation allemande et la lutte des partisans.

Pour goûter aux charmes du lac de Garde, vous pouvez choisir l'été, période la plus vivante. Mais vous pouvez préférer les mois d'avril, de mai et de septembre, quand le climat est doux et presque marin. Pour visiter Brescia, évitez les mois d'hiver, humides et brumeux.

TRANSPORTS

Gare. Piazza della Repubblica. *Informations de 8 h à 12 h et de 15 h à 18 h.*

Bus. Via Stazione ✆ 44 915/37 74 237. *Bureau ouvert du lundi au samedi de 6 h 30 à 19 h.*

PRATIQUE

Indicatif téléphonique : 030.

Offices du tourisme. Corso Zanardelli, 38 ✆ 46 052 - Fax 29 32 84.
Ouvert le matin seulement.

Piazza Loggia, 6 ✆ 24 00 357 - Fax 37 73 773. *Ouvert le samedi.*

Poste. Piazza Vittoria, 1 ✆ 44 421. *Ouverte du lundi au vendredi de 8 h 5 à 18 h 30 et le samedi de 8 h 15 à 13 h.* Service de change.

Police. Via Botticelli ✆ 42 561.

HEBERGEMENT - RESTAURANTS

Comme toutes les grandes villes à vocation commerciale, Brescia propose un choix important de chambres à tous prix, en toutes saisons. Nous vous conseillons pourtant de sortir de la ville et d'opter pour l'un des charmants hôtels situés autour du lac.

Hôtel Vittoria. Via X Giornate, 20, Brescia ✆ 28 00 61 - Fax 28 00 65. *290 000/380 000 L.* 66 chambres avec téléphone, télévision, climatisation, réfrigérateur. Accès handicapés, garages, parking. American Express, Visa, Diner's Club. Hôtel des années 30, rouvert récemment. Rénové, il offre tout le confort possible. Position centrale.

Agriturismo

La province de Brescia compte au moins 89 campings fonctionnels de toutes catégories. La plupart d'entre eux se trouvent sur les rives du lac de Garde, de Desenzano à Salo. Les amateurs des sports nautiques auront plaisir à fréquenter ceux du petit lac d'Idro, au nord de Brescia.

Agriturismo Cornaleto. Via Cornaletto, 2, Adro ✆ 030/74 50 554. *Chambres 60 000 L. Ouvert tous les jours.* 20 kilomètres de Brescia. Appartements spacieux avec une jolie vue. Ski possible sur piste artificielle.

Agriturismo Villa Gradoni. Via Villa, Monticelli Brusati ✆ 030/65 23 29. *Appartements 350 000/1 050 000 L. Ouvert de la mi-mars à la mi-novembre.* 20 kilomètres au nord-ouest de Brescia. Près du lac d'Iseo, maison du XVIIIe siècle dans un bourg rural. Ambiance sympathique, bonne cuisine. Possibilité de VTT et pêche.

Agriturismo Al Rocol. Via Provinciale, 79, Ome ✆ 030/68 52 542. *Chambres 80 000 L, demi-pension 60 000 L/personne. Fermé en janvier.* 10 kilomètres au nord de Brescia. Agréable maison provençale. Balades à cheval, observation des animaux et dégustation du vin maison rythmeront vos journées. Bonne ambiance.

Restaurants

La cuisine qu'il vous sera donné d'essayer au long de ce parcours est assez variée. Au début de votre périple, elle subit l'influence de Mantoue ; au bord des lacs, elle s'en inspire ; dans les vallées, elle est simple et savoureuse. Ici, comme dans la région de Bergame, vous dégusterez les «casonnei» (gros tortelli), la polenta et de délicieux fromages.

Restaurant La Sosta. Via San Martino delle Bataglia, 20, Brescia ✆ 29 56 03. *80 000/100 000 L. Fermé le lundi et en août. Réservation obligatoire.* 100/120 couverts. Climatisation, jardin. American Express, Visa, Diner's Club. Un resto logé dans les écuries d'un vieux palais. Cuisine avec une touche de goût français.

SORTIR

Malgré ses dimensions (plus de 250 000 habitants) et sa vocation industrielle, Brescia reste un gros bourg. Le Corso Zanardelli est le lieu de la passegiatta, du shopping et des rencontres. Dans les bars qui entourent la Piazza del Duomo, vous pourrez prolonger la soirée en buvant un verre. Nous ne dirons pas la même chose des villes du bord du lac. Somnolentes en hiver, elles explosent pendant l'été. Solo, Gordone, Gargnano et Limone sont les rendez-vous obligés des vacances estivales. Pendant les week-ends, les méga-discothèques fonctionnent à plein tube.

Attention ! Le lac de Garde est une petite mer allemande, et les Allemands, on le sait, sont riches ou l'ont été. Mais adapter les prix des consommations aux portefeuilles des hôtes allemands, en oubliant les vacanciers moins chanceux au jeu du change, nous paraît une politique touristique peu convaincante. Pour preuve, le prix de la consommation dans un des bars en bord de lac, à Gordone ou à Salo.

MANIFESTATIONS

Brescia : fête des saints patrons San Faustino et Santa Geovita.

Le 15 février : exposition des saintes reliques dans l'église et fête populaire.

Bagolino : un carnaval parmi les plus anciens et les plus originaux d'Italie. Il se fonde sur un rituel opposant la beauté et la laideur des masques.

Marché à la brocante, chaque dernier dimanche du mois.

POINTS D'INTERET

La plupart des musées de Brescia pratiquent des horaires standards : *de juin à septembre, du mardi au vendredi, de 10 h à 12 h 30 et de 15 h à 18 h. Le samedi et le dimanche, de 10 h à 12 h 30 et de 15 h à 17 h.* **Renseignements** au Centro museale Bresciano ✆ 44 327.

Ruines de la ville romaine. Piazza del Foro, Teatro, Tempio Capitalino, Museo Romano (*ouvert de 9 h à 12 h 30 et de 14 h à 17 h ; fermé le lundi*).

Duomo Nuovo. Adjacent au vieux Duomo, c'est un grand édifice baroque commencé en 1640. Il conserve de nombreuses peintures de l'école de Brescia. La haute coupole qui le caractérise date de 1825.

Broletto. Représentatif du Moyen Age lombard, il se dresse, en compagnie de deux édifices religieux, sur la Piazza del Duomo, aujourd'hui Piazza Paolo VI.

Duomo Vecchio ou Rotonda. *Ouvert d'avril à septembre, du jeudi au mardi, de 9 h à 12 h et de 15 h à 19 h.* Monument circulaire du XIIe siècle. A l'intérieur, on pourra voir des œuvres de Moretto et des vestiges d'anciennes mosaïques.

Piazza della Loggia. Tristement célèbre en Italie, à la suite d'un attentat qui endeuilla la ville dans les années 60. L'un des centres de la vie citadine, la place est entourée d'édifices qui portent la marque de l'influence vénitienne. Elle est ennoblie par la présence de la l*oggia*, autrefois Palazzo Comunale, une élégante construction de l'époque Renaissance.

Complesso de San Salvatore, Santa Maria in Solario et Santa Giulia. Ces trois églises romanes et précieuses constituent l'un des principaux complexes religieux de l'Italie lombarde.

San Salvatore. Refuge traditionnel des reines (parmi lesquelles Ermengarda, répudiée par Charlemagne et immortalisée par Alessandro Manzoni, dans *Adelchi*).

San Francesco. Eglise romane de 1265. Fresques de Moretto et de Romanino. Beau chœur en marbre de Vérone.

Pinacoteca Tosio Martinengo. *Ouverte tous les jours de 9 h à 12 h 30 et de 14 h à 17 h. Fermée le lundi.* L'une des plus belles collections d'art de la Lombardie : œuvres de Raphaël, Tintoret, Clouet, Lorenzo Lotto et, surtout, de peintres de l'école de Brescia : Foppa, Moretto, Romanino, Savoldo, etc. La Renaissance lombarde à son apogée.

Santa Maria del Carmine. Eglise gothique du XVe siècle. Fresques de Foppa.

Santa Maria dei Miracoli. Bijou de la Renaissance bresciane. Façade de marbre aux bas-reliefs précieux.

San Giovanni Evangelista. Dans la chapelle de Corpus Domini, peintures de Moretto et de Romanino.

Castello. Situé en haut du col Cidneo (la montagne de Brescia). Point de vue panoramique. Un parc public l'entoure. Vous y trouverez le musée de la Renaissance (même horaires que la Pinacothèque) et le musée des Armes.

SHOPPING

Vous trouverez la tradition de Brescia en matière d'articles cadeaux dans les magasins du centre-ville. S'y marient le design et l'industrie de l'acier.

Les vieilles rues autour de la Piazza delle Loggia et de la Piazza Paolo VI (dont le Corso Zanardelli, la Via X Giornate, le Corso Magenta, le Corso Palestro, le Corso Mameli et le Corso Garibaldi) sont à explorer. En ce qui concerne les magasins d'antiquités, vous les trouverez du côté des Via Trieste, Via dei Musei ou Canetto. A ne pas manquer : le marché aux antiquités, le deuxième dimanche de chaque mois, sous les arcades de la Piazza Vittoria.

A l'extérieur de la ville, vous pourrez acheter les vins de Franciacorta, à l'exploitation agricole Conti Terzi, Via Sopramura, à Roveto ; des vins à la manière champenoise, chez les frères Berlucchi à Borgonato ; des vins faits selon la méthode traditionnelle, au très beau couvent dell'Annunciata, à Rovato (auprès des frères Servi di Maria).

LOISIRS

Balade

Prenez quelques heures pour aller vous perdre au lac d'Idro, miroir vert, semblable à un fjord, encastré dans une nature sauvage.

Le parcours accidenté depuis Brescia glisse entre les collines. Suivre l'itinéraire pour Vestone. De la rivière de Garda, on y parvient par une route sinueuse et pittoresque. A Gragnano, la route plonge vers la splendide et inoubliable Valvestrina. Vous en ressortirez à Vestone.

Sports d'hiver

Les Alpes, au-dessus de Brescia, accueillent plusieurs stations de sports d'hiver, et on peut skier en été sur les glaciers de Presena.

DANS LES ENVIRONS

Ponte di Legno

Située à 1 258 mètres d'altitude, sur la route qui mène au col de Tonale, cette station est dominée par le col de l'Adamello.

Indicatif téléphonique : 0364

➥ VIN, LAC ET PREHISTOIRE

Brescia, Rodengo, Franciacorta, Iseo, Monte Isola, Pisogne Boario Terme, Passo della Presolana, Clusone, Val Seriana, Bergame (180 kilomètres environ).

Cet itinéraire compte parmi les plus intéressants et variés que puisse offrir la Lombardie, aussi bien en paysages qu'en curiosités culturelles. Collines, vignobles, lacs, canyons, montagnes alternent tandis que se succèdent des vestiges archéologiques importants.

Vous pouvez évidemment faire le trajet Brescia-Bergame en prenant l'autoroute A4 ou la nationale 11, mais nous préférons vous conseiller un parcours différent, qui peut s'accomplir également en une journée et permet de faire de nombreuses découvertes.

Passez par la Franciacorta, région vinicole qui produit un précieux spumante (vin pétillant à la mode champenoise), par le lac d'Iseo avec sa grande île, poursuivez par la belle vallée Camonica, habitée depuis l'Antiquité et riche en forges, puis empruntez la vallée di Scalvo et le passage de Presolano, qui vous conduira enfin dans la province de Bergame.

RODENGO SAIANO

Abbaye de San Nicolo. L'une des plus grandes de l'Italie du Nord. Cloître Renaissance, fresques de Romanino. Les moines gèrent également une exploitation forestière.

FRANCIACORTA

Le nom dérive de *Corta Franca*, zone franche exemptée d'impôts. Durant des siècles, cette région fut le lieu de prédilection des familles de Brescia, qui y ont laissé de superbes villas. Ce pays vallonné est planté de vignobles qui donnent l'excellent pinot. Les villes principales sont Bornato, Paderno, Passirano et Bargonato, d'où vous pourrez rejoindre Provaglio d'Isco. Tout près, des tourbières caractéristiques préludent au lac.

ISEO

Indicatif téléphonique : 030

Cette petite ville lacustre donne son nom au quatrième lac italien (appelé également Sebino), long de 61 kilomètres. A voir, l'église de San Andrea avec son beau clocher ainsi que le château Olofredi du XIe siècle. On trouve également à Iseo de nombreux hôtels et campings. Vous goûterez à l'excellente spécialité locale, la tanche.

MONTISOLA

La plus grande île lacustre d'Europe (4,3 kilomètres de long) abrite quatre villages de pêcheurs. Vous pourrez rejoindre l'île à partir d'Iseo, de Sulzano ou de Sale Marasino, avant de débarquer à Peschiera Maraglio ou Carzano. On a eu la bonne idée d'interdire les voitures dans l'île, ainsi les balades s'avèrent vraiment très agréables. Pour faire le tour de l'île, il faudra emprunter l'autobus qui part de Pescheria Maraglio.

Pour une escapade romantique, pensez à réserver dans l'un des hôtels discrets de la région (*environ 60 000 L pour une chambre matrimoniale*). Des restaurants proposent des spécialités locales, dont les sardines *di lago alla griglia*.

PIRAMIDI DI ZONE

A partir de Sale Marasino, où l'on peut visiter la cathédrale du XVIIIe siècle, une petite route tortueuse monte à Zone. Là, vous admirerez de curieuses structures géologiques connues sous le nom de *Fate di Pietra*. Ce sont de hautes aiguilles de pierre surmontées par des roches.

Renseignements : Pro Loco di Zone, Mairie © 98 70 913.

BOARIO TERME

Indicatif téléphonique : 0364

Cette jolie ville thermale est réputée pour les cures des maladies du foie. Il faut aller admirer l'édifice des thermes, de style Liberty. Dans les environs, sur la route qui mène à la vallée de Sclave, se trouve le «parc des incisions rocheuses» de Luine.

Si vous êtes intéressé par les vestiges archéologiques, un crochet s'impose vers le *Parco Nazionale delle Incisioni Rupestri di Capo di Ponte* (23 kilomètres, au nord en direction d'Edola). Il s'agit de la découverte la plus importante concernant la civilisation des *Camuni* (troisième millénaire av. J.-C.), et qui a donné son nom à la vallée. *Le parcours est ouvert de 9 h à la fin de l'après-midi, et fermé le lundi.*

Thermes. Viale Marconi, 23 ✆ 53 12 42 - Fax 53 19 93.

VALLEE DI SCALVE

On la découvre le long de la Via Mala, une route impressionnante creusée dans la roche, qui suit le cours du torrent Dezzo.

PASSO DELLA PRESOLANA

Il relie la vallée di Scalve et la vallée Seriana. Ses grandes surfaces herbeuses sont aussi intéressantes en été qu'en hiver, quand s'ouvrent les stations de sports d'hiver. 1 297 mètres.

CLUSONE

Cœur de la haute vallée, son centre historique est bien conservé. A regarder avec curiosité, l'horloge planétaire construite en 1583 par un artisan local (Piero Fanzago). La plus célèbre œuvre d'art de la vallée est cependant le cycle de fresques qui ornent l'oratoire des Discipli, et qui représentent une danse macabre.

Si vous vous trouvez près de Clusone un 10 juillet, ne perdez pas l'occasion de voir les plus hautes cascades d'Italie (365 mètres) alimentées par les eaux du Serio. Elles sont ouvertes au public seulement deux jours dans l'année. Vous y arriverez à pied, après une heure et demie de marche à partir de Valbiondone, en suivant le cours du fleuve. Le reste de l'année, ces eaux alimentent un lac artificiel.

Indicatif téléphonique : 0346

GANDINO

Vous pourrez y admirer de très belles églises, parmi lesquelles la Basilica di Santa Maria Assunta (1423). Le jour du Corpus Domini, une importante procession se déroule avec la confrérie des «Capes de couleur ".

BERGAME

Bergame offre une vision extraordinaire pour qui arrive de la plaine. La ville haute, ou de «dessus» (*sopra*, comme l'appellent les habitants), apparaît entourée de murailles, de tours et de clochers qui fendent l'air. Cette vision, courante dans le Centre et le Sud du pays, est plus insolite dans le Nord.

Pendant des années, Bergame, ville frontière entre le duché milanais et la république de Venise, fut une cité riche et élégante, enfermée dans ses traditions et ses palais.

La ville haute et la ville basse sont assez différentes l'une de l'autre. La première est faite de passages étroits et de nobles palais, la seconde, d'amples avenues et de constructions modernes. Et pourtant, il n'y a pas de rivalité ou de contradiction entre ces deux composantes. Bergame est une ville unique, belle, dotée et attirante.

Les vallées, ouvertes depuis peu au tourisme hivernal, sont peuplées depuis des siècles par des maçons et des artisans. Parcourues par des torrents impétueux et toujours couvertes de bois, elles montrent cependant les signes d'une industrialisation qui modifie de plus en plus un paysage typiquement rural.

Fondée par les Orobi, Bergame est, dès le IIe siècle av. J.-C., une ville romaine. Duché lombard en 575, puis comté franc et évêché, elle devient, vers 1110, une commune libre, membre de la Ligue lombarde. Elle est successivement dominée par diverses seigneuries, jusqu'à la victoire des Vénitiens sur les Milanais, à Agnadello, en 1427. Elle fait alors partie intégrante de la république de Venise jusqu'en 1796. Après être passée sous la domination cisalpine, puis sous celle de l'Autriche, Bergame est libérée par Garibaldi en 1859.

■ TRANSPORTS

Gare. Piazza Marconi ✆ 24 76 24. Réservations tous les jours de 7 h à 20 h 30, *informations de 8 h 30 à 12 h 30 et de 14 h 30 à 18 h 30, consignes de 7 h à 21 h.*

Bus. Piazza Marconi, 4 & 28 90 11. *Bureau ouvert du lundi au samedi de 7 h 30 à 18 h 30.*

Funiculaire. Viale Vittorio Emanuele. *Du lundi au vendredi, de 6 h 15 à 0 h 45, le samedi de 6 h 15 à 1 h 15, les jours fériés de 6 h 30 à 0 h 30.*

■ PRATIQUE

Indicatif téléphonique : 035

Office du tourisme

Via Vittorio Emanuele, 20 ✆ 21 31 85 ou 21 02 04 - Fax 23 01 84.

Si vous comptez vous arrêter quelques jours à Bergame, demandez le programme *Viva la Tua Città* , qui répertorie les événements les plus importants de la ville.

Poste Via Masone, 2/a, à l'angle de la Via Locatelli ✆ 24 32 56. *Ouverte du lundi au samedi de 8 h 15 à 20 h.*

Téléphones publics Largo Porta Nuova, 1 ✆ 21 92 95. *Ouverts du lundi au samedi de 9 h à 12 h 30 et de 14 h 30 à 19 h, le dimanche de 9 h à 13 h.* Si vous voulez passer un fax : Via Pascoli, 6 ✆ 26 60 79. *Ouvert du lundi au vendredi de 8 h 15 à 19 h 40, le samedi de 8 h 15 à 13 h 40.*

Police Via Noli, 1 ✆ 27 61 11.

Banque Banco Popolare. Viale Papa Giovanni XXIII. Change possible.

Banca Nazionale del Lavoro. Via Petrarca, 12. *Ouverte le lundi, mardi, jeudi et vendredi de 8 h 20 à 13 h 20 et de 14 h 35 à 16 h 5, le mercredi de 8 h 20 à 17 h 50.* Change possible.

■ HEBERGEMENT

Bien que Bergame soit une ville potentiellement touristique, son réseau hôtelier est insuffisamment développé et peu homogène. Beaucoup de bons hôtels, aucun véritablement «super ", aucun véritablement économique.

Hôtel San Giorgio. Via San Giorgio, 10 ✆ 21 20 43 - Fax 31 00 72. *35 chambres 35 000/65 000 L.* Bon rapport qualité-prix, mais établissement un peu excentré.

Hôtel Agnello d'Oro. Via Gombito, 22 ✆ 24 98 83 - Fax 23 56 12. *145 000 L.* 20 chambres avec téléphone, télévision. Restaurant (*55 000/65 000 L ; fermé le dimanche soir et le lundi*). American Express, Visa, Diner's Club. Abrité dans un vieux palais de la ville haute. Mobilier d'époque et excellente cuisine. Une très bonne adresse.

Best Western Hôtel Capello d'Oro. Via Papa Giovanni XXIII, 12 ✆ 23 25 03 - Fax 00 24 29 46. *145 000/250 000 L.* 92 chambres avec téléphone, télévision, climatisation, réfrigérateur. Restaurant. Garage, accès handicapés, parking. American Express, Visa, Diner's Club. Confortable, près de la gare dans la ville basse. Bon restaurant.

Hôtel Excelsior San Marco. Piazza della Repubblica, 6 ✆ 36 61 11 - Fax 22 32 01. *240 000/310 000 L.* 180 chambres avec téléphone, télévision, climatisation, réfrigérateur. Garages, parking, accès handicapés. American Express, Visa, Diner's Club. Moderne, en position centrale et dans un grand jardin. Dans la ville basse.

Auberge de jeunesse

Auberge de jeunesse. Via Gallileo Ferraris, 1 ✆/ Fax 36 17 24. *68 lits à 25 000 L, petit-déjeuner inclus. Ouverte de 7 h 30 à 10 h et de 15 h 30 à 24 h.* Parking, restaurant, accès handicapés, laverie automatique. Gare de Bergame à 2 km et bus 14 à 100 m.

RESTAURANTS

La cuisine de Bergame est simple et ne renie jamais ses origines paysannes. Vous goûterez aux *casonsei*, ravioli richement farcis de viande et de légumes, cuisinés au beurre et à la sauge. Vous apprécierez également la polenta aux cailles. La polenta est le plat principal, surtout dans les vallées, où elle vous sera servie accompagnée de charcuterie et de fromages de montagne.

Restaurant Ol Giopi e la Margi. Via Borgo Palazzo, 27, ville basse ✆ 24 23 66. *45 000/60 000 L. Fermé le dimanche soir et le lundi. Réservation obligatoire.* 80 couverts. Climatisation. American Express, Visa, Diner's Club. Une auberge résolument régionaliste, avec menus en dialecte et serveuses en costumes.

Restaurant Il Gourmet. Via S. Vigilio, 1 ✆ 43 73 004. *40 000/60 000 L. Fermé le mardi et du 1er au 6 janvier.* 140 couverts. Climatisation, parking, jardin. American Express, Visa, Diner's Club. Excellent restaurant et quelques chambres perdues dans un palais de la ville haute.

Taverna del Colleoni. Piazza Vecchia, 7 ✆ 23 25 96 - Fax 23 19 91. *50 000/70 000 L. Fermé le lundi et du 15 au 31 août.* 100/160 couverts. Climatisation. American Express, Visa, Diner's Club. Ce restaurant mérite d'être essayé, ne serait-ce que pour le décor et l'ambiance. La cuisine, créative et recherchée, vaut également le détour.

Restaurant Lio Pellegrini. Via S. Tomaso, 47 ✆ 24 78 13. *50 000/90 000 L. Fermé le lundi à midi, du 4 au 11 janvier et du 2 au 24 août. Réservation obligatoire.* 50 couverts. Jardin. American Express, Diner's Club. Un bon restaurant dans le cadre sympathique d'une ancienne sacristie du XVIIe siècle.

Restaurant Da Vittorio. Viale Papa Giovanni XXIII, 21 ✆ 21 80 60. *100 000/170 000 L. Fermé le mercredi. Réservation obligatoire. 130 couverts.* Parking, climatisation. American Express, Visa, Diner's Club. Spécialités de poisson. Service agréable et excellente carte des vins.

SORTIR

Même si la ville haute apparaît incomparablement plus belle et fascinante, c'est dans la ville basse que se déroule la plus grande partie de la vie sociale. Mais une vie surtout diurne, les habitants de Bergame n'étant guère mondains. Les anciens restent chez eux, tandis que les jeunes vont danser dans les méga-discothèques de la plaine (Dalmine, Caravaggio, Treviglio). C'est tout.

Signalons pourtant l'existence de la Pasticceria Donizetti, un salon de thé agréable, proche du funiculaire, et du Caffè dell'Angelo (Via San Lorenzo, 4) qui propose ses spécialités de cocktails. Le Caffè Tasso, Piazza Vecchia, est historique et quelque peu poussiéreux.

MANIFESTATIONS

Autrefois, Bergame accueillait l'une des principales foires de la Lombardie. En souvenir de cet événement, tous les 26 août (jour de la fête de Sant Alessandro) s'y tient une animation qui marie aspect commercial et divertissement.

Chaque 3e dimanche du mois, une grande brocante a lieu sur la Piazza Vecchia il Mercantico.

En été, de nombreuses manifestations et concerts animent la ville, à l'intérieur et à l'extérieur de ses monuments.

POINTS D'INTERET

La ville haute

Piazza Vecchia. Ornée en son centre d'une fontaine du XVIIIe siècle, cette belle place du XVe est bordée de palais célèbres. Parmi eux, le Palazzo della Ragione (palais de la Raison, 1598) se distingue par un bel escalier extérieur et des arcades, passage obligé pour se rendre sur la Piazza del Duomo. Vous admirerez également le Palazzo della Biblioteca, terminé en 1611 par Vincenzo Scamozzi. Près du Palazzo della Ragione se trouve la tour communale, dite *Il Campanone*.

Piazza del Duomo. Stupéfiant ensemble d'édifices religieux rassemblés dans un espace unique.

Cappella Colleoni. *Ouverte en été tous les jours de 9 h à 12 h 30 et de 14 h à 18 h, en hiver de 9 h à 12 h et de 14 h 30 à 16 h 30.* Réalisée par Giovanni Antonio Amadeo entre 1472 et 1476, elle fut la chapelle funéraire du condottiere et homme d'armes, Bartolomeo Colleoni, dont la célèbre statue équestre, chef-d'œuvre de Verrocchio, se dresse à Rome. Il s'agit d'un des principaux monuments de la Renaissance lombarde. A remarquer, la tombe de Bartolomeo (paroi du fond) et de sa fille Medea (paroi de gauche). Vous admirerez également des peintures et, surtout, des sculptures de Tiepolo (lunettes, paroi de la coupole, lunette de l'abside).

Basilique Santa Maria Maggiore. *Ouverte du lundi au samedi de 8 h 30 à 12 h et de 15 h à 19 h. Le dimanche, de 9 h à 12 h 45 et de 15 h à 19 h.* Eglise d'une ancienne fondation romane située sur la place, à côté de la chapelle Colleoni qui occupe l'emplacement de l'ancienne sacristie. Un prothyron de marbre de 1353 permet l'accès au transept gauche de l'église. L'intérieur, à trois nefs, est riche d'œuvres d'art, parmi lesquelles de précieuses tapisseries de la fin du XVIe siècle. Le chœur en bois, de 1522, merveilleusement marqueté, est remarquable.

Duomo. Situé sur le côté gauche de la place, à côté des arcades du Palazzo della Ragione. Son extérieur est modeste, malgré la coupole du XIXe siècle. A l'intérieur, vous verrez de nombreuses peintures et un beau chœur du XVIIIe siècle.

Battistero. Situé en face du Duomo, de forme octogonale, à la façade étrange, il fut construit en 1340 et rénové récemment après de nombreuses vicissitudes.

Vie della Città Alta. A partir de la Piazza Vecchia, vous croiserez à droite la Via del Gombito, la Via San Pancrazio, la Piazza del Mercato del Fieno, la Piazza del Mercato delle Scarpe, la Via Donizetti.

Plaisante divagation mystique

Si vous n'aimez pas les excursions en montagne et que vous ayez quelques jours à vous offrir, nous vous conseillons cette brève divagation. Elle fera l'unanimité parmi ceux qui aiment l'art religieux et les œuvres de l'ingénierie civile. En effet, si vous suivez la nationale en direction de Côme, vous trouverez sur votre route :

Pontida. La grande abbaye bénédictine de San Giacomo est l'une des plus importantes de Lombardie : c'est dans ses murs, en 1167, que les communes lombardes prêtèrent serment contre l'empereur Frédéric Barberousse. Même si les historiens modernes émettent quelques doutes sur la réalité historique de cet événement, Pontida en garde encore de nos jours le souvenir. En effet, les adeptes du mouvement politique qui en appelle à cette fameuse *Lega Lombarda*, choisissent cette abbaye pour y tenir leurs journées de réflexion et de débats. Quant à l'abbaye elle-même, elle conserve de beaux cloîtres et une riche bibliothèque.

Sotto il Monte. Vous y visiterez la maison natale du pape Giovanni XXIII (Angelo Roncalli) et son lieu de résidence. La belle abbaye de Sant'Egidio di Fontanelle, du XIe siècle, domine le pays. Longtemps abandonnée, elle abrite aujourd'hui une communauté dynamique de «Frères Serveurs» et gère une exploitation forestière.

Paderno d'Adda. Cet audacieux pont de fer datant de 1889 enjambe le fleuve à 80 mètres de hauteur. Là, commence la partie la plus spectaculaire de l'Adda. On attribue à Léonard de Vinci le projet des écluses.

Trezzo. Château médiéval et centrale électrique spectaculaire de style Liberty.

Concesa. Entre Trezzo et Vaprio, on verra le sanctuaire de la Maternità di Maria, édifice baroque. Le couvent voisin accueille une communauté de carmélites qui gèrent une exploitation forestière. De la petite *place du sanctuaire, vous descendrez vers le fleuve où se détache un navire, Le* Martesana, dessiné par Léonard de Vinci et qui fait le trajet jusqu'à Milan.

Crespi d'Adda. Un peu plus loin dans la vallée, Crespi d'Adda est le fruit de l'inspiration utopique d'un industriel du textile, Crespi, qui, dans les premières années du siècle, fit construire une agglomération destinée aux ouvriers des industries voisines.

Mura Venete. Ces remparts bien conservés incitent à la promenade. Ils datent de 1561, mesurent plus de 4 kilomètres de long et sont percés de 4 portes.

San Alessandro. Vous l'atteindrez en passant sous la porte San Giacoma (ne manquez pas auparavant l'église Renaissance de San Benedetto, annexe du monastère des moines bénédictins). L'église de San Alessandro, rénovée au XVIIIe siècle, accueille dans une de ses sacristies la fameuse Deposizione de Lorenzo Lotto.

La ville basse

Galleria dell'Accademia Carrara ✆ **39 94 50.** *Ouverte de 9 h 30 à 12 h 30 et de 14 h 30 à 17 h 30. Fermée le mardi.* Remarquables, ses collections comptent parmi les plus importantes de Lombardie. Œuvres de Raphaël, Mantegna, Giovanni, Bellini, Carpaccio, Tiepolo, Botticelli, Giorgione, Lotto, et d'artistes locaux, comme Moroni, Baschenis, Fra Galgario et Bergognone.

San Spirito. L'une des plus intéressantes églises de la ville basse pour les œuvres d'art qui y sont conservées. Entre autres, la *Madonna in Trono* de Lorenzo Lotto, le polyptyque en huit volets de Bergognone et *San Giovanni Battista* d'Andrea Previtali (1516).

Sentierone. Le cœur de Bergame la basse a vu le jour à la suite de la restructuration urbanistique des années 20.

Teatro Donizetti. Construit entre 1783 et 1791, il fut par la suite dédié à Donizetti, grand compositeur natif de Bergame (1797-1948).

Les amoureux de la musique n'oublieront pas de visiter le **musée Donizetti** (Via Arena, 9 ; *ouvert du lundi au vendredi ; entrée libre*).

➥ LES VALLEES DU FROMAGE

Bergame, San Pellegrino Terme (déviation par Fappolo), Valico di San Marco, Morbegno, Sondrio (déviation par Valmalenco), Tirano, Bormio (150 kilomètres)

Après avoir employé le temps nécessaire à la visite de Bergame, l'une des plus belles et des plus nobles villes de Lombardie, vous entrerez dans les vallées qui l'entourent. Vous effleurerez la vallée Imagna à **Almenno,** vous admirerez l'église de San Tome, puis vous monterez en direction de **San Pellegrino Terme**, ville balnéaire nostalgique de la Belle Epoque.

Vous rencontrerez des lieux curieux comme **Camerata Cornello**, avant de vous aventurer dans les montagnes. Une déviation destinée aux amateurs du ski alpin les mènera à **Foppolo**. Les autres continueront vers **Piazzatorre** et le passage sauvage de San Marco. Vous suivrez l'antique Via Priula qui reliait la république de Venise à la Valtellina, verdoyante et fleurie, point de départ des vallées, parmi lesquelles celle de Malenco.

Vous arriverez enfin à **Bormio,** une importante station de ski. Mais auparavant, vous aurez remarqué le long de la route les dégâts provoqués par les inondations récentes.

Ce trajet est difficile en hiver, principalement pour l'étape **Piazzatorre-Morbegno**. Les chutes de neige rendent impraticable le col San Marco. Pour rejoindre la Valtellina en hiver, il sera préférable de suivre un parcours plus court. Au départ de Bergame, passez par **Lecco**, la pointe orientale du lac de Côme, continuez par **Colico** et **Morbegno.** A partir de là, cet itinéraire se superpose au précédent.

Les routes sont souvent encombrées les jours fériés et s'affolent complètement les dimanches d'été. Pendant la saison de ski, vous roulerez codes allumés et affronterez les bouchons (à partir de Lecco).

A partir de Bergame, et en une heure, il est possible de visiter toute l'Italie. Il suffit de prendre l'autoroute A4 en direction de Milan. Après 16 km, sortez à **Capriate**, où se trouve le parc «Minitalia ". Sur une superficie de 180 hectares se trouvent rassemblés, en miniature, les principaux monuments italiens. Ouvert toute l'année de 9 h à 16 h.

Si vous préférez l'Afrique, qu'à cela ne tienne : à Calcinate, tout près, se trouve un musée africain. Vous y trouverez la reproduction d'un village africain, avec la topologie et les cultures des différentes zones de l'Afrique. Le musée se trouve Via Paolo della Croce, 2. *Ouvert tous les jours, de 9 h à 12 h et de 14 h à 18 h.*

➥ DE BERGAME A MORBEGNO

ALMENNO SAN SALVATORE

A voir, le San Tome, monument circulaire du XIIe siècle, solitaire et fascinant avec sa promenade et sa tribune. *Fermé le lundi, ouvert jusqu'à 17 h en été et jusqu'à 16 h 30 en hiver.*

SAN GIOVANNI BIANCO

Village pittoresque dont le centre historique se trouve à la croisée de deux torrents. A partir de San Giovanni Bianco, vous pourrez rejoindre à pied (20 minutes de marche) le village d'Oneta. S'y trouve la Casa dell'Arlecchino, maison natale de l'acteur Ganassa.

CASINO

A la Belle Epoque, cette station thermale, qui a donné son nom à l'eau minérale la plus célèbre d'Italie et qui était reliée à Milan par un train électrique, jouissait d'un prestige sans pareil. Les choses ont bien changé. En témoigne le grand hôtel, tristement fermé depuis des années et qui semble sommeiller dans les coulisses. De cette époque rutilante, il reste quelques vestiges, l'édifice des thermes (avec son salon «pompéien ") et, bien entendu, le casino où ont lieu bals, fêtes et diverses manifestations. Vous trouverez dans la ville de délicieux biscuits et douceurs, chez Bigio, Via Giovanni XXIII.

Camerata Cornello. Le petit centre médiéval aux rues à arcades est la patrie des comtes Tasso, inventeurs du service postal. Torquato Tasso (ou le Tasse), auteur de la Jérusalem délivrée, était issu de cette famille.

Lenna. Dans cette petite localité, la route se divise en deux : d'un côté, vous pouvez vous rendre au col de San Marco, de l'autre à Foppolo.

Foppolo. La station de ski la plus célèbre de la région (Office du tourisme ✆ 03 45/74 101). Possibilité de ski alpin et de ski de fond. Vous pourrez descendre à l'hôtel des Alpes ou, plus simplement, dans les hôtels Rododendro, Europa, Cristallo, Dalmine.

Branzi. A quelques kilomètres plus loin dans la vallée. Vous y logerez dans de bonnes conditions mais, surtout, vous y mangerez très bien. Vous pourrez acheter la tomme traditionnelle chez Monaci, localité de Gradata, ou aux «Latteria sociale ", Via San Rocco.

La Via Priula. De retour à Lenna, reprenez la route qui mène au col de San Marco. Lorsque vous serez à Olmo, nous vous conseillons un détour pour Averara, joli village aux ruelles à arcades, aux maisons décorées de fresques et aux vestiges de fortifications vénitiennes (parmi lesquelles une douane). Laissez derrière vous la déviation pour Piazzatorre (village de séjour montagneux) et continuez à grimper pour atteindre Mezzoldo (880 mètres), qui conserve une douane vénitienne du XVIIe siècle. A quelques kilomètres de là, vous pourrez vous reposer et même dormir (de manière spartiate) au refuge de Ca San Marco. Vous y admirerez les armes de la Serenissima.

VALTELLINA

Au col de San Marco, vous descendrez vers Morbegno, connue pour la qualité de son fromage, compagnon idéal de la *polenta taragna* (à base de sarrasin). Vous pourrez la déguster dans les auberges d'Albaredo San Marco, un village ravissant qui souhaite la bienvenue aux confins de la province de Sondrio. Le dernier dimanche de juillet, le village célèbre la «fête des bergers», qui permet de goûter au *bitto*, autre spécialité de fromage aujourd'hui oubliée.

Large et riante, traversée par le fleuve Adda qui court se jeter dans le lac de Côme, la vallée est abreuvée par les eaux de nombreux torrents qui, à leur tour, créent des vallées pittoresques. La Basse Vallée possède de beaux villages. Vous aimerez y flâner parmi les maisons aux balcons de bois et aux toits de pierre grise ; vous y verrez de vieilles églises et y trouverez les auberges accueillantes. La Haute Vallée, quant à elle, connaît une destinée plus touristique, et cela se vérifie à Bormio. Malgré les inondations récentes, la vallée, habitée de montagnards volontaires et fatalistes, est aujourd'hui plongée dans l'aventure touristique. La Valtellina devrait devenir l'un des pôles les plus importants du tourisme montagnard, estival et hivernal, en Italie.

La Valtellina entre dans l'histoire au Moyen Age. Pendant la préhistoire et sous l'Empire romain, la vallée semble plongée dans une vie obscure, riche cependant de la vitalité qui caractérise cette société. La région est christianisée par l'évêché de Côme, dont elle est aujourd'hui encore l'héritière titulaire. Elle se peuple de paroisses et se prépare à assumer son rôle pour les siècles à venir, à savoir, être un lieu de passage.

Elle est conquise par les Milanais en 1335, et une division administrative la partage en trois centres principaux : Morbegno, Sondrio et Bormio. En 1520, la Valtellina tombe sous la domination des Grigioni. Ces derniers ont adopté la Réforme, et cet état de fait provoque des conflits avec la population de la vallée, restée catholique. La terre de Valtellina deviendra pourtant terre de refuge pour les protestants persécutés. Son importance stratégique s'accroît, en particulier pendant la guerre de Trente Ans. Jusqu'à l'avènement de Bonaparte en 1797, la vallée conservera ce statut juridique. Elle passe ensuite sous la domination autrichienne et se fond peu à peu dans l'histoire des autres régions lombardes.

La nationale est une route fonctionnelle avec de larges tronçons rectilignes. La circulation y est intense et la route évite de charmants petits villages typiques. Des ralentissements sont inévitables (surtout en été et les jours fériés) dans la traversée de Morbegno et Tirano. Les routes de montagne qui pénètrent dans la vallée sont en bon état, mais la visibilité n'y est pas très bonne.

Si vous en avez le temps et l'envie, laissez la nationale encombrée à Morbegno et prenez les petites routes sinueuses de montagne dont le tracé est en partie parallèle à la nationale. Si, chemin faisant, vous rencontrez une auberge ou un *giotto* (local typique de la vallée), n'hésitez pas à y boire un bon verre de vin, avec un morceau de fromage des Alpes ou quelques tranches de *bresaola* (viande séchée), tout cela n'a pas de prix.

SONDRIO

Chef-lieu de province, cette ville, plutôt animée, est vouée aux fonctions administratives et aux professions du tertiaire. La Piazza Garibaldi, entourée d'édifices du XIXe siècle, en est le cœur. Sauf cas de force majeure, la ville ne mérite pas d'arrêt. Il est préférable de continuer vers des lieux plus attrayants de la vallée.

Pratique

Indicatif téléphonique : 0342

Office du tourisme APT. Via Battisti, 12 ✆ 51 25 00 - Fax 21 25 90.

Hébergement - Restaurant

Hôtel della Posta. Piazza Garibaldi, 19 ✆ 51 04 04 - Fax 51 02 10. *110 000/180 000 L.* 40 chambres avec téléphone, télévision, climatisation. American Express, Visa, Diner's Club. Vieil hôtel rénové, situé sur la place de la ville.

Ristorante Sozzani. Piazza Garibaldi, 19 ✆ 51 04 04 - Fax 51 02 10. *Compter 60 0000 L.* Fermé le dimanche. 80/150 couverts. Ce restaurant élégant est celui de l'hôtel della Posta. Une excellente table.

• Shopping

Vins rouges : nombreuses caves entre Sondrio et Teglio. **Consorzio Tutela D.O.C., Valtellina,** Via Valtellina, 34.

Dans les environs

• Morbegna

Indicatif téléphonique : 0342

Communita montana di Morbegno. Via Statale ✆ 61 31 24.

Pan Coperativa ✆ 61 00 15.

Capitale de la Basse Valtellina, ce gros bourg conserve un centre historique intéressant. Vous pourrez, en outre, y acheter des tapis colorés et tissés avec des bandes de tissus unis tramés par un fil de chanvre.

VAL MALENCO

C'est l'une des principales vallées latérales. A visiter pour la beauté du paysage, la splendeur de la corniche qui l'entoure et, surtout, en hiver, pour les stations de ski de Chiesa Valmalenco et Caspoggio. Quittez Sondrio et, au fil du chemin, vous traverserez des villages pittoresques aux vieilles maisons recouvertes de toits en ardoises. Vous arriverez à Chiesa, la ville principale de la vallée (922 mètres d'altitude). De là, vous pourrez monter à Caspoggio, station de ski au développement récent.

CHIESA

Pratique

Indicatif téléphonique : 0342

Office du tourisme. Piazza Giacomo e Filipo, 1 ✆ 99 63 79.

A Chiesa, vous trouverez banques, pharmacie, urgences médicales (✆ 45 21 10), gendarmerie (✆ 45 11 10), et de nombreux équipements sportifs.

Vous pourrez visiter la Parrochiale Santa Eufemia, Oratorio dei Bianchi, dont l'intérieur s'orne d'une fresque représentant la danse macabre.

Le Palazzo Besta est l'un des plus importants de la vallée. Outre la cour entourée de loges, on y voit d'intéressantes fresques profanes et un antiquarium contenant de précieux vestiges de la préhistoire.

En ce qui concerne le ski, sont à votre disposition télécabines, 5 pistes de ski, 50 kilomètres de descente, 40 kilomètres de ski de fond. 13 refuges, situés sur les plus beaux sentiers de la vallée, offrent la possibilité de dormir. Les places sont limitées. Se renseigner à l'Office du tourisme.

VAL MASINO

Cette pittoresque vallée latérale, aimée des alpinistes (école d'escalade aux rochers de Remanno et dans la vallée de Mello), est également connue pour ses anciens thermes.

En été, il est possible de passer la nuit de manière spartiate (places limitées) dans les refuges à Omio (2 100 mètres), Gianetti (2 534 mètres), Allievi Bonacossa (2 390 mètres) et Ponti (2 559 mètres).

TIRANO

Ville célèbre pour son grand sanctuaire consacré à Marie. Admirez sa masse qui se détache sur le fond plan. Le sanctuaire, ouvert en 1506, eut une grande importance pour la population. Elle en fit le symbole de la résistance à l'époque où la vallée, catholique, était dominée par les Suisses, adeptes de la Réforme. Dans le musée adjacent au couvent est conservé un précieux nécessaire pour messes solennelles, offert par le cardinal Richelieu en échange de la présence d'un bataillon français dans la région. La ville possède également de nombreux palais. De Tirano, une belle route vers la Suisse traverse Poschiavo, le passage de Bernina, et rejoint la vallée de l'Engadine.

PASSO DELL'APRICA

Relie, en été, la vallée Camonica à Brescia.

En hiver, c'est une station de ski dynamique. Le reste du temps, Aprica est un haut plateau verdoyant, couvert d'hôtels. La route, après quelques tournants difficiles, vous conduit au point culminant du passage (1 181 mètres).

GROSIO

Indicatif téléphonique : 0342

L'un des villages les mieux conservés de la vallée. Son centre historique présente de nombreux points d'intérêt. Vous pourrez y admirer le Palazzo Visconti, qui abrite aujourd'hui un musée, et l'église San Giacomo et ses belles fresques.

Grosio est la seule agglomération de la vallée où les femmes portent encore le costume traditionnel, inspiré, semble-t-il, de celui des esclaves arméniennes. C'est aussi sur ce site qu'ont été découvertes de nombreuses gravures dans la roche remontant à la préhistoire.

GROSSOTTO

A Grosotto, vous pourrez visiter le sanctuaire della Beata Vergine delle Grazie, et voir un orgue sculpté et des toiles de Venusti, élève de Michel-Ange.

L'hôtel-restaurant Sassella (✆ 84 51 40) est le temple de la cuisine régionale.

BORMIO

Le lieu de villégiature le plus important de la vallée, et l'une des stations de ski les plus réputées d'Italie : deux funiculaires, une télécabine, quatre télésièges à deux places, treize pistes de ski, six écoles de ski. Ski d'été au col de Stelvio. Que demander de plus ?

Siège du parc national de Stelvio (✆ 90 15 82), le plus grand des parcs de sport, Bormio (1 225 mètres) est une ville coupée en deux. D'un côté, le centre historique bien conservé, et, de l'autre, la partie moderne qui s'est développée dans les années 60. Chef-lieu de la Haute Vallée, Bormio est fréquentée été comme hiver (c'est également une station thermale).

La Via Roma est le cœur de la cité ; vous y trouverez de nombreuses boutiques. Piazza Cavour, arrêtez-vous devant le curieux édifice «del Kuerc» à l'intérieur duquel on rendait la justice.

Office du tourisme. Via Roma, 131/b ✆ 74 61 13 - Fax 90 46 96.

■ HEBERGEMENT

Hôtel Rezia. Via Milano, 9 ✆ 90 47 21 - Fax 90 51 97. *150 000/290 000 L.* 45 chambres avec téléphone, télévision, réfrigérateur. Parc, accès handicapés, garage, parking, sauna, centre de remise en forme, restaurant. American Express, Visa, Diner's Club. Hôtel classique rénové. Restaurant typique de bonne réputation.

Hôtel Posta. Via Roma, 66 ✆ 90 47 53 - Fax 90 44 84. *160 000/240 000 L. Ouvert de décembre à la mi-avril, et de la mi-juin à la mi-septembre.* 52 chambres avec téléphone, télévision. Garage, piscine, salle de gym, sauna, discothèque. Interdit aux animaux. American Express, Visa, Diner's Club. Dans la rue principale de Bormio. Bon accueil.

■ POINTS D'INTERET

Vous pourrez visiter la **Chiesa di San Vitale**, du XIe siècle. En effet, on ne peut manquer ses fresques, pas plus que celles de la **Chiesa del Santissimo Crocifisso**.

Shopping

Produits alimentaires traditionnels chez Schena, Piazza Kuerc ; chez Sceleira, Via Roma ; la maison de la *bresaola* et la maison du miel, Via Roma. A ne pas oublier *l'amaro d'erbe* , *braulio*, un digestif à base d'herbes, l'une des gloires de la région.

■ DANS LES ENVIRONS

Livigno

Station de ski à 40 kilomètres de Bormio, isolée au milieu des montagnes et curieusement située le long de la route. Zone franche pour les achats, gigantesque «duty free» au milieu des montagnes, à 1 800 mètres d'altitude.

Valdisotto et Valdidentro

Deux petites vallées que vous rejoindrez facilement à partir de Bormio. Bon plan pour qui privilégie la paix, la tranquillité d'une montagne plus vraie. Bonne structure hôtelière.

➥ Escapades

De Bormio par le col della Stelvio (1 578 mètres) en direction de Merano et du Haut-Adige. Seulement en été.

De Bormio par le col del Fuscagno, et Livigno, vers le val Mustair (Suisse), par le col della Forcola. Seulement en été.

De Santa Caterina Valfurva en direction de Ponte di Legno et le Valcamonica par le col di Gavia. Seulement en été.

De Tirano en direction de Pontresina (Suisse) par le col del Bernina.

De Morbegno à Côme en suivant la rive occidentale.

Val Chiavenna

Un passage important vers l'Engadine et Saint-Moritz, en Suisse, par le col de Maloja, au début de la vallée, à l'endroit où le lac de Côme finit dans la plaine alluviale appelée Pan di Spagna. Juste après, commence le lac de Mezzola, lieu protégé, adoré des passionnés d'ornithologie.

Chiavenna

Chiavenna est un village pittoresque aux nombreuses maisons et aux palais anciens, célèbre pour ses grotti, auberges creusées dans la roche où l'on déguste des spécialités locales.

Madesimo

Indicatif téléphonique : 0343.

Localité de schiste, le long de la route qui mène au col della Spluga.

Bergame - Escalier couvert du Palazzio Vecchio

MARCHES

MARCHES

Cette région est une vraie boîte magique. A son étendue rectangulaire et à son million et demi d'habitants, la nature a donné ce qu'elle a de meilleur : la mer, la plaine, des collines et des montagnes rudes et sauvages.

Son nom, qui remonte au haut Moyen Age, indique les terres qui étaient dominées par les «markgraven», les marquis qui gouvernaient pour le compte des empereurs allemands ayant repoussé les Lombards au sud et les Byzantins au nord.

A l'ancienne tradition paysanne s'est rajoutée, dans les cinquante dernières années, une industrialisation relativement sauvage. Cependant, depuis quelque temps, il y a eu un changement d'orientation positif afin que les centres antiques puissent retrouver leur identité et que les attraits des Marches soient mis en valeur. La Riviera du Conero, près d'Ancône, la Riviera delle Colline, au nord de Pesaro, ainsi que l'Urbinate et le Montefeltro sont magnifiques et constituent un exemple rare de mariage réussi entre le patrimoine culturel, l'environnement et l'urbanisation.

La prise de conscience de la nécessité de porter une attention plus grande au terroir se vérifie également dans les collines où, après des années de culture extensive (blé et betterave), on commence à replanter des rangées de vigne et d'arbres fruitiers, évitant ainsi l'érosion et les éboulis qui menacent depuis longtemps les zones habitées.

La région n'offre pas véritablement un ensemble de paysages fascinants, mais un patrimoine riche en valeurs humaines, sociales et culturelles, qui sont toutes à découvrir. Ainsi, dans des centaines de villes petites et grandes, les foires, les *sagre*, la gastronomie et les traditions témoignent d'un trésor, fruit d'une culture antique qui a su s'adapter aux exigences de la civilisation urbaine.

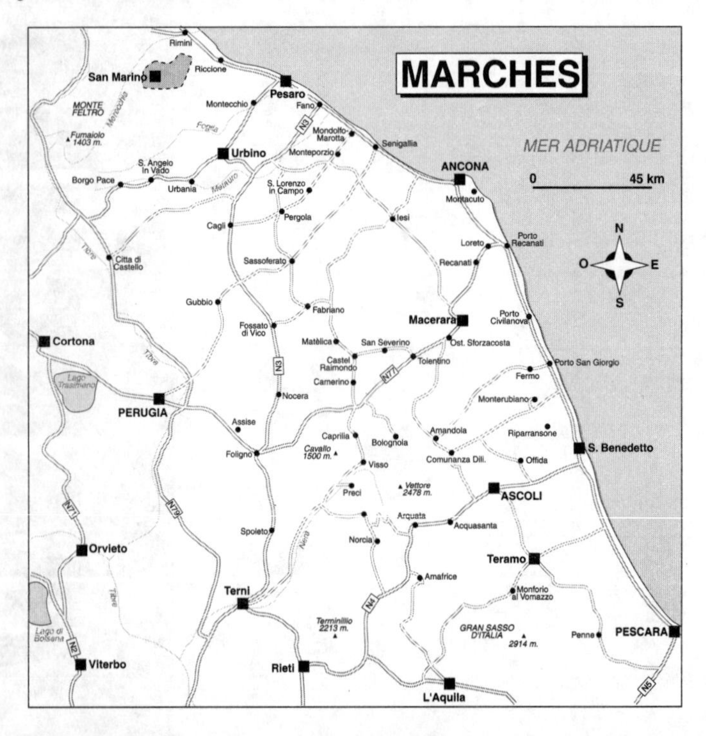

PROVINCE D'ANCONE

ANCONE

Ancône a été dans le passé le seul port naturel de l'Adriatique entre Venise et le cap des Garganes. Aujourd'hui encore, c'est le port d'attache le plus fréquenté par ceux qui veulent s'embarquer pour la Grèce ou pour les rives yougoslaves. Pour souligner l'importance de son port, l'empereur romain Trajan fit construire par Apollodoro di Damasco, en 155 ap. J.-C., un arc élégant, qui se dresse sur les quais au milieu des navires et des touristes sur le départ.

Cité commerçante, Ancône fait le lien entre l'Occident et l'Orient ; c'est une ville qui se projette «naturellement» vers le Levant en raison de sa situation géographique. Elle accueille depuis toujours d'importantes minorités ethniques (juifs, Slaves, Albanais, Turcs, Grecs, Arméniens) confirmant par là même son caractère cosmopolite.

Insérée dans un amphithéâtre naturel, délimitée par trois collines, le Cardeto, l'Astagno et le Guasco, Ancône offre au visiteur des points de vue suggestifs et la possibilité de faire de belles promenades dans la vieille ville. Des ruelles colorées montent du port vers l'église de San Ciriaco, érigée sur la colline Guasco et dédiée au saint venu d'Orient. Dans le centre, en revanche, parmi les parfums de genêts et de «spighetta», la lavande qu'on ramasse sur le mont Conero, on peut aller de la Via Pizzeccolli au Palazzo Bosdari (XVIe siècle), siège de la Pinacothèque, en traversant tout le cœur de la vieille ville.

Son nom vient du grec «ankon» (coude), à cause de la forme de sa pointe. Les Doriens syracusiens de Denis le Vieux l'appelèrent ainsi quand ils y débarquèrent au IVe siècle av. J.-C. La terre que ces conquérants trouvèrent, loin d'être inhabitée, était peuplée par des hommes mystérieux, les Piceni, qui y avaient érigé un centre datant de l'âge de fer. Au sommet de la colline Guasco, à l'endroit précis où se trouve maintenant le Duomo di San Ciriaco, les Dores élevèrent un temple à Aphrodite Euplea, patronne des navigateurs, preuve supplémentaire de la vocation maritime de la ville.

Ancône devint ainsi la première enclave grecque en territoire italique et gallique. Elle fut ensuite une cité romaine puis, enfin, un des ports de la Pentapole maritime (avec Rimini, Pesaro, Fano et Senigallia) où faisaient escale les navires byzantins qui se rendaient à Ravenne.

En 1532, après presque cinq siècles, la ville perdit son autonomie municipale, passa sous contrôle pontifical, et se transforma en une cité militaire avec une lourde infrastructure d'enceintes et de fortifications, visibles encore aujourd'hui. Il fallut attendre le XVIIIe siècle pour voir Ancône renaître grâce au mécénat du pape Clément XII, qui fit prolonger l'ancien môle de Trajan en faisant bâtir la Mole Vanvitelliana (ou Lazzaretto), une superbe construction entourée d'un canal, et réalisée par le célèbre architecte Luigi Vanvitelli en 1733.

Entre 1797 et 1815, Napoléon et les Français interrompirent le gouvernement pontifical, qui reprit jusqu'en 1860. Après l'Unité italienne et, plus encore, après la Seconde Guerre mondiale (160 raids aériens), le centre de gravité de la ville se déplaça à l'intérieur des terres, vers Pennocchiara et Piana degli Orti. Ce mouvement vers la périphérie s'accrût considérablement après le tremblement de terre du 12 juin 1972 et l'éboulement du 13 décembre 1982 qui ensevelit tout un quartier et en détruisit partiellement deux autres.

Attention, si vous vous déplacez en voiture, le trafic est chaotique en différents points d'Ancône et en particulier aux alentours de la vieille ville.

TRANSPORTS

Gare. Piazza Roselli © 59 23 259. A 10 minutes en bus du centre.

Aéroport de Falconara. © 28 271/28 27 204. A 12 km d'Ancône.

Gare maritime. © 20 11 83.

Compagnies maritimes

Adriatica Navigazione © 20 49 15/20 49 16/20 49 17. Pour l'Albanie et la Croatie.

Anek Lines © 20 22 23/20 02 52/20 59 99. Pour la Grèce.

Jadrolinjia © 20 45 16/20 43 05. Pour la Croatie.

Marlines © 20 73 662. Pour la Grèce et la Turquie.

Miatrade © 20 45 16/20 43 05.

Minoan Lines © 20 17 08/20 72 920. Pour la Grèce.

Sperfast Ferries © 20 08 17/20 20 33. Pour la Grèce.

Topas Martitime Lines © 20 28 06/20 29 19. Pour la Turquie.

■ PRATIQUE

Indicatif téléphonique : 071.

Office du tourisme. Via Gentile da Fabriano © 80 61 - Fax 80 621 54.

Consulat de France. Via Marsala, 12 © 20 03 10 ou 20 68 66.

■ HEBERGEMENT

Grand Hôtel Palace. Lungomare Vanvitelli, 24 © 20 18 13 - Fax 20 74 832. *175 000/255 000 L. Fermé de Noël à l'Epiphanie.* 41 chambres avec téléphone, télévision, climatisation, réfrigérateur. Luxueux hôtel installé dans un palais du XVIIe.

Grand Hôtel Passetto. Via Thaon de Revel, 1 © 31 307 - Fax 32 856. *190 000/310 000 L.* 45 chambres. Parc, garages, parking, piscine. Une très belle vue et la possibilité de faire une merveilleuse promenade en bordure de mer.

Hôtel Monteconero. Via Monteconero, 26 © 93 30 592 - Fax 93 30 365. *160 000/210 000 L.* Ouvert du 15 mars au 15 novembre. 48 chambres avec téléphone, télévision, climatisation. Parc, accès handicapés, parking, piscine, tennis, restaurant. American Express, Visa, Diner's Club. Hôtel standard, mais bien équipé et joliment situé au milieu de la nature et face à la mer.

Agriturismo

Agriturismo Il Rustico del Conero. A Varano, Via Buranico, 197/199, Ancona © 071/28 61 821. *Chambres 60 000 L. Ouvert de juin à mi-octobre.* Sur la côte. Ferme équestre où sont proposés cours d'équitation et balades à cheval dans des environs qui méritent d'être visités...

Agriturismo A Borgo Bicchia. Via San Gaudenzio, 1, Senigàllia © 071/79 26 807. *Chambres 40 000 L, demi-pension 50 000 L. Ouvert tous les jours.* Sur la côte, 20 km au nord-ouest d'Ancona. Petite habitation sympathique à proximité de la mer, pour ceux qui aiment les vacances paisibles et ludiques (tournois de bridge).

■ RESTAURANTS

Osteria Teatro Strabacco. Via Oberdan © 51 323 ou 50 297. *40 000 L. Fermé le lundi et en mai.* Ambiance sympathique d'artistes, d'intellectuels et de grands buveurs. Le vin est servi à peine tiré du tonneau. Le restaurant propose un choix de plats très diversifié à base de poisson, comme les spaghetti au crabe et à la *bottarga* ou les oreillettes aux aubergines aux saveurs du jardin. Avec le pain, demandez les *cresce*, de tendres feuilletés à base de légumes. Le mercredi et le vendredi, on mange en musique.

Restaurant Passetto. Piazza IV Novembre, 1 © 33 214. *45 000/75 000 L. Fermé le dimanche soir, le lundi et du 1er au 15 août.* 60/80 couverts. Parking, climatisation. American Express, Visa, Diner's Club. C'est un des restaurants les plus renommés et les plus chics de la ville. Sa terrasse offre un superbe panorama. De sa cuisine, classique, on retiendra en priorité le *brodetto all'anconetana*, une soupe veloutée avec treize variétés de poissons. Et aussi, les tagliolini di Campofilone aux clovisses et aux petites tomates, ainsi qu'une tarte insolite faite de pignons et de crème épaisse.

SORTIR

Ancône n'est pas une ville mondaine. Le soir, le point idéal d'observation est le Caffè della Piazza. Situé Piazza Plebiscito, il offre, comme les cafés parisiens, une terrasse d'où l'on peut regarder les passants.

Pour les amateurs de glaces et pâtisseries :

Salvatore Lo Faro. Via Isonzo, 208 ✆ 35 692. Inégalable pâtisserie sicilienne.

MANIFESTATIONS

Fêtes et festivals

Avril : Salon nautique de l'Adriatique.

4 mai : fête de San Ciriaco, accompagnée d'une foire de l'artisanat.

Juillet : Traversata del Passetto, une épreuve de nage de fond pour hommes et femmes.

Septembre : Exposition internationale de philatélie.

Marché

Un divertissant marché de l'artisanat et de la petite antiquité se tient Piazza Plebiscito et dans les ruelles avoisinantes, le troisième samedi et le troisième dimanche de chaque mois.

POINTS D'INTERET

Balade

L'élégante Piazza Plebiscito (appelée aussi Piazza del Papa) est le fief des galeries d'art où l'on peut admirer de près les chefs-d'œuvre de peintres méconnus des Marches, et faire aussi de bonnes affaires. Pendant l'été, des spectacles populaires se déroulent sur la place. Le Corso Mazzini (appelé aussi Corso Vecchio), quant à lui, accueille une longue file d'étals où l'artisanat original et coloré incite, au milieu d'innombrables fleurs séchées qui embaument, à des achats insolites.

L'arc de Trajan. Sur le port, érigé en l'honneur de l'empereur Trajan pour célébrer la seconde expédition en Dacie. Pas très loin, sur la digue foraine, se dresse l'Arco Clementino, construit en 1738 d'après les plans de Vanvitelli.

Eglise San Ciriaco. C'est une des plus belles églises des Marches, construite entre le XIe et le XIIe siècle et dédiée au saint qui fut torturé avec du plomb en fusion. Elle marie des formes romanes à des influences byzantines tandis que son portail du XIIIe siècle est orné de reliefs gothiques. Un conseil : la coupole gagne à être observée de l'intérieur, de façon à pouvoir admirer les piliers qui la soutiennent et les belles décorations architecturales.

Palazzo del Governo. Situé à côté de la Piazza del Plebiscito, ce palais fut construit en 1484, selon le projet de l'architecte Francesco di Giorgio Martini. A l'intérieur, une belle cour présente portique, arcs d'ogive et fenêtres guelfes. Pour y accéder, on passe sous un arc, dit Arco Amoroso, réalisé par Pietro Amoroso au XVe siècle. On dit que passer au-dessous au début de l'été porte chance.

Chiesa di S. Domenico. Au bout de la Piazza del Plebiscito. Un spectaculaire perron à deux rampes permet d'accéder à ce monument du XVIIIe siècle qui abrite deux formidables peintures : une Crucifixion de Titien et une Annonciation du Guercino.

Le Mole Vanvitelliana ou Lazzaretto. Se reflétant dans l'eau du port, il est relié à la terre ferme par des ponts. Il fut construit en 1773 par l'architecte Luigi Vanvitelli, à la demande du pape Clément XII, pour servir de forteresse à la garnison pontificale. Il devrait prochainement abriter le musée de la Mer.

La Pinacoteca Civica et la Galleria d'Arte Moderna. Palazzo Bosdari. Via Ciriaco Pizzecolli, 17. *Ouvert du mardi au samedi de 9 h à 19 h, le lundi de 9 h à 13 h et le dimanche de 15 h à 19 h. Entrée : 5 000 L* On y découvrira des œuvres de Titien, de Lotto, d'Andrea del Sarto, de Pomarancio, de Guercino et, parmi les modernes, de Cassinari et de Guidi.

Musée national des Marches ✆ 20 75 390. Palazzo Ferretti (au bout de la Via Giovanni XXIII). Après avoir été fermé pendant une vingtaine d'années, il est à présent ouvert mais seulement en partie. Dans ce bâtiment du XVIe siècle sont conservées des pièces archéologiques du Paléolithique à l'époque romaine.

Museo Diocesano. Piazzale Duomo, 9 (à gauche de la basilique San Ciriaco) © 20 74 703/20 03 91/20 23 40. *Visites sur réservation. Pendant les vacances, visites guidées de* 16 h à 17 h. Il expose des pièces paléochrétiennes et médiévales provenant de plusieurs églises d'Ancône. A voir en particulier, le sarcophage de Flavio Gorgonio, datant du IVe siècle, et les tapisseries de Rubens.

DANS LES ENVIRONS

Mont Conero

Seul cap existant entre l'Istria et le Gargano, dans les Pouilles, le mont Conero est à moins de 10 km en suivant la route d'un littoral aux paysages époustouflants. Une route qui s'élève entre des parois rocheuses, recouvertes de chênes et d'arbousiers et la mer aux couleurs changeantes du bleu profond au vert émeraude. Il faut visiter le Fortino Napoleonico, auquel on accède, si l'on suit les indications en jaune, par une petite route tortueuse. Le fort fut construit en 1800 par Eugène de Beauharnais, qui y installa une garnison de 600 soldats. Du haut des bastions, on entend le bruit de la mer tandis qu'un paysage doux et calme s'étend sous vos yeux. Le fort a été transformé en hôtel en 1982 (voir rubrique «Hôtels» à Ancône).

Loreto

«C'est un petit village clos de murailles et fortifié pour l'incursion des Turcs, assis sur un plant un peu relevé, regardant une très belle plaine, et de bien près la mer Adriatique...» Ainsi le vit Montaigne en 1581. Depuis, le paysage a gardé la même splendeur. On peut se rendre à Loreto en voiture ou en autobus en moins d'une demi-heure. La ville est assimilée au célèbre sanctuaire de la Santa Casa, sans doute le plus connu d'Italie et lieu d'incessants pèlerinages. D'après la légende, la maison de Marie de Nazareth fut transportée à Loreto par des anges. On pourrait supposer que ce furent les croisés qui l'acheminèrent par la mer. Construction véritablement grandiose, le sanctuaire fut commencé en style gothique et terminé, au VIIIe siècle, avec le campanile de Vanvitelli. On y achète des objets en or, en argent et or, des pipes, et des boucles d'oreilles réputées que même les hommes portèrent à une époque.

Le 9 et le 10 décembre se déroule à Loreto la Festa della Venuta. A la tombée de la nuit, on allume dans la campagne des *fogaro* (feux de joie) en souvenir du transfert de la Santa Casa sur la colline de Loreto. La basilique ouvre à 22 h, heure du début des offices. Leur point culminant est la procession où des aviateurs, dont elle est la patronne, portent la Madonna sur leurs épaules.

Sirolo

A moins de 20 km d'Ancône, une des plus belles plages de la Riviera del Conero borde la mer. On y accède en voiture, en train ou en bateau. La traversée en bateau vers les îlots rocheux est très belle. Surnommés *le Due Sorelle* (les deux sœurs), les îlots gardent l'entrée d'une baie solitaire. Au sommet, on découvre le village médiéval qui s'est formé autour du château des comtes Cortesi, jadis les seigneurs du pays.

Grottes de Fracassi

La visite des grottes de Fracassi est, elle aussi, une étape qui s'impose. Il s'agit d'un étroit passage qu'un torrent, le Sentino, s'est frayé entre des parois rocheuses abruptes. Le défilé est constitué de roches contemporaines de l'ancienne mer chaude qui, il y a 160 millions d'années, recouvrait l'Europe et l'Afrique.

La grotte du **Grande Vento** est la plus grande d'Italie : c'est une énorme cavité qui fut découverte en 1971. Sa principale particularité réside dans le fait que c'est une grotte «naturelle» ; il n'y a, en effet, aucune trace de l'homme, et les sculptures que l'on peut y découvrir sont dues à l'incessant goutte-à-goutte des eaux souterraines. La visite guidée suit un parcours d'un kilomètre et demi et se fait par groupes. **Informations et billets © 90 080.** *Visites de juillet à septembre de 8 h à 20 h. De mars à juin et d'octobre à novembre de 9 h 30 à 18 h et de décembre à février de 11 h 30 à 15 h 30.*

➥ LA ROUTE DU *VERDICCHIO*

Partons à la découverte de ce petit vin blanc qui accompagne à merveille le poisson frais de l'Adriatique. Apprécié aussi par le roi des Goths, Alaric, qui, avant d'assiéger Rome, en rafla une telle quantité qu'il fallut quarante baudets pour l'acheminer. La zone de production commence à **Senigallia,** où l'on peut aussi s'arrêter pour remplir son panier de fruits et de poissons au marché journalier, dans un surprenant cadre néo-classique, un véritable forum entouré de trente colonnes doriques. La capitale du Verdicchio est Corinaldo, à 20 km de Senigallia. Avant **Corinaldo,** sur la départementale, peu après l'hôpital de Senigallia, se trouve le couvent de S. Maria delle Grazie, aujourd'hui un centre de documentation sur les traditions rurales des Marches.

Si on a la chance d'arriver à **Corinaldo** vers le 20 et le 21 juillet, on pourra assister à la Festa del Pozzo della Polenta, une fête commémorative datant du XVIe siècle, qui fait revivre le siège de la ville par les troupes de Francesco Maria della Rovere et à laquelle participe la région tout entière. A la fin, Verdicchio et polenta pour tous ! L'itinéraire passe aussi par le village médiéval de **San Lorenzo in Campo**. A voir, dans le Palazzo Della Rovere, un musée archéologique et, chose curieuse, un musée ethnographique africain (se renseigner auprès du syndicat d'initiative). A **San Lorenz**o, il est indispensable de faire le plein. On y trouve deux anciennes auberges fréquentées par des joueurs de «scopone» et de *briscola*, où l'on boit uniquement le verdicchio du coin accompagné de graines de citrouille et de fèves. La première, tenue par Tullio Signoracci, est sur la place Umberto I. L'autre, appartenant à Alessandro Alfonsi, se trouve sous les portiques de la mairie.

Ne pas manquer la fête de saint Laurent, patron de la ville (le 11 août), où l'on mange, sur la place, au son des orchestres, poisson frit, piadine et saucisses.

MACERATA

Le peintre Luigi Bartolini a écrit que Macerata était «une ville absolument tranquille. Une ville prolifique, avec des campagnes entretenues comme des jardins botaniques ou de potagers». Et, en vérité, bien qu'elle soit peu distante de la côte, Macerata n'a pas du tout l'allure tapageuse qu'est celle de la plupart des autres villes sur l'Adriatique. On pourrait presque la comparer à une salle de séjour claire et silencieuse. La province autour de Macerata, une des plus étendues des Marches, est faite de collines argileuses qui préfigurent les contreforts des Apennins. De nombreuses communes ont fleuri là, en s'accrochant sur ces hauteurs rocheuses.

La ville a été reconstruite sur les ruines d'un vieux centre romain appelé *Helvia Recina* et qui fut détruit au cours de la guerre contre les Picènes. Ceux qui en réchappèrent fondèrent Macerata. Pendant tout le Moyen Age, l'activité de la ville se limitait à l'agriculture. Son renouveau se produisit à la fin du XVIIIe siècle, quand les idées du Siècle des lumières s'y répandirent et qu'éclatèrent les premiers mouvements révolutionnaires. En 1849, la délégation de Macerata élisait comme député à la Constituante romaine Giuseppe Garibaldi.

La structure de la ville est typique : une place autour de laquelle s'organisent le palais nobiliaire, la cathédrale, les portiques puis, suivant un système de cercles concentriques, viennent les boutiques des artisans, les maisons des ouvriers et, aussitôt après les murailles, le bourg habité par les ouvriers agricoles.

Macerata obéissant à ce modèle urbain type, il faut la visiter en partant du centre. Autour de la Piazza Libertà se profilent le Palazzo del Comune, la Loggia dei Mercanti, l'université avec l'église baroque de San Paolo, la préfecture et le Théâtre municipal conçu par Bibiena. De plus, c'est à partir du centre que s'en vont les routes principales.

■ PRATIQUE

Indicatif téléphonique : 0733.

Office du tourisme. Via Garibaldi, 87 ✆ 23 15 47 - Fax 23 04 49.

HEBERGEMENT - RESTAURANTS

Agriturismo Bellebuono. Località Cesa Cappuccini, 25, San Ginèsio © 07 33/65 62 96. *Appartements 60 000/70 000 L. Fermé en février.* 25 kilomètres au sud de Macerata. Construction traditionnelle pourvue d'une salle pour enfants. Ping-pong, vélo, balades et activités agricoles occuperont vos journées.

Agriturismo Al Castelluccio. A Borgo San Lorenzo, Loro Piceno © 07 33/51 00 01. *Chambres 40 000/60 000 L. Ouvert d'avril à octobre.* 15 kilomètres au sud de Macerata. Nombreuses balades possibles depuis cette bâtisse du XVIIe siècle située près du parc du Mont Sibillini.

Restaurants

Osteria dei Fiori. Via Lauro Rossi, 61 © 260 142. *Environ 35 000 L. Fermé le dimanche et du 1er au 6 janvier.* 35/50 couverts. Climatisation. American Express, Visa, Diner's Club. Un charmant restaurant qui sert des plats généreux, tels le pigeon désossé et farci ou le feuilleté de pomme sauce vanille. Délicieux ! Et pas cher !

Restaurant Da Secondo. Via Pescheria Vecchia, 26 © 44 912. *Compter 60 000 L. Fermé le lundi et pendant la deuxième moitié d'août. Réservation obligatoire.* 30/60 couverts. Jardin, climatisation. Visa, Diner's Club. C'est le restaurant le plus connu de Macerata, fréquenté par les divas dont le passage, à l'occasion des récitals lyriques, est attesté par les photographies qui ornent les murs. Sa cuisine est à la hauteur de sa renommée : olives farcies, *agnolotti* de viande aux cèpes, pâtes nature et aux truffes, jarret de veau aux champignons, rouelle de veau *in rosa* et purée de pommes de terre.

SORTIR

Les occasions de se divertir la nuit sont rares à Macerata mais il est toujours possible de se promener dans les ruelles piétonnes de la vieille ville. On pourra aussi, éventuellement, manger des gâteaux que l'on achètera à la **pâtisserie Nino** (Via Roma, 240 © 31 451).

Manifestations

A la Pentecôte : Festa del Colore, défilé de chars allégoriques et spectacle de groupes folkloriques.

En juillet et août se déroule le Macerata Opera, le rendez-vous culturel le plus important de la ville. Concerts de musique classique et œuvres lyriques au Sferisterio et au théâtre Lauro Rossi. **Informations © 25 26 286** ; *de 8 h à 14 h.*

POINTS D'INTERET

Palazzo del Comune. Il se trouve Piazza Libertà, tout comme la plupart des richesses culturelles de Macerata. Dans le hall et dans la cour, on peut voir des statues et des pierres commémoratives d'époque romaine provenant des habitations antiques d'Helvia Recina.

La Loggia des Marchands. Une construction extrêmement élégante de la Renaissance qui fut édifiée par Cassiano da Fabriano.

Duomo. Située Piazza Strambi, cette église du VIIIe siècle possède un campanile du XVe.

Santuario della Madonna della Misericordia. Donne sur la même place que le Duomo. L'intérieur est l'œuvre de l'architecte Luigi Vanvitelli.

Le Sferisterio. Sur la Piazza Mazzini, un bâtiment datant de 1820 où l'on pratiquait le jeu de paume, célébré par le poème de Giacomo Leopardi : «A un vainqueur au jeu de paume». C'est aujourd'hui un théâtre en plein air, consacré au chant lyrique et à la musique symphonique.

Museo Tipologico del Presepe. Via Pantaleoni, 4. *Visites sur réservation © 49 035.* Plus de quatre mille pièces, du XVIIIe siècle à nos jours.

Pinacoteca Civica. Piazza Vittorio Veneto © 49 942. *Ouverte de 9 h à 13 h. En juillet et en août, ouverte aussi l'après-midi de 17 h à 19 h. Fermée le lundi.* Peintures du XIVe au XIXe siècle. La pinacothèque a deux annexes, qui sont le Museo Civico, exposant des antiquités picènes et romaines, et le Museo delle Carrozze.

DANS LES ENVIRONS

Camerino

On arrive à Camerino en suivant la nationale 77 et en coupant à la hauteur de Rocca Varano. Située au bout de la vallée délimitée par le cours du Chienti, Camerino a une longue tradition artistique et culturelle, favorisée par la fondation de son université en 1727. Ses deux monuments les plus représentatifs sont la Rocca et l'église de San Venanzio. Le premier fut construit en 1500 par César Borgia, qui occupa la ville après en avoir chassé les anciens seigneurs. Quant à l'église de San Venanzio, elle réchappa au tremblement de terre de 1799 et resplendit avec son beau portail gothique. A l'intérieur, en plus de l'arc gothique dédié au saint, on contemplera les fresques de Piergentile de Matelica et de Venanzio de Camerino.

L'avant-dernier dimanche de mai, un rendez-vous à ne pas manquer est la **Course de l'Epée** (*Corsa della Spada*) et le Palio, une reconstitution historique en costumes du XVe siècle.

Recanati

Patrie du poète Giacomo Leopardi (1798), la ville, située à 21 kilomètres de Macerata, s'étend sur la colline qui fut souvent une source d'inspiration pour le poète (*Sempre caro mi fu quest'ermo colle...*). Le cadre de la Casa Leopardi est demeuré inchangé : les portraits de ses aïeux sur les murs, ses livres, ses premiers vers. Dehors, les rues sont ensoleillées et silencieuses. Des bâtisses un brin prétentieuses et des demeures sévères rappellent encore ce monde fermé que Leopardi, à la recherche d'une liberté improbable, voulut fuir. La période la plus propice pour venir à Recanati est la fin juin ; on évitera ainsi le déferlement des groupes scolaires en visite culturelle.

La meilleure chose à faire à l'arrivée est de boire un verre au café de la Piazza Leopardi, tout en jetant un coup d'œil au Palazzo Municipale, à la tour du «moineau solitaire» ainsi qu'au campanile.

La Pinacoteca se trouve au dernier étage du Palazzo Comunale. On peut y voir une très belle toile de Lorenzo Botto figurant l'Annonciation.

A voir aussi, **le petit musée** (deux salles) consacré au grand ténor Beniamino Gigli, *la Voce d'Oro*, né à Recanati le 20 mars 1890. Le musée rassemble des costumes de scène, des enregistrements, des comptes rendus, des disques et des décorations relatifs à ce grand chanteur lyrique.

Le Palazzo Leopardi (*ouvert en automne et au printemps de 9 h à 12 h et de 15 h à 18 h ; en hiver de 9 h à 12 h et de 15 h à 17 h ; en été de 9 h à 12 h et de 15 h à 19 h)*, du XVIIIe siècle, est occupé par une héritière du poète, la comtesse Leopardi. C'est elle qui prend soin de cette incroyable maison-musée dont les différentes pièces racontent toute la vie du grand poète récanatais, de sa table de travail encore encombrée de livres à sa grande bibliothèque contenant plus de vingt mille volumes, en passant par le bureau de son père, le comte Monaldo.

Pour les fumeurs, Recanati est incontournable puisqu'on y fabrique les meilleures pipes de bruyère d'Italie.

Tolentino

C'est dans cette ville que fut signée, en 1791, la paix entre Napoléon Bonaparte et le pape Pie VI. Mais Tolentino est aussi la ville de la basilique Saint-Nicolas, un extraordinaire monument dont les fondations remontent au XIIIe siècle.

Indicatif téléphonique : 0733.

Basilique Saint-Nicolas. A l'intérieur, une chapelle gothique rassemble la plus belle série de fresques de l'école de Rimini du Trecento. Devant la basilique, on peut admirer un beau portail du XVe siècle en marbre d'Istres, réalisé par Nanni Bartolo, et un plafond en bois doré de Filippo da Firenze, datant de 1600.

A voir aussi : le cloître, le musée des Céramiques et le musée de l'Opéra où sont conservés d'inestimables ouvrages en argent et en bois.

PROVINCE DE PESARO

PESARO

C'est la ville du musicien Gioacchino Rossini, qui y naquit en 1792. C'est aussi une splendide station balnéaire qui doit l'extrême douceur de son climat aux collines vertes et rondes qui la dominent : le S. Bartolo et l'Ardizio. La ville antique, une implantation romaine typique, tient en un quadrilatère qu'il est agréable de traverser à pied.

Dans le centre de la ville, depuis toujours un peu précieuse et snob, on trouve les «perles» de Pesaro : le Palazzo Ducale, le Duomo, le Museo Civico, et la Piazza del Popolo embellie par la fontaine dei Tritoni du XVIIe siècle.

La ville est le débouché naturel des vallées. Avec ses voisines Fano et Senigallia, elle constituait le centre le plus important des Marches galliques. C'était un territoire occupé par les Gaulois Sénons, la dernière grande tribu celtique qui s'établit à cet endroit après la défaite qu'elle infligea aux Romains de Brennus au IVe siècle av. J.-C. Agriculteurs ingénieux, les Gallo-Celtes furent aussi les inventeurs des barriques de bois pour transporter le vin. Leur présence dura jusqu'à ce qu'ils soient battus par les Romains, près de l'actuel Sassoferrato, en 295 av. J.-C. La période romaine fut marquée par l'ouverture de la Via Flaminia, qui reliait Rome au littoral adriatique.

Plus tard, sous le gouvernement des Byzantins de Ravenne, Pesaro fit partie de la Pentapole Maritime. En 754, après avoir été occupée par les Lombards et aussitôt libérée par les Francs de Pépin le Bref, Pesaro fut donnée à l'Etat pontifical, dont elle fit partie, au moins juridiquement, pendant plus de onze siècles. Vers la fin du XIe siècle, Pesaro et Fano se proclamèrent communes libres et vécurent sous leur propre juridiction. Aux alentours de 1200, elles tombèrent entre les mains des seigneurs de Rimini, les Malatesta, qui, de violents usurpateurs passèrent au statut de vicaires du pape. En 1445, Galeazzo Malatesta vendit sans gloire Pesaro aux Sforza de Milan qui, à leur tour, la passèrent en 1512 au duc Francesco Maria Della Rovere, neveu du pape Giulio II. Lorsque la dynastie des Rovere s'éteignit, en 1631, Pesaro retourna sous le contrôle de l'Eglise, et ce jusqu'à l'Unité de l'Italie.

Le bon moment pour aller à Pesaro est le mois d'août, lorsque se déroule, au Palazzo Mazzolari-Marca, le Rossini Opera Festival.

TRANSPORTS

Bus. Terminal Piazza Matteotti.

PRATIQUE

Indicatif téléphonique : 0721.

Offices du tourisme

Viale Trieste, 164 ✆ 69 341.

Via Rossini, 41 ✆ 69 341 - Fax 30 580.

Piazzale Libertà ✆ 33 340.

Poste centrale. Piazza del Popolo. Ouverte du lundi au samedi, de 8 h 15 à 19 h 15.

HEBERGEMENT

Villa Serena. Via S. Nicola, 6/3 ✆ 55 211 - Fax 55 927. *220 000/260 000 L. Fermé du 2 au 20 janvier.* 10 chambres avec téléphone, télévision. Parc, parking, piscine, salle de gym, restaurant (65 000 L). American Express, Visa, Diner's Club. Une ancienne villa du XVIIe, rénovée, avec des fresques d'époque. Elle est entourée d'un parc verdoyant et parfumé. C'est l'endroit idéal si l'on cherche un hôtel romantique, plein de charme.

Hôtel Vittoria. Piazzale della Libertà, 2 ✆ 34 343 - Fax 65 204. *120 000/280 000 L.* 36 chambres avec téléphone, télévision, climatisation, réfrigérateur. Parc, garages, piscine, salle de gym, sauna, discothèque, restaurant (30 000/45 000 L). Interdit aux animaux. American Express, Visa, Diner's Club. Hôtel XIXe, avec un beau jardin, dans une partie centrale de Pesaro. Vous y croiserez des divas au moment du festival Rossini.

Agrituirismo

Agriturismo La Locandà del Gelso. Ad Alberone, Via Morola, 12, Cartoceto. *Chambres 70 000 L, pension 70 000/75 000 L. Fermé en février.* 15 kilomètres au sud-ouest de la côte (Fano). Vacances semi-campagnardes pour profiter de la plage (à quinze minutes), goûter aux plaisirs citadins de Fagno ou découvrir les environs à vélo.

Auberge de jeunesse

Auberge de jeunesse. A Fosso Sejore (à 6 km du centre) ✆ 55 798. *15 000 L par personne, petit-déjeuner inclus. 12 000 L par repas. Ouvert de mai à octobre. Réservation obligatoire.* 88 lits.

RESTAURANTS

Lo Scudiero. Via Baldassini, 2 ✆ 64 107 - Fax 34 248. *80 000/120 000 L. Fermé le dimanche, en juillet et du 31 décembre au 6 janvier. Réservation obligatoire.* 40/80 couverts. American Express, Visa, Diner's Club. Menus raffinés, servis dans les souterrains d'un Palazzo du XVe siècle, où la cuisine et la musique de Rossini vont de pair. Entre autres délices «musicales», signalons la soupe aux noisettes, un risotto à la moelle accompagné de cèpes frais et le gâteau Guillaume Tell.

Restaurant Il Castiglione. Viale Trento, 148 ✆ 64 934. *Compter 60 000 L.* 60/110 couverts. American Express, Visa, Diner's Club. Pour le plaisir de manger au frais dans un jardin. Tout y est à base de produits de la mer : *lumachine in guazzetto*, petits hors-d'œuvre de mer, tagliatelle et spaghetti au poisson, *grigiate miste* de la pêche du jour.

SORTIR

Pour ceux qui désireraient prolonger leur soirée et danser jusqu'à l'aube, les meilleures boîtes sont :

Colosseo. Via S. Michele Montecchio ✆ 91 92 08.

Le Why Not. Via Palio ✆ 31 716.

MANIFESTATIONS

Entre avril et mai : Festival national des troupes d'art dramatique.

Mai : Manifestation du meuble.

Août : Rossini Opera Festival. C'est un des rendez-vous de musique lyrique les plus importants d'Italie, où se produisent des chefs d'orchestre et des interprètes de renommée internationale. Informations ✆ 30 161/33 184.

Festival international du nouveau cinéma.

POINTS D'INTERET

Palazzo Ducale. *Visites guidées tous les jours jusqu'à 16 h 30.* Le plus grand monument de la ville se trouve sur la très centrale Piazza del Popolo. Construit pour Alessandro Sforza dans la seconde moitié du XVe siècle, il fut restauré au siècle suivant par les Della Rovere, après un violent incendie.

Chiesetta del Nome di Dio. Dans le centre historique de la ville, derrière le Palazzo Mazza. On y trouve de nombreuses peintures et des décorations du XVIIe siècle.

Musei Civici. Via Mosca, 8 ✆ 67 815. *Fermés le dimanche après-midi et le lundi matin.* Ces musées municipaux, installés dans les salons du Palazzo Toschi-Mosca, comportent deux sections. La première est la pinacothèque, avec des toiles du XVIIe siècle de Guido Reni et de son élève Simone Cantarini, originaire de Pesaro. On y verra également une «Pala di Pesaro» de Giovanni Bellini, représentant le Sacrement de la Vierge. La seconde section, consacrée au musée de la Céramique, rassemble assiettes, coupes d'amour, amphores, et des bustes des artistes qui, au XVIe siècle, ont rendu fameuses les boutiques de Pesaro, d'Urbania et d'Urbino.

Museo Archeologico Oliveriano. Palazzo Almerici. Via Mazza ✆ 31 873. *Fermé les jours fériés.* Il expose de nombreux objets fort intéressants provenant d'une nécropole de l'âge de fer, découverte à Novilara, à 7 km au sud de Pesaro. A noter aussi, une série de «vetri cimiteriali» (verres funéraires) paléochrétiens et un ensemble de pièces finement travaillées en ivoire. On relèvera en particulier une hydre en bronze, qui est l'expression du meilleur artisanat de la Haute Grèce (VIe siècle av. J.-C.), ainsi qu'une rose des vents, ou «anemoscopio», en marbre, avec un planisphère céleste, pièce unique et singulière datant du IIe siècle ap. J.-C.

Maison de Rossini. *Ouverte de 10 h à 12 h et de 16 h à 18 h. D'avril à octobre, de 14 h à 16 h et les jours fériés, de 10 h à 12 h.* Située à côté de la cathédrale, elle conserve des affiches, des portraits et des *stampe* (revues de presse) du compositeur du Barbier de Séville. Après avoir écouté cette œuvre, Hegel s'est exclamé : «Je crains que mon goût ne se soit dégradé car il se trouve que ce Figaro m'attire davantage que celui de Mozart.»

Les remparts du XVIe siècle menacent de s'écrouler. Malgré les appels lancés par les Monuments historiques et différentes associations, rien n'a été fait pour les sauver.

DANS LES ENVIRONS

Villa impériale

La Villa Imperiale est à moins de 6 km de Pesaro, en suivant la route panoramique, très fréquentée en été, qui mène à Gabicce. Sur la droite, on aperçoit un grand parc avec un chemin menant à la Villa Imperiale, une construction excentrée, parmi les plus belles du XVIe siècle.

La villa fut construite à l'initiative d'Alessandro Sforza ; elle fut appelée «impériale» car c'est l'empereur Federico III, allant à Rome accomplir un devoir électoral, qui, le 17 décembre 1468, posa la première pierre.

Alors qu'elle devait servir de château défensif, Eleonora Gongaza la transforma, en 1525, en un véritable lieu de plaisir et de divertissement pour la cour du duc. Après le chemin d'accès ombragé, la villa laisse entrevoir, sur la gauche, sa partie la plus ancienne.

A droite, en revanche, on découvre le nouvel ensemble, riche en terrasses, en jardins suspendus et en fontaines. Il fut réalisé, sur trois niveaux, par l'architecte d'Urbino, Girolamo Genga, qui peignit lui-même quelques fresques. D'autres artistes, comme Bronzino, Perin del Vaga, Raffaellino del Colle, Francesco Menzocchi ainsi que les Due Dossi furent engagés pour décorer les huit salles de l'étage supérieur. Les poètes Tasso et Tizino ont séjourné dans cette villa, qui devint une des plus élégantes de la Renaissance. Laissée à l'abandon pendant un certain temps, elle fut entièrement restaurée par la famille Castelbarco Albani qui en est actuellement propriétaire.

Gabicce Mare

La Riviera delle Colline : c'est ainsi qu'on appelle le littoral qui s'étend de Gabicce Mare à Pesaro. Pour arriver à Gabicce Mare, une des plages les plus célèbres et les plus mondaines des Marches, les routes ne manquent pas. La plus conseillée, surtout en été, est l'autoroute A14. Cependant, si l'envie de voir la mer, les plages et les estivants étendus sous le soleil est la plus forte, on peut toujours se risquer sur la route panoramique.

Gabicce est la station balnéaire la plus septentrionale des Marches : la Romagne est à quelques kilomètres, aussitôt après le torrent Tavollo. Le port du canal, où sont amarrées de nombreuses barques colorées, est à voir. Lieu de détente et de divertissement, Gabicce est également appelée le «Capri de l'Adriatique».

Parmi les rendez-vous de l'été, ne pas manquer la manifestation Rosa a Gabicce, une rencontre de femmes du monde de la littérature, du cinéma, de la mode et de la communication. Une grande kermesse multimédia qui donnera un coup de fouet intellectuel à vos vacances.

Indicatif téléphonique : 0541.

Gradara

Après s'être égarés dans la frivolité de Gabicce, partons à Gradara, à 5 km de Gabbice, et visitons le château qui fut le théâtre de l'histoire d'amour tragique entre Paolo et Francesca. Les deux amants furent surpris en flagrant délit d'adultère et tués par le mari de Francesca, Gianciottolo Sciancato, qui était aussi le frère de Paolo. Dante Alighieri se souvient d'eux dans ces vers de l'«Enfer» :

«Amor, che al gentil cor ratto s'apprende,
Prese costui della bella persona
Che mi fu tolta
E il modo ancor m'offende.»

«Amour, qui s'apprend vite au cœur gentil
Prit celui-ci
De la belle personne que j'étais
Et la manière me touche encore.»

Château de Gradara ✆ **96 41 81.** *Ouvert de 9 h à 14 h en hiver (sauf le lundi) et de 15 h à 20 h en été.* Ce château, construit au XIVe siècle, présente, fait singulier, des chemins de ronde couverts. L'imposante bâtisse est magnifique et en excellent état de conservation.

Au mois de juillet, on peut assister à Gradara au **Tournoi des arbalétriers**, qui a lieu un des quatre dimanches du mois (✆ 96 41 15).

Si la visite du château et du bourg médiéval vous a mis en appétit, Gradara offre plus d'une occasion de s'attabler gastronomiquement (voir plus haut).

URBINO

C'est une des cités magiques de la Renaissance italienne. «C'est le laboratoire de l'utopie», dit d'elle l'écrivain Paolo Volponi, «le lieu où la politique, l'art et la culture trouvèrent une fusion admirable.» Malheureusement tout n'est pas si rose dans la réalité ! Aujourd'hui, les murailles d'enceinte d'Urbino menacent de s'effondrer et l'Etat italien ne sait où trouver les 40 milliards de lires pour les consolider. Urbino atteignit son apogée sous le règne de Federico di Montefeltro, un humaniste éclairé qui gouverna la ville de 1444 à 1482 et qui en fit un des centres culturels les plus importants d'Europe. Le Palazzo Ducale, œuvre de l'architecte Luciano Laurana, est un édifice extraordinaire à l'achèvement duquel ont collaboré les artistes les plus fameux de leur époque, comme Piero Della Francesca, Paolo Ucello ou Sandro Botticelli. Le 6 avril 1483, un an après la mort de Federico, naissait à Urbino Raffaello Sanzio, dont les œuvres sont maintenant dispersées dans le monde entier.

La période la plus belle pour voir Urbino est celle de l'hiver, quand la ville est sous la neige. C'est à ce moment qu'elle apparaît vraiment comme la «ville du silence», telle que l'a décrite le poète Gabriele D'Annunzio.

■ TRANSPORTS

Bus. Informations ✆ 97 05 02.

■ PRATIQUE

Indicatif téléphonique : 0722.

Office du tourisme. Piazza del Renascimiento, 1 ✆ 26 13 27 88 - Fax 24 41. *Ouvert du lundi au samedi de 9 h à 13 h et de 15 h à 19 h en été. En hiver, ouvert de 8 h 30 à 13 h 30.*

Poste centrale. Via Bramante, 22 ✆ 27 78 22. *Ouverte le samedi de 8 h 30 à 13 h.*

■ HEBERGEMENT

Hôtel Italia. Corso Garibaldi, 32 ✆ **27 01.** *40 000/60 000 L. Fermé en septembre.* Bon rapport qualité-prix. Accueil souriant. Agréable cour intérieure.

Hôtel San Giovanni. Via Barocci, 13 ✆ **28 27.** *35 000/50 000 L. Fermé en juillet.* Un établissement moderne, avec restaurant.

Hôtel Raffaello. Via S. Margherita, 40 ✆ **48 96 - Fax 32 85 40.** *150 000/200 000 L. Fermé en décembre.* 14 chambres avec téléphone, télévision. Visa. Rénové récemment, cet hôtel offre désormais un mélange subtil de tradition et de confort moderne.

Hôtel Bonconte. Via delle Mura, 28 ✆ **24 63 - Fax 47 82.** *190 000/260 000 L.* 25 chambres. Parc, garages, restaurant (*28 000 L* ; *réservé aux résidents*). American Express, Visa, Diner's Club. C'est, sans aucun doute, l'hôtel le plus confortable et le plus charmant d'Urbino, avec une vue imprenable sur les collines des Marches. Prix en conséquence.

Camping

Camping La Pineta. Cesane (2 km d'Urbino). Ouvert de Pâques au 15 septembre.

Agriturismo

Agriturismo Villa Teresa. A Mazzaferro, Urbino ✆ 07 22/32 98 03. *Appartements 50 000/150 000 L. Ouvert tous les jours.* 35 kilomètres au sud de la côte (Pesaro). Accueil sympathique. Maison moderne. Pêche, basket, volley-ball.

Agriturismo Pistocchi Pietro. A Sapigno, Via Romagnano, 4, Sant'Agata Feltria ✆ 05 47/69 91 11. *Chambres 15 000 L, demi-pension 30 000 L. Fermé en février.* 25 kilomètres au sud-ouest de San Marino. Maison moderne, avec une splendide vue sur le mont Fumaiolo. Parfait point de départ des excursions ou les battues.

RESTAURANTS

Restaurant Da Franco Self-Service. Via del Poggio. *15 000 L environ. Fermé le dimanche.* Formule pratique et économique et une cuisine tout à fait bonne.

Restaurant Nuovo Coppiere. Via Porta Maja, 20 ✆ 32 00 92. *30 000 L environ. Fermé le mercredi et en février.* Un restaurant classique qui sert, à certaines périodes, les millefeuilles au four (couches de pâte feuilletée, enduites de béchamel, de parmesan et de sauce tomate).

Urbino

Restaurant Vecchia Urbino. Via dei Vasari, 2/5 © 44 47. *60 000/80 000 L. Fermé le mardi en basse saison. Réservation obligatoire.* 50/120 couverts. American Express, Visa, Diner's Club. En plein centre historique, un restaurant au plafond à poutres apparentes. C'est un des rares où l'on peut déguster la bonne cuisine d'Urbino. Truffes et gibier en automne, calmars en sauce en hiver, et spaghetti *alla chitarra* arrosés de verdicchio le reste de l'année.

MANIFESTATIONS

Le dernier dimanche de Carême se déroule la Festa dell'Aquilone (la fête du cerf-volant), qui se réfère au célèbre poème de Giovanni Pascoli. Elle a lieu sur la colline delle Vigne, où se réunissent les étudiants de tout âge représentant chaque quartier de la ville.

Le troisième dimanche du mois d'août, c'est la Festa del Duca, un fascinant défilé historique qui traverse les places et les rues voisines du Palazzo Ducale. Des porte-drapeaux, des archers et d'autres personnages miment des scènes historiques déterminées.

Pendant la plus grande partie du mois d'août se déroule aussi la manifestation nationale dite de **l'Artisanat artistique.**

POINTS D'INTERET

Palazzo Ducale. *Ouvert de 9 h à 18 h 30.* Sa cour d'honneur en particulier est très belle ; c'est une des plus harmonieuses de toute la Renaissance italienne. Magnifique aussi, le cabinet de travail de Federico, un espace réduit rendu extraordinaire par les tarses en bois qui courent le long des murs.

Galleria Nazionale delle Marche. *Ouverte tous les jours de 9 h à 19 h 30 et le lundi de 9 h à 14 h. Fermée l'après-midi en hiver.* Beaucoup de trésors d'autrefois ne s'y trouvent plus. Les tableaux de Titien sont visibles à Florence, la bibliothèque de Federico, la plus belle du monde de la Renaissance, est au Vatican, tandis que les céramiques des fours d'Urbino enrichissent les collections de l'Ermitage à Saint-Pétersbourg. Parmi les chefs-d'œuvre restés sur place, on mentionnera la Flagellazione de Piero Della Francesca, la Muta de Raphaël et la Città Ideale qui, selon les uns, est l'œuvre de Laurana, et, selon d'autres, de Piero Della Francesca.

La Casa di Raffaello. Via Raffaello, 57. Dans ce bâtiment du XVe siècle, la pièce où est né le peintre est signalée par une stèle. La maison est située dans une des rues les plus caractéristiques d'Urbino, avec des cafés très animés.

Duomo. Construction néoclassique à escalier imposant. Elle fut réalisée en 1802 par Camillo Morigia, qui achevait ainsi la reconstruction de l'édifice détruit par le tremblement de terre de 1789. A l'intérieur, une *Ultima Cena* de Barrocci.

Forteresse d'Albornoz. En suivant l'avenue Buozzi, agréablement ombragée, on arrive à cette forteresse construite au XIVe siècle par le cardinal et condottiere espagnol.

VALLEE DU METAURO

Voisine de la Toscane, c'est l'une des plus belles régions des Marches, où se blottissent mille villages. Riche en bois, pourvue de nombreuses vallées et collines, son paysage rural est bucolique et serein comme nulle part ailleurs dans les Marches. Ses villes sont quasiment toutes fortifiées ; certaines, comme Urbania, Sant' Angelo in Vado et Mercatello, possèdent des palais ducaux et des parcs construits par Francesco di Giorgio Martini, un des plus célèbres architectes de la Renaissance italienne. Notre itinéraire part d'Urbania et finit, après quelques détours, à Mercatello sul Metauro. Il suffit de suivre la nationale 73 bis pendant une soixantaine de kilomètres ; cette route longe le fleuve Metauro, qui doit son nom à la région de Borgo Pace où la Meta et l'Aura se rejoignent. Chaque coin de la vallée se targue d'un artisanat particulier issu de traditions immémoriales. Ainsi, Urbania est la patrie de grands céramistes et fournit aujourd'hui encore des objets très appréciés. Sant'Angelo in Vado est célèbre pour ses orfèvres et ses cordonniers. Mercatello compte des sculpteurs sur bois et des tisserands réputés, tandis qu'à Borgo Pace on peut acheter, chez tous les fromagers, les incomparables *cacciotte*.

URBANIA

Urbania est une localité inoubliable. En 207 av. J.-C., dans la plaine qui lui fait face, les Romains mirent en déroute les Carthaginois conduits par Adrubale, qui fut par la suite décapité. La ville, qui s'appelait autrefois Castel Durante, connut son heure de gloire au moment de la Renaissance, quand les seigneurs de Montefeltro venaient s'y reposer. Le Palazzo Ducale, construit au XIIIe siècle par les Brancaleoni, fut restructuré par Francesco di Giorgio Martini, qui suivit l'esprit d'urbanisme des ducs de Montefeltro. Il en est résulté un curieux mélange : d'un côté, une forteresse farouche, et, de l'autre, le luxe princier d'une cour à balcons, loggias et cours à portiques.

Points d'intérêt

Le musée et la pinacothèque. *Ouverts tous les après-midi et sur demande.* On peut y admirer des gravures et des dessins de grands artistes, comme Bramante, Ghiberti, Pollaiolo, Gerolamo Genga. Une section est consacrée à la célèbre école de céramique du XVIe siècle où travaillaient des maîtres en maïolique comme Niccolo Pellipario.

FURLO

Allez voir de près la gorge du Furlo, qui évoque les canyons du Colorado ou les fjords norvégiens. Cette étrange galerie, longue de 38 mètres et haute de 6, a été creusée en 76 ap. J.-C. pour permettre le passage de la Via Flaminia. Des architectes modernes en ont parlé comme d'une sorte de petite Corinthe.

ACAUALANGNA ET SANT'ANGELO IN VADO

A Acqualagna se tient, de septembre à mars, sur la place Enrico Mattei, le marché des truffes blanches. Le moment idéal est la première semaine de novembre, lors de la fête nationale du précieux tubercule. Les deux tiers de la production italienne sont vendus ici, dans ce marché en plein air. Pour acheter des truffes, on n'a que l'embarras du choix.

Ainsi, après Acqualagna, faire un saut d'une trentaine de kilomètres jusqu'à Sant'Angelo in Vado, autre localité célèbre pour ses truffes. En arrivant le 10 décembre, on aura la possibilité de se joindre à la fête de la Madonna di Loreto : pizza aux truffes, «bostrengo», boudin et quatre-quarts.

BORGO PACE

Notre étape finale est Borgo Pace, à quelques kilomètres du pas de Bocca Trabaria (1 044 m d'altitude). Borgo Pace était un relais pour la diligence qui reliait la Toscane à Pesaro. C'est par ces routes que transitaient les grands artistes toscans lorsqu'ils se rendaient à la cour d'Urbino. «Ce sont des lieux, note l'écrivain Paolo Volponi, à partir desquels notre pays s'est transformé, en passant à travers les chemins de saint François, Giotto et Dante, les derniers barrages de l'obscurantisme. Par ici passa une Italie ouverte à de nouvelles visions et à de nouveaux espaces.»

PROVINCE D'ASCOLI PICENO

ASCOLI PICENO

Point stratégique sur la route de Rome au Moyen Age, Ascoli a sans cesse été le point de rencontre de populations et de cultures diverses. Envahie, mise à sac et reconstruite, elle ne renonça jamais à son amour pour la liberté, ce qui est un trait typique du peuple picène.

Ascoli, ville rebelle. Elle se révolta contre les Romains, les Lombards, l'empereur Frédéric, le gouvernement pontifical et contre les nazis enfin, ce qui lui valut la médaille d'or de la valeur.

Juchée sur un plateau, entre les fleuves Tronto et Castellano, Ascoli a admirablement réussi à conserver son centre historique dont le style remonte au Moyen Age et à la Renaissance. Ici, nous pouvons savourer à loisir l'atmosphère des ruelles tortueuses, admirer les édifices en pierre de travertin, les centaines de jardins cachés derrière les immeubles ainsi que les quelque quarante cloîtres. Et se préparer à l'émotion que provoque la Piazza del Popolo, une des places parmi les plus singulières et élégantes de toute l'Italie, ou encore succomber au charme de la Piazza Arringo, qui symbolise depuis toujours la démocratie. C'était là, en effet, que le peuple se réunissait et que les orateurs se succédaient à l'ombre d'un orme séculaire, abattu par la foudre en 1369.

TRANSPORTS

Bus. Terminal Via de Gasperi.

PRATIQUE

Indicatif téléphonique : 0736.

Office du tourisme. Piazza del Popolo, 1 ✆ 25 30 45 - Fax 25 23 91.

Poste Crispi. *Ouverte du lundi au samedi de 8 h 30 à 19 h 40.*

Telecom. Via Dino Argelini Patriota, 145/147. *Ouvert de 8 h à 22 h.*

HEBERGEMENT - RESTAURANTS

Hôtel Marche. Viale Kennedy, 34 ✆ 45 475. *80 000/120 000 L.* 32 chambres avec téléphone. Accès handicapés. Interdit aux animaux. American Express, Visa, Diner's Club. Simple, mais bien tenu et confortable. On vous y accueille avec le sourire, ce qui n'est pas négligeable.

Agriturismo

Agriturismo Conca d'Oro. All'abbazia di Rosara, Via Salaria Sup., 137, Ascoli Piceno ✆ 07 36/25 22 72. *Chambres 120 000 L, demi-pension 100 000 L/personne. Ouvert tous les jours.* 30 kilomètres de la côte (San Benedetto del Tronto). Une maison du XVIe siècle au mobilier d'époque. Tandis que les grands bronzeront sur la terrasse, joueront au ping-pong, iront au cours de chant ou aux champs, les enfants trouveront bon accueil à la crèche.

Restaurants

Restaurant Mastro Cigliega. Via di Vesta, 28 ✆ 25 00 34. *Environ 45 000 L. Fermé le mercredi et en août.* Ce restaurant proche de la Piazza Arringo offre, outre sa bonne cuisine, une ambiance plaisante et attachante. On retiendra, en premier lieu, les tagliolini faits à la main accompagnés d'asperges, la langue agrémentée d'une sauce aux poivrons, le canard aux prunes et, bien sûr, les incontournables olives frites et farcies qui constituent le plat typique d'Ascoli.

Il Gallo d'Oro. Corso Vittorio Emanuele, 13 ✆ 53 520. *40 000/50 000 L. Fermé le lundi et du 6 au 20 août. Réservation obligatoire.* 150 couverts. Climatisation. American Express, Visa, Diner's Club. On y sert tous les plats traditionnels d'Ascoli, comme les ravioli alla ricotta avec rughetta et pignons, les «maltagliati» aux langoustines, les tagliatelle à l'agneau et différentes grillades de viandes agrémentées de champignons et truffes de montagne.

Restaurant Il Tornasacco. Piazza del Popolo, 36 ✆ 25 41 51. *45 000/65 000 L. Fermé le vendredi et en juillet. Réservation obligatoire.* 56 couverts. Climatisation. American Express, Visa, Diner's Club. Les hors-d'œuvre concoctés avec de la charcuterie locale sont bons, ainsi que le fromage de brebis. On termine avec l'habituelle friture à la façon d'Ascoli.

POINTS D'INTERET

Piazza del Popolo. C'est le meilleur «salon» d'Ascoli. Les façades qui l'entourent sont de petits immeubles de la Renaissance et du Moyen Age. Le plus important est le Palazzo dei Capitani del Popolo, un édifice du XIIIe siècle, restauré en 1500, surmonté d'une tour et d'une horloge.

La Loggia dei Mercanti. Elle a été construite en 1513, et fait face, elle aussi, à la place. Son grand portail gothique est surmonté d'un monument en l'honneur de Giulio II. Sur la droite, la chiesa di S. Francesco, commencée en 1258 et consacrée un siècle plus tard, a été complétée au XVIe siècle.

Il Duomo. Piazza Arringo. Sa façade, inachevée, est l'œuvre de Cola dell'Amatrice. A l'intérieur on peut découvrir le grand polyptyque de Carlo Crivelli (1473), le tabernacle de Giorgio Vasari et un parement en argent du XIVe siècle, composé de 27 tableaux représentant la vie du Christ.

S. Maria inter Vinas. C'est une construction du XIIe et du XIIIe siècle, avec un beau campanile à fenêtres doubles. On trouve à l'intérieur des fresques du XIIIe et du XIVe siècle ainsi qu'un crucifix en bois du XVIe.

Forte Malatesta. Ce fort, érigé par Galeotto Malatesta en 1349, est situé près du Ponte di Cecco.

La Pinacoteca Civica. Elle est installée dans le Palazzo Comunale (hôtel de ville). Parmi les pièces exposées, la plus importante est une chape du XIIIe siècle ayant appartenu au pape Nicolo IV. On peut aussi y voir des peintures de Titien, du Guercino, de Luca Giordano et de Guido Reni.

Musée archéologique. Palazzo Panichi. Il expose des pièces préhistoriques, italiques et romaines.

Shopping

La Bottega dell'Orafo. Via Angelini 97 ✆ 25 00 42.

Les achats les plus intéressants concernent surtout la gastronomie locale. Chez **Migliori,** Via Tornasacco, à quelques pas de la place Arringo, on peut acheter des pots d'olives d'Ascoli, des fromages et d'autres produits délicieux.

FERMO

Fermo est à 66 km du chef-lieu Ascoli Piceno. On y parvient, par des routes très praticables, en moins de trois quarts d'heure. C'est une ville *docte* par tradition, et la Biblioteca Comunale du XVIIe siècle, qui occupe l'ancien Palazzo degli Studi sur la Piazza Municipio, en est un peu le symbole : elle fut créée officiellement en 1688 mais, depuis longtemps, d'autres bibliothèques d'importance, appartenant à des particuliers ou à des congrégations religieuses, existaient déjà en ville.

Pratique

Indicatif téléphonique : 0734.

Office du tourisme. Piazza del Popolo, 5 ✆ 22 87 38.

Points dintérêt

On peut diviser Fermo en trois niveaux. Dans le bas de la ville, on trouve les artisans, en particulier cordonniers (l'acquisition d'une paire de chaussures sera tentante car les prix sont avantageux) et joailliers. Au-dessus, ce sont les églises et les palazzi nobles. Plus haut encore, le centre de la ville, avec la Piazza del Popolo. Celle-ci est entourée par le baroque Palazzo degli Studi et par le Palazzo Comunale (XVIe siècle) qui abrite la Pinacoteca Civica et les tableaux de Rubens, d'Andrea de Bologne et de Jacobello del Fiore (*ouverte de 9 h à 12 h et de 17 h à 20 h ; fermée les jours fériés*).

Bibliothèque municipale. Actuellement, la bibliothèque municipale est dotée de plus de 400 000 volumes dont la qualité et l'ancienneté, outre le nombre, la placent dans les premières d'Italie. Parmi ses ouvrages les plus précieux, signalons Les Satires de Juvénal, Les Triomphes de Pétrarque, mais aussi le *Fondo Manoscritti* qui rassemble 122 manuscrits allant du Xe au XVIe siècle. La collection des incunables, textes antérieurs au XVe siècle, est inestimable.

DUOMO

En visitant cette ville, qui remonte peut-être au VIIe siècle av. J.-C., on ne peut manquer le Duomo qui, dressé sur l'esplanade Girfalco qui domine la ville, est visible de loin. La façade romaine et gothique de cette cathédrale est imposante. Le portail est surmonté d'une splendide rosace de 1350. La sacristie garde une chasuble en or et en soie du XIIe siècle ayant appartenu à saint Thomas de Canterbury.

La ville souterraine

Egalement intéressante, elle est constituée de trente cavités des piscines romanes, creusées entre 40 et 60 ap. J.-C., dans le but de conserver et d'épurer les eaux. Six d'entre elles sont aujourd'hui encore utilisées comme réservoirs.

Manifestations

Le jour idéal pour visiter Fermo est le 15 août, quand se déroule, sur la Corsa al Palio, le Palio dell'Assunta, une évocation historique du tournoi qui eut lieu en 1182. Une jolie fête à laquelle participent les dix quartiers de la ville qui, après avoir défilé dans les rues, se disputent l'étendard artistique.

Entre le 15 juillet et le 10 août, on pourra profiter du Fermo Festival, une grande kermesse organisée par la mairie et où se côtoient le jazz, la musique symphonique, la danse et le théâtre, avec la participation de grands artistes internationaux.

SAN BENEDETTO DEL TRONTO

C'est la patrie du poisson frais qu'une nombreuse flottille décharge chaque jour. Planté de palmiers, de pins et d'oléandres, le magnifique front de mer se remplit tous les soirs d'une foule enjouée qui a valu à S. Benedetto sa réputation de site parmi les plus courus de l'Adriatique.

Indicatif téléphonique : 0735.

Sortir

Pour ceux qui souhaiteraient se plonger dans la vie nocturne de cette ville côtière, la boîte à la mode est l'Atlantide (Via dei Tigli ✆ 07 35/60 632), où ils pourront danser jusqu'à l'aube au rythme de musiques sud-américaines.

OFFIDA

Si vous avez envie d'une promenade, faites un tour sur la colline pour découvrir Offida, son splendide hôtel de ville et sa loggia du XVe siècle. En parcourant les ruelles médiévales, vous aurez peut-être l'occasion de goûter aux douceurs du pays : le *funghetto*.

Un gâteau fait avec du sucre, du blanc d'œuf et de l'anis et les fougasses farcies d'anchois, de poivrons, de thon et de câpres. Avant de vous en aller, vous pourrez aussi acheter, dans une des innombrables petites boutiques, des dentelles travaillées au fuseau. C'est un art que les femmes d'Offida cultivent depuis le XVe siècle.

MONTS SIBILLINI

La chaîne des monts Sibillini s'étend de l'Ombrie aux Marches. C'est un des ensembles montagneux les plus singuliers des Apennins. La meilleure période pour les visiter se situe entre la fin mai et le début du mois de juillet, lorsque les hauts plateaux sont recouverts de fleurs.

Ces montagnes, comme leur nom l'indique, sont «magiques». D'après la mythologie, c'est ici qu'habitait la Sybille des Apennins, une femme pleine de sagesse et d'autorité, mémoire vivante qui perpétuait le savoir. L'antre de la Sybille, appelé aujourd'hui la Grotte delle Fate, se trouve sur le mont du même nom. Pendant toute la Renaissance, ce fut un lieu mythique, souvent choisi par les intellectuels et mentionné par les écrivains dans leurs poèmes ou leurs romans. L'Arioste et Torquato Tasso en firent le royaume d'Armida et de la magicienne Alcina.

Pour des renseignements supplémentaires, contacter la **Comunità montana dei Sibillini ✆ 84 43 79/ 84 45 26.**

ACQUASANTA TERME

Après Ascoli Picene, prendre la nationale n° 4 en direction d'Acquasanta Terme, dont les eaux étaient déjà connues des Romains pour leurs vertus thérapeutiques contre les rhumatismes et les affections respiratoires.

Indicatif téléphonique : 0736.

CASTELLUCCIO

En continuant vers Arquata del Tronto, juchée sur son roc moyenâgeux, on arrive finalement à Castelluccio (1 452 m d'altitude), connue pour sa production de lentilles. On a, à cet endroit, un bon point de vue sur le mont Vettore et sur les autres sommets des Apennins dépassant 2 000 mètres. Avec un peu de chance et beaucoup de patience, les amateurs du «birdwatching» pourront voir l'aigle royal prendre son envol.

MONTEMONACO

La partie la plus sauvage des monts Sibillini est également accessible par un autre itinéraire à partir de Montemonaco, une commune qui a pris le nom du moine bénédictin qui la fonda au Moyen Age. Le centre historique, bien conservé, a gardé son caractère médiéval (sont à voir : l'hôtel de ville, la Torre Civica du XIVe siècle, ainsi que l'église de S. Benedetto et celle de S. Bagio avec son crucifix en bois du Ve siècle), un caractère mis en valeur par le cadre que constituent, alentour, les principaux sommets des Sibillini.

Excursion. De Montemonaco, on peut monter en voiture jusqu'au **mont Sibilla**, à 2 175 m, et rejoindre à pied l'entrée de la **grotte des Fées** (Grotta delle Fate).

FORCE ET LE LAC DE PILATO

Une fois redescendu dans la vallée, on part en direction de Force, un village réputé pour ses *calderai* (chaudronniers), spécialisés dans le travail du cuivre. Puis on continue vers le superbe fond de la vallée jusqu'au lac de Pilato, un miroir d'eau légendaire au milieu d'un cirque de glace. La tradition locale veut qu'à l'intérieur de ce lac ait été jeté le cadavre de Ponce Pilate, transporté depuis Rome dans un char tiré par des buffles rendus fous. Selon la même tradition, le Vendredi saint, les eaux du lac se teinteraient de rose.

AMANDOLA

Pour ceux qui ont un faible pour les fruits, la commune d'Amandola, dont le nom justement dérive de l'amandier, est le passage obligé. En suivant le cours de l'Aso, on longe une immense étendue d'arbres fruitiers couvrant toute la vallée, laquelle porte désormais le nom de Fruit Valley des Marches. Les artisans d'Amandola jouissent par ailleurs d'un prestige mérité dans l'art de la marqueterie.

Indicatif téléphonique : 0736.

Manifestation

Amandola est aussi le théâtre d'une sagra en costumes : la procession des *canestrelle* (gaffes) qui se déroule chaque année, le troisième dimanche du mois d'août.

OMBRIE

OMBRIE

Qualifiée de «cœur vert de l'Italie» pour sa position géographique et sa nature luxuriante et sauvage, l'Ombrie émerge du panorama italien de ces dernières années comme l'une des régions les plus méritantes du point de vue de l'environnement et de la qualité de la vie. Même en ce qui concerne le tourisme, la région prône une intelligente politique de défense de chaque localité afin que d'autres secteurs de l'économie ne soient pas lésés.

Sauf quelques cas particuliers, compromis dès les années soixante-dix par le boom du tourisme de masse, la région, dans son ensemble, défend relativement bien son identité. Les interventions pour développer le tourisme sont ciblées et réalisées à long terme. Dans certains endroits, il existe des projets pour la sauvegarde du patrimoine immobilier des campagnes, pour la protection de l'écosystème et des eaux, d'autres encore portant sur la continuation des métiers traditionnels.

Un problème important en Ombrie, et qui concerne malheureusement l'Italie tout entière, est celui des œuvres d'art. Face à la grande quantité de biens culturels concentrée dans cette région, la question de leur conservation n'est pas suffisamment prise en compte et, très souvent, on trouve des monuments à l'abandon, ou en cours de restauration depuis plus de dix ans.

L'Ombrie souffre aussi de quelques-unes des maladies italiennes, comme la construction sauvage dans les banlieues et l'asphyxie des centres historiques à cause de la circulation. Cependant la démonstration a été faite que l'on savait régler ce problème de manière efficace. Pérouse a commencé, il y a déjà dix ans, à interdire la circulation des voitures dans son centre, réussissant à endiguer à la fois les problèmes du trafic et de la pollution. Todi a été déclarée comme étant la «ville la plus agréable à vivre au monde», en vertu du juste équilibre atteint entre le centre résidentiel et la campagne environnante. En règle générale, la plupart de ces petites villes ont vu arriver progressivement, dans la dernière décennie, des intellectuels et des citadins trouvant là leur résidence principale ou secondaire, ou bien un pied-à-terre pour le week-end.

D'un point de vue strictement touristique, l'Ombrie est une des régions qui s'investit le plus pour organiser des manifestations culturelles et encourager un tourisme de qualité (comme le festival des Deux Mondes à Spoleto, Umbria Jazz à Pérouse, ou Umbriafiction). Le conseil régional et les structures locales font quasiment partout preuve de dynamisme et sont toujours en mesure de fournir des informations exhaustives.

Survol du pays

La géographie de cette région, la seule qui n'ait pas de débouché ni sur la mer ni sur un pays frontalier, est caractérisée par l'épine dorsale des Apennins sur sa partie orientale et par le cours du fleuve Tevere qui la traverse sur environ 200 km, entre San Giustino et Orte. Le faible nombre de ses habitants (n'atteignant pas le million) a favorisé la formation de larges zones protégées. Beaucoup de ces régions ont cependant été victimes, pendant des siècles, d'une dégradation constante du patrimoine forestier. La tendance s'inverse depuis quelques années avec le reboisement des forêts, ce qui a même permis l'introduction d'espèces animales étrangères à la région.

Les lieux écologiques les plus importants se trouvent soit sur l'Apennin, soit à proximité des bassins artificiels comme le Trasimène, quatrième lac italien pour la superficie, qui permet de fixer sur ses berges une grande quantité d'espèces. Tout aussi importants sont la Palude di Colfiorito et les réserves d'Alviano, de Recentino, de San Liberato et de Piediluco. La partie sud de la région, la Valnerina, est traversée par la Nera, le principal affluent du Tevere, donnant vie à un milieu naturel parmi les mieux conservés de toute l'Italie centrale.

Les saisons intermédiaires, à savoir l'automne et le printemps, sont les meilleures époques pour visiter la région. Pour y séjourner, on choisira de préférence la campagne, afin de mieux apprécier les racines essentiellement rurales de cette terre.

Gastronomie

La culture gastronomique de l'Ombrie n'a jamais été réputée au point de franchir les frontières de l'Italie. De bons vins mais rarement exceptionnels (tel l'orvieto classico), une cuisine régionale savoureuse jamais trop recherchée, basée essentiellement sur le respect et la mise en valeur des meilleurs produits de la région. Parmi ceux-ci, on peut distinguer l'huile, surtout quand elle est de première pression, mais aussi la truffe noire provenant du triangle Cascia, Norcia et Spoleto, la charcuterie que l'on fabrique à partir du «porc tavelé», une espèce rare, menue et particulièrement succulente. Les lentilles de Castellucio proviennent de la région de Norcia ; petites et exquises, elles sont, avec la truffe noire et les saucissons, le fleuron des produits du terroir. Il faut avoir goûté au moins une fois les *spaghetti alla norcina* accompagnés d'une sauce à l'huile d'olive d'Ombrie, de truffe noire râpée et d'un soupçon d'anchois.

Hébergement

Moins réputée que la Toscane mais pareillement belle, d'un charme plus discret et plus sauvage, l'Ombrie peut se vanter, elle aussi, de posséder de superbes demeures bien aménagées et dont les structures d'accueil sont excellentes. Nous les avons mentionnées même si les prix en sont élevés, car une halte dans ces lieux, ne serait-ce que le temps d'une nuit, d'un repas ou d'un apéritif, est un moment exceptionnel qui vaut la peine d'être vécu. Comme en Toscane, il existe aussi de nombreuses possibilités plus économiques, dont le tourisme à la ferme (agriturismo), qui offre dans tous les cas un bon accueil dans un cadre rustique et plein d'attraits, malgré un côté parfois un peu spartiate. Pour toute information relative aux fermes de la région dont il ne serait pas fait mention ici, se renseigner à l'adresse suivante : Agriturist Umbria, Via Savonarola, 38, Pérouse ✆ 075/32 028.

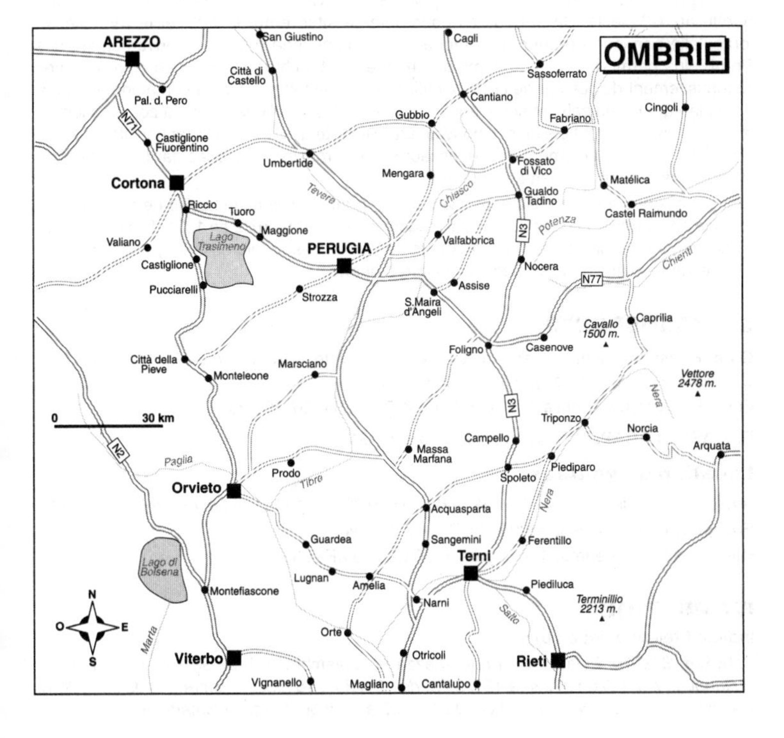

NORD

PEROUSE

Accueillante, disponible, Pérouse a toujours eu, au cours de son histoire, la réputation d'être une ville à la fois fascinante et orgueilleuse. En 1864, Hippolyte Taine la décrivait comme «ville du Moyen Age, ville de défense et de refuge, posée sur un plateau escarpé d'où toute la vallée se découvre» lorsqu'on erre au hasard de «ces rues baroques, montueuses, bossuées, dans ces couloirs escarpés, dallés de briques, parmi ces étranges bâtiments où l'imprévu et l'irrégularité de l'antique vie éclatent à peine».

Pour Paul Bourget, visitant Pérouse quelques années plus tard, Pérouse est «une cité rude, nid d'aigle qui de son sommet menace l'horizon infini où dorment Assise, Foligno, Spoleto».

La ville s'élève jusqu'au sommet d'une colline dont les cinq prolongements correspondent aux différents quartiers : Borgo Sant'Angelo au nord, Borgo Sant'Antonio au nord-est, Borgo San Pietro au sud-est ainsi que les deux plus petits : Porta Santa Susanna et Porta Eburnea.

A l'écart des principales artères autoroutières et ferroviaires qui relient le Nord et le Sud de l'Italie, Pérouse a su mettre en avant son originalité grâce à une judicieuse activité industrielle (c'est ici que sont nées l'entreprise de pâtes Buitoni et l'industrie pâtissière Perugina) et à une bonne image culturelle avec la plus importante université d'Italie pour étrangers.

Histoire

Les origines de Pérouse remontent aux Umbri Sarsinati. Au IVe siècle av. J.-C., elle était devenue un centre étrusque florissant. Le siècle suivant, elle est attirée dans la puissante orbite romaine, dont elle obtient le statut de cité en 90 av. J.-C. Occupée par les Ostrogoths en 557, reconquise par les Lombards, puis par les Byzantins, elle devient une commune guelfe au XIe siècle. Sa période d'hégémonie se situe entre le XIVe et le XVIe siècle, lorsqu'elle parvient à régner sur toute la région ombrienne grâce au gouvernement des Priori, élus parmi des représentants de chaque art. La chute de Pérouse coïncide avec l'accroissement du pouvoir de l'Etat pontifical. Paolo III fait occuper la commune en 1538, après la «guerre du sel», et commande à Antonio da Sangallo le Jeune la construction de la Rocca Paolina, symbole de son pouvoir. La ville restera soumise à l'Etat pontifical jusqu'à l'Unité de l'Italie, au moment des «massacres de Pérouse», quand les gardes suisses de Paolo IX se rendirent tristement célèbres.

En ce qui concerne l'urbanisme, pendant tout le premier millénaire la ville ne dépasse pas le tracé des murs étrusques. La nouvelle enceinte a été construite en 1321, fixant, jusqu'au siècle dernier, les limites des cinq quartiers de la ville. Les dernières extensions remontent à la seconde moitié du XIXe siècle et à l'après-guerre.

TRANSPORTS

Gare. Renseignements et vente de billets. Piazza Vittorio Veneto ✆ 50 07 467/50 01 288. *Consigne ouverte tous les jours de 6 h 20 à 20 h 20.*

Ferrovia Centrale Umbra. Via Sant'Anna ✆ 57 23 947/57 20 725.

Bus ASP et ACAP. Loc Pian di Massiano ✆ 57 31 707.

Location de voitures

Avis. Aéroport de S. Edigio ✆ 69 29 346 - Fax 69 29 796 ou Via Sette Valli, 42 ✆ 50 00 395.

Europcar Italia. Via R. D'Andreotto, 7 ✆ 57 31 704.

Hertz. Piazza V. Veneto, 4. A la gare ✆ 50 02 439 - Fax 65 08 37.

PRATIQUE

Indicatif téléphonique : 075

Sala San Severo. Palazzo dei Priori. Piazza IV Novembre, 3 ✆ 57 36 458. *Ouvert en été du lundi au samedi de 8 h 30 à 13 h 30 et de 15 h 30 à 18 h 30, le dimanche de 9 h à 13 h. En hiver, ouvert du lundi au samedi de 15 h 30 à 18 h 30, fermé le dimanche.*

Consulat de France

Via Pievaiola, 11 ✆ 50 03 221.

Poste. Piazza Matteotti. *Ouverte de 8 h 10 à 19 h 25.*

Téléphones SIP. Via Marconi ou Corso Vanucci. *Ouvert de 8 h 30 à 22 h.*

Distributeur. Banca di Roma. Piazza IV Novembre.

Change. Genefin. Via Pintiricchio, 14/16 ✆ 57 30 136. *Ouvert de 8 h 20 à 13 h 30 et de 14 h 30 à 15 h 45, sauf samedi, dimanche et jours fériés.*

HEBERGEMENT

Hôtel Etruria. Via della Luna, 21, Pérouse ✆ 57 23 730. *45 000/84 000 L.* Dans le centre. Avec une salle voûtée du XVIIe siècle.

Hôtel Anna. Via dei Priori, 48, Pérouse ✆ 57 36 304. *60 000/90 000 L environ.* 11 chambres.

Hôtel Priori. Via Vermiglioli, 3, Pérouse ✆ 57 23 378 - Fax 57 23 213. *85 000/120 000 L.* 51 chambres avec téléphone. Parc, garages. Dans un ancien palais situé dans le centre. Les chambres sont aménagées de façon moderne.

Locanda della Posta. Corso Vanucci, 97, Pérouse ✆ 57 28 925 - Fax 57 32 562. *190 000/295 000 L.* 40 chambres avec téléphone, télévision, climatisation, réfrigérateur. Garages. American Express, Visa, Diner's Club. Dans le Corso Vanucci, artère principale du centre historique, un hôtel parfois un peu bruyant mais très agréable. Elégance et convivialité.

Hôtel Brufani. Piazza Italia, 12, Pérouse ✆ 62 541. *465 000/540 000 L.* 24 chambres. Accès handicapés, garages, parking, restaurant. L'emplacement de cet hôtel du XIXe siècle, sur le mont Cavallo, est magnifique. Bon restaurant avec vue sur la vallée. Chambres récemment rénovées.

Relais Le Tre Vaselle. Via Garibaldi, 48, Torgiano ✆ 98 80 447 - Fax 98 80 214. *330 000/370 000 L.* 60 chambres. Parc, accès handicapés, parking, climatisation, piscines couverte et découverte, salle de gym, restaurant (*65 000/75 000 L*). Interdit aux animaux. Un «Relais & Châteaux» très accueillant, avec du mobilier d'époque et une bonne cuisine. Des caves Lungarotti, propriété de l'hôtel, sortent les meilleurs vins produits par la région, plus un bon vin blanc de production locale, le Torgiano.

Camping

Camping Paradis d'été. Locanda Fontana. Via dei Mercato, Pérouse ✆ 51 72 117. De la gare, bus n° 36.

Auberges de jeunesse

Centro Internazionale di Accoglenza per la Giventù. Via Bontempi, 13, Pérouse ✆ 57 22 880. *Chambres à 4 lits à environ 20 000 L. Fermé du 15 décembre au 5 janvier. Ouverte de 7 h 30 à 9 h 30 et de 16 h à 23 h 30.* Garçons et filles séparés. Cuisine mise à disposition.

Albergo-pensione Paola. Via della Canapina, 5, Pérouse ✆ 57 30 236. *65 000 L environ.* Réservation obligatoire. Une pension bien tenue et d'accueil agréable. Pour s'y rendre, emprunter les bus 26 ou 27.

Agriturismo

Agriturismo Monte Albe di Patrick Galletti. Strada del Sasso, 3, San Marco ✆ 69 02 28 - Fax 69 07 56. *60 000/130 000 L par appartement.* 4 appartements de 2 à 4 lits, avec téléphone. Equitation, piscine, vélos, accès handicapés. A 600 mètres du parc naturel de Monte Albe, cette structure de vacances à la ferme offre un point de vue panoramique sur Pérouse, Assise et le lac Trasimène. On peut effectuer des promenades guidées à cheval. Un manège et une piscine sont à la disposition des clients.

Agriturismo Natura Amica. A Fratta di Bettona. Via dei Cacciatori, 7, Bettona ✆ 075/98 29 22. *Chambres 60 000 L, demi-pension 95 000 L, appartements 400 000/600 000 L. Fermé en juin.* 20 kilomètres au sud-est de Pérouse. Un complexe restauré, avec vue panoramique et piscine. On apprécie la quiétude du site et sa beauté.

RESTAURANTS

Dal mi Cocco. Corso Garibaldi, 21 © 57 62 511. *25 000 L environ. Fermé le lundi. Réservation obligatoire.* Fréquenté par pas mal d'étudiants, étant donné son bon rapport qualité-prix.

Aladino del Sole. Via delle Prome, 11 © 57 20 938. *45 000/65 000 L. Ouvert seulement le soir. Fermé le lundi et en août. Réservation obligatoire.* 55/65 couverts. Climatisation. Né de la fusion entre deux établissements, c'est un des meilleurs restaurants de la ville pour le rapport qualité-prix. Il offre une cuisine recherchée, avec des produits rares et bien choisis. La présentation est soignée, les vins sont excellents. On comprend qu'il faille réserver !

Restaurant La Taverna. Via delle Streghe, 8 © 57 24 128. *50 000/75 000 L environ. Fermé le lundi.* Excellente cuisine du terroir que l'on déguste avec bonheur dans une grande salle voûtée.

Osteria del Bartolo. Via Bartolo, 30 © 57 31 561. *85 000/155 000 L. Fermé le dimanche, du 7 au 15 janvier et du 25 juillet au 7 août. Réservation obligatoire.* 35 couverts. Climatisation. American Express, Visa, Diner's Club. On doit patienter un peu, mais pour faire passer le temps, on vous offre un savoureux pain aux noix avec du beurre. Cuisine conforme à la tradition régionale et bonne carte des vins. Les huiles et autres ingrédients de base sont d'excellente qualité.

Bar

Caffè del Cambio. Corso Vanucci, 29. Café toujours rempli d'une clientèle plutôt étudiante.

MANIFESTATIONS

Mars-avril : La Desolata (le vendredi précédant le dimanche des Rameaux) est une représentation allégorique en dialecte qui raconte les épisodes de la Semaine sainte.

Juin (les deux dernières semaines) : Rockin'Umbria, festival de rock à Pérouse et à Umbertiade, avec des groupes peu connus du grand public.

Juillet (pendant deux semaines) : Umbria Jazz, festival international avec des dizaines de concerts auxquels participent les plus grands noms du jazz.

Septembre (seconde moitié) : Sagra Musicale dell'Umbria, un des festivals de musique contemporaine parmi les plus importants en Italie, qui a lieu à Pérouse et dans les villes voisines. Segni Barocchi : manifestation regroupant des spectacles de musique, de théâtre et de cinéma liés au baroque.

Octobre-novembre : Il Gioiello e l'Oggetto Antico (le bijou et l'objet ancien), Exposition internationale d'orfèvrerie. Fiera dei Morti (entre le 2 et le 5 novembre, localité de Pian di Massiano), foire de produits alimentaires dont l'origine remonte au Moyen Age. On y propose des gâteaux et des produits de l'artisanat d'Ombrie.

POINTS D'INTERET

Piazza IV Novembre. Cette place aux formes irrégulières est le centre artistique de Pérouse. Entourant la Fontana Maggiore, elle est cernée par les plus importants monuments de la ville. Ce sont le Palazzo Arcivescovile et son musée d'Histoire naturelle ; le Palazzo del Vecchio Seminario, datant de 1564 ; la Loggia di Fortebraccio ; le Palazzo del Collegio dei Notari, de style gothique (1446) ; la cathédrale de San Lorenzo et le Palazzo dei Priori.

Fontana Maggiore. Située au milieu de la Piazza IV Novembre, cette splendide fontaine médiévale du XIIIe siècle, œuvre de Giovanni et Nicola Pisano, est un des symboles de la ville. Ses bords inférieurs décorés de bas-reliefs (victimes d'une série d'actes de vandalisme, ils sont maintenant protégés par des barrières) représentent les douze signes du zodiaque et quelques scènes bibliques. Les trois Grâces, réalisées par Giovanni Pisano, se dressent dans la vasque supérieure.

La cathédrale de San Lorenzo. Erigée entre 1345 et 1490, la cathédrale présente une façade inachevée. On remarquera en particulier l'intérieur avec ses trois nefs et le chœur en bois exécuté par Giovanni da Maiano (dans la chapelle à gauche dite Santo Anello), ainsi qu'une *Déposition de Croix* de Federico Barocci (1569). De la cathédrale, on accède au Museo del Capitolo, où se trouvent le retable de Luca Signorelli, la *Madonna in Trono*, et d'autres œuvres de la Renaissance.

Palazzo dei Priori. Toujours sur la même place, le Palazzo dei Priori (ou Comunale) est considéré comme un des plus beaux hôtels de ville italiens. Sa construction débuta en 1293, suivie de nombreux remaniements pendant les trois siècles suivants. Quand l'Etat pontifical était au pouvoir, le palazzo subit des transformations architecturales d'un goût douteux ; elles disparurent lors des restaurations de l'après-guerre. La structure du palazzo est une figure exemplaire de la conception communale : solidité des lignes, fenêtres trilobées et rangées de créneaux guelfes ornant la partie supérieure. L'escalier qui donne sur la place est un ajout datant de 1902. Au-dessus du portail, on peut admirer les sculptures en bronze représentant le griffon et le lion (symboles respectifs de la ville et du parti guelfe). On accède au Salone dei Notari, décoré de peintures du XIIIe siècle, par un porche à trois arcades du XIVe. Mais il ne faut pas manquer d'aller voir la façade qui donne sur le Corso Vannuci.

Le Palazzo dei Priori abrite également la Galleria Nazionale dell'Umbria (voir plus loin) ainsi que le Collegio del Cambio ou de la Mercanzia (entrée Corso Vannuci), construit en 1452-1457 pour des changeurs de monnaie et des banquiers. A voir absolument, dans la Sala dell'Udienza couverte de fresques aux motifs mythologiques et sacrés, les chefs-d'œuvre de Pietro Vannuci dit il Perugino et de ses élèves (dont Raphaël), parmi lesquels le fameux autoportrait (sans concession) de l'artiste.

Piazza Italia. Située au bout du Corso Vannucci, la place est entourée par divers édifices intéressants : la Rocca Paolina (construite au XVIe siècle sur les décombres de la Casa dei Baglioni), dessinée par Antonio da Sangallo le Jeune sur une commande de Paolo III ; le Palazzo del Governo et les jardins Carducci, principal espace vert de la ville. Dédiés à Giosue Carducci, qui trouva là l'inspiration de son poème «Il Canto dell'Amore», ces jardins offrent une vue splendide.

Oratorio di San Bernardino. C'est un petit mais précieux joyau de l'architecture de la Renaissance, que l'on doit à Agostino di Duccio. Très belle façade polychrome, réalisée entre 1457 et 1461, enrichie de statues et de bas-reliefs en marbre. L'intérieur, de style gothique, est sans surprise.

Chiesa di San Pietro. A l'extrémité du Borgo XX Giugno, près de la porte San Costanzo, c'est un exemplaire rarissime d'église de l'an mille dont la structure d'origine est encore bien conservée. A l'extérieur, on peut admirer le campanile à flèche et la cour du XVIIe siècle, tandis que l'intérieur à trois nefs et à colonnes antiques abrite d'importantes peintures de Perugino, de Guido Reni et du Guercino.

Arco Etrusco. Entre la Piazza Fortebraccio et la Via Rocchi. Connu aussi sous le nom d'arc d'Auguste, il date des IIIe et IIe siècles av. J.-C. C'était la principale voie d'accès à la ville par les murailles étrusques.

Chiesa di San Domenico. Edifice grandiose datant du XIVe siècle, remanié au XVIIe par l'architecte baroque Carlo Maderno. A voir, l'intérieur à trois nefs, aussi vaste qu'austère, avec l'autel (d'Agostino di Duccio) et le tombeau de Benedetto XI.

Chiesa di Sant'Angelo. Au bout du Corso Garibaldi. Une étonnante basilique paléochrétienne du Ve et VIe siècle, de plan circulaire, avec une nef soutenue par douze colonnes. La Porta Sant'Angelo, toute proche, a été restaurée au XVe siècle sur commande du condottiere de Pérouse, Braccio Fortebraccio.

Eglise de San Severo. *Pour la visiter, sonner au n° 11.* Elle conserve en particulier une fresque de Raphaël.

Eglise de San Francesco al Prato. De style gothique, elle date de 1230.

Galleria Nazionale dell'Umbria. A l'intérieur du Palazzo dei Priori, Corso Vanucci ✆ 57 41 247 - Fax 57 20 316. *Ouverte du lundi au samedi de 10 h à 18 h 30 et les dimanches et jours fériés de 10 h à 13 h.* Cette galerie expose la plus grande collection de peintures d'Ombrie, du XIIe au XVIIIe siècle. Parmi les innombrables chefs-d'œuvre, on peut distinguer les œuvres de Duccio, de Fra Angelico (Vierge à l'Enfant avec des anges et des saints), de Piero Della Francesca (Vierge à l'Enfant entourée de saints) et du Perugino (Adoration des Mages et une pietà).

Museo Archeologico Nazionale dell'Umbria. Corso Cavour. *Ouvert de 9 h à 13 h et de 15 h à 18 h, de 9 h à 13 h les dimanches et fêtes.* Le musée occupe un ancien couvent dominicain sur le Corso Cavour, à gauche de l'église S. Domenico. Il comprend une section étrusque, une autre romaine, et toute une partie consacrée à la Préhistoire.

Balade

Il faut visiter Pérouse à pied. Sa configuration reste à échelle humaine ; le centre de la ville est situé entre le Corso Vannuci et la Piazza IV Novembre, avec des rues qui montent et descendent du centre historique. En 1992, deux escaliers mécaniques ont été installés pour faciliter la circulation des visiteurs. Le premier part de la Piazza dei Partigiani, où se trouve le grand parking, et permet d'arriver Piazza Italia en quelques minutes. Il passe sous la Rocca Paolina et le bourg médiéval, pour déboucher à la hauteur du Palazzo della Provincia. Le second escalator, qui passe à l'extérieur, est protégé par un Plexiglas : il relie le parking de Viale Pompeo Pellini à la Via dei Priori en plein centre, à côté du Palazzo du même nom. Les deux trajets sont gratuits. Les escalators fonctionnent de 6 h du matin à minuit. On y diffuse de la musique et ils sont faits de telle sorte que l'on peut interrompre le trajet à son gré. Leur itinéraire est à peu près le même que celui des sentiers muletiers que l'on parcourait à dos d'âne au Moyen Age.

■ DANS LES ENVIRONS

Castel Rigone

A 28 km de Pérouse. On y arrive à partir de Passignano par la magnifique route départementale n° 142, qui offre des points de vue très évocateurs sur le lac, les îles et la vallée. Castel Rigone est un petit bourg du XVIe siècle situé sur une colline. Son église, la Madonna dei Miracoli, est en cours de restauration.

Castiglione del Lago

A 49 kilomètres de Pérouse, ce village vaut surtout le détour pour les vieux chemins de ronde d'où l'on peut jouir d'un splendide panorama. A voir, le Palazzo Comunale, et ses fresques du XVIe siècle dans la salle du premier étage.

Citta delle Pieve

On rejoint ce grand village par la nationale (SS) 71, qui traverse un paysage de grandes vallées ponctuées par endroits de bois d'oliviers et de vignobles. C'est ici qu'est né le Pérugin. Assez peu touristique, donnant sur la vallée du Chiana, cette petite ville contenue dans ses murailles du Moyen Age est dominée par la forteresse du XIVe siècle.
Elle vaut d'être vue pour ses trésors artistiques (fresques du Pérugin au Duomo, *ouvert de 8 h à 12 h 30 et de 15 h 30 à 17 h,* et à l'oratoire de Santa Maria dei Bianchi) mais aussi pour la grâce de ses rues pavées et de ses immeubles en brique.

Corciano

A 13 km de Pérouse. Voilà un bourg médiéval parfaitement entretenu, entièrement restauré et rendu à sa forme originale dans les moindres détails, des rues pavées aux façades des maisons. On peut y visiter le musée de la Maison paysanne qui réunit divers ustensiles de la campagne, dont quelques-uns vieux de plus de mille ans.

Deruta

A 20 km de Pérouse. Cette petite ville est célèbre pour sa production artisanale de céramiques. Ce sont 150 ateliers, dont les décorations sur vases, cruches et assiettes sont réputées dans toute l'Italie.

Gualdo Tadino

Pour y aller, prendre la SS 318 (nationale) à partir de Pérouse (50 km). Connu pour son industrie déjà ancienne de céramiques artistiques, ce bourg organise un concours international chaque été. Ne pas manquer le Duomo de 1256 et l'ancienne église gothique de S. Francesco abritant la Pinacoteca Comunale.

Panicale

Si vous allez vers Pérouse par la nationale 220, nous conseillons de faire un petit détour par Panicale, en empruntant la départementale 310 à Piegaro. La route suit la vallée du fleuve Nestore au milieu d'étendues verdoyantes. Panicale, juchée sur une hauteur, conserve dans l'église de San Sebastiano des fresques du Pérugin (sonner le gardien au n° 13 de la Piazza Mercato). Elle possède par ailleurs une belle collégiale aux portails Renaissance. A quelque distance de là, se trouve le bourg de Paciano, avec un château médiéval parfaitement conservé et un remarquable centre historique.

Torgiano

A 16 kilomètres de Pérouse. Situé dans le centre de la commune et logé dans le palais privé Graziani-Baglioni, le musée du Vin vaut le détour. Il rassemble des légendes, des récits, des instruments anciens et des pièces archéologiques provenant de différentes régions, tous relatifs à notre boisson favorite.

Lac Trasimene

Les contours des îles la Maggiore, la Minore et la Polvese forment le doux horizon qui sert de toile de fond aux bourgs anciens et aux villages de pêcheurs. Souvent ce ne sont que quelques maisons accrochées sur un rocher qui surplombe le lac. Ailleurs, c'est une campagne cultivée, de vieilles fermes et de belles routes secondaires qui traversent des vallées et des bois, des étendues d'oliviers et des champs de blé. Le Trasimène est un territoire frontalier : à la fois ombrien et toscan puisque ses rives touchent la province arétine du Val di Chiana. Nous vous conseillons un lent vagabondage sur le lac, autour et au-delà, où, guidés par votre instinct, vous pourrez faire d'authentiques découvertes.

Notre itinéraire part de Pérouse. Après une vingtaine de kilomètres, on arrive à la première localité, Magione, pour faire ensuite le tour du lac par de très belles routes panoramiques et, enfin, revenir à Pérouse. On trouvera des villages typiques de pêcheurs, des routes de campagne conduisant à des chefs-d'œuvre artistiques isolés dans des coins de verdure, et des sites devenus fameux grâce aux structures balnéaires qui ont favorisé leur expansion touristique.

Nous conseillons d'aller directement au cœur du Trasimène, en se dirigeant vers les lieux les moins connus, ceux où s'exercent encore les métiers qui ont fait l'histoire du lac : l'agriculture, l'artisanat et la pêche. Et de survoler rapidement les endroits les plus célèbres de la région. On arrive au lac en prenant la SS 75 bis. Juste avant le Trasimène, le sanctuaire de la Madonna delle Fontanelle (XVe siècle) et le château de l'Ordre de Malte avec sa tour lombarde, situés sur la commune de Magione, méritent qu'on s'y arrête. Après Magione, un détour est conseillé afin de rejoindre S. Feliciano, un bourg intéressant où se maintient l'antique tradition des pêcheurs du Trasimène.

Passignano

A 28 km de Pérouse. Avec ses nombreux hôtels, ses plages et, en été, son afflux constant de randonneurs, cette station balnéaire réputée est un des endroits les plus touristiques et les plus fréquentés du Trasimène. Passignano est également agréable hors saison, avec son centre historique devenu calme, dominé par les ruines du château. C'est là aussi que se trouve l'embarcadère pour l'île Maggiore.

Tuoro

A 32 km de Pérouse. Fameux pour avoir été le site de la bataille d'Hannibal en 217 av. J.-C. C'est aujourd'hui un lieu d'embarquement pour l'île Maggiore.

Ile Maggiore

Un service de bateaux la relie quotidiennement à partir de Passignano et de Tuoro : 9 trajets en hiver et 20 en été.

Ce village de pêcheurs très ancien compte à l'heure actuelle 44 personnes. C'est l'île la plus belle du lac, avec ses maisons du XVe siècle et ses deux églises, celle de San Salvatore, romane, et celle de San Michele Arcangelo, datant du XIVe siècle.

Le village se développe en longueur de part et d'autre du Corso, d'où débouchent les *rimbocchi*, d'étroites ruelles qui mènent au lac. Son artisanat de la dentelle brodée est une tradition qui date du XIXe siècle. On peut encore rencontrer sur le Corso de vieilles femmes qui travaillent sur de précieux petits mouchoirs ou des foulards. Il faut éviter de visiter l'île en été : jusqu'à 8 000 visiteurs par jour.

Montecognola

En continuant sur la rive septentrionale, on arrive à ce petit village où il faut vraiment faire une halte. D'origine étrusque, il conserve encore en partie ses murailles médiévales, ainsi qu'une église de 1486 qui abrite des œuvres de l'école du Pérugin et de Giotto.

GUBBIO

Avec Gubbio, on atteint la quintessence de la cité médiévale ombrienne, sous son aspect gothique en particulier. Gubbio n'est pas très riche en œuvres d'art et vaut surtout par l'unicité de son ensemble, le bon état de conservation de ses habitations et la délicate atmosphère provinciale qui y règne.

Son histoire se confond avec celle des plus anciennes populations de l'Ombrie. Viennent ensuite le pacte d'alliance avec Rome (IIIe siècle), les invasions barbares et la Renaissance. Après l'an mille, Gubbio devient une commune avec un gouvernement, d'abord gibelin puis guelfe, et passe par la suite à la famille des Montefeltro, ducs d'Urbino, qui l'administrent du XIVe au XVIe siècle.

La ville présente des aspects contrastés. Ordonnée en son centre, elle est ensuite chaotique et imprévisible à la périphérie, avec ses quartiers aux rues étroites et aux brusques dénivellations, comme dans le quartier de San Martino. A noter, dans le style des maisons les plus anciennes, le passage du gothique au roman.

Nous ne vous conseillerons jamais assez de vous balader dans Gubbio, et notamment dans les Via Galeotti, dei Consoli ou encore dans la Via Baldassini... Superbe !

TRANSPORTS

Bus. Via della Repubblica, 13/15 © 92 71 544. *Bureau ouvert tous les jours de 7 h 15 à 13 h 45.*

PRATIQUE

Indicatif téléphonique : 075

Office du tourisme. Piazza Oderisi, 6 © 92 20 693 - Fax 92 73 409. *Ouvert du lundi au samedi de 8 h 15 à 13 h 45 et de 15 h 30 à 18 h 30, le dimanche de 9 h à 12 h 30 et de 15 h 30 à 18 h,.*

Poste. Via Cairoli, 11 © 92 73 925. *Ouverte de 8 h à 18 h. Bureau de change.*

Téléphones publics. Via della Repubblica, 13.

HEBERGEMENT

Hôtel Galetti. Via Piccardi, 1 © 92 77 753. *80 000 L environ. Fermé de la mi-juin à la mi-juillet.* Charmante petite auberge, dans le centre, qui réserve un accueil chaleureux. Prix tout à fait raisonnables.

Hôtel Grotta d'Angelo. Via Gioia, 47 © 92 71 747. *80 000 L environ. Fermé en janvier.* 19 chambres avec télévision.

Hôtel Gattapone. Via G. Ansidei, 6 © 92 72 489. *65 000/90 000 L.* 15 chambres avec téléphone, télévision. Accès handicapés. Interdit aux animaux. American Express, Visa, Diner's Club. Aménagé avec goût et tout à fait correct pour le prix.

Park Hôtel Ai Cappuccini. Via Tifernate © 92 34 - Fax 92 20 323. *290 000/400 000 L.* 95 chambres avec téléphone, télévision, climatisation, réfrigérateur. Parc, accès handicapés, garages, parking, piscine couverte, salle de gym, sauna. American Express, Visa, Diner's Club. Un couvent du XVIIe siècle, entièrement rénové en 1990. Tout le confort moderne et, à l'intérieur, parmi les différentes œuvres d'art, la Sfera d'Arnaldo Pomodoro.

Agriturismo

Agriturismo Castel d'Alfiolo. Localité de Padule © 92 91 128 - Fax 92 92 089. *70 000/80 000 L.* 2 appartements de 4 à 8 lits, avec téléphone. Location de vélos. Dans un château, avec un petit lac privé et de la verdure tout autour.

Agriturismo Abbazia di Vallingegno Localité de Vallingegno © 92 01 58 - Fax 92 21 578. *80 000/160 000 L.* 4 appartements de 4 à 6 lits, avec téléphone. Piscine, vélo, accès handicapés. Une abbaye du XIIe siècle, aménagée, avec une vue panoramique sur la vallée et sur un petit lac privé.

Agriturismo Civitella di Montone. A Carpini, Vocabolo Civitella, Montone © 075/93 06 358. *Chambres 60 000 L, demi-pension 100 000 L. Ouvert tous les jours.* 10 km à l'ouest de Gubbio. Une ferme à la vue splendide. Tranquillité, sérénité, cours d'équitation, tir à l'arc et randonnées dans la campagne.

Agriturismo Colle del Sole. A Pierantonio, Umbertide © 075/94 14 266. *Chambres 50 000/60 000 L, demi-pension 75 000 L, appartements 180 000/200 000 L. Ouvert tous les jours.* 20 kilomètres au sud-ouest de Gubbio. Villa du XVe siècle, avec vue superbe sur la vallée de Tevere. Piscine, tennis, tir à l'arc. Agriculture et cuisine biologiques.

Agriturismo La Cerqua. Case San Salvatore, Pietralunga © 075/94 60 283. *Chambres 65 000 L, demi-pension 95 000 L. Fermé de la mi-janvier à la mi-février.* 20 kilomètres au nord-ouest de Gubbio. Située près de la forêt de Pietralunga-Bocca Seriola, une villa moderne, avec piscine. Observation d'animaux, équitation, tir à l'arc, VTT.

■ RESTAURANTS

Restaurant Federico da Montefeltro. Via della Repubblica, 35. *50 000/75 000 L. Fermé le jeudi en août et septembre, et en février.* American Express, Visa, Diner's Club. Cuisine tout à fait correcte et copieuse, que l'on déguste dans le jardin en été.

Ristorante Grotta dell'Angelo. Via Gioia, 47 © 92 71 747/92 73 438. *40 000/50 000 L. Fermé le mardi et en janvier.* Un grand restaurant à l'ambiance médiévale, avec une pergola et une terrasse pour l'été. Cuisine régionale.

La Taverna del Lupo. Via Ansidei, 6 © 92 74 368 - Fax 92 71 269. *50 000/75 000 L. Fermé le lundi, et en janvier. Réservation obligatoire.* 150 couverts. Climatisation. American Express, Visa, Diner's Club. Dans un cadre agréable, un restaurant réputé offrant une cuisine traditionnelle et une bonne cave.

■ MANIFESTATIONS

Mars : Processione del Cristo Morto (Vendredi saint). Une procession sacrée dont la coutume remonte au XIIIe siècle et qui reproduit la scène du Calvaire. Les hommes, les «battistrangola», portent un sac sur le dos en plus du capuchon.

Le 15 mai : La Corsa dei Ceri. C'est la plus célèbre fête «sportive» de Gubbio dans laquelle les *ceri*, trois grandes et lourdes machines en bois, d'un poids de 4 quintaux (400 kg) chacune, sont portées à dos d'homme par chacune des trois équipes. Celles-ci traversent au pas de course toute la ville, jusqu'au sommet du mont Igino où se dresse la basilique du saint patron.

Le dernier dimanche de mai a lieu le Palio della Balestra, une compétition de tir à l'arbalète médiévale disputée entre Gubbio et San Sepolcro. Défilé et *sbandieratori* (lanceurs de drapeaux) à la fin de la compétition.

Mi-juillet à mi-août : Concerti Estivi. Concerts de musique classique dans le théâtre romain.

■ POINTS D'INTERET

Palazzo dei Consoli. Elégant, sur un beau site, c'est l'un des meilleurs exemples d'édifice public italien (1322-1337) avec ses créneaux médiévaux et sa tourelle. A l'intérieur, la Pinacothèque communale (Piazza della Signoria ; *ouverte de 9 h à 13 h et de 15 h à 17 h*) présente des œuvres de l'école eugubine, tandis que le musée rassemble des marbres romains et médiévaux ainsi que des plaques en bronze comportant des inscriptions religieuses.

Eglise S. Francesco. Eglise gothique de la seconde moitié du XIIe siècle, à l'élégante façade et au beau portail. Belle, simple et efficace quadrature du périmètre extérieur. L'intérieur, à trois nefs, est spacieux et contient d'intéressantes œuvres picturales d'époque (dans l'abside).

Duomo. Il s'agit d'une construction du XIIe siècle, de bonne facture, qui frappe surtout par la finesse et la douceur du dessin de la façade ainsi que par la largeur de l'espace réservé à la rosace.

Palazzo Ducale. Commandé par la famille des Montefeltro en 1473, il s'inspire du fameux Palazzo Ducale d'Urbino. Son intérêt réside surtout dans sa cour en arcades et à colonnes.

Monte Ignano. On y accède par le téléphérique. De là-haut, on a une vue magnifique sur la ville et la campagne qui l'entoure. A visiter, le monastère et la basilique Sant'Ubaldo.

DANS LES ENVIRONS

La haute vallée du Tibre comprend la partie la plus septentrionale de l'Ombrie, aux confins de la Toscane et des Marches. Le fleuve la traverse sur une longueur de 50 km, avant de pénétrer dans le Latium, alimentant au passage une nature fertile et luxuriante.

Si l'on vient de la Toscane, on notera plus aisément les différences entre les paysages des deux régions, passant de l'harmonie bien ordonnée de la Toscane à la nature perturbée, inquiète de l'Ombrie. Si l'on a suffisamment de temps à sa disposition, différents endroits valent la peine d'être visités dans le Valtiberina.

Le centre le plus important est, au milieu de la vallée, **Città di Castello**. De là, on peut facilement rejoindre **S. Giustino** et son château **Bufalini,** Citerna située de façon idéale, Pietralunga la médiévale qui se dresse sur une colline à gauche de la vallée, avec ses deux paroisses, des Saddi et de Petralunga. Et encore : Monte Santa Maria Tiberina, avec sa paroisse romane et son abbaye, Montone, avec une paroisse de S. Gregorio, et la forteresse d'Aries (à 6 km du village).

Enfin, presque aux portes de Pérouse, **Umbertiade,** avec son **château de Civitella Ranieri**, les fresques de Pinturicchio dans l'église **Santa Maria della Pietà**, et celles de Luca Signorelli dans l'église de **Santa Croce**.

CITTÀ DI CASTELLO

Fondée à l'époque étrusque, elle devient romaine, puis s'affirme durant le Moyen Age sous la seigneurie des Vitelli. Toutefois, son caractère et son influence n'ont jamais dépassé le cadre local.

Indicatif téléphonique : 075

Points d'interêt

Commencer la visite de la ville par la **Piazza Matteoti**, avec le **Palazzo del Podestà** et le **Palazzo Comunale** de style gothique. Ensuite, on peut rejoindre la **Piazza Gabriotti** où se dresse le **Duomo,** une église romane rénovée à plusieurs reprises.

Aujourd'hui, elle présente un mélange de styles roman, gothique et baroque. L'intérieur, Renaissance, abrite une *Trasfigurazione* de Rosso Fiorentino ainsi qu'un très intéressant petit musée qui expose d'importants objets sacrés et une *Madonna* de Pinturicchio.

Autres monuments à voir : l'église gothique de **S. Domenico**, le **Palazzo Vitelli** et l'église de S. Francesco. La **Pinacothèque communale** possède la plus importante collection de tableaux après la Galleria de Pérouse. On peut y admirer, entre autres, des chefs-d'œuvre de Piero Della Francesca, de Raphaël et de Luca Signorelli, ainsi que de très belles pièces en terre cuite des trois frères Della Robbia : Andrea, Giovanni et Luca.

Orvieto - Duomo (intérieur)

ASSISE ET LE SUD

ASSISE

Une ville et son saint. Peu d'endroits doivent autant qu'Assise leur réputation et leur image à un unique personnage. Pour des milliers de pèlerins et de touristes qui visitent la ville chaque année, le message de foi et de pauvreté des franciscains est demeuré intact, et cela souvent en opposition avec les directives de l'Eglise romaine.

Assise naquit ombrienne pour devenir ensuite municipe romain. A cette époque, l'implantation de la ville fut conçue en fonction des terrasses successives et transversales les unes par rapport aux autres, et structurées par d'énormes murailles dont il reste aujourd'hui quelques vestiges (par exemple, la Porta Urbica). Le plan d'ensemble de la ville romaine fut presque entièrement revu lors des reconstructions du Moyen Age. L'étonnante succession de terrasses qui scande la montée vers le sommet de la colline où se dresse Assise a quelque chose de fascinant.

Après la domination lombarde, la ville passa sous le contrôle du duché de Spoleto. Entre le XIe et le XIVe siècle, Assise vécut sa plus grande période de gloire. Les bénédictins qui s'y étaient installés commencèrent à édifier de nombreux monastères. En 1206, un jeune homme d'Assise, Francesco di Pietro di Bernardone, abandonne la vie laïque pour fonder un nouvel ordre, le franciscanisme, où la pauvreté devient la première valeur chrétienne ; il obtient des moines bénédictins une petite chapelle dans le fond de la vallée. Deux années après sa mort, survenue en 1226, Francesco est canonisé, et on commence à construire la basilique qui lui sera consacrée.

En 1253, mourait l'autre grand personnage de l'histoire d'Assise, Santa Chiara, fondatrice de l'Ordre des clarisses, qui s'inspire des mêmes principes que celui des franciscains. On lui consacra aussi une église, qui recueillit sa dépouille en 1260 ; pour protéger ce nouvel édifice, on agrandit les murailles de la ville. A cette époque, Assise connaît un grand essor architectural d'ouvrages religieux et civils. Giotto et ses élèves participent les premiers à la décoration de la basilique, puis viennent Pietro Lorenzetti, Stefano Fiorentino et Simone Martini.

La décadence de la ville, affaiblie par les incessantes luttes fratricides entre le parti guelfe et le parti gibelin, coïncide, en 1348, avec l'arrivée de la peste noire qui va décimer la population.

Les siècles suivants virent apparaître peu de constructions. Les grandes demeures privées furent érigées au XVIIe siècle ; elles dénaturèrent quelque peu la dimension menue et recueillie d'Assise. De même, l'aspect de la ville fut modifié dangereusement lors des interventions du XIXe siècle : une partie de la basilique de San Francesco se transforma en collège, beaucoup d'églises (jamais plus rouvertes) furent fermées au culte et un grand nombre d'œuvres d'art soustraites à la ville dans un but lucratif.

Cette ville splendide court aujourd'hui le risque de se transformer en une sorte de ville-musée à usage exclusivement touristique. En misant économiquement sur l'afflux massif des pèlerins et des touristes, elle est devenue en grande partie invivable, et ses habitants abandonnent progressivement le centre historique pour aller vivre ailleurs. Elle a été, malheureusement, durement touchée par le tremblement de terre qui a ravagé la région en 97.

TRANSPORTS

Gare. A Santa Maria degli Angeli. Bus toutes les 30 minutes pour Assise ✆ 80 40 272. Numéro vert : 14 78 88 088. Consigne à la gare.

Bus. ASP. Terminal Piazza Matteotti.

Location de voitures. Assisiorganizza. Via Borgo Aretino, 11/a ✆ 81 52 80.

Taxis

Piazza San Francesco © 81 26 06.
Piazza Santa Chiara © 81 26 00.
Piazza Unità Italia © 81 23 78.
Piazza del Comune © 81 31 93.

PRATIQUE

Indicatif téléphonique : 075.

Offices du tourisme

Piazza del Comune, 27 © 81 24 50 - Fax 81 37 27. *Ouvert du lundi au samedi de 8 h à 14 h et de 15 h 30 à 18 h 30*.

Largo Properzio. *Ouvert seulement l'été.*

Poste centrale

Piazza del Comune. *Ouverte du lundi au vendredi de 8 h à 18 h 25, le samedi de 8 h à 13 h et le dimanche de 8 h à 12 h 30.* Distributeur automatique.

Banques

Ouvertes du lundi au vendredi de 8 h 20 à 13 h 20 et de 14 h 30 à 15 h 30. Toutes comportent des bureaux de change automatiques ouverts 24 h/24.

Banca Popolare di Spoleto. Piazza Santa Chiara, 19.
Banca Toscana. Piazza San Pietro, 6.
Cassa di Risparmio di Foligno. Via Marconi, 1.
Cassa di Risparmio di Perugia. Porta San Francesco.

HEBERGEMENT

Albergo Italia. Viccolo della Fortezza, 2 © 81 26 25. *13 chambres à 70 000 L environ.* Propre, accueillant et bien situé.

Albergo Anfiteatro Romano. Via Anfiteatro Romano, 4 © 81 30 25 - Fax 81 51 10. *Chambres à 70 000 L environ.* Restaurant. American Express, Visa, Diner's Club. Bien tenu.

Hôtel Sole. Corso Mazzini, 35 © 81 23 73 - Fax 81 37 06. *75 000/110 000 L.* 37 chambres avec téléphone. Garage, restaurant. Interdit aux animaux. American Express, Visa, Diner's Club. Dans le centre, un établissement relativement agréable.

Hôtel Berti. Piazza San Pietro, 29 © 81 34 66 - Fax 81 68 70. *75 000/120 000 L. Fermé de la mi-janvier à février.* 10 chambres avec téléphone, télévision. Parc. Interdit aux animaux. American Express, Visa, Diner's Club. Accueil sympa dans un édifice du XVe siècle. Situation centrale.

Hôtel Umbra. Via degli Archi, 6 © 81 22 40 - Fax 81 36 53. *130 000/200 000 L. Fermé du 16 janvier au 14 mars.* 25 chambres avec téléphone, télévision, réfrigérateur. Parc, garages, restaurant. American Express, Visa, Diner's Club. Un hôtel plein de charme. On s'y sent bien (surtout sous la pergola testée pour vous !). Restaurant de 30 couverts (*40 000/65 000 L ; fermé le mardi et en novembre ; réservation obligatoire*). Cuisine régionale de très bonne qualité dans deux belles salles.

Hôtel San Francesco. Via San Francesco, 48 © 81 22 81 - Fax 81 62 37. *150 000/210 000 L.* 44 chambres avec téléphone, télévision, climatisation, réfrigérateur. American Express, Visa, Diner's Club. Comme son nom l'indique, on y bénéficie d'une belle vue sur la basilique.

Hôtel Subasio. Via Frate Elia, 2 © 81 22 06. *200 000/300 000 L.* 70 chambres avec téléphone, télévision, climatisation, réfrigérateur. Parking, restaurant (*40 000 L).* C'est l'hôtel le plus ancien de la ville, un lieu historique en Italie, voisin de l'église San Francesco. La déco aurait besoin d'un petit rafraîchissement mais cela ne nuit en rien au confort.

Vous trouverez également à Assise de nombreux établissements religieux qui accueillent les âmes perdues des petits futés en mal de spiritualité (se renseigner auprès de l'Office du tourisme).

Agriturismo

Agriturismo Casa Faustina. Hameau de Mora © 80 39 377. *60 000/100 000 L.* 5 appartements de 2 à 5 lits, avec téléphone. Piscine, vélos. Ferme en pierre, isolée en pleine verdure.

Agriturismo Il Gabbiano. Località Capodacqua © 81 22 31. *60 000/140 000 L. Ouvert d'avril à décembre.* 4 appartements de 2 à 6 lits et 10 chambres avec téléphone. Location de vélos, piscine. Dans une villa du XVIIIe siècle, située dans la réserve naturelle du parc de Subasio, à 10 km du Tibre.

Agriturismo La Lupa. Località Colpertana, Nocera Umbra © 07 42/81 35 39. *Chambres 120 000 L, demi-pension 80 000 L/personne. Ouvert tous les jours.* 5 kilomètres au nord-est d'Assise. Maison ancienne dans un splendide décor sauvage à découvrir à vélo. Les pâtes fraîches faites à la main sont délicieuses, le vin aussi.

Ostello della Pace. Via di Valecchie, 177 © 81 67 67. *20 000 L par personne, petit-déjeuner inclus. Ouverte du 1er au 9 janvier et du 1er mars au 31 décembre.* Dans la journée, ouverte de 7 h à 10 h et de 15 h 30 à 23 h 30. 60 lits. Parking, machine à laver, restaurant. A 1,5 km de la gare de Santa Maria degli Angeli. Bus à 500 m.

Ostello per Giovanni Fontemaggio. Via per l'Eremo delle Carceri © 81 36 36. *20 000 L par personne, petit-déjeuner inclus.* 10 lits. Moins éloignée du centre que la précédente. Possibilités de camping.

RESTAURANTS

Restaurant Buca di San Franscescо. Via Brizi, 1 © 81 22 04. *45 000/65 000 L. Fermé le lundi, en janvier et en juillet.* 100/150 couverts. American Express, Visa, Diner's Club. Une très bonne cuisine dans un cadre médiéval.

Ristorante La Fortezza. Via della Fortezza, 2/b © 81 24 18. *30 000/45 000 L. Fermé le jeudi et en février. Réservation obligatoire.* Cuisine de la région dans un joli local médiéval construit sur les ruines d'une maison romaine.

Restaurant Medio Evo. Via Arco del Priori, 4 © 81 30 68. *45 000 L. Fermé le mercredi, en janvier et en juillet. Réservation obligatoire.* 80/120 couverts. Climatisation. Cuisine savoureuse et recherchée.

MANIFESTATIONS

Janvier-mars : Gennaio Angelano, une série de rendez-vous théâtraux, musicaux, des expositions, des compétitions, des rites religieux, des fêtes populaires. Mars-avril : Semaine de Pâques. Chaque année, un important programme de représentations religieuses suit la Semaine de la Passion.

Mai : Festa di Calendimaggio (les dix premiers jours). C'est la fête de l'Assise païenne qui, en évoquant la vie du Moyen Age et de la Renaissance, se défait du lourd attirail religieux qui l'étreint toute l'année. Lors de la kermesse ont lieu des manifestations théâtrales, des danses, des défilés, des démonstrations de tir à l'arc, à l'arbalète et des lanceurs de drapeaux.

Août : Fête du Pardon (1er et 2 août). Instituée en 1216, selon le vœu de saint François.

Le 11 août : Palio de San Ruffino. Concours d'arbalétriers, défilés costumés, à la mémoire des accords de 1542 qui mirent fin aux luttes intestines entre les différentes factions de la ville.

Le 4 octobre : Fête de saint François. Cérémonies et bals costumés. Pendant cette journée, on peut assister au don que fait une région, différente chaque année, de l'huile nécessaire à la combustion de la lampe de la basilique Saint-François.

Faites-nous part de vos coups de cœur

Envoyez-nous vos bonnes adresses, elles seront utiles aux futurs voyageurs. Voyez le questionnaire à la fin du guide.

POINTS D'INTERET

Basilique Saint-François. *Ouverte de 6 h 30 à 19 h, fermée aux touristes pendant les cérémonies religieuses.* Cette splendide église est d'une richesse artistique et visuelle telle qu'elle en devient presque contradictoire avec l'esprit de pauvreté prêché par saint François. La première pierre fut posée le 17 juillet 1228, deux ans après la mort du saint, et la consécration de l'église eut lieu en 1253. L'ordre franciscain protesta devant cette glorification en opposition avec les préceptes de saint François. Elia, vicaire de l'ordre, trouva la solution sous la forme d'une double église : la partie inférieure, construite autour de la sainte crypte, commémore la tempérance du saint, tandis que la partie supérieure est destinée à la célébration des offices.

Cette partie de la basilique, de style gothique français, surprend et ravit par la lumière qui inonde le plafond bleu turquoise et par les peintures murales de Giotto (1296) qui illustrent les épisodes de la vie de saint François. Elle est actuellement fermée au public pour restauration, à la suite du tremblement de terre de 97 qui a malheureusement détruit une partie de ses fresques.

La partie inférieure présente un espace austère beaucoup moins lumineux, de style gothico-roman. Elle est dominée par le tombeau de pierre contenant la dépouille du saint. Les transepts s'ornent de superbes fresques de Pietro Lorenzetti, Giotto et Simone Martini.

Piazza del Comune. C'est le centre historique de la ville. Son origine médiévale est visible. Egalement sur cette place : le Palazzo dei Priori de 1337 (c'est aujourd'hui la mairie), abritant la Pinacoteca au premier étage, le Palazzo del Capitano del Popolo et sa tour crénelée, le temple de Minerve d'époque romaine, transformé en église.

Duomo. Sa construction fut commencée au XIIe siècle, sur commande de l'évêque Ugone, à l'endroit où, disait-on, était enseveli saint Rufino, patron de la ville. L'église d'alors, supplantée par cette cathédrale construite à partir de 1140 et consacrée en 1228, est toujours visible dans la crypte inférieure correspondant à la première travée de la structure actuelle. Malheureusement, l'intérieur du Duomo a perdu son caractère roman d'origine depuis les rénovations du XVIe siècle et les pesantes décorations du XIXe. A noter la façade «a capanna» et le campanile fondé sur une citerne romaine.

Eglise Santa Chiara. De style gothique, l'église est dédiée à la sainte, disciple de saint François et fondatrice de l'ordre féminin des Clarisses, d'inspiration franciscaine. Très belle façade de couleur rose caractéristique de la pierre de Subasio, intérieur à la nef dépouillée et à quatre hautes travées. L'intérieur abrite des fresques de Giotto et le corps de la sainte.

San Pietro. *Actuellement fermée pour restauration à la suite du tremblement de terre.* Exemple de construction gothico-roman datant de 1029, reconstruite au XIIe siècle, et dont on appréciera en particulier l'intérieur aux formes pures et les fresques qui ornent la nef de gauche. (Les églises San Ruffini et Santa Maria Maggiore sont également en cours de restauration pour la raison citée plus haut.)

Pinacoteca. Dans le Palazzo Comunale. *Ouverte de 9 h 30 à 13 h et de 15 h à 19 h, en hiver de 10 h 30 à 13 h et de 15 h à 18 h. Fermée le lundi.* Elle mérite d'être visitée, notamment pour les fresques sauvées d'édifices en ruine et les œuvres de Pinturicchio, Dono Doni et la Maestà de Giotto.

Musée du Trésor de la Basilique. *Ouvert d'avril à octobre, du mardi au dimanche de 9 h 30 à 12 h 30 et de 14 h 30 à 18 h. Fermé pendant les fêtes religieuses ainsi que le lundi.* Structure moderne conservant une Madonna con Bambino (Vierge à l'Enfant) en ivoire, des œuvres en verre de Murano du XVIIe siècle et des fragments de la Sainte Croix.

DANS LES ENVIRONS

Eremo delle Carceri

C'est une excursion de 4 km que l'on peut faire aussi en se promenant à pied, après avoir dépassé la Porta dei Cappuccini. L'ermitage se cache dans les pentes verdoyantes du mont Subasio, au milieu des hêtres et des chênes, à une altitude de 791 mètres. Ce fut un des lieux de retraite de saint François et de ses disciples. En 1400, saint Bernardino de Sienne y fit construire un petit couvent, que l'on peut visiter.

Santa Maria degli Angeli

A 5 km d'Assise, sur la Porziuncola, c'est un des plus beaux sanctuaires italiens, où saint François se retirait pour méditer. L'ordre franciscain vit ici le jour : l'église, surmontée d'une belle coupole, fut construite entre 1569 et 1679. A l'intérieur se trouve la chapelle de la Porziuncola et la chapelle de Saint-François, située à l'endroit même où il mourut. A voir, la statue du saint par Andrea Della Robbia.

Couvent de San Damiano

A 2,5 km d'Assise, c'est aussi un des hauts lieux franciscains. C'est ici que le saint écrivit *Le Cantique du Soleil.* D'origine bénédictine, le couvent, demeuré intact, est un bel exemple de construction religieuse du XIIIe siècle. Saint François le fit restaurer pour recevoir les clarisses de l'ordre de Santa Chiara. Visite sur demande (accompagnée d'une offrande).

➥ DETOUR VERS SPOLETE

Cet itinéraire est le plus captivant et le plus intéressant de toute la région. Après la ville de saint François, on emprunte la nationale 75 pour sortir, 3,5 km plus loin, à Spello. En continuant, on arrive à Foligno, distant de 5 km. Ici, cela vaut la peine de faire un long détour sur le côté occidental de la vallée. En moins de 10 km, on atteint Bevagna. Encore 7 km vers le sud, et on arrive à Montefalco. Revenir ensuite sur la Flaminia (SS 3), afin de visiter le temple et les sources de Clitunno, puis, 15 km plus loin, rejoindre Spoleto.

SPELLO

Cette petite ville se trouve sur un éperon rocheux dans le prolongement du mont Subasio. Quand on regarde la configuration de la ville, on devine aisément son origine romaine. On peut voir encore le croisement des voies nord-sud et est-ouest ainsi que l'enceinte des murs qui fut reprise au Moyen Age. La ville fascine par ses jeux architecturaux : passages supérieurs en pierre, rues tantôt escarpées et sinueuses, tantôt droites et régulières.

Dès le IVe siècle, Spello est l'endroit religieux de référence en Ombrie, grâce à Constantin qui choisit d'en faire un sanctuaire fédéral. Pendant le haut Moyen Age, la ville occupe un périmètre inférieur à celui d'origine. A l'époque des communes, le nombre des habitations augmente, dépassant la limite des murailles, reconstruites au milieu du XIVe siècle.

Comme pour les autres villes d'Ombrie, le passage des ecclésiastiques au pouvoir se révèle anesthésiant. Du XVIe siècle jusqu'à l'Unité de l'Italie, en dehors des interventions ponctuelles sur les monuments religieux, on construit peu.

Spello se divise en trois parties, les *terzieri* : Posterula ou S. Martino, le «quartier» le plus ancien, Mezota, et Porta Chiusa ou Borgo, la partie la plus basse. On peut commencer la visite par la Porta Consolare ; en suivant la rue du même nom, on rencontre les principaux monuments.

Pratique

Indicatif téléphonique : 0742.

Office du tourisme. Piazza Matteotto, 3 ✆ 65 14 08. *Ouvert du lundi au samedi de 9 h 30 à 13 h et de 15 h à 18 h.*

Manifestations

Infiorate del Corpus Domini (le dimanche du Corpus Domini) : des séries de compositions faites de fleurs et d'herbes parfumées sont réalisées à cette occasion (portraits et scènes, pour la plupart sur des thèmes religieux).

Points d'intérêt

Portes. Elles représentent un des vestiges de l'époque romaine et augustinienne. Ce sont : la Porta Consolare sur la Piazza del Mercato, la Porta Urbica sur la Via Roma et la Porta Venere à mi-hauteur de la Via delle Torri di Properzio.

Eglise S. Maria Maggiore. Au bout de la Via Consolare. Eglise du XIIe siècle, agrandie au XVIIe, elle s'orne d'une belle rosace sur sa façade. A l'intérieur, dans la chapelle Baglioni, se trouvent un très beau tableau de Pinturicchio et deux fresques du Perugino.

Balade

Le long de l'axe central de la ville, composé par la Via Cavour et la Via Garibaldi, on verra l'église romane de S. Andrea (avec, à l'intérieur, une *Vierge et les saints* de Pinturicchio) ainsi que, Piazza della Repubblica, le Palazzo Comunale de 1270, qui abrite le Musée archéologique et la Pinacothèque.

La beauté de Spello réside avant tout dans ses rues entrelacées qui montent jusqu'à la Rocca. Si l'on veut jouir de l'atmosphère médiévale et de la vue sur la vallée, à partir de la Piazza della Repubblica, prendre la Via Belvedere. Les rues sont belles et leur revêtement original.

FOLIGNO

Située au centre de la vallée, Foligno a été construite dans la plaine, le long des rives du fleuve Topino. Cette position ainsi que la proximité de la voie Flaminia ont favorisé l'épanouissement de ses activités commerciales mais l'ont par ailleurs privée du charme des cités médiévales. L'industrialisation, puis les spéculations ont provoqué sa ruine.

Pratique

Indicatif téléphonique : 0742.

Manifestations

Deuxième et troisième dimanches de septembre : Giostra della Quintana. Fête très ancienne où les chevaliers décidaient de l'ordre de priorité entre le prince et la dame de leur cœur ; elle fut remise à l'honneur en 1947. Aujourd'hui, ce sont les dix quartiers de Foligno qui se lancent le défi : les cavaliers doivent enfiler à l'aide de leur lance un anneau toujours plus petit. Un défilé de 600 personnes en costumes a lieu la veille. Le deuxième dimanche du mois, c'est le défi, et le troisième dimanche, c'est la revanche.

Points d'intérêt

Le centre historique se visite rapidement. Le Duomo roman se trouve sur la place centrale (Piazza della Repubblica) : sa façade est belle, mais l'intérieur a été gâché par des arrangements baroques.

Au premier étage du **Palazzo Trinci**, la Pinacoteca mérite le détour ; elle conserve, dans un beau contexte architectural, plusieurs œuvres Renaissance d'artistes ombriens. En continuant par la Via Gramsci, puis par la Via Frezzi, on arrive à la belle église S. Maria Infraportas (XIIe siècle) : sa façade est romane ; son intérieur, à trois nefs, a été peint au XVIe siècle.

Dans les environs

A 6 km, l'**abbaye de Sassovivo**, isolée, offre une vue reposante sur la vallée où se précipite le torrent Tenaro. Fondée par les bénédictins au XIe siècle, elle fut transformée en centre d'études. A l'intérieur, le cloître roman est superbe.

BEVAGNA

Entre Assise et Foligno, Bevagna est un petit trésor d'architecture mineure du Moyen Age. Il n'y a pas beaucoup de chefs-d'œuvre, mais l'ensemble, chaleureusement maintenu dans les murs d'origine romaine, est remarquable. Son histoire, après la fondation romaine et sa domination des débuts sur la vallée (c'était l'antique Mevania), est celle d'un appauvrissement lent et continu : aucune grande famille, un relâchement progressif des liens économiques, et une baisse de la natalité due au dépeuplement des campagnes après la Deuxième Guerre mondiale. Pourtant les malheurs de Bevagna font aussi son bonheur. L'absence de grandes demeures seigneuriales, sa petitesse et le manque de curiosités touristiques de premier plan en font un lieu tranquille et agréable.

Indicatif téléphonique : 0742

Points d'intérêt

Le **centre de la ville** est la Piazza Silvestri, un espace médiéval singulier au charme insolite, où se dresse le Palazzo dei Consoli de 1270. Trois églises se regroupent autour de la place : SS. Domenico e Giacomo ainsi que les romanes S. Michele Arcangelo, de la fin du XIIe siècle, avec une belle façade, et S. Silvestro, de 1195 et dont la façade est inachevée.

Si on a le temps, on peut faire une agréable promenade le long des deux kilomètres de **murs médiévaux** qui entourent le bourg.

MONTEFALCO

En continuant vers le sud, on arrive à ce petit village médiéval, qui fut surnommé *la Ringhiera dell'Umbria* (la rambarde de l'Ombrie) car tel qu'il est situé, il domine entièrement le paysage. Commune libre au XIIe siècle, son histoire a été conditionnée par son emplacement protégé et stratégiquement privilégié puisqu'elle pouvait contrôler les passages dans la vallée. C'est pourquoi Montefalco fut souvent le lieu de rudes batailles entre l'Empire et la papauté, restant gibeline jusqu'à la fin du XIIIe siècle pour succomber ensuite au parti papal des guelfes.

Le vin local, le Sacrantino, est à goûter.

Points d'intérêt

Eglise-musée de San Francesco. *Ouverte de septembre à juin, tous les jours sauf le lundi, de 10 h à 13 h et de 15 h à 18 h. En juillet-août, de 10 h à 13 h et de 16 h à 19 h.* Montefalco joue un rôle important dans l'histoire de la peinture ombrienne. Dans l'église de San Francesco, construite par les frères mineurs du couvent et transformée maintenant en Pinacoteca, on peut admirer d'importantes fresques de l'école ombrienne du XIVe au XVIe siècle. Les fresques de Benozzo Gozzoli, datant de 1452 et représentant la vie de saint François, sont un véritable chef-d'œuvre ; elles justifient à elles seules la visite à Montefalco.

Si les fresques de Gozzoli dans l'église de San Francesco vous ont touché, faites donc une promenade de 1,5 km pour visiter l'église de S. Fortunato (XVe). Vous pourrez y admirer deux fresques de Gozzoli, l'une dans le tympan du portail, l'autre sur l'autel de droite.

Eglise de San Agostino. Cet ensemble massif, église du XIIIe siècle et couvent, domine le bourg.

Via Ringhiera Umbra. De là, on peut jouir du fameux point de vue sur la vallée.

Eglise de S. Illuminata. Une petite église du XVIe siècle.

Dans les environs

Fonti del Clitunno. Ces sources sont paradisiaques : un petit lac, quelques îlots avec des saules pleureurs et des peupliers. A 1 km des sources, sur la nationale Flaminia, le Tempietto del Clitunno, ou église de S. Salvatore, présente une architecture raffinée de type paléochrétien des IVe ou Ve siècles.

Trevi. Descendante de la Trebiae romaine, Trevi est pleine d'attraits, tant par sa situation en surplomb de la vallée que par ses monuments médiévaux. Au premier rang de ceux-ci, on trouve, bien sûr, les églises : celle de San Emiliano (Xe) se distingue par son autel et sa façade Renaissance, celle de San Francesco (XIIIe) par ses fresques. On verra également avec intérêt le Palazzo Comunale et la Pinacoteca.

SPOLETE

Cette ville splendide, d'origine ombrienne, fut fondée entre le IVe et le IIIe siècle av. J.-C., à l'abri dans le relief des Apennins. Sa notoriété est due à son festival des Deux Mondes. C'est aussi un excellent point de départ pour des excursions dans la Valnerina, aux cascades delle Marmore, à Norcia et Cascia. Cité tranquille quand le festival est passé, on apprécie Spolète pour ses dimensions humaines (on peut aisément la parcourir à pied) et pour la beauté de ses monuments, dont les qualités architecturales sont néanmoins mineures.

L'histoire de Spolète est importante pour la vallée et pour la région. C'était le siège du duché du même nom (Ve-XIIIe siècle) qui gouverna longtemps toute la région alentour, grâce en particulier à sa position stratégique sur la voie Flaminia, qui passe au bas de la ville. Les siècles suivants la voient subir une première influence épiscopale, puis passer dans la sphère communale et revenir ensuite dans l'orbite papale quand, au XVIe siècle, elle est intégrée dans les Etats de l'Eglise. La Spolète d'aujourd'hui est le résultat d'une heureuse conjonction entre les excellentes restaurations de l'après-guerre (le festival y est pour quelque chose), qui ont donné aux habitants de la ville un meilleur cadre de vie, et le frein imposé aux entreprises immobilières, qui ont été reléguées dans la zone industrielle de S. Chiodo.

La ville du célèbre festival peut être un excellent point de chute pour faire des excursions vers l'est, à Norcia, renommée pour ses spécialités gastronomiques telles que les charcuteries et les truffes noires, et à Cascia, connue pour sa basilique et son monastère de S. Rita. Au sud, on trouvera le lac de Piediluco et la cascade delle Marmore.

TRANSPORTS

Gare. Piazza Polvani © 48 516. *Consigne ouverte de 6 h 30 à 23 h.*

PRATIQUE

Indicatif téléphonique : 0743.

Office du tourisme. Piazza della Libertà, 7 © 49 890. *Ouvert tous les jours de 9 h à 13 h et de 16 h à 19 h, samedi et dimanche de 10 h à 13 h (en hiver, l'Office ouvre et ferme une heure plus tôt l'après-midi).*

Poste. Piazza della Libertà, 12 © 40 373. *Ouverte du lundi au samedi de 8 h 30 à 19 h 30.* Bureau de change.

Téléphones publics Telecom. Via Brignone. *Ouvert tous les jours de 10 h à minuit.*

HEBERGEMENT - RESTAURANTS

Hôtel Anfiteatro. Via Anfiteatro, 14, Spolète © 49 853. *65 000/100 000 L. Réservation conseillée.* 9 chambres. Bar, restaurant. Bien tenu et bon marché.

Hôtel Il Barbarossa. Via Licinia, 12, Spolète © 43 644 - Fax 22 00 60. *160 000/190 000 L.* 10 chambres avec téléphone, télévision, réfrigérateur. Parc, accès handicapés, parking, climatisation. Interdit aux animaux de grosse taille. American Express, Visa, Diner's Club. A 400 mètres du centre, enfoui dans une oasis de 2 300 oliviers, un hôtel récent inauguré en 1990.

Hôtel dei Duchi. Viale Matteotti, 4, Spolète © 44 541. *130 000/160 000 L.* 49 chambres. Parc, accès handicapés, parking, climatisation. Interdit aux animaux. Situé dans le centre historique, cet hôtel tranquille, avec belle vue, a été construit en 1959 à l'occasion de l'inauguration du festival des Deux Mondes.

Hôtel Gattapone. Via del Ponte, 6, Spolète © 22 34 47 - Fax 22 34 48. *200 000/380 000 L.* 15 chambres avec téléphone, télévision, réfrigérateur. Parc, climatisation. American Express, Visa, Diner's Club. On est accueilli avec chaleur dans cet établissement élégant, qui a opté pour un ameublement moderne. Sa situation particulière (il est accroché à une falaise) garantit une vue superbe sur le Ponte delle Torri.

Palazzo Dragoni. Via del Duomo, 13, Spolète © 22 22 20 - Fax 22 22 25. *220 000/400 000 L.* 15 chambres avec téléphone, télévision, réfrigérateur. Parc. Visa. Installé dans un très beau palais du XIVe, magnifiquement rénové, un hôtel calme et dont le raffinement est visible dans chaque chambre.

Camping

Camping Monteluco. A San Pietro © 22 03 58. *Ouvert du 1er avril au 30 septembre.*

Camping Il Girasole. A Petrognano © 51 335 - Fax 51 106. *Ouvert du 25 mars au 30 septembre.*

Agriturismo

Azienda Agricola L'Ulivo. Località Bazzano Inferiore © 49 031/47 193 - Fax 22 25 27. *80 000/160 000 L.* 4 appartements de 2 à 7 lits. Ferme entourée d'un grand jardin et d'oliviers, comme son nom l'indique.

Restaurants

Trattoria del Panciolle. Via del Duomo, Spolète © 45 598. *Fermée le mercredi.* A deux pas de la cathédrale, belle terrasse et bonne cuisine de la région.

Restaurant Sabatini. Corso Mazzini, 52/54, Spolète © 22 18 31. *45 000/75 000 L. Fermé le lundi et du premier au 10 août. Réservation obligatoire.* 100/200 couverts. American Express, Visa, Diner's Club. Cuisine ombrienne servie dans le cadre raffiné d'un palais du XVIe siècle. En été, on mange dehors, dans le grand jardin.

Restaurant Il Tartufo. Piazza Garibaldi, 24, Spolète © 40 236. *50 000/65 000 L. Fermé le mercredi et du 10 au 15 août. Réservation obligatoire.* 70/80 couverts. Climatisation. American Express, Visa, Diner's Club. Une auberge consacrée à la truffe, et qui fait honneur aux traditions de l'Ombrie.

MANIFESTATIONS

Dernière semaine de juin et deux premières de juillet : festival des Deux Mondes. Conçu par Carlo Menotti en 1958, ce festival est une des plus importantes manifestations théâtrales européennes de spectacles d'avant-garde et comporte un grand nombre de créations montées spécialement pour l'occasion. Egalement, de bonnes programmations concernant le cinéma, la danse et la musique. Spectaculaire concert de fermeture sur la Piazza del Duomo. De la mi-août à la mi-septembre : théâtre lyrique expérimental. Concours de musique lyrique créé en 1947 pour les débutants.

POINTS D'INTERET

Duomo. C'est le plus important monument de la ville ; de style roman, il fut construit au XIIe siècle. Sa lumineuse façade est précédée d'un portique et d'un campanile aux lignes nettes d'origine Renaissance. Il se dresse de façon majestueuse au bout d'un grand escalier, sur la Piazza del Teatro Melisso (se retourner au milieu de l'escalier pour apprécier la perspective). L'intérieur, à trois nefs, a été maladroitement retouché au XVIIe siècle ; on peut y admirer une *Madonna e i Santi* (Vierge entourée de saints) de Pinturicchio, un buste de Bernini et, surtout, les superbes fresques de l'abside, *Il Presepio* (La Nativité), *l'Annunciazione*, *Il Transito di Maria* et l'*Incoronazione*, chefs-d'œuvre de Filippo Lippi, qui fut enterré ici dans le transept de droite.

Eglise Santa Eufemia. *Ouverte de 8 h à 18 h et jusqu'à 20 h en été.* Située dans la cour du Palazzo Arcivescovile, c'est une belle et toute petite église romane dont on admirera surtout la façade ornée d'une fenêtre géminée.

Eglise S. Gregorio Maggiore. Piazza Garibaldi. Eglise romane du XIIe siècle. On appréciera en particulier l'effet scénique créé par le portique du XVIe siècle qui la précède et le grand campanile qui semble la protéger.

Il Ponte delle Torri. Majestueuse construction d'époque médiévale, probablement bâtie sur les restes d'un ancien pont romain. Haut de 80 mètres, fort de 10 arches, le pont est seulement praticable à pied. Il relie la Rocca, la forteresse qui domine Spolète, à Monteluco, en franchissant le torrent Tessino. Au milieu du pont se trouve une fenêtre (*loggia*) à partir de laquelle, dit-on, les amoureux déçus se jetaient dans le vide.

Rocca Albornoziana. Ce palais-forteresse surplombe toute la ville. Il fut construit au XIVe siècle, sur commande des papes qui attendaient de retourner en Avignon.

Chiesa di San Pietro. A la sortie de Spolète, de l'autre côté de la nationale 3, dite Flaminia. C'est une des plus belles églises de Spolète et de toute l'Ombrie. D'origine paléochrétienne (Ve siècle), elle fut retouchée au XIIe siècle et à la fin de l'époque romane. Superbe façade ornée de reliefs.

Chiesa di San Salvatore. A 1,2 km de la Piazza della Vittoria. C'est une splendide basilique d'origine paléochrétienne (IVe siècle), en partie remaniée aux siècles suivants, mais qui garde intacte toute sa force expressive.

Arco di Druso. Dans la rue du même nom. Cet arc est tout ce qui reste d'un temple romain bâti en pierre de travertin.

Museo Civico. Piazza del Comune. *Ouvert de 10 h à 12 h et de 15 h à 17 h. Fermé le mardi.* On peut y voir des inscriptions romaines, des tombeaux chrétiens, et des sculptures sur marbre du Moyen Age et de la Renaissance.

Pinacothèque municipale. Palazzo Comunale. *Ouverte de 10 h à 13 h et de 15 h à 17 h. Fermée le lundi.* Parmi d'autres œuvres, une Adoration des Mages du Perugino.

Balade

Autant pour le paysage que pour les monuments, nous vous conseillons la balade suivante (2,5 km) : partir de la Piazza della Libertà, prendre l'avenue Matteotti, puis Via Roma et la Flaminia, pour arriver d'abord à l'église de San Pietro et ensuite au Ponte delle Torri. De là, rejoindre la Rocca Albornoziana pour revenir en ville par la rue du pont. Un autre itinéraire, tout aussi récréatif, est celui qui conduit à la belle église de S. Salvatore, à partir de la Via Ponzianina, en passant par la porte du même nom. En chemin, on peut aussi admirer l'église de San Ponziano, d'époque romane.

DANS LES ENVIRONS

Monteluco

Reprendre la route qui, après avoir traversé la Flaminia, passe à côté de l'église de S. Pietro, laisser à gauche le Ponte delle Torri et monter jusqu'à 830 mètres d'altitude. En chemin, on trouvera l'église de S. Giuliano (XIIe siècle). Monteluco est la montagne sacrée de Spolète ; son intérêt tient aussi bien à sa configuration qu'à son panorama. Au sommet se trouve le couvent S. Francesco fondé par saint François.

Lac de Piediluco et cascade delle Marmore

On s'y rend en prenant la nationale 3 (la Cassia) puis, 29 km plus loin à gauche, la nationale 79. On appréciera le lac et les cascades pour le spectacle naturel qu'ils offrent et pour l'oasis de verdure qui les entoure. Le tour du lac fait 17 km.

Les chutes ont été créées en 271 av. J.-C. par les Romains ; on peut les contempler depuis plusieurs belvédères auxquels on accède par un escalier qui monte jusqu'aux bois de San Liberatore. Ce sont trois chutes (d'une hauteur totale de 165 mètres) alimentées par les eaux du fleuve Velino qui se jette dans la Nera. La cascade est illuminée le soir.

ORVIETO

Juchée sur un rocher de tuf, Orvieto est située entre la vallée de Paglia et celle de Chiani, à mi-chemin sur le tracé de l'autoroute du Soleil reliant Florence à Rome.

Ville d'origine étrusque, avec une infrastructure urbaine et architecturale entièrement réinterprétée au Moyen Age, Orvieto est dominée par la structure gothique du Duomo à la majestueuse façade et dont les flèches se voient de loin.

En 1157, la ville devient une commune reconnue par l'Etat pontifical. Au siècle suivant, elle s'allie avec Florence contre Sienne. C'est à ce moment-là qu'elle est la plus puissante. Elle se consolide et prend l'aspect général qu'elle offre encore aujourd'hui. Aspect que cette ville du XIVe conservera grâce à des murailles qui la protégeront pendant des siècles.

Des causes internes provoquèrent la décadence qui suivit : les deux principales familles, les guelfes Manaldeschi et les gibelins Filippeschi, affaiblirent la ville par leurs querelles. Les premiers, proches du pape, l'emportèrent et exilèrent les Filippeschi (1313). En 1348, la peste noire décima Orvieto et, six ans plus tard, la ville fut soumise aux Etats de l'Eglise au point de devenir, pendant la Renaissance, le lieu de refuge préféré des papes.

En dehors des édifices cités plus loin, les autres monuments d'Orvieto à visiter sont l'église à trois nefs de Sant'Andrea (XIe siècle), sur la Piazza della Repubblica, et le Palazzo Comunale. A voir aussi sur la même place, l'imposant Palazzo del Capitano del Popolo, édifice en tuf du XIIe siècle, et le quartier médiéval de San Giovenale. Au bout de la Piazza Cohen, on pourra visiter la Rocca, ou forteresse Albornoz, datant de 1359 et reconstruite en 1449. C'est aujourd'hui un jardin public qui offre une jolie promenade et un beau point de vue.

TRANSPORTS

Bus ACT. Piazza Cohen, 10 ✆ 41 921.

PRATIQUE

Indicatif téléphonique : 0763.

Office du tourisme. Piazza del Duomo, 24 ✆ 34 17 72. *Ouvert du lundi au vendredi de 8 h à 14 h et de 16 h à 19 h, le samedi de 10 h à 13 h et de 16 h à 19 h. De 10 h à 19 h le dimanche et jours fériés.*

Poste centrale. Via Cesare Nebia ✆ 41 243. *Ouverte du lundi au samedi de 8 h 15 à 18 h 40.* Bureau de change.

Téléphones publics SIP. Corso Cavour, 119.

Change. Multiservice. Largo Barzini, 7 ✆ 42 297.

HEBERGEMENT

Hôtel Duomo. Viccolo di Maurizio, 7 ✆ 41 887. *40 000/80 000 L environ. Réservation conseillée.* 17 chambres. Très bon rapport qualité-prix. Hôtel bien tenu.

Hôtel Virgilio. Piazza Duomo, 5/6 ✆ 34 18 82 - Fax 34 37 97. *120 000/165 000 L.* 13 chambres avec téléphone, télévision. Garages. Visa. Dans le centre, un petit hôtel très bien rénové.

Villa Ciconia. Via dei Tigli, 69 ✆ 30 55 82 - Fax 30 20 77. *235 000/260 000 L. Fermé 15 jours en février.* 10 chambres avec téléphone, télévision, réfrigérateur. Parc, parking, restaurant (45 000/80 000 L). Interdit aux animaux. American Express, Visa, Diner's Club. A 6 km de la ville, une élégante villa du XVIe siècle entourée d'un parc séculaire.

Agriturismo

Agritop Umbria Todi ✆ 89 42 627. *40 000/70 000 L par personne.* Regroupement de différentes fermes qui proposent des hébergements de qualité à des prix raisonnables.

Camping Orvieto. Lago di Corbara (à 15 km d'Orvieto) ✆ 07 44/95 02 40. Piscine. Pour s'y rendre, prendre le bus pour Baschi.

Agriturismo Casa Nona. Località Cerreto ✆ 95 03 68 - Fax 95 01 35. *70 000/100 000 L.* 10 chambres avec téléphone. Equitation, vélo, bar, restaurant, accès handicapés.

Orvieto - Duomo (intérieur)

Agriturismo la Casella. Località di Ficulle (à 19 km d'Orvieto) ✆ 86 684. *100 000/130 000 L.* 15 chambres avec téléphone. Piscine, équitation, tennis, vélos, bar, restaurant. Un ensemble de fermes disséminées sur un terrain de 400 hectares, avec tout le confort et un manège.

Agriturismo Pomurlo Vecchio. Pomurlo Vecchio à Baschi ✆ 07 44/95 01 90 - Fax 95 05 00. *110 000/140 000 L.* 10 appartements et 8 chambres avec téléphone. Piscine, équitation, vélos, accès handicapés, bar, restaurant. Aménagé dans de vieilles fermes en pleine campagne, entre le Tibre et le lac de Corbara, à 1 km de la réserve naturelle d'Alviano. On y trouvera une école d'équitation et un manège.

Agriturismo Agricontri. A Doglio, Via Santa Maria Apparita, Monte Castello di Vìbio ✆ 075/87 49 610. *Chambres 80 000 L, pension complète 140 000 L. Ouvert tous les jours.* 10 kilomètres au nord de Todi. Superbe bâtisse en pierre, avec piscine, tennis, et chevaux disponibles. Elevage de gibier et initiation à la chasse à courre.

RESTAURANTS

La Volpe e l'Uva. Via Ripa Corsica, 1, Orvieto ✆ 34 16 12. *40 000/60 000 L. Fermé le lundi et parfois le mardi selon les saisons. Réservation obligatoire.* 50 couverts. Climatisation. American Express, Visa, Diner's Club. Cuisine d'Orvieto revisitée.

Restaurant Grotte del Funaro. Via Ripa di Serancia, 41, Orvieto ✆ 34 32 76. *40 000/55 000 L. Fermé le lundi hors saison. Réservation obligatoire.* 100/150 couverts. Climatisation. American Express, Visa, Diner's Club. Situé dans une ancienne grotte de tuffeau, avec un agréable piano-bar.

Restaurant dell'Ancora. Via di Piazza del Popolo, 7, Orvieto ✆ 34 27 66. *35 000/50 000 L. Fermé le jeudi et en janvier.* 250 couverts. Jardin. American Express, Visa, Diner's Club. Tout à fait correct. Cuisine régionale et terrasse en été.

Trattoria Etrusca. Via Maitani, 10, Orvieto ✆ 44 016. *40 000/65 000 L. Fermé le lundi et en janvier.* 90 couverts. Climatisation. American Express, Visa, Diner's Club. Cuisine traditionnelle et raffinée dans des murs du XIVe siècle.

Restaurant Giglio d'Oro. Piazza Duomo, 8, Orvieto ✆ 34 19 03. *60 000/90 000 L. Fermé le mercredi.* 50 couverts. Climatisation. American Express, Visa, Diner's Club. Bonne cuisine italienne faite avec des produits régionaux.

MANIFESTATIONS

Le 19 mai : Fête de la Palombella. Elle s'ouvre avec l'envol d'une colombe blanche, symbole de l'Esprit saint, et se poursuit avec le Palio de la Palombella, une course de chevaux anglais lancés au galop.

Le dimanche suivant le Corpus Domini, début juin : procession du Corpus Domini. La fête célèbre le miracle de Bolsena, en 1264, quand un prêtre de Bohême, s'étant arrêté pour dire la messe dans l'église de Santa Cristina, vit l'hostie ruisseler de sang et tacher les ornements sacerdotaux (conservés à l'heure actuelle à l'intérieur du Duomo). Chaque année, à l'occasion de la fête, 400 personnes participent au spectacle inspiré par ce miracle.

Trois premières semaines de septembre : exposition d'antiquités et de céramiques. Des exposants et des fabricants venus des plus grandes villes italiennes y participent. Rencontres et conférences sont au programme avec, pour thème principal, la maïolique du XIIIe siècle.

POINTS D'INTERET

Duomo. *Ouvert de 7 h à 13 h et de 14 h 30 à 18 h 30 (les heures de fermeture varient selon les saisons).* C'est un chef-d'œuvre du gothique italien, avec une superbe façade marquée par la belle rosace d'Andrea Orcagna. Paul Bourget l'évoque quand il écrit : «Orvieto existe ne serait-ce que pour cette page du missel écrite dans le marbre, pour cette gigantesque miniature, pour cette façade exaltée par les mosaïques et les lambris.» L'église fut construite en 1290, pour célébrer le miracle de Bolsena : la transsubstantiation du corps et du sang du Christ dans l'hostie. Le Siennois Lorenzo Mainati fut le maître d'œuvre de la transformation gothique de l'église en 1305. A l'intérieur, où la structure romane d'origine est visible, on peut admirer la *Madonna* de Gentile da Fabriano et, dans la Cappella Nuova, des fresques de Fra Angelico et la remarquable série du *Jugement Dernier*, le chef-d'œuvre de Luca Signorelli (1499-1504).

Dans l'autel, un tabernacle garde le reliquaire du miracle contenant le corporal taché de sang (visible seulement les jours de Pâques et du Corpus Domini). Le Duomo a retrouvé son ancienne splendeur grâce à la dernière restauration qui lui a été offerte en 1990 pour ses 700 ans d'existence.

Palazzo dei Papi. C'est l'un des deux beaux palais papaux qui dominent la Piazza Duomo. Bonifacio VIII le fit construire en 1256, et il abrite aujourd'hui le Museo dell'Opera del Duomo (avec des œuvres de Simone Martini, Luca Signorelli et Andrea Pisano).

Palazzo Faina. De la même période que le palais précédent, le Palazzo Faina abrite le Museo Civico, qui expose une intéressante collection de pièces étrusques.

Pozzo di San Patrizio. Accès par la Piazza Cohen. *Ouvert tous les jours d'avril à septembre, de 10 h à 19 h, d'octobre à mars, de 10 h à 18 h.* Autre monument symbole de la ville, curiosité architecturale plutôt que chef-d'œuvre. Le pape Clément VII, qui avait trouvé refuge à Orvieto après la mise à sac (*sacco*) de Rome en 1527, commanda ce puits à Antonio da Sangallo pour fournir la ville en eau. Il fait 60 mètres de profondeur. Sa particularité réside dans les deux escaliers en spirale, dotés de 70 fenêtres, et qui descendent sans se rencontrer (248 marches chacun), se faisant face à l'intérieur du puits.

➥ VERS LE LATIUM

TERNI

Le site était habité dès la Préhistoire (voir le Musée archéologique du Palazzo Mazzancolli), mais la ville s'est surtout développée à partir du XIIIe siècle, grâce à sa position privilégiée entre Florence et les Abruzzes. Après le commerce vint l'industrie, favorisée notamment par une énergie hydroélectrique aisément disponible. C'est cet aspect moderne qui caractérise aujourd'hui la ville, aspect dû en partie à la Seconde Guerre mondiale, qui fit disparaître sous les bombes la quasi-totalité des vieux monuments. Le résultat n'est pas vraiment enthousiasmant, mais on a tout de même sauvé quelques vieilles pierres.

On s'attardera essentiellement sur les monuments religieux, en particulier les églises San Francesco, un assez bel exemple de gothique du XIIIe siècle, et San Salvadore, la plus ancienne de la ville (XIIe). Dominée par sa masse cylindrique centrale, cette dernière offre un aspect austère impressionnant. Piazza Carrara, les amateurs d'art pourront faire un petit crochet par la Pinacoteca. Entre amoureux, on se rendra en pèlerinage à la basilique Saint-Valentin, patron de la ville, dont les ossements reposent ici. L'hôtel de ville est logé dans l'imposant palais Spada (XVIe), robuste parallélépipède de pierre.

Dans les environs

Cascate della Marmore. A 7,5 km, une magnifique cascade... artificielle. Difficile à croire en la voyant, et pourtant elle fut construite par les Romains en 271 avant J.-C. On y voit les eaux du «fiume» Nera dévaler d'une hauteur de 165 mètres, au cœur de la verdure.

Narni. Elle domine les gorges de la rivière Nera, ce qui lui confère déjà un charme certain. La ville conserve en outre quelques vestiges intéressants, notamment du Moyen Age. C'est le cas du château (XIVe) encore solidement installé au sommet de la colline, du Palazzo Podestà (XIIIe) et de ses œuvres d'art, à l'extérieur (bas-reliefs) comme à l'intérieur (peintures), ou, encore, de l'incontournable Duomo (XIIe). Pour remonter plus loin dans le temps, il faut aller admirer les restes du pont d'Auguste qui date, comme son nom l'indique, de l'Empire romain.

TODI

En 1991 elle a été déclarée «la ville la plus agréable à vivre», à la suite d'une étude du scientifique américain Richard S. Levine, qui a trouvé ici le juste équilibre entre la ville et la campagne, un idéal à atteindre pour les villes du futur. Cette étude a eu des répercussions dans les médias et a porté Todi sur le devant de la scène, y compris au point de vue touristique.

La vraie vocation de cette superbe ville médiévale accrochée aux flancs d'une colline, où la vie «à échelle humaine» est la première valeur partagée par les habitants, est d'être un pôle agricole. La campagne environnante est extraordinairement belle. De nombreux intellectuels italiens et étrangers ont choisi Todi pour échapper au stress des autres villes. Ils y ont apporté un souffle culturel et favorisé le respect du patrimoine architectural des campagnes et des petites villes.

Entourée par trois enceintes de murs, étrusco-romaine, romaine et médiévale, Todi a une configuration des plus heureuses.

En revanche, la ville étant faite de ruelles en pente, le déplacement en voiture s'y révèle problématique. Il est donc conseillé de s'arrêter au parking de Porta Roma, à côté du Tempio della Consolazione.

TRANSPORTS

Gare. Ferrovia Centrale Umbria (privée). A 4 km du centre. Prendre le bus B pour s'y rendre.

PRATIQUE

Indicatif téléphonique : 075.

Office du tourisme. Piazza Umberto I, 6 © 89 43 395. *Ouvert du lundi au samedi de 9 h à 13 h et de 16 h à 19 h. Le dimanche, ouvert de 9 h 30 à 12 h 30. En hiver, le bureau est fermé le samedi après-midi.*

MANIFESTATIONS

Avril : expositions d'antiquités dans les salles des Palazzi Comunali. Meubles, tableaux, tapis et céramiques anciennes.

Août : la Foire-exposition nationale de l'artisanat accueille les métiers d'art de toute l'Italie, avec une attention toute particulière accordée aux travaux ombriens.

Août-septembre : Festival de Todi. Lectures, musique, danses, films et rencontres culturelles ont lieu dans les cloîtres, les théâtres et les églises du centre historique.

POINTS D'INTERET

Piazza del Popolo. Entourée par le Palazzo del Capitano, le Palazzo del Popolo et le Palazzo dei Priori des XIIIe et XIVe siècles, elle présente l'harmonie parfaite des places médiévales.

Duomo. Le Duomo, commencé au XIIe siècle et retouché entre le XIIIe et le XVIe, présente une belle façade et un intérieur refait de forme romane qui abrite un remarquable Giudizio Universale (Jugement Dernier) du XVIe siècle.

Chiesa di San Fortunato. Agrippée à la colline, elle-même dominée par la forteresse du XVe siècle, cette église est un des plus grands monuments du franciscanisme ombrien. Portail gothique, intérieur à trois nefs.

Le Tempio della Consolazione. C'est la première vision qui frappe le visiteur à l'approche de Todi. Situé à l'écart, en dehors des remparts de la ville, suspendu au-dessus d'une campagne colorée, le temple offre un romantique et merveilleux spectacle. Attribué à Bramante, qui en dessina le plan (plusieurs artistes y travaillèrent pendant tout le XVIe siècle), c'est un des principaux ouvrages de la Renaissance en Ombrie.

A partir de l'église de San Fortunato, sur la droite, on a une très belle vue sur le **Tempio della Consolazione** et la **vallée du Tibre.**

PIEMONT
VAL D'AOSTE

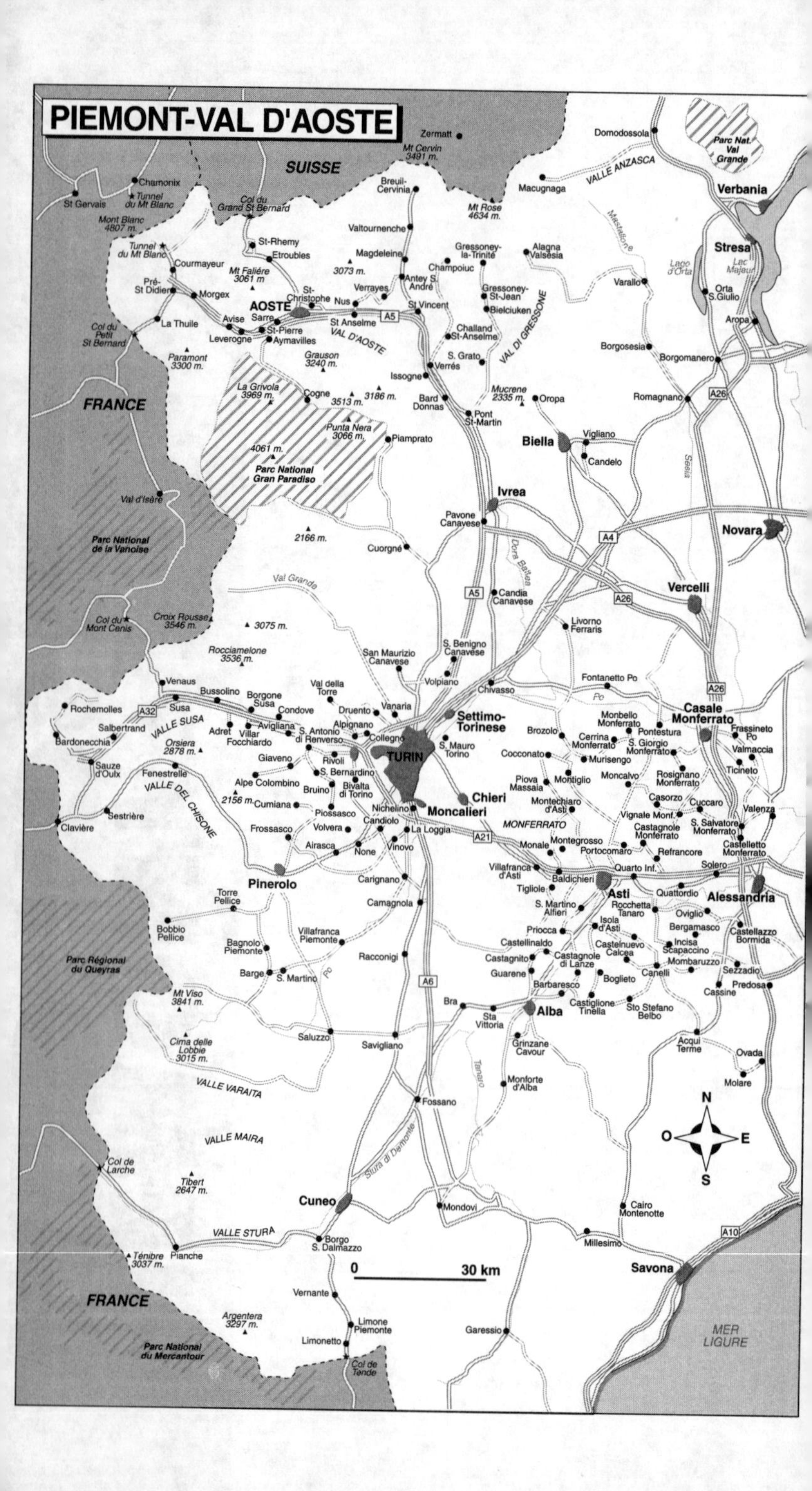
PIEMONT-VAL D'AOSTE
SUISSE
FRANCE
Zermatt
Mt Cervin 3491 m.
Domodossola
Parc Nat. Val Grande
VALLE ANZASCA
Macugnaga
Verbania
Chamonix
St Gervais
Tunnel du Mt Blanc
Mont Blanc 4807 m.
Col du Grand St Bernard
Breuil-Cervinia
Mt Rose 4634 m.
Valtournenche
St-Rhemy
Etroubles
Tunnel du Mt Blanc
Courmayeur
Mt Falière 3061 m
Magdeleine
3073 m.
Gressoney-la-Trinité
Champoluc
Alagna Valsesia
Stresa
Lac Majeur
Lago d'Orta
Pré-St Didier
Morgex
AOSTE
St-Christophe
Nus
Verrayes
Antey S. André
Gressoney-St-Jean
Bielciuken
Varallo
Orta S.Giulio
Avise
Sarre
St Anselme
A5
St Vincent
VAL DI GRESSONE
Aropa
Col du Petit St Bernard
La Thuile
Leverogne
St-Pierre
Aymavilles
VAL D'AOSTE
Challand St-Anselme
Borgosesia
Paramont 3300 m.
Grauson 3240 m.
S. Grato
Verrès
Borgomanero
Issogne
La Grivola 3969 m.
Cogne
3513 m.
3186 m.
Bard Donnas
Mucrene 2335 m.
Oropa
Romagnano
A26
FRANCE
Pont St-Martin
Punta Nera 3066 m.
Piamprato
Biella
Vigliano
Candelo
4061 m.
Parc National Gran Paradiso
Sesia
Val d'Isère
Ivrea
Pavone Canavese
Novara
Parc National de la Vanoise
2166 m.
Cuorgné
A4
Dora Baltea
Val Grande
A5
Candia Canavese
A26
Vercelli
Col du Mont Cenis
Croix Rousse 3546 m.
3075 m.
Livorno Ferraris
Rocciamelone 3536 m.
S. Benigno Canavese
San Maurizio Canavese
Volpiano
Venaus
Val della Torre
Chivasso
Fontanetto Po
A26
Bussolino
Borgone Susa
Po
Rochemolles
A32
Susa
Condove
Druento
Vanaria
Settimo-Torinese
Casale Monferrato
Salbertrand
VALLE SUSA
Adret
Avigliana
S. Antonio di Renverso
Alpignano
Monbello Monferrato
Pontestura
Frassineto Po
Bardonecchia
Villar Focchiardo
Collegno
S. Mauro Torino
Brozolo
Cerrina Monferrato
S. Giorgio Monferrato
Valmaccia
Orsiera 2878 m.
TURIN
Cocconato
Murisengo
Ticineto
Sauze d'Oulx
Fenestrelle
Giaveno
Rivoli
S. Bernardino
Montiglio
Moncalvo
Rosignano Monferrato
VALLE DEL CHISONE
Alpe Colombino
Bruino
Bivalta di Torino
Chieri
Piova Massaia
Casorzo
Cuccaro
2156 m.
Cumiana
Montechiaro d'Asti
Valenza
Sestrière
Piossasco
Nichelino
Moncalieri
Vignale Monf.
S. Salvatore Monferrato
Clavière
Volvera
Candiolo
MONFERRATO
Castagnole Monferrato
Frossasco
La Loggia
A21
Montegrosso
Castelletto Monferrato
Airasca
None
Vinovo
Monale
Portocomaro
Refrancore
Solero
Villafranca d'Asti
Quarto Inf.
Pinerolo
Carignano
Baldichieri
Asti
Quattordio
Alessandria
Torre Pellice
Tigliole
S. Martino Alfieri
Rocchetta Tanaro
Oviglio
Carmagnola
Bobbio Pellice
Isola d'Asti
Bergamasco
Priocca
Castellazzo Bormida
Villafranca Piemonte
Castelnuevo Calcea
Incisa Scapaccino
Castellinaldo
Parc Régional du Queyras
Bagnolo Piemonte
Racconigi
Castagnito
Castagnole di Lanze
Mombaruzzo
Canelli
Guarene
Sezzadio
Barge
S. Martino
Po
Boglieto
A6
Barbaresco
Predosa
Cassine
Mt Viso 3841 m.
Bra
Castiglione Tinella
Sto Stefano Belbo
Alba
Sta Vittoria
Saluzzo
Savigliano
Grinzane Cavour
Acqui Terme
Cima delle Lobbie 3015 m.
Ovada
Tanaro
Molare
Monforte d'Alba
VALLE VARAITA
Fossano
N
O
E
S
VALLE MAIRA
Stura di Demonte
Col de Larche
Tibert 2647 m.
Cuneo
Mondovi
Cairo Montenotte
VALLE STURA
A10
Borgo S. Dalmazzo
Millesimo
Pianche
Ténibre 3037 m.
0
30 km
Savona
FRANCE
Vernante
Argentera 3297 m.
Limone Piemonte
Garessio
MER LIGURE
Parc National du Mercantour
Limonetto
Col de Tende

PIEMONT VAL D'AOSTE

PIEMONT

Malgré son éloignement de la mer, la région offre une combinaison de presque tous les paysages possibles : la chaîne des Alpes, avec les plus hauts sommets d'Europe, sert de toile de fond aux villes et aux campagnes de la plaine ; le Pô, le plus grand fleuve d'Italie, naît discrètement au pied du Monte Viso et s'élargit majestueusement en marquant de son cours la région de Padoue. La zone des collines des Langhe et du Montferrato est le berceau de vignes précieuses. A l'est, les peupliers se mirent dans les eaux stagnantes des rizières où se reflètent les nuages et, parfois, les hérons cendrés. Quant aux eaux plus languissantes des lacs préalpins (le lac d'Orta et la rive occidentale du Verbano), elles accueillent des petits villages à l'allure antique et somnolente. Des châteaux disséminés dans le val d'Aoste et dans toute la région rappellent le passé chevaleresque et guerrier du Piémont, dominé, à partir du XVe siècle et pour quelques centaines d'années, par les ducs de Savoie.

Auparavant, l'histoire politique du Piémont avait été fort chaotique car tout le pays était morcelé en marquisats, seigneuries et comtés. Pendant la seconde moitié du XIXe siècle, le Piémont joua un très grand rôle dans le processus d'unification de l'Italie.

Nature, culture, passé, présent et avenir : ici, tout se confond. Les trésors du patrimoine artistique du Piémont sont particulièrement grandioses, comme en témoignent l'église gothique de Sant'Andrea à Vercelli, la statuaire du Sacro Monte de Varallo, le baroque retenu de Turin et les fresques du Castello della Manta.

Côté sport, la redécouverte des vallées alpines grâce au ski a entraîné l'ouverture de stations de sports d'hiver et d'été de renommée mondiale. Le parc du Gran Paradiso, en particulier, est à recommander à ceux qui apprécient le silence d'une montagne intacte.

Bien que le Piémont soit, avec la Lombardie, la région la plus industrialisée d'Italie, sa physionomie est tranquille et accueillante. Ses villes ont encore toutes une dimension humaine. La nature, dans son infinie variété, est en mesure d'apporter de grandes émotions à ceux qui consacreront du temps à la découvrir. Enfin, la richesse de sa table contentera les gourmets les plus exigeants.

En 1787, Horace de Saussure, après avoir escaladé le mont Blanc, écrivait dans son journal : «Un jour viendra où on creusera sous la montagne une route carrossable.» Cette prédiction s'est vérifiée. Le 19 juillet 1965, une voiture franchissait le tunnel du Mont-Blanc à 6 h du matin, pour la première fois.

Région frontalière, le Piémont s'ouvre à la France en plusieurs endroits à partir desquels sont indiqués des itinéraires du «Petit Futé» : s'ils conduisent aux beautés les plus frappantes, ils ouvrent aussi la voie à certaines réalités moins visibles mais qui laissent leur empreinte quand elles permettent de magnifiques découvertes.

VAL D'AOSTE

Un peu coincée au nord du Piémont, c'est pourtant une région à part entière, à laquelle le tourisme a apporté d'énormes richesses. Et ceci a commencé il y a plus de deux siècles, le 8 août 1886, quand un médecin de Chamonix, le docteur Paccard, s'écria : «Nous sommes immortels !», en agitant son piolet. Il était 18 h : avec son ami Balmat, il venait de poser le pied, premier mortel, sur le sommet du mont Blanc.

Dans le val d'Aoste, tout le monde parle le français, qui est enseigné de pair avec l'italien ; par ailleurs, le dialecte local est un mélange de français et de provençal. Par-delà les sommets alpins, les plus hauts d'Europe, qui dominent la vallée, la distance n'est pas grande entre la France et l'Italie.

L'histoire a laissé des signes tangibles à Aoste, fondée par les Romains, ainsi que dans les châteaux de la vallée dont l'origine remonte au Moyen Age, quand beaucoup de familles nobles, vassales des ducs de Savoie, régnaient sur de petits fiefs organisés autour de bâtisses fortifiées. En raison de cette singularité historique, à la fin de la Deuxième Guerre mondiale, un régime spécial d'autonomie fut reconnu au val d'Aoste, aujourd'hui régi par un Parlement au large pouvoir législatif et par un exécutif formé d'un président et de sept assesseurs.

Le parc national du Gran Paradiso et le téléphérique du Mont-Blanc sont deux attractions qui mettent en valeur les beautés naturelles du val. Si la qualité de la vie dans les plus grands centres touristiques est élevée, dans quelques vallées latérales, comme celle de Rhêmes, le temps semble s'être arrêté et le touriste est ressenti craintivement comme un envahisseur. Dans la région prédomine l'artisanat, surtout celui du bois, auquel est dédiée à Aoste, en janvier, la fête du Sant'Orso.

Gastronomie du val d'Aoste

Une cuisine essentiellement constituée de plats d'une extrême simplicité mais très consistants, la plupart basés sur la «fontina», le fromage local, une pâte compacte couleur paille dont l'origine remonte à 1270. Typiques : la soupe à la *valpellinentse* (soupe à base de bouillon de légumes, de pain dur, de fontina et d'herbes des Alpes) ; la *carbonada* (un morceau de bœuf accompagné d'une sauce sombre et servi avec la polenta) ; la *bistecca a la valdostana* avec des croûtons de pain et du fromage fondu. La saucisse et le boudin, servis avec des pommes de terre bouillies, sont délicieux. Outre la fontina, la tomme de la vallée est excellente. Les vraies spécialités de la vallée sont la *mocetta* (viande de chamois séchée), le lard d'Arnad, le jambon de Bosses et le pain noir. Enfin, les vins de la vallée, dus aux vignes les plus hautes d'Europe : le blanc de Morgex, l'enfer d'Arvier et le gamay sont vraiment à découvrir.

Saisons

En hiver pour ceux qui aiment le ski, au printemps où tout est plus vrai en l'absence de touristes, en été pour la beauté des randonnées et la possibilité de faire du ski de haute montagne, et en automne pour admirer les couleurs changeantes des forêts.

Alessandria - Santa Maria del Costello-Chioto

VAL D'AOSTE

AOSTE

Réputée dans le monde entier pour son jambon, Aoste est également une ville riche en monuments de différentes époques. Ceci rend la balade dans les rues de la ville fort agréable.

TRANSPORTS

Gare. Piazza Manzetti ✆ 42 193 / 26 20 57. *Consigne ouverte de 7 h 30 à 14 h 30.*

Bus Svada. Via Carrel ✆ 26 20 27.

Aéroport régional. Corrado Gex. Saint-Christophe ✆ 26 24 42.

Location de voitures

Europcar. Piazza Manzetti, 3 ✆ 41 432 - Fax 36 49 07.

Euroservice. Piazza Manzetti ✆ 26 27 05.

Intercenter. Via Chambery, 60 ✆ 23 51 52 - Fax 23 92 14.

Raso. Corso Battaglione Aosta, 109 ✆ 36 16 30 - Fax 25 05 07.

Taxis

Piazza Manzetti ✆ 26 20 10.

Piazza Narbonne ✆ 35 656.

Téléphérique Aosta Pila. Pont Suaz ✆ 36 36 15.

PRATIQUE

Indicatif téléphonique : 0165.

Offices du tourisme

Piazza Narbonne, 3 ✆ 27 27 25 - Fax 40 134.

Piazza Chanoux, 3 ✆ 23 66 27 - Fax 34 657. *Ouvert du lundi au samedi de 9 h à 13 h et de 15 h à 20 h, le dimanche de 9 h à 13 h.*

Club Alpino Italiano. Piazza Chanoux, 15 ✆ 40 194. *Ouvert les lundi, mercredi et jeudi de 17 à 19 h, et les mardi et vendredi de 20 h à 22 h.*

Associations de guides

Associazione Guide Ambiantali Escursionistiche. Via Aubert, 48 ✆/ Fax 36 38 51.

Associazione Valdostana Accompagnatori della Natura. Via Monte Emilius, 13/a ✆ 76 76 70 / 44 448.

Consulat de France. Piazza Chanoux, 12 ✆ 36 12 77.

Météo. Service météorologique de l'aéroport ✆ 44 133.

Poste. Piazza Narbonne ✆ 44 138. *Ouverte du lundi au vendredi de 8 h 15 à 19 h, le samedi de 8 h 15 à 12 h 30.*

Téléphones publics. Via delle Pace, 9 ✆ 43 997. *Ouvert du lundi au vendredi, de 8 h 15 à 12 h 15 et de 14 h 30 à 17 h.*

Banques

Banca d'Italia. Avenue du Conseil des Commis, 21 ✆ 23 81 00.

Credito Italiano. Piazza Arco d'Augusto, 8 ✆ 41 186.

Change

Banco Vadostano Berard. Piazza Chanoux, 51 ✆ 23 56 56. *Ouvert du lundi au vendredi de 8 h 20 à 13 h 20 et de 14 h 40 à 16 h.*

Banca Comerciale Italiana. Via M. Grivola ✆ 21 61 77.

Egalement Piazza Chanoux, 47 ✆ 36 12 19.

HEBERGEMENT - RESTAURANTS

Hôtel Montfleury. Viale Piccolo San Bernardo, 26 ✆ 55 52 52 - Fax 55 52 51. *70 000/115 000 L.* 44 chambres avec téléphone, télévision, réfrigérateur. Parc, parking, sauna. American Express, Visa, Diner's Club. Un quatre-étoiles moderne et confortable.

Agriturismo

Agriturismo Plantey. Ville Dessus, 65, Introd ✆ 95 531. *Chambres 40 000/60 000 L. Ouvert tous les jours.* 15 kilomètres au sud-ouest d'Aosta. Typique chalet alpin en bois dans la vallée de Rhêmes, au centre d'une exploitation fruitière et viticole. Nombreuses balades dans les alentours.

Agriturismo L'Abri. Località Vetan Dessous, 83, Saint-Pierre ✆ 90 88 30. *Chambres 40 000 L. Ouvert d'avril à octobre, à Noël et pour l'Epiphanie.* 5 kilomètres au sud-ouest d'Aosta. Grand chalet avec une belle vue, bien décoré. Pour les grands, trekking ou cours de sculpture. Pour les petits, balades à VTT.

Camping

Camping Ville d'Aoste. Localité les Fourches (à 1 km d'Aoste) ✆ 36 13 60. *Ouvert du 1er juin au 30 septembre.*

Camping Milleluci. Roppoz (à 1 km d'Aoste) ✆ 23 52 78 - Fax 23 52 84. *Ouvert toute l'année.*

Restaurants

Piemonte. Via Porta Pretoria, 13, Aoste ✆ 40 111. *Compter 40 000 L. Fermé le vendredi.* 80 couverts. Depuis 80 ans, c'est un lieu gastronomique bien connu en ville.

Vecchia Aosta. Piazza Porta Pretoriane, 4, Aoste ✆ 36 11 86. *Environ 40 000 L. Fermé le mardi soir, le mercredi, du 5 au 20 juin et du 15 au 30 octobre. Réservation obligatoire.* 90 couverts. American Express, Visa, Diner's Club. Elégant, panoramique, au centre de la ville. En été, on peut être servi dehors.

Le Foyer. Corso Ivrea, 146, Aoste ✆ 32 136 - Fax 23 94 74. *45 000/80 000 L. Fermé le lundi soir, le mardi, du 5 au 20 juillet et du 15 au 31 janvier. Réservation obligatoire.* 50 couverts. American Express, Visa, Diner's Club. Classique et confortable. Bon service.

MANIFESTATIONS

30 et 31 janvier : Aoste fête Sant'Orso. La foire, qui dure deux jours, fait affluer en ville tous les artisans de la vallée. Ils disposent leurs stands autour de l'église du saint, et c'est alors une grande joie pour les yeux : cuivres travaillés à la main, bois sculptés, dentelles de Cogne, couvertures faites au métier à tisser par les artisans de La Valgrisence, sculptures en pierre, fers forgés. On consomme charcuterie, marrons grillés, fromages à volonté, dans un tohu-bohu très sympathique et plein d'allégresse.

POINTS D'INTERET

Balade

Presque tout le patrimoine artistique d'Aoste peut être admiré entre la Via Sant'Anselmo et la Piazza Chanoux. Exemple unique d'un *castrum* romain, Aoste conserve de cette époque des remparts intacts, un magnifique arc d'Auguste, le théâtre, une partie du forum et la porte prétorienne. Dans ce cadre de vestiges romains, le haut Moyen Age a laissé une trace superbe avec Sant'Orso (XIe siècle), son magnifique cloître et son clocher, lequel tient compagnie à un tilleul plusieurs fois centenaire. Avec l'ouverture des grands tunnels et le développement des stations de ski, Aoste est devenue une des villes les plus riches d'Italie. Quelques pas dans les rues piétonnes (Via Aubert, Via de Tillier et Piazza Chanoux) permettent de saisir au vol l'atmosphère de cette ville pleine de grâce et de lumière.

Shopping

Marché. Piazza Vittorio Veneto, au bord de la Teresina. On y trouve des couvre-chefs de grandes marques à des prix dérisoires. Tous les mardis.

Mont Blanc. Via Xavier de Maistre, 24. De superbes combinaisons de ski.

Artisanat du val d'Aoste. 99, rue de Chambéry ✆ 40 808. Une riche production d'objets en bois pour la maison, des sculptures, des cuivres.

Œnogastronomie Cavallo Bianco. Via Croce di Città ✆ 36 21 75. Les meilleures spécialités de la vallée en vins et plats cuisinés.

Boch Pasticceria. Piazza Chanoux, 22 ✆ 35 606. Spécialités : une tarte aux noix exceptionnelle et les *tegole* (tuiles).

La Coopérative des producteurs de lait et de fontina a un important dépôt à Saint-Christophe (✆ 01 65/35 714), à l'entrée d'Aoste. Une pancarte jaune sur le toit du chalet permet de le repérer de loin. On peut y acheter des fromages à tous les degrés de maturation, à des prix raisonnables.

LOISIRS

Golf. Le tout nouveau golf d'Aoste se trouve dans un endroit ravissant. 9 trous, vite portés à 18, se succèdent au milieu des prés, des pins, des ruisseaux et des cascades. Ce lieu privilégié offre une excellente cuisine, celle du restaurant du club *Le due Campane* (*ouvert à tous ; 45 000 L*), géré par les mythiques frères Fai.

Aeroclub. C/o Aeroporto Saint-Christophe ✆ 26 24 42.

Equitation. Scuderia Jolly. Reg. Tzambarlet ✆ 55 15 80.

Patinoire. Patinaggio a Rotelle. Mont Fleury.

Deltaplane, parapente, vol à voile et parachutisme. C/o Aeroporto ✆ 26 24 42.

Mountain bike. Location c/o Galsport. Place Cabinovia ✆ 23 61 34.

➥ AU NORD D'AOSTE

CERVINIA

Une piste de bob de renommée mondiale, du ski en toute saison sur les glaciers du Plateau Rose, un réseau de pistes qui la relie à Valtorurnanche et à Zermatt... font de Cervinia l'une des stations de ski les plus connues de la vallée. L'été, Cervinia offre aussi un beau golf à 9 trous et la possibilité de faire du ski extrême sur les glaciers. Mais son principal centre d'intérêt est le mont Cervinio, un sommet qui, à l'aube, quand les premiers rayons du soleil le colorent de bleu, ressemble à un géant solitaire en train de se mettre en marche. Malheureusement, au pied du mont, le béton chante un hymne à la spéculation sauvage, et la beauté du paysage s'en ressent quelque peu.

Pratique

Indicatif téléphonique : 0166.

Office du tourisme. Via Carrel, 29 ✆ 94 91 36. Ouvert de 9 h à 12 h et de 15 h à 18 h 30.

Ecole de ski du Cervin ✆ 94 87 44.

Golf Club du Cervin ✆ 94 91 31.

Société des guides du Cervin ✆ 94 81 69.

Dans les environs

A l'écart du monde, loin de tout, se dresse un petit village que l'on atteint seulement à pied ou en téléphérique à partir de Buisson. C'est **Chamois** (altitude 1 800 m), où vivent 187 âmes à longueur d'année. On peut y dormir à l'hôtel Bellevue (✆ 47 133 ; *55 000 L la chambre double*) ou à l'Edelweiss (✆ 47 137) pour être bercé par les nuages.

Sur la route nationale entre Bard et Arnad, prenez, à gauche, une petite route qui traverse un vieux pont sur la Dora et qui, vers la droite, conduit à Echallod, entre les bois et les châtaigniers.

GRESSONEY

Les skieurs les plus téméraires s'y donnent rendez-vous pour descendre la piste la plus «noire» d'Europe, celle de Weismatten. Le village n'a pas subi la honte du bétonnage sauvage. Tout y est net, rigoureux, un peu allemand. Et, en effet, l'allemand, ou plutôt le titsch, est la langue couramment parlée dans cette région. Ce sont les Walser, une ancienne population d'origine germanique, qui l'apportèrent quand ils traversèrent ces montagnes hautes de 1 000 à 1 200 mètres.

Au pied du mont Rose, Gressoney-La Trinité est la station la plus hôtelière et la plus proche du départ pour les ascensions, Gressoney-Saint-Jean, la station la plus résidentielle, tandis que Gaby et Issime, les deux villages que l'on rencontre en remontant la vallée du Lys à partir du Pont Saint-Martin, sont nettement plus petits. Partout, l'architecture des maisons porte encore les signes de la culture de ce peuple amoureux des hauts sommets et gardien de vieilles traditions. Les installations de remontée forment, avec le val d'Ayas voisin, un seul domaine skiable : le Monterosaski, soit 180 km de pistes et 53 remontées mécaniques. Selon la saison, on fera des parcours photographiques avec un guide spécialisé, des descentes hors piste de Gressoney à Alagne, des excursions à la cascade de Loo, des randonnées à cheval sur les pentes du mont Rose, du ski de fond la nuit et de l'escalade sur les glaciers.

Pratique

Indicatif téléphonique : 0125.

Offices du tourisme

Villa Margherita 1 (Gressoney-Saint-Jean) ✆ 35 51 85 - Fax 35 58 95.

Localià Tache (Gressoney-La Trinité) ✆ 36 61 43 - Fax 36 63 23.

Club alpin italien. C/O Studio Camisasca e Rial-Fraz. Tache, 23 ✆ 36 62 59.

Société de guides. C/O Ufficio informazioni di Gressoney-La Trinité ✆ 36 63 23.

Hébergement - Restaurant

Jolanda Sport. Edelboden sup, 31, Gressoney-La Trinité ✆ 36 61 40 - Fax 36 62 02. *110 000/180 000 L.* Chambres avec téléphone, télévision. Parking, jardin, bar, restaurant, ascenseur, sauna, jardin. American Express, Visa, Diner's Club. Bien situé, près des remontées pour la pointe Jolanda.

Lo Stambecco. Via Deffeyes, 14, Gressoney ✆ 35 52 01. *35 000/50 000 L. Fermé le mardi.* 70 couverts. Parking. Visa. Un restaurant célèbre dans toute la vallée pour ses plats de champignons et de gibier.

Shopping

Les produits typiques de la région sont les pantoufles, la tomme, les objets en bois.

La tomme : chez Lidia Laurent, hameau de Chamsil, Gressoney-Saint-Jean ✆ 35 58 33.

Les objets sculptés en bois : Frères Laurent, Gaby ✆ 34 59 36.

Les pantoufles : Trusseau Ancie, Valdobbia ✆ 34 50 39.

COURMAYEUR

Nommée par les Romains «auri fondinae», mine d'or, à cause des gisements de métal précieux du val Ferret, Courmayeur est aujourd'hui encore une mine d'or mais avant tout pour ceux qui y possèdent une maison et du terrain. Le mètre carré dans les nouvelles copropriétés vaut de 6 à 10 millions de lires. Courmayeur est la station la plus mondaine de la vallée. Les ducs de Savoie en avaient déjà fait leur villégiature privilégiée. Les hameaux de Dolonne, Entrèves, La Palud en font désormais partie. Le mont Blanc impose sa présence massive, et le Chétif, en hiver, prive très tôt de soleil une partie du pays. A Noël et le 15 août, sur la Via Roma, la rue principale de Courmayeur, une souris n'aurait pas la place de se faufiler ! L'amélioration de la capacité des téléphériques a fait disparaître les longues files d'attente que l'on devait subir pour gagner les pistes de ski. Les étendues skiables se trouvent à l'arrivée des téléphériques de la Chécrouit et du val Veny. Celui qui mène au Pavillon ne dessert plus la descente de la Toula, fermée depuis un an, mais on peut toujours le prendre et jouir d'un panorama extraordinaire.

L'été, le même moyen de transport permet de rejoindre les points de départ de longues randonnées. La seule piste de ski abordable sans remontée mécanique est celle de la Dolonne, idéale pour les enfants. Une des trois pistes de fond qui arrivent jusqu'à Arnouve passe par le val Ferret. C'est la plus belle et la plus fréquentée, avec six points de restauration. Au val Veny, près du fabuleux lac de Miage, il y a un centre nautique pour les amateurs de canoë, de rafting et d'hydrospeed, mais c'est encore le val Ferret qui, l'été, appâte les amateurs du 18 trous.

TRANSPORTS

Bus SAVDA. Piazzale Monte Bianco ✆ 84 20 31 - Fax 84 12 37.

Gare routière. Même adresse ✆ 84 13 97.

Taxis. Piazzale Monte Bianco ✆ 84 29 60.

Parking

Piazzale Monte Bianco ✆ 84 19 92.

Viale Monte Bianco ✆ 84 11 68 (abonnements hebdomadaires, mensuels et annuels).

Téléphérique

Funivie Courmayeur Mont Blanc. Strada Regionale, 47 ✆ 84 66 58 - Fax 84 23 47.

Funivie Monte Bianco. La Palud ✆ 89 925 - Fax 89 439.

PRATIQUE

Indicatif téléphonique : 0165.

Office du tourisme. Piazzale Monte Bianco, 13 ✆ 84 20 60 - Fax 84 20 72. *Ouvert du lundi au vendredi de 9 h à 12 h 30 et de 15 h à 18 h 30, le samedi et le dimanche de 9 h à 19 h 30.*

Associazione operatori turistici del Monte Bianco. Piazzale Monte Bianco, 3 ✆ 84 23 70 - Fax 84 28 31.

Mont Blanc Tour Operator. Piazzale Monte Bianco ✆ 84 13 05. *Ouvert tous les jours de 7 h 30 à 20 h 30.*

Poste. Piazzale Monte Bianco ✆ 84 20 42. *Ouverte du lundi au vendredi de 7 h 15 à 13 h 30 et le samedi de 8 h 30 à 11 h 40.*

Téléphones. Piazzale Monte Bianco ✆ 84 32 13.

Banques

Banca Commerciale Italiana. Via Circonvallazione, 84 ✆ 84 41 38.

Banca CRT. Via Circonvallazione, 3 ✆ 84 68 56.

Istituto Bancario San Paolo. Piazza Brocherel, 3 ✆ 84 20 23.

Banca Monte dei Paschi di Siena ✆ 84 65 16.

Change. Cambio Valuta notturno. Piazzale Traforo, à Entreves ✆ 89 191. Ouvert de 20 h à 8 h du matin. Egalement à l'«ufficio postale» (poste) d'Inoltre.

HEBERGEMENT - RESTAURANTS

Hôtel Fiocco di Neve. Viale del Monte Bianco, 64, Courmayeur ✆ 84 23 58 - Fax 84 46 23. *160 000/200 000 L.* Chambres avec téléphone, télévision, réfrigérateur. Parking, bar, restaurant, climatisation. American Express, Visa, Diner's Club. Une villa du début du siècle, largement réputée pour son confort et son hospitalité.

Hôtel Pavillon. Strada Regionale, 62, Courmayeur ✆ 84 61 20 - Fax 84 61 22. *250 000/380 000 L. 330 000 L en pension complète. Ouvert de décembre à avril et de la mi-juin à septembre.* 50 chambres avec téléphone, télévision, réfrigérateur. Parc, parking, piscine couverte, sauna. American Express, Visa, Diner's Club. Très raffiné et confortable, l'hôtel fait partie de la chaîne Relais et Châteaux.

Auberge de jeunesse

Auberge de jeunesse. Localité Arpy, Morgex ✆ 84 16 84/29 66 80. *28 000/30 000 L, petit-déjeuner inclus. Ouverte du 1er janvier au 4 mai, du 14 juin au 7 septembre et du 22 au 31 décembre.* 130 lits. Accès handicapés, laverie automatique, parking. Située à 1 700 m d'altitude, à 7 km de Morgex.

Restaurants

Restaurant du Pavillon. Strada Regionale, 62 (en haut du téléphérique), Courmayeur ✆/Fax 84 61 20. *Environ 30 000 L.* Quand le soleil vous aura assez cuit ou que vous aurez été suffisamment rassasié par le magnifique paysage, vous aurez droit aux effluves d'une excellente cuisine du val d'Aoste, servie sur des nappes à petits carreaux.

Restaurant Pierre Alexis 1877. Via Marconi, 54, Courmayeur © 84 35 17. *45 000/80 000 L. Fermé en octobre et novembre, le lundi (sauf en août) et le mardi à midi de décembre à mars. Réservation obligatoire.* 80 couverts. Parking. American Express, Visa. Combinaison du rustique et du moderne. Bonne cuisine.

Bar

Caffè della Posta. Via Roma, Courmayeur. Le lieu de rencontre traditionnel pour repérer les nouvelles têtes. 15 variétés de thés fameux.

POINTS D'INTERET

Jardin alpin Saussurea. Au mont Frety, un peu au-dessus de la gare d'arrivée du premier tronçon du téléphérique

Palud-Sommet d'Helbroner. On cultive dans ce jardin des espèces rares de fleurs des Alpes, comme la *Saussurea*, plante typique de la vallée.

Mont Blanc. Lors du trajet en téléphérique, on touche presque la montagne du doigt, ému par l'immensité lorsqu'on surplombe la mer de Glace. Départ de La Palud, arrivée en haut de l'Helbronner, puis on poursuit du côté français. Le parcours aller à lui seul prend 2 heures. Il faut compter logiquement 4 heures pour l'aller-retour. On peut choisir l'aller seul avec retour en autocar depuis Chamonix (dans ce cas, pensez à la carte d'identité). Les enfants de moins d'un mètre ne paient pas. De 1 m à 1 m 30, rabais de 50 %.

Si vous êtes trop fatigué pour les activités sportives de la région, allez visiter le **Museo Alpino Duca degli Abruzzi di Courmayeur.** Piazza Henry, 2, Courmayeur © 84 20 64 - Fax 84 23 57.

SHOPPING

Courmayeur n'est pas une petite ville bon marché. La Via Roma, sa rue passante, est l'artère du shopping. Si vous débarquez un mercredi, vous aurez droit au marché. L'atmosphère en est impayable et on y trouve de tout. Par ailleurs, quelques vitrines de la ville sont particulièrement alléchantes.

Maison du Fromage. Via Roma, 120 © 84 46 34. Grande variété de fromages, dont les tommes.

Il Salumaio. Via Monte Bianco, 10 © 84 32 25. Spécialités : la *mocetta* et le boudin.

Gourmandises. Via Roma, 44 © 84 21 38. Tentations innombrables : des spécialités du monde entier.

Mario Il Pasticcere. Route Régionale, 8, et Via Roma, 86 © 84 33 48. Baisers de dame (*baci di dama*), tuiles (*tegole*), petits fours (*paste mignon*).

Toni Gobbi. Via Roma, 49. Tous les articles de sport.

LOISIRS

Club de ski de Courmayeur Monte Bianco. Piazzale Monte Bianco, Courmayeur © 84 24 41 - Fax 84 14 91.

Ecole de ski. Strada Regionale, 51, Courmayeur © 84 24 77 - Fax 84 64 88. *Cours de 9 h à 16 h.*

Ski de fond. Val Ferret, Courmayeur © 86 98 12.

Deltaplane et parapente. Contacter la Scuola certificata dall'Aero Club Italiano © 01 66/43 203 ou 03 30/51 06 27.

Mountain bike. Contacter Mariano Pettavino. La Salle. Fraz. Villair, 15 © 86 18 79 ou 03 47/24 17 667.

Patinoire. Plan des Lizzes © 84 40 96.

Tourisme équestre. Petit Mont Blanc, Courmayeur © 84 28 69.

Balade

Pour vos balades, il est plus prudent de vous faire accompagner par un guide.

Contactez la **Società guide alpine di Courmayeur**, Piazza Henry, 2, Courmayeur © 84 20 64 - Fax 84 23 57. Organise des excursions en raquettes.

DANS LES ENVIRONS

Pré-Saint-Didier

A 12 km de Courmayeur, le **village de Pré-Saint-Didier** est le terminus des trains de la ligne Turin-Aoste. Un service d'autocars assure les correspondances pour les autres destinations.

La Thuile

De Pré-Saint-Didier, une route conduit à **La Thuile** et au col du Petit Saint-Bernard.

A 39 km d'Aoste, **La Thuile** est une station très fréquentée en toute saison. En été, on pratique le ski sur le glacier du Rutor. Service d'hélicoptères.

Bureau d'informations ✆ 88 41 79.

COGNE

«Là-haut, on respirait bien, on engrangeait du courage pour la vie et de la légèreté de cœur. On se réveillait le matin et on pensait : M'y voici, ma place est ici.» Karen Blixen

Cogne est l'un des endroits les plus caractéristiques de la vallée : une grande et verte prairie, les anciennes mines, les bouquetins du Gran Paradiso, la dentelle des pics... Cogne est une oasis superbe hors du monde. Pour arriver au village, après Aymavilles, une très belle route file dans la verdure et s'achève après 18 km à Cogne, étalé dans la célèbre prairie du Sant'Orso. L'hiver, on fait du ski à Montzeuc et au Gran Crot, à plus de 2 000 mètres. Les attractions locales principales sont les courses d'alpinisme et la visite du parc national du Grand Paradiso.

PRATIQUE

Indicatif téléphonique : 0165.

Office du tourisme. Piazza Chanoux, 36 ✆ 74 040 - Fax 74 91 25.

Poste. Piazza Chanoux ✆ 74 061.

Banque. Via Dr Grappein ✆ 74 020.

Secours de montagne. ✆ 74 92 86/74 204/74 026.

Ecole de ski. ✆ 74 300.

HEBERGEMENT - RESTAURANTS

Hôtel Bellevue. Via Gran Paradiso, 22, Cogne ✆ 74 825 - Fax 74 91 92. *400 000/440 000 L. Fermé du 27 septembre au 23 décembre.* 32 chambres et 3 chalets avec téléphone, télévision, réfrigérateur. Parc, parking, climatisation, piscine couverte, sauna, jacuzzi, bain turc, mountain bike, discothèque, restaurants, cours de cuisine et de dégustation de vins. Interdit aux animaux. Visa, Diner's Club. Cet hôtel de style, au milieu de la prairie, était le lieu de prédilection des ducs de Savoie. On aime en particulier les meubles anciens et les promenades nocturnes à la lueur des lanternes du parc...

Auberge de jeunesse

Auberge de jeunesse du parc del Gran Paradiso. Frazione Gere Sopra, Noasca (40 km de Caselle) ✆ 90 11 07 - Fax 90 11 07. *25 000 L de juin à septembre et 27 000 L d'octobre à mai, petit-déjeuner inclus. Ouverte de 7 h à 24 h.* 70 lits. Parking, accès handicapés. Située à 1 100 m d'altitude.

Agriturismo

Les Ecureuils. Suivre la direction de Fr. Homené Sainte-Marguerite à partir de Sarre ✆ 90 38 31. *Demi-pension 50 000 L par personne.* Quand l'automne arrive, si l'on veut voir des prés en fleurs et caresser les nuages, il y a, au-dessus d'Aoste, une petite exploitation agricole qui fait du tourisme à la ferme à 1 500 mètres d'altitude. Dans cet îlot à l'écart du monde, on mange uniquement ce que la ferme produit (et c'est bon !), on se promène dans la forêt, on ramasse des champignons, on achète du fromage, des œufs, de la confiture, de la terrine et du miel qui sent les alpages. Partout autour, c'est un grand silence.

Agriturismo Lo Sabot. A Bruil, Rhêmes-Notre-Dame © 93 61 50. *Chambres 35 000 L, demi-pension 60 000 L. Ouvert tous les jours.* 15 kilomètres au sud-ouest de Cogne. Ce charmant chalet romantique vous enchantera. Près du parc national du Grand Paradis. Cuisine maison.

Agriturismo Lo Mayen. Località Bien, Valsavarenche © 90 59 79. *Chambres 30 000/50 000 L, pension 70 000/75 000 L. Ouvert tous les jours.* 20 kilomètres au sud-ouest d'Aosta. A la limite du parc national du Grand Paradis, chalet en pierre récent, idéal comme base de trekking ou de balades à cheval à la recherche des cours d'eau.

Restaurants

Lou Rossignon. Via des Mines de Cogne, 23, Cogne © 74 034. *40 000/60 000 L. Fermé le lundi soir et le mardi. Réservation obligatoire.* 60 couverts. Parking. American Express, Visa, Diner's Club. L'une des meilleures cuisines du val et, surtout, la plus riche en spécialités locales.

POINTS D'INTERET

Jardin alpin Paradisia. A Valnontey. *Ouvert de juin à septembre, de 9 h à 12 h et de 14 h à 18 h.* Pour voir les plantes rares des Alpes et du monde entier.

Musée de la Dentelle. Via Grappein, 45.

Visite au **parc du Gran Paradiso** © 74 125.

Association des guides de Cogne. Piazza Chanoux, 40 © 74 282 - Fax 74 91 25.

Association «Les amis du Paradis» Piazza Chanoux, 38 © 74 835 - Fax 74 050.

Coopérative Pegase. Valnontey © 74 484. Promenades à cheval dans le parc.

Shopping

Spécialité exclusive de Cogne : la ***tettetta*** (mamelles de vaches fumées), à la boucherie de Marco Jeantet © 74 632.

CHATEAUX DU VAL

Il y en a plus de cent, mais à peine une dizaine parmi les châteaux les mieux conservés sont à l'origine de la renommée du val, que l'on compare au pays de la Loire, en plus fruste et en plus austère. Deux d'entre eux sont exceptionnels : le château de Fenils et celui d'Issogne. Assez proches les uns des autres, de part et d'autre de l'autoroute vers Turin, les châteaux du val d'Aoste évoquent le monde lointain des guerres et des amours courtoises.

Château d'Aymavilles

Il ne se visite pas, mais le regarder de loin est déjà un plaisir.

Château de Saint-Pierre

Fermé le mardi. Il abrite un petit musée d'histoire naturelle (qui ne vaut pas le déplacement). De nuit, il est stupéfiant, tout illuminé par des projecteurs roses comme une mise en scène à la Euro-Disney.

Château de Sarre

Fermé le mardi. Une solide maison de campagne, où s'arrêtait le roi quand il revenait de la chasse au bouquetin en val de Cogne. L'intérieur est d'ailleurs rempli de trophées de chasse.

Château de Fenils

© 76 42 63. *Ouvert du 1er octobre au 31 mars de 10 h à 17 h (dernière entrée à 16 h 30).* Ce château, le plus pittoresque de tous et le plus connu, abrite le musée des Meubles du val d'Aoste.

Château d'Issogne

© 92 93 73. *Ouvert du 1er octobre au 31 mars de 10 h à 17 h (dernière entrée à 16 h 30).* Giorgio de Challant, qui le fit construire en 1480, voulait pour sa nièce Marguerite «un château de rêve». Mission accomplie avec ce délicieux château. Dans les lunettes du portique, des fresques exceptionnelles, intactes bien que jamais restaurées, décrivent des scènes de la vie de cour.

Château de Verres

© 92 90 67. *Ouvert du 1er octobre au 31 mars de 10 h à 17 h (dernière entrée à 16 h 30).* Semblable à un cube massif et austère, il abrite une belle collection de dessins, d'aquarelles et d'estampes de voyageurs du XIXe siècle.

Fort de Bard

Ouvert de 9 h à 12 h et de 14 h à 18 h. Fermé le vendredi. Entrée gratuite (visite limitée à la cour intérieure). C'était le rempart de toute la vallée. Sombre, menaçant sur son rocher solitaire, il semble fermer la porte de ce monde chevaleresque pour céder le pas à la grande plaine qui mène à Turin.

LE TURINOIS

L'OUEST

Du Fréjus à Turin, deux embranchements s'ouvrent dans la vallée de Susa, offrant deux variantes d'itinéraire :

• Bardonecchia, Ulzio, Sauze d'Oulx, San Sicario, Sestrières, Pinerolo, Stupinigi, Turin.

• Bardonecchia, Susa, Sacra di San Michele, Sant Antonio di Ranverso, Laghi di Avigliana, Rivoli, Turin.

Dans les deux cas, l'itinéraire fait à peu près 100 km. Nous le recommandons lorsqu'on se trouve dans la partie méridionale de la France, à hauteur de Modane.

Attention ! La traversée du tunnel de Fréjus coûte, pour une cylindrée moyenne, 28 000 L l'aller simple et 34 000 L l'aller-retour, valable 3 jours (un tarif inférieur au péage du tunnel du Mont-Blanc). Le trafic est souvent lourd et intense, au point de provoquer parfois une longue file jusqu'à Susa. Le tronçon d'autoroute entre Bardonecchia et Turin devrait rendre plus aisée la traversée de la vallée.

Une autre solution pour entrer en Italie consiste à passer la frontière par Briançon et Montgenèvre-Clavière, surtout l'hiver quand tout le monde se dirige vers les stations qui suivent le tracé de la Via Lattea.

Le paysage qui descend vers la vallée de Bardonecchia n'est pas franchement à couper le souffle ; il est surtout ponctué de parcs riches en chlorophylle. Ne manquez pas de visiter la Sacra di San Michele et l'abbaye de Sant Antonio di Ranverso. On a toutefois la possibilité de faire des séjours-vacances, en été comme en hiver, dans les stations de ski de la vallée de Susa ou, en été, près du lac d'Avigliana. Cet itinéraire est conseillé en hiver, si l'on doit rejoindre les stations de ski de la vallée de Susa ou si l'on se dirige vers la plaine de Padoue.

BARDONECCHIA

Station hivernale et estivale, elle a également tout d'une petite ville. Avec ses remontées mécaniques, ses télésièges, ses pistes de fond, Bardonecchia vit pour moitié grâce au ski, mais son petit centre urbain reste animé même en dehors des week-ends. La station propose aussi le ski d'été au col du Sommelier, ainsi que des excursions, des randonnées, de l'équitation et du tennis.

Bardonnechia est desservie par le chemin de fer. Service de bus pour Turin.

Pratique

Indicatif téléphonique : 0122.

Office du tourisme. Viale della Vittoria, 44 ✆ 99 032 - Fax 98 06 12.

Hébergement

Hôtel La Quiete. Viale San Francesco, 26, Bardonecchia ✆/Fax 99 98 59. *75 000/140 000 L.* 17 chambres avec téléphone, télévision. Parc. Confort et ambiance extrêmement familiale dans un petit palais des années 30.

Hôtel La Betulla. Via della Vittoria, 4, Bardonecchia ✆ 99 98 46. *105 000/180 000 L.* Fermé en automne et au printemps. 40 chambres.

SAUZE D'OULX

Dans ce centre de villégiature, l'un des plus vieux du Piémont, le Suisse Adolfo Kind fut le premier à enseigner aux Italiens qui y séjournaient la pratique du ski. C'était à la fin du siècle dernier. La station la plus proche, Sportinia (2 170 m), est accessible uniquement à ski et par les remontées de Sestrières. En été, le parc naturel du grand bois de Salbertrand offre ses espaces verdoyants et sauvages qui s'étendent à perte de vue.

Pratique

Indicatif téléphonique : 0122.

Informations. Centro Servizi © 81 12 12.

➥ A partir d'Ulzio, on rejoint **Cesana** (à 8 km) et, de là, on monte à **Sestrières** (à 18 km). Vers la moitié du trajet, **San Sicario** est indiqué sur la gauche. Cette station très récente a pris pour modèle le concept français du «ski total» : on n'y circule pas en voiture, et le centre est constitué par un petit ensemble d'immeubles en copropriété autour d'une place avec un supermarché, quelques boutiques, un cinéma, des bars et une école de ski. Lorsqu'il fonctionne à plein régime, le lieu est sympathique.

On risque cependant d'éprouver un sentiment de solitude en milieu de semaine, quand la station est moins fréquentée. C'est sans doute parce qu'il n'y a pas d'hôtels, en dehors du Rio Envers, et que l'on ne peut compter que sur la formule «Residence Monti della Luna» ou sur la location de maisons. Le centre de vacances de la Valtour est à l'entrée de San Sicario.

SESTRIERES

Les tours des deux plus grands hôtels sont le symbole incontournable de cette station de sports d'hiver réputée dans le monde entier, et que la famille Agnelli fit construire dans les années 30 sur le col qui sépare les vallées de la Chisone et de la Dora Riparia. Il est difficile d'imaginer un endroit plus laid, étouffé par le ciment et sans l'ombre d'un arbre, mais la raison de la renommée de Sestrières est ailleurs, dans l'élégant tracé de ses pistes et la qualité des services proposés. Sestrières fait partie du circuit de la Via Lattea, soit 400 km de pistes qui relient les différentes stations de ski de la vallée : Sauze d'Oulx, Cesana, San Sicario et Montgenèvre.

Depuis deux ans, Sestrières applique une politique très appréciée en faveur de la famille : les enfants de moins de 8 ans qui viennent avec leurs parents n'ont rien à payer et peuvent skier gratuitement dans tout le complexe de la vallée, y compris sur les pistes de la Via Lattea. En été, Sestrières offre son golf, son centre hippique et la possibilité de faire du mountain bike.

A partir du restaurant Le Lago Laux, il est facile de rejoindre le parc naturel de l'Orsiera Rocciavre, un havre de paix, et la demeure des bouquetins, des cerfs et des mouflons.

Pratique

Indicatif téléphonique : 0122.

Office du tourisme. Via Pinerolo, 14 © 75 54 44 - Fax 75 51 71.

Hébergement

Hôtel Savoy-Edelweiss. Via Fraiteve, 7, Sestrières © 77 040 - Fax 76 326. *180 000/240 000 L. Ouvert du 20 novembre au 30 avril et du 1er juillet au 31 août.* 28 chambres avec téléphone, télévision. Parking, restaurant, bar. American Express, Visa, Diner's Club. L'un des plus anciens de la station. Familial, en plein centre.

Grand Hôtel Sestrières. Via Assietta, 1, Sestrières © 76 476 - Fax 76 700. *280 000/500 000 L.* 93 chambres avec télévision, réfrigérateur. Ascenseur, climatisation, bar, restaurant. American Express, Visa, Diner's Club. En plein cœur du village.

Restaurants

Les snacks, les pizzerias et les bars ne manquent pas et sont en général bien situés.

Restaurant de l'hôtel Banchetta. Sestrières Bourg © 77 139. *Compter 40 000 L.* L'hôtel est meublé sans prétention aucune, mais la terrasse de son petit restaurant, idéale pour bronzer sous le soleil printanier, est le rendez-vous traditionnel de la bourgeoisie turinoise qui, après avoir descendu la Banchetta, s'attable en bras de chemise aux cinq tables du bon Lantelme, le propriétaire.

PINEROLO

Indicatif téléphonique : 0121.

Points d'intérêt

Pinerolo est aujourd'hui située à l'extérieur de l'enceinte fortifiée, occupée pendant un demi-siècle par les Sarrasins. Mais ce sont les Romains qui ont laissé le plus grand nombre de témoignages de leur passage : l'arc d'Auguste (l'an 8 avant J.-C.), les anciens thermes, l'amphithéâtre du IIe siècle et ses portes en marbre, plus tard englobées par Vauban dans les travaux de fortification.

On découvrira également l'**église romano-gothique** de San Francesco ainsi que le Duomo et son superbe campanile roman (XIIe siècle), avec, à l'intérieur, un triptyque attribué à Borgognone.

Le château des marquis Arduinici abrite le Museo Civico. *Ouvert de 15 h 30 à 17 h 30 en été, et de 9 h 30 à 13 h 30 les jours fériés. En hiver, les horaires sont largement réduits. Fermé le lundi.*

SACRA DI SAN MICHELE

Une route en lacet, serpentant entre les bois et le précipice, mène au sommet du mont Pirchiriano, où se dresse le complexe monastique de la Sacra di San Michele. Bloc de pierres, moitié monastère moitié forteresse, San Michele fut fondé par les bénédictins en 988 et demeura influent jusqu'au XIVe siècle. Après une période de décadence, les Savoie le confièrent aux pères Rosmini (congrégation de la Providence), qui s'en occupent aujourd'hui encore et qui proposent une dizaine de chambres pour des retraites spirituelles. L'ensemble possède des trésors artistiques et architecturaux marqués par l'influence française et qui ne sont pas sans faire penser au Mont-Saint-Michel.

On admirera la porte du Zodiaque, l'intérieur roman de l'église avec le triptyque de Defendente Ferrari, l'hôtellerie crénelée qui servait d'asile aux pèlerins et le sépulcre des moines. Sans oublier, bien sûr, le point de vue fantastique sur le début de la vallée de Susa qui, le soir, grâce à l'éclairage dû aux vapeurs de sodium et de mercure, est hautement évocateur. *Visites de 9 h à 12 h et de 14 h à 17 h en hiver, de 14 h à 19 h en été.*

Pour des séjours de retraite spirituelle, se renseigner à **Sant'Ambrogio di Torino © 011/93 91 30.**

AVIGLIANA

Une fois dépassé l'éperon rocheux de la Sacra di San Michele, un embranchement sur la droite de la nationale 25 indique Laghi di Avigliana, ville qui fut choisie dès 1418 par les ducs de Savoie comme leur lieu de résidence préféré de ce côté des Alpes. Une petite promenade permet d'accéder aux ruines du château d'Avigliana, aux premières maisons médiévales, telle la maison de la Porta Ferrata avec ses arcades gothiques, et à la maison des Savoie sur la Via XX Settembre. Pour mémoire, il faut savoir que la ville avait le droit de battre monnaie et qu'elle fut aussi la seconde cité d'Italie (après Milan) à posséder, dès 1330, une horloge publique. Situés à 2 km d'Avigliana, deux petits lacs, le Grande et le Piccolo, font partie d'un parc naturel. On peut y pratiquer des sports nautiques et faire des promenades en barque.

Pratique

Indicatif téléphonique : 011.

Office du tourisme. Piazza del Popolo, 6 © 93 86 50. *Ouvert du lundi au samedi de 9 h à 12 h et de 15 h à 18 h.*

SANT ANTONIO DI RANVERSO

Presque aux portes de Turin, sur la droite à partir de la nationale 25, une avenue ombragée mène à cet imposant ensemble du Moyen Age constitué d'une église, riche en fresques attribuées à G. Jaqueirio (XVe siècle), et d'un ancien hôpital, le tout englobé dans une sorte de ferme où des légions de pèlerins venaient se faire soigner du «feu de Saint-Antoine» (l'herpès Zoster) par des applications de gras de porc. Les travaux de restauration, qui ont maintenu l'abbaye fermée pendant longtemps, sont sur le point d'être terminés. Une route silencieuse et déserte part de la ferme même : elle mène à Avigliana en passant par Rosta et Buttigliera.

TURIN

«Turin ? Aussi ennuyeuse que Bordeaux», déclarait Flaubert. Nietzsche l'aimait. Casanova en admirait l'harmonie. Lamartine écrivit : «Je ne me figurais pas une ville aussi belle que Turin.» De même Goethe : «Turin est une des plus belles villes d'Europe.» Et il est vrai que la ville offre un aspect monumental : de grandes avenues, des palais, des églises, des théâtres baroques, 27 kilomètres d'arcades, une colline éblouissante, le long Pô qui rappelle la Seine, des montagnes bleues à l'horizon, la Fiat qui occupe le quartier de Mirafiori, le môle d'Antonin qui rappelle les prodiges d'Eiffel. Turin fut la capitale du royaume de Savoie, et même celle de l'Italie. Son cœur bat dans des coins très *torinesi*, très conservateurs : des clubs privés, de vieilles pâtisseries, des restaurants qui ont vu naître l'Unité de la nation. Dans les bars où il est encore possible de boire un *bicerin* - une boisson chaude à base de café, de chocolat et de lait comme il y a cent ans -, c'est devenu un rite, au moment de l'apéritif, de siroter le classique «Vermouth» ou le légendaire *Punt e Mes*.

Les Romains donnèrent à la ville le nom *d'Augusta Taurinorum* ainsi que le profil en damier de ses rues, toutes droites et perpendiculaires comme un campement romain. Au début de l'an 1400, le Palazzo Madama devint la résidence principale d'Amedeo VIII, premier duc de Savoie, qui réunifia le Piémont sous l'Etat de Savoie.

C'est par la volonté de ce dernier que la ville eut son université, qui fut fréquentée à l'époque par Erasme de Rotterdam. Les travaux du palais royal commencèrent en 1646 ; ils furent décidés par la reine d'alors, Marie-Christine de France, sœur de Louis XIII.

Dans la première décennie du XVIIIe siècle, Vittorio Amedeo II de Savoie fit venir à Turin un jeune architecte de Palerme, l'abbé Filippo Juvarra. Ce dernier, initié à l'école de l'art baroque romain, modela la forme grandiose de la ville, surnommée encore aujourd'hui le «petit Paris».

C'est du Palazzo Carignagno que fut proclamé, le 17 mars 1861, le royaume d'Italie (à l'exclusion de Rome et de la Vénétie) avec Turin comme capitale (pour une brève période).

Le 1er juillet 1899, un groupe d'amis, parmi lesquels Giovanni Agnelli, se réunit au café Burello sur le Corso Vittorio pour parler des premières automobiles produites en Amérique. Ils décidèrent d'investir 800 000 lires comme capital initial, et c'est ainsi que naquit la Fiat, la première usine italienne d'automobiles. La suite est entrée dans la légende... et surtout dans l'économie de la région.

1911 : Exposition universelle. Son inauguration coïncida avec celle du stade de la ville, qualifié à l'époque de plus beau d'Europe (la Juventus y joue encore). L'Exposition eut lieu en même temps que le premier Festival du cinéma, que Louis Lumière marqua de sa présence. En avril 1914, au théâtre Vittorio Emanuele, on projeta *Cabiria*, le chef-d'œuvre du cinéma muet italien et le symbole de l'industrie cinématographique turinoise.

TRANSPORTS

Gare. ✆ 66 90 445. Bureau de change ouvert de 8 h à 21 h tous les jours. Consigne ouverte 24 h/24.

Bus

Terminal : Corso Inghilterra, 3 ✆ 33 25 25. Billetterie ouverte tous les jours de 7 h à 12 h et de 15 h à 19 h.

Les bus de ville circulent de 5 h à 1 h du matin.

Aéroport de Caselle

✆ 56 76 361 ou 56 76 362.

Air France. Via Arsenale, 27 ✆ 56 23 991.

Taxis. ✆ 57 30 ; 57 37 ; 33 99.

Essence IP. Corso Casale. Ouvert 24 h/24.

Location de voitures

Avis. Corso Turati, 15/g ✆ 50 08 52.

Europcar. Via Buonarrotti, 17 ✆ 65 03 603.

Hertz. Corso Marconi, 19 ✆ 65 04 504.

PRATIQUE

Indicatif téléphonique : 011.

Offices du tourisme

Via Viotti, 2 ✆ 56 27 075.

Via Magenta, 12 ✆ 43 211.

Consulat de France. Via Roma, 366 ✆ 57 32 311 - Fax 56 19 529.

Centre culturel français. Via Pomba, 23 & 51 57 511 - Fax 54 02 20.

Poste. Via Alfieri, 10 ✆ 53 58 91 - Fax 56 22 800. *Ouverte du lundi au vendredi de 8 h à 19 h 30 et le samedi de 8 h 15 à 13 h.*

Téléphones. Via Arsenale, 13. *Ouvert du lundi au vendredi de 8 h 30 à 12 h 30 et de 15 h à 19 h.*

Laverie automatique. Lavanderia Vizzini. Via San Secondo, 30 ✆ 54 58 82. *Ouverte du lundi au vendredi de 8 h à 13 h et de 15 h à 19 h 30. Le samedi de 9 h à 13 h.*

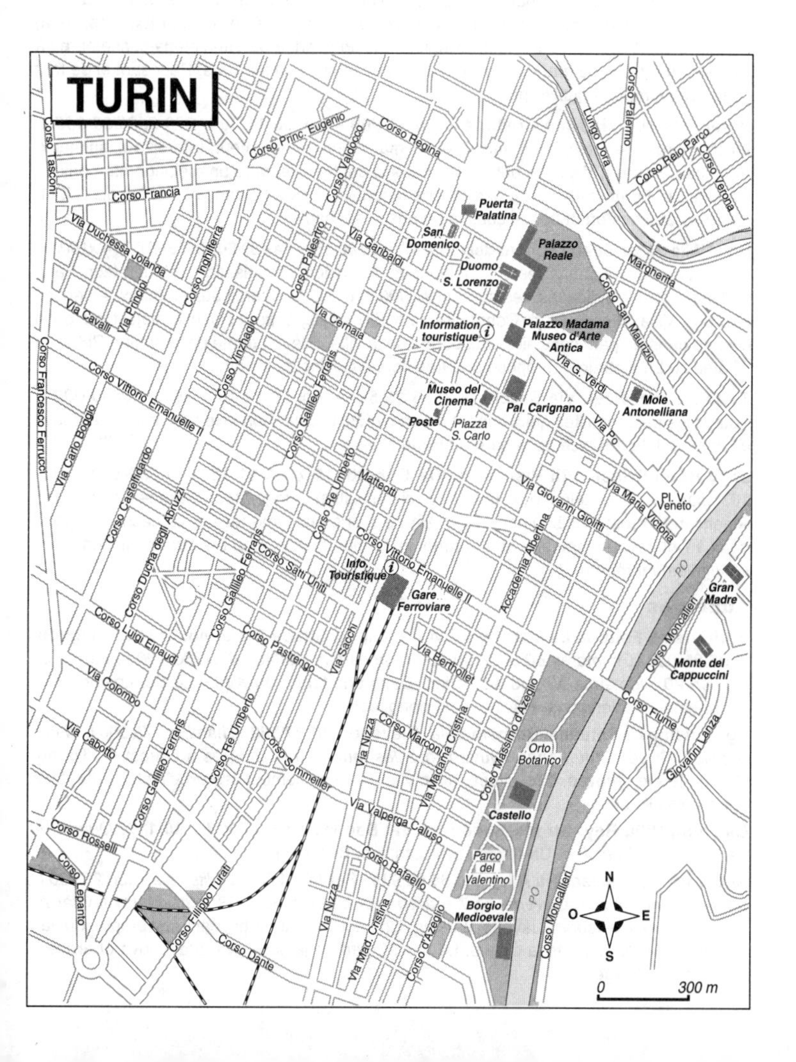

HEBERGEMENT

Symbole d'une économie dynamique, les hôtels de Turin sont davantage adaptés aux exigences des hommes d'affaires qu'à l'accueil des couples d'amoureux. Rares sont les établissements romantiques.

Albergo Canelli. Via San Dalmazzo, 7 © 54 60 78. *40 000/55 000 L.* 29 chambres avec téléphone. Bar. Un confort exceptionnel pour un petit hôtel si bon marché, avec une étoile qui se remarque.

Pensione San Carlo. Piazza San Carlo, 197 © 56 27 846/53 86 53. *85 000/120 000 L.* 28 chambres avec télévision, téléphone, réfrigérateur. Excellente adresse dans le «salon» de Turin.

Hôtel Bellavista. Via Galliari, 15 © 66 98 139. *70 000/90 000 L.* Chambres avec télévision et téléphone. Jardin. Belle vue sur Turin.

Hôtel Venezia. Via XX Settembre, 70 © 51 33 34 ou 56 23 384 - Fax 56 23 726. *180 000/230 000 L.* 75 chambres avec téléphone, télévision, réfrigérateur. Parking, garages, climatisation. Interdit aux animaux de grosse taille. American Express, Visa, Diner's Club. A deux pas du théâtre Regio, dans un quartier du Turin élégant, chambres à l'ambiance rétro et de grands escaliers avec des rampes en fer forgé. Reposant et de tout confort. Bon rapport qualité-prix.

Hôtel Victoria. Via Nino Costa, 4 © 56 11 909 - Fax 56 11 806. *200 000/280 000 L.* 96 chambres avec téléphone, télévision, climatisation, réfrigérateur. Interdit aux animaux. American Express, Visa. Ce petit hôtel, dans le centre-ville, offre un mélange harmonieux d'antique et de moderne avec une touche japonaise : lits à baldaquins, tables de nuit en pierre. Grand confort et bon accueil, à un prix raisonnable.

Hôtel Villa Sassi. Strada Traforo del Pino, 47 © 89 80 556 - Fax 89 80 095. *300 000/400 000 L. Fermé en août.* 17 chambres avec téléphone, télévision, climatisation, réfrigérateur. Parc, parking, accès handicapés, restaurant (*80 000/120 000 L*). Interdit aux animaux. American Express, Visa, Diner's Club. Construite au XVIIIe siècle, cette résidence majestueuse est cachée dans un parc séculaire, aux portes de la ville. Elle fait partie de la chaîne Relais et Châteaux. Le restaurant propose une très bonne cuisine du terroir.

Turin Palace Hôtel. Via Sacchi, 8 © 56 25 511 - Fax 56 12 187. *350 000/440 000 L.* Toutes les personnalités qui viennent à Turin y font escale. Son luxe raffiné a été éprouvé de longue date. En face de la gare de Porta Nuova.

Jolly Hôtel Principe di Piemonte. Via Gobetti, 15 © 54 21 12. *420 000/450 000 L.* 107 chambres avec téléphone, télévision, climatisation, réfrigérateur. Garages, restaurant. American Express, Visa, Diner's Club. Derrière une anonyme façade se cache un grand hôtel à l'intérieur somptueux et à la renommée bien établie. Son restaurant «Il Gentilom» est également réputé.

Auberges

Agriturismo Fattoria La Margherita. A Casanova, Strada Pralormo, 315, Carmagnola © 97 95 088. *Chambres 60 000/100 000 L, appartements 400 000/700 000 L. Fermé en janvier.* 20 kilomètres au sud de Torino. Dans une ferme du XVIIIe siècle, chambres et appartements splendides. Piscine, ping-pong, golf.

Agriturismo La Patuana. Borgata Sala, Giaveno © 93 77 182. *Chambres 70 000 L, demi-pension 75 000 L/personne. Ouvert tous les jours.* 20 kilomètres à l'ouest de Torino. Grande ferme rénovée, bien située, avec vue. Cuisine piémontaise excellente, surtout les «gnocchis alla bava».

Camping Villa Rey. Strada Superiore Val San Martino, 27 © 81 90 117. *Ouvert du 1er mars au 30 octobre.* Un endroit sympathique. Bus n° 61.

Auberge de jeunesse. Via Alby, 1 © 66 02 939 - Fax 66 04 445. *76 lits de 20 000/25 000 L, petit-déjeuner inclus. Ouverte de 7 h à 10 h et de 15 h 30 à 23 h 30 du 1er février au 21 décembre.* Restaurant, laverie, parking. Une nouvelle auberge, calme et propre, qui fait face à la ville du haut de la colline. Le bus 52 part de la gare de Porta Nuova et arrive à 300 m de l'auberge.

RESTAURANTS

La cuisine turinoise et piémontaise est parmi les meilleures de la péninsule. Ne demandez pas les spécialités des autres régions. Laissez-vous tenter par les *agnolotti*, les truffes, le *tajarin*, la *finanziera* (quand il y en a), le lapin, les «brasati», la fondue, et par la longue liste des entrées.

Dans tous les établissements portant l'enseigne «Pizzeria» ainsi que dans les «Burghy», on peut manger pour 13 000 à 15 000 L.

Il Salsamentorio. Via Santorre di Santarosa, 7/b ✆ 81 95 075. *35 000 L. Fermé le dimanche soir, le lundi et du 15 au 22 août.* N'accepte pas les cartes de crédit. Quatre petites salles sympathiques, décorées avec goût, où le repas est servi sous forme de buffet. Brunch (*25 000 L*) le dimanche.

Restaurant Porto di Savona. Piazza Vittorio Veneto, 2 ✆ 81 73 500. *Compter 30 000 L. Fermé le lundi et le mardi à midi.* Datant du XVIIIe siècle, un ancien relais de poste pour les diligences qui allaient vers Savone. Dans ses trois petites salles rustiques s'attarde une atmosphère du temps passé. Le service est simple.

Trattoria della Posta. Strada Montenegro, 16 ✆ 89 80 193. *40 000/55 000 L Fermé le dimanche soir, le lundi et en juillet*. L'endroit, familial, est surtout réputé pour son incroyable variété de fromages piémontais (une trentaine). Pour les accompagner, vous pouvez compter sur une magnifique cave avec les meilleurs crus du Piémont.

Restaurant Il Ciacolon. Viale XXV Aprile, 11 ✆ 66 10 911. *35 000/65 000 L. Fermé le dimanche et du 11 au 24 août. Réservation obligatoire.* 100 couverts. American Express, Visa, Diner's Club. Un restaurant où l'on se sent bien.

Restaurant Balbo. Via Andrea Doria, 11 ✆ 81 25 566 - Fax 81 27 524. *100 000/170 000 L. Fermé le lundi et 15 jours entre juillet et août. Réservation obligatoire.* 60/80 couverts. Climatisation. American Express, Visa, Diner's Club. Ce restaurant situé dans le centre historique, dans un palais du XIXe siècle, est fort apprécié par les Turinois authentiques. Cuisine piémontaise soignée. Le poisson est excellent.

Ristorante del Cambio. Piazza Carignano, 2 ✆ 54 66 90 - Fax 53 52 82. *80 000/130 000 L. Fermé le dimanche et en août.* 60/150 couverts. Climatisation. American Express, Visa, Diner's Club. Ce lieu historique sert de cadre idéal à l'un des plus beaux restaurants d'Italie. Le décor est délicieusement nostalgique : velours rouges, sièges lyres, dorures en stuc. Tout est resté comme il y a 150 ans, lorsque le comte Benso di Cavour y séjournait. La cave est gigantesque et surtout bien fournie. Spécialités : agnolotti, finanziera. Le jeudi, de février à mars, on y sert un pot-au-feu typique. De janvier à mai, le vendredi soir, au menu : «le souper du roi». Royal !

Restaurant La Vecchia Lanterna. Corso Umberto, 21 ✆ 53 70 47 - Fax 53 03 91. *30 000/100 000 L. Fermé le samedi à midi, le dimanche et du 10 au 20 août.* 20/35 couverts. Climatisation. American Express, Visa, Diner's Club. Ici, la haute tradition gastronomique est assurée par Armando Zanetti, un des meilleurs chefs d'Italie. Carte des vins impressionnante et service raffiné.

SORTIR

Le jour

Les pâtisseries turinoises sont célèbres, ainsi que certains bars centenaires comme :

Le Mulassano. Piazza Castello, 15. Un joyau Liberty, avec quatre tables de marbre. Quand le roi et la reine y venaient, on baissait les grands rideaux de velours rouge. Aujourd'hui, on y trouve les meilleurs sandwiches de Turin, les *tramezzini*.

Al Bicerin. Piazza della Consolata. Café XVIIIe qui respire l'atmosphère du Turin d'autrefois, quand il accueillait Alexandre Dumas. La spécialité, le bicerin, est un café mélangé avec du chocolat, du lait et du sirop de canne.

Le Caffè San Carlo. Piazza San Carlo, 156. Etincelant d'or et de stucs. Peut-être aurez-vous l'honneur de vous asseoir aux tables où se sont assis autrefois Pavese, Cavour ou James Stewart, autour d'un bicerin.

Peyrano. Corso Moncalieri, 47 et Corso V Emanuele II, 76. Une pâtisserie renommée pour son excellent chocolat.

Stratta. Piazza San Carlo, 191. Les meilleurs marrons glacés de la ville.

Falchero, Via San Massimo, 4. Pour ses petits fours (paste mignon).

Les meilleures glaces s'achètent chez **Fiorio, Via Po, 8**, et à la **Gelateria Peppino, Piazza Carignano.**

L'heure de l'apéritif (où il est de rigueur de déguster le fameux «vermouth») voit le Turin branché affluer au **Caffè Torino, Piazza San Carlo, 204**.

L'été, en revanche, on va chercher la verdure le long du Pô : Idrovolante, près du bourg médiéval, Viale Virgilio, 105, est un sympathique bar de rencontres. Pour une brasserie en plein air, rendez-vous à l'embarcadère n° 6, **Corso Sicilia, 6**, d'où l'on peut partir faire un tour en barque sur le Pô, en emportant une fougasse au pâté d'olives.

Le soir

Turin n'est pas une ville tentaculaire. Les jeunes ont leurs boîtes. La bourgeoisie aime fréquenter ses cercles et ses clubs fermés. Les brasseries, nombreuses (on en compte plus de cent), ont beaucoup de succès ; on y discute tard dans la nuit.

Pour les amateurs de jazz : **La Contea, Corso Q. Sella, 132**, et terminus du n° 8, **Via delle Madalene, 42**, où, l'été, se déroulent des concerts en plein air, et le **Centro Jazz Torino, Via Pomba, 4 ✆ 88 44 77.**

Discothèques

Big. Corso Brescia, 28. Mélange de concerts rock et de happenings.

Il Palace. Viale Balsamo Crivelli, 16. Fréquenté par des bataillons de *belli e impossibili*.

Pick-Up. Via Barge, 8. Et Whisky Notte. Via San Pio V, 5. Pour un public plus sophistiqué.

Brasserie Duke of Wellington. Via Caboto, 26 ✆ 58 28 83. Ambiance britannique. Douze variétés de bières à la pression.

El Patio. Corso Moncalieri, 346/14 ✆ 66 15 166. Pour l'été, piscine et terrasse donnant sur le fleuve.

Chatam. Via Teofilo Rossi. Ce night-club jouit d'une vieille réputation parmi les fanas de poitrines dénudées et de spectacles osés.

MANIFESTATIONS

Si vous voulez savoir tout ce qui se passe à Turin, consultez la rubrique «Spectacles» du journal de Turin, *La Stampa*.

Avril : Marathon de Turin ✆ 66 31 231.

Mai : Salon du livre et Salon de l'automobile (tous les deux ans).

Du début du mois de juin au 6 juillet se tient le festival *Sere d'estate*, avec de la musique, du théâtre et de la danse. Renseignements : Assessorato per la cultura, Piazza San Carlo, 159 ✆ 44 23 740.

24 juin : Fête patronale de San Giovanni. Fermeture des bureaux et des commerces.

Septembre musical : concerts exceptionnels de musique symphonique. Informations : ✆ 57 651. Expositions d'intérêt mondial au Lingotto.

Entre octobre et novembre : Salon de la montagne.

Carnaval : chars, défilés et grand Luna Park sur la Piazza Vittorio.

POINTS D'INTERET

Piazzetta Maria Teresa. Un coin de Paris arraché à la Seine.

Piazza Castello. Les spécialistes d'ésotérisme la considèrent comme l'épicentre magique du triangle Turin-Lyon-Prague. Le point noir se trouverait devant la grille en fer qui délimite le Palazzo Reale, dans l'espace compris entre les statues de Castor et Pollux.

Près de la fontaine de la Piazza Statuto, une dalle indique qu'ici passe le 45ᵉ parallèle, celui de la magie.

Palazzo Madama. Piazza Castello. *Ouvert du mardi au samedi de 9 h à 19 h. Le dimanche de 10 h à 13 h et de 14 h à 19 h.* L'emblème de l'histoire de Turin. Construit sur des fondations romaines, il devint, à la fin du XVIIᵉ siècle, la demeure de Marie-Christine de France. La façade et l'escalier rococo ont été dessinés par Filippo Juvarra en 1718.

Porta Palatina. Derrière le Duomo. Vestiges du théâtre romain. C'est la zone archéologique de Turin.

Duomo. Piazza San Giovanni, derrière le Palazzo Reale. *Ouvert de 7 h à 12 h et de 15 h à 19 h.* Construit en 1498, c'est le seul édifice Renaissance de la ville. Recouverte de marbre noir, la chapelle baroque adjacente, œuvre de Guarini, conserve le Saint Suaire qui enveloppa la dépouille de Jésus, avec son image imprimée dessus. Il fut sauvé des flammes in extremis lors de l'incendie qui se déclara dans la cathédrale en 1997.

L'origine de cette relique est vivement contestée, surtout depuis que les datations au carbone 14 effectuées sur le tissu ont révélé que la pièce de lin datait du Moyen Age. Cependant, certaines questions subsistent : comment l'image de cet homme, qui semble avoir subi les mêmes tortures que celles endurées par le Christ lors de la Passion, a-t-elle pu de cette façon s'imprimer sur le tissu, et pourquoi y a-t-on retrouvé des traces de pollen provenant du Moyen-Orient ? Sherlock, où es-tu ? Toujours est-il que des millions de personnes ont défilé pendant l'ostentation du Saint Suaire, du 18 avril au 14 juin 1998. Sa dernière exposition à la vénération des fidèles avait eu lieu en 1978.

Piazza San Carlo. Le «salon» de Turin, la «place des Vosges» sur le Pô. Un cadre du XVIIe siècle resté intact.

Mole Antonelliana. Le symbole de la ville. Construit en 1863 par l'architecte A. Antonelli, ce temple du judaïsme atteint 163 mètres de hauteur. On arrive à son sommet par un ascenseur en cristal. Impressionnant.

Villa della Regina. Au bout de la via du même nom. *Pas de visite à l'intérieur.* Construite dans les premières années du XVIIe siècle, d'après les plans de Vittozi, sur la décision du cardinal Maurizio di Savoia et de sa jeune (trente ans) épouse, la villa apparaît comme un îlot enchanté suspendu sur la ville.

Musée égyptien. Via Accademia delle Scienze, 6 ✆ 54 40 91. *Ouvert de 9 h à 14 h. Fermé le lundi.* Après celui du Caire, c'est le plus important musée du genre au monde. Sarcophages, papyrus (Le Livre des Morts), momies, la célèbre tombe retrouvée intacte des époux Cha et Mirit (1420 av. J.-C.)...

Galerie Sabauda. Via Academia delle Scienze, 6 ✆ 54 74 40. *Ouverte les mardi, jeudi, samedi et dimanche de 9 h à 14 h et le mercredi et vendredi de 14 h 30 à 19 h 30. Visites guidées en italien le dimanche à 10 h.* Au second étage du palais de l'Académie des Sciences, une imposante collection de chefs-d'œuvre de la peinture flamande, hollandaise et de peintres italiens du XVe siècle.

Musée Civico d'Arte. Palazzo Madama, Piazza Castello ✆ 53 918. Une partie en cours de rénovation est fermée au public. A voir, en particulier, le portrait d'Ignoto di Antonello da Messina et le manuscrit Les Très Belles Heures du Duc de Berry, miniaturisé au XVe siècle par Van Eyck et son école.

Musée d'Antiquités. Corso Regina Margherita, 105 ✆ 52 12 251. *Ouvert du mardi au samedi de 9 h à 13 h et de 15 h à 19 h, et les premiers et troisièmes dimanches du mois de 9 h à 13 h. Fermé le lundi.* Un musée très agréable et fraîchement restauré dont les fenêtres ont un point de fuite sur le vieux Turin intact.

Musée de l'automobile Biscaretti di Ruffia. Corso Unità d'Italia, 40 ✆ 67 76 66. *Ouvert du mardi au dimanche de 9 h à 12 h 30 et de 15 h à 19 h.* On y voit défiler l'histoire de l'automobile avec les plus fantastiques Old Cars de tous les temps.

Musée d'anthropologie criminelle Lombroso. Corso G. Galilei, 22 ✆ 69 63 793. *Seulement pour les groupes et sur demande.*

Musée de la Montagne. Monastero dei Capuccini, Via G. Giardino, 39. *Ouvert les samedi, dimanche et lundi de 9 h à 12 h 30 et de 14 h 45 à 19 h 15, et du mardi au vendredi de 8 h 30 à 19 h 15.*

Musée de la Marionnette piémontaise. Via Santa Teresa, 5 ✆ 53 02 38. *Ouvert du mardi au dimanche de 9 h à 12 h. Fermé le lundi.*

SHOPPING

La via Garibaldi est la rue la plus commerçante de Turin, et on peut en profiter car c'est une zone piétonne. Pour les petits magasins de fantaisies, il convient de faire un tour Via della Rocca et Piazza Vittorio.

Le 24 juin, jour de la fête de San Giovanni, le patron de Turin, les magasins et les bureaux sont fermés.

Quelques magasins du centre sont ouverts toute la journée (de 10 h à 19 h), mais ils sont rares. Les magasins d'alimentation ferment le mercredi après-midi, et les boucheries, le jeudi après-midi. Tous les autres magasins sont fermés le lundi matin.

Spécialités de Turin : chocolat, *gianduiotti*, gressins.

Le meilleur chocolat se trouve chez Peyrano, Corso Moncalieri, 47.

Les boulangeries les plus anciennes de la ville, où l'on trouve pain et gressins de tradition séculaire, sont **Assom,** Piazza Statuto, et **Gai**, sur le Corso Regina Margherita.

Pour acheter du vin piémontais, il faut se rendre à la Cantine Marchesi di Barolo, Via Maria Vittoria.

Marchés

Porta Palazzo, tous les jours. Produits alimentaires, fruits, légumes, habillement.

Mercato della Crocetta : à la Crocetta, tous les jours (de 8 h à 13 h 30). Samedi et veilles de jours fériés, toute la journée. Très bonnes occasions dans les vêtements.

Dans les petites rues derrière Porta Palazzo, le second dimanche du mois, marché aux antiquités et puces.

LOISIRS

Association nationale de tourisme équestre. Via Bertola, 39 © 54 74 55.

Balade verte

Parco del Valentino. C'est le poumon de la cité. Au beau milieu du parc se trouve le Borgo Medievale, construit à l'occasion de l'Exposition nationale de 1884. Il comporte les copies de nombreuses constructions anciennes du Piémont. Les boutiques artisanales qui fabriquent des souvenirs sont adorables.

DANS LES ENVIRONS

Basilica di Superga

Ouverte de 8 h 30 à 12 h et de 15 h à 18 h. A 10 km de la ville. On y accède par le tram n° 5 à partir de la gare de Porta Nuova jusqu'à Sassi, puis avec le funiculaire. En voiture, prendre le Corso Casale jusqu'au bout et suivre les panneaux. Œuvre de Juvarra (1731), la basilique a été érigée pour exaucer un vœu fait par Vittorio Amedeo II pendant le siège de Turin en 1706. Crypte avec les tombes des Savoie. Dans les années 50, un avion avec toute l'équipe du Grand Torino s'est écrasé sur la colline.

Villa Reale di Stupiniggi

© 35 81 220. *Fermé le lundi et le vendredi. Ouvert les autres jours de 10 h à 12 h 30 et de 14 h à 17 h. Visites guidées.* Un autre ouvrage de Juvarra pour Vittorio Amedeo II, qui en fit son pavillon de chasse. Exemple parfait du style rococo, le palais abrite aujourd'hui le musée d'Art et de Mobilier, qui comporte une collection rare de meubles et d'objets décoratifs provenant des anciennes résidences royales du Piémont.

Château de Rivoli

© 95 81 547. *Ouvert tous les jours, sauf le lundi, de 10 h à 19 h.* Rivoli se trouve dans la banlieue turinoise. La superbe restauration du château a mis en lumière non seulement l'ancien bâtiment, qui date du XIIe siècle, mais les transformations réalisées en 1715 par Juvarra, pour les Savoie qui en firent leur résidence. Aujourd'hui le château abrite le Centre d'art contemporain.

Suse

Située à une heure de Turin, en train ou en bus, cette ville possède un quartier médiéval avec, en particulier, une belle cathédrale.

Abbaye de Novalesa

Elle se dresse dans une petite vallée à 8 km de Susa. Ce fut l'une des plus riches et des plus puissantes abbayes italiennes du haut Moyen Age. Charlemagne en fit un poste avancé afin de s'opposer aux grandes abbayes lombardes de la plaine.

Le cloître et l'église se visitent le samedi après-midi et le dimanche toute la journée. L'abbaye est confiée à l'heure actuelle aux bénédictins (l'hospitalité est offerte aux hommes seulement). On peut faire une halte au monastère S. Pietro et S. Andrea (✆ 01 22/52 10), qui propose le gîte et le couvert pour 30 000 L.

Pas très loin de l'abbaye, à l'Orrido di Foresto, quelques maisons sont adossées au pied du Rocciamelone, une gorge étroite et profonde barrée par une haute cascade. Pour les amateurs des grands spectacles de la nature, celui-ci vaut les gouffres du Chianocco situés plus au sud, sur la route nationale en direction de Turin, à hauteur de Bussoleno : la grande fissure creusée dans un haut rempart rocheux est indiquée sur la gauche à un carrefour, au nord du village de Chianocco.

Sur la plaine, la route devient plus rapide. Puis, à droite, un panneau indiquant l'abbaye de Sant'Antonino di Susa nous conduit, à quelques mètres de la nationale, au site qui offre la vision parfaite de cette ancienne église à absides et campanile romans.

Cependant, l'attraction majeure de la vallée est l'imposant éperon rocheux qui se dresse, à main droite, jusqu'à toucher les nuages.

Chieri

Pessione (au centre de Chieri, tourner à droite aux feux) est le siège d'une grande marque de vins : Martini ✆ Rossi. La maison mère, fondée en 1863, occupe une belle demeure qui tient lieu de musée. L'histoire du vin y est racontée à travers des pièces archéologiques romaines et grecques, des vases de la Renaissance, des verres précieux et des pressoirs gigantesques placés dans d'anciennes caves en brique rouge.

Chieri a de remarquables églises, dont le Duomo, un bel exemple d'art gothique. Mais la ville est surtout réputée pour ses *gressini robata*, «les petits bâtons», comme les appelait Napoléon, ou encore «les pains longs du Piémont», qui se différencient par leur forme comme par leur goût de ceux de Turin.

Pour en acheter : **Panificio Serra**, Via Palazzo di Città, 7, ou bien Panaté e'l Pastisé, Via Palazzo di Città, 6.

Turin - Mole Autonelliana

LE MONTFERRATO

Cet itinéraire qui mène d'Asti à Casale est déconseillé en plein hiver, à moins que le but de la promenade soit de trouver une bonne table : c'est en effet à cette époque (automne-hiver) que la cuisine régionale déploie tous ses fastes.

Le Montferrato est un vrai havre de paix où, malgré la présence de quelques propriétés et exploitations agricoles éparses, la simplicité de la campagne permet à la nature de triompher. Le Montferrato touche les régions d'Asti, d'Alessandria et aussi d'Acqui et de Casale. Il n'a pas de limites précises. C'est une mer immense : horizons chargés de vignes ondoyantes, cafés chaleureux, marchés champêtres sentant les bonnes choses de la maison, fonds de vallées tapissés de champs cultivés, de broussailles ou de peupleraies, sur lesquels veillent, au sommet des collines, de vieux villages accrochés sous les ruines des châteaux ou autour d'églises baroques.

L'histoire de la région a été longue et tourmentée car le Montferrato fut sans cesse le centre d'intérêts disputés. Cette histoire commence à Marchesato autour de l'an 1000 : on dit qu'Aleramo, son premier seigneur, en prit possession en 967, grâce à l'empereur Otton Ier qui lui promit tous les territoires dont il pourrait faire le tour à cheval en un seul jour. Le Montferrato passa aux Savoie en 1708 et fut incorporé au royaume de Sardaigne. Puis il connut l'occupation française sous la période napoléonienne.

La région se divise en Basso Montferrato, autour de Casale, et en Alto Montferrato, au sud d'Asti. Leurs terres calcaires sont propices à la culture de la vigne ; c'est sur ces collines que mûrissent les grappes des fameux vins rouges, comme le barbera, le grignolino, le dolcetto, ou des blancs, tels l'arneis, le cortese, le muscat ou le très connu asti spumante.

Mais il n'y a pas que la vigne, la bonne chère y triomphe elle aussi, fournissant un prétexte à tout moment de l'année pour faire un détour et une halte dans un des mille petits restaurants qui, jusque dans le plus petit village, fêtent la richesse gastronomique de cette terre. Richesse faite d'une suite inépuisable de hors-d'œuvre, de pâtes maison (comme les fameux ravioli que l'on appelle ici agnolotti ou les *tajarin* qui sont l'équivalent des spaghetti, toutes proportions gardées, et sont toujours fabriqués à la main), de *bolliti misti* accompagnés de trois types de sauces, d'innombrables *fritti misti*, sans oublier la *bagna cauda* (sauce d'huile d'ail et d'anchois, qui chauffe sur un petit réchaud placé devant chaque convive et dans laquelle on trempe les différents légumes de l'automne), les fondues, le bœuf et le lapin braisés, deux gâteaux traditionnels (le *bonet* et la *panna cotta*) et, bien entendu, les plats à base de truffe dont le Montferrato, comme les Langhe, est grand producteur.

ASTI

Capitale du Montferrato, Asti est la ville de Vittorio Alfieri et du Palio. Elle vit un moment magique en septembre, époque des rendez-vous les plus spectaculaires : le Palio, la Douja d'Or, le Festival delle Sagre. Cependant, à n'importe quel moment de l'année, Asti réserve aux amateurs de bonne table des menus inoubliables.

Ceux qui aiment la campagne seront gâtés par les étendues sereines et accueillantes du Montferrato, qui garde par ailleurs toutes les traces d'une romanicité exemplaire, propre à satisfaire les amateurs d'art.

TRANSPORTS

Gare. Piazza Marconi © 53 54 00.

Bus. Départs Piazza Medaglie d'Oro.

Taxis. Piazza Alfieri © 53 26 05. Piazza Marconi © 59 27 22.

PRATIQUE

Indicatif téléphonique : 0141.

Office du tourisme. Piazza Alfieri, 34 ✆ 53 03 57 - Fax 53 82 00. *Ouvert du lundi au samedi de 9 h à 12 h 30 et de 14 h 30 à 18 h 30, le dimanche de 9 h à 12 h 30.*

Poste. Corso Dante, 55 ✆ 59 28 51. *Ouverte du lundi au vendredi de 8 h 15 à 17 h 30 et le samedi de 8 h 15 à 12 h.* Service de change.

Téléphone public. Piazza Alfieri, 10 ✆ 39 11. *Ouvert le lundi de 15 h à 19 h et du mardi au vendredi de 9 h à 12 h 30 et de 15 h à 19h.*

Change. Instituto Bancario di San Paolo di Torino. Corso Dante, 1, au 1er étage ✆ 43 42 11. *Ouvert du lundi au vendredi de 8 h 25 à 13 h 25 et de 14 h 40 à 16 h 10.*

HEBERGEMENT - RESTAURANTS

Albergo Reale. Piazza Alfieri, 6, Asti ✆ 53 02 40 - Fax 34 357. *130 000/220 000 L.* 27 chambres avec téléphone, télévision, climatisation, réfrigérateur. Garages, accès handicapés. American Express, Visa, Diner's Club. Un hôtel situé en plein centre-ville, sur la place où se court le Palio.

Hasta Hôtel. Valle Benedetta, 25, Asti ✆ 21 33 12. *150 000/230 000 L.* 26 chambres avec téléphone, télévision, climatisation, réfrigérateur. Parc, parking, tennis, sauna. Interdit aux animaux. Légèrement à l'écart de la ville, l'hôtel permet de se reposer dans le vert et le silence de la campagne.

Albergo Palio. Via Cavour, 106, Asti ✆ 34 371 - Fax 34 373. *140 000/240 000 L.* Fermé à Noël et 15 jours en août. 34 chambres avec téléphone, télévision, climatisation, réfrigérateur. Parking, accès handicapés. American Express, Visa, Diner's Club. Proche de la gare. Moderne. Tout confort.

Autres auberges

Association Terranostra. Viale Vittoria, 103, Asti ✆ 54 235. Elle fournit la liste des offres de la région pour les vacances à la ferme.

Hôtel-chambres d'hôtes Villa La Meridiana-Cascina Reine. Altavilla, 9, Alba ✆ 01 73/44 01 12 - Fax 01 73/44 01 12. *5 chambres 120 000/130 000 L.* Parking. Sur les hauteurs, au milieu du vignoble. Une bonne adresse, simple mais conviviale.

Agriturismo Cascina Campora. Serra, Buttigliera d'Asti ✆ 011/99 21 821. *Chambres 30 000/40 000 L, demi-pension 65 000 L. Ouvert tous les jours.* 30 kilomètres au nord-ouest d'Asti. Cuisine à base de produits issus des cultures biologiques de la ferme, à déguster dans une atmosphère calme et naturelle. Emplacements pour camping et caravane. Tennis.

Agriturismo Tenuta dei Re. Regione Cascina Nuova, 1, Castagnole Montferrato ✆ 01 41/29 21 47. *Chambres 40 000/50 000 L, demi-pension 75 000 L. Ouvert de Pâques à novembre.* 10 kilomètres au nord-est d'Asti. Grande villa chaleureuse et tranquille, avec tennis, équitation et emplacements pour caravane et camping.

Agriturismo Cascina Smeralda. Strada Coniolo Vialarda, 1, Pontestura ✆ 01 42/ 46 62 75. *Chambres 45 000 L, pension complète 90 000 L, repas 25 000/45 000 L. Fermé en janvier.* 35 kilomètres au nord d'Asti. Impressionnante bâtisse du XVIIe siècle depuis laquelle vous pourrez visiter, à pied, à vélo ou à cheval, les superbes environs.

Camping Cagni. Route de Valmanera, 152, ferme Gioia, Asti ✆ 27 12 38 (ou 21 29 41 hors saison). *Ouvert du 1er avril au 30 septembre.*

Restaurants

Restaurant Moro. Lungo Tanaro, 12, Asti ✆ 59 25 13. *Compter 40 000 L. Fermé le lundi et 15 jours en janvier.* 400 couverts. Parking, jardin, climatisation. American Express, Visa, Diner's Club. L'ambiance n'y est pas aussi chaleureuse que celle des petits restaurants français, cependant il est agréable d'y manger en été, dans un cadre champêtre, sous les tilleuls. Demandez les spécialités : le «stinco» et la finanziera.

Restaurant Angolo del Beato. Via Guttuari, 12, Asti ✆ 53 16 68. *50 000/85 000 L. Fermé le dimanche, du 1er au 10 juillet et du 1er au 20 août. Réservation obligatoire.* 35 couverts. Climatisation. American Express, Visa, Diner's Club. Bonne auberge installée dans une vieille maison élégante.

Restaurant Gener Neuv. Lungo Tanaro Pescatori, 4, Asti ✆ 55 72 70 - Fax 43 67 23. *90 000/140 000 L. Fermé le dimanche soir, le lundi et en août.* 38/56 couverts. Parking, jardin, climatisation. American Express, Visa, Diner's Club. Ce restaurant est fort justement réputé pour sa grande cuisine. L'ambiance est chaleureuse et très raffinée. Chaque plat est une délicieuse surprise. A essayer en dessert : le grand soufflé de noisettes.

MANIFESTATIONS

Premier mardi du mois de mai : fête du patron de la ville. Le lendemain se tient une grande foire aux bestiaux (avec vente de machines agricoles) et un énorme marché aux puces.

Juillet et septembre : Asti Teatro, manifestation de théâtre contemporain, dans des lieux ouverts comme dans les vieux palais.

Début septembre : Douja d'Or. Une semaine d'expositions, de marchés et de dégustation des vins produits et primés dans l'année (informations au ✆ 50 067).

Deuxième dimanche de septembre : Festival delle Sagre. La campagne monte à la ville. Chaque village de la région choisit un thème lié à la campagne et illustre, lors du défilé dans les rues de la ville, une scène de la vie d'autrefois. Les costumes sont d'époque, et de vrais paysans deviennent les acteurs de leur propre monde (informations au ✆ 50 357).

Troisième dimanche de septembre : la course du Palio. On le dit plus ancien que celui de Sienne. L'ambiance y est moins prenante que celle de la Piazza del Campo, mais le défilé historique est grandiose avec ses 600 figurants en costumes. La ville en fête est revêtue de milliers de drapeaux, et, du haut de son monument, Vittorio Alfieri semble regarder d'un air soupçonneux les cavaliers et leurs chevaux livrer bataille à ses pieds (informations au ✆ 39 92 64 ou 50 357 ; réservations chez Acitour, Via Battisti, 39 ✆ 35 55 24). C'est sur la Piazza Medici que démarre le grand défilé historique du Palio. Si vous n'allez pas voir la course Piazza Alfieri (le prix du billet tourne autour de 60 000 L) mais si vous voulez faire des photographies et admirer les figurants de près, nous vous conseillons le cadre fantastique de cette place d'où le cortège s'ébranle au son des trompettes et des coups de cloche, à deux heures tapantes.

En automne se déroulent les Sept jours de la gastronomie d'Asti : des repas gastronomiques ont lieu dans plusieurs restaurants qui préparent pour l'occasion des menus spéciaux (informations au ✆ 50 357).

POINTS D'INTERET

Baptistère. Corso Alfieri, 2 ✆ 35 30 72. *Ouvert du mardi au samedi de 8 h à 12 h et de 15 h à 19 h, le dimanche de 10 h à 12 h.* Un monument que domine une coupole soutenue par huit colonnes, à couches alternées de briques et de tuf et aux chapiteaux en grès. Juste à côté se trouve l'église de San Pietro in Conzavia. Son cloître abrite un petit Musée archéologique.

La collégiale de San Secondo. *Dans le centre-ville. Ouverte tous les jours de 9 h à 12 h et de 15 h à 19 h.* Elle a été construite entre le XIIIe et le XVe siècle. Le campanile est roman et, dans la nef de gauche, il y a un beau polyptyque de Gandolfino da Roreto. La crypte est sous le grand autel.

Torre del Troya. Piazza Medici. Cette tour du XIVe siècle est la plus haute du Piémont. L'intérieur ne se visite pas.

La cathédrale. Un superbe exemple d'art gothique. L'intérieur a été remanié au cours des XVIIe et XVIIIe siècles. Portail du XVe siècle côté sud. Le campanile date de 1266.

Maison de Vittorio Alfieri. Corso Alfieri, 375. *Ouvert du mardi au vendredi de 10 h à 12 h et de 15 h 30 à 17 h 30.* La belle maison natale du poète (XVIIIe siècle) héberge le centre d'études Alfierani.

Torre Rossa. Corso Alfieri, 424. La partie inférieure, à seize côtés, date du siècle d'Auguste. C'est, désormais, le seul exemple d'architecture romaine que possède la ville.

Eglise de Viatosto. Un édifice de brique rouge du XIVe siècle, à 5 km de la ville et d'où l'on a un point de vue (belvédère) s'étendant jusqu'aux Alpes.

SHOPPING

Les commerces ferment en général le lundi matin et les alimentations le jeudi après-midi.

Marchés : mercredi et samedi sur la Piazza Alfieri. Petit marché d'antiquités, le quatrième dimanche de chaque mois. Le marché de la truffe (seulement en saison) a lieu sous les arcades du café San Carlo, autour de la Piazza Statuto.

Pâtisserie Giordanino. Corso Alfieri, 254. On y trouvera des gâteaux de toute sorte ainsi que la polenta del Palio.

Boulangerie Antonio Molino. Via Q. Sella, 22. On y fait du bon pain.

Le Trovarobe. Piazza Astesano, à l'angle de la Via De Rolandis ✆ 32 197. Un magasin d'antiquités de bon goût.

Enoteca (vinothèque) Douja d'Or. Piazza Alfieri, 23/24 ✆ 50 067. Pour acheter les vins de la région.

Librairie ancienne Coenobium. Via Q. Sella, 20 ✆ 31 606. Pour amateurs de livres rares et de gravures anciennes.

Colore dei Tempi. Via Aliberti, 45 ✆ 59 82 41. De délicieuses petites choses anciennes, des miniatures, des vases, des documents...

Fabrique de tapis Scassa. Chartreuse de Valmanera ✆ 27 13 52. L'art ancestral de la tapisserie y est appliqué à des dessins d'artistes contemporains.

LOISIRS

Tourisme équestre. Palazzo Ammene Provole ✆ 53 161.

➥ D'ASTI A CANELLI

En quittant Asti par le pont sur le Tanaro, le trajet jusqu'à Canelli passe au milieu de paysages viticoles splendides qui promettent en plus du plaisir visuel, celui du palais. En automne, avec les premières brumes et les premières truffes, les derniers feux des vignobles font vivre à la région ses journées les plus fastueuses.

COSTIGLIOLE

En continuant sur la même nationale, on rejoint **Costigliole**. Un grand château abritant quelques caves se dresse au-dessus des toits du village.

Pratique

Indicatif téléphonique : 0141.

Office du tourisme ✆ 96 60 31.

Points d'intérêt

Associazione Proditttori Viticoli. Fraz. Bonzo, 54 ✆ 96 83 59 ou 96 84 58.

Distelleria Beccaris. Via Azlba, 5 ✆ 96 81 27.

➥ A la sortie de Costigliole, prenez la direction de Boglietto. A quelques kilomètres, une route sur la droite, vers Castiglione Tinella, mène à un village perché sur une hauteur où se dresse une église monumentale.

Alba

Jolie petite ville médiévale, sur la route qui mène à Cuneo (62 km de Torino).

SANTO STEFANO BELBO

C'est le village natal de l'écrivain Cesare Pavese. N'y cherchez pas de plaque commémorative. Cependant, certains panneaux indicateurs signalent des lieux mentionnés dans son œuvre. Il est honteux que la mémoire de l'auteur du *Métier de vivre* ne soit pas honorée comme il le mérite. Mieux vaut donc reporter son attention sur le doux muscat qui naît de tous ces vignobles dans la vallée.

Shopping

Spécialité de la **tarte aux noix** à la **pâtisserie Cocito**, Piazza Umberto Ier, 29.

CANELLI

Canelli est le pays du mousseux. Le château des Gancia domine la colline. Chaque rue du village abrite des caves de producteurs de vin. Les visites ont lieu sur demande.

Shopping

Cave Coppo. Via Giuliani, 53 ✆ 82 31 46. On peut y déguster et acheter de formidables vins rouges ainsi que des mousseux bruts et des muscats exceptionnels.

Distillerie Bocchino. Via Giuliani, 88 ✆ 81 01 - Fax 83 25 46. *Fermé le week-end.* On y découvrira la fameuse grappa de muscat et les dernières eaux-de-vie de fleurs et de baies sauvages d'Antonella Bocchino.

Enoteca Regionale di Canelli. Via Roma, 4 ✆ 83 13 72.

Cantina Sociale. Via L. Bosca, 30 ✆ 82 33 47 ou 83 18 28.

ALESSANDRIA

On ne peut pas dire que cette ville soit très attirante ni particulièrement joyeuse ; plate, Alessandria est en outre entourée en hiver d'une brume persistante. Les Français se souviendront que leur Empereur infligea une cuisante défaite aux Autrichiens, non loin de là, à Marengo, sur la nationale en direction de Gênes. Pour mémoire, un orme gigantesque étale là son tronc puissant. La villa Marengo, avec son musée de trophées et reliques, se trouve à l'endroit exact où Napoléon déclencha la sanglante bataille.

Pratique

Indicatif téléphonique : 0131.

Office du tourisme. Via Savona, 26 ✆ 25 10 21 - Fax 25 36 56.

Points d'intérêt

Ce qui reste des infrastructures militaires du XVIIIe siècle est rappelé sur le Corso dei **Cento Cannoni** (le cours des cent canons qui défendaient la ville en 1856).

Le centre historique conserve un visage médiéval, alors que, sur la Piazza Libertà, l'hôtel de ville et le bâtiment de la préfecture (XVIIIe siècle) sont de style baroque.

La cathédrale, néoclassique, est très belle, avec, à l'intérieur, 24 statues des saints patrons des villes de la Ligue lombarde.

A la base de l'**immeuble de la Poste**, la grande mosaïque de Gino Severini (1941) représente l'histoire des services postaux sur tous les continents.

Musée du Chapeau. Corso Cento Cannoni, 23 ✆ 54 241. *Visites sur rendez-vous.* Il nous rappelle que le légendaire «Borsalino» est né à Alessandria, dans l'usine du même nom, en 1857.

Manifestations

Juillet : Rallye moto international *Madonnina dei Centauri* à Castellazzo Bormida.

Septembre : Exposition nationale d'argenterie.

➥ Après Alessandria, on peut toujours descendre vers le sud en direction des collines de l'Oltrepo, petite région intacte et méconnue qui s'avance dans une des zones les plus sauvages de l'Apennin ligurien, jusqu'aux vallées oubliées des torrents Curone, Grue et Borbera : cet itinéraire était l'antique voie du sel.

CASALE

Casale (30 km d'Alessandria) fut pendant trois siècles (de 1435 à 1708) la capitale du marquisat de Montferrato. Elle conserve un beau dôme médiéval. L'église de Santa Caterina est d'un baroque pur. La Torre Civica, refaite en 1512, domine la Piazza Mazzini.

San Filippo Neri est l'œuvre la plus importante de Guala. A voir aussi, le grand plafond peint au-dessus de l'escalier d'honneur du Palazzo Gozzani di Treville.

Indicatif téléphonique : 0142.

Shopping

Marché aux antiquités chaque deuxième dimanche du mois.

MONCALVO

Une halte est possible à Moncalvo, charmant village où l'on pourra admirer, dans l'église de San Francesco, les œuvres de Moncalvo.

En octobre, Moncalvo accueille une grande foire à la truffe.

VIGNALE

A quelques kilomètres de Moncalvo, c'est une délicieuse petite commune, qui organise en été un important Festival du ballet ainsi que des stages de danse où peuvent s'inscrire des artistes et des danseurs du monde entier.

ACQUI TERME

Déjà réputée à l'époque romaine pour ses eaux thermales, Acqui Terme est une ville agréable qui mérite d'être découverte, ne serait-ce que pour le petit air de France qui plane dans son centre historique, dans ses établissements gastronomiques, dans ses immeubles restaurés et, bien entendu, dans ses thermes. Tout y est à échelle humaine. Le paysage alentour est empreint de douceur, avec ses vignobles qui peignent l'horizon et ses innombrables sentiers qui s'enfoncent dans la verdure. Le syndicat d'initiative offre aux curistes des cartes détaillées qui permettent d'entreprendre des excursions originales de hameaux en châteaux, à travers vignobles et bois, pour parvenir à des belvédères uniques comme celui de Ponzone.

PRATIQUE

Indicatif téléphonique : 0144.

Office du tourisme. Corso Bagni, 8 ✆ 32 21 42 - Fax 32 21 43. *Ouvert du lundi au vendredi de 8 h à 14 h et de 15 h 30 à 18 h 30. Le samedi de 9 h à 12 h.*

Poste. Via Truco ✆ 32 29 84.

Téléphone public. Piazza Matteotti, 31.

Change. Casa di Risparmio di Torino. Corso Dante, 26 ✆ 57 001.

HEBERGEMENT - RESTAURANTS

Albergo Fiorito. Bourg Roncaggio, 3 ✆ 32 25 84. *24 chambres 45 000/70 000 L. Ouvert du 15 avril au 15 octobre.* Une vieille maison à mi-colline, dans un cadre très familial.

Hôtel Regina. Viale Donati ✆ 32 14 22 - Fax 32 49 09. *60 000/105 000 L. Ouvert de la mi-mai à la mi-octobre.* 96 chambres avec téléphone, télévision. Parc, accès handicapés, parking, cures thermales. Entouré de verdure, l'hôtel est à côté du complexe thermal et à deux pas de la grande piscine et des courts de tennis.

Auberge de jeunesse

Auberge de jeunesse Le Langhe. Via Roma, 22, Bergolo (38 km d'Acquiterme) ✆ 017/87 016/87 161 - Fax 01 73/87 069. *15 000 L. Ouverte de 8 h à 10 h et de 15 h 30 à 22 h 30.* 46 lits.

Agriturismo

Agriturismo La Luna e i Falò. Regione Aie, 37, Canelli ✆ 01 41/83 16 43. *Chambres 80 000 L, demi-pension 130 000 L. Ouvert tous les jours.* 25 kilomètres au sud d'Asti. Vous apprécierez le calme et la beauté du site qui entoure cette maison joliment décorée.

Restaurants

La cuisine d'Acqui reproduit les données de la cuisine du Piémont et du Montferrato. On peut signaler quelques spécialités locales, comme le *filetto baciato* (un genre de *culatello*), les champignons, les macarons (originaires d'un village voisin, Monbaruzzo), les vins, rouges (dolcetto, barbera, brachetto) ou blancs (cortese du haut Montferrato).

Carlo Parisio. Via Mazzini, 14 © 56 650. *Environ 40 000 L. Fermé le lundi et 15 jours en août.* 40/60 couverts. American Express, Visa, Diner's Club. Trattoria de quelques tables située dans le centre historique.

La Schiava. Vicolo delle Schiava © 55 939. *50 000/70 000 L. Fermé le dimanche et 15 jours en août. Réservation obligatoire.* 40 couverts. American Express, Visa. Cuisine bonne et recherchée dans une atmosphère sympathique.

MANIFESTATIONS

Chaque été, au Liceo Saracco, Via Bagni, sont organisées d'importantes expositions rétrospectives de peintres réputés.

Cavalcata Aleramica : rassemblement de tous ceux qui veulent passer trois jours à cheval sur les traces de l'ancienne marche aléramique.

POINTS D'INTERET

Bollente. Au bout de la Via Saracco. C'est le monument le plus intéressant de la ville. La grande niche à la base de laquelle jaillit l'eau sulfureuse à raison de 560 litres par minute est à 75 degrés.

Duomo. Un grand escalier mène à cet important monument roman, dont le clocher à fenêtres doubles et triples date de 1067. Le portail marmoréen, de G. A. Pilacorte (1481), est très beau. L'intérieur est constitué de cinq nefs. On admirera les bas-reliefs Renaissance du grand autel.

Basilique de San Pietro. Piazza Addolorato. Elle est probablement d'origine paléochrétienne, comme en témoignent certains de ses éléments.

Acqueduc romain. Au fond de la Via Bagni, sur la droite du pont Carlo Alberto. Il en reste sept grands piliers et quatre arcs datant du siècle d'Auguste.

Museo Civico Archeologico. Castello dei Paleologi © 57 555. *Ouvert de 16 h à 19 h et de 10 h à 12 h les jours fériés. Fermé le lundi.* Objets et pièces de l'Acqui du temps d'Auguste.

Thermes

Ils étaient déjà connus à l'époque romaine. Au dire de nombreux médecins, ils offrent les meilleures cures thermales pour les douleurs rhumatismales, l'arthrose et les séquelles de fractures. Le grand complexe thermal est un endroit agréable qui fait référence et que l'on peut conseiller à tous ceux qui voudraient profiter des bains de boue et des massages dans un cadre extrêmement relaxant. L'établissement, situé à l'entrée de la ville, est plongé dans une végétation d'où émergent quelques hôtels. **L'Albergo Antiche Terme, Viale Donati © 32 21 01** *(pension complète 180 000 L par personne ; ouvert seulement entre mai et septembre*), est empreint d'une ambiance début de siècle. Les clients ont la possibilité de faire leur cure dans l'hôtel (**informations et réservations au 32 43 90**). Les cures thermales sont également pratiquées dans un établissement en plein centre-ville : l'**Albergo Nuove Terme, Piazza Italia, 1 © 32 21 06.** *Pour la pension complète, en période estivale, compter 100 000 L. Ouvert toute l'année, sauf en janvier.*

SHOPPING

Grand **marché** le mardi et le vendredi.

Marché de **produits biologiques**, le premier samedi de chaque mois, dans l'ancienne caserne Cesare Battisti.

Pâtisserie San Guido. Piazza San Guido. Macarons et pâtes fraîches.

Olivieri. Via Carducci. Le roi des champignons et de la tomme de Roccaverano.

Cave régionale d'Acqui Terme. Piazza Levi, 7 © 77 02 73.

DANS LES ENVIRONS

A partir d'Acqui, la nationale mène tout droit à **Alessandria.** Si on a le temps, on peut également rejoindre cette ville en faisant un détour par Ovada et les terres de **Gavi** (nationale 456). Ce trajet passe, lui aussi, par des contrées silencieuses et riches en vignobles. Les châteaux dominent de leur hauteur des vallées et des pays pleins de délices ignorées et de tables riches d'histoire.

Gavi

Cette petite ville est troublante car son histoire appartient déjà à celle du pays ligure : les façades de ses maisons, peintes comme celles de la côte, rappellent la mer. Sa cuisine a tous les parfums et la richesse de celle de Gênes. Il est vrai que Gavi fut longtemps génoise, et au centre de la production du fameux cortese de Gavi. Une belle légende veut que les ravioli soient nés ici, en 1200, dans une vieille auberge qui s'appelait déjà à l'époque l'*Hustaia du Ravio*.

A voir, l'**église de San Giacomo** datant du XIIe siècle, avec un très beau portail sculpté, et le Portino, une porte avec une tour du XIIIe siècle. En haut, le fort qui fut témoin d'une belle histoire d'amour.

Parmi **les caves** qui conservent des vins de Gavi, on mentionnera la Giustiniana, lieu-dit Rovereto (© 01 43 68 21 32).

Collaborez à la prochaine édition

Comme le disait déja au XIXe siècle, notre illustre prédécesseur Baedeker : *« Les indications d'un guide du voyageur ne pouvant pas prétendre à une exactitude absolue, l'auteur compte sur la bienveillance des touristes et les prie de bien vouloir lui signaler les erreurs ou omissions qu'ils pourraient rencontrer, en lui faisant part de leurs observations qui seront reproduites dans la prochaine édition. »*

Aussi n'hésitez pas à communiquer au Petit Futé les adresses qui ont retenu votre attention et plus précisément vos trouvailles, récits de vos expériences, découvertes, bons tuyaux, adresses inédites ou futées qui méritent d'être publiées... Envoyez-nous vos commentaires par courrier, sans oublier, plus particulièrement pour les hôtels, restaurants et commerces, de préciser avant votre commentaire détaillé (de 5 à 15 lignes) l'adresse complète, le téléphone et les moyens de transport pour s'y rendre ainsi qu'une indication de prix. Signalez-nous également les renseignements périmés, incomplets ou qui ont, selon vous, changé, en précisant le pays, la date d'achat et la page du guide. Sur vos indications, le Petit Futé effectuera vérifications et tests nécessaires

Nous offrons gratuitement la nouvelle édition à tous ceux dont nous retiendrons les suggestions, tuyaux et adresses inédites ou futées, et dont les courriers seront insérés signés (initiale et nom complet) dans les prochaines éditions.

Afin d'accuser réception de votre courrier, merci de retourner ce document avec vos coordonnées soit par courrier, soit par fax soit par internet à l'une ou à l'autre des adresses suivantes :

LE PETIT FUTE COUNTRY GUIDE
18, rue des Volontaires 75015 PARIS
Fax : 01 42 73 15 24
E-mail : info@petitfute.com

LES LACS

LAC MAJEUR

Partagé entre la Suisse et l'Italie, très connu et très fréquenté en été (peut-être un peu trop), un site majeur... La beauté de ce lac est faite d'un mélange d'ingrédients qui varie constamment. Il y a l'attrait de l'art, des jardins fleuris, de l'histoire et de la nature. Sans oublier l'eau, et les sports qui lui sont liés, la montagne et ses randonnées, ainsi que les achats auxquels invitent les belles boutiques. Et l'atmosphère XIXe, siècle d'or de l'Europe des voyages, qui a semé le long des berges villas superbes et hôtels de classe.
Le lac Majeur se divise en deux parties d'une égale beauté : la rive occidentale piémontaise et la rive orientale lombarde. On peut le visiter en voiture, par les transports collectifs, ou avec les bateaux qui relient tous les petits ports et petits pays qui donnent sur le lac.

STRESA

C'est le principal centre de la rive sud. Il faut admirer, le long du lac, les somptueuses villas, les palaces style Liberty et la végétation aux senteurs exotiques. Au large apparaissent, comme des mirages sortis de l'eau, les îles Borromée.

Pratique

Indicatif téléphonique : 0323

Office du tourisme. Via Principe Tomaso, 70/72 © 30 150/30 416 - Fax 32 561. *Ouvert de mai à septembre, de 8 h 30 à 12 h 30 et de 15 h à 18 h 15, et le dimanche de 9 h à 12 h. D'octobre à avril, de 8 h 30 à 12 h 30 et de 15 h à 18 h 15, du lundi au vendredi, et de 8 h 30 à 12 h 30 le samedi. Fermé le dimanche.*

Poste. Via Roma, 5. *Ouverte du lundi au vendredi de 8 h 15 à 18 h 30 et le samedi de 8 h 15 à 11 h 40.* Possibilité de changer de l'argent.

Distributeur. Banco Popolare di Novara. Corso Umberto Ier. *Ouverte de 8 h 20 à 13 h 30 et de 14 h 30 à 16 h.*

Hébergement

Hôtel-restaurant Villa Mon Toc. Via Duchesa di Genova, 67/69, Stresa © 30 282 - Fax 93 38 60. *80 000/120 000 L.* Visa. Bon rapport qualité-prix.
Hôtel Pironi. Via Marconi, 35, Cannobio © 70 624 ou 70 871 - Fax 72 184. *180 000/230 000 L. Fermé de novembre à la mi-mars.* 12 chambres avec téléphone, télévision, réfrigérateur. Parking. Interdit aux animaux. American Express, Visa. Si vous rêvez de séjourner dans une de ces belles villas Renaissance que l'on trouve en Italie, la villa Pironi, brillamment rénovée, vous ouvre ses portes. Confort et sobriété.

Agriturismo

Agriturismo Cascina delle Ruote. Via Beati, 151, Castelletto Sopra Ticino © 03 31/97 31 58. *Chambres 60 000 L, demi-pension 90 000 L. Ouvert tous les jours.* Rive sud du Lago Maggiore. A cinq minutes d'Arona, grande maison avec piscine. Excellente cuisine, dont pâtes faites à la main. Balades à cheval.

Restaurant

La Taverna del Papagallo. Via Principessa Margherita, 46, Stresa © 30 411. *Fermé le mardi et le mercredi, et de novembre à février.* Simple. Bonnes pizzas.

Manifestation

De la **dernière semaine d'août** à la troisième semaine de septembre, les Semaines musicales de Stresa vous convient à des concerts et récitals au théâtre du Palais des Congrès.

Shopping

Comment ? Vous n'avez pas encore goûté les glaces de la **Cremeria Fantasy** (Via Principesa Margherita, 38) !

Cannobio

Vieille ville située au nord de Stresa et de Verbania, non loin de la frontière suisse.

Pratique

Indicatif téléphonique : 0323.

Office du tourisme. Viale V. Veneto, 4 ✆ 71 212.

ARONA

La première ville du bord de lac en venant du sud. Déjà connue du temps des Romains, elle fut une possession des Visconti. C'est aussi la patrie de Charles Borromée (1536-1584). Sur la colline qui domine la ville, sa colossale statue dresse ses 23 mètres de bronze (1697).

ORTA SAN GIULIO

Le lac est une véritable perle, dans un écrin de verdure qui fait penser à une aquarelle, à un paysage qui n'a pas encore été violé. Tout est calme, enchanteur, avec un parfum d'un autre temps. La rive sud abrite de somptueuses villas, que l'on devine à travers la végétation des jardins et des parcs. Qui veut se repentir, et qui ne le veut pas, grimpera jusqu'au Sacro Monte : 40 chapelles ornées de statues et de fresques racontant la vie de saint François. (Pour les Sacro Monte, voir *Varallo*). Quant à ceux qui s'intéressent à l'histoire littéraire, ils doivent savoir que c'est en gravissant ce Sacro Monte que Nietzsche succomba inexorablement aux charmes de Lou Salomé.

Indicatif téléphonique : 0322.

Points d'intérêt

Au niveau du lac, il faut voir le **village et l'île San Giulio**. Orta est une petite ville aux rues étroites et aux balcons fleuris. Le palais communal abrite la fondation Monti, qui vous dit tout sur les Walser et leurs déplacements. En se promenant le long des quais, on découvre la joie des rythmes lents. D'Orta, on traverse le petit bras de lac qui mène à l'île San Giulio, à son silence.

• Shopping

Parmi les spécialités du lieu, goûtez le pain de San Giulio fait par les religieuses de l'île, les *roselline* et *amaretti* (biscuits) de la pâtisserie Adriana sur la place, ou encore la mortadelle de foie.

Dans les environs

Au-dessus de ce charmant village, voir le sanctuaire de **Sacro Monte** du XVIe siècle.

Isola San Giulio. Pour sa basilique du XIIe siècle et ses ruelles.

Pallanza. Villa Tarento. *Ouverte d'avril à octobre de 8 h 30 à 19 h 30.* On s'y rend surtout pour son Jardin botanique qui conserve plus de 20 000 espèces.

ILES BORROMEE

Archipel formé de trois îles principales : l'Isola **Bella,** l'Isola **Madre** et l'Isola **dei Pescatori**. Pour s'y rendre, se renseigner auprès de la compagnie de ferries Navigazione sul Lago Maggiore. *En été, il y a des bateaux toutes les 30 minutes, de 7 h à 19 h.*

Isola Madre

C'est la plus calme, la plus vaste, la plus éloignée de Stresa. Outre son élégante villa du XVIe siècle, que l'on ne visite pas, on y trouve un superbe **Jardin botanique** (✆ 31 261 ; *ouvert tous les jours, de mars à octobre, de 9 h à 12 h* et de 13 h 30 à 17 h 30).

Isola Bella

Entièrement occupée par le palais Borromée, du XVIIe siècle, et son jardin en terrasses. Un intérieur très riche : mobilier, peintures (Carrache, Giordano, Tiepolo, etc.), souvenirs de la conférence de 1935. Un lieu très spectaculaire, par le décor théâtral des jardins et par le panorama montagneux qui borne l'horizon de toutes parts. **Renseignements ✆ 30 556.**

Isola dei Pescatori

La plus charmante. Un vieux village de pêcheurs, l'endroit idéal pour un séjour sentimental, pour y flâner, peindre ou photographier, goûter quelques moments rares... Malheureusement, elle est un peu trop fréquentée par les touristes en été, comme le prouvent les boutiques de souvenirs près de l'embarcadère.

Hébergement

Hôtel Verbano. Isola dei Pescatori, Via Ara, 2 © 323/30 408 ou 32 534 - Fax 323/33 129. *250 000 L. Fermé en janvier et février.* 12 chambres avec téléphone. Restaurant (*45 000/70 000 L*). American Express, Visa, Diner's Club. Hôtel au charme d'antan préservé et qui accueillit quelques hôtes illustres. Les chambres ont toutes un nom de fleur. Belle vue sur le lac.

PROVINCE DE CUNEO

CUNEO

60 000 habitants. Une belle couronne de montagnes découpe l'horizon de la ville au pied des Alpes-Maritimes. Située à 91 km de Vintimille et à 86 km de Turin, elle marque le début de la grande plaine du Piémont. On éprouve une sorte de fascination pour cette cité vieillotte et bien campée, riche en traditions, et à laquelle son rôle dans la lutte des partisans pendant la dernière guerre a valu la médaille d'or.

PRATIQUE

Indicatif téléphonique : 0171.

Office du tourisme. Corso Nizza, 17 ✆ 66 615 ou 69 32 58 - Fax 69 54 40.

HEBERGEMENT - RESTAURANTS

Albergo Principe. Piazza Galimberti, 5, Cuneo ✆ 69 33 55 - Fax 67 562. *160 000/210 000 L.* 42 chambres avec téléphone, télévision, climatisation, réfrigérateur. Parking, garages, accès handicapés. American Express, Visa, Diner's Club. Aucune touche particulière dans ses quarante chambres, meublées de façon rationnelle et pourvues de tout le confort.

Pour des séjours à la ferme, se renseigner auprès de **Terranostra, Corso Giolitti, 21 ✆ 64 591**, où l'on peut consulter une brochure comportant un descriptif de chaque adresse conseillée.

Camping Bisalta. Via San Maurizio, 33, San Rocco Castagnaretta ✆ 49 13 34.

Agriturismo Fornelli. Località Fornello, 1, Niella Tanaro ✆ 01 74/22 61 81. *Chambres 30 000/50 000 L, pension 70 000 L. Ouvert sur réservation.* 40 kilomètres à l'est de Cuneo. Ferme rustique du XVIIIe siècle. Ambiance campagnarde. Parfait pour les enfants. Camping possible. Cuisine faite maison et vins régionaux.

Restaurants

Osteria della Chiocciola. Via Fossano, 1, Cuneo ✆ 66 277. *40 000/60 000 L. Fermée le dimanche. Réservation obligatoire.* 45 couverts. American Express, Visa, Diner's Club. C'est une grande salle avec des meubles vieillots et des fenêtres donnant sur la vieille ville. Le soir, menu dégustation (agnolotti, bœuf braisé et canard au vinaigre balsamique).

Restaurant Le Plat d'Etain. Corso Giolotti, 18/a, Cuneo ✆ 68 19 18. *45 000/65 000 L. Fermé le dimanche. Réservation obligatoire.* 24 couverts. Climatisation. American Express, Visa, Diner's Club. Cuisine de facture française (la femme du propriétaire est Française et le menu est écrit en français), avec foie gras, terrine, coquilles Saint-Jacques et, sur commande, gigot d'agneau de pré-salé.

POINTS D'INTERET

La Piazza Galimberti (c'est la place du marché) déploie au cœur de la vie urbaine sa parfaite scénographie XIXe.

On découvre de nombreux bas portiques, entre la **Via Roma** et la **Piazza Torino**, en se promenant dans le centre historique, qui est aussi zone piétonne.

A voir : le **Duomo,** l'église de **Santa Croce** dont la façade concave veille sur une œuvre inestimable de Moncalvo et, enfin, l'ancienne église de San Francesco, aujourd'hui siège du Museo Civico. *Ce musée, ouvert de 8 h 30 à 12 h 30 et de 14 h 30 à 18 h 30, est fermé le dimanche et le lundi.*

SHOPPING

Pâtisserie Arione. Piazza Galimberti, 14. Pour goûter et acheter les fameux «Cunesi al rhum».

Franco Ariano. Via Pascal, 2 ✆ 69 35 22. Il y a là d'extraordinaires truites fumées, des terrines de gibier, de la charcuterie maison, des fromages D.O.C., et d'autres spécialités rares et fines.

DANS LES ENVIRONS

A partir de Cuneo, on rejoint directement Turin (nationale 20) en passant par **Racconigi.**

Château de Racconigi

Cet ancien château des ducs de Savoie a vu naître le dernier roi d'Italie, Umberto, en 1904. Cette construction complexe, réalisée entre 1676 et 1842, était à l'origine une citadelle. Elle fut modifiée par l'architecte Guarino Guarini et agrandie par l'adjonction de nouveaux pavillons sous le règne de Carlo Alberto. Son grand parc témoigne de l'influence du style français voulu par Le Nôtre. On peut visiter les vingt chambres de l'étage noble du château.

Visites (guidées) : *D'avril à septembre, jeudi et samedi de 9 h à 11 h 30 et de 14 h à 18 h 30, dimanche et jours fériés de 14 h à 18 h 30. D'octobre à mars, jeudi, samedi et dimanche de 9 h à 12 h et de 14 h à 16 h. Entrée 4 000 L, gratuite pour les moins de 18 ans et les plus de 60 ans.*

Réserve naturelle Centro Cicogne Lipu

Via Stramiano, 206, Racconigi. Cette intéressante oasis où se reproduisent les cigognes est située à deux kilomètres en suivant le mur d'enceinte ouest du château.

➥ DE LIMONE A SALUZZO

200 km environ, sans compter les détours.

Cet itinéraire est conseillé à la belle saison : la traversée de la moyenne montagne protégée par de nombreux parcs, la découverte de villages peu connus et d'établissements thermaux entourés par une nature encore intacte, la mémoire des palais royaux et des possessions des Savoie constituent quelques-uns des intérêts de ce circuit. En hiver, ce trajet conduit directement à la station de ski de Limone Piemonte et à celle de la ville de Cuneo.

Le col de Tende relie la France à l'Italie. Avant l'autoroute, c'était la seule voie (rendue carrossable au XVIIe siècle par Vittorio Amedeo III de Savoie) qui mettait en communication la Côte d'Azur avec la vallée de Roia et Turin. Après la frontière, on arrive dans une vallée couverte de bois et de pâturages, la vallée Vermegnana qui, du temps des Romains, servait de tracé à la route du sel vers la Provence et la Ligurie.

La région propose des produits typiques : haricots de Centallo, escargots de Borgo San Dalmazzo et de Cherasco. Mais, surtout, elle fera le bonheur des amateurs de fromage, avec quatre D.O.C. exceptionnels : le castelmagno, produit au val Grana ; le bra, produit autour de Peveragno ; le raschera et le murazzana, originaires des alentours de Mondovi. Leur distribution étant très limitée, ne manquez pas l'occasion de les déguster sur place : il est difficile de trouver des saveurs équivalentes, même sur un marché français pourtant riche de centaines de fromages.

LIMONE PIEMONTE

Altitude 1 009 mètres. 1 700 habitants. A 120 km de Turin et à 26 km de Cuneo, Limone Piemonte est le centre le plus important de la vallée. En hiver, cette oasis de verdure encore vierge se transforme en une station de ski. Le développement immobilier a étouffé le vieux bourg, mais les traces du passé sont inscrites dans la paroisse de San Pietro in Vincoli, exemple du gothique piémontais avec son clocher roman et sa chaire de précieuse facture XVIIIe siècle, ainsi que dans les anciennes fontaines et les blasons en pierre de ses rues.

Outre ses pistes de descente, la station propose un circuit de 12 km pour le ski de fond et des possibilités de ski hors piste dans les petites vallées de Cabanaire et de San Giovanni. Comme toute région de montagne qui se respecte, Limone convertit fort agréablement chaque été ses pistes en sentiers propices aux promenades à cheval, au mountain bike et aux randonnées dans les parcs protégés de la région.

Pratique

Indicatif téléphonique : 0171

Office du tourisme. Via Roma, 30 © 92 101 - Fax 92 70 64.

MANIFESTATIONS

Première quinzaine de juillet : rallye automobile comptant pour le championnat italien.

Dernier dimanche d'août : fête de l'Abayia, où, au milieu des danses et des chants, tout le monde se costume en souvenir du refoulement des Sarrasins.

En automne : Festival gastronomique de la Vermegnana.

Sans oublier les fêtes religieuses, toujours très importantes.

VERNANTE

C'est un minuscule village à quelques kilomètres de Limone. Si vous avez des enfants avec vous, faites une halte sur la place et allez admirer les peintures murales qui racontent la vie de Pinocchio sur les murs des maisons. Le plus grand illustrateur de la célèbre marionnette, Attilio Mussino, repose dans le petit cimetière sur lequel veille une statue de Pinocchio en larmes. Vernante est aussi le centre de production artisanale de beaux couteaux à cran d'arrêt.

BORGO SAN DALMAZZO

Altitude 63 m. 10 000 habitants. Sur la nationale 20, à seulement 8 km de Cuneo. Le centre du bourg, qui se trouve dans une conque verdoyante ayant pour toile de fond le Monviso et l'Argentera, existait déjà avant les conquêtes romaines. Pendant le haut Moyen Age, il abrita une abbaye bénédictine réputée, qui fonctionna jusqu'en 1439 et dont il reste une crypte englobée aujourd'hui dans la paroisse du village. Borgo San Dalmazzo est aussi la principale voie d'accès au parc de l'Argentera.

Début décembre : *Fiera Fredda* («Foire froide»), consacrée à l'escargot depuis 1569.

HAUTE VALLEE DU PESIO

De Borgo San Dalmazzo à Chiusa Pesio, en suivant la départementale dans cette direction, on traverse le petit village de Boves, une étape d'un très haut niveau gastronomique (voir Restaurants).

Une fois traversée la campagne de Peveragno, contrée délicieuse pour des vacances d'été, à 8 km on rejoint Chiusa di Pesio, un autre lieu de villégiature à la belle saison, avec ses hêtres et ses prairies, sur le versant de la Besimauda.

Les marrons glacés, spécialité de Chiusa di Pesio, sont à acheter chez Béatrice Basso, Via Provinciale San Bartolomeo, 10 ; chez Baudena, Hameau d'Abrau, 17 ; chez Borgna, Via Fratelli Carli, 63, et à la pâtisserie Canepa, Via Mauro, 45.

Au fond de la vallée, isolée et sereine, au terme d'une route verdoyante, la Certosa di Pesio, **San Bartolomeo (✆ 01 71/73 81 23)** est l'un des complexes monastiques les plus inspirés du Piémont. Le monastère, construit par les Certosini en 1173, fut transformé au XIXe siècle en centre hydrothérapique.

Tombé en ruine, l'établissement fut ramené à la vie par les missionnaires de Notre-Dame de la Consolation, qui le transformèrent, dans les années 30, en un centre d'hospitalité chaleureux. On peut y admirer les deux cloîtres, la façade baroque, jouir des sources aux effets bénéfiques et demander à loger dans les cellules monacales en réservant à l'avance (*de 20 000 à 30 000 L la nuit*).

PARC NATUREL DE LA HAUTE VALLEE DU PESIO

Les itinéraires, balisés à partir de San Bartolomeo, passent par le Pian delle Gorre et mènent au lac de Marguarais. Possibilité de se reposer au refuge Garelli (2 000 mètres).
Renseignements Via S. Anna, 3, à Chiusa Pesio ✆ 73 40 21 ou 73 49 90.

VAL GESSO

A 1 370 mètres d'altitude, cette vallée encore intacte et peu fréquentée était jadis le refuge des rois de Savoie, qui s'y reposaient en été et y organisaient leurs parties de chasse. Aujourd'hui, son principal pôle d'attraction réside dans ses thermes (uniques en Italie, on y traite les affections rhumatismales et dermatologiques grâce à l'application d'algues thérapeutiques) et dans le parc de l'Argentera.

PARC DE L'ARGENTERA

Ce parc, ancienne réserve de chasse des Savoie, prolonge le parc français de Mercantour et s'étend sur environ 26 000 hectares. Les espèces animales et les plantes des Alpes-Maritimes y sont protégées dans un paysage montagnard fait de lacs et de cascades au-dessus desquels planent des aigles. La tulipe de montagne et le rarissime *giglio turbante* y fleurissent encore. Avec de bonnes jambes, on peut rejoindre le refuge Genova en passant par des vallons sauvages et des lacs alpins, comme celui de Fremamorta, où vivent bouquetins et chamois. Le parc n'est pas aménagé pour qu'on y fasse du camping.

Autre caractéristique de la vallée, en particulier dans les alentours de Valdieri, la réserve naturelle, fondée en 1984, est intéressante du point de vue géologico-botanique car on y trouve le très rare genévrier phénicien (*Juniperus phoenicea*).

Informations : Corso Livio Bianco, 5, à Valdieri © 97 397.

VALLEE STURA

A partir du Borgo San Dalmazzo, la vallée Stura se trouve à l'ouest ; elle se termine par le col de la Maddalena (1 996 m), que l'on peut franchir à la belle saison et qui met en communication le Piémont avec Barcelonette et Gap. Au sommet, une borne commémore l'ascension en solitaire de Fausto Copi dans le légendaire Giro de 1949.

A 60 km de la frontière par la nationale 21, la vallée Stura est grande ouverte jusqu'à Vinadio et s'élève ensuite dans l'âpre beauté d'un paysage intact, composé essentiellement de prairies et de forêts de conifères s'étendant jusqu'au lac de la Maddalena. Les naturalistes y trouveront une flore endémique et une faune constituée de truites, d'hermines, de marmottes, de coqs de bruyère et d'aigles. C'est par cette vallée, ancienne voie du sel, que François Ier descendit en Italie en 1515.

Demonte est le centre le plus important de la vallée. Les bas portiques de la Via Martiri della Libertà, la tour et l'oratoire XVIIe de San Giovanni Battista sont des souvenirs vivants de l'Histoire.

A Vinadio, les anciens thermes ont été reconvertis en centre de soins. On y pratique des bains de boue, avec inhalations et transpiration, dans des grottes naturelles où la température atteint des degrés élevés.

Bersezio. En remontant vers le fond de la vallée, on arrive à Bersezio. Une belle épigraphe romaine murée dans les parois extérieures témoigne de l'importance de ce passage alpin du temps des Romains. Bersezio est une modeste station de ski. Son attrait majeur vient de ce qu'elle fait partie du segment le plus méridional de la Grande Traversée des Alpes, signalée par ses balises blanches et rouges. Pour plus d'informations, se renseigner auprès du siège turinois de la **GTA** (© 011/51 44 77) ou à la direction du parc de l'Argentera (© 01 71/97 937, à Valdieri).

VALLEE DE VAL GRANA

Une autre vallée qui mérite qu'on s'y intéresse est, dans la province de Cuneo, celle de val Grana, qui mène au seuil de l'antique civilisation provençale. En prenant, à Caraglio, la nationale 22, on arrive à Campo Molino et au sanctuaire de Santo Magno (érigé au XVIe siècle), un lieu verdoyant où paissent les troupeaux et où l'on parle encore la langue musicale des troubadours.

Coumboscuro. Coumboscuro, après Caraglio, compte une poignée d'âmes ; il y règne une paix extraordinaire. Ici, les habitants se sont fixé pour tâche de transmettre le plus grand nombre possible de traditions paysannes (ateliers de sculpture sur bois, métiers à tisser à la main et conservation du **Musée ethnographique** © **98 771**. *Ouvert tous les jours de 8 h à 12 h et de 14 h à 18 h).*

➥ DE CUNEO A PIAN DEL RE

A partir de Cuneo, si l'on ne veut pas gagner directement Turin, de nombreux itinéraires détournés conduisent à la découverte de villages paisibles, d'abbayes solitaires et de tables aux saveurs authentiques et inédites.

Voir, par exemple, l'itinéraire Cuneo - Castello della Manta - Salluzo - Staffarda - Pian del Re : 100 km de routes agréables au fond des vallées.

Le trafic automobile du matin est en relation avec les marchés locaux et peut se révéler intense en quelques endroits. Cet itinéraire parcourt des contrées et des bourgades qui gardent, derrière un mur rosi par le temps, les échos des batailles, l'éclat des fanfares, les ballades des troubadours, le bourdonnement des boutiques d'artisanat et les vociférations des marchés antiques.

CASTELLO DELLA MANTA

«Le carrosse rouge semble être arrivé à son terme. Le vieux roi, la reine et toute la cour sont maintenant fatigués de ce long voyage. Or voici la merveilleuse fontaine de jouvence et voilà que les vieillards redeviennent jeunes et que les femmes retrouvent les charmes de leur beauté perdue.»

Ce n'est pas une fable, mais un récit en images qu'on peut admirer dans la salle baronale du château. Il s'agit d'une des plus hautes expressions picturales du début de la Renaissance piémontaise.

La série de fresques fut réalisée par Valerano Saluzzo della Manta, en 1410, pour le compte du père Tommaso. Elle relate des épisodes du roman chevaleresque du Chevalier Errant. L'attribution de l'œuvre est encore controversée ; on parle, entre autres, de Giacomo Jaqueiro. Ces fresques font référence à d'antiques splendeurs et contribuent à l'atmosphère «fantastique» de la visite, au milieu de dames et de chevaliers, entre de hauts faits héroïques et de douces poésies. Face au visiteur moderne, ce château ancien se pose en gardien d'un authentique trésor d'art courtois.

Château della Manta (à 4 km de Saluzzo). *Ouvert de mars à septembre de 10 h à 12 h 30 et de 14 h 30 à 18 h, d'octobre à juin de 10 h à 12 h et de 14 h à 16 h. Fermé le lundi et pendant tout le mois de février (groupes sur réservation).*

SALUZZO

340 m d'altitude. 16 500 habitants. La ville est à 31 km de Cuneo sur la nationale 589, à 52 km de Turin et à 202 km de Milan.

Au XVIe siècle, Saluzzo était au centre d'un marquisat puissant dont la position stratégique d'" Etat frontalier «fut un motif de querelles entre les cours les plus importantes d'Europe. La partie haute de la ville, sur les collines, attire le regard avec ses tours et ses clochers : elle conserve le témoignage d'un tissu urbain qui remonte à l'époque où Saluzzo, sous Ludovic II (1475-1504), était un centre de culture humaniste et où les églises, les palais et les œuvres d'art surgissaient en grand nombre pour embellir chaque recoin du riche marquisat.

C'est à Saluzzo, au XVIIe siècle, que naquit G. B. Bodoni, le fameux typographe à qui l'on doit les caractères de presse du même nom, et, au XIXe siècle, Silvio Pellico, patriote et protagoniste des premiers mouvements qui marquèrent le début du Risorgimento italien.

Pratique

Indicatif téléphonique : 0175

Office du tourisme. Palazzo Solaro di Monasterolo, Via Griselda, 6 ✆ 46 710 - Fax 46 718.

Manifestation

L'artisanat de Saluzzo est centré sur les forgerons, les fabricants de meubles de style et les restaurateurs de meubles anciens. Les rendez-vous les plus importants dans ce domaine sont :

Mai : la Foire d'antiquités dans la Sala d'Arte Albertoni ✆ 01 75 43 527.

Septembre : le Festival de musique ancienne, d'une grande importance culturelle, a lieu à côté de l'Ecole de perfectionnement musical créée à Saluzzo en 1986.

Octobre : le Mercantico, autre salon d'antiquités mais qui présente un intérêt moindre.

A Brossasco :

Mai : Fête du bois. Visant à promouvoir le meuble rustique de la vallée Varaita, une évocation des anciens métiers du bois ; marché aux puces.

Points d'intérêt

Museo Civico, dans le Palazzo Cavassa. Via San Giovanni, 5, Saluzzo © 41 455. *Ouvert d'avril à septembre de 9 h à 12 h 15 et de 15 h à 18 h 15. Les autres mois, ouvert de 9 h à 12 h 15 et de 14 h à 17 h 15. Fermé le lundi et le mardi.* Les salles de ce palais, résidence de la noblesse pendant la Renaissance, contiennent des œuvres d'art inestimables, des stalles en bois et le tableau de la Madonna della Misericordia de 1499.

Eglise San Giovanni. A côté de la Torre Comunale, datant de 1460, s'élève l'église gothique de San Giovanni, d'inspiration bourguignonne. Il faut y aller voir le chœur en bois, la tombe de Ludovic II (XVIe siècle), le cloître gothique et la salle des chapitres.

Balade

La promenade vers le château, transformé en prison, conduit à l'antique demeure des marquis de Saluzzo ; on y sentira battre le cœur d'un glorieux centre historique, qui accueille encore de nombreux magasins d'artisanat. En faisant un saut au marché delle Donne (tous les matins, Via Volta), on peut «photographier» l'arrivée des paysannes (et des paysans) apportant les produits frais de la campagne.

Dans les environs

Abbaye de Staffarda. Après Saluzzo, en suivant la nationale 589 pendant 11 km, on rejoint cette abbaye. Fondée par les cisterciens en 1135, elle regarde l'étendue lointaine de la plaine du Pô. Du temps des moines, c'était un gros centre agricole au beau milieu d'une campagne rendue fertile par le travail des religieux, qui tenaient là un grand marché, se promenaient dans le cloître et prenaient leurs décisions dans la salle des chapitres. Asseyez-vous un instant à l'auberge du cloître (© 01 75/70 31 08) ou, mieux encore, demandez à la propriétaire du bar-tabac quelques bonnes adresses. Si vous lui êtes sympathique, elle n'hésitera pas à vous fournir de précieuses indications sur quelques coins secrets.

➥ Après l'abbaye de Staffarda, un chemin secondaire conduit à **Barge** et, de là, en passant par Paesana, permet d'atteindre Crissolo (à 33 km de Saluzzo), au bout de la vallée. La région est un centre de villégiature estivale et hivernale. C'est le point de départ pour des excursions au Monviso et pour des randonnées en été au Pian del Re, à 5 km de Crissolo (et à 2 020 m d'altitude), où l'on pourra voir l'endroit où le Pô prend sa source. Une autre curiosité consiste, en partant de là, à suivre un sentier et à atteindre, en sept heures, le col de la Traversette (2 914 m) sur la frontière franco-italienne. D'après certains historiens, Hannibal et ses légendaires éléphants empruntèrent ce passage.

TOSCANE

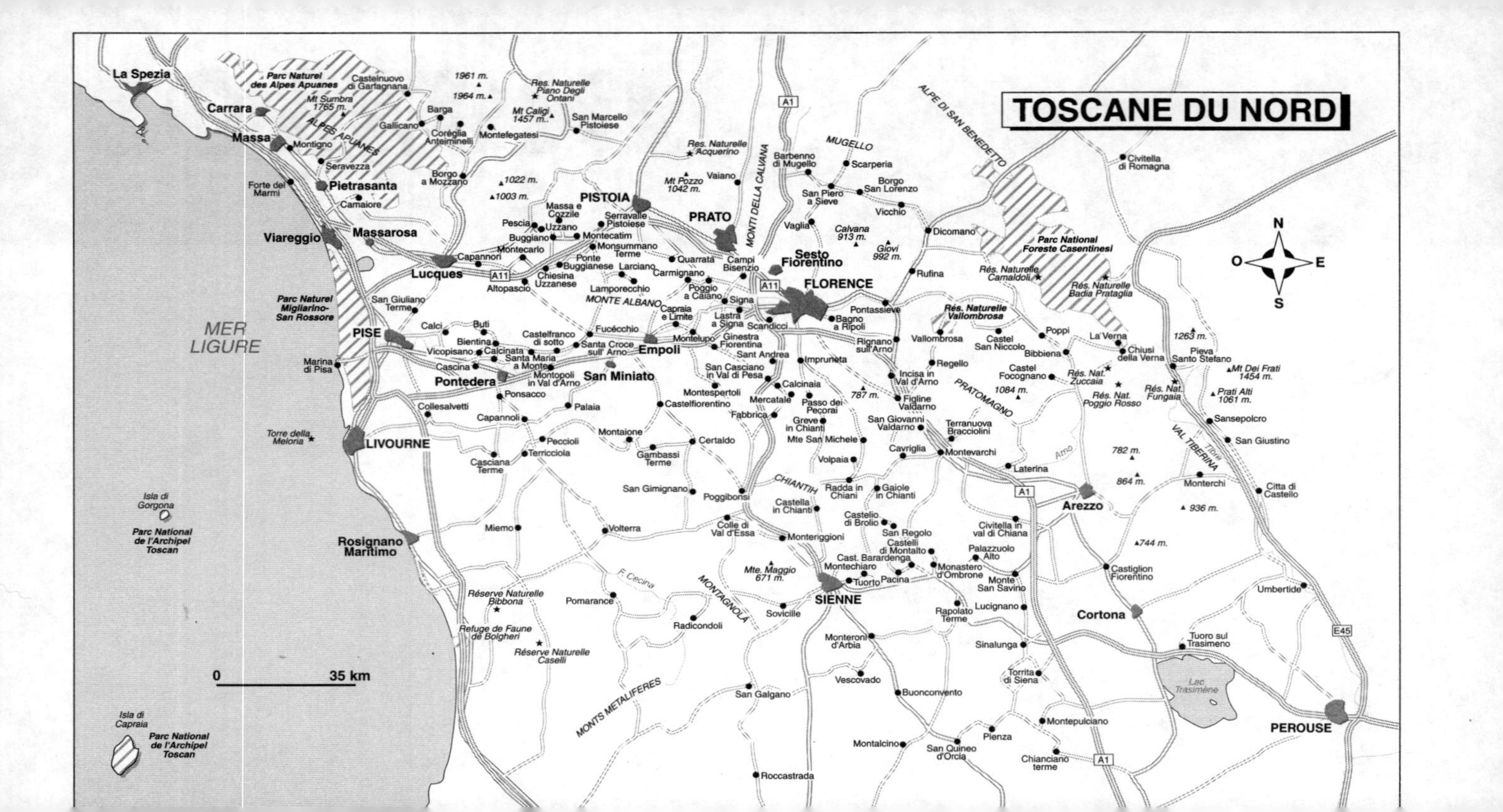
TOSCANE DU NORD
N
O
E
S
MER LIGURE
La Spezia
Carrara
Massa
Parc Naturel des Alpes Apuanes
ALPES APUANES
Mt Sumbra 1765 m.
Castelnuovo di Garfagnana
Montigno
Seravezza
Forte dei Marmi
Pietrasanta
Camaiore
Viareggio
Massarosa
Lucques
Capannori
Barga
Gallicano
Coréglia Anteiminelli
Montefegatesi
Borgo a Mozzano
1961 m.
1964 m.
Mt Caligi 1457 m.
Rés. Naturelle Piano Degli Ontani
San Marcello Pistoiese
1022 m.
1003 m.
PISTOIA
Massa e Cozzile
Pescia
Uzzano
Buggiano
Montecatim
Serravalle Pistoiese
Monsummano Terme
Montecarlo
Ponte Buggianese
Chiesina Uzzanese
Altopascio
Larciano
Lamporecchio
MONTE ALBANO
Quarrata
PRATO
Rés. Naturelle Acquerino
Mt Pozzo 1042 m.
Vaiano
MONTI DELLA CALVANA
Campi Bisenzio
Carmignano
Poggio a Caiano
Signa
Lastra a Signa
Scandicci
Sesto Fiorentino
FLORENCE
A1
A11
Barbenno di Mugello
MUGELLO
Scarperia
San Piero a Sieve
Borgo San Lorenzo
Vaglia
Calvana 913 m.
Giovi 992 m.
Vicchio
Dicomano
Rufina
ALPE DI SAN BENEDETTO
Parc National Foreste Casentinesi
Rés. Naturelle Camaldoli
Rés. Naturelle Badia Prataglia
Civitella di Romagna
Parc Naturel Migliarino-San Rossore
PISE
San Giuliano Terme
Calci
Buti
Bientina
Vicopisano
Calcinata
Cascina
Marina di Pisa
Pontedera
Santa Maria a Monte
Castelfranco di sotto
Santa Croce sull' Arno
Fucécchio
Montopoli in Val d'Arno
San Miniato
Empoli
Capraia e Limite
Montelupo
Ginestra Fiorentina
Sant Andrea
San Casciano in Val di Pesa
Impruneta
Bagno a Ripoli
Pontassieve
Rignano sull'Arno
Vallombrosa
Rés. Naturelle Vallombrosa
Castel San Niccolo
Poppi
Bibbiena
La Verna
Chiusi della Verna
1263 m.
Pieva Santo Stefano
Mt Dei Frati 1454 m.
Prati Alti 1061 m.
Regello
Castel Focognano
Rés. Nat. Zuccaia
Rés. Nat. Poggio Rosso
Rés. Nat. Fungaia
1084 m.
PRATOMAGNO
Incisa in Val d'Arno
Figline Valdarno
787 m.
Calcinaia
Montespertoli
Mercatale
Passo dei Pecorai
Castelfiorentino
Fabbrica
Greve in Chianti
Mte San Michele
San Giovanni Valdarno
Terranuova Bracciolini
Montevarchi
Cavriglia
Volpaia
Arno
Laterina
Sansepolcro
San Giustino
VAL TIBERINA
Tibre
782 m.
864 m.
Monterchi
Citta di Castello
936 m.
Torre della Meloria
LIVOURNE
Collesalvetti
Ponsacco
Palaia
Capannoli
Montaione
Peccioli
Terricciola
Casciana Terme
Gambassi Terme
Certaldo
San Gimignano
Poggibonsi
CHIANTI
Radda in Chiani
Gaiole in Chianti
Castella in Chianti
Castelio di Brolio
San Regolo
Castelli di Montalto
Arezzo
Civitella in val di Chiana
Palazzuolo Alto
Isla di Gorgona
Parc National de l'Archipel Toscan
Miemo
Volterra
Colle di Val d'Essa
Monteriggioni
Rosignano Maritimo
Mte. Maggio 671 m.
Cast. Barardenga
Montechiaro
Tuorto
Pacina
Monastero d'Ombrone
Monte San Savino
744 m.
Castiglion Fiorentino
Réserve Naturelle Bibbona
F. Cecina
MONTAGNOLA
Pomarance
SIENNE
Sovicille
Radicondoli
Rapolato Terme
Lucignano
Cortona
Umbertide
Refuge de Faune de Bolgheri
Réserve Naturelle Caselli
Monteroni d'Arbia
Sinalunga
Tuoro sul Trasimeno
E45
0
35 km
MONTS METALIFERES
Vescovado
Torrita di Siena
Lac Trasimène
San Galgano
Buonconvento
Montepulciano
PEROUSE
Isla di Capraia
Parc National de l'Archipel Toscan
Montalcino
San Quineo d'Orcia
Pienza
Chianciano terme
Roccastrada

TOSCANE

Véritable paradis pour le voyageur en quête de plaisirs ruraux, d'esthétique et de gastronomie, la Toscane est l'une des rares régions d'Italie capable de satisfaire en tout point des attentes aussi diverses. Qu'il s'agisse d'art ou de culture agricole, de mer ou de montagne, cette terre parvient à combler les appétits les plus exigeants et suscite de véritables passions. Sa campagne modelée par l'homme depuis des siècles, ses plages protégées par la végétation, ses îles encore sauvages et ses surprenants reliefs, tout contribue au spectacle d'une nature sans cesse étonnante.

Traverser la Toscane du nord au sud, c'est voyager à travers le paysage italien le plus classique, reproduit si souvent dans la peinture des XIVe et XVe siècles. C'est pénétrer au cœur d'une terre qui ne conçoit pas l'art sans une bonne table et du bon vin. Nature et paysages toscans sont difficilement réductibles à une seule image. Les livres ou les cartes postales reproduisent surtout des rangées d'arbres, plantés apparemment de façon hasardeuse, baignés de la lumière de couchers de soleil jaunes et bruns.

Mais ce n'est qu'une image partielle. Le dessin des Alpes apuanes, adossées à Massa et Carraro, est bien moins doux, la Garfagnana, qui surmonte Pistoia, est autrement plus mystérieuse. Quoique plate, la région de Pise et de Piambino est riche de petites nuances, et les terres entre Florence et Sienne représentent tout un monde du vin. Au-dessus de Florence, au nord-est, dans le Mugello, le paysage se métamorphose une fois de plus, semblant plus inaccessible sans pourtant jamais paraître hostile.

La Toscane n'est pas vierge et sauvage. L'histoire a vu naître ici le triomphe des communes et des seigneuries, l'humanisme et la Renaissance. La Toscane est en cela l'une des meilleures synthèses de l'histoire italienne. Les arts, qu'il s'agisse des statues de Michel-Ange ou de la brique fabriquée à Impruneta, racontent l'histoire du respect qu'on a, dans cette région, pour le travail quotidien, pour la fatigue et pour la dimension individuelle.

La Toscane, ce n'est pas tant Florence - ville d'art splendide et unique - que l'univers qui l'entoure : champs labourés, petits bourgs, abbayes, paroisses, peupliers en file. La Toscane, c'est s'asseoir sous une tonnelle en verre de Brunello, un bon vin à portée de main, tandis que le coucher de soleil, au loin, change la couleur des collines de la Maremma.

Comment voyager ?

Le plus commode est de se déplacer en voiture, la meilleure façon sans aucun doute de satisfaire sa curiosité, eu égard aux nombreux itinéraires qui vous sont proposés. Sinon, le train ou, mieux encore, les bus, relient les grands centres aussi bien que les petits. En descendant de France, le long de la côte ligure, on peut traverser la *Versilia*, en direction de Pise et de Lucca, pour ensuite s'approcher de Florence. On poursuivra en passant par Arezzo et Sienne, avant de descendre vers la Maremma jusqu'aux cités étrusques, puis on pourra remonter la côte en s'accordant des escapades dans les îles.

Le mieux serait encore de commencer immédiatement par Florence (A2, autoroute du Soleil : Milan - Bologne -Florence) et de continuer sa route dans le sens des aiguilles d'une montre, en finissant par Pise, Lucca et les Alpes apuanes.

Climat

La période idéale pour un voyage en Toscane est soit les mois de mai et juin, soit les mois de septembre et octobre. Cependant, selon les régions, cette période peut connaître quelques variations. La Maremma a des étés agréables et des hivers doux.

A Sienne, Arezzo et Florence, il suffit d'un peu d'ombre dispensée par les proches collines pour se remettre de la canicule estivale qui pèse généralement sur la ville. En hiver, en revanche, on profitera de la saison pour enquêter de plus près sur les spécialités culinaires de la région, arrosées des vins *novelli*.

FLORENCE ET SA REGION

FLORENCE

Alexandre Dumas la préférait de nuit ; Hippolyte Taine la trouvait parfaite, à la mesure d'un artiste ; Ugo Foscolo y voyait le symbole du génie italien, tandis que, selon Percy B. Shelley, Florence était «le paradis des exilés». Destination des pèlerinages artistiques depuis le XVIe siècle, Florence a accueilli et inspiré des générations d'écrivains, dont Hawthorne, Forster, Twain, Gœthe, Madame de Staël, Byron et Anatole France... Dostoïevski y écrivit une partie de L'Idiot, D. H. Lawrence le début de L'*Amant de Lady Chatterley*, et Henry James soupirait chaque fois qu'il croisait le regard de la Vénus des Médicis. Florence est certainement la ville d'art par excellence et l'étape incontournable et fondamentale de toute excursion en terre toscane. Une visite détaillée demande au moins une semaine, mais quatre jours peuvent suffire pour voir l'essentiel.

Bien que la ville accueille chaque année près de 2 millions de touristes, elle reste encore vivable, si toutefois on sait éviter les coins les plus fréquentés. C'est à Florence que s'est manifesté, depuis quelques années, l'étrange «syndrome de Stendhal», une décompensation psychique qui frappe le voyageur trop bouleversé par la beauté de la ville. Certains, trop perturbés (évanouissements, défaillances, perte de mémoire...), ont même été hospitalisés.

Notre conseil sera donc d'affronter Florence avec calme, sans avoir peur de rater un monument, et de chercher son propre itinéraire parmi tous ceux, nombreux, que la ville propose. Il est bon de se lever tôt puisque églises, dômes et musées ne sont souvent ouverts que le matin.

A Florence, ne négligez pas les églises mineures. Certaines d'entre elles sont parmi les plus belles d'Italie, et souvent désertées par la foule. De même, les quartiers populaires de Santo Spirito et San Frediano, situés de l'autre côté de l'Arno, sont très agréables : c'est sans doute là que l'on rencontre plus de Florentins que de touristes. Enfin, il est non pas conseillé mais ordonné de s'offrir un panorama de la ville à partir de deux fantastiques points : la place Michelangelo, sur les hauteurs de Florence, et le fort du Belvédère. Deux endroits clés pour comprendre la beauté de Florence.

HISTOIRE

D'abord étrusque, puis romane, l'antique Florentia s'est historiquement affirmée après l'an 1000, une fois dépassées les désastreuses dominations des Ostrogoths, des Goths et des Lombards, avec l'avènement de réalité communale. C'est à cette période que remontent les premières œuvres romanes, avec l'implantation du baptistère et la façade de San Miniato. Au Moyen Age, Florence conquiert la campagne environnante. En revanche, à l'intérieur de la ville, les familles, dont le pouvoir se mesure aux dizaines de tours édifiées, s'épuisent en luttes intestines. La querelle entre les deux principaux partis - les guelfes, fidèles au pape, et les gibelins, qui soutenaient les intérêts impériaux et laïcs, contre le pouvoir du pape - prend fin avec la victoire des premiers et l'exil des seconds (dont le poète Dante Alighieri, auteur de *La Divine Comédie* et père de la langue italienne). Le gouvernement de la seigneurie et des prieurés est instauré. Florence, ville de commerçants et de banquiers, est près de devenir le plus riche centre européen.

Mais les désordres ne sont pas finis : les guelfes se divisent en «blancs» et «noirs» et, au milieu du XIVe siècle, éclate la crise des Ciompi (une famille florentine), durement réprimée dans le sang.

Entre 1384 et 1421, Florence conquiert Arezzo, Montepulciano, Pise, Cortona et Livourne, donnant naissance à l'Empire florentin. C'est l'époque des Médicis (1434-1492). D'abord avec Cosme, puis avec Laurent le Magnifique, la Renaissance florentine prend forme et vie. Dans la ville, les plus grands artistes italiens œuvrent dans un climat de prospérité économique et de stabilité politique - mis à part «le complot des fous» qui coûta la vie à Giuliano de Medici, assassiné en 1478.

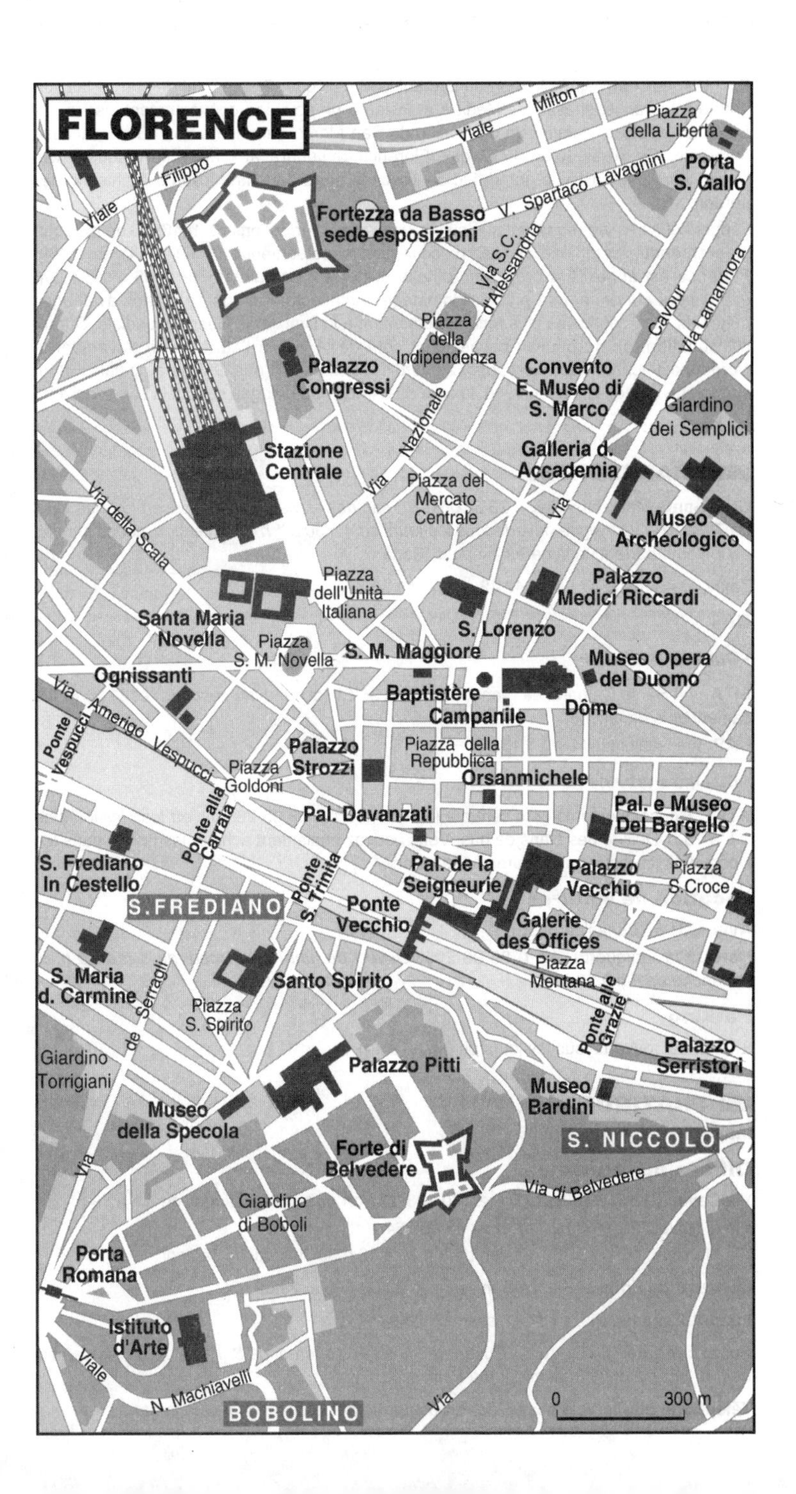
FLORENCE
Viale Milton
Viale Filippo
Piazza della Libertà
Porta S. Gallo
V. Spartaco Lavagnini
Fortezza da Basso sede esposizioni
Via S.C. d'Alessandria
Cavour
Via Lamarmora
Piazza della Indipendenza
Palazzo Congressi
Convento E. Museo di S. Marco
Giardino dei Semplici
Via Nazionale
Stazione Centrale
Galleria d. Accademia
Piazza del Mercato Centrale
Via
Museo Archeologico
Via della Scala
Piazza dell'Unità Italiana
Palazzo Medici Riccardi
Santa Maria Novella
Piazza S. M. Novella
S. Lorenzo
S. M. Maggiore
Museo Opera del Duomo
Ognissanti
Baptistère
Campanile
Dôme
Via Amerigo Vespucci
Ponte Vespucci
Palazzo Strozzi
Piazza della Repubblica
Piazza Goldoni
Orsanmichele
Ponte alla Carraia
Pal. Davanzati
Pal. e Museo Del Bargello
S. Frediano In Cestello
Ponte S. Trinita
Pal. de la Seigneurie
Palazzo Vecchio
Piazza S.Croce
S.FREDIANO
Ponte Vecchio
Galerie des Offices
Piazza Mentana
S. Maria d. Carmine
Santo Spirito
Via de Serragli
Piazza S. Spirito
Ponte alle Grazie
Palazzo Serristori
Giardino Torrigiani
Palazzo Pitti
Museo Bardini
Museo della Specola
S. NICCOLO
Forte di Belvedere
Via di Belvedere
Via
Giardino di Boboli
Porta Romana
Istituto d'Arte
Viale N. Machiavelli
Via
BOBOLINO
0
300 m

En 1494, deux ans après la mort de Laurent le Magnifique, Charles VIII de France fait son entrée à Florence, chasse les Médicis et instaure un nouveau gouvernement inspiré par Savonarole, prieur dominicain de l'église de San Marco qui finira sur le bûcher, accusé d'hérésie. Ce n'est qu'en 1737 que Florence reviendra aux Médicis lorsque, avec l'extinction de la caste, le grand-duc de Toscane entre dans la maison autrichienne des Lorena.

Léopold et sa lignée régneront sur la ville jusqu'aux insurrections de 1848, si l'on excepte, bien entendu, les quinze années d'occupation napoléonienne (1799-1814). En 1860, Florence est annexée au royaume d'Italie et devient sa capitale de 1865 à 1871. Un événement qui entraînera plus de dommages architecturaux que de grands avantages matériels. Ses dégâts les plus récents remontent à la Deuxième Guerre mondiale. Durant l'Occupation, on ne pouvait passer d'un côté de la ville à l'autre qu'en traversant le Corridorio Vasariano (ce *corridorio*, aujourd'hui fermé, part des Offices au palais Pitti et surplombe l'Arno). Enfin, en 1966, la crue de l'Arno endommagea surtout la zone de Santa Croce.

TRANSPORTS

Gare Santa Maria Novella. ✆ 23 52 061. *Bureau des renseignements ouvert tous les jours de 7 h à 21 h. Consigne ouverte tous les jours de 4 h 30 à 1 h 30.* Attention, certains trains pour Rome partent de la gare Campo di Marte.

Taxis. ✆ 43 90 ou 47 98 ou 42 42.

Bus

• Bus extra-urbains

SITA. Via Santa Caterina da Siena, 15/r ✆ 48 36 51 (du lundi au vendredi) et 21 14 87 (le samedi et le dimanche).

CAP. Via Nazionale, 4 ✆ 21 46 37.

• Bus intra-urbains

ATAF. Renseignements gare centrale (à l'extérieur) ✆ 58 05 28. *Ouvert tous les jours de 7 h à 15 h.* Délivre des plans de bus. Vous pouvez également acheter les tickets dans les kiosques à journaux ou les bureaux de tabac.

Location de voitures

Avis ✆ 31 55 88 (à l'aéroport).

Hertz. Via Finiguerra, 17 ✆ 23 98 205. *Ouvert du lundi au samedi de 8 h à 19 h, le dimanche de 8 h à 13 h.*

Parking

En général, ouverts tous les jours de 6 h 30 à 1 h.

PRATIQUE

Indicatif téléphonique : 055

Offices du tourisme

Via Cavour, 12 ✆ 29 08 32 - Fax 27 60 383. Ouvert du lundi au samedi de 8 h à 19 h.

Via di Novoli, 26 ✆ 43 82 111 - Fax 43 83 064.

Via Manzoni, 16 ✆ 23 320. Ouvert de 8 h 30 à 13 h 30 du lundi au samedi.

Consulat de France. Piazza Ognissanti ✆ 23 02 556 et 23 02 536.

Institut français. Piazza d'Ognissanti ✆ 23 98 902.

Poste centrale. Via G. Verdi. *Ouverte du lundi au vendredi de 8 h 15 à 18 h et le samedi de 8 h 15 à 12 h 30.* Egalement Via Pellicceria.

Téléphone public. A la poste, Via Pellicceria *(fermé le dimanche)* ou à la gare.

Police

Questura. Via Zara, 2 ✆ 45 91 23.

Il existe aussi une assistance judiciaire : **SOS Turista**. Via Cavour, 1/r ✆ 27 60 382. *Ouvert d'avril à octobre de 9 h 30 à 13 h et de 15 h à 18 h.*

Banques

Cassa di Risparmio di Firenze. Via de Bardi, 73/r, Via degli Speziali, 16/r, Via de Tornabuoni, 23/r, ou Via dei Servi, 40/r. Distributeurs et service de change.

Banca d'America e d'Italia. Via degli Strozzi, 18. *Ouverte de 8 h 30 à 13 h 20 et de 14 h 45 à 15 h 45.* Service de change et distributeur.

Banca di Roma. Piazza Gaetano Salvemini. Distributeurs (acceptent MasterCard).

Banca Nazionale delle Communicazioni. Ouverte de 8 h 20 à 17 h 30. Fermée le dimanche.

American Express. Via Dante Alighieri, 22/r. Ouvert du lundi au vendredi de 9 h à 17 h 30 et le samedi de 9 h à 12 h 30.

Douches publiques. Bagno S. Agostino. Via San Agostino, 8 ✆ 28 44 82. Ouvertes les mardi et jeudi de 15 h à 18 h et les vendredi et samedi de 8 h à 12 h 30.

HEBERGEMENT

Instituto Gould. Via dei Seragli, 49 ✆ 21 25 76 - Fax 28 02 74. *15 chambres à 48 000/72 000 L environ. Possibilité de réservation. Réception ouverte de 9 h à 13 h et de 15 h à 19 h, tous les jours, sauf le samedi et le dimanche après-midi.* Situé dans un ancien palais doté d'une grande et belle cour, cet hôtel offre incontestablement le meilleur rapport qualité-prix de la ville. Le personnel est toujours charmant, les chambres sont irréprochables. Bref, une excellente adresse dans le quartier de l'Oltrarno !

Soggiorno d'Errico. Via Faenza, 69 (4e étage) ✆ 21 55 31. *55 000/75 000 L.* Sommaire mais correct et agréable.

Locandà Orchidea. Borgo degli Albizi, 11 ✆ 24 80 346. *60 000/90 000 L. Fermé en janvier. Il est recommandé de réserver en haute saison.* Dans un ancien palais du XIIe siècle où naquit la femme de Dante. Les vieux meubles et l'accueil particulier réservé par les propriétaires en font une bonne adresse à des prix tout à fait raisonnables. Atmosphère très agréable. Petit jardin intérieur.

Albergo Merlini. Via Faenza, 56/n (au 3e étage) ✆ 21 28 48. *70 000/100 000 L.* Agréable et propre, avec une terrasse.

Albergo Marini. Via Faenza 56/n ✆ 28 48 24. *60 000/80 000 L.* Chambres blanches et propres tout à fait correctes. Accueil aimable.

Soggiorno Bavaria. Borgo degli Albizi, 26 ✆ 23 40 313. 70 000/90 000 L. Les chambres de cet hôtel du XVe siècle ont été récemment rénovées. On peut se détendre dans le salon à l'étage.

Pensione Azzi (ou Locandà degli Artisti). Via Faenza, 56/n (au 1er étage) ✆ 21 38 06. *70 000/120 000 L. Ouvert de juin à septembre.* American Express, Visa, MasterCard. Une pension très agréable disposant de chambres propres, d'une belle salle à manger et d'une terrasse. Prix raisonnables.

Pensione Kursaal. Via Nazionale, 24 ✆ 49 63 24. *100 000 L, avec le petit-déjeuner.* Accès handicapés. American Express, Visa. Un deux-étoiles à prix raisonnable. Quelques belles chambres.

Confort ou charme

Hôtel Nazionale. Via Nazionale, 22 ✆ 23 82 203. *80 000/120 000 L environ.* Une adresse très sympathique, avec couettes douillettes dans les lits, pour roucouler à des prix raisonnables !

Hôtel Costantini. Via di Calzaiuoli, 13 &/Fax 21 51 28. *16 chambres à environ 100 000 L.* Prix, situation géographique et hygiène sont les principales qualités de cet hôtel.

Albergo La Scaletta. Via Guicciardini, 13 ✆ 28 30 28/21 42 55 - Fax 28 95 62. *130 000/200 000 L.* 11 chambres. Un hôtel silencieux dans un palais du XVe, près des jardins de Boboli. En haut de l'escalier vous attend une vue paradisiaque de la ville.

Nous avons trouvé un hôtel, le **Bodoni** (Via Martire del Popoli, 27, 50122 Florence © 24 07 41/2), qui est à moins de 5 mn du Dôme. L'accueil est décevant et l'ensemble des services passable, mais sa situation est un grand avantage. *Pierre Marcolini, Le Blanc-Mesnil*

Hôtel Morandi alla Crocetta. Via Laura, 50 © 23 44 747 - Fax 24 80 954. *170 000/290 000 L en chambre double.* 10 chambres avec téléphone, télévision, climatisation, réfrigérateur. American Express, Visa, Diner's Club. Près de la place de la Santissima Annunziata. Atmosphère rare et calme pour cet hôtel meublé avec beaucoup de goût.

Hôtel Loggiato dei Serviti. Piazza SS Annunziata, 3 © 28 95 92 - Fax 28 95 95. *230 000/340 000 L.* 29 chambres avec téléphone, télévision, climatisation, réfrigérateur. Garages. American Express, Visa, Diner's Club. Un chef-d'œuvre de bon goût situé sur une des places les plus belles de la ville, dessinée par Brunelleschi, à deux pas du Dôme. L'intérieur est soigné, avec un mobilier ancien.

Hôtel Beacci-Tornabuoni. Via Tornabuoni, 43 © 21 26 45/ 26 83 77 - Fax 28 35 94. *300 000/365 000 L.* 29 chambres avec téléphone, télévision, climatisation, réfrigérateur. Restaurant (*40 000 L*). American Express, Visa. Au troisième étage de la rue la plus élégante de Florence, dans un édifice du XIVe siècle. Enchanteur, le petit-déjeuner sur la petite terrasse donnant sur le Dôme.

Villa Carlotta. Via Michele di Lando, 3 © 23 36 134 - Fax 23 36 147. *270 000/410 000 L.* 32 chambres avec téléphone, télévision, climatisation, réfrigérateur. Parc, parking. American Express, Visa, Diner's Club. Elle est située dans un coin tranquille, sur un chemin de verdure qui mène du Piazzale au belvédère. On peut rejoindre le centre à pied en traversant les jardins de Boboli.

Torre di Bellosguardo. Via Roti Michelozzi, 2 © 22 98 145 - Fax 22 90 08. *480 000 L.* 16 chambres avec téléphone. Parc, garages, parking, piscine, restaurant en été. American Express, Visa, Diner's Club. Une élégante demeure patricienne perchée sur une colline mais à quelques minutes seulement du centre. La suite rose dans la tour, avec 4 fenêtres en direction de chaque point cardinal, occupe deux étages et offre une vue incroyable sur les toits de Florence.

Hôtel Mona Lisa. Via Borgo Pinti, 27 © 24 79 751 - Fax 24 79 755. *300 000/500 000 L.* 30 chambres avec téléphone, télévision, climatisation, réfrigérateur. Parking, jardin. American Express, Visa, Diner's Club. Un joyau de raffinement et d'élégance dans un superbe palais avec un jardin intérieur. Idéal pour une lune de miel...

Hôtel Regency. Piazza Massimo d'Azeglio, 3 © 24 52 47 - Fax 23 46 735. *575 000/715 000 L.* 35 chambres avec téléphone, télévision, climatisation, réfrigérateur. Parc, garages, restaurant. American Express, Visa, Diner's Club. Un «petit grand hôtel», en plein centre, qui ne néglige aucun détail. Chambres de luxe avec un ameublement exceptionnel et des salles de bain en marbre de Carrare. Ici, ont été accueillis Pirandello, Stravinski, De Chirico et Montale.

Auberge de jeunesse

Auberge de jeunesse (Ostello della Gioventù) Villa Camerata. Viale Augusto Righi, 2/4 © 60 14 51 - Fax 61 03 00. *322 lits de 25 000/30 000 L, petit déjeuner inclus. Ouverte de 7 h à 10 h et de 13 h à 23 h 30.* Laverie automatique, restaurant, accès handicapés, parking. A 10 km de l'aéroport Firenze Peretola, 5 km de Santa Maria Novella. Bus à 400 m (15 minutes de la gare).

Pensions

Ostello Santa Monaca. Via Santa Monaca, 6 © 26 83 38/23 96 704 - Fax 28 01 85. *Environ 20 000 L par personne en dortoir. Ouvert de 6 h à 9 h 30 et de 16 h à 0 h 30.* Séjours d'une semaine au maximum. Cuisine, machine à laver. Etant donné les prix pratiqués et la situation, il est vivement conseillé de réserver.

Pensionato Pio X. Via dei Serragli, 106 © 22 50 44. *20 000 L environ par personne.* Séjours de 5 nuits au maximum. Cette pension religieuse est plus calme que les auberges précédemment citées, et les dortoirs sont plus petits (4 à 5 lits par chambre). En revanche, il n'est pas possible de réserver, et c'est souvent complet.

Agriturismo

Agriturismo Le Macine. Vuizzo del Pozzetto, 1, Florence ✆ 055/65 31 089. *Chambres 130 000 L. Ouvert tous les jours.* Dans la plaine de Ripoli, une demeure du XVIIe siècle entourée d'oliviers et d'arbres fruitiers.

Agriturismo I Mori. A Ginestra Fiorentina, Via Maremmana, 22, Lastra a Signa ✆ 055/87 82 76. *Appartements 85 000 L/personne. Ouvert tous les jours.* 10 kilomètres à l'ouest de Florence. Au cœur des Colli Fiorentini, une vieille demeure au mobilier d'époque, pour un séjour reposant et convivial.

RESTAURANTS

Autour des marchés Sant Ambrogio et San Lorenzo (le premier place Ghiberti, le second près de la basilique San Lorenzo), plusieurs restaurants sont ouverts en semaine. On y mange dans le vacarme et dans une bonne ambiance, de façon originale et satisfaisante. De plus, les prix sont raisonnables. Une bonne manière de vous mêler au quotidien des Florentins.

Trattoria Mario. Via Rosina, 2/r (près du Mercato Centrale). *20 000 L environ. Ouverte du lundi au samedi.* Remplie à midi. Bon rapport qualité-prix.

Trattoria Zà-Zà. Piazza del Mercato Centrale, 26/r ✆ 21 54 11. *Ouverte du lundi au samedi.* Une trattoria bien sympathique. Spécialité de soupes.

Une trattoria familiale, la **trattoria Dante, Via G. da Verrazano, 5/r, 50135 Florence ✆ 055/ 24 45 28,** à 2 mn de l'église Sainte-Croix. L'accueil y est chaleureux et la cuisine simple et délicieuse. *Pierre Marcolini, Le Blanc-Mesnil*

La Mescita. Via degli Alfani, 70/r ✆ 29 64 00. *Environ 25 000 L. Fermé dimanche et en août.* Ce bistrot à vin, très fréquenté à l'heure du déjeuner, est une pause idéale pour qui, se baladant dans le centre, n'a pas envie de trop s'attarder dans un restaurant ni de manger un sandwich debout. Tartines avec fromage, roast-beef et salades. Très bon rapport qualité-prix.

La Casalinga. Via dei Michelozzi, 9/r ✆ 21 86 24. *Environ 25 000/35 000 L. Fermé le dimanche et 15 jours en août.* A droite de l'église Santo Spirito, voilà un restaurant rustique et honnête où le touriste se mêle facilement aux Florentins.

Il Giardino. Via della Scala, 61/r ✆ 21 31 41. *30 000 L environ. Fermé le mardi et du 15 juillet au 15 août.* Aux beaux jours, service dans le jardin. Bonnes pâtes.

Acqua al Due. Via della Vigna Vecchia, 38/r ✆ 28 41 70. *Compter 35 000/40 000 L. Fermé le lundi et 15 jours en août. Réservation conseillée.* Climatisation. American Express, Visa. Atmosphère assez jeune, quoique le décor soit un peu austère. Une cuisine à apprécier pour ses spécialités : gnocchi au radis, riz à la sauce verte, différentes salades et nombreuses pâtisseries.

Trattoria del Carmine. Piazza del Carmine, 18/r ✆ 21 86 01. *Environ 32 000 L. Fermé le dimanche et 15 jours en août. Réserver.* Le *bistecca alla florentina* est excellent, les antipasti et les pâtisseries aussi. Au printemps et en été, on mange dehors, avec vue sur l'église. Correct pour le prix.

Ristorante dei Latini. Via Palchetti, 6/r ✆ 21 09 16. *35 000/50 000 L. Fermé le lundi, à Noël et à l'Epiphanie. Réservation obligatoire.* 100 couverts. Climatisation. American Express, Visa, Diner's Club. Endroit très à la mode, installé dans l'ancien palais Rucellai. Il faut dire que la famille Latini, qui sévit depuis trois générations à Florence, commence à être connue. Attention cependant à ne pas s'endormir sur ses lauriers...

Osteria del Cinghiale Bianco. Borgo San Jacopo, 43 ✆ 21 57 06. *30 000/50 000 L. Fermé le mardi et le mercredi. Réservation conseillée.* Un restaurant accueillant et très bien situé, où la cuisine est délicieuse. Spécialité de sanglier.

Sostanza detto il Troia. Via della Porcellana, 2 ✆ 21 26 91. *Entre 45 000 et 60 000 L. Fermé les samedi, dimanche et jours fériés.* Conçu il y a cent ans comme un restaurant populaire, il a fini par attirer une clientèle plus «chic», sans pour autant changer d'ambiance. Cuisine toscanissime, honorée dans le passé par d'illustres hôtes tels que Chagall, Steinbeck, Pound...

Antico Fattore. Via Lambertesca, 1 © 23 81 215. *Entre 35 000 et 60 000 L. Fermé le dimanche, le lundi, et en août.* Bien situé dans le centre-ville, entre le Ponte Vecchio et la Piazza Signoria, ce restaurant appartient à la tradition florentine : on y mange et on y discute toscan. Apprécié de Montale et de Quasimodo, il accueille au mois de juin un prix littéraire.

Da Gannino. Piazza dei Cimatori, 4 © 21 41 25. *50 000 L environ. Fermé le dimanche et en août. Réservation obligatoire.* Cuisine traditionnelle et authentique, avec un service de qualité, dans une ambiance style vieille auberge.

Coco Lezzone. Via Parioncino, 26/r © 28 71 78. *45 000/80 000 L. Fermé le dimanche, le mardi soir, en août et à Noël.* 60/80 couverts. Ce restaurant est considéré comme un monument de la cuisine italienne. On y mange les spécialités locales dans une ambiance chaleureuse (il faut dire que la promiscuité est de mise, compte tenu de la largeur du local). Clientèle plutôt branchée en quête de populaire...

Il Cibreo. Via dei Macci, 118/r © 23 41 100. *80 000/95 000 L. Fermé le dimanche, le lundi, du Jour de l'An à l'Epiphanie, et en août. Réservation obligatoire.* 50 couverts. Jardin, climatisation. American Express, Visa, Diner's Club. Restaurant chef de file dont l'exemple a même été suivi au Japon. Fabio et Benedetta Picchi réussissent, avec une série d'inventions culinaires, à faire oublier les classiques hors-d'œuvre italiens. Le pain fait maison est à se damner ! Pour les moins fortunés, Cibreo a également prévu un restaurant à l'angle de la même rue (*28 000 à 30 000 L le repas*) ainsi qu'un bar surtout fréquenté au déjeuner (*fermé le dimanche et le lundi*).

La Capannina di Sante. Piazza Ravenna © 68 83 43. *60 000/95 000 L. Fermé le dimanche et à midi (sauf sur réservation). Réservation obligatoire.* 45/80 couverts. Climatisation, jardin. American Express, Visa, Diner's Club. C'est le temple du poisson, toujours très frais, où officie Sante, ancien pêcheur, dont le savoir-faire est connu de tous. Terrasse en été. Bons vins.

Sabatini. Via Panzani, 9/a © 21 15 59/21 02 93. *105 000/150 000 L. Fermé le lundi, ouvert tout l'été. Réservation obligatoire.* 180 couverts. Jardin, climatisation. American Express, Visa, Diner's Club. Un autre «classique» de Florence. Après un grand boom dans les années 70, il a aujourd'hui une annexe à New York. Cuisine internationale et toscane personnalisée. Fraîcheur dans le jardin, en été.

Enoteca Pinchiorri. Via Ghibellina, 87 © 24 27 77. *190 000/230 000 L. Fermé le dimanche, le lundi à midi, en août, en février, à Noël et au Jour de l'An. Réservation obligatoire.* 80 couverts. Climatisation, jardin, cour intérieure. American Express, Visa. L'un des plus célèbres restaurants d'Italie, il réussit à susciter des émotions aussi originales qu'exquises. Sa cave est célèbre dans le monde entier. Un menu de dégustation est proposé à midi.

SORTIR

Florence, ville de places et de ruelles, vit surtout en plein air. Bars, pâtisseries, cafés, marchands de glaces et autres lieux de restauration jalonnent les itinéraires quotidiens, de jour comme de nuit, et font partie du patrimoine de chaque Florentin. Chercher un bar où sacrifier au rite national du «cappuccino et croissant» est une des manières les plus agréables de se familiariser avec la ville.

Parmi les plus connus, le **Doney,** au 16-19 Via Tornabuoni, point de ralliement de la jeunesse florentine au XIXe, avec une ambiance fin de siècle qui plaît. A deux pas, dans la même rue (au n° 83), son concurrent, **Giacosa,** est célèbre pour ses marrons glacés. C'est ici que le comte Camillo Negroni inventa le «cocktail» pour apéritif. Peu d'endroits peuvent rivaliser avec **Procacci** (n° 64) où, depuis 1885, on perpétue le rite du petit blanc et des petits fours à la truffe. Tout près, sur la place Signoria, toujours très pleine, **Rivoire** est installé depuis 1882. Café, pâtisserie, salon de thé et infatigable «usine» à chocolats, plus particulièrement les succulents *alla panna* (avec crème).

Les cafés «d'antan» sont situés Piazza della Repubblica. Côte à côte, **Paszkowski, Gilli, Donnini** et **Giubbe Rosse**, célèbre café littéraire des années 30.

Pour un café après dîner, on peut aller à la **Dolce Vita**, lieu de rendez-vous de la jeunesse florentine, Piazza del Carmine, 12, ou au **Caffè**, Piazza Pitti, avec tables en plein air.

Sinon le **Jazz Club**, Via Nuova dei Caccini, 3 (*ouvert du 21 septembre au 14 juillet*), propose des concerts de jazz en live. Pour un peu plus d'ambiance mais dans un genre moins chic, dirigez-vous vers Santo Spirito où, en été, il y a toujours beaucoup de monde sur la place.

Quant aux petits futés en manque de bière, ils trouveront leur bonheur au **Fiddlers Elbow**, Piazza Santa Maria Novella (*fermé le mercredi*), où l'on propose Guinness et autres bières.

Le Rockafé. Borgo Albizi, 66/r ✆ 24 46 62. *Tous les soirs de 22 h à 3 h. Entrée autour de 20 000 L.* On peut y entendre certains des meilleurs groupes rock italiens.

MANIFESTATIONS

Le calendrier des manifestations florentines est chargé mais souvent imprévisible. Aux traditionnels rendez-vous, il faut ajouter une bonne liste d'expositions et de manifestations culturelles qui diffèrent selon les années. S'informer à l'APT.

Mars : mode, haute couture et prêt-à-porter avec défilés au Palazzo Pitti.

Avril : le jour du Samedi saint, Lo Scoppio del Carro (littéralement : l'éclatement du char), manifestation de bon présage avec un défilé de chars traînés par des bœufs, en face du Dôme. L'exposition de l'artisanat et celle des fleurs restent à l'affiche les deux mois suivants.

Mai : Festa del Grillo (fête du grillon) aux Cascine (près du marché) pour le jour de l'Ascension - Exposition florale en hommage à l'iris, pour fêter le lys, symbole de la ville - Fête du football en costumes Renaissance (1er dimanche du mois) - Maggio Musical Fiorentino (mai musical florentin) avec opéras, concerts et ballets programmés jusqu'à la fin du mois de juin.

Juin : Festa de San Giovanni Battista (fête de saint Jean Baptiste, le patron de la ville), avec feux d'artifice, le 24, et la seconde, et la plus importante, partie de football en costumes Renaissance, Piazza della Signoria.

Septembre : Naissance de la Vierge, le 7. Des enfants se promènent dans la ville avec des lanternes colorées qu'ils portent, le lendemain, en procession, du Dôme à l'église Santa Annunziata - Exposition du marché de l'antiquité à la fin du mois (les années impaires), tandis que le 29 se déroule la Foire degli Uccelli (des oiseaux).

Octobre : défilés de mode d'hiver au Palazzo Pitti.

Décembre : Festival dei Popoli (des peuples), manifestation internationale du cinéma.

POINTS D'INTERET

Florence a un seul handicap : l'afflux considérable des touristes. Aucun moyen d'y couper, surtout les week-ends où la ville est surpeuplée. Il est conseillé de la visiter à pied ou à vélo (location de mars à septembre, de 8 h à 20 h, à Porta Romana, Fortezza da Basso ou Palazzo Pitti). Si l'on est en voiture, mieux vaut la laisser dans un des parkings payants le long des rues qui encerclent le centre (le principal est situé Fortezza da Basso), d'où une navette se rend aux portes du Dôme en 15 minutes). Le centre est fermé aux voitures les jours fériés de 7 h 30 à 18 h 30. L'accès est consenti seulement à ceux qui, immatriculés à l'étranger ou ailleurs qu'à Florence, doivent déposer leurs bagages à l'hôtel.

Collection d'Art du Palazzo Pitti. Palazzo Pitti ✆ 21 03 23. *Ouvert de 9 h à 14 h et de 9 h à 13 h les jours fériés. Fermé le lundi.* Le palais fut commencé en 1458 sur des plans du Brunelleschi, comme on le suppose. Agrandi par étages, outre la Galerie Palatina (*entrée 12 000 L*) où sont exposés des chefs-d'œuvre du XVIe siècle italien (surtout Titien et Raphaël), il accueille aujourd'hui la Vénus de Canova, des tableaux de Rubens, Andrea del Sarto, Vélasquez, Caravage, Van Dyck, Beccafumi et Bronzino. Dans le même bâtiment se trouve également le musée de l'Argent (*entrée 8 000 L*), avec des trésors en tout genre (dont une superbe collection de vases antiques) ayant appartenu aux Médicis et aux Lorena. La Galerie nationale d'Art moderne (*entrée 4 000 L*) au 2e étage, offre une belle vue sur la ville et propose des peintures des Macchiaioli (les tachistes) dans les salles XXIII - XXV.

Galerie de l'Académie (Galleria dell'Accademia). Via Ricasoli, 60 ✆ 21 43 75. *Ouverte de 9 h à 19 h en été et de 9 h à 14 h en hiver, le dimanche et les jours fériés. Fermée le lundi. Entrée : 12 000 L.* Depuis 1764, c'est le siège des académies florentines de dessin mais pour le touriste, c'est surtout l'étape signée Michel-Ange. En effet, tout s'efface devant la splendeur du David, sculpté par le maître à 25 ans, et des *Quatre Prisonniers* de la salle II (deux autres se trouvent au Louvre).

Florence - Galerie des Offices

Galerie des Offices

(Galleria degli Uffizi). Piazzale degli Uffizi, 6 ✆ 21 83 41. *Ouverte de 9 h à 19 h et de 9 h à 14 h les dimanches et jours fériés en été, et de 9 h à 13 h en hiver. Fermée le lundi. Entrée : 12 000 L.* Dessinée par Vasari en 1560, la galerie des Offices fait partie des plus beaux musées du monde et possède la plus importante collection de peinture de la Renaissance. Malheureusement, la bombe qui éclata à cet endroit en 1993 détruisit des œuvres majeures, et, depuis, de nombreuses salles n'ont pas été rouvertes. L'édifice, prolongé par un couloir reliant sur un kilomètre le Palazzo Vecchio au Palazzo Pitti (construit au-dessus du Ponte Vecchio), est immense, et une première visite pourra difficilement suffire. Le mieux est de se diriger immédiatement vers les salles où sont exposés les tableaux qui vous intéressent le plus. Attention, le dimanche est un jour à éviter !

Les œuvres sont exposées par ordre chronologique, le long des deux ailes, dans les 45 salles du musée.

Dans les salles 2 et 3, on trouve principalement de la peinture italienne du XIIIe et XIVe siècles, avec des chefs-d'œuvre tels que la *Madonna di Santa Trinita* de Cimabue, la *Madonna Rucellai* de Duccio, la *Madonna d'Ognissanti* et le *Polittico di Badia* de Giotto, l'*Annunciazione* de Simone Martini. Pour la période de la Renaissance, il convient de monter au premier étage pour visiter les salles 7 à 15. Dans la salle 7, sont exposées des œuvres de Masolino, Masaccio, Beato Angelico, Piero Della Francesca, Paolo Uccello. Salle 8 : Filippo Lippi. Salle 9 : les frères Pollaiolo et des œuvres de jeunesse de Botticelli, qui triomphe surtout dans les salles 10 à 14 avec la *Primavera* (le Printemps), la *Nascita di Venere* (la Naissance de Vénus), l'*Adorazione dei Magi* (l'Adoration des Mages). Dans la même salle : le *Trittico Portinari* du Flamand Hugo van der Gœs. Salle 1 : Léonard de Vinci avec l'*Annunciazione* et l'inachevée *Adorazione dei Magi*. Salle 1 : la *Tribuna*, sur un dessin de Buontalenti, avec la *Venere dei Medici* (la Vénus des Médicis). Copie romaine du IVe siècle av. J.-C., symbole érotique pour de nombreuses générations, elle fut «empruntée» par Napoléon. Salle 20 : Dürer. Salle 21 : Bellini et la peinture vénitienne. Salle 23 : deux splendides Mantegna. Salle 25 : Rosso Fiorentino et le Tondo Doni de Michel-Ange. Salle 26 : Andrea del Sarto et Raphaël. Salle 28 : la Vénus d'Urbino et autres chefs-d'œuvre de Titien. Salle 29 : le Parmesan. Le Corridorio *Vasariano se visite sur rendez-vous du mardi au samedi à 9 h 30* (✆ **21 83 41**). Salle 35 : le Tintoret. Salle 41 : Rubens et Van Dyck. Salle 43 : Caravage. Salle 44 : Rembrandt. Salle 45 : Tiepolo, Canaletto et Goya.

Galerie de l'Hôpital des Innocents (Ospedale degli Innocenti). *Ouverte de 8 h 30 à 14 h en semaine, et de 8 h à 13 h le dimanche. Fermée le mercredi. Entrée : 4 000 L.* Expose des œuvres de Ghirlandaio et Botticelli.

Musée des Chapelles Médicis (Capelle Medicee). Piazza Madonna degli Aldobrandini, 6 © 21 32 06. *Ouvertes de 9 h à 14 h (13 h les jours fériés). Fermées le lundi. Entrée : 10 000 L.* Ce musée fait partie de la structure de l'église San Lorenzo, mais il a une entrée à part. Les chapelles sont encore sous le signe de Michel-Ange, qui eut l'idée de la sacristie nouvelle et sculpta les deux fantastiques groupes de marbre qui s'y trouvent : la tombe et la statue de Laurent, duc d'Urbino, surnommé, pour sa pose, «le *Penseur*». A ses pieds on peut voir deux figures représentant l'Aurore et le Crépuscule, ainsi que la tombe de Julien, duc de Nemours, fils du Magnifique, avec sa statue et deux figures représentant le Jour et la Nuit.

Musée de San Marco. Piazza San Marco, 3 © 21 07 41. *Ouvert de 9 h à 14 h (13 h le dimanche et jours fériés). Fermé le lundi. Entrée : 8 000 L.* Ce musée possède les principales œuvres de Fra Angelico. L'endroit, agrandi au XVe siècle par Cosme de Médicis et aujourd'hui restauré, est particulièrement bien choisi puisqu'il s'agit de l'ancien couvent des Dominicains. Beato Angelico, frère dominicain, y œuvra quotidiennement afin de réaliser les fresques des 44 cellules du couvent. Le musée fut constitué en 1869, et on commença à recueillir tableaux et œuvres de l'artiste. On y entre presque sur la pointe des pieds. Dans la simplicité quelque peu austère de cette architecture rigoureuse du XVe siècle, les œuvres - notamment l'*Annonciation*, la *Crucifixion* - trouvent tout naturellement leur place.

Musée de l'Œuvre de Santa Croce (Museo dell'Opera di Santa Croce). Piazza Santa Croce, 16 (entrée à droite de l'église) © 24 46 19. *Ouvert tous les jours de 10 h à 12 h 30 et de 14 h 30 à 18 h 30 en été, et de 10 h à 12 h 30 et de 15 h à 17 h en hiver. Fermé le mercredi. Entrée : 3 000 L.* Crucifix de Cimabue et œuvres de Donatello et Taddeo Gaddi.

Musée archéologique. Via della Colonna, 36 © 24 78 641. *Ouvert de 9 h à 14 h (13 h le dimanche et jours fériés). Fermé le lundi. Entrée : 8 000 L.* Un très important musée archéologique, surtout en ce qui concerne l'art étrusque (mais la collection gréco-romaine est également très belle), situé tout à côté de la Piazza delle Santissima Annunziata. On y verra des vases avec des motifs noirs, des sculptures tombales et des bronzes étrusques. La collection égyptienne, fruit des fouilles franco-toscanes, est également à voir.

Musée national du Bargello. Via del Proconsolo, 4 (entre la cathédrale et la Piazza della Signoria) © 21 08 01. *Ouvert de 9 h à 14 h (13 h le dimanche et les jours fériés). Fermé le lundi. Entrée : 8 000 L.* On y trouve la plus impressionnante collection de sculpture florentine de la Renaissance. Le musée, assez vaste, abrite le *David* de Donatello, le David de Verrocchio, le *Brutus* en buste, le Bacco et le *Tondo Pitti* de Michel-Ange, une collection des œuvres de Cellini, dont le bas-relief en bronze du Persée, ainsi que des œuvres de Luca Della Robbia, de Brunelleschi et de Ghiberti.

Museo dell'Opera del Duomo (musée de l'Œuvre). Piazza del Duomo, 9 © 21 32 29. *Ouvert de 9 h à 18 h 50 en été (1er mars au 31 octobre) et de 9 h à 17 h 20 en hiver. Fermé le dimanche et les jours fériés. Entrée : 8 000 L.* Il se trouve à l'intérieur de la cathédrale de Santa Maria del Fiore. Fondé il y a cent ans, ce musée accueille la Pietà inachevée de Michel-Ange (qui la mutila à cause d'une imperfection du marbre) et les *Cantorie* de Luca Della Robbia et de Donatello.

Museo di Storia della Fotografia F. lli Alinari (Histoire de la photographie des frères Alinari). Palazzo Rucellai. Via della Vigna Nuova, 16 © 21 33 70. *Ouvert de 10 h à 19 h 30 (10 h à 23 h 30 le vendredi et le samedi). Fermé le mercredi.* Ce musée de la photo, unique en Italie, reconstitue toute l'histoire de «la chambre obscure» italienne. Il est logé dans le Palazzo Rucellai, chef-d'œuvre de l'architecte Alberti, dont on admirera la façade raffinée. Les splendides photos couleur sépia des frères Alinari ressuscitent le visage perdu de la Florence du XIXe siècle. Par ailleurs, d'importantes expositions temporaires de photos ont lieu dans le bâtiment.

Musée Stibbert. Via Stibbert, 26. *Ouvert de 9 h à 14 h et de 9 h à 12 h 30 le week-end. Fermé le jeudi.* Importante collection d'armures et d'armes anciennes ainsi que d'objets antiques du monde entier.

Musée Horne. Via de Benci, 6. Ouvert de 9 h à 13 h. *Fermé le dimanche et les jours fériés.* Intéressante collection de tableaux de la Renaissance rassemblée par le Londonien Herbert Percy Horne, qui vécut à Florence. On retrouve des œuvres de Giotto, Filippino Lippi, mais aussi des esquisses, notamment du Bernin.

Casa Buonarotti. Via Ghibellina, 70. *Ouverte de 9 h 30 à 13 h 30. Fermée le mardi. Entrée : 8 000 L.* Michel-Ange s'y installa à la fin de sa vie. Aujourd'hui, la maison est transformée en petit musée à la mémoire de l'artiste.

Musée «Firenze com'era» (Florence telle qu'elle était). Via dell'Orinolo, 4. *Ouvert de 9 h à 14 h et de 8 h à 13 h le week-end. Fermé le jeudi. Entrée : 5 000 L.* Le développement de la ville à travers des gravures, des cartes géographiques et des photos.

Museo di Storia della Scienza (musée de l'Histoire de la Science). Piazza dei Giudici, 1 © 29 34 93. *Ouvert de 9 h 30 à 13 h et le lundi, mercredi et vendredi de 9 h 30 à 13 h et de 14 h à 17 h. Fermé le dimanche et jours fériés. Entrée : 10 000 L.* Avec une partie consacrée à Galilée.

Musée du Palazzo Vecchio. Palazzo Vecchio © 27 68 465. *Ouvert de 9 h à 19 h et le dimanche de 8 h à 13 h. Fermé le jeudi. Entrée : 10 000 L.* Le Palazzo Vecchio, qui fut construit entre 1298 et 1314 sur l'initiative d'Arnolfo di Cambio, abrite des œuvres de Michel-Ange, Vasari, Ghirlandaio, Verrocchio, Bronzino. A droite du palais, la Loge de la Seigneurie (Loggia delia Signoria) abrite le Persée de Cellini et le Rapt des Sabines de Giambologna. Devant le palais, la copie du *David* à gauche, la statue équestre de Giambologna et la fontaine Neptune d'Ammanati.

Les Cenacoli. Les Cenacoli (réfectoires des couvents) représentent une alternative insolite aux musées traditionnels. Ils étaient décorés de fresques représentant la Cène. Voici les quatre principales : au 42, Borgo Ognissanti, celle de Ghirlandaio (1449-1494) ; Via Salvi, 16, l'autre grande œuvre d'Andrea del Sarto ; Via XXVII Aprile, 1, la fresque d'Andrea del Castagno ; Via Faenza, 42, la dernière Cène attribuée au Pérugin.

Près de la gare

La place Santa Maria Novella, endroit magique, présage du reste de la visite quand on arrive à Florence par le train. Face à l'église, les dix arcades de la loggia di San Paolo surmontées de médaillons d'Andrea Della Robbia forment un ensemble harmonieux.

Eglise de Santa Maria Novella © 21 01 13. *Ouverte de 7 h à 11 h 30 et de 15 h 30 à 18 h.* Commencée en 1246 et achevée en 1360, cette église a un style architectonique, à mi-chemin entre le gothique français et le gothique italien. La façade, merveilleuse, est de Léon Baptiste Alberti (1456). A l'intérieur, on admirera plus particulièrement les fresques de la *Trinità* de Masaccio, dans lesquelles on peut observer les prémices de la perspective, celles de Ghirlandaio et de Filippo Lippi, saisissantes de vérité, les *Crucifix* de Giotto et celui, superbe, de Brunelleschi.

Il faut voir également les **cloîtres monumentaux** (*ouverts de 9 h à 14 h, dimanche et fêtes de 8 h à 13 h ; fermés le vendredi*), dont l'architecture est de Capellone degli Spagnoli et les fresques de Paolo Uccello.

Autour de la Piazza San Lorenzo

Eglise de San Lorenzo. Piazza di San Lorenzo © 21 66 34. *Ouverte de 7 h à 12 h et de 15 h 30 à 18 h 30.* Dessinée par Brunelleschi, San Lorenzo (1442-1446), ancienne paroisse des Médicis, a une façade sobre, presque brute, avec, à l'intérieur, trois nefs d'une extraordinaire harmonie signées Donatello, Rosso Fiorentino et Filippo Lippi. De là, on accède à la vieille sacristie, chef-d'œuvre de Brunelleschi et œuvre majeure de la Renaissance, décorée par Donatello. Tout simplement superbe ! Donatello repose dans son cloître. Il ne faut pas manquer la visite du musée des Chapelles Médicis (voir plus haut).

Bibliothèque Mediceo-Laurenziana © 21 07 60. *Ouverte du lundi au samedi de 9 h à 13 h.* Fondée par Cosme l'Ancien, elle est installée dans un édifice dessiné par Michel-Ange. Elle abrite un nombre considérable de manuscrits anciens, à faire rêver Umberto Eco !

Palais Medici-Riccardi. Via Cavour, près de San Lorenzo. *Ouvert de 9 h à 13 h et de 15 h à 18 h, de 9 h à 13 h les jours fériés. Fermé le mercredi.* Réalisée au XVe siècle par Michelozzo, cette sobre demeure aux fenêtres dessinées par Michel-Ange et au style architectural nouveau pour l'époque, abrita pendant quelque temps la famille Médicis. Elle est aujourd'hui le siège de la préfecture.

Piazza Santissima Annunziata

Au centre de cette place élégante entourée d'arcades se dresse la statue de **Ferdinand de Médicis.**

Hôpital des Innocents. C'est l'un des témoignages les plus représentatifs de la période humaniste à Florence. La loggia, conçue au XVe siècle par Brunelleschi, porte huit médaillons d'Andrea Della Robbia (voir aussi la galerie plus haut).

Eglise della Santissima Annunziata. Erigée au XIIIe siècle, elle fut remaniée au XVe. Dans le petit cloître dei Volti, on peut admirer des superbes fresques, dont celles d'Andrea del Sarto. Intérieur baroque.

Place du Dôme ou Santa Maria del Fiore

De ce point central de la ville démarrent toutes les rues principales, toujours très peuplées.

La cathédrale Santa Maria del Fiore (il Duomo). *Ouverte de 9 h 30 à 18 h.* Commencés en 1296 par Arnolfo di Cambio, les travaux furent repris et amplifiés par Talenti. La façade, médiocre, est une œuvre du XIXe siècle due à De Fabris (l'originale, inachevée, était de style gothique florentin). En revanche, la coupole révolutionnaire octogonale de Brunelleschi (1420-1436) est absolument exceptionnelle. De 55 m de diamètre et 110 m de hauteur, cette coupole, dite à double paroi, ne nécessita pas d'échafaudages pour sa construction car l'agencement des briques leur permettait de soutenir leur propre poids (*ouverte du lundi au vendredi de 8 h 30 à 18 h et le samedi de 8 h 30 à 17 h, sauf les premiers samedis du mois ; fermée le dimanche*). L'intérieur, composé de trois nefs, abrite des œuvres de Paolo Uccelo et de Donatello. On y trouve également le musée de l'Œuvre (voir plus haut). A côté de l'église, le campanile de Giotto (*ouvert de 9 h à 17 h 30 en hiver et jusqu'à 18 h 30 du 1er avril au 31 octobre*), auquel mènent 416 marches, offre une vue inoubliable sur la ville.

Baptistère. *Ouvert de 13 h 30 à 16 h 30 et le dimanche de 9 h à 13 h.* Revêtu de marbre dans les années qui suivirent l'an mille, c'est le monument le plus ancien de Florence (IVe-Ve siècle après J.-C.). Les trois portes en bronze doré d'Andrea Pisano (porte sud, 1330) et de Lorenzo Ghiberti (porte nord, 1403-1424 ; porte est ou porte du Paradis, 1452) sont très célèbres. A l'intérieur, on peut voir des mosaïques du XIIIe siècle florentin signées Donatello.

Piazza della Repubblica et Via dei Calzaiuoli

Sur cette place où se tenait autrefois le marché, s'alignent désormais les cafés les plus célèbres de la ville, dont le fameux Gilli.

Orsa San Michele. Via de Calzaiuoli. *Ouvert tous les jours de 9 h à 12 h et de 16 h à 18 h. Entrée gratuite.* Cette construction intéressante, qui date de 1337, était à l'origine un grenier à blé. Mais que sont les nourritures terrestres à côté de celles de Dieu... L'endroit fut donc transformé en église. A l'intérieur, on trouve des statues exécutées par les plus grands : Ghiberti, Verrochio, Brunelleschi, etc., mais surtout le célèbre tabernacle d'Andrea Orcagna.

Piazza della Signoria

C'est l'endroit le plus important de Florence depuis des siècles, en particulier d'un point de vue politique (Savonarole, en 1497, y dressa le bûcher des vanités destiné à brûler les œuvres hérétiques, sans se douter que, l'année suivante, il périrait par le feu au même endroit). Sur la place se dressent le Palazzo Vecchio (Vieux Palais, dit aussi de la Seigneurie), l'un des plus beaux exemples d'architecture publique médiévale (1299-1314), dont se détachent les 94 mètres de la tour d'Arnolfo (vue sur la ville, avec accès à la salle dei Gigli).

Via Tornabuoni et Piazza Santa Trinità

La **Via Tornabuoni** est une des rues les plus élégantes de Florence, bordée de palais construits entre le XVe et le XIXe siècle.

Palais Strozzi. Via Tornabuoni. *Ouvert les lundi, mercredi et vendredi de 10 h à 19 h.* Beau et imposant palais du XVe, symbole de la richesse de Florence à cette époque.

En descendant la Via Tornabuoni, on arrive **Piazza Santa Trinità** (*ouverte de 7 h à 12 h et de 16 h à 19 h*) sur laquelle se dressent les **palais Bartolini-Salimbeni** et **Spini-Ferroni**. Quant à l'église **Santa Trinità**, c'est une des plus anciennes églises de Florence (XIe siècle) dont la façade baroque date de 1594. L'intérieur, plus sobre, contient des œuvres de Ghirlandaio, Lucca Della Robbia et Lorenzo Monaco.

Piazza Santa Croce

C'était, au XIVe siècle, le lieu des réunions populaires mais aussi le terrain de *calcio fiorentino* (le football de la Renaissance). Ce quartier fut un des plus dévastés lors de la crue de 1966 qui inonda toutes les boutiques des artisans.

Eglise de Santa Croce. Piazza Santa Croce © 24 46 19. *Ouvert de 8 h à 18 h 30 (interruption le dimanche de 12 h 30 à 15 h).* Symbole de la Florence de la Renaissance commencé en 1294 par Arnalfo di Cambio. L'intérieur de l'église, à trois nefs, abrite les tombes de Michel-Ange, Vasari, Galilée, Machiavel, Alfieri, Canova et Foscolo, l'Annonciation de Donatello, les fresques de Giotto dans les chapelles Bardi et Peruzzi, ainsi que de nombreuses autres œuvres. A ne pas manquer : la chapelle Pazzi, de Brunelleschi, l'un des plus hauts exemples de l'architecture Renaissance, d'où se dégage une incroyable sérénité.

Le Ponte Vecchio

Comme Venise a son pont des Soupirs, Florence a son Ponte Vecchio. Vous irez donc soupirer sur le Ponte Vecchio (la foule de touristes qui l'envahit régulièrement vous y aidera). Ce pont fut construit en 1345, sur un autre qui existait déjà en 996. C'est dire s'il porte bien son nom... On y trouve d'anciennes boutiques de tanneurs consacrées aujourd'hui à l'orfèvrerie.

De l'autre côté de l'Arno

Eglise de Santo Spirito (1444-1487). Piazza Santo Spirito. *Ouverte de 8 h 30 à 12 h et de 16 h à 17 h. Fermée le mercredi.* Elle se trouve de l'autre côté de l'Arno, sur une des plus belles places de Florence où se retrouvent les jeunes de la ville. Façade nue (l'architecte Brunelleschi étant mort avant de l'avoir décorée), et intérieur splendide avec des fresques de peintres du XVe siècle florentin.

Eglise Santa Maria del Carmine. Cette église médiévale, refaite au XVIIe, est surtout connue pour sa chapelle Brancacci (*ouverte en été de 10 h à 17 h et de 13 h à 17 h le dimanche ; fermée le mardi).* Celle-ci est décorée de fresques représentant le summum de l'art de Masaccio. Depuis leur récente restauration, ces fresques sont encore plus splendides.

Il Viale dei Colli

Cette route qui mène à l'autre rive de l'Arno conduit à l'église San Miniato al Monte (*ouverte en été de 8 h à 12 h et de 14 h à 19 h et en hiver de 8 h à 12 h et de 14 h 30 à 18 h*), laquelle marque l'apogée de l'architecture romane florentine. La balade est parmi les plus belles du pays, avec une halte obligatoire sur la Piazzale Michelangelo (une des vues sur la ville sans doute les plus photographiées).

Jardin des Boboli. Piazza Pitti © 21 34 40. *Ouvert de 9 h au coucher du soleil.* Fermé le lundi. Le plus grand et le plus agréable des jardins toscans, et la grande bouffée d'air «vert» de la ville.

■ SHOPPING

Florence est une des capitales italiennes de la mode et de l'artisanat. Ce qui ne veut pas dire pour autant que les prix y soient avantageux. *Les magasins sont ouverts de 9 h à 13 h et de 15 h 30 à 19 h 30, fermés le lundi matin. En été, c'est le contraire : fermés le samedi pour la plupart, ils restent ouverts le lundi.*

Pour un shopping de mode et de luxe, outre la Via Tornabuoni, la Via de Calzaiunoli, la Via de Cerretani, la Via Roma et la Via Calimala sont parfaites. De même, de l'autre côté du pont de l'Arno, la Via Guicciardini et le Borgo San Jacopo.

Côté habillement, nous vous conseillons, pour la soie, **Emilio Pucci, Via dei Puci, 6**. Le Ponte Vecchio abonde en bijouteries, les meilleures étant aux numéros 8, 14, 19, 28 et 44/46.

La **parfumerie-pharmacie de Santa Maria Novella, Via della Scala, 16**, ouverte depuis 1612, est une merveilleuse halte : les casiers, datant du XIXe, sont emplis de lotions, de flacons d'essences, d'huiles et d'herbes diverses ainsi que de liqueurs, toutes préparées selon des recettes d'antan. Le pot-pourri est superbe. Ce lieu est splendide, aussi inattendu que fascinant, et il est dommage que les photos y soient interdites. On peut demander conseil pour assortir une eau de toilette à son type de peau (mate ou plus claire), à sa couleur de cheveux et à son âge. Les produits sont d'une très grande qualité et, bien entendu, naturels.

Glaces et autres gourmandises

Pour une bonne glace, il faut se diriger **vers la Piazza Santa Croce, chez Vivoli** (*fermé en août*), dans Via Isole delle Stinche, 7 (donnant sur la Via Ghibellina). C'est l'un des glaciers les plus appréciés du pays. Peu de chichi mais beaucoup de vraies glaces (avec produits frais). Si vous errez désespérément dans les rues de Florence au mois d'août à la recherche d'une glace (Vivoli est fermé), allez goûter celles du **Perché no ?, Via dei Tavolini, 19/r,** ou celles du **Triangolo delle Bermude, Via Nazionale, 61/r.**

Au bout de la Via Ghibellina, le long des quais, **Dolci e Dolcezze, Piazza Beccaria, 8/r**, est un véritable lieu de culte pour les gourmands. Ici règnent tartes, gâteaux et les merveilleux flans.

Marchés

Par sa tradition commerciale, qui a pris racine à même la rue, Florence abonde en marchés.

Marché aux puces (Mercato delle Pulci). Piazza dei Ciompi. *Tous les jours, sauf le lundi, de 9 h à 13 h et de 15 h à 19 h 30.* Le dernier dimanche du mois, toute la journée, sans interruption. Quatre-vingts exposants en provenance de toute la Toscane s'y donnent rendez-vous et proposent des petites pièces d'antiquités ou de collection. Assez semblable aux puces de Paris mais en beaucoup plus réduit.

Marché de San Lorenzo. *Ouvert tous les jours de 8 h à 20 h, sauf le dimanche.* Le plus fréquenté et le plus touristique de la ville, mais on y achète encore à assez bon prix chaussures, sacs et vêtements.

Mercato delle Cascine. Viale Abramo Lincoln. *Ouvert seulement le mardi matin de 7 h à 13 h.* Excellents prix pour des chaussures, sacs ou fringues, sur 200 mètres de stands. C'est aussi l'occasion de s'attarder dans le grand parc des Cascine.

Marché de Sant'Ambrogio. Piazza Ghiberti. *Ouvert tous les matins, sauf le dimanche.* C'est le plus vieux marché alimentaire de Florence. Il mérite le détour pour le spectacle quotidien de couleurs, de voix, et de visages dont les traits évoquent parfois ceux que l'on voit sur les tableaux des siècles passés.

Mercato dell'Antiquarato. Piazza Torquato Tasso. *Ouvert le vendredi.* Meubles d'occasion provenant surtout du Sud du pays. La qualité laisse parfois à désirer mais, si on a l'œil, on peut faire quelques bonnes affaires.

Marché della Paglia (de la paille) ou Nuovo. Piazza del Mercato Nuovo. *Tous les jours de 8 h à 19 h, sauf le dimanche.* Commerce d'artisanat, de paille, et vendeurs de T-shirts et de souvenirs.

Marché delle Piante (aux plantes). Via Pellicceria. *Ouvert seulement le jeudi matin.* Comme son nom l'indique, on y trouve toutes les plantes.

Artisanat

Florence a une très vieille tradition d'artisanat, et les ateliers qui la perpétuent sont encore nombreux :

L'ancienne soierie florentine, Via della Vigna Nuova, 97, propose des damassés et des brocarts tissés sur des métiers datant du XVIIIe siècle, de tous styles et de toutes les couleurs. Dans l'atelier de la **Via Gioberti, au n° 74, Rita** et **Clara Bianchi** créent, avec talent, de romantiques fleurs de soie ou de coton.

Les jouets de bois, inspirés de l'art japonais, sont la spécialité du magasin de **Stefano Bruni, Via Ghibellina, 130/r.** Les dentelles et les broderies sont celles de la boutique de **Loretta Caponi, Borgo Ognissanti, 10-12/r**. Depuis 1890, la société **Manuelli, Via Santo Spirito, 42/r,** conçoit étuis, bottes de cuir, valises et chapelières, tandis que **Roberto Ranfagni, Via dell'Agnolo, 22/r**, crée des bijoux raffinés, entièrement travaillés à la main.

DANS LES ENVIRONS

Fiesole

En prenant la route qui va à San Domenico, après 8 kilomètres, on arrive à Fiesole, lieu résidentiel dont les villas patriciennes dominent les vertes collines florentines.

Chaque deuxième dimanche du mois (excepté en juillet et août) se tient le marché de «Fiesole antiquaire», dans la cour de l'ancien séminaire, Via San Francesco.

• Pratique

Indicatif téléphonique : 050.

Office du tourisme. Piazza Mino, 36 © 59 87 20. Ouvert de 8 h 30 à 13 h 30, sauf le dimanche.

• Points d'intérêt

Le Dôme. *Fermé entre 12 h et 14 h, et le soir à 17 h.* Construction romane du XIe siècle, modifiée au XIIIe et au XVe siècle. A l'intérieur, on trouve des œuvres de Giovanni Della Robbia, Bicci di Lorenzo et Mino da Fiesole, ainsi qu'une chapelle ornée de fresques de Cosimo Roselli (XVe siècle).

Musée Bandini. Via Giovanni Duprè, 1. *Ouvert tous les jours de 9 h à 19 h en été et de 9 h à 17 h en hiver. Fermé le mardi.* Ce musée très intéressant rassemble principalement des œuvres sur bois de l'école toscane du XIIIe au XVe siècle.

Eglise San Francesco. *Ouverte de 10 h à 12 h et de 15 h à 18 h (17 h en hiver).* Au sommet de la colline, d'où l'on peut admirer la campagne toscane, à la place de l'ancienne acropole, se dresse cette jolie petite église du XIVe siècle.

Théâtre romain. Le théâtre remonte à l'époque impériale et conserve la *cavea* qui compte 3 000 places. On y voit également des thermes, un temple romain et des remparts étrusques.

Musée archéologique. Via Portigiani, 1 © 59 477. *Ouvert de 9 h à 19 h et de 10 h à 17 h en hiver.* Huit salles présentent les résultats des fouilles.

Couvent de San Domenico. Un peu excentrée, cette église possède des œuvres de Lorenzo Credi et des fresques de Fra Angelico.

Abbaye Fiesolana (Badia Fiesolana). A quelques kilomètres de Fiesole. Datant du XIe siècle, elle fut reconstruite au XVe, avec un intérieur «brunelleschien».

Poggio a Caiano

Fiesole

A 17 kilomètres à l'ouest de Florence se trouve la plus célèbre des résidences des Médicis (*ouverte de 9 h à 13 h, jardins ouverts de 9 h à 16 h et de 9 h à 19 h en été*). Réalisée à la demande de Laurent le Magnifique, elle fut dessinée par Giuliano da Sangallo et bâtie entre 1480 et 1485. Elle contient de superbes fresques d'Andrea del Sarto.

Artimino

Sur la même route, 5 km plus loin, on pourra visiter Artimino, une autre villa des Médicis, dite «villa des cent chemins». Réalisée par Buontalenti en 1594, elle servait de pavillon de chasse à Ferdinand Ier.

Il faut également s'arrêter à l'église paroissiale romane de San Leonardo (1107).

Castello

Située à 8 kilomètres au nord-ouest de Florence, la «Villa Castello» appartenait, elle aussi, aux Médicis. Aujourd'hui, elle est le siège de l'Académie de Crusca.

Le magnifique jardin à l'italienne dessiné par Tribolo est *ouvert de 8 h 30 au coucher du soleil.*

Calenzano

A 13 kilomètres au nord de Florence, il faut passer par Calenzano, ne serait-ce que pour l'insolite musée du Petit Soldat *(ouvert les samedis, jours fériés et dimanche de 9 h 30 à 12 h 30 et de 15 h 30 à 18 h 30)*. Véritables petites œuvres d'art, réalisées entre 1600 et l'époque actuelle, ces soldats retracent l'histoire de 5000 ans av. J.-C. jusqu'à nos jours.

Prato

Longtemps satellite industriel de Florence, dont elle est distante de 19 kilomètres, Prato est devenue province depuis un décret récent. La ville possède une tradition textile millénaire et d'intéressants monuments, notamment le Dôme, l'une des plus belles églises de Toscane, de style roman avec des retouches gothiques successives et un revêtement à rayures blanches et vertes. A l'intérieur, on peut admirer des fresques de Filippo Lippi et de Paolo Uccello. L'église de Santa Maria delle Ceneri, chef-d'œuvre de Giuliano da Sangallo, date de la première période de la Renaissance.

Indicatif téléphonique : 0574

Musée d'art contemporain Luigi Pecci. Viale della Repubblica, 277 ✆ 57 06 20. *Ouvert de 10 h à 19 h, fermé le mardi.* Le dernier en date des musées d'art toscans expose des œuvres dont certaines comptent parmi les plus importantes productions d'art contemporain mondial.

PISTOIA

Située à 37 kilomètres au sud de Florence, cette ville a un passé de conjuration : depuis Catilina, ennemi de Cicéron, jusqu'au début des querelles entre guelfes blancs et guelfes noirs, avant la période de la Renaissance. Il semblerait que ce soit de ce nom de *pistoia* que dérive le mot de «pistolet», lui-même venu de *pistolese*, terrible poignard à double lame utilisé par les habitants de la ville. Aujourd'hui, Pistoia est presque trop tranquille, elle mérite pourtant le détour.

Pratique

Indicatif téléphonique : 0573.

Office du tourisme. Palazzo dei Vescosi, Piazza del Duomo.

Manifestation

Le festival Pistoia Blues, qui reçoit des groupes venus du monde entier, est le meilleur festival de blues de l'Italie. Il a lieu pendant la dernière semaine de juin.

Points d'intérêt

Le Dôme, ou cathédrale de San Zeno. *Ouverte de 9 h à 12 h et de 15 h 30 à 19 h.* La cathédrale fut reconstruite à trois reprises sur une structure originale datant du Ve siècle. Sa belle façade de style roman-pisan est ornée de sculptures en terre cuite d'Andrea Della Robbia. A l'intérieur, l'autel de Jacopo est un chef-d'œuvre d'artisanat en argent.

Baptistère. Construit en 1338, il est, avec sa forme octogonale, de style gothique-pisan.

Eglise de San Andrea. Elle possède une belle façade romane inachevée et, à l'intérieur, une célèbre chaire en marbre de Pisano.

Eglise de San Giovanni Fuorcivitas. Au sud de la ville. Du XIIe siècle. On peut y voir des œuvres de Giovanni Pisano.

Centre Marino Marini. Dédié au sculpteur Pisano, il ne manquera pas d'intéresser les amateurs d'art contemporain.

BARBERINO DI MUGELLO

Indicatif téléphonique : 055

De Florence, on y arrive facilement par l'autoroute du Soleil (del Sole) A1, en sortant au péage n° 18 (au nord, à 32 kilomètres). Il faut y voir les *loggia* médicéennes du XIVe-XVe siècle, sur la place du marché, ainsi que la villa style Renaissance de Cafaggiolo, œuvre de Michel-Ange.

LE CHIANTI

Aujourd'hui, on pourrait dire qu'il existe trois Chianti : le Chianti géographique, le Chianti vinicole et, enfin, itinéraire que nous conseillons vivement, le Chianti classique, qui en résume toute l'âme et la vitalité. Le Chianti géographique est délimité par la vallée de l'Arno entre Florence et Arezzo, la route Arezzo-Sienne et l'autoroute Florence-Sienne. Le Chianti vinicole se répartit en sept zones : Chianti classique, Montalbano, collines florentines, collines siennoises, collines de l'Aretini, collines pisanes, collines pistoiaises. Le Chianti classique étend sa production vinicole sur 70 000 hectares de territoire, compris entre les provinces de Florence et de Sienne, en incluant les communes de Castellina, Radda, Gaiole et Greve de Chianti, et, partiellement, les communes de San Casciano et Travarnelle, Val di Pesa, Barberino, Val d'Elsa et Castelnuovo Berardenga. Ces frontières instituées par une loi de 1929, correspondent en fait à celles déjà fixées en 1716 par un décret du grand-duc de Toscane. Dans cette région, qui comprend 297 localités, l'Association Gallo Nero et celle du vin Chianti classique fonctionnent avec plus de 800 fermes vinicoles particulièrement actives. Le siège se trouve à Sant Andrea in Percussina (San Casciano Val di Pesa), Via degli Scopeti, 155-158.

La terre

«Une région étrangement monstrueuse, plus élevée qu'elle ne l'est en réalité en altitude et fermée, presque condamnée, jusqu'au point où le regard la hausse à une perfection toute humaine et toute rationnelle.» C'est ainsi que l'écrivain Mario Soldati définissait le Chianti, terre de châteaux et d'églises romanes, de sentiers où l'histoire s'attarde, de luttes fratricides entre la République siennoise et la République florentine, du XIIIe siècle jusqu'au milieu du XVIe, avec l'absorption de la première par la seconde. Les traces de ce contraste sont encore visibles dans l'architecture noble aux matériaux urbains différents: la pierre grise dite «serena», choisie par Buontalenti et familière à Florence, et la brique, choisie par Peruzzi, plus commune à Sienne.

Le patrimoine

Patrie du vin, cette terre porte depuis toujours les noms de familles illustres : Ricasoli, Firidolfi, Capponi, Cavalcanti, propriétaires de palais, d'abbayes et d'immenses domaines dotés de terres extrêmement fertiles. Et, encore, les Médicis et les Lorena, grands-ducs de Toscane. Fermes à colonnades, villas et châteaux forts ou citadelles : rien n'a été oublié, tout a été réutilisé. La région montre une intelligente exploitation du patrimoine des bâtiments ruraux, et elle est sans doute l'un des meilleurs exemples en la matière dans tout le pays. Le résultat est un rapport extrêmement harmonieux entre l'homme et la nature. Rien n'a été laissé au hasard : le paysage est modelé par l'homme selon une tradition, parfois empruntée aux tableaux de Léonard de Vinci. La géométrie des vignes est une constante dans cette riche végétation faite de forêts de chênes, de frênes et de châtaigniers. L'entrée des fermes est souvent bordée de cyprès, tandis que de la terre montent des parfums de bruyère, d'iris, de lavande et de violette. L'architecture également fait preuve d'éclectisme : style roman des églises et des abbayes, celui baroque des façades de villas, clochers gothiques dans les châteaux, fermes et hameaux inévitablement en pierre.

En plus de leur beauté, la ville et les villages, où l'usage de la brique et des couleurs pastel est la coutume, offrent une grande qualité de vie. Les Anglais, les Américains, les Allemands et les Français - dont le (feu) chanteur Léo Ferré, qui s'était installé à la campagne, près de Florence, depuis plus d'une dizaine d'années - ne s'y sont pas trompés, qui ont largement investi toute la région entre Florence et Sienne (et même plus bas : la Maremma, qui s'étend au-dessous de Sienne, et l'île d'Elbe ont été «achetées» par des étrangers, surtout des Allemands). Il y a d'excellentes raisons à ça : de nombreuses occasions de «shopping» (vin et huile d'olive), de bonnes structures d'accueil dans des relais anciens mais confortables, et des restaurants dont les produits sont quasiment locaux, cultivés par les familles de la région.

Enfin, le Chianti offre de nombreuses possibilités d'accueil en dehors des fabuleux hôtels situés dans d'anciennes demeures aristocratiques. Dans la section «vacances à la ferme» (Agriturismo) du Centro Chiantitourist, les personnes chargées de l'accueil parlent français et sont en mesure de fournir toutes **les informations** concernant les fermes de la région (✆ 05 77/73 82 15).

Le vin

Le plus italien des vins rouges provient d'un mariage entre le raisin noir du Sangiovese et du Canaiolo et le raisin blanc du Malvasia et du Trebbiano. L'essence du Chianti, c'est le Sangiovese. Son lieu d'origine est si vaste et si varié - il provient de sept zones différentes - que chaque producteur est contraint de créer son propre style dans la mise en bouteille du chianti DOCG (Dénomination d'origine contrôlée et garantie). Introduite en 1984, cette appellation offre un meilleur produit sélectionné avec, bien sûr, une réduction de la production et une augmentation conséquente de prix. C'est ainsi qu'il existe la distinction entre les vins de table, fermentés dans des tonneaux d'acier inoxydables, et les vins de réserve vieillis dans des tonneaux de bois. Avec le succès du beaujolais nouveau, la production des chianti «nouveaux» s'est trouvée énormément augmentée - ils sont cependant à consommer dans les quelques mois suivant la récolte. Dans les frontières du territoire du Chianti se fabriquent également d'autres vins, tels le très célèbre brunello di Montalcino, le vin noble de Montepulciano, le carmignano, le pomino et le blanc léger galestro.

➥ DE FLORENCE A SIENNE

Florence et Sienne sont reliées par l'autoroute et par la Cassia, la nationale 2. Egalement recommandée pour éviter les embouteillages des jours fériés, la Chiantigiana (route nationale 222), d'où partent d'autres splendides routes de campagne conduisant à des villages mineurs mais ravissants. La meilleure saison pour un voyage dans le Chianti est l'automne, qui coïncide avec les vendanges, mais le printemps et l'été ne sont pas moins agréables.

Au départ de Florence, la rencontre avec la terre parfumée du Chianti est immédiate lorsque, une fois passé l'Arno, on commence à monter afin de rejoindre le village de Pian dei Giullari. On poursuit sur sa droite, en laissant ce village, pour descendre dans la vallée de l'Ema jusqu'à dominer le fleuve aux Cascine del Riccio, que l'on dépassera. En poursuivant encore cette route à peine quelques kilomètres plus loin, on atteint Impruneta.

IMPRUNETA

Première étape de l'itinéraire du Chianti, à 14 kilomètres au sud de Florence, Impruneta est joignable par une déviation de la Chiantigiana (nationale 222). Le panorama - cette route caressant les collines toscanes et les champs de vigne - est tout simplement splendide.

Indicatif téléphonique : 055.

Basilique de Santa Maria dell'Impruneta. Datant du XIe siècle, remaniée depuis, elle possède des œuvres de Luca Della Robbia et de Jean de Bologne.

La région produit la brique caractéristique qui recouvre toits et pavements de toute la Toscane.

SAN CASCIANO IN VAL DI PESA

Au départ de Florence, on s'y rend par l'autoroute ou par Impruneta en passant par la localité d'Il Ferrone. Ville principale de la vallée Di Pesa, à 17 km de Florence, San Casciano abrite la Chiesa della Misericordia, où sont conservés le *Crucifix* de Simone Martini ainsi que des œuvres d'Ugolino Da Siena et de Giovanni Balduccio.

Dans les environs

A 3 km en direction de Florence, dans le village de **Sant'Andrea in Percussina**, on tombe sur *l'Albergaccio*, la maison où Machiavel vécut durant quinze ans et où il écrivit ses livres les plus célèbres. Aujourd'hui, la maison est devenue un petit musée et le siège de deux associations vinicoles du *Gallo Nero* et du *Chianti Classico*. Via degli Scopeti, 155-158 ✆ 82 28 245.

➥ DE SAN CASCIANO A GREVE IN CHIANTI

De **San Casciano**, on rebrousse chemin vers la **Chiantigiana**, en passant par **Calcinaia** et par Mercatale - où l'on fera une halte pour acheter de l'huile de première pression chez la famille Giachi, Via Campoli, 31 ✆ 82 10 82.

En poursuivant, dans la localité de **Passo dei Pecorai**, on peut s'arrêter chez un artisan qui travaille à la main du bois d'olivier. Sa boutique se trouve sur l'antique route qui servait de voie de transhumance, repérable aux indications en jaune, sur la route qui va de Mercatale à Greve in Chianti.

Sur la Chiantigiana (à droite), et en prenant la seconde petite route à gauche, on parvient au Castello di Uzzano, du XIIIe siècle (dans la ferme dite Castello di Uzzano, on peut acheter du chianti classique du même nom et de l'huile).

Peu avant **Greve,** s'offrent deux déviations possibles : l'une pour le **Castello di Vicchiomaggio** (à Greti di Greve in Chianti), entièrement transformé en ferme-villa, l'autre pour le **Castello di Verrazzano** (où naquit Giovanni da Verrazzano, qui découvrit la baie d'Hudson) avec le domaine vinicole *Castello di Verrazzano.*

En reprenant la route principale, on arrive à Greve in Chianti, beau centre agricole sur la rivière du même nom.

TAVERNELLE IN VAL DI PESA

Après Badia à Passignano et le bourg de Sambuca, on rejoint Tavernelle in Val di Pesa (dans les environs de l'autoroute Florence-Sienne), un important centre agricole qui s'est développé au cours du siècle dernier.

Eglise de Santa Lucia al Borghetto. Un bâtiment gothique avec une nef unique et un toit à chevrons. Non loin de là, on trouvera la paroisse romane de San Pietro in Bussola.

➥ DE TAVERNELLE A CASTELLINA IN CHIANTI

De Tavernelle, on se dirige vers Castellina in Chianti, en traversant la vallée de Chiana et l'autoroute Florence-Sienne. Sur la route, on croisera l'église romane de San Donato in Poggio, très bien conservée et d'une extrême simplicité, avec un intérieur à trois nefs et des fonds baptismaux en terre cuite du XVIe siècle.

En poursuivant sur la route, deux détours valent le détour ! La première déviation mène à Monsanto, où se trouve le château de la Paneretta (XVe siècle). Il est situé au centre d'un vaste domaine délimité par une forêt de cyprès et couvert principalement de vignes et d'oliviers. La ferme du château accueille un centre agritouristique, avec un manège et une exploitation agricole qui vend du Chianti Classico Gallo Nero et de l'huile (✆ 80 75 577).

L'autre déviation possible conduit à un bel établissement (voir «Hôtel Tenuta di Ricavo»).

CASTELLINA IN CHIANTI

A 38 kilomètres de Florence et 21 de Sienne. En poursuivant la Chiantigiana, on voit surgir un petit château entre les vignes. Conçu, comme beaucoup d'autres villages, pour défendre les paysans des razzias des seigneurs des villes, Castellina in Chianti a été une terre de frontière disputée pendant des années par Florence et Sienne. Il faut voir la Via delle Volte (les anciens chemins médiévaux) et, si l'on a plus de temps, pousser la balade jusqu'à la grande tombe étrusque du VIe siècle av. J.-C.

Indicatif téléphonique : 0577.

Shopping

Boutique du vin Gallo Nero, Via della Rocca, 10. Grand assortiment de vins et d'huiles.

Le samedi, il y a un joli petit **marché** sur la place principale.

FONTERUTOLI

On peut détourner son itinéraire sur quelque 4 km, afin de rejoindre (toujours sur la Chiantigiana) l'antique propriété de Fonterutoli, l'un des plus prestigieux producteurs (parmi les 10 meilleurs du monde !) de Chianti Classico Gallo Nero (vins de réserve et vins vieillis). Le domaine vend aussi de l'huile d'olive extra-vierge. On peut visiter sa cave sur réservation (✆ 74 04 76). Il y a aussi un centre agritouristique (séjour d'une semaine au minimum).

RADDA IN CHIANTI

A 49 kilomètres de Florence et 32 de Sienne. Radda in Chianti est le bourg médiéval typique. Aussi typique que le palais de Podestà, où est né l'emblème du *Gallo Nero*, dont l'acte notarial fut signé en 1924 dans la propriété de Vignale, aujourd'hui siège du Centre d'études d'histoire du Chianti et un important musée œnologique de la région. L'ancienne villa accueille une œnothèque extrêmement bien fournie.

Hébergement

• Chambres d'hôtes

La Foresta. San Leonino ✆ 40 484. *Compter 30 000 L.* Offre 2 appartements de 4 à 6 lits, avec vue panoramique sur les collines.

Podere Tereno. A Volpaia ✆ 73 83 12/ 73 84 00 - Fax 73 83 12/73 84 00. *140 000/160 000 L en demi-pension.* Parking, restaurant, salle de billard. Belle maison d'hôtes, en pierre, avec table d'hôtes très accueillante, et où l'on produit également du vin et de l'huile d'olive. Une excellente adresse, au milieu des vignes et des oliviers. Un petit avant-goût du paradis...

Villa le Barone. Via San Leonino, 19, Panzano in Chianti ✆ 85 26 21 - Fax 85 22 77. *200 000/230 000 L en demi-pension.* Piscine, tennis, parc, parking. Interdit aux animaux. Ancienne propriété des Della Robbia, cette villa patricienne est aujourd'hui une demeure charmante dont la propriétaire vous accueille en amis.

Castello di Uzzano. Via Uzzano, 5, Greve in Chianti ✆ 85 40 32 - Fax 85 43 75. *1 500/2 500 000 L la semaine.* Parking, location de vélos. La vie de château au beau milieu de la Toscane... Possibilité d'acheter des produits de la propriété (vins, huile d'olive...).

Fattoria La Loggia. Via Collina, 40, Montefiridolfi ✆ 82 44 288 - Fax 82 44 283. *160 000/250 000 L.* Piscine, vélos, équitation. Ferme située dans une petite commune Renaissance joliment restaurée. On pourra profiter de la piscine, du solarium et pratiquer le vélo et l'équitation.

• Auberge de jeunesse

Auberge de jeunesse del Chianti (Ostello per la Gioventù), Tavernelle in Val di Pesa ✆ 80 77 009. *54 chambres à 15 000/20 000 L, petit déjeuner compris. Réception ouverte de 6 h 30 à 9 h et de 18 h 30 à 22 h 30.* Une auberge très bien située au milieu de la campagne.

Dans les environs

De Radda, on peut faire un tour dans les localités environnantes, riches en fermes vinicoles, en centres agritouristiques, en châteaux et en abbayes. La plupart de ces établissements et monuments sont de grand intérêt, mais nous vous signalons seulement les plus connus.

Castello di Volpaia. Des deux routes menant à Panzano, il faut prendre celle qui monte au château de Volpaia, un bourg fortifié du XIe siècle. Transformés, les anciens souterrains du château et de la commanderie de San Eufrosino (XVe siècle) accueillent aujourd'hui des expositions d'art et des manifestations culturelles.

Badia a Coltibuono. Vaut le détour tant pour son architecture que pour son vin. Située à 600 mètres d'altitude, sur la ligne qui sépare le Chianti du Valdarno, l'abbaye est dédiée à San Lorenzo di Coltibuono. Elle fut bâtie, en 1049, par Firidolfi, selon un plan à croix latine. C'est l'une des plus heureuses des réalisations romanes du Chianti.

Le vin est en vente dans la *Tenuta di Coltibuono*, près de l'abbaye. En vente et en dégustation (la grappa locale est excellente !). **Pour la visite** des très vieilles caves logées dans l'ancienne aile du cloître, téléphoner ✆ 74 94 98/74 93 00. Tous les produits de la ferme (vin, grappa, miel, olives, vin saint) sont également en vente à *l'Osteria*.

Gaiole in Chianti. A 61 kilomètres de Florence et 30 de Sienne. Lieu d'échanges et de marchés depuis le Moyen Age, Gaiole garde aujourd'hui encore cette activité. Le marché s'y tient chaque second lundi du mois, accompagné de fêtes populaires entre juin et septembre.

Les meilleurs Chianti Classico del Gallo Nero se trouvent à *l'Enoteca Montagnani*.

Borgo di Vertine. 1 km de Spaltenna. C'est l'un des rares bourgs demeurés intacts puisqu'il fut épargné par les désastreuses luttes florentines d'antan. Restauré au XVIe siècle, Borgo di Vertine se visite à pied.

Ama. Accessible par la route nationale 408, d'où part une petite déviation, la propriété ***Castello di Ama*** (✆ 05 77/74 60 31) est un célèbre lieu de production vinicole, avec des bouteilles millésimées. Cave et dégustation.

Castello di Brolio. On s'y rend par une déviation de la route nationale 484, afin de goûter au vin du baron Ricasoli, personnage légendaire de la région. Cultivé autour de l'imposant château du XVIIIe siècle, qui accueille aussi un centre agritouristique, le vin est en vente à la *Casa vinicola Barone Ricasoli*.

Toscane - Grosseto - Parc Naturel de Moremma

SIENNE

SIENNE

L'oie, la tour, la chenille, l'escargot et les treize autres quartiers qui composent Sienne, donnent, en dépit de ses modestes dimensions, une idée de sa complexité historique. Ville accueillante et intimement liée à ses traditions, Sienne mène pratiquement deux vies parallèles. D'une part, il y a les touristes et les milliers de professeurs et étudiants de l'université pour étrangers, l'une des meilleures d'Italie, d'autre part, il y a les Siennois, viscéralement attachés à des rites locaux, quasiment incompréhensibles pour un étranger. Sienne est synonyme d'orgueil, de contrastes et de lien naturel à la terre, autant d'éléments qui trouvent leur apothéose sur la place du Campo, le jour du Palio.

HISTOIRE

Selon la légende, la ville fut fondée par Senio et Aschio, fils de Remus et neveux de Romulus, premier roi de Rome. Sienne fut particulièrement puissante du XIe au XIVe siècle et était crainte tant de Rome que de Florence. A cette époque, la cité s'étendait sur trois collines, qui donnèrent vie à trois quartiers : la ville, San Martino et Camollia. De même, il y a trois portes : Camollia, San Marco et Porta Romana, qui regardent respectivement vers Florence, la Maremma et Rome. Aux XIIIe et XIVe siècles, Sienne devint la florissante et impériale forteresse du gibelinisme, contrastant ainsi avec la Florence des guelfes et la Rome papale. La période de sa plus grande prospérité se situe après la bataille de Montaperti (1260), qui signa la défaite de Florence et fut chantée par Dante dans *La Divine Comédie.* Ce fut durant cette période, d'abord sous le règne du gibellin Provenzano Salvani, puis sous le gouvernement des Nove Siena, que Sienne construisit ses plus célèbres édifices, dans un climat pourtant perturbé par la famine de 1326 et par la terrible peste noire de 1348 qui réduisit sa population de deux tiers. Depuis, la ville n'a plus changé d'aspect (si l'on excepte quelques rares interventions au cours de la Renaissance), et elle peut être admirée encore aujourd'hui dans toute sa magnificence médiévale.

TRANSPORTS

Gare. Piazza Roselli. Informations @ 28 01 15. *Guichets ouverts tous les jours de 6 h 30 à 21 h. Consignes 24 h/24.*

Bus. Tra-In/Sita. Piazza San Domenico, 1 ✆ 20 42 45. *Guichets ouverts tous les jours de 5 h 50 à 20 h 15.*

Location de voitures. Hertz. Via San Marco, 96 ✆ 41 148. Ouvert tous les jours de 8 h 30 à 13 h et de 15 h à 19 h 30.

Taxi

Piazza Matteotti et Piazza Stazione ✆ 44 504.

Radio-taxi ✆ 49 222.

Poste. Piazza Matteotti, 37. *Ouverte du lundi au vendredi de 8 h 15 à 19 h et le samedi de 8 h 15 à 12 h 30. Fermée le dimanche.*

Téléphone

Via Termini, 40. *Ouvert de 9 h à 12 h 45 et de 16 h à 19 h 30. Fermé les dimanches et jours fériés.*

Via delle Donzelle, 8. *Ouvert de 7 h à minuit.*

Via Cecco Angiolieri. *Ouvert de 7 h 30 à 22 h 30.*

Banque. Banca di Roma. Via Termini, 37. Distributeur et change. Autres distributeurs Via Banchi di Sopra.

PRATIQUE

Indicatif téléphonique : 0577.

Offices du tourisme

Piazza del Campo, 56 ✆ 28 05 51 - Fax 27 06 76. En été, ouvert du lundi au samedi de 8 h 30 à 19 h 30. En hiver, ouvert du lundi au samedi à midi de 9 h à 13 h et de 15 h à 19 h.

Via di Città, 43 ✆ 42 209.

HEBERGEMENT

Locandà Garibaldi. Via Giovanni Duprè, 18 ✆ 28 42 04. *45 000/85 000 L. Réserver à l'avance.* Restaurant. Sympathique. Bon rapport qualité-prix.

Hôtel Lea. Viale 24 Maggio, 10 ✆ 28 32 07. *Entre 75 000 et 120 000 L.* 12 chambres. Pas de restaurant. Belle maison. Une adresse relativement économique.

Albergo Tre Donzelle. Via Donzelle, 5 ✆ 28 03 58. *Environ 80 000 L la chambre double. Ferme à 1 h du matin.* American Express, Visa. Chambres lumineuses et propres.

Confort ou charme

Albergo Cannon d'Oro. Via Montanini, 28 ✆ 44 321 - Fax 28 08 68. *Environ 130 000 L la chambre double.* Accès handicapés. Belles et grandes chambres. On vous accueille avec le sourire, et vous rentrez quand vous voulez. Bref, un *buon indirizzo* !

Palazzo Ravizza. Pian de Mantellini, 34 ✆ 28 04 62. *Compter 180 000 L. Demi-pension obligatoire.* 30 chambres. Cette demeure noble du XVIIe siècle est devenue un hôtel dans les années 30, afin d'accueillir les jeunes étrangers venus à Sienne pour apprendre l'italien, la musique et l'histoire de l'art. Gestion familiale et jardin à l'italienne.

Hôtel Duomo. Via Stalloreggi, 38 ✆ 28 90 88 - Fax 43 043. *150 000/220 000 L.* 23 chambres avec téléphone, télévision, climatisation. Garages. American Express, Visa, Diner's Club. Position centrale entre la cathédrale et la Piazza del Campo. Palais du XVIIe, meublé avec tout le confort. Chambres calmes.

Hôtel Antica Torre. Via Fieravacchia, 7 ✆/Fax 22 22 55. *180 000 L.* 8 chambres avec téléphone, télévision, réfrigérateur. Interdit aux animaux. American Express, Visa. Délicieux petit hôtel, installé dans une tour du XVIe siècle du centre historique de Sienne. La décoration participe au charme de cet endroit doux et tranquille (situé dans une petite rue très calme). Une excellente adresse à des prix très raisonnables !

Hôtel Santa Caterina. Via Piccolomini, 7 ✆ 22 11 05 - Fax 27 10 87. *180 000/240 000 L.* 19 chambres avec téléphone, climatisation, réfrigérateur. Parc, parking. American Express, Visa, Diner's Club. Hôtel agréable et beau jardin dans le centre de Sienne.

Villa Scacciapensieri. Via di Scacciapensieri, 10 ✆ 41 441 - Fax 27 08 54. *225 000/390 000 L. Ouvert du 15 mars au 3 janvier.* 32 chambres avec téléphone, télévision, climatisation, réfrigérateur. Parc, accès handicapés, garages, parking, piscine, tennis, restaurant (*50 000/70 000 L ; fermé le mercredi*). American Express, Visa, Diner's Club. Au calme dans un parc fleuri, à 3 km du centre auquel elle est reliée par un minibus tous les quarts d'heure, la villa semble s'être égarée au siècle dernier. Ambiance charmante d'une époque révolue et accueil agréable.

Grand Hôtel Villa Patrizia. Via Fiorentina, 58 ✆/ Fax 50 431. *440 000 L.* 33 chambres avec téléphone, télévision, climatisation, réfrigérateur. Parc, accès handicapés, parking, piscine, tennis, restaurant (*50 000 L*). American Express, Visa, Diner's Club. Hôtel au décor sobre et élégant. Confort et courtoisie règnent dans cette belle villa qu'entoure un petit parc.

Park Hôtel Siena. Via Marciano, 18 ✆ 44 803 - Fax 49 020. *385 000/550 000 L.* 69 chambres avec téléphone, télévision, climatisation, réfrigérateur. Parc, parking, piscine, tennis, golf (practice), restaurant. American Express, Visa, Diner's Club. A 2 km de Sienne, sur la colline Marciano, cette luxueuse demeure de la Renaissance a été conçue sur un projet de Baldassarre Peruzzi. Une récente restauration lui a redonné sa splendeur d'antan. Très bon restaurant *Olivo*, donnant sur le charmant jardin à l'italienne.

Hôtel Certosa di Maggiano. Strada di Certosa, 82 ✆ 28 81 80 - Fax 28 81 89. *660 000/900 000 L.* 18 chambres, dont 12 suites. Téléphone, télévision, climatisation, réfrigérateur. Parc, accès handicapés, garages, parking, piscine chauffée, tennis, restaurant *(80 000/140 000 L)*. A un quart d'heure de la place du Campo, mais en pleine campagne, cette chartreuse du XIVe siècle, avec cloître et arcades, est un «Relais & Châteaux» intime et exceptionnel.

Camping

Camping Colleverde. Strada di Scacciapensieri, 37 (3 km du centre) ✆ 28 00 44. *Ouvert d'avril à octobre.* Piscine. Propre et accueil sympathique. Un peu cher.

Auberge

Auberge de jeunesse (Ostello per la Gioventù) Guidoriccio. Via Fiorentina, 89, Stellino ✆ 52 212. *110 lits à environ 20 000 L par personne, petit-déjeuner inclus. Fermée de 9 h à 15 h (16 h 30 le dimanche et jours fériés) et ouverte jusqu'à 23 h 30 le soir. Restaurant ouvert d'avril à septembre.* Desservie par le bus n° 15.

RESTAURANTS

Restaurant Guidoriccio. Via Giovanni Duprè, 2 ✆ 44 350. *30 000 L environ. Fermé le dimanche.* Climatisation. American Express, Visa. Cuisine tout à fait correcte et variée, à des prix raisonnables. De plus, le décor contribue à réchauffer l'atmosphère.

Restaurant Il Ghibellino. Via dei Pellegrini, 26 ✆ 28 80 79. *Compter 50 000 L. Fermé le jeudi.* Une des dernières authentiques auberges siennoises. Accueil sympathique. Cuisine gastronomique de la plus pure tradition toscane, dans une ambiance familiale mais raffinée.

Restaurant Nello La Taverna. Via del Porrione, 28 ✆ 28 90 43/28 90 03. *70 000/100 000 L. Fermé le lundi et en février. Réservation obligatoire.* 60 couverts. American Express. Bon restaurant traditionnel et bonne carte des vins.

Restaurant Guido. Viccolo Pier Pettinaio, 7 ✆ 28 00 42. *30 000/60 000 L. Fermé le mercredi, du 10 au 25 janvier et du 15 au 30 juillet.* 85/120 couverts. American Express, Visa, Diner's Club. Les saveurs authentiques d'une cuisine traditionnelle.

Osteria Le Logge. Via del Porrione, 33 ✆ 48 013. *50 000/60 000 L. Fermé le dimanche. Réservation obligatoire.* 60/90 couverts. Climatisation. American Express, Visa, Diner's Club. Cuisine toscane revue et corrigée à la siennoise. Ambiance typique et excellents plats dans un très beau décor (il s'agit d'une ancienne épicerie).

Antica Trattoria Botteganova. Via Chiantigiana, 29 ✆ 28 42 30. *65 000/85 000 L. Fermé le dimanche, le lundi à midi et 10 jours en août.* 50 couverts. Parking, climatisation. American Express, Visa, Diner's Club. Raffinement et bonne cuisine traditionnelle pour cette ancienne auberge située à la sortie de Sienne.

Restaurant Al Mangia (ou Il Campo). Piazza del Campo, 42 ✆ 28 11 21. *60 000/105 000 L. Fermé le lundi en basse saison.* 40/150 couverts. American Express, Visa, Diner's Club. Cuisine de saison, avec, pour décor, le fantastique spectacle de la place.

MANIFESTATIONS

Le Palio di Siena

Il est considéré par les touristes de passage comme une simple fête traditionnelle. En réalité, c'est le moment où la ville se met à nu et s'offre dans un mélange de sincérité et de rituel lancinant. Le Palio est une course de chevaux, qui a lieu deux fois par an (le 2 juillet et le 16 août) sur le circuit de la Piazza del Campo revêtue, pour l'occasion, d'un manteau de tuf. Les dix à dix-sept groupes qui participent au Palio (dix courent en juillet et sept en août) sont constitués d'habitants d'un même quartier (contrade) de Sienne. La ville est en effet divisée en terzi (tiers), regroupant eux-mêmes dix-sept contrade. Ces quartiers ont chacun leurs costumes avec les couleurs qui les caractérisent mais également leur animal fétiche (ver à soie, porc-épic, éléphant, dragon, licorne...). Quant aux chevaux, ils sont tirés au sort quatre jours avant le Palio et bénis à l'église le jour de la course. Cette manifestation est fascinante, moins pour les deux minutes frénétiques durant lesquelles les chevaux accomplissent trois tours de la place, au milieu des hurlements de la foule, que par le rituel des préparatifs qui l'accompagnent. Un dîner gigantesque a lieu dans le quartier vainqueur. Le cheval gagnant fait, lui aussi, partie de la fête. Il faut, bien sûr, réserver très tôt pour obtenir une place dans les tribunes, afin d'assister à la manifestation dans de bonnes conditions. Le mieux est d'écrire à l'Office du tourisme au moins six mois à l'avance et de prévoir également un hébergement. Vous pouvez aussi assister aux essais qui ont lieu avant les courses (les 3 jours précédents).

La Settimana Musicale Senese, organisée par l'Accademia Chigiana, a lieu fin juillet. Celle-ci organise de nombreux autres concerts au cours de l'année (se renseigner à l'Office du tourisme).

POINTS D'INTERET

La ville s'étend sur trois crêtes de collines appelées *terzi* (tiers), divisées elles-mêmes en *contrade* (quartiers).

Le terzo San Martino

Il s'étend vers l'est à partir de la Piazza del Campo.

Piazza del Campo. Centre historique de la ville et point de référence quel que soit l'itinéraire qu'on choisisse, le Campo, comme l'appellent les Siennois, offre une extraordinaire perspective. Cette place, l'une des plus belles d'Italie, a été réalisée, selon un dessin original, en forme de coquille renversée, divisée en neuf parties. Lors du Palio (voir «Manifestations»), elle est entièrement recouverte de sable. Autour de cette place, le Palazzo Sansedoni du XVIIIe, le Palazzo d'Elci et le Palazzo Pubblico, érigé entre 1284 et 1310, qui abrite le Museo Civico, nous offrent leurs superbes façades, formant un ensemble d'une rare beauté.

Museo Civico. Palazzo Pubblico. *Ouvert du 1er avril au 31 octobre de 9 h à 19 h, le dimanche et en basse saison de 9 h 30 à 13 h 30.* Il présente une collection importante de tableaux du XIVe au XVIIIe siècle. Les principales salles à visiter sont celles de la Mappemonde (" sala del Mappamondo») et celle de la Paix (sala della Pace). La première abrite la *Maestà*, œuvre splendide et merveilleusement conservée de Simone Martini, ainsi que le *Siège du château de Montemassi* par Guidoriccio da Fogliano, autre exemple majeur du gothique toscan, dont l'attribution à Simone Martini fut récemment contestée. Dans la seconde, on trouve des fresques intéressantes représentant l'*Allégorie du bon et du mauvais gouvernement* d'Ambrogio Lorenzetti.

Vous pourrez également jeter un coup d'œil dans les autres salles, et notamment dans celle qui abrite le *Massacre des Innocents* de Matteo di Giovanni (frissons garantis !).

Torre dei Margia. Dans l'aile gauche du Palais public. *Ouverte de 10 h à 19 h.* N'ayez pas peur, il s'agit juste de gravir cinq cent trois marches d'escalier de cette tour de 102 m de haut, marches qui vous conduiront à un splendide panorama sur la ville (on n'a rien sans rien !).

Derrière la place, dans le **couvent San Vigilio**, se trouve **l'université,** une des plus vieilles d'Europe.

Palazzo Piccolomini. Via Banchi di Sotto, 52. Ce beau palais Renaissance du XVe siècle présente un style florentin arrivé à sa maturité. Il abrite le musée des Archives de l'Etat (*Museo dell'Archivio di Stato ; ouvert de 10 h à 13 h*).

Parmi les œuvres qu'il expose, on remarque en particulier la collection de Biccherne, petits tableaux sur bois réalisés par de grands artistes du XIIIe au XVIIe siècle, et qui servaient à l'origine de couverture au registre des impôts.

Eglise San Martino. Via Banchi di Sotto. Tout à côté de la Loggia del Papa, cette église aux belles lignes Renaissance est une des plus vieilles de la ville.

Le terzo di Città

C'est le quartier le plus ancien de Sienne.

Loggia delle Mercanzia. Située à l'intersection des rues di Città, Banchi du Sotto et Banchi di Sopra, cette élégante construction de style gothique-Renaissance hébergea autrefois le tribunal de commerce.

Palazzo Chigi-Saracini. Via della Città, 85 ✆ 46 152. Ce beau palais gothique, aux élégantes fenêtres géminées, est le siège de l'académie musicale Chigiana, qui organise des cours de musique ainsi que des concerts pendant l'été. Il est possible de le visiter sur réservation.

Piazza del Duomo. Elle est entourée par le palais de l'archevêché, du XVIIIe siècle, le palais du Gouverneur des Médicis et la superbe, splendide, magnifique (les mots nous manquent...) cathédrale.

Dôme. C'est l'une des plus belles créations de l'art romano-gothique italien, dont la construction a duré presque deux siècles (XIIe et XIVe). La majeure partie de sa façade est l'œuvre de Giovanni Pisano, cependant le bas-relief qui orne la porte du Pardon est dû à Donatello (l'original se trouve au musée de l'Œuvre). Des rayures blanches et noires caractérisent son campanile, de structure romane. A l'intérieur, le pavement en marbre de couleur, finement travaillé et découpé en 56 scènes sacrées et profanes (vous n'aurez malheureusement pas la chance de les voir toutes en même temps car une partie est recouverte afin de mieux les préserver), est impressionnant de finesse.

Dans le transept droit, on peut voir une chapelle baroque attribuée à Bernini, tandis que le transept gauche abrite la chaire de Nicolas Pisano, merveille de la sculpture gothique italienne, ainsi que des œuvres de Donatello.

Baptistère. Cet édifice de style gothique (1317-1382), chef-d'œuvre de Jacopo Della Quercia, conserve des œuvres des illustres Donatello (à qui l'on doit les six anges de bronze), Turino di Sano, Giovanni di Turino et Lorenzo Ghiberti, et marie subtilement la profusion gothique à la sobriété humaniste de la Renaissance.

Librairie Piccolomini. *Ouverte tous les jours de 9 h à 19 h 30 de la mi-mars à la fin octobre, et en basse saison de 10 h à 13 h et de 14 h 30 à 17 h.* Située près de la nef gauche du Dôme, cette salle est richement décorée des fresques très bien conservées du Pinturicchio racontant la vie du pape Pie II (Piccolomini). On y trouve également un pupitre de Nicolà Pisano et la copie romaine des trois Grâces, sculpture de jeunesse de Michel-Ange.

Musée de l'Œuvre du Dôme. *Ouvert tous les jours de 9 h à 19 h 30 de la mi-mars à la fin avril. En dehors de cette période, ouvert de 9 h à 13 h 30.* On y accède par la nef droite du Duomo Nuovo. Le bâtiment qui l'abrite résulte d'un projet d'agrandissement de la cathédrale qui n'a jamais abouti. Vous pourrez monter en haut de sa tour pour y admirer la superbe vue sur la campagne siennoise. Sur trois étages, le musée expose dix statues de Nicolà Pisano, la célèbre *Maestà* du Duccio, véritable chef-d'œuvre aux influences byzantines, le *Beato Agostino Novello*, de Simone Martini, et de nombreux autres chefs-d'œuvre de l'école siennoise. Bref, encore un musée très intéressant à ne pas manquer !

Hôpital (spedale) di Santa Maria della Scala. Considéré comme l'un des plus vieux du monde, cet hôpital du XIe siècle est toujours en activité, mais ses services sont peu à peu transférés dans le nouvel hôpital encore en construction. Juste à côté, on remarquera l'église Santissima Annunziata du XIIIe siècle.

Pinacothèque nationale. Via San Pietro, 29. *Ouverte de 8 h 30 à 19 h et de 8 h 30 à 13 h les dimanches et en basse saison. Fermée le lundi.* Sa collection présente un large panorama de toute la peinture siennoise du XIIe au XVIIe siècle, avec des œuvres de Simone Martini, dont sa célèbre *Vierge à l'Enfant,* Duccio di Buoninsegna, Pietro Lorenzetti, Beccafumi, Pinturicchio, et quelques autres...

Académie des Physiocritiques. Prato di San Agostino, 4. *Ouvert tous les jeudis après-midi, les samedis et les jours fériés de 9 h à 13 h et de 15 h à 18 h.* Cette prestigieuse institution joua un rôle de première importance dans la diffusion des sciences naturelles en Europe, notamment au Siècle des lumières. Elle abrite aujourd'hui un musée paléonthologique, géominéralogique et zoologique. A l'extérieur se trouve le Jardin botanique.

Eglise San Nicolo al Carmine. Pian di Mantellini. Dans cette imposante église du XIVe siècle, on peut admirer une grande peinture sur bois de Baccafumi et une Ascension, chef-d'œuvre du XIVe siècle, que l'on doit à Girolamo del Pacchia.

Le terzo di Camollia

Basilique San Francesco. Cette église du XIVe siècle, à la façade néogothique, se dresse sur la place du même nom. Elle conserve des œuvres de Pietro et Ambrogio Lorenzetti, Sassetta, Lippo Vanni...

Oratoire San Bernardino. Attenant à la basilique San Francesco et édifié au XVe siècle, il comprend deux oratoires : l'oratoire inférieur, avec un bas-relief finement sculpté de Giovanni di Agostino, et l'oratoire supérieur, avec des fresques et peintures sur bois de (dans le désordre...) Sodoma, Girolamo del Pacchia et Beccafumi.

Eglise San Michele al Monte di San Donato. Elle possède une Pietà en bois de Vacchietta, mais l'on y va surtout pour admirer la jolie place dell'Abbadia.

Piazza Salimbeni. Avec les palais Salimbeni et Spanocchia.

Sanctuaire de la maison de Sainte-Catherine. Via Santa Caterina. *Ouvert tous les jours de 9 h à 21 h 30 et de 15 h 30 à 18 h 30.* C'est l'ancienne maison de Caterina Banincasa, mystique siennoise qui naquit en 1347 et fut proclamée, en 1939, copatronne d'Italie par le pape Pie XII (question à 3 lires : qui est l'autre patron d'Italie ?). Par un atrium en loggia, on accède à l'église du Crucifix, qui conserve le crucifix devant lequel la sainte aurait reçu les stigmates. Outre cette église, le sanctuaire comprend également l'oratoire supérieur, où l'on peut admirer une peinture sur bois de Bernardino Fungai.

Fontaine Branda (Fonte Branda). On vous laisse le soin de vous aventurer au bout de la Via Santa Caterina pour la découvrir, dans toute sa splendeur... Derrière, la basilique San Domenico conserve, dans la chapelle Sainte-Catherine, la tête de la sainte ainsi qu'un reliquaire avec un de ses doigts. La chapelle est décorée de fresques de Sodoma qui racontent la vie de la sainte.

Balade

Au-delà des monuments cités, la meilleure manière de découvrir Sienne est encore de se perdre dans ses rues et ruelles. Impossible de ne pas tomber sous le charme !

Les soirs d'été, vous pourrez suivre le courant de la passegiatta, dans la Via Banchi di Sopra, qui atterrit immanquablement à la Piazza del Campo.

Les bonnes glaces sont à déguster au **bar gelateria delle Piazza del Campo** ou chez **Bibo, Via Banchi di Sotto, 63** (*fermé le lundi*), où vous trouverez également de bons sandwiches.

Ceux que l'équitation intéresse, s'adresseront à **La Selleria, Via Traversa Stazione, 21**. Quant aux amateurs d'armures et d'armes anciennes, ils iront chez **Enrico Colli, Via Bernardo Tolomei, 16.**

➥ LE SIENNOIS

Nous signalons deux escapades : une au nord-ouest, l'autre au sud, avec les «must» de la campagne siennoise, l'une des plus belles de toute la Toscane.

Le premier itinéraire comprend le début de la Valdelsa et les collines sur la gauche, qui font partie de la province de Pise. Longtemps lieu d'âpres batailles, le territoire est aujourd'hui littéralement dessiné par l'homme, et produit comme un effet graphique qui est impressionnant. Le second itinéraire, moins linéaire, se parcourt en suivant la ligne des collines entaillées, à un certain point, par la Valdorcia et la Cassia (SS2). Une belle route panoramique mais très fréquentée le dimanche. Le mieux est de choisir des petites routes départementales. La région vaut vraiment le détour, avec les collines arides de la région des Crêtes, d'où provient la célèbre «terre de Sienne» avec laquelle ont été peints tant de chefs-d'œuvre de la Renaissance.

MONTERIGGIONI

Ce charmant village fortifié de murs médiévaux intacts est surmonté de 14 donjons carrés. A 14 kilomètres de Sienne, c'est un premier avant-goût de la campagne siennoise, riche de nombreuses grandes surprises, tant du point de vue de l'architecture que du paysage.

COLLE VAL D'ELSA

L'une des merveilles de la région siennoise. A 25 kilomètres de Sienne, c'est une petite ville marquée par d'illustres peintres et architectes du passé, tels Giorgio Vasari, Giuliano da Sangallo et Arnolfo di Cambio. D'aspect médiéval, avec des ruelles pavées et les restes de fortifications datant des XIIe et XIIIe siècles, Colle Val offre plus d'un prétexte à la balade : l'église des Agostino à Colle Bassa et à Colle Alta, la Via del Castello s'ouvrant sur une arcade sous le beau palais Campana, sans doute le plus spectaculaire de la ville. Sur la place du Dôme, le Musée archéologique (s'adresser au gardien) abrite de splendides vases vernis de noir, typiques de Volterrano. Sur les collines environnantes, au milieu des forêts, on trouve les collégiales romanes de Casole d'Elsa (15 km au sud-ouest) et l'église de San Giovanni Battista, à Mensano (9 km).

Exposition d'artisanat en septembre, avec des matériaux comme le papier, le verre et le cristal.

SOVICILLE

Indicatif téléphonique : 0577

A 17 kilomètres de Sienne, un village du XIIIe siècle, perdu au milieu d'immenses forêts de chênes et de châtaigniers. Il a été conçu, pendant la première moitié de l'âge communal de Sienne, comme une fortification réalisée à partir de 12 édifices, en pierre rosée, récupérés à cette fin.

SAN GALGANO

A 34 kilomètres de Sienne. Totalement isolée, cette abbaye cistercienne, de style gothique italien (1224-1288) et d'une architecture élancée, a une particularité : le ciel lui sert de toit. Les herbes des champs qui s'étendent tout autour sur plusieurs kilomètres ont depuis longtemps envahi l'intérieur. L'effet est impressionnant et inoubliable. Le cinéaste Andrei Tarkovski l'a bien compris, qui l'a choisie pour y tourner certaines scènes de son film *Nostalgia*. A une centaine de mètres, on pourra voir la petite église de San Galgano, avec la célèbre «épée dans la pierre» plantée par le saint en guise de croix. On accède à l'abbaye par la route nationale Sienne-Massa-Marittima, en suivant les indications au km 33.

MONTE OLIVETO MAGGIORE

Indicatif téléphonique : 0577

Hébergement

Des visiteurs peuvent éventuellement être hébergés au sein du monastère, mais seulement dans des cas exceptionnels.

Points d'intérêt

Abbaye. *Ouverte de 9 h à 12 h 30 et de 15 h à 18 h 30 (17 h 30 en hiver).* Maison mère de l'ordre olivetano, c'est l'une des plus belles abbayes d'Italie. Située au beau milieu d'une forêt de cyprès, elle domine les crêtes siennoises. Composé d'églises, de chapelles, de cloîtres, tours et loges, le monastère apparaît presque comme une ville du XIIIe siècle. A l'intérieur, on ne manquera pas de marquer une pause devant la *Scene della Vita di San Benedetto* de Luca Signorelli et Sodoma.

MONTALCINO

A 41 kilomètres de Sienne. Superbement située sur une colline d'oliviers, entre les vallées de l'Ombrone et de l'Asso, c'est la patrie du fameux brunello di Montalcino, excellent vin que l'on peut goûter dans de beaux chais dissimulés dans une grotte qui domine la ville, dans un merveilleux isolement. Le centre urbain est né vers le Xe siècle, mais ce n'est qu'au cours du XIIIe qu'il a revêtu son aspect actuel.

Pratique

Indicatif téléphonique : 0577

Office du tourisme. Costa del Municipio, 8 ✆ 84 93 31 - Fax 84 93 43. *Du 1er mai au 30 septembre, ouvert de 9 h 30 à 13 h et de 15 h 30 à 19 h. Les autres mois, ouvert de 10 h à 13 h et de 15 h à 17 h. Fermé le lundi.* Renseignements et vente de billets de bus.

Manifestations

Concerts de musique classique à la Fortezza Medicea.

Chaque vendredi, un **marché** se tient dans la Viale della Libertà. De 7 h 30 à 13 h.

Points d'intérêt

Loggia du palais communal. Piazza del Popolo. Loggia à arcades du XIVe-XVe siècle.

Eglise romano-gothique de San Agostino. Via Ricasoli. Datant du XIVe siècle, elle présente une jolie couleur rouge sur la façade. Fresques à l'intérieur.

Rocca (forteresse) ✆ 84 92 11. *Ouverte de 9 h à 13 h et de 14 h 30 à 20 h. Fermée le lundi.* On y voit l'étendard de Sienne peint par Sodoma.

Musée civique et archéologique. Palazzo Arcivescovile, Via Spagni, 4. *Ouvert du 1er mai au 30 septembre de 9 h 30 à 13 h et de 15 h 30 à 18 h 30. Les autres mois, ouvert de 10 h à 13 h et de 15 h à 17 h. Fermé le lundi.* Présente des œuvres de l'école siennoise des XIVe et XVe siècles, dont des pièces en terre cuite de Della Robbia.

Dans les environs

Abbaye Sant'Antimo. *Ouverte de 11 h à 12 h 30 et de 15 h à 17 h, d'avril à fin septembre de 10 h 30 à 12 h 30 et de 15 h à 18 h.* Campé en pleine campagne, c'est l'un des monuments romans les plus étonnants de la Toscane. L'enchantement mystique du lieu augmente pendant les vêpres du dimanche (17 h), lorsqu'un chœur de frères français entonne des chants grégoriens. Un moment riche d'émotion.

SAN QUIRICO D'ORCIA

Indicatif téléphonique : 0577.

C'est pour visiter la collégiale romane qu'on se rend dans ce charmant village à 43 kilomètres au sud-est de Sienne, donnant sur la vallée de l'Orcia. On admire particulièrement les portails de la collégiale, l'un datant de 1080, l'autre du XIIIe siècle, mais également, à l'intérieur, le superbe triptyque de Sano di Pietro. Le village abrite aussi l'un des plus stupéfiants jardins à l'italienne du XVIe siècle, les Orti Leonini (près de la Porta Nuova). Un **marché** a lieu chaque matin les second et quatrième mardi du mois.

BAGNO VIGNONI

A 5 kilomètres au sud-est de San Quirico. Quelques rares habitations et une belle loge du XVe siècle font tout le charme de cette petite station thermale où, sur la place centrale, trône une immense fontaine d'eau fumante bordée de pierre. Spectaculaire.

SAN GIMIGNANO

Manhattan médiéval splendidement conservé, San Gimignano, à 38 kilomètres de Sienne, est sans doute le lieu qui restitue le mieux l'ambiance de la Toscane d'autrefois. Pour vraiment s'en imprégner, il faut se promener dans ses ruelles, longues et étroites, qui suivent le dessin de la colline, et observer la variété des architectures en pierre de taille et en brique.

■ TRANSPORTS

Bus. Tra-In. Piazza Martiri.

■ PRATIQUE

Indicatif téléphonique : 0577.

Office du tourisme. Piazza del Duomo, 1 © 94 09 08. *Ouvert tous les jours de 9 h à 13 h et de 15 h à 19 h.* Possibilité de changer de l'argent et d'acheter des billets de bus.

Poste. Piazza delle Erbe, 8. *Ouverte du lundi au vendredi de 8 h 15 à 19 h et le samedi de 8 h 15 à 12 h 30.*

Téléphone public. SIP. Via San Matteo, 13. *Ouvert tous les jours de 8 h à minuit.*

Police. Piazzale Martiri di Montemaggio © 94 03 13.

■ HEBERGEMENT

Confort ou charme

Hôtel Leon Bianco. Piazza della Cisterna, 13, San Gimignano © 94 12 94 - Fax 94 21 23. *150 000/190 000 L. Fermé de l'Epiphanie à la mi-février.* 24 chambres avec téléphone, télévision, climatisation. Garages, parking. American Express, Visa, Diner's Club. Une adresse relativement économique, compte tenu de sa situation en plein centre-ville. Service efficace.

Hôtel Bel Soggiorno. Via San Giovanni, 91, San Gimignano © 94 03 75/94 31 49 - Fax 94 03 75/94 31 49. *150 000/220 000 L. Fermé du 11 janvier au 9 février.* 22 chambres avec téléphone, télévision, climatisation. Garages, restaurant (*60 000/95 000 L ; fermé du 10 janvier au 10 février*). Interdit aux animaux. American Express, Visa, Diner's Club. Ambiance du XIVe siècle et vue sur la Veldesa depuis certaines chambres. Très bon restaurant réputé dans la région.

Hôtel La Cisterna. Piazza della Cisterna, 24, San Gimignano © 94 03 28 - Fax 94 20 80. *120 000/200 000 L. Fermé du 11 janvier au 9 mars.* 49 chambres avec téléphone, télévision. Accès handicapés, garages, climatisation, restaurant. Interdit aux animaux.

American Express, Visa, Diner's Club. Très bel hôtel installé dans un antique palais du XIVe. Tout ici respire le raffinement, le mobilier comme la restauration (voir plus loin).

Hôtel l'Antico Pozzo. Via San Matteo, 87, San Gimignano ✆ 94 20 14 - Fax 94 21 17. *160 000/260 000 L.* 18 chambres avec téléphone, télévision, climatisation, réfrigérateur. Parc, accès handicapés, garages. Interdit aux animaux. American Express, Visa, Diner's Club. Quel raffinement et quel bon goût dans l'arrangement de cette ancienne demeure du XVe siècle ! C'est un véritable plaisir de se réveiller dans ces chambres, superbes dans leur élégante sobriété. Idéal pour un voyage de noces !

Agriturismo

Casanova di Pescille. A Pescille (5 km au nord de San Giminiano) ✆/Fax 94 19 02. *110 000 L la chambre et 150 000 L* l'appartement, petit déjeuner compris. 8 chambres et 1 appartement. Parking. Visa. Petite exploitation viticole qui produit le vernaccia mais aussi de l'huile d'olive. Chambres simples et jardin. Un bon rapport qualité-prix.

San Gimignano

Casalgallo. A Quercegrossa, Via del Chianti Classico, 5, Castelnuovo Berardenga © 05 77/32 80 08. *Chambres 40 000/50 000 L. Ouvert tous les jours.* 5 km au sud de Monteriggioni. Une entreprise familiale, dans une demeure de construction récente, aménagée dans un style rustique. Accueil chaleureux.

Casabianca. Località Montepescini, Murlo © 05 77/81 10 33. *Chambres 30 000/60 000 L, repas 30 000/45 000 L. Ouvert tous les jours.* 20 kilomètres au sud de Sovicille. Une belle maison rustique de caractère, proposant 27 appartements et de nombreuses activités : manège, ping-pong, piscine, VTT, observation des animaux, visites guidées, pêche, promenades à cheval. Pour profiter des délices de la Toscane dans de bonnes conditions.

Chambres d'hôtes

San Luigi Residence. Via della Cerreta, 38, Frazione Strove (à 5 km de Monteriggioni) © 30 10 55. *290 000/350 000 L.* 7 chambres avec téléphone, télévision, réfrigérateur. Parc, parking, piscine, tennis. American Express, Visa, Diner's Club. Une vieille ferme toscane transformée en 44 appartements rustiques de 2 à 6 lits. Restaurant en plein air de cuisine régionale.

Convento Sant'Agostino. Piazza Sant'Agostino, San Gimignano © 94 03 83. *Environ 40 000 L la chambre double. Réservation obligatoire.* Chambres sans chichi (nous sommes chez des religieuses) mais agréables, donnant sur le cloître fleuri.

Il Casale del Cotone. A Cotone (2 km de San Giminiano, sur la route de Certaldo) ©/Fax 94 32 36. *140 000 L en chambre double.* 6 chambres et 3 appartements avec téléphone, télévision, climatisation, réfrigérateur. Parking. American Express, Visa. Ferme très accueillante, entourée de vignes et d'oliviers.

Fattoria dei Barbi. A Podernovi (5 km de Montalcino) © 84 82 77. Cette fameuse propriété, dont les splendides caves sont ouvertes à la visite, propose 6 appartements de 4 à 6 lits, aménagés dans les dépendances de la ferme. Parc équipé, bicyclettes et parcours guidé dans la forêt.

■ RESTAURANTS

Restaurant Stella. Via San Matteo, 77, San Gimignano © 94 08 29. *30 000/55 000 L. Fermé le mercredi et de l'Epiphanie à la mi-février.* 65/100 couverts. American Express, Visa, Diner's Club. Bonne cuisine, savoureuse et authentique, dans un cadre rustique.

Restaurant Griglia. Via San Matteo, 34/36, San Gimignano © 94 00 05. *30 000/65 000 L. Fermé le jeudi.* 90/200 couverts. Agréable terrasse panoramique avec pergola pour ce restaurant installé dans la tour Pesciolini du XIVe siècle. Cuisine régionale.

Restaurant Dorando. Viccolo dell'Oro, 2, San Gimignano © 94 18 62. *65 000/90 000 L. Fermé le lundi.* 35 couverts. Climatisation. Bon restaurant situé derrière le Palazzo Podestà. Cadre idéal pour les amoureux.

Restaurant le Terrazze. Piazza della Cisterna, 24 (voir «Hôtel Cisterna»), San Gimignano. *55 000/85 000 L.* Réputé dans toute la région pour son excellente cuisine toscane.

■ POINTS D'INTERET

San Gimignano est célèbre pour ses 14 tours, toutes de hauteur différente, édifiées à l'époque communale (il y en avait 72 alors) afin de témoigner de la richesse économique de la ville. Les familles rivalisaient ainsi entre elles. Pavée de brique, la place de la Citerne (Piazza della Cisterna), entourée de maisons-tours typiques, constitue le centre de la ville. La citerne, au milieu, est belle et insolite. Sur la place du Dôme se dressent la collégiale romane, riche de nombreuses œuvres d'art, et le palais de la Podestà, dont la grosse tour, la plus haute de la ville (54 mètres), est la seule que l'on puisse visiter.

Un billet (*10 000 L*) permet de visiter la plupart des monuments de la ville (*de 9 h 30 à 12 h 30 et de 15 h 30 à 18 h 30, tous les jours d'avril à septembre, fermés le lundi d'octobre à mars*). Surtout ne manquez pas de goûter l'excellente vernaccia de San Gimignano, ou son vin blanc sec.

VOLTERRA

Etendue au milieu de collines couleur d'argile, Volterra est une surprenante ville médiévale dont la spécialité est le travail de l'albâtre. La forteresse de l'époque des Médicis est aujourd'hui devenue une prison. D'origine étrusque, c'était, au IVe siècle av. J.-C., l'une des plus puissantes dodécapoles.

La place centrale (Piazza dei Priori) accueille deux palais médiévaux : le palais du Prétoire (Palazzo Pretorio) et le palais des Prieurs (Palazzo dei Priori), le plus ancien palais communal de la Toscane, derrière lequel se dresse le Dôme, qui date du XIIIe siècle. L'endroit le plus caractéristique de la ville est le Quadrivio dei Buonparenti, flanqué de tours qui servaient d'habitations et de petits ponts du XIIIe siècle.

TRANSPORTS

Gare. A Saline di Volterra, à 9 km (ensuite liaisons avec bus APT). Renseignements sur les trains ✆ 44 116.

Bus. Terminal, Piazza della Libertà.

PRATIQUE

Indicatif téléphonique : 0588.

Office du tourisme. Via G. Turazza, 2 ✆ 86 150.

Poste. Piazza dei Priori, 14 ✆ 86 969.

HEBERGEMENT

Albergo Etruria. Via Matteotti, 32 ✆ 87 377. *70 000/900 000 L.* Visa. Un hôtel bien situé, qui propose des chambres propres et grandes à prix économiques.

Confort ou charme

Villa Nencini. Borgo San Stefano, 55 ✆ 86 386 - Fax 80 601. *115 000/130 000 L.* 36 chambres avec téléphone, télévision, réfrigérateur. Parc, accès handicapés, parking, piscine. Visa. Une villa du XVIIe siècle aux pierres apparentes, avec vue sur les collines environnantes. Bon rapport qualité-prix.

Hôtel San Lino. Via San Lino, 26 ✆ 85 250 - Fax 80 620. *140 000/180 000 L.* 43 chambres avec téléphone, télévision, climatisation, réfrigérateur. Garages, accès handicapés, jardin, piscine, restaurant. Interdit aux animaux. American Express, Visa, Diner's Club. Cet hôtel, installé dans un ancien couvent du XIVe siècle, allie tradition, modernité et confort.

Camping

Camping Le Balze. Via di Mandringa, 15 ✆ 87 880. *Ouvert de mars à la fin octobre.* Restaurant, piscine, tennis, bungalows.

Auberge de jeunesse

Ostello Villa Giardino. Via del Pogetto ✆ 85 577. *Compter 25 000 L, petit déjeuner compris. Réception ouverte de 8 h à 10 h et de 18 h à 23 h. Ferme à 23 h.* Une auberge de jeunesse accueillante, face à la citadelle. Excellent rapport qualité-prix. Jardin.

RESTAURANTS

Pizzeria Birreria Ombre della Sera. Via Guarnacci, 16. *Fermée le lundi.* Pizzas copieuses à prix minuscules.

Ristorante Ombra delle Sera. Via Gramsci, 70 ✆ 86 663. *20 000 L environ. Fermé le lundi et d'octobre à février.* American Express, Visa. Mêmes propriétaires que le précédent. Bonne cuisine.

Restaurant Il Pozzo degli Etruschi. Via delle Prigioni, 28. *Fermé le jeudi.* American Express, Visa. Agréable jardin où l'on peut manger. Relativement économique.

Da Bado. Borgo S. Lazzaro, 9 ✆ 86 477. *Environ 30 000 L. Fermé le mercredi.*

Restaurant Da Beppino. Via delle Prigioni, 13/21 © 86 051. *30 000 L. Fermé le mercredi et du 10 au 20 janvier.* 140/180 couverts. American Express, Visa. Bonne trattoria du centre, qui sert des spécialités aux truffes et champignons.

Restaurant Etruria. Piazza dei Priori, 8 © 86 064. *45 000 L. Fermé le jeudi et en novembre. Réservation obligatoire.* 90/150 couverts. Jardin, climatisation. American Express, Visa, Diner's Club. Cuisine pleine de saveurs dans un vieux palais au mobilier ancien. Ambiance très particulière.

Restaurant Il Sacco Fiorentino. Piazza XX Settembre, 18 © 88 537. *35 000/65 000 L. Fermé le vendredi. Réservation obligatoire.* 50 couverts. Climatisation. American Express, Visa, Diner's Club. Accueil élégant et cuisine recherchée dans un palais du XVIIe siècle récemment restauré.

POINTS D'INTERET

Piazza dei Priori. C'est une des places médiévales les plus intéressantes d'Italie. Elle est bordée de sévères palais, dont le palais épiscopal, le palais Pretorio ou encore le Palazzo dei Priori, du XIIIe siècle. La cathédrale se trouve sur cette même place.

Cathédrale (Duomo). Située derrière le Palazzo dei Priori, cette construction romane des XIIe-XIIIe siècles comporte notamment un groupe de bois polychrome du XIIIe siècle, intitulé la *Déposition,* un ciboire en albâtre de Mino da Fiesole, au-dessus de l'autel principal, ainsi que des fresques de Benozzo Gozzoli.

Pinacothèque (ou Museo Civico). Via Sarti, 1, Palazzo Solaini. *Ouverte tous les jours de 10 h à 14 h entre la mi-septembre et la mi-juin, et de 9 h 30 à 13 h et de 15 h à 18 h 30 les autres mois.* Œuvres de Ghirlandaio, Luca Signorelli, la plus remarquable étant la *Déposition* de Croix de Rosso Fiorentino (1520).

Dans la Via Sarti, on pourra voir le palais Viti, du XVIe siècle, qui a servi de décor au film Sandra de Visconti.

Théâtre romain. Date de l'époque d'Auguste (Ier siècle après J.-C.).

Eglise San Francesco. Piazza Inghirami. Datant du XIIIe siècle, elle est ornée de fresques de Francesco di Cenni (XVe siècle).

Musée étrusque Mario Guarnacci. Via Don Minzoni, 11 © 86 347. *Ouvert du 15 mars au 15 octobre de 9 h 30 à 13 h et de 15 h à 18 h 30.* On y expose des objets allant de la Préhistoire à l'époque romaine impériale, mis au jour lors des fouilles archéologiques effectuées dans la région (notamment dans le parc archéologique Enrico Fiumi, où se trouvent encore des vestiges de l'acropole étrusco-romaine). Parmi les pièces présentées, on remarquera des statuettes en bronze, dont celle, remarquable, intitulée *Ombre du soir,* datant du IIIe siècle av. J.-C., ainsi qu'une importante collection d'urnes funéraires étrusques finement sculptées en tuf, albâtre et terre cuite (étonnante urne aux époux du Ier siècle av. J.-C.).

La forteresse. Aujourd'hui transformée en prison, cette imposante construction Renaissance se dresse sur les hauteurs de la ville.

Shopping

La Via Matteotti, prolongée par la Via Porta dell'Arco, regorge de boutiques où l'on travaille l'albâtre.

Balade

Si vous voulez voir un des paysages les plus impressionnants de la campagne siennoise, faites une balade du côté des *balze,* gouffres nés de l'érosion du terrain argileux (à 2 km de la porte San Francesco, qui date du XIVe siècle).

PISE ET SA REGION

PISE

En 1884, l'écrivain Paul Bourget séjourna quelques semaines à Pise. Siège de la prestigieuse université fondée à la Renaissance par Laurent de Médicis, la ville sembla à l'écrivain agréablement animée. De nos jours encore, elle reste à la hauteur de sa renommée, aristocratique et opulente, avec ses élégants immeubles alignés le long des quais. Selon Bourget, pour lire le destin de cette ville, il suffisait d'entrer au cimetière et d'observer les deux fresques - Il Trionfo della Morte et Le Scene dell'Antico Testamento - opposant des images de vie et de mort, de victoire et de défaite. La ville surgit au confluent des deux fleuves, l'Arno et le Serchio, non loin de la mer Tyrrhénienne. Après avoir subi de nombreuses modifications de son plan médiéval originel, Pise a aujourd'hui beaucoup de mal à accorder son image touristique à la vie de tous les jours. Quoique très fréquentée par les étudiants, puisqu'elle possède l'une des universités les plus renommées du pays, Pise n'abonde pourtant pas en lieux de rencontres. Elle se vit de plus en plus comme une belle ville de passage où l'on se rend principalement pour contempler, sur la Piazza dei Miracoli, sa fameuse tour penchée, malheureusement clôturée aujourd'hui.

TRANSPORTS

Aeroporto G. Galilei. ✆ 50 07 07.

Bus APT. Via Benedetto Croce, 26 ✆ 40 096/40 202 - Fax 40 903.

Gare. Piazza della Stazione ✆ 41 385. *Vente de billets et renseignements de 7 h à 20 h 30. Bureau de change ouvert tous les jours de 9 h à 12 h et de 15 h à 19 h. Consigne ouverte 24 h/24.*

Location de voitures

L'Autonoleggio Toscano. Via Bonaini, 125, ✆ 46 127.

Toutes les autres agences se trouvent à l'aéroport : ACI ✆ 48 088/49 500, **Avis** ✆ 42 028, **Europcar** ✆ 41 017, **Hertz** ✆ 43 220/49 187.

Taxis

Radio-taxi ✆ 54 16 00.

Piazza Stazione ✆ 41 252 ; Piazza Duomo ✆ 56 18 78.

Poste centrale. Piazza Vittorio Emanuele II. *Ouverte du lundi au vendredi de 8 h 15 à 17 h, le samedi de 8 h 15 à 12 h.*

Téléphone public. Telecom. Via Carducci, 15.

Distributeur. Banca di Roma. Via Santa Maria.

Police. Via Lalli ✆ 58 35 11.

PRATIQUE

Indicatif téléphonique : 050.

Offices du tourisme

Piazza del Duomo ✆ 56 04 64. *Ouvert de 8 h à 13 h et de 15 h à 19 h. Fermé le dimanche après-midi*. Possibilité de change.

Piazza della Stazione ✆ 42 291. Ouvert de 8 h à 20 h.

HEBERGEMENT

Etant donné que la visite des monuments peut s'effectuer en une seule journée, nous vous conseillons de réserver un hôtel dans les environs plutôt que dans le centre-ville.

Locandà Galileo. Via Santa Maria, 12 ✆/Fax 40 621. *45 000/65 000 L.* 9 chambres. Correct pour le prix. Patrons sympas.

Albergo Gronchi. Piazza Archivescovado, 1 © 56 18 23. *35 000/55 000 L. Ferme à minuit. Réservation conseillée.* 23 chambres. Jardin. C'est la meilleure pension de la ville dans cette catégorie de prix.

Pensione Helvetia. Via Don G. Boschi, 31 © 55 30 84. *50 000/75 000 L environ.* 23 chambres. Bar, jardin. Bon rapport qualité-prix, à deux pas de la cathédrale.

Confort ou charme

Hôtel Roma. Via Bonanno Pisano, 111 © 55 44 88 - Fax 55 01 64. *95 000/150 000 L.* 27 chambres avec téléphone, télévision, climatisation. Jardin, parking, bar. American Express, Visa. Moderne, bien équipé et bien tenu. En plein centre.

Agriturismo

Agriturismo Coop. Lungomonte Pisano. Località San Bernardo, Calci © 050/93 76 30. *Chambres 40 000 L, demi-pension 65 000 L. Ouvert tous les jours.* 10 kilomètres à l'est de Pise. Une demeure du XIXe siècle, perchée sur les hauteurs au milieu des oliviers. Elle offre une vue imprenable sur la côte jusqu'à Livorno.

Agriturismo Poggio di Mezzo. A Perignano, Via Sottobosco, 21, Lari © 05 87/61 75 91. *Chambres 50 000 L, pension 80 000 L. Ouvert tous les jours.* 20 kilomètres au sud de Pise. Perchée sur une colline et offrant un superbe panorama, l'exploitation est parfaitement équipée pour le tourisme équestre et propose même des excursions en fiacre.

Camping

Camping Torre Pendente. Via delle Cascine, 86 © 56 06 65 et 56 17 04 - Fax 56 17 34. *Ouvert du 15 mars au 15 octobre.* Bar, restaurant, supermarché. Situé à 1 km environ du centre-ville. Propose aussi 12 bungalows.

Camping Internazionale. Via Litoranea, 7, Marina di Pisa © 35 211 - Fax 36 553. *Ouvert de la mi-avril à la mi-octobre.* Bar, restaurant, supermarché, accès handicapés, parking, tennis, plage privée. A 15 km de Pise. Un peu moins cher que le précédent.

Camping Mare e Sole. Viale del Tirreno, Calambrona © 32 757. *Ouvert de la fin avril à la mi-septembre.* Bungalows.

Auberge de jeunesse

Casa delle Giovane. Via Corridoni, 31 © 43 061. *20 000 L par personne. Ouverte de 7 h à 22 h 30.* Auberge de jeunesse réservée aux femmes, très bien tenue et économique.

Ostello Madonna dell'Acqua. Via Pietrasanta, 15 © 89 06 22. *20 000 L par personne. Ouverte de 18 h à 23 h.* Une auberge récente, et mixte.

RESTAURANTS

Trattoria da Matteo. Via dell'Arencio, 46 © 41 057. *20 000 L environ. Fermé le samedi et en août.* 50 couverts. Un petit restaurant familial comme on les aime, et bon de surcroît.

Restaurant Schiaccianoci. Via Vespucci, 104/a © 21 024. *40 000/60 000 L. Fermé le dimanche, et en août.* 50 couverts. Climatisation. American Express, Visa, Diner's Club. Restaurant au cadre plutôt intime proposant une cuisine régionale correcte. Spécialités de poisson.

Osteria dei Cavalieri. Via San Frediano, 16 © 58 08 58. *40 000/65 000 L. Fermé le samedi à midi et le dimanche, et du 1er au 6 janvier. Réservation obligatoire.* 30/60 couverts. Climatisation. American Express, Visa, Diner's Club. Installé dans un palais d'époque, ce restaurant accueillant propose des menus *di terra* (de la terre), *di mare* (de la mer) et *di verdure* (de légumes), bons et non dénués d'originalité.

Restaurant Emilio. Via Roma, 26 © 56 21 31 - Fax 56 20 96. *35 000 L. Fermé le vendredi.* 170/270 couverts. Climatisation. American Express, Visa, Diner's Club. Assez touristique (à deux pas de la cathédrale) mais néanmoins agréable.

Antica Trattoria da Bruno. Via Bianchi, 12 © 56 08 18. *35 000/60 000 L. Fermé le lundi soir, le mardi, et du 5 au 18 août. Réservation obligatoire.* 150 couverts. Climatisation. American Express, Visa, Diner's Club. Restaurant très connu à Pise, qui propose une bonne cuisine, copieuse et savoureuse. Décor chaleureux.

La Barcarola. Viale Carducci, 63, Livourne © 40 23 67. Un palazzo pour le style, un réel savoir-faire pour la cuisine... Une adresse incontournable à Livourne.

Ristoro dei Vecchi Macelli. Via Volturno, 49 ✆ 20 424. *50 000/80 000 L. Fermé le mercredi, le dimanche à midi, et du 10 au 20 août. Réservation obligatoire.* 45/60 couverts. Climatisation. American Express, Visa, Diner's Club. Bon restaurant et bonne carte des vins.

Restaurant Sergio 7. Lungarno Pacinotti, 1 ✆ 48 245. *Environ 75 000 L. Fermé le dimanche et le lundi à midi, et en janvier.* Un établissement style XIVe siècle, en plein centre de Pise. Cuisine élaborée à base de poissons et de viandes. Carte des vins de tous les grands châteaux français.

MANIFESTATIONS

Exposition et marché des antiquaires : chaque second week-end du mois, sauf en août. 60 exposants ont élu domicile sous la loge des Bianchi, datant du XVIIIe siècle, et dans les petites ruelles proches de l'Arno et du Ponte di Mezzo. Bon choix de meubles et d'antiquités.

Mai : Palio della Balestra et exposition et marché de la fleur.

Juin : régate historique des anciennes Républiques marines (aviron). Selon les années, elle se déroule à Pise, à Gênes, à Amalfi ou à Venise.

Les 16 et 17 juin : Luminara di San Ranieri, avec d'étonnantes illuminations de cire, et, le jour suivant, la régate historique de San Ranieri, patron de la ville.

Le 28 juin : Gioco del Ponte, bataille en costumes du XVIe siècle entre deux quartiers de la ville, le Mezzogiorno et le Tramontana.

POINTS D'INTERET

Piazza del Duomo, ou Campo dei Miracoli. L'espace scénographique le plus imposant de l'architecture romane italienne. Une ville dans la ville, dominée par le marbre blanc des quatre célèbres monuments et par le vert du pré qui les entoure. Le Campo, ou Piazza del Duomo, offre une dimension ouverte quasi métaphysique, qui contraste avec l'habituel espace clos des places publiques traditionnelles.

Dôme. *Ouvert de 7 h 45 à 13 h et de 15 h à 17 h (18 h les jours fériés).* Ce chef-d'œuvre de style roman-pisan, commencé en 1063, est resté une référence pour l'architecture toscane des périodes suivantes. Sa façade est ornée de quatre ordres de loges et l'intérieur abrite des œuvres de Giovanni Pisano (dont la très belle chaire du XIVe siècle).

Tour penchée, Campanile (ou Torre Pendente, comme disent les Italiens). Datant de 1173, elle fut commencée par Bonanno Pisano. Située à droite du Dôme, c'est un autre symbole de la ville. Elle est plus connue pour son inclinaison (qui augmente d'un millimètre par an) que pour l'élégance de son architecture, mais c'est pourtant une belle construction romane qui renferme sept cloches. Aujourd'hui, la Torre est entourée, pour une durée indéterminée, par une protection d'acier et, depuis 1990, on ne peut plus la visiter. Les projets pour tenter d'éviter qu'elle ne s'écroule se succèdent.

Baptistère. *Ouvert tous les jours de 9 h à 17 h.* Sa solide forme au plan circulaire et sa décoration raffinée en marbre, mêlant les styles roman-pisan et gothique pour les étages supérieurs, impressionnent. L'intérieur, étonnamment sobre, comporte la belle chaire de Nicolà Pisano, symbolisant les prémices du gothique italien.

Camposanto Vecchio. *Ouvert tous les jours de 9 h à 17 h.* Le quatrième monument de la place, et le plus récent (1277), mérite une visite avant tout pour son intérieur, un espace silencieux, fermé par des arcades aveugles, pour la splendide mosaïque de son pavement et pour ses fresques, dont il ne reste malheureusement, pour la plupart, que les dessins préparatoires (les sinopies) puisqu'elles ont été détruites au cours de la dernière guerre mondiale. A ne pas manquer toutefois, dans la chapelle Ammanatti, les fresques du *Trionfo della Morte*, réalisées au XIVe siècle par un anonyme et qui inspirèrent à Liszt sa composition Totentanz, ainsi que, au fond de la salle, le cycle de l'*Antico Testamento* de Benozzo Gozzoli,

Piazza dei Cavalieri. Ancien centre de la vie politique à l'époque des Médicis, cette place, très agréable, est aujourd'hui le centre de la vie estudiantine de Pise. En effet, le Palazzo dei Cavalieri, qui accueillait autrefois le siège de l'ordre des chevaliers de Saint-Etienne et qui fut refait par Vasari, abrite aujourd'hui l'Ecole normale supérieure, fondée par Napoléon en 1810. Le palais de l'Orologio ainsi que l'église Santo Stefano dei Cavalieri, édifiée en 1565 par Vasari, ferment cette place au centre de laquelle se dresse une fontaine du XVIe siècle ornée d'une statue de Cosme Ier.

Eglise Santa Maria della Spina. Lungarno Gambacorti. Ce petit bijou de style roman-pisan du XIVe siècle est situé au bord de l'Arno. La Spina n'est autre qu'une épine de la couronne du Christ ramenée de Terre sainte. L'intérieur de l'église, particulièrement lumineux, présente des statues de Tommaso Pisano.

Museo del Opera del Duomo (Œuvre du Dôme). Piazza Arcivescovado, 6. *Ouvert de 9 h à 13 h et de 15 h à 17 h.* Il rassemble des œuvres d'art provenant du Campo dei Miracoli, en particulier des sculptures datant des XIe et XVIe siècles. On y trouve des œuvres de Giovanni Pisano, dont une très belle *Vierge à l'Enfant* et un magnifique *Christ* polychrome.

Museo Nazionale de San Matteo. Lungarno Mediceo. *Ouvert de 9 h à 19 h (13 h le dimanche). Fermé le lundi.* Ce musée, aménagé dans une partie du couvent des Bénédictines de Saint-Matthieu, présente de précieuses collections de sculptures de Giovanni Pisano, Arnolfo di Cambio et Andrea Pisano, ainsi que des peintures de l'école toscane (XIIe-XVIe siècle), de Simone Martini (polyptyque), Gentile da Fabriano, Masaccio, Benozzo Gozzoli, Domenico Ghirlandaio, Fra Angelico et Guido Reni.

Museo delle Sinopie. *Ouvert de 9 h à 13 h et de 15 h à 17 h.* Les sinopies sont les dessins préparatoires pour la réalisation de fresques (effectués à partir d'une terre rouge : la sinopia). Le musée en expose d'importantes, relatives notamment au Jugement Dernier et à la Crucifixion.

Balade

Nous vous conseillons de parcourir la Via Santa Maria, où les beaux palais rivalisent d'élégance. Vous y trouverez, entre autres, au n° 26, la maison de Galilée, natif de Pise (*ouverte de 9 h à 12 h et de 15 h à 18 h*). En descendant vers l'Arno, vous croiserez également l'église San Nicolà, du XIIIe siècle, à l'intérieur de laquelle il faut jeter un coup d'œil. De l'autre côté, le long de la Via Roma qui lui est parallèle, se trouve le Jardin botanique (*ouvert de 8 h à 13 h et de 14 h à 17 h 30 ; fermé le samedi après-midi*). Fondé en 1543, il est logé dans le Département de sciences botaniques. La balade vaut la peine, ne serait-ce que pour aller jeter un œil sur les anciennes structures du lieu qui ont survécu au temps.

On vous laisse le soin de découvrir les autres coins charmants de Pise, mais nous vous conseillons tout de même de vous promener autour de l'université. En revanche, la Piazza dei Miracoli est à éviter. Elle est totalement envahie par les vendeurs de souvenirs.

La tour de Pise

Shopping

Pour les pâtisseries, nous vous conseillons la Pasticceria Federico Salza, Borgo Stretto, 46. Quant aux glaces, vous trouverez les plus onctueuses à la Bottega del Gelato, Piazza Garibaldi, 11.

DANS LES ENVIRONS

San Miniato

Faisant face à la vallée de l'Arno, à 42 kilomètres de Pise, San Miniato a hérité du nom de l'église qui fut construite, entre le VIe et le IXe siècle, par les Lombards. Son aspect actuel remonte à la restructuration opérée au XVIIIe siècle, et au développement en longueur du village, avec la Piazza della Repubblica au centre. Pour admirer la ville, deux points panoramiques incontournables : le Prato del Duomo et l'ancienne Rocca de Federico II, d'où le regard peut se perdre jusqu'à la mer.

Indicatif téléphonique : 0571.

Musée diocésain d'Art sacré. Piazza del Duomo, 1 ✆ 41 80 57. *En hiver, ouvert seulement le samedi et le dimanche de 9 h à 12 h et de 14 h 30 à 17 h, en été, tous les jours, sauf le lundi, de 9 h à 12 h et de 15 h à 18 h.* Conserve des œuvres du XVIe au XIXe siècle, de Filippo Lippi, Neri di Bicci, Andrea del Verrochio...

Bolgheri

A 60 kilomètres de Pise. On y parvient par la nationale 206 jusqu'à San Guido, d'où part une superbe route (immortalisée par le poète Giosuè Carducci), qui court sur cinq kilomètres au milieu de deux rangées de cyprès.

A voir, le parc de la WWF (réserver au 05 65/77 71 25), avec ses dunes de sable, ses marécages et la végétation typique de la Maremma.

Livourne

Après avoir vivoté quelques siècles, Livourne a profité de la puissante tutelle des Médicis pour se développer à partir du XVIe siècle et devenir le premier port de Toscane. Malheureusement très touchée par les bombardements de la dernière guerre (destruction du Duomo, par exemple), la ville est surtout connue des touristes en tant que porte d'embarquement pour la Corse, la Sardaigne ou la Sicile. C'est un peu dommage puisque quelques monuments remarquables ont tout de même échappé aux bombes. Le plus impressionnant d'entre eux est incontestablement la Fortezza Vecchia, fortifiée par les Médicis au XVIe siècle. On ne manquera pas, sur la Piazza Micheli, les célèbres statues en bronze du *Monumento del Quattro Mori* (XVIIe). Signalons également que Livourne est le berceau des Macchiaioli, un groupe de peintres du XIXe qui annonçait l'impressionnisme. Vous vous en rendrez compte en visitant le Museo Civico Giovanni Fattori, du nom du principal animateur du mouvement.

Office du tourisme. Piazza Cavour, 6 ✆ 21 03 31.

• Hébergement et restaurants

Courrier des lecteurs

Hôtel Europe, près du port. Il est difficile d'accès et mal indiqué. Le petit-déjeuner n'est pas très copieux, il est donc à déconseiller. En revanche, nous avons trouvé un restaurant agréable au service attentif, à la cuisine excellente et au cadre agréable, à côté de l'église. Il s'agit de **La Vecchia Senese, Via del Tempio, 114, 57123 Livourne @ 05 86 89 25 60**.
Pierre Marcolini, Le Blanc-Mesnil

ILE D'ELBE

Si vous disposez de quelques jours, allez donc jusqu'à Piombino (à 100 km de Pise par la nationale 206 et la route côtière après San Vincenzo) et prenez le bateau qui, en une heure de traversée, vous emmène sur la plus grande île de l'archipel toscan (elle était à l'origine reliée à la Corse), connue surtout comme lieu d'exil de Napoléon, qui y resta du 3 mai 1814 au 26 février 1815. Il existe également un vol direct entre Pise et l'île d'Elbe. Très touristique en été, l'île s'avère très agréable hors saison.

Renseignements auprès des compagnies suivantes :
Toremar. Piazzale Premuda, 13, à Piombino ✆ 05 65/91 80 80.
Navarma. Piazzale Premuda, 13, à Piombino ✆ 05 65/22 12 12.

PORTOFERRAIO

Citadelle fortifiée avec une belle porte, c'est le principal centre d'animation de l'île, très peuplé en été. Il est donc conseillé de ne pas vous y éterniser après votre arrivée sur l'île.

■ TRANSPORTS

Bus ATL. Viale Elba, 20 © 91 43 92. *Bureau ouvert de juin à septembre, du lundi au samedi de 8 h à 20 h, d'octobre à mai, de 8 h à 13 h et de 17 h à 19 h. Consigne ouverte tous les jours de 8 h à 20 h.*

Bateau

Toremar. Calata Italia, 22 © 91 80 80.

Navarma. Viale Elba, 4 © 91 81 01.

Elba Ferries © 93 06 76.

■ PRATIQUE

Indicatif téléphonique : 0565.

Offices du tourisme

Calata Italia, 26 © 91 46 71. Ouvert en été du lundi au samedi de 9 h à 13, et de 14 h 30 à 19 h 30, en hiver du lundi au samedi de 8 h à 13 h et de 15 h à 19 h.

Viale Elba. Ouvert du 15 juin au 15 septembre, du lundi au samedi de 8 h à 20 h.

Poste. Piazza Hutre. *Ouverte du lundi au vendredi de 8 h 15 à 19 h, le samedi de 8 h 15 à 12 h 30.* Autre bureau au port.

Téléphones publics. Calata Italia. Ouvert tous les jours de 8 h à 22 h.

Banca di Roma. Via Manganaro © 91 84 59. *Ouverte du lundi au vendredi de 8 h 20 à 13 h et de 15 h à 16 h.*

■ HEBERGEMENT

Confort ou charme

Hôtel Casa Lupi. Via Amedeo, Marciana Marina © 99 143. *Environ 110 000 L la chambre double.* Bien tenu, agréable et de bon rapport qualité-prix.

Hôtel Da Giacomino. A Capo Sant'Andrea (9 km de Marciana) © 90 80 10 - Fax 90 82 94. *100 000/130 000 L. Fermé de novembre à mars.* 25 chambres avec téléphone, télévision. Parc, parking, piscine, restaurant (45 000 L). American Express, Visa. Accueillant et familial, cet hôtel offre confort et tranquillité, à des prix très avantageux par rapport à ceux pratiqués sur l'île.

Villa Ottone. A Ottone (10 km de Portoferraio) © 93 30 42 - Fax 93 32 57. *200 000/530 000 L. 230 000 L en demi-pension. Ouvert de la mi-mai à septembre.* 70 chambres avec téléphone, télévision, climatisation, réfrigérateur. Parc, parking, plage privée, piscine, tennis. Interdit aux animaux de grosse taille. American Express, Visa, Diner's Club. Villa du XVIIIe siècle, entourée d'un beau parc et aménagée avec beaucoup de goût.

Park Hôtel Napoleone. A San Martino di Portoferraio (6 km de Portoferraio) © 91 85 02 - Fax 91 78 36. *200 000/410 000 L. 260 000 L en demi-pension. Fermé de janvier à la mi-mars.* 64 chambres avec téléphone, télévision, climatisation, réfrigérateur. Parc, parking, plage privée, piscine, tennis. Interdit aux animaux de grosse taille. Mini-golf, équitation, restaurant (*60 000 L ; ouvert d'avril à octobre*). American Express, Visa, Diner's Club. Luxueuse villa de la fin du XIXe siècle, non dénuée de charme.

Hôtel Frabicia. A Magazzini (à 9 km de Portoferraio) © 93 31 81 - Fax 93 31 85. *Environ 430 000 L. Ouvert d'avril à septembre.* 76 chambres avec téléphone, télévision, climatisation. Parc, parking, plage privée, piscine, tennis, salle de gym. American Express, Visa, Diner's Club. Hôtel moderne et confortable, plongé dans la verdure et les oliviers.

Agriturismo

Agriturismo Mazzei Maria Grazia. Località Lo Schioppo, Marciana Marina © 05 65/99 038. *Ouvert de Pâques à octobre.* Sur l'Isola d'Elba. Appartement autonome rénové à deux pas de la mer.

RESTAURANTS

Restaurant Rendez-vous da Marcello. Piazza della Vittoria, 1 (à Marciana Marina) ✆ 99 251. *45 000/75 000 L. Fermé le mercredi et du 10 janvier au 10 février. Réservation obligatoire.* 70 couverts. Climatisation. Depuis 20 ans, la famille Lande sert une bonne cuisine à base de poisson. Grande véranda donnant sur la plage, avec une terrasse pour les beaux jours.

Restaurant Publius. A Poggio (Marciana) ✆ 99 208. *55 000/85 000 L. Fermé du 15 octobre à Pâques. Réservation obligatoire.* 90 couverts. American Express, Visa, Diner's Club. Réputé dans l'île pour sa bonne cuisine et son accueil sympathique.

POINT D'INTERET

Musée Napoléon, ou Villa Napoleonica di San Martino (à 6 km sur la route pour Manciana) ✆ 91 58 46. *Ouverte du lundi au vendredi de 9 h à 17 h, le samedi et le dimanche de 9 h à 12 h 30.* Villa d'été où vécut Napoléon durant son exil de dix mois sur l'île d'Elbe.

Balade

Capoliveri. Agrippé à un promontoire et isolé.

Porto Azzuro. Protégé par une baie. Belle plage.

Marciana Marciana. Grand village sur les flancs du mont Capanna, avec plages de galets et bon point de départ pour des balades (on peut aller jusqu'au sommet du mont Capanna en téléphérique, le panorama y est superbe).

LUCCA

Dès l'entrée dans la ville, on perd la notion du temps. Lucca, la seule ville parmi les villes-Etats de la Toscane à avoir gardé son indépendance, a préservé de façon parfaite la dimension urbaine du XVIe siècle, grâce à son enceinte de murs. Romaine au IIe siècle av. J.-C., commune libre en 1119, Lucca fut gouvernée par une république oligarchique de 1369 à 1799, date à laquelle Napoléon la «prit» pacifiquement pour la donner comme principauté à sa sœur Elisa, en 1802.

Son histoire artistique est caractérisée par l'interprétation du style roman pisan en une version plus maniériste, avec de riches décorations et des motifs représentant des monstres et des figures de la mythologie. De nombreuses œuvres d'art de la ville sont dues à Jacopo Della Quercia, qui, venu à Lucca au XVe siècle, a largement contribué au style lucchese. Entre le XVIIe et le XIXe siècle, de splendides villas furent construites dans les environs de la ville.

TRANSPORTS

Gare. Piazza Ricasoli ✆ 47 013.

Bus. Compagnie Lazzi. Piazzale Verdi ✆ 58 13 05.

PRATIQUE

Indicatif téléphonique : 0583.

Office du tourisme. Piazza Guidiccioni, 2 ✆ 41 96 89. *Ouvert seulement en été de 9 h à 20 h. Possibilité de change de 9 h à 13 h et de 15 h à 19 h du lundi au samedi.* Horaires de bus.

Poste. Via Vallisneri ✆ 45 66 69. *Ouverte du lundi au vendredi de 8 h 15 à 18 h et le samedi de 8 h 15 à 12 h.*

Téléphone public. Via Cenami, 15/19. *Ouvert du lundi au samedi de 8 h 45 à 12 h 30 et de 15 h 30 à 19 h.* Egalement Via San Paolino, 22.

Banque

Banca di America e d'Italia. Via Fillungo. Distributeur Visa.

Credito Italiano. Piazza San Michele, 47 ✆ 47 546. *Bureau de change ouvert du lundi au vendredi de 8 h 20 à 13 h 20 et de 14 h 45 à 16 h 15.*

HEBERGEMENT

Albergo Diana. Via del Molinetto, 11 © 49 03 68 et 49 22 02 - Fax 47 795. *55 000/105 000 L.* Jardin, parking. Grandes chambres avec télévision, bien tenues.

Confort ou charme

Piccolo Hôtel Puccini. Via di Poggio, 9 © 55 421 - Fax 53 487. *90 000/130 000 L.* 14 chambres avec téléphone, télévision. Parking. Chambres modernes, récemment rénovées, dans un palais Renaissance du centre de la ville.

Hôtel Rex. Piazza Ricasoli, 19 © 95 54 43 - Fax 95 43 48. *130 000/170 000 L.* 25 chambres. Accès handicapés. Bon accueil et bon rapport qualité-prix pour cet hôtel proche de la gare.

Hôtel Napoleon. Viale Europa, 536 © 31 65 16 - Fax 41 83 98. *125 000/200 000 L.* 58 chambres avec téléphone, télévision, climatisation, réfrigérateur. Parc, garages, parking. Interdit aux animaux. Juste derrière les murailles. Fonctionnel mais non dénué d'élégance.

Villa La Principessa. Via Nuova per Pisa, 1616 © 37 00 37 - Fax 37 91 36. *300 000/410 000 L.* Parc, parking. Interdit aux animaux de grosse taille. Un parc à la française entoure ce «Relais & Châteaux» aux 44 chambres très originales.

Auberge de jeunesse

Auberge de jeunesse Il Serchio. Via del Brennero ©/ Fax 34 18 11. *90 lits à 20 000 L, petit-déjeuner inclus.* Restaurant, accès handicapés, parking. A 1,5 km de la gare de Lucca et à 1 km de l'arrêt du bus n° 11 qui mène à la Piazza Napoleone.

Agriturismo

Agriturismo Le Mimose. A Pontemazzor, Camaiore © 05 84/95 11 16. *Appartements 50 000 L par personne.* 20 kilomètres au nord-est de la côte (Viareggio). Le Mimose offre la possibilité de cultiver son corps (la mer n'est qu'à 15 mn en voiture) et son esprit (les musées de Pise et de Lucca ne sont qu'à 30 mn en voiture).

Agriturismo Marzalla. Via di Collecchio, 1, Pescia © 05 72/49 07 51. *Chambres 40 000/60 000 L, demi-pension 80 000 L.* 10 km au nord de Lucca. Au centre d'une grande étendue de vignobles et d'oliviers, de délicieuses vacances sportives (VTT, trekking, pêche, volley-ball) ou gourmandes (cours de cuisine).

RESTAURANTS

Trattoria da Leo. Via Tegrimi, 1 © 49 22 36. *Fermé le dimanche.* Clientèle d'habitués, accueil sympa et bonne cuisine.

Ristorante da Guido. Via Battisti, 28 © 47 219. *Environ 25 000 L. Fermé le dimanche.* Bon accueil, bonne cuisine, bon rapport qualité-prix. Que dire de plus ?

Restaurant Da Guilio. Via delle Conce, 47 © 55 948. *35 000/45 000 L.* Cette vieille auberge réputée pour sa savoureuse cuisine propose une anthologie de la gastronomie lucquoise dans ce qu'elle a de plus typique.

Buca di San Antonio. Via della Cervia, 3 © 55 881 - Fax 31 21 99. *50 000/70 000 L.* Un des lieux de restauration historiques d'Italie, avec une excellente cuisine locale et une ambiance très agréable. Fiez-vous à Giuliano, qui vous guidera à travers la gastronomie de sa région.

MANIFESTATIONS

L'exposition-marché des antiquités envahit, la troisième semaine de chaque mois, la place San Michele et les places voisines, San Giovanni et Antelminelli. On peut y faire quelques trouvailles originales.

En avril : exposition et marché de la fleur de Santa Zita.

De juin à septembre : Eté musical de Lucca.

Du 10 au 12 juillet se déroule le Palio della Balestra : tournoi national de tir à l'arbalète en costumes anciens, selon une tradition du XVe siècle, en l'honneur de San Polino.

Le 13 septembre : Luminario del Volto Sacro, illuminations et procession pour la fête patronale de Santa Croce.

Octobre-novembre : Salon international du cinéma d'animation et des dessins animés.

Pause café. Dans la Via Fillilungo, au n° 58, un café où plane l'âme des artistes du XIXe siècle.

POINTS D'INTERET

Dôme de San Martino. Construit au XIe siècle, avec une façade asymétrique, puis remanié en 1204 avec un rajout de trois galeries à colonnades, le Dôme est, avec la Piazza San Martino, le centre culturel de la ville. Des bas-reliefs du XIIIe siècle décorent l'extérieur de la cathédrale, dont une *Déposition de Croix* de Nicolas Pisano. A l'intérieur, on peut admirer la splendide tombe de Ilaria del Caretto, chef-d'œuvre du XIIIe siècle de Jacopo Della Quercia, le retable de la Vierge et les saints de Ghirlandaio, dans la sacristie, ainsi qu'une très belle *Cène* du Tintoret, dans la troisième chapelle à droite. Sur le bas-côté gauche, le Tempietto abrite le Volto Santo (le Saint Visage). L'histoire raconte que ce crucifix fut sculpté juste après le Calvaire du Christ et qu'il montre donc son véritable visage. Les villes de Lucca et de Luni se disputèrent le précieux objet, mais ce fut finalement Lucca qui en hérita. Depuis, on fête cet événement tous les 13 septembre (cette légende nous est racontée par l'artiste Amico Aspertini dans une des chapelles de l'église San Frediano).

Piazza San Michele. Cette belle place, centre naturel de Lucca, fut édifiée à l'emplacement du forum romain. Elle est bordée par le Palazzo Pretorio, ou palais du Podestat, de 1492, ainsi que par l'église San Michele in Foro, superbe exemple de l'architecture pisano-lucquoise, avec sa façade ornée de loggias aux riches décors. A l'intérieur, on pourra voir un tableau de Filippo Lippi.

Non loin se trouve la **maison natale de Puccini** (Corso San Convenzo, 9), le célèbre compositeur de la *Bohème et de Madame Butterfly.*

Palais et tour Guinigi. Briques rouges et marbres blancs alternent harmonieusement dans un ensemble de petits palais tout droit sortis du Moyen Age. En haut de la tour Guinigi (230 marches), vous attend une vue superbe (mais que font ici ces deux arbres ?).

Piazza del Mercato. Une place comme vous n'en avez certainement jamais rencontré ailleurs. Elle est entourée de multiples édifices médiévaux qui l'enferment dans un ovale quasi parfait. A l'origine, au même endroit se trouvait un amphithéâtre romain dont les ruines ont servi de base aux nouvelles constructions. Tout près, la Via Fillungo, belle artère commerçante de Lucca qui borde la place, invite à un lèche-vitrines de haute catégorie.

Eglise San Frediano. Cette église du XIIe siècle, d'un beau style roman lucquois, présente un beau décor de mosaïques du XIIIe dans la partie supérieure de sa façade. Son intérieur, humble au premier abord, cache quelques trésors, dont les fonds baptismaux, le polyptyque en marbre, qui recouvre l'autel, de Jacopo Della Quercia, et une *Annonciation* en terre cuite d'Andrea Della Robbia.

Les murailles. Imposant monument fortifié, les murailles de Lucca servirent seulement à freiner les eaux du fleuve Serchia. Au XIXe siècle, elles furent transformées en parc public, et offrent aujourd'hui, sur 4 km, l'une des plus agréables promenades de la ville.

Museo Nazionale. Via della Quarquonia ✆ 46 033. *Ouvert tous les jours de 9 h à 16 h et de 9 h à 13 h les jours fériés (l'été, de 9 h à 14 h). Fermé le lundi.* Situé dans la villa Guinigi, du XVe siècle, il expose des œuvres étrusques et romanes et des peintures du XIIIe au XIXe siècle.

Pinacoteca Nazionale. Via Galli Tassi, 43 ✆ 55 570. *Ouvert tous les jours, sauf le dimanche, de 9 h à 19 h et de 9 h à 13 h les jours fériés.* Abrité dans les superbes salles (telle la chambre des époux) du Palazzo Mansi, du XVIIe siècle, le musée expose des œuvres de Beccafumi, Pontorno, Véronèse, Tintoret, Luca Giordano et Bronzino.

DANS LES ENVIRONS

Les villas de la Lucchesia

Construites entre le XVIIe et le XIXe siècle, ces villas de marchands et de riches bourgeois sont très représentatives de l'architecture seigneuriale toscane. La visite prend une demi-journée ; l'entrée de chaque villa est payante.

De Lucca, on prend la nationale au nord pour l'Abetone, qui longe le fleuve Sarca, puis, après 6 km, on tourne à droite pour Marlia.

Villa Imperiale (aujourd'hui Pecci-Blunt). La plus célèbre et la plus impressionnante des villas de Marlia, elle est située au centre près d'un grand parc et porte l'empreinte d'Elisa Baciocchi, sœur de Napoléon, qui la restructura.

Villa Mansi (aujourd'hui Salom). *Ouverte de 9 h 30 à 12 h 30 et de 15 h à 18 h.* Un peu plus loin, sur la route menant à Segromigno Monte, se trouve cette villa de la fin du XVIe siècle, transformée au XVIIe selon le projet du grand architecte Filippo Juvarra, et entourée d'un splendide parc à l'italienne et à l'anglaise.

Villa Torrigiani. A Camignano. *Ouverte de Pâques à novembre, de 9 h à 13 h et de 14 h à 18 h.* Une villa à la belle façade, avec un somptueux parc à l'anglaise, redessiné au XIXe siècle selon l'original du XVIIe.

Villa Garzon. A Collodi, à 17 kilomètres de Lucca. *Ouverte de 8 h à 20 h et de 9 h à 16 h 30 en hiver.* Une villa du XVIIe siècle et un jardin spectaculaire avec fontaines et nénuphars.

C'est par pure curiosité qu'on se rendra au parc de Pinocchio, réalisé dans les années 50 en hommage à la célèbre marionnette de bois créée par l'écrivain Carlo Collodi.

Montecatini

Indicatif téléphonique : 0572.

L'une des plus célèbres et élégantes villes d'eau d'Europe, à 27 kilomètres de Lucca. Les établissements des Leopoldine et du Tettucio, qui datent du XVIIIe siècle, sont magnifiques. Ils ont été redessinés dans un style néoclassique, dans les années 20, avec des salons dans le plus pur style Liberty (Giuseppe Verdi les fréquenta et ils servirent de décor au film de Nikita Mikhalkov, Les Yeux Noirs). Cures indiquées pour le foie, l'appareil digestif et les maladies du rein. Un funiculaire relie Montecatini-Terme à Montecatini-Alta, la vieille ville qui occupe une position panoramique sur la Valdinievole.

LA GARFAGNANA

En prenant la route qui s'enfonce dans la vallée du fleuve Serchio, on traverse le décor de la chaîne des Alpes apuanes, qui séparent cette région de la mer. La Garfagnana est terre de poètes et de vieux villages de montagne qui ont gardé leur authenticité. C'est l'une des régions les moins touchées par le tourisme de masse, et bien plutôt un lieu pour connaisseurs.

Les Alpes apuanes sont un véritable paradis pour le trekking. Les sentiers y sont bien signalés, guidant de refuge en refuge, sous l'égide du CAI, Club Alpino Italiano. Nous vous conseillons de vous munir de cartes et de guides spécialisés qui se trouvent en vente dans les principales localités des Apuane (Pietrasanta, Seravezza, Stazzema).

CAI (Club alpin italien) ✆ 05 85/48 80 81.

Comunita Montana des Alpes Apuane ✆ 05 85/41 127 - 43 387.

Soccorso Alpino ✆ 05 85/41 893.

BARGA

Indicatif téléphonique : 0583.

A 37 kilomètres de Lucca, ce sont quelques toits rouges au milieu de la verdure, avec un dôme roman en position dominante. En poursuivant, 6 km plus loin, on arrive à Castelvecchio Pascoli, où le poète Giovanni Pascoli écrivit presque toute son œuvre. *On visite sa maison de 10 h à 13 h et de 14 h 30 à 17 h (fermé le lundi).*

CASTELNUOVO

La ville dont Ludovico Arisoto (1522-1525) fut gouverneur est le centre principal de la Garfagnana. A partir de là, diverses excursions sont possibles : à 7 km de la nationale des Radici se dresse le pittoresque village fortifié de Garfagnana, avec l'église de San Pietro et de San Michele ; à 16 km au nord-est de Castelnuovo, apparaît San Pellegrino in Alpe, petit village étroitement resserré autour du sanctuaire de San Pellegrino avec une vue panoramique.

Indicatif téléphonique : 0583.

Musée de la Campagne et de la Vie d'antan. Via del Voltone. Ouvert d'octobre à mai, de 9 h à 12 h et de 14 h à 17 h, et de juin à septembre, de 9 h 30 à 13 h et de 14 h 30 à 19 h.

PIETRASANTA

A Pietrasanta, il y a deux artistes qui travaillent le marbre : Mirto Nannini, San Bartolomeo, 33 (créateur du pavement de la salle du trône de Rainier de Monaco) et Enzo Pasquini, Via Aurelia, 283 (ce dernier a rempli de ses sculptures le cimetière de Forest Hills, à Hollywood).

Indicatif téléphonique : 0584.

Dans les environs

La Versilia. Le bord de mer qui va de Viareggio à Forte dei Marmi a connu son heure de gloire dans les années 50, lorsque Edith Piaf, Frank Sinatra ou Charles Aznavour venaient chanter à Viareggio. La Versilia, connue pour ses mondanités et les célébrités qui la fréquentaient, pouvait alors rivaliser avec des villes comme Saint-Tropez ou Monte-Carlo. Mais le tourisme de masse l'a desservie et le lieu n'est plus à la mode, même s'il garde encore les superbes villas de personnalités, du calibre des Agnelli ou des princes Pacelli, ainsi que quelques hôtels de charme à Forte dei Marmi, le village le plus «in» du bord de mer.

le carnaval de Viareggio

L'une des fêtes traditionnelles italiennes les plus prisées : le défilé de chars allégoriques met en scène des figures satiriques du monde politique italien et international.

PROVINCE D'AREZZO

AREZZO

Ville de collines, située à 296 mètres d'altitude sur l'Apennin, Arezzo s'est essentiellement développée autour d'un noyau central où se concentre une bonne partie de son histoire. Dans cette intersection de rues ordonnées qui restituent parfaitement la dimension médiévale de la ville, une demi-journée suffit pour la visite des monuments les plus importants. Laissez votre voiture sur la Piazza della Repubblica, ou dans des parkings proches, et suivez à pied les Via del Corso et Monaco, vous croiserez l'église San Francesco, puis la paroisse et le dôme Santa Maria.

D'origine étrusque, devenue colonie et municipalité romaine, Arezzo s'est distinguée dans l'Antiquité par sa production de vases en terre cuite scellés, diffusés dans toute l'Europe et même jusqu'en Inde. Juste après l'an 1000, la ville renaît avec le développement de l'aire des communes (Arezzo est parmi les premières villes à s'affirmer). Soutenue par les gibelins, elle étend son territoire jusqu'à la capitulation des guelfes de Florence, lors de la bataille de Campaldino (1289). Ce n'est qu'après l'instauration de la seigneurie des Tarlati (1321) qu'Arezzo reprend sa croissance. Trêve de courte durée : après quelques années, Arezzo sera de nouveau cédée à Florence. Si elle perd son indépendance, après maintes crises politiques, la ville reçoit cependant de nombreux apports artistiques, notamment la commande fondamentale faite à Piero Della Francesca des fresques de l'église San Francesco. A cours des siècles suivants, Arezzo subira le sort réservé à Florence : elle passera des Médicis aux Lorena, et entrera dans le grand-duché de Toscane.

■ PRATIQUE

Indicatif téléphonique : 0575.

Offices du tourisme

Piazza della Repubblica, 28 ✆ 37 76 78.

Piazza Risorgimento, 116 ✆ 23 952.

Poste. Via Monaco, 34.

Téléphone public. Piazza Monaco, 2. Ouvert 24 h/24.

Banca di Roma. Via Petrarca. Change, distributeur.

■ HEBERGEMENT

En matière d'hébergement, Arezzo n'offre pas un grand choix : les hôtels sont froids et du genre commercial, et il est très difficile de trouver de la place lors des manifestations. On conseillera d'aller plutôt dormir dans les environs, dans la campagne proche, bien plus agréable.

Hôtel Cecco. Corso Italia, 215 ✆ 20 986 - Fax 35 67 30. *65 000/95 000 L.* Accès handicapés, restaurant. Moderne et propre.

Hôtel Milano. Via Madonna del Prato, 83 ✆ 26 836 - Fax 21 925. *100 000/150 000 L.* Accès handicapés, garage. Classique. Non loin de la gare.

Agriturismo

Agriturismo Le Gret. A Santa Mama, Subbiano ✆ 05 75/48 70 90. *Appartements 40 000 L par personne. Ouvert tous les jours.* 10 kilomètres au nord d'Arezzo. Dans cette maison, on est sûr de se détendre, ou de passer des vacances animées en faisant du canoë sur l'Arno, du golf, du tir à l'arc, du ping-pong ou des balades à cheval.

RESTAURANTS

Antica Osteria l'Agania. Via Mazzini, 10 ✆ 25 381. *30 000/40 000 L. Fermée le lundi.* Sympathique trattoria et bonne cuisine à base de champignons et de truffes.

Le Tastevin. Via de Cenci, 9 ✆ 28 304. *35 000/50 000 L. Fermé le lundi.* Bonne cuisine de la région. Piano-bar.

La Buca di San Francesco. Via San Francesco, 1 ✆ 23 271. *55 000 L. Fermé le lundi soir, le mardi, et en juillet.* 60 couverts. American Express, Visa, Diner's Club. Atmosphère agréable dans un décor Renaissance et une cuisine pleine de saveurs.

Antica Trattoria Al Principe. Piazza Giovi, 25 ✆ 36 20 46. *40 000/65 000 L. Fermée le lundi et du 20 juillet au 20 août. Réservation obligatoire.* 80/120 couverts. Jardin. American Express, Visa, Diner's Club. Une vieille trattoria fidèle à la tradition. Une certaine atmosphère...

MANIFESTATIONS

Manifestations

Parmi les nombreuses manifestations offertes par la ville, on retiendra la **Foire des antiquaires**, le premier dimanche de chaque mois. L'une des plus intéressantes, celle du mois de septembre, a lieu sous la loge du Vasari, sur la Piazza Grande, et s'étend dans les ruelles jusqu'à la Fortezza Medicea.

La **Giostra del Saracino** (dernier dimanche d'août et premier dimanche de septembre) est une reconstitution, en costumes de la Renaissance, d'un tournoi chevaleresque : un cavalier, au galop, doit viser avec sa lance un «épouvantail» tournant armé d'un fouet.

Concours polyphonique Guido d'Arezzo, la dernière semaine d'août, qui attire des chœurs venant des quatre coins du monde.

POINTS D'INTERET

Eglise de San Francesco. Belle et sobre basilique dont le plan date du XIIIe siècle et la façade du siècle suivant. Le clocher est du XVIe. A l'intérieur, outre la rosace de la façade réalisée par un moine berrichon (cocorico !) nommé Guillaume de Marcillat, il faut voir un des chefs-d'œuvre de la peinture de la Renaissance italienne, la *Leggenda della Vera Croce*, fresques peintes par Piero Della Francesca entre 1453 et 1464. Le choix des couleurs, la conception de la perspective, les détails stylistiques en font une œuvre révolutionnaire d'une infinie richesse. Elle est, malheureusement, en cours de restauration, vous ne pourrez donc en voir qu'une partie. N'oubliez pas pour autant d'aller jeter un coup d'œil aux fresques de Spinello Arentino (XVe siècle) dans la chapelle Guasconi.

Eglise de Santa Maria della Pieve (la Pieve, pour les intimes). Le meilleur exemple d'église romane en Toscane, entièrement construite en grès, pendant la seconde moitié du XIIe siècle, avec une façade dotée d'arcades aveugles du XIIIe siècle. A droite, le Campanile delle Cento Buche (clocher des cent trous, devenu le symbole de la ville) est orné de quarante fenêtres géminées. L'intérieur, étonnant de sobriété, conserve le célèbre *Politico* de Pietro Lorenzetti, beau polyptyque du XIVe siècle.

Piazza Grande (ou Piazza Vasari). C'est le cœur de la vieille ville, et c'est ici que se déroulent, à la fin du mois d'août, la Giostra del Saracino (tournoi du Sarrasin) ainsi que la foire aux antiquités, le premier dimanche de chaque mois. Des monuments aussi divers que l'abside de l'église de Santa Maria, le Palazzo del Tribunale, le Palazzo di Fraternità, mêlant les styles gothique et Renaissance, ainsi que le Loggiato del Vasari délimitent cette place en forme de trapèze à la base inclinée. Au centre se dresse la fontaine publique du XVIe siècle.

Dôme. Commencée en style gothique au XIIIe siècle, la construction du dôme ne s'est achevée que trois siècles plus tard. Dominant la ville, cet imposant édifice à trois nefs possède de très beaux vitraux du moine berrichon Guillaume de Marcillat (cocorico bis !). Vous trouverez également, à l'intérieur, des fresques de Piero Della Francesca représentant sainte Marie-Madeleine, ainsi que le tombeau de l'évêque Guido Tarlati, du XIVe siècle.

Eglise de San Domenico. Non loin de la cathédrale, sur une petite place plantée d'arbres, se dresse cette église de style gothique qui conserve un superbe Crucifix de Cimabue.

Maison de Vasari. Construite de 1540 à 1548 par l'artiste lui-même, cette belle maison est un exemple représentatif du maniérisme toscan.

Galleria e Museo Medievale e Moderno. Installé dans le palais Bruni-Ciocchi, du XVe siècle, le musée expose, entre autres, des œuvres de Giorgio Vasari, Margheritone d'Arezzo, Spinello Arentino, Luca Signorelli, Bartolomeo di Giovanni, Ludovico Carrache... On y trouve également une des plus belles collections de céramiques d'Italie.

Musée archéologique Mercenate. Expose une précieuse collection de vases corallins d'époque romaine.

Arezzo possède de nombreuses églises, que vous pourrez également visiter s'il vous reste du temps. Celle de la **Badia** et celle de la **Santissima Annunziata**, de style Renaissance, méritent un détour.

CASENTINO

On remonte la vallée de l'Arno, au nord d'Arezzo, en suivant la route nationale 71. Le site, d'une beauté remarquable, est régulièrement ponctué de châteaux, de tours, d'abbayes et de lieux monastiques, toute une architecture qui, jadis, dotait ce territoire d'une double nature : d'un côté, ses centres religieux, de l'autre, ses fortifications militaires. La vallée est entourée d'un amphithéâtre de montagnes, fermé à l'ouest par le Pratomagno.

CONVENTO DI LA VERNA

A 45 kilomètres d'Arezzo. En déviant vers l'Alpe de Catenaia, à travers une route tortueuse, on monte à La Verna (près de Chiusi de La Verna), important surtout pour son couvent du XIIIe siècle, perché à 1 100 mètres sur le flanc du mont Penna. Sont à visiter : l'église de Santa Maria degli Angeli, le musée du Sanctuaire, l'église Maggiore, ou basilique, avec de nombreux chefs-d'œuvre d'Andrea Della Robbia et de son fils Giovanni.

Indicatif téléphonique : 0575.

Sanctuaire. Après avoir traversé une forêt de hêtres et de sapins, on parvient au mont Penna, d'où l'on peut jouir de la superbe vue donnant sur les vallées et l'Arno. Dans ce sanctuaire, l'un des plus connus et des plus fréquentés de Toscane, la ferveur religieuse est forte et prenante. La présence, tout autour, des bois du Casentino augmente le charme mystique et la poétique quiétude du site. C'est ici, dit-on, que saint François reçut les stigmates d'un ange aux six ailes resplendissantes. Pour commémorer l'événement, chaque après-midi, une procession de moines gagne, en priant, la chapelle du saint, appelée delle Stimmate. Le couvent de La Verna est bien organisé pour accueillir les jeunes, avec une attention toute particulière envers les pèlerins. Renseignements © 59 93 56.

MONASTERE DE CAMALDOLI

En remontant la vallée de l'Archino, par la route 61, on rejoint l'Eremo et le monastère de Camaldoli, maison mère de l'ordre monastique du même nom, fondé en 1012. On peut faire du trekking ou des excursions dans les forêts environnantes.

On pourra également voir l'église, l'ancienne pharmacie (où l'on peut acheter des tisanes et des liqueurs préparées selon d'anciennes recettes par les moines du coin) et un petit musée d'ornithologie forestière. Une **hôtellerie** accueille les touristes de passage (© 05 75/55 60 12/13).

POPPI

En poursuivant sur 22 kilomètres une route aussi belle que sinueuse, on rejoint Poppi, village natal de Mino da Fiesole. Ruelles et portes cochères donnent du caractère au site.

Château. Construit au XIIIe siècle, il domine la ville et sert aujourd'hui de bibliothèque communale, riche de 20 000 volumes, 780 incunables (ouvrages imprimés antérieurs à 1500) et 850 manuscrits enluminés.

Eglise San Fedele. De style roman, c'est la plus grande de tout le Casentino, avec l'intérieur en croix latine et une nef unique.

Dans les environs

A 10 kilomètres, on tourne vers le petit village de **Quota,** situé sur les pentes du **Pratomagno,** parmi des châtaigniers.

VALTIBERINA

Cette région située au nord-est d'Arezzo, parallèle au Casentino, est fermée à l'ouest par les Alpes de Catenaia et, à l'est, par les Alpes de la Luna. Limitrophe de l'Ombrie, elle est également traversée par le Tibre. Le paysage, de collines de châtaigniers et de pâturages, est riche de références artistiques de la Renaissance.

MONTERCHI

En prenant la route 73 Senese-Aretina, on arrive à Monterchi (28 km, tourner à la bifurcation en direction de Città di Castello, route 221). A un kilomètre du village, une chapelle abrite la célèbre Madonna del Parto de Piero Della Francesca. L'exceptionnelle harmonie des tableaux, pleins de spiritualité et de douceur, convient au paysage poétique de Monterchi. On est bien là dans un des lieux les plus enchanteurs de la Toscane.

Non loin, le village de Caprese où est né Michel-Ange.

SAN SEPOLCRO

Pratique

Indicatif téléphonique : 0575.

Office du tourisme. Piazza Garibaldi, 2 ✆ 74 05 36. *Ouvert tous les jours de 9 h à 13 h et de 16 h à 19 h.*

De retour sur la route 73, on arrive à San Sepolcro, le centre le plus important de la Valtiberina (on y trouve même les usines Buitoni, c'est vous dire !), où Cosme Premier fit édifier une forteresse. Ici est né, en 1416, Piero Della Francesca ; on a commémoré, en 1992, le cinquième centenaire de sa mort. San Sepolcro est également riche en palais seigneuriaux (en particulier, le Palazzo Pichi), d'époques et de styles divers.

Manifestations

Le deuxième dimanche du mois de septembre a lieu le **Palio della Balestra**, une bataille organisée entre les archers de Gubbio et ceux de San Sepolcro, en costumes d'époque.

Points d'intérêt

Museo Civico. Via Aggiunti, 65 ✆ 73 22 18. *Ouvert tous les jours de 9 h 30 à 13 h et de 14 h 30 à 18 h (jusqu'à 19 h 30 en été)*. On y trouve principalement des tableaux de Piero Della Francesca, dont celui de la Resurrezione, véritable chef-d'œuvre, mais aussi celui de la *Madonna della Misericordia con i Devoti, San Sebastiano, San Giuliano* et *San Ludovico.*

On peut aussi passer voir le bel **édifice Renaissance** où le maître vécut les quatorze dernières années de sa vie.

ANGHIARI

A 28 kilomètres d'Arezzo, à 8 kilomètres de San Sepolcro, le petit village médiéval d'Anghiari est une heureuse découverte. On y visite le musée de l'Alta Valle del Tevere, au Palazzo Taglieschi (Piazza Mameli, 16, sonner pour entrer), et l'église de Santa Maria delle Grazie, avec une œuvre de Sogliani, l'*Ultima Cena*, datant de 1531.

Indicatif téléphonique : 0575.

Dans les environs

En poursuivant sur la départementale della Libia, qui ramène à Arezzo, on tombe (à 2 km sur la gauche) sur l'**église romane de Sovara** (IXe et Xe siècles).

CORTONA

C'est la ville principale de la Valdichiana, située tout près des frontières de l'Ombrie, et dont les origines étrusques sont encore visibles dans les restes des murailles. Avec ses nombreux palais, Cortona offre l'apparence d'une cité médiévale, pleine d'irrégularités mais non dénuée de charme. C'est la ville natale du peintre Pietro da Cortona.

PRATIQUE

Indicatif téléphonique : 0575

Office du tourisme. Via Nazionale, 42 ✆ 63 03 52.

Poste. Via Santucci.

Telecom SIP. Via Guelfa. *Ouvert tous les jours de 8 h à minuit.*

Banque. Banca Popolare. Via Guelfa, 4. Bureau de change.

Police. Via Dardano, 9 ✆ 60 30 06.

HEBERGEMENT

Albergo Athens. Via Sant'Antonio Cortona ✆ 60 30 08. *65 000 L en chambre double.* Ambiance jeune et estudiantine.

Albergo Italia. Via Ghibellina, 5, Cortona ✆ 63 05 64. *80 000/130 000 L.* Bar. Tout près de la Piazza della Repubblica. Propre et de bon rapport qualité-prix. Agréable terrasse.

Ostello della Gioventù San Marco. Via Maffei, 57 Cortona ✆/Fax 60 13 92. *68 lits à 19 000 L, petit-déjeuner inclus.* Restaurant, lingerie. Bien tenue et très accueillante, cette auberge est située à 3 km de la gare (bus à 50 m).

Confort ou charme

Oasi G. Neumann. **Via Contesse, 1, Cortona ✆/Fax 63 03 54.** *110 000/130 000 L.* Parc, parking. Interdit aux animaux. Un ancien couvent converti en hôtel. Tranquille.

Agriturismo

Agriturismo. Fattoria Le Giare. Fratticciola, Località Ronzano, 14, Cortona ✆ 05 75/63 80 63. *Appartements 70 000/150 000 L.* Cette vieille demeure rurale, dotée d'un superbe panorama, dispose de 6 appartements. Piscine à disposition des hôtes.

Agriturismo I Pagliai. A Montalla, 23, Cortona ✆ 05 75/60 36 76. *Chambres 45 000 L, appartements 100 000/180 000 L.* Le point de vue panoramique offert par cette demeure perchée au sommet d'une colline est absolument superbe. Semaines vertes sur réservation.

Restaurant

Restaurant La Grotta. Piazzetta Baldini, 3, Cortona ✆ 60 48 34. *30 000 L environ. Fermé le mardi.* Bonne cuisine traditionnelle servie, dès les beaux jours, dans la cour intérieure.

MANIFESTATIONS

Exposition et **marché national du meuble ancien** de la fin août à la fin septembre.

Sagra delle Bistecca, fête de la gastronomie toscane, les 14 et 15 août, avec, en vedette, le steak local.

POINTS D'INTERET

Piazza della Repubblica. Cœur de la cité, elle regroupe des monuments tels que le Palais communal, datant du XIIIe siècle et agrandi au XVIe, ou encore le palais du Capitaine du Peuple.

Musée de l'Académie étrusque. Palazzo Pretorio (anciennement Palazzo Casali). On y verra un grand lustre étrusque, absolument stupéfiant, datant du Ve siècle av. J.-C., ainsi que les toiles du peintre contemporain Gino Severini, originaire de la ville. **Musée diocésain**. Situé face à la cathédrale, il abrite, entre autres œuvres de Fra Angelico, la superbe Annunciazione ainsi que des chefs-d'œuvre des Signorelli et Lorenzetti, natifs de Cortona.

Balade

La Via Santa Margherita mène vers la petite place du sanctuaire Santa Margherita, qui offre une magnifique vue sur la Valdichiana, le mont Amiata et le lac Trasimène dans l'Ombrie voisine.

De nombreuses églises méritent une petite visite à Cortone. C'est le cas, notamment, de l'église San Nicolo, du XVIe siècle, où l'on peut voir la *Déposition,* œuvre de Luca Signorelli. En chemin, attardez-vous dans la Via Berrettini, l'une des plus belles de Cortone. Hors remparts, à partir de l'église San Domenico, vous pourrez entamer une balade le long du Viale Gierdini Pubblici.

S'il vous reste encore un peu de force et que vous ayez envie d'un panorama sur la ville encore plus spectaculaire, vous pouvez poursuivre jusqu'à la Fortezza Medicea, qui n'est pas très loin ; du haut de ses 651 mètres, la ville apparaît superbe et récompense de ce dernier effort !

VALDICHIANA

Il s'agit d'une région plate, au sud d'Arezzo, délimitée par les classiques collines toscanes ponctuées d'oliviers et de métairies. C'est de cette région que provient la race bovine *chianina*, utilisée pour les fameux biftecks à la florentine. Notre itinéraire se boucle par un retour sur Arezzo, mais, si on le souhaite, on peut choisir un autre itinéraire et poursuivre plus au sud, étant donné que la Valdichinia s'étend jusqu'au territoire siennois.

MONTE SAN SAVINO

Première étape, que l'on peut gagner par l'autoroute ou la nationale 73 à partir d'Arezzo (22 kilomètres). Cette ville de la Renaissance, toute en ruelles, où naquit Andrea Sansovino, abrite le beau palais communal de la famille Monte di Antonio da Sangallo il Vecchio ainsi que la loge des marchands du San Savino.

Indicatif téléphonique : 0575.

Manifestation

Exposition de céramiques en juin-juillet.

Points d'intérêt

La Rocca de Cassero (1383). Aujourd'hui, elle sert de lieu d'expositions ou de manifestations culturelles.

Shopping

Ce village a une longue tradition artisanale de céramique. Les meilleures adresses : **Lapucci**, Corso Sangallo ; **Giotto,** Viale Fonti ; et **Arturi**, Via Aretina.

GARGONZA

A 28 kilomètres d'Arezzo. Par une déviation prise à droite, sur la nationale 73, passé le Monte San Savino, on parvient à Gargonza, retranchée sur une colline, au milieu de la verdure, et dont l'architecture vous plongera en plein Moyen Age.

LUCIGNANO

Indicatif téléphonique : 0575.

Cet autre village de la Valdichiana, que l'on rejoint par une très jolie route, vaut également le détour. Avant d'y arriver, on passe devant le Santuario della Madonna delle Querce, bel exemple d'architecture de la Renaissance. Lucignano est une singulière petite ville médiévale, accolée à une colline et construite selon un plan elliptique.

Manifestation

L'avant-dernier et le dernier dimanche du **mois de mai** se déroule la Maggiolata Lucignanese, avec des chars fleuris défilant dans les rues du centre.

Points d'intérêt

La Collegiata (1594), avec un génial escalier en pierre à double hémisphère, l'**église San Francesco du XIVe siècle et le Palazzo Comunale du XIIIe.**

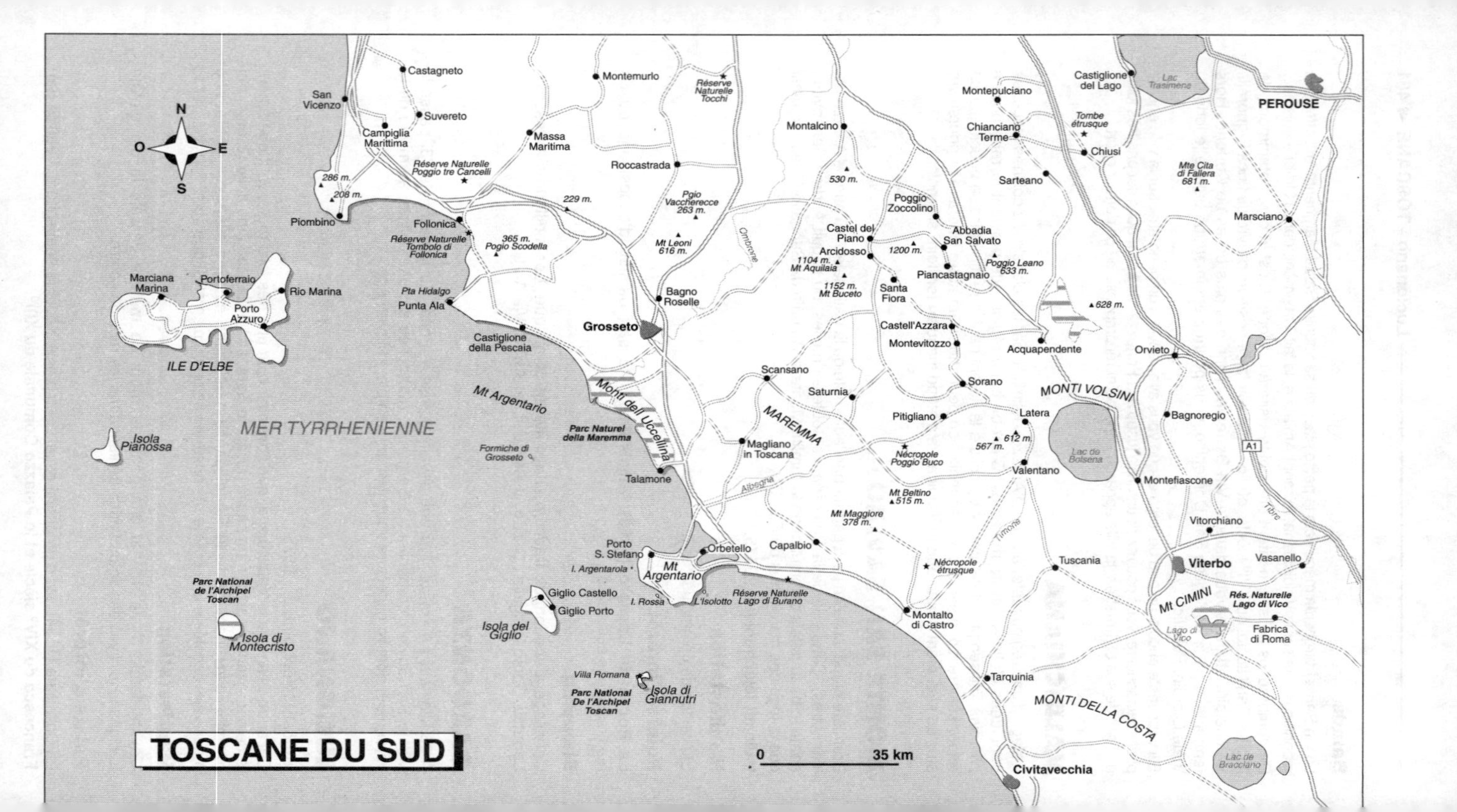
TOSCANE DU SUD
N
O
E
S
0
35 km
MER TYRRHENIENNE
ILE D'ELBE
Marciana Marina
Portoferraio
Porto Azzuro
Rio Marina
Isola Pianossa
Parc National de l'Archipel Toscan
Isola di Montecristo
San Vicenzo
Castagneto
Suvereto
Campiglia Marittima
286 m.
208 m.
Piombino
Follonica
Réserve Naturelle Tombolo di Follonica
Réserve Naturelle Poggio tre Cancelli
Massa Maritima
Montemurlo
Réserve Naturelle Tocchi
Roccastrada
229 m.
365 m. Pogio Scodella
Pta Hidalgo
Punta Ala
Castiglione della Pescaia
Pgio Vaccherecce 263 m.
Mt Leoni 616 m.
Bagno Roselle
Grosseto
Ombrone
Mt Argentario
Formiche di Grosseto
Monti dell Uccellina
Parc Naturel della Maremma
Talamone
Porto S. Stefano
I. Argentarola
Mt Argentario
I. Rossa
L'Isolotto
Orbetello
Réserve Naturelle Lago di Burano
Giglio Castello
Giglio Porto
Isola del Giglio
Villa Romana
Isola di Giannutri
Parc National De l'Archipel Toscan
Montalcino
530 m.
Castel del Piano
Arcidosso
1104 m. Mt Aquilaia
1152 m. Mt Buceto
Santa Fiora
Poggio Zoccolino
1200 m.
Abbadia San Salvato
Piancastagnaio
Poggio Leano 633 m.
Castell'Azzara
Montevitozzo
Scansano
Saturnia
MAREMMA
Magliano in Toscana
Albegna
Capalbio
Mt Maggiore 378 m.
Mt Beltino 515 m.
Nécropole Poggio Buco
Pitigliano
Sorano
Nécropole étrusque
Montalto di Castro
Latera
612 m.
567 m.
Valentano
Timone
Tuscania
Tarquinia
Civitavecchia
MONTI DELLA COSTA
Montepulciano
Chianciano Terme
Sarteano
Tombe étrusque
Chiusi
Castiglione del Lago
Lac Trasimene
PEROUSE
Mte Cita di Fallera 681 m.
Marsciano
628 m.
Acquapendente
MONTI VOLSINI
Lac de Bolsena
Orvieto
Bagnoregio
A1
Montefiascone
Tibre
Vitorchiano
Viterbo
Vasanello
Mt CIMINI
Rés. Naturelle Lago di Vico
Lago di Vico
Fabrica di Roma
Lac de Bracciano

TOSCANE SUD

CHIANCIANO TERME

Cette ville thermale parmi les plus fréquentées d'Italie (on y soigne les maladies du foie) mérite qu'on s'y arrête, tant pour son environnement campagnard que pour son village médiéval, relié à la partie plus moderne de l'agglomération par la Viale della Libertà. De là, nous vous conseillons vivement la visite de Sarteano (à 7,5 km) et de Cetona (à 16 km), centre agricole d'origine étrusque, sur le mont Sarteano. L'endroit, prisé par de nombreux intellectuels, est devenu à la mode dans les années 80.

MONTICCHIELLO

Véritable village médiéval, Monticchiello est connu pour son église de San Leonardo et San Cristoforo, et, surtout, pour les spectacles de théâtre en plein air qui s'y déroulent en fin d'été.

MONTEPULCIANO

A 65 kilomètres de Sienne et à 119 kilomètres de Florence. Au XVIe siècle, sous la conduite architecturale d'Antonio da Sangallo il Vecchio, Montepulciano devint un prototype de «ville idéale». Elle offre une vue superbe sur toute la campagne environnante, ponctuée de vignes auxquelles on doit l'excellent vin Noble (vino Nobile) de Montepulciano.

TRANSPORTS

Gare. La gare la plus proche est celle de Chiusi, desservie par des bus (45 minutes de Montepulciano).

PRATIQUE

Indicatif téléphonique : 0578.

Office du tourisme. Via Ricci, 9 ✆ 75 86 87. *Ouvert du mardi au dimanche de 9 h à 12 h 30 et de 15 h à 20 h.*

Banca Toscana. Piazza Michelozzo, 2. *Ouverte du lundi au vendredi de 8 h 20 à 13 h 20 et de 14 h 45 à 15 h 45.* Possibilité de change.

HEBERGEMENT

Confort ou charme

Hôtel La Terrazza. Via Piè al Sasso, 16, Montepulciano ✆ 75 74 40. *70 000/85 000 L.* Jardin. Un hôtel dont une partie du charme est due au sourire du patron.

Auberge de l'Olmo Monticchiello ✆ 75 51 33 - Fax 75 51 24. *265 000 L.* Parking, piscine, restaurant réservé aux résidents (*55 000 L*). Interdit aux animaux. Encore une bonne adresse, raffinée, au milieu de la campagne.

Agriturismo

Azienda Agricola Nobile. Nationale 146, km 24, non loin de Montepulciano ✆ 75 71 71. *Environ 35 000 L.* Cette ferme dispose d'un seul appartement de 4 lits. La vue sur les lacs de Montepulciano et du Trasimène, en Ombrie, est magnifique.

Agriturismo Palazzo Bandino. Palazzo Bandino, Via Stiglianesi, 3, Chianciano Terme ✆ 05 78/61 199. *Chambres 100 000 L.* A deux pas des célèbres thermes, cette demeure du XVIIIe siècle, restaurée avec soin et aux équipements modernes, propose un séjour rural mais confortable.

MANIFESTATIONS

Rencontre internationale d'art, pendant les premiers jours du mois d'août.

Le Bravio est une course de tonneaux organisée chaque année, le dernier dimanche du mois d'août.

POINTS D'INTERET

Cathédrale. La façade de cette grande construction Renaissance flanquée d'un campanile du XVe ne fut jamais achevée. A l'intérieur, la simplicité du lieu contraste avec ses grandioses dimensions. On y verra un triptyque de l'*Assomption*, de Taddeo di Bartolo (au-dessus de l'autel), la statue de Bartolomeo Aragazzi par Michelozzo, ainsi qu'une *Vierge à l'Enfant* de Sano di Pietro.

Musée municipal (Museo Civico). Palazzo Neri-Orselli. Via Ricci, 10. *Ouvert de 10 h 30 à 12 h 30 et de 16 h 30 à 18 h 30. Fermé le lundi.* Ce palais Renaissance présente plus de 200 peintures d'artistes tels que Margaritone d'Arezzo, Bicci di Lorenzo, Sodoma, Paris Bordone, ainsi que des pièces d'orfèvrerie et des terres cuites d'Andrea Della Robbia.

Le temple de la Madonna de San Biago. Il est isolé au pied des collines d'où surgit la ville. Datant de 1518, cette pure merveille de l'art Renaissance, aux lignes harmonieuses, est attribuée à Antonio da Sangallo l'Ancien.

Balade

On entre dans la ville par la Porta al Prato.

La Via Graciano nel Corso, prolongée ensuite par la Via di Voltaia nel Corso, est flanquée de nombreux palais datant, pour la plupart, des XVIe et XVIIe siècles (Renaissance et baroques). Parmi les plus remarquables, le Palazzo Avignonesi, par Vignola ; le Palazzo Cocconi, un peu plus haut dans la Via di Gracciano, attribué à Antonio da Sangallo l'Ancien (des XVe et XVIe siècles) ; le Palazzo Bucelli... Toujours en remontant la rue, on croise l'église Sant'Agostino, du XVe. Sa façade est due à Michelozzo ; l'intérieur comporte des œuvres de Donatello (un crucifix), Giovanni di Paolo, Lorenzo di Credi.

Avant de rejoindre la seconde **partie du Corso**, on passera, entre autres, devant la façade à arcades de la Loggia del Grano (loge à blé, de la fin XVIe), puis, dans la Via Voltaia, devant le Palazzo Cervini, dont la cour est construite sur le modèle des villas de campagne, le Palazzo Gagnoni Grugni, le collège des Jésuites, du XVIIe siècle, l'église baroque del Gesù...

En cours de montée, vous pourrez vous laisser séduire par le petit air années 30 du Caffè Poliziano (au n° 27), qui sert d'excellents cappuccinos.

Au sommet de la colline, on atteint enfin la **Piazza Grande**, récompense digne de nos efforts ! Tout autour, s'alignent sagement, dans un véritable souci d'homogénéité, le Palazzo de Nobili-Tarugi, œuvre d'Antonio da Sangallo l'Ancien, avec son puits des griffons et des lions du XVIe siècle, le Palazzo Contucci, le Palazzo Comunale (*ouvert du lundi au samedi de 8 h à 13 h*), construit entre le XIVe et le XVe siècle et qui présente une façade dessinée par Michelozzo (la vue du haut de la tour est sublime), et, enfin, la cathédrale.

Mise en garde *Le monde du tourisme et celui de l'industrie des voyages sont en perpétuelle transformation. Des établissements peuvent fermer entre le passage de nos rédacteurs et la sortie de nos guides. De même, les numéros de téléphone et les prix sont parfois l'objet de changements qui ne relèvent pas de notre responsabilité. Nous prions les lecteurs de nous excuser pour les erreurs qu'ils pourraient trouver dans les rubriques pratiques de ce guide.*

PIENZA

Conçue à l'image de la cour pontificale par le pape Enea Silvio Piccolomini, Pio II, et considérée comme la «ville idéale», Pienza, à 52 kilomètres au sud de Sienne, est le premier exemple, à l'âge moderne, d'une planification urbaine inspirée des idéaux humanistes de la Renaissance. Edifiée entre 1459 et 1462 par l'architecte florentin Bernardo Gambarelli, dit le Rossellino, la ville conserve aujourd'hui encore cette élégante géométrie urbaine, dont la synthèse culmine dans la place centrale, en forme de trapèze, où se font face le Palazzo Vescovile, le Palazzo Piccolomini et la cathédrale.

Indicatif téléphonique : 0578

HEBERGEMENT - RESTAURANTS

Confort ou charme

Relais Il Chiostro di Pienza. Corso Rossellino, 26, Pienza ✆ 74 84 00/42 - Fax 74 84 40. *170 000/270 000 L.* Parc, garages, piscine, restaurant (fermé le lundi). Interdit aux animaux de grosse taille. Ce charmant hôtel, au cœur de Pienza, est aménagé dans un ancien monastère du XVe siècle, superbement restauré. La terrasse et le jardin dominant la campagne contribuent à la beauté et la tranquillité des lieux. Bref, un endroit magique qui vous ravira !

Restaurants

Restaurant Bucca delle Fate. Corso Rossellino, 38/a, Pienza ✆ 74 84 48. *40 000/55 000 L.* 120 couverts. Cuisine traditionnelle copieuse et bons vins locaux dans un palais du XVIe siècle.

Restaurant Il Prato. Piazza Dante Alighieri, 25, Pienza ✆ 74 86 01. *45 000/65 000 L. Fermé le mercredi.* Bonne cuisine et bon accueil. Jardin.

POINTS D'INTERET

Piazza Pio II. De forme trapézoïdale, elle se trouve sur le point le plus élevé de la colline, comme pour couronner la ville.

Cathédrale. Sobre façade de marbre blanc. L'intérieur, particulièrement lumineux, comporte des œuvres de Vecchietta, Matteo di Giovanni, Sano di Pietro, ainsi qu'un cœur en bois de 1462, tout à fait remarquable.

Palazzo Piccolomini. *Visite guidée des appartements de 10 h à 12 h 30 et de 16 h à 18 h 30 (de 15 h à 17 h en basse saison). Fermé le lundi.* Les jardins suspendus et la loggia se visitent librement. Dessinées par Rossellino, les formes Renaissance de ce magnifique palais rappellent le Palazzo Rucellai de Florence. Précédé d'un adorable puits, il comporte une élégante cour à portique. De celle-ci, on accède au jardin suspendu sur lequel donne la loggia.

MAREMMA

Entre la côte tyrrhénienne, le mont Amiata et le Siennois, la Maremma offre une autre dimension particulière de la Toscane. Fort différente des autres régions, elle a conservé des traits caractéristiques et un profond attachement à la terre. Far West italien, grands marécages assainis, stations balnéaires enviées, la Maremma a une histoire qui se doit d'être racontée. Histoire de ses habitants touchés, durant des siècles, par le paludisme qui infestait les marais, habitués à vivre avec les contraintes de la nature et isolés des grands centres d'habitation. C'est ainsi que les gens de la Maremma - cette gente della Maremma, un peu brusques, au franc-parler, à la peau tannée par le soleil - ont, avec une volonté farouche, modelé la terre, restée pourtant longtemps hostile à l'homme.

Aujourd'hui, c'est un véritable paradis de paix, avec des petits villages sur les collines à vingt minutes à peine de la mer. Découverte par les intellectuels dans les années 70 et 80, elle est devenue, en très peu de temps, un lieu fort à la mode (le prix déraisonnablement élevé des maisons en est la preuve). Mais même «colonisée» en été par les citadins, elle sait garder sa spécificité sauvage, avec ses flancs de collines de blé passant du jaune au brun et ponctuées de vert quand apparaît un petit bois.

Ce paysage rural, aux maisons de campagne dépourvues de la richesse artistique qui caractérise les autres régions toscanes, n'en appartient pas moins à un patrimoine vieux d'une centaine d'années. Il s'est peu à peu développé autour de faubourgs médiévaux et tout le long de la côte, après les nombreux assainissements des marais effectués au cours de la seconde moitié du XVIIIe siècle et la première moitié du nôtre.

A qui regarde du haut des collines la ligne bleue de la mer, la Maremma apparaît comme une immense scène qui descend vers la plage claire de la Feniglia. Mais sa vraie richesse, aujourd'hui, tient au parc naturel de l'Uccellina et à son rôle de préservation de l'environnement, des plantes et des animaux. Sur la côte, on élève le bétail, gardé par les derniers «butteri», les cow-boys de ce Far West toscan.

L'itinéraire que nous proposons n'a pas de réel point de départ. Il flâne entre les localités de Sovana, Pitigliano et Manciano à l'est, Capalbio et l'Argentario au sud, avec une éventuelle pointe jusqu'à la zone étrusque de Vetulonia. Si les routes intérieures sont toutes belles, pour aller vers la mer, nous vous conseillons la nationale 1 Aurelia, l'une des plus belles d'Italie. Il faut se méfier de la circulation les week-ends et, surtout, pendant l'été.

L'ARGENTARIO

Le promontoire de l'Argentario est l'une des (sinon la) principales destinations balnéaires de cette côte. Relié à la terre ferme par une langue de terre qui divise en deux la lagune d'Orbetello, c'est le centre d'activité maritime de la Maremma.

PORTO ERCOLE

Sur la côte sud, il offre un abri aux marins.

Indicatif téléphonique : 0564

PORTO SANTO STEFANO

L'autre centre important de l'Argentario, d'où partent les bateaux pour l'île del Giglio (une heure de traversée, 8 départs en été et 3 en hiver © 81 46 15).

ILE DE GIGLIO

Cette île de charme, parmi les deux plus grandes de l'archipel toscan, a de très belles plages. On y passe volontiers une semaine de vacances. Un week-end permet quand même de profiter du petit village de l'île, merveilleux aux mois de mai, juin et septembre.

ANSANO

Indicatif téléphonique : 0564

On fera un détour par Scansano pour la douceur ondulée de sa campagne, son excellent vin rouge Morellino di Scansano et son huile locale. C'est un endroit parfait pour les sportifs

MASSA MARITTIMA

Cité étrusque, «capitale» de l'âge de fer, et petite perle artistique de la Maremma.

Indicatif téléphonique : 0566

Manifestations

En mai et en août a lieu le **Balestro del Girifalco**, compétition typique entre lanceurs de drapeaux des différents quartiers de la ville. En juillet et août : exposition de l'artisanat.

Points d'intérêt

La **place Garibaldi,** de forme asymétrique, est entourée du spectaculaire Dôme roman, avec une façade de style pisan, du Palazzo Comunale, en travertin roman, et du Palazzo del Podesta, le Musée archéologique (*ouvert de 10 h à 12 h 30 l'hiver, et de 10 h à 12 h 30 et de 15 h 30 à 18 h l'été*).

PARCO DELL'UCCELLINA

Cette réserve de 700 hectares, située entre Talamonte et Principina a Mare, est essentiellement composée de pinèdes - dont celle de l'Alberese, assainie en 1844 par les Lorena - des monts de l'Uccellina, l'embouchure de l'Ombrone, et de multiples tours élevées contre les invasions des pirates. De nombreuses espèces d'oiseaux y sont protégées. Ce parc est vraiment le joyau naturel de la Toscane et une référence en Italie.

Superbe parce qu'immense et donnant l'impression d'un site sauvage et protégé à la fois. L'été, on peut aller à la plage (à l'Alberese, la localité du parc) et s'offrir des balades dans les pinèdes ou dans le parc. Il n'est pas rare alors de croiser des animaux en liberté, par exemple cette espèce, unique en Italie, de vaches à cornes (qui ressemblent étrangement aux buffles). Le paysage est absolument magnifique : collines vertes et touffues, mer et plages, et, au loin, le profil subtil des collines (✆ **05 64/40 70 98** ; *visites guidées de mi-juin à fin septembre, le mercredi, samedi et dimanche, avec sept itinéraires*).

PITIGLIANO

De loin, la ville semble presque irréelle, agrippée à la roche de tuf et suspendue au-dessus de gorges profondes. En arrivant de Manciano, l'effet est époustouflant ! Cependant, à part le grandiose Palazzo Orsini, le Dôme et l'église Santa Maria, il n'y a guère de monuments de grande envergure à Pitigliano. Le vrai monument, en fait, c'est la ville elle-même. Créée par les Orsini, au XIVe siècle, elle fut restructurée au XVe, dans un but tout à fait défensif, par Antonio da Sangallo il Giovane. Pitigliano est une petite ville dont il faut savourer l'implantation urbaine moyenâgeuse, faite de petits chemins et de maisons pittoresques. Dans le centre, la synagogue, malheureusement en ruine, témoigne encore de l'époque où, au XVe siècle, certaines familles juives fuyant Rome se réfugièrent ici, pour former une importante communauté. Dans les alentours, on peut voir les grottes creusées dans le tuf et protégées par la végétation. Encore habitées il y a quelques années, certaines d'entre elles servent aujourd'hui de caves pour la conservation du vin blanc de Pitigliano, que l'on peut acheter à la Coopérative (✆ **05 64/61 61 33**).

PUNTA ALA

Un lieu exceptionnel de villégiature, avec une belle pinède, une mer à peu près propre, un magnifique terrain de golf à 18 trous, des hôtels quasiment inabordables et un camping.

En été, Punta Ala est le refuge des Milanais, et ses plages sont bondées et mondaines. En revanche, si l'on n'a peur ni des rochers ni de la marche à pied, Punta Ala offre plusieurs coins tranquilles, superbes et isolés. Il faut être curieux et fouineur, ne pas hésiter à emprunter des chemins qui semblent interdits et qui mènent sur les hauteurs.

De là-haut, la mer ressemble à une magnifique nappe de lumière. Après quelques kilomètres, on la rejoint par de jolis sentiers menant aux rochers. Et là, on peut parler de mer très propre...

SATURNIA

Indicatif téléphonique : 0564.

Connue depuis l'époque romaine pour ses eaux thermales à 37,5°C, Saturnia garde encore quelques ruines de son établissement de bains, jadis si renommé. Elle offre le plaisir de pouvoir, même en plein hiver, prendre un bain chaud en pleine nature. Le soir, l'expérience ne manque pas de charme non plus. Outre le massage formidable que garantissent ses cascades, on peut prendre des bains d'argile. Les eaux sont directement accessibles et, bien sûr, gratuites. Au printemps, il risque d'y avoir pas mal de monde, *a fortiori en été.*

SORANO

Indicatif téléphonique : 0564.

Le village surgit sur une petite bosse de tuf, surplombant la vallée du Lente. Son centre historique est splendide, fermé au sud et au nord par les forteresses Orsini et Leopoldini.

A voir, l'église Collegiata de San Nicola di Bari, du XIIe siècle, et le Palazzetto des Orsini, avec un portail du XVe siècle. Dans les environs de Sorano, s'étend la nécropole étrusque de San Rocco, avec des tombes à chambres et à colombages.

Atelier de céramique artistique de Beatrice Bandarin, Via Roma, 7.

SOVANA

Cette minuscule mais spectaculaire ville médiévale s'étend de la Rocca à la cathédrale romane. Les deux monuments sont accolés à la Strada di Mezzo, à l'ancien pavement décoré de motifs en forme d'arêtes de poisson. Le Palazzo Pretorio, la Loggia del Capitano et la belle église romane de Santa Maria se font face sur la petite place. Patrie du pape Gregorio VII, Sovana doit surtout son importance à sa cathédrale, l'un des meilleurs exemples de style roman toscan.

Indicatif téléphonique : 0564.

Dans les environs

Au bas de la vieille ville, dans la fraîche tranquillité d'un bois de bouleaux et à l'abri des collines, s'étend une nécropole étrusque creusée dans le tuf (*visite gratuite*). Dans la pénombre, on tente de se frayer un chemin, ce qui n'est pas toujours facile, entre les arbres et les roches qui recouvrent les tombes au point de les dissimuler parfois.

TALAMONE

C'est ici que Garibaldi s'arrêta avec «les Mille» pour se fournir en armes et en munitions. Reconstruit en partie après la Deuxième Guerre mondiale, ce joli village de pêcheurs, situé face à l'Argentario, reste encore assez ignoré des touristes.

Indicatif téléphonique : 0564.

Hébergement

Agriturismo Le Vigne. Località Le Vigne, Castiglione della Pescàia © 05 64/93 94 80. *Chambres 30 000/40 000 L.* Sur la côte, 10 kilomètres à l'ouest de Grosseto. A 3 kilomètres de la plage et des pinèdes de Castiglione. Nombreuses excursions dans les alentours.

Agriturismo Le Ginestre. Saturnia, Località Poggio alle Calle, Manciano © 05 64/62 95 13. *Chambres 30 000/50 000 L.* A 20 km de Scansano. Au centre de la vallée de l'Albegna, une maison rustique accueillante. Promenades à cheval, cours d'équitation. Panorama.

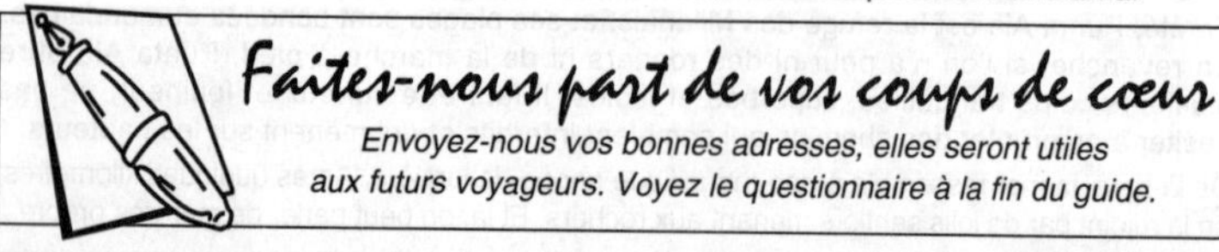

Faites-nous part de vos coups de cœur
Envoyez-nous vos bonnes adresses, elles seront utiles
aux futurs voyageurs. Voyez le questionnaire à la fin du guide.

TRENTIN-
HAUT-ADIGE

TRENTIN HAUT-ADIGE

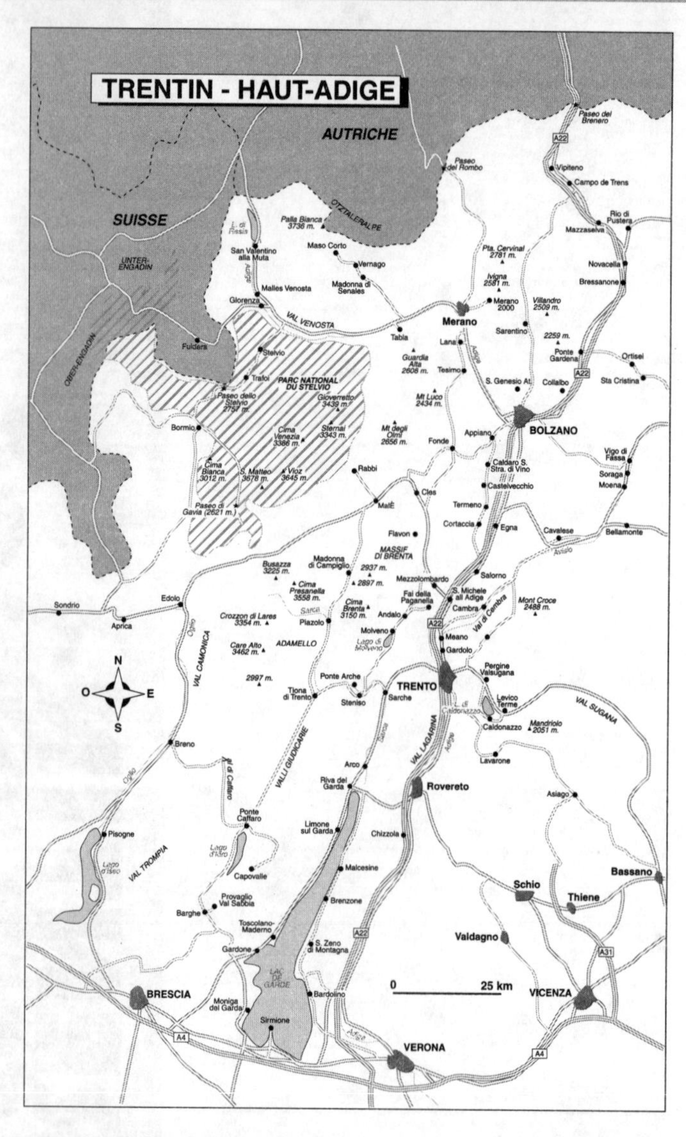

C'est un paysage alpestre de pâturages, de villages aux clochers en oignon et de châteaux. Au printemps, les rangées de vignes et de pommiers lui donnent une note candide. Vers les sommets, les sapinières denses et noires s'éclaircissent et se reflètent dans de petits lacs qui prennent des couleurs rosées au coucher du soleil. Plus haut encore, sur les cimes des Dolomites, un entrelacs de flèches, de campaniles, de crêtes et de donjons alterne avec des parois vertigineuses aux couleurs changeantes, où fleurissent, dans des creux, les rhododendrons et les gentianes.

Le Trentin Haut-Adige est une région de la province de Bolzano, autonome et bilingue. Elle a su conjuguer intelligemment la sauvegarde du paysage et les contraintes du tourisme. L'engouement pour les maisons secondaires n'a pas bouleversé outre mesure le paysage (en particulier dans les vallées des Alpes atésines), qui continue à ressembler à celui des cartes postales du début du siècle. En revanche, le réseau routier a été largement transformé, avec, en particulier, l'autoroute du Brennero qui, de Vérone, monte vers le nord le long de la vallée de l'Adige jusqu'à Trente et Bolzano.

C'est une région riche en œuvres d'art et en traditions sauvegardées jalousement par les habitants des vallées qui, par ailleurs, offrent un intéressant mélange ethnique et linguistique. Dans beaucoup de villages, on porte encore le costume traditionnel les jours de fête, et l'ancienne coutume du *maso chiuso* est toujours en vigueur : les parents continuent à transmettre l'entreprise agricole familiale au fils aîné et se retirent pour vivre dans une petite dépendance. Les autres frères doivent tenter leur chance ailleurs.

Pour les amoureux de la nature

En choisissant de passer une période de vos vacances dans un mas, hébergé par un paysan, vous aurez l'occasion de vivre dans une nature inchangée, au contact d'une société encore traditionnelle. L'hospitalité y est simple et vraie, comme la cuisine, basée en général sur des produits locaux. Les nombreux sentiers qui partent des fermes conviennent aussi bien aux marcheurs endurcis qu'à ceux qui veulent simplement se dégourdir les jambes.

Prétextant leur situation dans la verte nature, de nombreux hôtels et trattorias se sont octroyés l'appellation «agriturismo». Il faut donc se rendre en priorité dans les fermes inscrites sur les listes fournies par les Offices du tourisme.

Les refuges du Trentin, compris entre les altitudes de 1 500 mètres et 2 500 mètres, sont la destination favorite des randonneurs, des alpinistes et des touristes qui, entre juin et septembre, s'aventurent le long des sentiers des Dolomites.

La capacité d'accueil de ces refuges est d'environ quatre mille lits. Le prix dépend de la catégorie choisie ; ainsi les adhérents du CAI (Club alpin italien) ont droit à des réductions substantielles. Il en est de même pour les membres des Clubs alpins étrangers. Le lit avec matelas et couverture coûte 3 000 à 7 000 L pour les adhérents et de 10 000 à 15 000 L pour tous les autres. Les refuges qui n'appartiennent pas au CAI sont plus chers : il faut compter entre 20 000 et 30 000 L.

Pour les sportifs

Le Trentin Haut-Adige est réputé pour ses belles pistes de ski. En téléphonant au ✆ 04 61/23 43 33, on obtient des informations 24 h/24 sur l'état des pistes. Le numéro ✆ 04 61/98 10 12 rend compte, jour après jour, de l'enneigement en haute altitude et des risques d'avalanche. L'Agenda Neve, le guide conçu par l'APT (Azienda per la Promozione Turistica) du Trentin, fournit des indications précieuses sur les pistes, les remontées mécaniques, les écoles de ski, les compétitions et autres manifestations de ski alpin.

Pour éviter l'attente aux péages, les routes verglacées ou le brouillard, on peut prendre les trains de neige spéciaux qui fonctionnent durant la saison hivernale. L'Isarco Express relie, tous les dimanches, Vérone au col Isarco ; le billet donne droit à une carte de réduction sur les pistes de Racines, de Monte Cavallo et de Ladurns. Le Brixen Express part de Vicenza pour arriver à Ponte Gardena et à Bressanone ; il donne droit à une réduction sur le ski-pass de Plose. Des ski-bus bien pratiques permettent de rejoindre les pistes sans avoir à se soucier des problèmes de parking.

RIVA DEL GARDA

C'est une ville moyenne, au climat doux et à la végétation luxuriante. Elle a toujours été un endroit stratégique pour contrôler le lac. Les Vénitiens, grâce à leur flotte spécialement acheminée, l'arrachèrent aux Visconti. Quelques décennies de domination vénitienne ont suffi pour donner à la ville son aspect enchanteur. Elle conserve toujours ses rues à arcades, ses palais et ses anciennes murailles.

■ PRATIQUE

Indicatif téléphonique : 0464

Offices du tourisme

Spiaggia degli Ulivi © 52 538.

Giardini di Porta Orientale, 8 © 55 44 44 - Fax 52 03 08. *Ouvert du lundi au samedi de 9 h à 12 h et de 15 h à 18 h, le dimanche matin de la mi-juin à la mi-octobre.*

Bus. Terminal Via Trento © 55 23 23.

Poste. Via Largo Posta. *Ouverte du lundi au vendredi de 8 h 15 à 19 h 45 ainsi que le samedi matin.*

Change. Viale Rovereto, 83. Automatique 24 h/24.

■ HEBERGEMENT

International Hôtel Liberty. Viale Carducci, 3/5, Riva © 55 35 81 - Fax 55 11 44. *180 000/280 000 L. 155 000 L en pension complète.* 84 chambres avec téléphone, télévision, réfrigérateur. Parc, accès handicapés, parking, piscine couverte. American Express, Visa, Diner's Club. Bon mélange de style Liberty et de confort moderne.

Hôtel Europa. Piazza Catena, 9, Riva © 55 54 33 - Fax 52 17 77. *130 000/230 000 L. Ouvert d'avril à octobre.* 63 chambres avec téléphone, télévision, climatisation, réfrigérateur. Climatisation, accès handicapés, restaurant. American Express, Visa, Diner's Club. Situé dans le centre historique, cet hôtel-restaurant a vue sur le port et sur le lac. Bonne cuisine.

Lido Palace Hotel. Viale Carducci, 10, Riva © 55 26 64 - Fax 55 19 57. *220 000/300 000 L. Ouvert du 1er avril au 31 octobre.* 62 chambres avec téléphone, télévision, réfrigérateur. Parc, parking, climatisation, piscine, tennis, restaurant (40 000 L). American Express, Visa, Diner's Club. Confort, élégance et belle situation face au lac.

Agriturismo

Auberge de jeunesse Benacus. Piazza Cavour, 9, Riva © 55 49 11 - Fax 55 65 54. *100 lits à 18 000 L, petit déjeuner inclus. Ouverte du 1er mars au 31 octobre de 7 h à 12 h et de 15 h 30 à 24 h.* Laverie automatique, parking, restaurant. A 21 km de la gare de Roveretto. Bus à 100 m.

Agriturismo Michelotti. Via Soccesure, 2, Bolognano ©/Fax 51 62 72. *Appartements 4/6 personnes 70 000/120 000 L. Ouvert toute l'année.* Villa avec piscine et court de tennis. Ambiance très chaleureuse. Dégustation de fruits et vendanges.

■ RESTAURANTS

Restaurant Bastione. Via Bastione, 19/a, Riva © 55 26 52. *30 000 L. Fermé le mercredi et du 4 novembre au 11 décembre. Réservation obligatoire.* 32/40 couverts. Jardin, parking, climatisation. Cuisine typique du Trentin. Le jardin est agréablement frais, et l'ambiance chaleureuse.

Restaurant Vecchia Riva. Via Bastione, 3, Riva © 55 50 61 - Fax 55 ***55 50.*** *50 000 L. Fermé le mardi et le mercredi soir en basse saison. Réservation obligatoire.* 30/60 couverts. Climatisation. American Express, Visa, Diner's Club. Une cuisine raffinée avec un brin de fantaisie. Intime, avec un petit jardin.

MANIFESTATIONS

Au mois de juin se déroule le **Salotto d'autore** : café littéraire et rencontres avec les auteurs.

Le **festival Musica Riva**, qui se déroule du 16 au 29 juillet, présente de jeunes musiciens.

Le 1er décembre : **fête de San Andrea**.

Marché. Le deuxième mercredi du mois ainsi que le quatrième entre juin et septembre.

POINTS D'INTERET

Piazza III Novembre. Cette place qui regarde le lac est entourée en partie par des portiques du XIVe siècle.

La Rocca ✆ **55 44 90**. *Ouvert en juin, septembre, octobre et novembre, de 9 h à 12 h et de 14 h à 17 h 30. En juillet-août, de 16 h à 22 h. Fermé le lundi.* Forteresse du XIIe siècle, entourée d'eau et dotée de tours d'angles et d'un donjon.

Chiesa de l'Inviolata. De forme octogonale, cette église possède un bel intérieur baroque riche en stucs, en dorures et en peintures.

Museo Civico. Près de la Rocca ✆ **55 44 90.** *Ouvert toute la semaine, sauf le lundi, de 9 h à 12 h et de 14 h à 17 h. Le samedi et le dimanche, jusqu'à 17 h 30. Entrée payante.* Le musée s'est récemment modernisé et a enrichi ses collections relatives à l'environnement et au développement de la civilisation de la Haute Garde et du val de Ledro.

LOISIRS

Remise en forme

En septembre et octobre, on pratique ici la cure de raisin, une thérapie efficace contre le stress et autres affections. La thérapie prévoit la consommation de deux kilos de raisin par jour en plus de repas légers.

Balade

Les possibilités de courtes randonnées sont nombreuses. La plus facile (on y parvient en télésiège) est celle qui mène au Bastione, un donjon cylindrique construit en 1508 sous les rochers du massif de la **Rocchetta**. Très beau panorama.

On atteint la cascade de Ponale en suivant une route pittoresque qui serpente entre de vertigineuses parois rocheuses. Pour aller à la cascade du Varone, il faut prendre la route en direction de **Tenno.** Quatre kilomètres plus loin, on aboutit à l'esplanade qui donne accès aux chutes. Elles se précipitent d'une hauteur de 80 mètres. Le spectacle est impressionnant !

ARCO

Située sur la rive droite du fleuve Sarca, cette élégante petite ville est encerclée, grâce à la proximité du lac de Garde, par une végétation méditerranéenne composée d'oliviers, de magnolias, de palmiers et de lauriers roses. Dans la seconde moitié du XIXe siècle, Arco devint un lieu de villégiature important, fréquenté par la bourgeoisie et les plus grands noms de la noblesse d'Europe centrale. Le vieux bourg s'étend en arc de cercle autour de l'imposante masse du château, tandis que la partie récente s'est développée vers le sud en direction de Riva.

Pratique

Indicatif téléphonique : 0464

Office du tourisme. Viale Palme, 1 ✆ 51 61 61.

Manifestations

En février, le **traditionnel carnaval** masqué.

Le 26 juillet se déroule la **Foire d'été**.

Marché le deuxième et le troisième mercredi du mois.

Points d'intérêt

Château. Bien qu'il soit en ruine, la forteresse et le formidable système défensif à terrasses du Moyen Age sont reconnaissables. Il faut vingt minutes de marche sur un sentier escarpé et sinueux pour arriver au château, mais l'effort est récompensé par le superbe panorama.

Palazzo del Casino. Une construction des Habsbourg qui date de la fin du XIXe siècle.

Palazzo Marchetti. Ce palais du XVIe siècle possède de bizarres cheminées de type vénitien et une frise peinte sous un toit en auvent.

Collegiata di Maria Assunta. Commencée en 1613 dans un style palladien, elle conserve de remarquables peintures ainsi que des groupes en marbre.

Villa dell'Arciduca. Dans la tourelle qui domine cette villa est installé un petit observatoire météorologique.

Loisirs

En septembre, Arco devient pendant quelques jours la capitale mondiale de l'**escalade sportive** en organisant une compétition où concourent les meilleurs spécialistes mondiaux de la varappe à main nue.

SARCHE

En suivant la route qui va du lac de Garde à Trente, sur les flancs du mont Garsolé, on arrive au village de Sarche. Celui-ci ne présente d'autre intérêt que d'être le point de départ de la route qui, longeant d'abord la rive droite du fleuve, traverse les Marocche (d'un terme dialectal qui signifie «rocher»). C'est une moraine de l'époque glaciaire, qui s'étend sur plusieurs kilomètres et qui est recouverte d'un amoncellement chaotique de blocs rocheux tombés, pendant une longue période, des monts situés à droite de la Sarca.

CASTEL TOBLINO

En continuant en direction de Trente, on passe par le lac de Toblino, réputé autrefois pour sa transparence, aujourd'hui compromise par le déversement des eaux du glacier de la Presanella. Au-dessus d'une petite péninsule, dans un cadre très romantique, apparaissent les tours et les murs crénelés du château de Toblino, un des plus caractéristiques de la région alpine. Il servit de refuge aux amours d'un prince-évêque qui, en vain, sollicita de Rome la permission de rompre ses vœux pour se marier.
A l'intérieur, dans la gracieuse petite cour entourée de loggias et s'appuyant directement sur la roche, se trouve un restaurant (✆ **86 40 36** ; *ouvert de mars à novembre*).
Derrière le château, sur la rive du lac, on découvre d'intéressantes raretés botaniques.

Plus loin, enfin, se déploie le petit lac de Terlago dont les eaux ont une singulière couleur brun olivâtre.

ROVERETO

Situé au centre du val Lagarina, il est entouré d'un doux paysage où domine la verte géométrie des vignes. Son centre urbain commença à se développer au XIIe siècle, sous les Castelbarco. Ces derniers donnèrent à la ville un système de fortifications, dont une partie est encore visible Via della Fosse. La ville passa à la république de Venise de 1416 à 1509. De cette époque datent l'essentiel de l'infrastructure urbaine ainsi que le dialecte et la toponymie du lieu. Rovereto est célèbre pour son industrie de la soie, qui fut introduite dans la région en 1520. Imposante fortification érigée au XIVe siècle, le château surplombe la ville ; il abrite le Museo Storico Italiano della Guerra (*ouvert d'avril à novembre, de 8 h 30 à 12 h 30 et de 14 h à 18 h*). La vieille ville s'étend au pied du château ; la Via della Terra en particulier et les autres petites rues étroites et tortueuses sont typiques du haut Moyen Age. La domination vénitienne a marqué de son empreinte le Palazzo Municipale et l'église de San Marco. Les palais Piamarta, dell'Annona, de la Cassa di Risparmio, de même que le théâtre Zandonai sont vraiment splendides. La galerie-musée Depero présente un réel intérêt : premier musée futuriste d'Italie, il est consacré au peintre Fortunato Depero, citoyen d'adoption de Rovereto.

Indicatif téléphonique : 0464

TRENTE

Posée au bord du fleuve Adige, entourée de monts majestueux comme le Bondone et Paganella, Trente reste une ville à échelle humaine ; son centre historique est bien conservé et sa banlieue baigne dans la verdure. De plus, les plus belles vallées des Alpes sont à une demi-heure de voiture seulement de la ville.

TRANSPORTS

Gare. ✆ 23 45 45. *Consignes fermées de 1 h 40 à 3 h 40 du matin.*

Bus. Atesina. Via G. Marconi, 3 ✆ 82 10 00. Se renseigner à la gare pour les horaires.

Téléphérique. Funivia Trento-Sardagna. Via Lung'Adige Monte Grappa ✆ 38 10 00. *Pour Sardagna : départ toutes les 30 minutes, tous les jours de 8 h à 20 h.*

PRATIQUE

Indicatif **téléphonique** : 0461.

Offices du tourisme

Via Sighele, 3 ✆ 91 44 44, 91 56 15 ou 91 56 17. *Ouvert du lundi au samedi de 9 h à 12 h et de 15 h à 18 h, le dimanche de 10 h à 12 h. De septembre à juin, du lundi au vendredi de 9 h à 12 h et de 15 h à 18 h, et le samedi de 9 h à 12 h.*

Via Alfieri, 4 ✆ 98 38 80 - Fax 98 45 08. *Ouvert du lundi au vendredi de 9 h à 18 h, le dimanche de 9 h à 13 h.*

Consulat de France

Passagio Zippel, 2 ✆ 23 88 82.

Poste

Via Calepina, 16 ✆ 98 72 70. *Ouverte du lundi au vendredi de 8 h 10 à 18 h 30 et le samedi de 8 h 10 à 13 h.*

Téléphone Via Balzani, 30. *Ouvert tous les jours de 8 h 30 à 12* h.

Telecom Italia SPA. Via Torre Verde, 11 ✆ 23 40 40. *Ouvert du mardi au samedi de 8 h 30 à 12 h 30 et de 15 h à 19 h, le lundi de 15 h à 19 h.*

HEBERGEMENT

Hôtel America. Via Torre Verde, 5 ✆ 98 30 10 - Fax 23 06 03. *120 000/160 000 L.* 50 chambres avec téléphone, télévision, climatisation, réfrigérateur. Parking, garages, accès handicapés. American Express, Visa, Diner's Club. L'endroit est délicieux. En plein centre historique, avec vue sur les toits de la vieille ville et sur le château.

Hôtel Buonconsiglio. Via Romagnosi, 16/18 ✆ 27 28 88 - Fax 27 28 89. *160 000/ 200 000 L.* 45 chambres avec téléphone, télévision, climatisation, réfrigérateur. Garages, accès handicapés. American Express, Visa, Diner's Club. Un élégant meublé.

Albergo Accademia. Vicolo Colico, 4/6 ✆ 23 36 00 - Fax 23 01 74. *180 000/260 000 L.* 43 chambres avec téléphone, télévision, climatisation, réfrigérateur. Restaurant (voir plus loin). American Express, Visa, Diner's Club. Une très bonne adresse en plein cœur de Trente et parfait dosage de tradition et de modernité.

Auberge de jeunesse

Auberge de jeunesse Giovane Europa. Via A. Manzoni, 17 ✆ 23 45 67. *Environ 18 000 L, petit-déjeuner inclus. Ouverte de 7 h à 10 h et de 12 h à 24 h.* 74 lits. Restaurant, parking. Sont gratuits : la piscine, une visite guidée de la ville et la location de bicyclettes. A 5 km de la gare de Trieste. Bus à 200 m.

Agriturismo Vecchia Quercia. Via Tasi, 16, Balsega di Piné, Sternigo ✆ 04 61/55 30 53. *Chambres 45 000 L.* Petite maison moderne et confortable, base idéale pour des excursions vers le lac de Serraia. Cuisine traditionnelle et vins régionaux.

Agriturismo Maso Fosina. Località Maso Fosina, Bosentino © 04 61/84 84 68. *Appartements 60 000/100 000 L. Ouvert tous les jours.* Grande construction récente près du lac de Caldonazzo et de Levico. Les alentours regorgent de possibilités de balades à pied, à cheval ou à vélo.

Agriturismo Maso Paradisi. Località Giaroni, 1/p, Canal San Bovo © 04 39/71 90 71. *Chambres 25 000/45 000 L. Ouvert de juin à octobre, à Noël, Pâques, et les jours fériés.* Charmant chalet isolé, mais facile d'accès, où l'on profite de l'air pur et des grands espaces à sillonner à pied ou à VTT. Calme, sérénité...

Agriturismo Maso Nello. Via Pinetta, 3, Faedo © 04 61/65 03 84. *Chambres 30 000/40 000 L. Ouvert tous les jours.* A la lisière d'un bois, une maison chaleureuse avec vue panoramique. Cuisine et vins maison, excellents.

Agriturismo Galeno. Via Cima Nora, 34, Luserna © 04 64/78 97 23. *Chambres 30 000/50 000 L. Fermeture variable.* Grand chalet alpin en bois, bien décoré, avec vue sur les montagnes environnantes. Cuisine régionale excellente.

RESTAURANTS

Dell' Accademia. Vicolo Colico, 6/8 © 98 15 80. *50 000/85 000 L. Fermé le lundi.* 50 couverts. Jardin. American Express, Visa, Diner's Club. Un bar-cave riche en vins du Piémont, de Toscane, ainsi qu'en vins locaux d'excellente qualité. Le vin Filo Rosso est mis en bouteilles par le patron. Pour éviter que l'on ne sombre trop rapidement dans l'ivresse, l'établissement sert des tagliatelles faites maison, accompagnées de goulasch et de la polenta maure de sarrasin.

Osteria a le Due Spade. Via Don Rizzi, 11 © 23 43 43. *65 000/100 000 L. Fermé le dimanche et le lundi à midi. Réservation obligatoire.* 40 couverts. Climatisation. American Express, Visa, Diner's Club. Ce restaurant qui existait déjà en 1545 a gardé l'atmosphère des vieilles tavernes. Il propose une cuisine classique avec des spécialités régionales.

Restaurant Chiesa. Via Marchetti, 9 © 23 87 66. *60 000/80 000 L. Fermé le mercredi soir, le dimanche, et du 10 au 25 août. Réservation obligatoire.* 100 couverts. Jardin. American Express, Visa, Diner's Club. Ambiance à la fois rustique et élégante sous des voûtes du XVIe siècle : dallage en terre cuite et murs décorés de toiles de maîtres. On y sert une cuisine du Trentin raffinée.

Sortir

On pourra se rendre au **Caffè Campregher**, Via Mazzini.

Manifestations

Du 19 au 24 février : **carnaval tridentin** avec des spectacles en plein air.

Foire de Saint-Joseph : grande foire de printemps où l'on vend des fleurs et des plantes, qui transforment pour un jour la Piazza Duomo en un grand jardin.

Du 24 avril au 2 mai : festival international du film de montagne et d'aventure **«Città di Trento»** ; c'est un rendez-vous important pour les amateurs de cinéma et de montagne.

Du 23 au 31 mai : **Mostra dei vini del Trentino**, exposition des vins du Trentin, grand rassemblement avec dégustation et vente de la production vinicole régionale.

Mai : **Festival de musique sacrée**. De nombreux concerts de musique sacrée vocale et instrumentale sont donnés dans les églises des principales villes du Trentin.

Juin : **Feste Vigiliane**, une semaine de fêtes populaires en l'honneur de San Vigilio, patron de Trente.

Décembre : **Fiera di Santa Lucia**.

Marchés

Tous les jeudis : Piazza d'Arogno, Via Verdi, Via Maffei, Via Prati, Via Borsieri, Via del Torrione.

Le vendredi et le samedi a lieu, Piazza d'Arogno, le marché de l'artisanat d'art.

POINTS D'INTERET

Piazza Duomo. On y admire la cathédrale, bien sûr, mais aussi le Palazzo Pretorio, la fontaine de Neptune et les maisons Renaissance aux frises décoratives.

Cattedrale di San Vigilio. *Ouverte tous les jours de 6 h 30 à 12 h et de 14 h 30 à 20 h.* Elle est de style roman lombard, avec quelques concessions au gothique. La construction de l'église fut entreprise sur décision de l'évêque Federico Vanga, en 1212, et achevée vers le milieu du XIVe siècle. L'intérieur est à «croix latines», avec trois nefs soutenues par quatorze piliers.

Palazzo Pretorio. Il ferme le côté est de la Piazza Duomo. Cette construction crénelée du XIIIe siècle fut la première résidence fortifiée des évêques de Trente.

Palazzo Tabarelli. Via Oss-Mazurana. Un des palais Renaissance les plus majestueux de la ville.

Palazzo Saracini-Pedrotti. Sa façade est décorée de motifs géométriques en damiers.

Palazzo Trentini. De style baroque, il est le siège du conseil régional.

Palazzo Thun. Erigé au XVIe siècle, il fut rénové dans la première moitié du XIXe. Il accueille à présent la mairie de la ville.

Santa Maria Maggiore. Située sur la place du même nom, au bout de la belle Via Cavour, cette église, qui fut la première paroisse de Trente, est un monument à la gloire de la Renaissance lombarde. Elle a subi différents remaniements qui n'ont pas toujours respecté le dessin original. A l'intérieur, l'encoignure et les grandes orgues sont de toute beauté. C'est ici que s'est tenu le fameux concile de Trente.

San Lorenzo. De style monastique, elle remonte à la première moitié du XIIIe siècle. En 1955, elle retrouva sa sévère splendeur d'origine.

Palazzo Fugger-Galasso. Ce palais date du début du XVIIe siècle. On l'appelle aussi le «palais du Diable» : selon la légende populaire, il aurait été construit en une seule nuit grâce à l'intervention de Satan.

Musées

Museo Provinciale e d'Arte. Castello del Buonconsiglio. Via B. Clesio, 5 ✆ 23 77 70. *Ouvert du 1er octobre au 31 mars de 9 h à 12 h et de 14 h à 17 h et du 1er avril au 30 novembre de 9 h à 12 h et de 14 h à 17 h 30. Fermé le lundi. Entrée : 7 000 L.* Cette ancienne demeure des princes-évêques de Trente abrite maintenant un important musée. De très belles fresques de Dosso Dossi décorent le hall et le grand salon du Magno Palazzo. Elles constituent un exemple intéressant de la peinture de la fin de la Renaissance. Le musée comprend une section archéologique ainsi que des sections d'art médiéval et moderne.

Museo Tridentino di Scienze Naturali. Palazzo Sardegna. Via Calepina, 14 ✆ 27 03 11- Fax 23 38 30. *Ouvert du 15 juin au 15 septembre de 10 h à 12 h 30 et de 14 h à 19 h. Du 16 septembre au 14 juin de 9 h à 12 h 30 et de 14 h 30 à 18 h. Fermé le lundi, à Noël, le 1er janvier et le 1er novembre.* Les sections de géographie alpine, de préhistoire, de paléontologie, et quelques autres, sont réparties dans 21 salles. D'autres salles sont consacrées à des expositions temporaires sur des thèmes d'actualité.

Museo d'Arte Moderna e Contemporanea. Palazzo delle Albere. Via R. da Sanseverino, 45 ✆ 98 65 88 - Fax 23 40 07. *Ouvert de 9 h à 12 h 30 et de 14 h 30 à 18 h ; en été de 10 h à 12 h 30 et de 14 h 30 à 19 h. Fermé le lundi, à Noël, le Jour de l'An et à Pâques.* Le palais a été acheté par la Région et sauvé du triste état d'abandon grâce à une intelligente restauration. Le musée abrite une exposition permanente d'art contemporain et accueille régulièrement des activités liées à la sauvegarde et à la mise en valeur de collections d'art des XIXe et XXe siècles.

Museo Diocesano Tridentino. Palazzo Pretorio. Piazza Duomo, 18 ✆ 23 44 19. *Ouvert de 9 h 30 à 12 h 30 et de 14 h 30 à 18 h. Fermé le dimanche, le 15 août, le 1er novembre, à Noël et au Jour de l'An. Entrée : 2 500 L.* Ouvert en 1908, il est riche en art sacré et en archéologie chrétienne. Une section archéologique reliée à ce musée se trouve sous le Duomo et sur les vestiges de la basilique chrétienne (*ouverte de 10 h à 12 h et de 14 h 30 à 18 h 30, fermée le dimanche*).

➥ A L'OUEST DE TRENTE

PONTE ARCHE

Indicatif téléphonique : 0465

Située à 400 mètres d'altitude, la petite localité de Ponte Arche est un endroit idéal pour faire d'intéressantes randonnées.

STENICO

Situé à 3 km de Ponte Arche, le village est dominé par son beau château (demander le gardien au village). Ancienne propriété des évêques de Trente, c'est un des plus anciens de la région. Plusieurs salons peuvent se visiter.

Si l'on prend la route pour Andalo, on rejoint le lac de Molveno, dont les eaux reflètent les cimes impressionnantes du massif de Brenta. Ce beau paysage alpestre a souffert de l'installation d'une centrale hydroélectrique qui s'alimente dans le lac et a fini par nuire à l'équilibre écologique de la région.

La nationale 421 en direction de Riva del Garda mène au séduisant petit lac de Tenno, miroir turquoise encadré de prés et de bois.

TIONE DI TRENTO

Cette grosse bourgade, chef-lieu des Giudicarie, se trouve au confluent du torrent Arno et du fleuve Sarca. Entourée de bois, elle est nichée dans une vaste combe, dite *la Busa*, au pied du mont Gaggio.

La Chiesa di Santa Maria Assunta, flanquée d'un haut campanile, mérite une petite visite. Beau point de vue depuis cette église.

La ville peut être également un bon point de départ de promenades, que ce soit au val de Daone, pour son milieu naturel sauvage, ou bien au lac de Ledro, sur les rives duquel on découvrit, en 1929, les restes d'un village sur pilotis datant de l'âge du bronze. Les nombreux pieux (environ 10 000) encore fichés dans la rive du lac donnent une idée de l'envergure de ce lieu préhistorique.

On pourra visiter le Museo delle Palafitte (musée des constructions sur pilotis) à Molina di Ledro, Via Lungolago © 50 81 82.

L'excursion à la Gola del Limaro est également digne d'intérêt. Ces gorges, parmi les plus spectaculaires de la région, s'enfoncent, sur environ quatre kilomètres, entre de hautes parois à pic aux importantes stratifications de couleur ocre.

Indicatif téléphonique : 0465

MONT BONDONE

C'est un important massif au sud-ouest de Trente. Au sommet, de vastes pâturages, recouverts de neige en hiver, offrent de belles pistes de descente à quelques minutes de la ville en prenant le téléphérique. Se renseigner auprès de **l'Office du tourisme de Vaneze © 94 71 28.**

A proximité, on pourra visiter le **Giardino Botanico Alpino delle Viotte**, un jardin botanique qui dépend du Museo Tridentino di Scienze Naturali. Fondé en 1938, c'est un des plus intéressants d'Europe. On y verra, entre autres, une soixantaine de rocailles, un vallon, des rhododendrons, un arboretum et un petit lac (© 94 80 50 ; *ouvert de 9 h à 12 h et de 14 h 30 à 18 h en juillet et en août ; de 9 h à 12 h et de 14 h 30 à 17 h en juin et septembre*).

LA PAGANELLA

Célébrée par des chants et des poèmes, la Paganella est la montagne la plus populaire du Trentin. On trouve, à son sommet, un observatoire météorologique pour l'aéronautique et, surtout, un large point de vue panoramique.

VALSUGANA ET VAL DE CEMBRA

C'est un court tour des lacs, qui part de Trente pour y revenir après la traversée de la Valsugana et du val de Cembra, belles vallées à l'est de la ville.

PERGINE VALSUGANA

Cette importante commune de l'Alta Valsugana garde une configuration urbaine de la Renaissance : sa large rue centrale contraste avec les ruelles étroites perpendiculaires. Son origine est très ancienne. Au XVIe siècle, elle fut le centre d'une importante zone minière pour l'extraction du cuivre, du plomb et de l'argent.

Au mois de juillet a lieu le Pergine Spettacolo Aperto : festival de théâtre, de musique et de danse.

Pratique

Indicatif téléphonique : 0461

Office du tourisme APT. Via Pennella, 42 ✆ 53 12 58.

Points d'intérêt

Piazza Grande. A voir, le Palazzo Comunale, avec son élégant escalier aux précieux ouvrages en fer forgé.

Pieve della Natività. Un édifice gothique, érigé entre 1510 et 1550.

Castello di Pergine ✆ 53 11 58. *Ouvert de mai à octobre.* Château privé, aménagé en hôtel-restaurant, il domine la Valsugana du haut de la colline du Tegazzo. Un bel exemple de demeure aristocratique fortifiée.

CALDONAZZO

Situé à une courte distance du lac du même nom, qui est le plus grand bassin lacustre du Trentin. Cette étendue brillante au cœur d'une nature encore vierge représente le site idéal pour de nombreuses espèces aquatiques, comme les goujons, les carpes, les tanches et les barbeaux. Il faut aller voir le Palazzo Trapp, un ensemble d'origine médiévale transformé à la Renaissance.

Indicatif téléphonique : 0461

Hébergement

Hôtel Due Spade. Piazza Municipio, 2, Caldonazzo ✆/Fax 72 31 13. *60 000/110 000 L. Ouvert d'avril à octobre.* 24 chambres avec téléphone, télévision. Parc, parking, piscine. Interdit aux animaux. Visa. D'un confort simple et agréable.

LEVICO TERME

Située sur le versant méridional du Panarotta et dominant le Rio Maggiore, cette station thermale est réputée pour ses eaux arsenicales et ferrugineuses. Dans la partie haute de la ville, la route panoramique s'éloigne pour rejoindre le centre thermal de Vetriolo. Le lac de Levico se trouve à un kilomètre de ce centre. C'est un bassin aux eaux vertes, encastré dans un paysage de fjords entre des berges escarpées et boisées qui, à l'ouest, le séparent du lac de Caldonazzo.

On accède au refuge de Panarotta en 7 minutes avec le téléphérique. Ensuite, un sentier facile conduit au sommet, à 2 000 mètres, d'où la vue embrasse toute la Valsugana.

Pratique

Indicatif téléphonique : 0461.

Hébergement

Gran Hôtel Bellavista. Via Vittorio Emanuele, 7, Levico Terme ✆ 70 61 36 - Fax 70 64 74. *125 000/220 000 L. 165 000 L en pension complète.* 89 chambres avec téléphone, télévision, climatisation, réfrigérateur. Parc, accès handicapés, parking, piscine. Interdit aux animaux. Visa. Cet hôtel moderne et entouré d'un beau jardin se trouve tout près des thermes.

SEGONZANO

Ce village de la vallée de Cembra est surtout connu pour ses pyramides de terre, gigantesques champignons dus à l'érosion des eaux sur une butte morainique. Elles ont la forme d'un cône étroit surmonté généralement d'un bloc de rocher.

Castello di Segonzago. Les ruines de ce château du XIIIe siècle se dressent en haut d'un rocher. C'était, autrefois, un important lieu de repli défensif pour les différents négoces entre la vallée de l'Adige et la Valsugana. Bombardé et mis à sac en 1795, il fut abandonné et tomba en ruine. Reste la tour «romaine», dite tour des prisonniers.

RESERVE NATURELLE DE LAGHESTEL

S'étendant sur environ 20 hectares, elle dépend de la commune de Baselga. Son étroite vallée en forme de «V» doit son tracé au bassin lacustre qui était autrefois plus grand et plus profond. Depuis les étés 1975 et 1976, on a observé dans les zones marécageuses un phénomène de rougissement des eaux (comme au lac de Tovel), dû à la prolifération d'une sorte d'algue.

Pratique

Offices du tourisme

APT. Viale 4 Novembre © 68 31 10.

APT di Baselga. Via C. Battisti, 98 © 55 70 28 - Fax 55 75 77.

Points d'intérêt

Dos di Vigo est le point le plus spectaculaire du haut plateau. Il offre un vaste point de vue sur toute la chaîne des Dolomites.

Cascata del Lupo. Cette cascade, formée par les eaux du Rio Regnana, tombe dans un petit lac. On peut accéder au sommet de la cascade par un escalier.

➥ DE TRENTE A BOLZANO

Cet itinéraire suit la route des vins, une route panoramique qui passe dans des villages de la plaine de l'Adige, renommés pour leur vin d'excellente qualité. Elle s'étire sur 36 kilomètres entre Salorno et Bolzano.

Créée au début du XXe siècle sur le modèle des routes du vin allemandes, juste après le détournement de l'Adige, cette route, ponctuée d'agréables points de dégustation, ravira les œnologues. Les nombreux vignobles sont en majorité des cépages régionaux de raisin «schiava» (l'ancien vernatsch). Les pineaux blancs et noirs sont excellents, quant au traminer, il est très aromatique. Parmi les vins d'origine contrôlée, le roi de la région reste le lago di Caldaro.

SAN MICHELE ALL'ADIGE

Cette commune est placée sur la rive gauche de l'Adige, au centre d'une zone vinicole produisant de bons vins, dont le teroldego.

Indicatif téléphonique : 0461

Hébergement

Lord Hôtel. Localité Masetto, 2, San Michele all'Adrige © 65 01 20 - Fax 65 01 38. *70 000/110 000 L.* 33 chambres avec téléphone, télévision. Parc, parking, garages, tennis. Interdit aux animaux. Moderne, confortable, il profite en outre de sa situation au cœur d'un des plus beaux jardins d'Europe.

Points d'intérêt

L'ancien monastère des Agostiniens. Son origine remonte à 1145. En 1874, il a été transformé en Institut agraire régional par l'administration fédérale du Tyrol. En 1972, la province autonome de Trente y a ouvert un musée. La *scacchiera* de Maximilien est peinte sur la façade ouest du vieux couvent ; on peut y lire le nom de l'empereur 143 fois. A côté, avec ses tours rondes qui en défendaient la partie nord, se trouve l'église paroissiale de San Michele.

Castello di Montereale. D'origine antique, il fut remanié au XVIe siècle. Sa façade comporte une crénelure graduelle et une robuste tour romane. A l'intérieur, on remarque un intéressant porche soutenu par des colonnes de pierre.

Musée régional des Arts et Traditions populaires du Trentin. Ancien couvent des Agostiniens ✆ 65 03 14. *Ouvert de 8 h 30 à 12 h et de 14 h 30 à 17 h 30. Fermé le dimanche après-midi et le lundi.* C'est, dans ce genre particulier, et grâce aux riches traditions de la région, le musée italien le plus représentatif.

SALORNO

Indicatif téléphonique : 0471

Passant de la souveraineté des princes-évêques de Trente à celle des comtes du Tyrol, cette petite ville fut témoin, en 1797, de la bataille victorieuse des Français sur les Autrichiens. Elle est connue aujourd'hui pour sa production de fruits et de vins.

Fête des portes, le premier week-end de juin : le centre, fermé à la circulation, est transformé en un grand parc de divertissement. On danse et on déguste des plats typiques tout en assistant à des spectacles.

EGNA

Indicatif téléphonique : 0471

Cette commune agricole possède un vieux centre plein de charme, avec des rues à arcades et des maisons à l'architecture typique des Alpes atésines. Les Romains l'appelaient Endidae. Au Moyen Age, sous la souveraineté des princes-évêques de Trente, elle fut baptisée Enn. Incendiée en 1331, elle fut reconstruite sous le nom de Neumarkt. Dans la pittoresque Via Hofer, flanquée d'arcades, qui traverse la vieille ville, une pierre commémorative rappelle la détention d'Andrea Hofer, chef de la révolte tyrolienne contre Napoléon.

PINZOLO

Située dans une dépression où se rencontrent la Sarca de Genova et la Sarca de Campiglio, cette station de villégiature et de sports d'hiver réputée est aussi un haut lieu de l'alpinisme, très bien équipé, avec, notamment, de bonnes structures d'accueil.

Les amateurs de ski de fond peuvent tenter l'aventure du ski de randonnée (ou «Cross country ski» pour les Américains qui l'ont redécouvert dans les années 70). A Pinzolo, des sorties d'initiation sont organisées les week-ends par l'association «Cross country ski». Chaque année, à la fin du mois de mars, a lieu un cours d'apprentissage au Telemark, ce type de fixation qui permet au skieur, en descente, de presque s'agenouiller sur ses skis. Pendant une semaine, des randonnées sont ainsi organisées sous la conduite d'instructeurs au val di Genova, à la cascade de Lares, au campo Carlo Magno (champ Charlemagne), à la «malga» (bergerie, refuge) ainsi qu'au mas qui se trouve au pied du Brenta (cette excursion est particulièrement spectaculaire). Se renseigner auprès du «Cross country ski» à Pinzolo (✆ 52 758).

Pratique

Indicatif téléphonique : 0465

Office du tourisme APT ✆ 50 10 07 - Fax 50 27 78.

Hébergement

Hôtel Corona. Corso Trento, 27, Pinzolo ✆ 51 10 30 - Fax 50 38 53. *100 000/170 000 L.* Ouvert de décembre à avril et de juin à septembre. 45 chambres avec téléphone, télévision. Parc, parking, accès handicapés. American Express, Visa, Diner's Club. Cette agréable bâtisse montagnarde a acquis une solide réputation.

Manifestations

Il y a **deux foires annuelles**, une le premier mai et l'autre le 29 septembre. Pour information, téléphoner au 51 001.

Marché tous les mercredis.

Points d'intérêt

Chiesa di San Vigilio. Située un peu en dehors du village, la Chiesa di San Vigilio fut reconstruite sur l'emplacement d'une ancienne église médiévale. Une impressionnante *Danse Macabre*, du peintre itinérant lombard Simone Baschenis (1539), est peinte sur le mur extérieur sud. Cette fresque, aux couleurs bien conservées, met en scène une quarantaine de personnages, avec des commentaires en vers dans un italien fruste.

VAL DE GENOVA

Cette vallée, une des plus fascinantes des Alpes du Trentin, pénètre sur une vingtaine de kilomètres dans le parc naturel Adamello Brenta. La nature, encore intacte, offre un majestueux paysage d'épaisses forêts et de cascades. Une croyance populaire veut que le concile de Trente ait exilé là-haut les sorcières et les diables, et quelques énormes masses erratiques disséminées au fond du val portent en effet des noms empruntés à l'«Enfer» de Dante.

Les eaux de la cascade de Nardis tombent d'une hauteur de 100 mètres en deux chutes parallèles. A leur pied, se trouvent deux blocs de granit : la légende dit que ce sont également des diables pétrifiés.

La cascade de Lares se précipite en d'énormes sauts d'environ 200 mètres.

MADONNA DI CAMPIGLIO

Station de vacances estivales et de sports d'hiver parmi les plus importantes de la chaîne alpine, Madonna di Campiglio s'étale dans une superbe combe aux prés couleur d'émeraude et aux noires sapinières. Zone de passage depuis des temps ancestraux, elle devint, dans la seconde moitié du XIXe siècle, un célèbre lieu de villégiature des aristocrates autrichiens. François-Joseph et son épouse Sissi y auraient séjourné.

La popularité de Madonna di Campiglio a son revers. En août et pendant les vacances de fin d'année, un très grand nombre d'autos et de camping-cars envahissent le village et rendent l'atmosphère irrespirable. Pour y séjourner, choisissez la saison creuse, soit en automne, quand les bois sont dorés, soit au printemps, quand on peut profiter des dernières descentes à ski et des prés en fleurs.

Pratique

Indicatif téléphonique : 0465

Office du tourisme APT. Via Prado Lago, 4 ✆ 44 20 00 - Fax 44 04 04.

Hébergement

Hôtel Oberosler. Via Monte Spinale, 27, Madonna di Campiglio ✆ 41 11 36 - Fax 44 32 20. *200 000/230 000 L. Ouvert de décembre à avril et de juillet à la mi-septembre.* 38 chambres avec téléphone, télévision, réfrigérateur. Parc, parking, garages, accès handicapés. Interdit aux animaux. Un chalet cossu dans un site tranquille et ensoleillé, derrière les remontées mécaniques.

Shopping

Piazza Righi, les gourmands trouveront deux commerces à leur convenance : la **Maison du Chocolat**, où l'on peut se procurer, mais seulement sur commande, les *nosele* (bonbons au miel, citron, noisettes et chocolat), et la **pâtisserie Suisse**, où l'on peut manger la meilleure tourte de carottes de Campiglio.

Marché tous les mardis. Le jeudi en été.

LAGO DI NAMBINO

A 1 767 mètres d'altitude, au pied de l'éperon nord du mont Pancugolo, le lac de Nambino occupe une petite dépression. Ses eaux vertes, d'une extraordinaire transparence, reflètent l'épaisse forêt qui l'entoure.

CAMPO CARLO MAGNO

Ce «champ Charlemagne» est une étendue de pâturages à la hauteur du col qui sépare le val de Campiglio du val Meledrio. Selon la légende, Charlemagne y est passé en 776 pour aller châtier les rebelles lombards au Frioul.

PASSO DEL GROSTE

De ce col, s'étend une vue magnifique sur le massif de Brenta.

Arc de Trente

TRENTIN NORD

BOLZANO

Situé dans une vallée profonde, au croisement des vallées de l'Adige, de la Talvera et de l'Isarco, ce chef-lieu du Haut-Adige est une ville agréable, entourée de hauts plateaux boisés et, plus loin, par les cimes des Dolomites. Ici, la vie suit son cours, tranquille, sous les arcades aux belles devantures et aux cafés ouverts sur l'extérieur. La proximité des belles vallées alpines (à moins d'une demi-heure en voiture) en fait un point de départ idéal pour des randonnées dans la région.

Bolzano est une ville bilingue : la majorité de la population parle allemand, et elle en perpétue la culture dans ses traditions et sa façon de vivre. Un des côtés attrayants de Bolzano réside dans cette atmosphère unique qui mélange (dans l'architecture, la langue et les coutumes) des traits caractéristiques de l'Italie et de l'Autriche. Les quartiers les plus plaisants se trouvent dans le vieux centre (Via dei Portici) et dans les communes environnantes encadrées par des rangées de vignes.

La position de Bolzano a pesé sur son histoire. Disputée par les Lombards, les Francs et les Bavarois, la ville, qui dépendait du duché de Trente, fut cédée au comte du Tyrol, puis au duc de Carinzia, qui, à son tour, la donna aux ducs d'Autriche. Elle resta autrichienne jusqu'en 1918. En 1927, elle devint chef-lieu de province, et fut dotée d'une plus grande liberté d'action lorsqu'en 1948 on accorda un régime d'autonomie à la région.

TRANSPORTS

Gare. © 97 42 92. *Informations du lundi au samedi de 7 h à 20 h et le dimanche de 9 h à 13 h et de 14 h 30 à 17 h 30. Consignes ouvertes 24 h/24.*

Bus

Bus urbains ACT. Via Conchpelli, 60 © 97 12 59.

Bus interurbains SAD. Via Perathoner, 4 © 45 01 11. Informations @ 46 007.

Téléphériques

Il en existe trois.

Pour Ritten : Funivia Renon, Via Renon.

Pour Kohlem : Funivia delle Colle, Via Campiglio (départ toutes les heures).

Pour Salto : Funivia San Genesio, Via Sarentino.

PRATIQUE

Indicatif téléphonique : 0471.

Offices du tourisme

Via Raiffeisen, 5 © 99 36 66 - Fax 99 36 99. Ouvert du lundi au vendredi de 9 h à 18 h 30 et le samedi de 9 h à 12 h 30.

Piazza Parrocchia, 11 © 99 38 08. Ouvert du lundi au vendredi de 9 h à 12 h et de 14 h à 17 h.

Poste Via della Posta, 1 © 97 94 52. Ouverte du lundi au vendredi de 8 h 15 à 17 h 15 et le samedi de 8 h 15 à 12 h 45.

Police © 94 76 11.

Laverie automatique Piazza Matteotti, 3. Ouverte du lundi au vendredi de 8 h à 12 h et de 14 h 30 à 19 h.

Téléphones

Telecom. Piazza Parrocchia, 17. Bureau ouvert du lundi au samedi de 8 h 30 à 12 h 30 et de 15 h à 19 h.

AAST. Via Roma, 36/m. Ouvert du lundi au samedi de 8 h à 20 h.

Change. Banca Nazionale del Lavoro. Piazza Walther. *Ouverte du mardi au vendredi de 8 h 20 à 13 h 20 et de 15 h à 16 h 30, le lundi de 8 h 20 à 13 h 20.*

HEBERGEMENT

Scala Hôtel. Via Brennero, 11 ✆ 97 62 22 - Fax 98 11 41. *140 000/240 000 L.* 65 chambres avec téléphone, télévision, réfrigérateur. Parc, parking, garages, piscine, restaurant. American Express, Visa, Diner's Club. C'est une ancienne trattoria, transformée en hôtel à la fin du XIXe siècle. Lieu de villégiature des nobles russes au début du siècle, le Scala fut réquisitionné pendant la dernière guerre par les troupes allemandes, puis par les troupes anglo-américaines. Le restaurant, situé dans la véranda, est agrémenté d'une fresque des *Quatre saisons*, œuvre de Stolz. L'établissement dispose de chambres de style Belle Epoque.

Park Hôtel Laurin. Via Laurin, 4 ✆ 31 10 00 - Fax 31 11 48. *310 000/415 000 L.* 96 chambres avec téléphone, télévision, climatisation, réfrigérateur. Parc, garages, piscine, restaurant (*45 000/85 000* L). Au confort impeccable d'une maison stylée s'ajoutent la piscine chauffée du parc et un raffiné restaurant Belle Epoque.

Agriturismo

Agriturismo Lanserhof. Strada Colterenzio, 37/a, Appiano sulla Strada del Vino, Cornaiano/Girlan ✆ 04 71/66 12 11. *Appartement 25 000/50 000 L. Ouvert tous les jours.* Près de la réserve naturelle de Paludi della Volpe, une maison moderne entourée de vignes et de vergers, où l'ambiance est sympathique et chaleureuse.

Agriturismo Gasserhof. Via San Leopoldo, 2, Bolzano ✆ 04 71/91 82 60. *Chambres 40 000 L. Ouvert tous les jours.* Maison moderne, avec piscine, entourée de vergers et de vignes. Nombreuses excursions et activités sportives possibles.

Agriturismo Moarhof. Ad Avigna/Afing, 27, San Genèsio Atesino ✆ 04 71/35 00 55. *Chambres 50 000 L. Ouvert en été.* Vieille maison en pierre, dans les alpages, au calme. Le restaurant, réservé aux pensionnaires, sert une cuisine maison délicieuse.

Bagni di fieno

On les appelle *bagni di fieno* (bains de foin), mais en réalité ce sont des bains d'herbes fraîchement coupées. Cet ancien remède doit ses vertus aux espèces florales que l'on trouve à haute altitude dans l'Alpe di Siusi, sur les pentes du Sciliar. En s'enfouissant dans un lit d'herbes molles, on peut constater d'indubitables effets bénéfiques, reconnus par la science dans le cas de douleurs rhumatismales, lombaires, névritiques, sciatiques, musculaires, ainsi que de crampes et de goutte.

RESTAURANTS

Restaurant Vogele-Aquila Rossa. Via Gœthe, 3 ✆ 97 39 38. *45 000/95 000 L. Fermé le samedi soir et le dimanche. Réservation obligatoire.* 50 couverts. Jardin. Visa. Le Vogele (petit oiseau) a fait son nid dans un recoin du vieux Bolzano. Le mobilier, rustique, est de la fin du XIXe siècle. L'attention méticuleuse apportée au moindre détail fait du Vogele un restaurant très «classe».

Restaurant Da Abramo. Piazza Gries, 16 ✆ 28 01 41. *60 000/90 000 L. Fermé le dimanche et en août. Réservation obligatoire.* 70/100 couverts. Jardin. American Express, Visa, Diner's Club. Un espace délicieux dans un palais d'époque, avec des meubles et un cadre Liberty et un beau jardin d'été. La cuisine, principalement à base de poisson, reste fidèle à la tradition, avec cependant quelques innovations. Spécialités conseillées : risotto aux langoustes et au champagne, *tagliolini alla granseola*, grillade de poisson, sole en sauce et homard à l'avocat.

POINTS D'INTERET

Piazza Walther. Située au centre de la ville, elle est dédiée au poète Walther von der Vogelweide, né en 1170 et considéré comme le plus grand poète médiéval de langue allemande. Sa statue est d'un bel effet au milieu de la place.

Duomo. *Ouvert du lundi au vendredi de 9 h 30 à 12 h et de 14 h à 18 h. Le samedi de 9 h 30 à 12 h.* Le Duomo, de style gothique, avec son caractéristique toit en pente polychrome, son élégante abside et son clocher aux fenêtres en ogive, se trouve dans l'angle sud-ouest de la place. A l'intérieur (à trois nefs d'égale hauteur), on admirera les fresques des XIVe, XVe et XVIe siècles ainsi que l'impressionnant autel baroque de 1720.

Eglise des Dominicains. Piazza Domenicani. Construite à la fin du XIIIe siècle, elle fut agrandie au XVe, à moitié détruite par les bombardements de la dernière guerre et, enfin, restaurée. A l'époque napoléonienne, le couvent qui la jouxtait fut supprimé, et l'église, dépouillée de tous ses autels et meubles, fut transformée en dépôt, puis en magasin militaire. De précieuses fresques de l'école de Giotto de Padoue se trouvent à l'intérieur de la chapelle San Giovanni (XIVe siècle).

Le **cloître** du vieux couvent est à voir, lui aussi, avec ses arcades en ogives trilobées ; sur son côté sud s'ouvre la chapelle Sainte-Catherine, décorée de fresques (certaines de Giotto lui-même), dont un remarquable Jugement Dernier.

Via dei Portici. Depuis des siècles, cette rue est le centre commercial de la ville. Animée par ses négoces, elle est bordée de maisons typiques des XVIe, XVIIe et XVIIIe siècles, aux saillies riches en stuc et aux portails raffinés.

Palazzo Mercantile. Cette construction baroque de 1727 fut, pendant un temps, le siège de la Magistratura Mercantile (l'équivalent de la chambre de commerce), créée par les négociants étrangers qui fréquentaient les quatre grands marchés annuels de Bolzano (ces marchés se déroulaient sur 14 jours, il y en avait 2 au printemps et 2 en automne). Entre 1635 et 1851, cette institution eut une grande influence sur la vie publique de la ville. Le Palazzo possède une belle cour avec deux rangées d'arcades.

Piazza delle Erbe. Entourée par de petits palazzi typiques et agrémentée d'une fontaine de Neptune (XVIIIe siècle), cette place est le lieu traditionnel d'un marché aux fruits, très coloré.

Chiesa dei Francescani. Via dei Francescani. *Ouverte tous les jours de 6 h à 12 h et de 14 h 30 à 18 h.* Construite en 1221, cette église fut détruite par un incendie en 1291 ; sa forme gothique actuelle date de 1348. A voir également, le cloître qui lui est contigu, plein de grâce avec ses petites colonnes et ce qui lui reste de fresques de l'école de Giotto de Padoue.

Castel Roncolo (Runkelstein). *Ouvert de mars à fin novembre, du mardi au samedi de 10 h à 17 h (dernière visite à 16 h).* Situé le long de la route du val Sarentina, accroché sur un rocher à pic au-dessus du torrent Talvera, ce château, d'aspect très romantique, est un des plus renommés de la région. Il date de 1237 mais fut en partie reconstruit à la fin du siècle dernier. Sa cour intérieure fait grande impression. Les salles conservent de précieuses fresques de peinture chevaleresque profane du début du XVe siècle, réalisées par différents artistes de l'école de Bolzano.

Museo Civico. Via Cassa del Risparmio, 14 © 97 46 25. *Ouvert de 9 h à 12 h et de 14 h 30 à 17 h 30 ; le dimanche de 10 h à 13 h.* Réparties sur 3 étages, une quarantaine de salles présentent de riches collections artistiques, archéologiques et folkloriques du Haut-Adige.

SHOPPING

Tous les magasins de vêtements vendent le *walker*, une veste en drap de laine dont le tissu est feutré artificiellement jusqu'à devenir imperméable. Un procédé que les paysans connaissent depuis le Moyen Age et qui est très proche de celui utilisé pour le «loden». Portée traditionnellement par les chasseurs, en raison de sa solidité et de son imperméabilité, cette veste devint populaire au XIXe siècle, lorsqu'elle fut adoptée par la noblesse et la haute société autrichienne.

LOISIRS

Lungotàlvera. Après le pont Tàlvera, cette promenade borde en hauteur le fleuve et permet de beaux points de vue sur la vallée de Bolzano et sur les Dolomites. Plus loin, sur la même route, on trouvera le château Mareccio (*ouvert du lundi au samedi de 10 h à 12 h et de 15 h à 18 h*), la tour de Druse et la cascade du rio Fago.

Promenade de Sant'Osvaldo. Cette avenue en lacet suit, pendant un kilomètre, les pentes du mont Renon, offrant au passage de beaux points de vue sur la ville et les vignobles, la Mendola et le Latemar.

Une autre belle promenade : celle de **Guncino.**

Trentin - VTT

DOLOMITES

➥ DE BOLZANO A DOBBIACO

Des bois, des pâturages alpins, des mas bien entretenus aux balcons fleuris et les plus belles cimes des Dolomites : l'itinéraire qui va de Cortina à Dobbiaco traverse les plus célèbres vallées de la chaîne des Alpes. L'ensemble constitue un environnement exceptionnel. Ce site fut «découvert» en 1862 par l'alpiniste viennois Paul Grohmann. Il présente aussi un intérêt ethnographique : dans les vallées de Gardena, de Badia et Cortina subsiste le dialecte ladin qui remonte au temps des Romains. Les populations rétiques qui s'installèrent dans les vallées des Dolomites atésines, romanisées pendant le Ier millénaire avant J.-C., donnèrent naissance à des idiomes néolatins qui, à cause de l'isolement de la région, ont réussi à se maintenir en dehors des influences germaniques de la vallée de l'Isarco. La région des Dolomites attire chaque année des millions de visiteurs. Néanmoins, ce phénomène n'a pas altéré les relations harmonieuses que les habitants de ces vallées ont su tisser au cours des temps, dans leur vie quotidienne, et dans un environnement grandiose mais souvent difficile. Pour s'en rendre compte, il suffit de penser au travail des champs, à ces foulards que l'on aperçoit à mi-pente au bord des précipices, là où les machines agricoles ne sauraient s'adapter, et à la rude vie de l'alpage, où l'on est seul pendant quatre mois avec les troupeaux.

L'itinéraire qui va de Bolzano à Cortina est un classique en toute saison. Des vallées fleuries au printemps et en été, des bois dorés en automne, de la neige et des pistes pour les épreuves du championnat du monde en hiver.

ALPE DI SIUSI

Ce plateau, au pied du Sciliar, est sans doute le plus réputé d'Europe ; il est couvert de vastes pâturages et parsemé de petits bois. Le paysage est vraiment bucolique : mas blancs avec leur classique façade de bois, petites églises aux clochers à bulbe, hôtels noyés dans la verdure, tout s'harmonise heureusement avec la nature environnante.

Le paysage vallonné est ponctué de petites maisons, qui ne dépassent pas 4 mètres sur 4 et ne comptent que 2 pièces : la cuisine d'où sort la cheminée et la grange-chambre à coucher. 400 à 500 paysans se partagent le haut plateau. Chacun y possède un alpage où il mène paître ses troupeaux pendant les mois d'été jusqu'au 29 septembre, jour de San Michele. A cette date, en effet, d'après la légende, la montagne se peuple de sorcières et devient dangereuse.

Aujourd'hui l'Alpe di Siusi est une zone protégée, fermée à la circulation entre le 23 mai et le 31 octobre. La commune de Castelrotto a mis à la disposition des touristes qui y séjournent le service Buxi, une navette gratuite qui couvre toute la contrée et permet ainsi de se passer de voiture.

Pour y accéder depuis Bolzano, il faut prendre la vallée de l'Isarco et, à Prato all'Isarco-Blumau, monter sur un premier plateau au pied duquel se trouve le Fié allo Sciliar-Völs am Schlern. Là, on pourra visiter la paroisse de Santa Maria Assunta, de style gothique tardif. Si l'on monte encore, on arrivera à Siusi-Seis, à la limite d'un autre haut plateau, un peu avant Castelrotto, où les maisons sont peintes et les grandes fontaines fleuries.

Les touristes ont à leur disposition un réseau très dense de quelque 350 kilomètres de promenades bien balisées et bien entretenues grâce au travail quotidien de trois employés. Cela va des 600 mètres de Sant'Osvaldo aux 3 kilomètres des plateaux du Sciliar. Les itinéraires les plus faciles mènent aux petites églises mystiques du Moyen Age, disséminées sur tout le territoire de la commune, ou au bord des petits lacs de Fié allo Sciliar, romantiques et propres, dans lesquels les plus courageux pourront se baigner. Les promenades les plus difficiles conduisent aux Denti di Terrarossa ou au mont Bullaccia, tout fleuri de rhododendrons. Les paresseux se satisferont du télésiège «Panorama», qui les déposera devant l'hôtel du même nom où les attend un point de vue à 360 degrés, allant des massifs du Sassolungo aux monts de la vallée de l'Isarco.

Pendant l'été, ceux qui séjournent à Castelrotto auront le choix entre une cinquantaine de promenades dans le parc naturel du Sciliar. Un guide leur dévoilera tous les secrets de la faune, de la flore et du sous-sol.

APPIANO

Placée sur une terrasse ensoleillée, au pied du haut plateau de la Mendola, cette petite ville présente une belle harmonie architecturale, dans le style du Haut-Adige, qui uniformise toutes les habitations, depuis les maisons bourgeoises jusqu'aux mas paysans : escaliers extérieurs, loggias ouvertes et fenêtres doubles avec arc en plein cintre.

Indicatif téléphonique : 0471

Points d'intérêt

Chiesa de San Michele. Construite dans la première moitié du XVIe siècle, cette église flanquée d'un robuste campanile a un élégant pontil Renaissance.

Casa von Wohlgemuth. Remarquable exemple du style d'Oltradige, cette maison se compose de deux constructions reliées par une loggia. La partie nord date de la fin du XVIe siècle et la partie sud du XVIIe. Un autre exemple caractéristique du même style est offert par le petit bâtiment appelé *Talegg*, situé au nord de la commune.

Dans les environs

Castel Ganda (Schloss Gandegg) ✆ **52 141.** Ce château (à dix minutes de l'église de Sant'Anna) se dresse dans un parc au pied du mont Masaccio. Il conserve quatre belles tours rondes plus une carrée, ainsi qu'une chapelle baroque (Santa Maria della Neve).

Une centaine de mètres plus haut, se trouve le château Englaro datant de la seconde moitié du XVIe siècle, avec cependant des parties plus anciennes, désormais en ruine et recouvertes de lierre.

Castel Moos (Schulthaus) ✆ **66 01 39**. *Visites de Pâques à la Toussaint, du mardi au dimanche de 10 h à 11 h et de 16 h à 17 h. Fermé le lundi. Visites guidées à 10 h, 11 h, 16 h, 17 h.* C'est un ancien pavillon de chasse qui a subi diverses transformations. Sa chapelle conserve la plus ancienne image peinte de l'aigle du Tyrol. La cuisine est intéressante à visiter, avec son foyer ouvert et ses fresques représentant la guerre entre des chats et des souris.

Castel Boymont. Construit en 1236, c'est le château le plus ancien de la région. Ses ruines imposantes, avec de grosses murailles d'enceinte et sa haute tour témoignent de l'importance stratégique d'Appiano au Moyen Age. C'est aujourd'hui un restaurant.

Des cavernes aux glaces «éternelles» se trouvent dans une combe recouverte de blocs rocheux. La glace persiste dans les anfractuosités même en été, parmi des fleurs de haute montagne.

Lac de Monticolo. Deux étendues d'eau dans une dépression d'origine glaciaire. Elles sont entourées par des collines boisées où abondent les champignons. Le grand lac est pourvu d'équipements balnéaires de base.

Château d'Appiano. Pour s'y rendre, on traverse des vignes, ponctuées çà et là de châteaux et de manoirs. On passe devant le château de Monteriva (Reinsberg), de style haut atésin du XVIIe siècle. Son mobilier est d'époque et sa chapelle possède un orgue miniature. Le château Lodrone (Schloss Freudenstein) est un peu plus loin. On arrivera enfin aux ruines du château d'Appiano, sur un piton rocheux dominant la combe de Bolzano. Au bout de la clairière, derrière un talus, se cache la petite chapelle de Santa Maddalena, ornée d'une série de fresques dont celle qui représente le premier *canederlo* sud-tyrolien (*on peut la visiter du début avril au début novembre, tous les jours sauf le mardi ; ouvert tous les jours de la semaine en juillet).*

CALDARO

C'est le lac le plus important du Haut-Adige. Situé au creux d'une combe verte, riche en vignobles et en arbres fruitiers, il est le point de départ idéal pour de belles randonnées. Tout autour de la place principale, ornée en son centre d'une fontaine baroque, on pourra admirer d'intéressants édifices, dont la Casa Ruedl de style Renaissance.

Pratique

Indicatif téléphonique : 0471

Office du tourisme APT. Piazza Mercato, 8 ✆ 96 31 69 - Fax 96 34 69.

Points d'intérêt

Chiesa dell'Assunta. Eglise baroque, précédée d'un puissant campanile gothique, lui-même surmonté d'une flèche en pierre.

Castello di Campano. Construit en 1268, ce château possède une grande cour Renaissance à l'italienne avec des arcades et des loggias.

Museo del Vino. Via dell'Oro, 1 ✆ 96 31 68. *Ouvert du mardi au samedi de 9 h 30 à 12 h et de 14 h à 18 h, et le dimanche de 10 h à 12 h de Pâques à la Toussaint. Fermé le lundi.* Installé autrefois au château Ringberg (à côté du lac), ce musée s'est à présent réfugié dans les anciennes caves Di Pauli. Il expose les différents ustensiles qui, au cours des siècles, ont servi à la production du vin.

Dans les environs

Il est possible de se rendre :

Au **lac de Caldaro**, miroitant au milieu des vignes. Sur sa rive occidentale, se trouvent le petit village de San Giuseppe al Lago, quelques hôtels et des établissements balnéaires équipés pour la voile et la planche à voile.

A **Castelvecchio,** perché sur un éperon rocheux à 615 mètres d'altitude, on pourra voir les vestiges de l'église de San Pietro, une des plus anciennes du Haut-Adige.

Aux ruines de **Castelchiaro**, d'où l'on peut contempler la vallée de l'Adige et la combe de Caldaro.

Au col de **Mendola**, en empruntant l'audacieux train à crémaillère. C'est une installation ferroviaire du début du siècle, avec une pente à donner le frisson (65 %). Réalisée en 1903 sur la demande de l'empereur d'Autriche François-Joseph, elle reliait les vallées du Sud Tyrol et du Trentin, qui faisaient alors partie de l'Empire austro-hongrois.

CASTEL FIRMIANO

Situé sur un éperon rocheux dépendant du territoire de l'Adige, c'est le plus ancien château de la vallée de Bolzano et aussi le plus grand. D'un dessin complexe et irrégulier, il est entouré de murailles pourvues, à chaque angle, de petites tours rondes. A voir, à l'intérieur, le palais seigneurial, la tour Blanche romane et la chapelle de Santo Stefano.

CASTEL FLAVON

Une fois traversées des châtaigneraies, on atteint l'imposant castel dont les origines remontent au XIIIe siècle. Rénové au XVIe, il est récemment tombé en ruine à cause de l'érosion de la roche sur laquelle il est bâti.

CLES

Cette grosse bourgade, située sur une terrasse qui escalade le mont Peller, est le chef-lieu, centre commercial, agricole, culturel et administratif du Val de Non. La vallée est constellée de châteaux et de routes qui semblent toutes aboutir à de grands jardins de pommiers.

Pratique

Indicatif téléphonique : 0463

Manifestations

Trois foires importantes : la première, le 2 mai (pour information, téléphoner au 21 164), la seconde le 20 août et la troisième le 18 novembre.

Les marchés ont lieu tous les mardis et les vendredis, plus le premier lundi du mois (sauf en mai).

Points d'intérêt

Pieve dell'Assunta. Elégante structure gothique de la Renaissance.

Palazzo Assessoriale. Il a été construit en 1356. Une stèle de marbre blanc, portant gravée la traduction de la *Tavola Clesiana*, figure sur sa façade tourmentée. Il s'agit de l'édit par lequel l'empereur Claude accorda, en 46 après J.-C., la citoyenneté romaine aux habitants des vallées.

Lac de Tovel. Dans une combe entourée de forêts séculaires. Pendant les mois d'été, ses eaux se teintaient de rouge, couleur due à la présence d'un protozoaire. Malheureusement, depuis quelques années, le phénomène ne se reproduit plus à cause de la pollution.

Château de Cles. Situé sur une petite hauteur, détruit deux fois par un incendie et deux fois reconstruit, ce château d'aspect grandiose, avec ses deux tours carrées, ne peut être admiré que de l'extérieur, sauf à l'occasion de quelques manifestations culturelles qui, en été, permettent d'accéder à la cour.

Lac de Santa Giustina. C'est le plus grand des bassins artificiels du Trentin. Du long pont qui le traverse, on peut admirer la profondeur de ses eaux.

FONDO

C'est le chef-lieu du haut Val de Non, un centre agricole et un lieu de séjour estival, avec vue sur les Dolomites de Brenta.

La commune est située sur un haut plateau en terrasse, où de grands prés alternent avec des bois de conifères. Elle conserve encore quelques vieilles maisons aux façades ornées de fresques.

Indicatif téléphonique : 0463

Points d'intérêt

Burrone del Sas. Ce gouffre spectaculaire se visite. Long de 300 mètres, profond de 60, il coupe le village en deux. On y a découvert, entre autres, des objets préhistoriques d'époque romaine.

MALE

La ville la plus importante du Val de Sole est une grosse bourgade aux maisons typiques, aux petites places caractéristiques et aux palais à la fois rustiques et élégants, avec des portails du XVIe siècle. Mieux vaut y aller au printemps quand les pommiers sont en fleur.

Pratique

Indicatif téléphonique : 0463

Office du tourisme APT des vallées de Sole Peio et de Rabbi. Viale Marconi, 7 ✆ 90 12 80 - Fax 90 15 63.

Manifestations

Il y a **trois foires**, celle de la fin de l'été, les 19 et 20 septembre (pour information, téléphoner au 90 11 03), celle de l'automne, du 12 au 27 octobre, et la dernière, au seuil de l'hiver, le 12 décembre.

• Marchés

De janvier à mai : le second mercredi du mois.

En juin : le premier mercredi.

En juillet et en août : le second et le quatrième.

Points d'intérêt

Pieve dell'Assunta. Une église du XVIe, remaniée à la fin du siècle. L'intérieur est à voir pour quelques boiseries et tableaux.

Museo della Civiltà Solandra. Palazzo della Pretura. Via Trento ✆ 91 103. *Ouvert du 15 juin au 15 septembre et du 20 décembre au 10 janvier, de 10 h à 12 h et de 15 h à 19 h. Fermé le dimanche. Entrée libre. On peut aussi le visiter sur demande*. Ouvert depuis 1983, il présente de précieux témoignages sur la civilisation de la vallée dans ses différents domaines d'activité.

Dans les environs

Bagni di Rabbi est une station thermale entourée de conifères. Les promenades à l'intérieur du parc national du **Stelvio** sont très belles.

Une autre station thermale, **Antica Fonte di Peio**, est située dans une combe champêtre, au milieu de bois de conifères. Ses eaux soignent les maladies du foie et des reins.

Torgelen

Quand les journées se font claires et que les vignes prennent cette couleur dorée caractéristique du Haut-Adige, c'est que le temps des torgelen est arrivé. Le mot vient du latin torculum, le pressoir des Romains, et désigne aussi le lieu où l'on fabriquait le vin au Moyen Age. Aujourd'hui on entend par torgelen le circuit que l'on fait à l'automne pour visiter les caves des viticulteurs et déguster le vin nouveau avec le speck, le fromage et les châtaignes.

ORA

De cette commune part la «grande route des Dolomites».

Pratique

Indicatif téléphonique : 0471

Manifestations

Au début du mois d'avril a lieu la **Semaine des cuisiniers**. Cette compétition oppose des équipes de maîtres queux de toutes les vallées du Haut Atésin.

Fin octobre : **séminaire sur le vin** avec des conférences quotidiennes d'environ 2 heures. Cette semaine du vin du Bas Atésin est une occasion idéale pour faire la connaissance des vins de la région. Des manifestations culturelles (concerts, ballets, expositions) se déroulent tout au long de ces sept jours.

Points d'intérêt

Chiesa di San Pietro. Située au sud de l'agglomération, cette église, de style gothique tardif, possède un campanile percé d'ouvertures trilobées.

Castel Vetere. Il ne reste que des ruines de ce château détruit au XIVe siècle. Sur son emplacement furent retrouvées des pièces intéressantes des âges du bronze et de fer ainsi que de l'époque romaine.

HAUT PLATEAU DU RENON

Pour le rejoindre, il faut suivre, pendant 13 kilomètres, la route panoramique qui traverse les vignobles en montant le long de la vallée de l'Isarco. Le haut plateau du Renon (d'une hauteur moyenne de 1 200 mètres) est une succession de douces ondulations couvertes de prés, de forêts, parsemées de mas et de villas de la vieille noblesse de Bolzano qui, au début du siècle, montait à l'Assunta pour fuir la chaleur estivale de la ville.

Le Renon est également accessible à ceux qui n'ont pas de voiture : il suffit de prendre le téléphérique de Bolzano jusqu'à Soprabolzano ; on arrive alors au bord du haut plateau, d'où un petit train à écartement réduit, courbe après courbe, vous mènera à Collalbo.

De nombreux sentiers sont balisés pour les amateurs de randonnées. L'une des plus intéressantes est celle qui conduit aux pyramides de terre de Longostano. On trouve aussi ces «champignons» à Soprabolzano et à Auna. Un sentier sans déclivité permet d'accéder à ces cônes d'argile parfois hauts d'une trentaine de mètres et surmontés d'un rocher qui les préserve de l'érosion des eaux de pluie.

La montée vers le Corno del Renon, le sommet le plus haut, est plus délicate mais permet de jouir d'un des plus beaux panoramas de toute la région du Haut-Adige.

SAN GENESIO ATESINO

On y accède en téléphérique. Le point de vue sur la ville, la vallée et le Catinaccio s'élargit au fur et à mesure que l'on monte. Le haut plateau apparaît enfin, parsemé de villages charmants et traversé par des sentiers de randonnées, que l'on peut emprunter à pied ou sur les *aveglinesi*, cette race de chevaux originaire de la région. Une petite route enchanteresse conduit à Merano. En hiver, c'est une promenade idéale pour les amateurs de ski nordique.

TERMENO

Ce bourg qui domine la route du vin est situé sur les pentes escarpées du mont Rœn. On pourra voir dans le village quelques élégantes maisons de la Renaissance ainsi que le clocher le plus haut de toute la région.

Indicatif téléphonique : 047

Manifestations

Le **carnaval** de Termeno a lieu tous les deux ans. Les masques représentent exclusivement des figures masculines «belles» ou «laides». Monsieur Carnaval, ou l'*Egetmann*, les domine tous, dans sa calèche, entre deux personnages tout ronds et en frac. Parmi d'autres figures mythiques figurent l'Ours, le Chasseur et le *Wildermann* (homme sauvage). Ce défilé carnavalesque évoque un vieux rite de la fertilité. Il est censé prémunir les gens et les lieux contre la maladie et les catastrophes, ainsi que favoriser les récoltes et le travail des champs.

Points d'intérêt

Eglise de San Quirico et de la Giulietta. De style gothique.

San Giorgio in Castelaz. Une gracieuse église avec des fresques romanes.

Musée paysan de Termeno. Piazza Municipio, 9 ✆ 86 01 32. *Ouvert entre avril et novembre, du mardi au vendredi de 10 h à 12 h et de 16 h à 18 h, et le samedi de 10 h à 12 h.* Il est installé dans un édifice du XIVe siècle où se trouvaient jadis les bains de la ville. Il présente de très nombreux témoignages de la vie paysanne.

Shopping

Cantina Hofstatter. Piazza Municipio, 5 ✆ 86 01 61. L'orgueil de cette cave est son tonneau, le plus grand d'Europe, dit-on, d'une capacité de 60 000 litres et d'un diamètre d'environ 4 mètres. Ses excellents vins agrémentèrent la table de l'empereur François-Joseph.

VAL SARENTINO

Ses six mille habitants sont dispersés dans sept hameaux et dans plus de 500 mas, encore bien conservés, à la «stube» peinte. La stube est une pièce traditionnelle, entièrement boisée, avec son banc qui en fait le tour, ses coffres sculptés et le lit encastré dans le mur au-dessus du grand poêle. Ses occupants vivent le plus souvent de l'élevage des bœufs et des chevaux *avelinesi* à la crinière blonde, originaires de cette vallée.

A seulement 20 kilomètres de Bolzano, le Val Sarentino est une des vallées les plus isolées de toute la région. Pour y arriver, il faut remonter la gorge étroite que le torrent Talvera a creusée dans le porphyre rougeâtre ; ses parois peuvent atteindre 200 mètres. Il y a encore une cinquantaine d'années, cette route n'existait pas, et le seul lien entre la vallée de Sarentino et la plaine de l'Adige étaient les sentiers muletiers qui montaient vers le haut plateau de San Genesio pour redescendre à Bolzano.

Ce sont sans doute les difficultés de communication qui ont permis à cette région de conserver intactes toutes les traditions séculaires, perdues désormais dans presque toutes les autres vallées. Les habitants portent encore le costume traditionnel et, chaque dimanche, ceux des mas les plus éloignés ont à faire un parcours de plus de 2 heures avant de se retrouver en habits de fête sur la place de l'église. Les hommes sont en chemise blanche sans col, pantalon et veste en drap noir et ceinturon en cuir brodé à la main. Les femmes ont une robe longue et un grand foulard à fleurs sur la tête.

La vallée conserve encore un artisanat qui n'est pas conditionné par le tourisme : ceintures et bretelles en cuir, décorées avec des racines de plumes de paon, différents objets en bois sculpté, estampilles pour le beurre...

Le chef-lieu de la vallée est Sarentino, situé dans une combe verte de prairies et de bois, parsemés de maisons rustiques ; certaines sont vieilles de plusieurs siècles, comme celle de Mair am Grafen qui est antérieure à 1400. Toutes ont de petites fenêtres avec des frises peintes, des coursives fleuries et des inscriptions en caractères gothiques. Le Castel Reinegg domine la vallée. Dans ce château médiéval entièrement restauré eut lieu, en 1540, le procès (dont les actes sont toujours conservés) de la dernière sorcière de la vallée, condamnée à mourir sur le bûcher.

La vallée se scinde à Campolasta : une partie mène au col de Pennes et à Vipiteno, l'autre, au lac de Valdurna, entre des mas, des niches abritant des crucifix sur fond bleu, des bois de pins et des étendues de rhododendrons.

Hébergement

Agriturismo

Les *buschenschanc* sont tout simplement les auberges de campagne. Certaines sont installées dans d'anciens châteaux : au castel Roncolo, au castel Flavon ou au pied des ruines du castel Sarentino. Les plus belles ne sont, la plupart du temps, accessibles qu'à pied, comme l'auberge de Steimannhof, sur le Renon, que l'on rejoint en une demi-heure par un sentier escarpé qui débouche sur la route allant au Val Sarentina.

Agriturismo Eichhof. Località Kaltererhöhe, 10, Caldaro sulla Strada del Vino ✆ 04 71/96 26 34. *Chambres et appartements 25 000/40 000 L. Ouvert de Pâques à octobre.* Superbe maison récente, de bon standing, au cœur d'une exploitation viticole.

Agriturismo Pulserhof. Località Aica di Sopra/Oberaicha, 17, Fiè allo Sciliar ✆ 04 71/60 10 80. *Chambres 35 000/40 000 L. Ouvert tous les jours.* Depuis ce chalet moderne, vous pourrez découvrir le parc naturel de Sciliar, à pied en été, en ski de fond en hiver.

Agriturismo Perglhof. Via San Valentino, 6, Termeno sulla Strada del Vino ✆ 04 71/86 04 17. *Chambres 38 000 L. Ouvert en été.* Chambres agréables dans une maison moderne, entourée de vignes. Pas de restaurant (frigo disponible).

VAL GARDENA

Une fois quittée la vallée de l'Isarco et le rude parler allemand, on sera étonné, en montant vers les prairies du Val Gardena, d'entendre un idiome d'une musicalité toute différente. C'est le ladin, la langue traditionnelle des habitants du Val Gardena, qui est même enseignée dans les écoles. De tradition ladine, le Val Gardena a résisté pendant longtemps à la pression culturelle des Allemands installés dans la vallée de l'Isarco. Il résista aussi à la christianisation du haut Moyen Age, comme en témoigne l'existence d'un Troi Paiàn (sentier païen) ainsi que d'autres noms de lieux.

Les trois centres de la vallée, Selva di Val Gardena, Santa Cristina et Ortisei, sont maintenant reliés entre eux par une succession de maisons, d'hôtels et de magasins. Ici, l'habitat traditionnel est noyé par les dernières vagues d'hôtels et de maisons secondaires. Mais, à mi-hauteur du versant droit, le plus ensoleillé et le plus panoramique, s'accroche une guirlande de petits villages où l'on peut retrouver l'âme gardenoise la plus authentique. L'artisanat du bois sculpté a rendu célèbre aux yeux du monde cette vallée, grâce à son Ecole d'art pour l'enseignement du dessin, des arts plastiques et de la sculpture.

ARABBA

Situé dans un profond vallon au pied du massif de la Sella, c'était, il y a peu de temps encore, un modeste village alpin. Il a été reconstruit après la Première Guerre mondiale et a fini par prendre l'aspect animé d'un centre touristique moderne. De l'ancienne bourgade, il conserve seulement la paroisse du XVIIe siècle.

Pratique

Indicatif téléphonique : 0436

Dans les environs

Porta Vescovo. Quelques minutes en téléphérique pour profiter d'un beau panorama sur la Marmolada. A partir de Porta Vescovo, on peut effectuer quelques ascensions sur les parois rocheuses environnantes, qui gardent des traces de la Première Guerre mondiale.

Pieve di Livinallongo. Ce centre de villégiature pittoresque offre un beau point de vue sur la Civetta, la Marmolada et le Piz Boè. Au-delà des habitations, on aperçoit en enfilade la vallée escarpée du Cordovole.

Passo di Falzarego (2 105 m). Le col, pris entre les ravins du Sasso di Stria et du Piccolo Lagazuoi, est ouvert toute l'année. C'est un endroit rude, couvert de pâturages continuellement interrompus par des blocs de rochers gris. Le point de vue y est splendide.

CANAZEI

Ce village est situé en plein cœur des Dolomites, dans une des plus belles vallées de toute la chaîne des Alpes (la vallée de Fiemme et de Fassa). Il est entouré de bois de hêtres et de sapins, de prairies et de falaises tombant à pic. Les sommets du massif de la Sella, du Sassolungo et de la Marmolada sont tout proches, avec leurs centaines d'itinéraires pour les alpinistes et les randonneurs.

Pendant le Moyen Age, le système de propriété partagée des terres et des bois était en vigueur dans cette vallée. Ce système voulait qu'au moment des moissons, le sort désigne à chaque famille le pré à faucher. Les gens vivaient des semaines entières dans les champs, à la lisière des sapinières, en dormant sous des tentes et en se nourrissant de polenta et de fromage. Ils élisaient chaque année neuf *regolani de Comun*, représentant les neuf villages. Dans le jardin public, on peut encore voir la place où se tenaient les anciennes assemblées. Les représentants de la communauté rendaient la justice autour d'une table assortie d'une double rangée de sièges en pierre. Ils administraient la vallée et dépendaient directement du prince-évêque de Trente. C'est pourquoi les Vénitiens de la *Serenissima*, qui venaient se procurer le bois nécessaire à la construction de leurs bateaux, s'adressaient à la communauté de Fiemme en l'appelant leur *Serenissima consorella*. Ce n'est donc pas un hasard si la vallée de Fiemme, gouvernée sans seigneur, est la seule de la région à ne pas avoir de châteaux.

Aujourd'hui, le siège de la Magnifica Comunità Montana (qui administre encore un énorme patrimoine de bois et pâturages) est à Cavalese, dans un palais du XVIe siècle, ancienne demeure des princes-évêques de Trente.

Pratique

Indicatif téléphonique : 0462

Hébergement

Hôtel Tyrol. Viale alla Cascata, 2 ✆ 60 11 56 - Fax 60 23 54. *100 000/170 000 L. Ouvert de la mi-décembre à la mi-avril, et de la mi-juin à septembre.* 36 chambres avec téléphone, télévision. Parc, parking, garage. Interdit aux animaux. American Express, Visa. A flanc de montagne, un chalet cossu, meublé rationnellement. Intérieur entièrement en bois. Jardin et solarium.

ORTISEI

Cette célèbre station de villégiature et de sports d'hiver est la commune principale. Le centre est traversé par la longue Via Rezia, bordée d'hôtels et de magasins. Il n'y a pas d'autre monument à visiter que l'église paroissiale, de style baroque tardif, placée légèrement en hauteur sur la place principale.

Ortisei fait partie du grand complexe skiable du Val Gardena et de l'Alpe di Siusi, qui est un des mieux équipés au monde (7 téléphériques, 4 télécabines, 21 télésièges et 48 remonte-pentes). Toutes ces installations fonctionnent en association avec le Dolomiti Superski.

Pratique

Indicatif téléphonique : 0471

Office du tourisme APT di Ortisei ✆ 79 63 28.

Hébergement

Villa Luise. Via Grohmann, 43 ✆ 79 64 98. *100 000/150 000 L. Fermé quelques jours en juin, et de la mi-octobre à la mi-décembre.* 13 chambres avec téléphone, télévision. Parc, parking. Interdit aux animaux. C'est plus une maison d'amis qu'un hôtel classique.

Manifestations

Le 1er janvier : défilé de costumes régionaux avec attelages tirés par des chevaux.

Semaine musicale gardenoise et, de juillet à septembre, concerts et concours musicaux.

Points d'intérêt

Museo du Val Gardena. Cesa de Landis, Via Rezia, 83 (à proximité de la Piazza Sant'Antonio) ✆ 79 75 54. Il expose les meilleurs travaux de sculpture et de peinture du Val, ainsi que des minéraux et des fossiles des montagnes de la région. L'herbier alpin est très beau. Dans ce même bâtiment, on trouvera une bibliothèque en langue ladine.

Shopping

Hermann Runggaldier est un des meilleurs **sculpteurs sur bois** de la vallée ; il fabrique des statues de toutes dimensions en s'inspirant de sujets sacrés ou profanes. Ses crèches réalisées dans un seul bloc de bois sont magnifiques. L'atelier se trouve Via Stufan, 99.

Les **marchés** ont lieu tous les vendredis, Via Trebinger. Le 10 avril, le 6 juillet, le 21 septembre et le 12 octobre, à l'occasion des différentes fêtes paysannes, un grand marché se tient Piazza Stazione.

Dans les environs

Le tour de la Sella Ronda est considéré comme un des tracés les plus passionnants de toute la chaîne alpine. Ces 20 kilomètres de pistes permettent, en cinq ou six heures, de faire le tour du massif de la Sella, en allant du Val Gardena au Val de Fassa et, de là, jusqu'à **Arabba** pour filer ensuite en direction du Val Badia. Après Colfosco, on passe le col de Gardena pour revenir au début de l'itinéraire par une des plus belles descentes qui soient : celle de Dantercepies.

Quand il neige, dans un cadre grandiose qui s'étend à perte de vue, la promenade en traîneau tiré par des chevaux constitue un moment vraiment privilégié. On peut aller ainsi à l'Alpe di Siusi, à l'Alpe di Seceda et au mont Pana.

PASSO PORDOI

A 2 239 mètres d'altitude, ce col couvert d'herbages entre le Sass Pordoi et le Sass Beccè, à cheval entre les vallées de Fassa et du Cordevole, est accessible toute l'année. Il s'ouvre sur le spectacle des Dolomites, avec le Catinaccio et le Sasso Lungo d'un côté, et le Tofane, le Sorapis et l'Antelao de l'autre. La descente mène à la vallée de Cordévole, dont la partie haute abrite la communauté ladine des Fodom. La route traverse de grands pâturages, toujours exploités par les paysans, comme en témoignent les très nombreuses *tablà* en troncs de mélèze. On y entasse le foin jusqu'à ce que la neige en permette le transport par traîneau.

Les passionnés de photographie disposent d'aires de stationnement qui leur permettront de s'arrêter régulièrement. Mais plutôt que de choisir les parkings toujours remplis de voitures des vieux hôtels-refuges, il vaut mieux profiter du téléphérique qui, d'un seul bond, vous transporte au Piz Pordoi (3 000 m), la partie méridionale du massif de la Sella.

De là-haut, une vue impressionnante s'étend sur presque toute la région des Dolomites, des Tofane au Pelmo et aux Pale di San Martino. Le glacier de la Marmolada et le massif du Sassolungo sont tout proches. Des rochers aux formes tranchantes et souvent bizarres s'élèvent seuls sur des étendues de pâturages et de forêts. Au fur et à mesure que la journée avance et suivant les saisons et les mouvements des nuages, les lumières et les couleurs changent.

PONTE GARDENA

Situé au confluent du rio Gardena et de l'Isarco, le village est dominé par un château du XIIe siècle. Selon la tradition, c'est ici que naquit Osvaldo Wolkenstein, poète et chevalier errant, héros de maintes légendes.

Après Ponte Gardena, on arrive sur la nationale en direction d'Ortisei qui remonte l'étroite gorge boisée, creusée dans la roche. Puis, à l'improviste, apparaissent, après un virage, le Sasso Lungo et ses tours, vite cachés par les parois rocheuses escarpées de la gorge de Pontives, connue aussi sous le nom de porta Ladina.

Pratique

Indicatif téléphonique : 0471

Dans les environs

Laion, où l'on trouvera des maisons pittoresques et deux belles églises.

Tre Chiese, où jaillit une source froide oligominérale.

SANTA CRISTINA

Le village de Santa Cristina est situé au beau milieu de la vallée ; les vieux mas et les hôtels se trouvent sur le versant ensoleillé. L'église paroissiale de Santa Cristina, avec son campanile gothique, est l'emblème de cet endroit, idéal pour les amoureux de la nature et de la montagne. Habité déjà à l'époque préhistorique, le village fut, jusqu'en 1803, la propriété des princes-évêques de Bressanone. Santa Cristina fait également partie du grand complexe skiable du Val Gardena et de l'Alpe di Siusi.

Pratique

Indicatif téléphonique : 0471

Office du tourisme. Via Dursan, 78 bis ✆ 79 22 77.

Manifestations

En janvier : semaine gastronomique, baptisée **Specialità du primi per buongustai.**

Le 19 juillet : sagra (fête votive) et fête champêtre avec défilé folklorique.

En septembre : **Semaines automnales**, ponctuées d'excursions, de soirées culturelles, d'expositions de sculpture sur bois et de réjouissances gastronomiques.

Dans les environs

Castel Gardena. Ce bel ensemble de tours se dresse sur le flanc gauche de la vallée, sur une verte colline, à la lisière d'une forêt. Construit entre 1622 et 1641, le château des Wolkenstein est aujourd'hui restauré. Il présente une cour intéressante et de belles chambres rustiques entièrement recouvertes de boiseries, dont l'ameublement provient de différentes localités du Haut Atésin.

Monte Pana. On peut y arriver en télésiège. Le panorama est unique.

Rifugio Firenze. Ce refuge se trouve au centre d'une étroite vallée verdoyante au-delà de laquelle, au nord, se dessine la chaîne des Odle.

SELVA DI VAL GARDENA

Station de villégiature et de sports d'hiver, ce village est blotti dans une belle combe au confluent du Val Lunga, entre des pentes couvertes de conifères.

Pratique

Indicatif téléphonique : 0471

Office du tourisme APT ✆ 79 51 22.

Hébergement

Agriturismo Hörmannhof. Sant'Andrea in Monte/Sankt Andrä, 59, Bressanone ✆ 04 72/83 10 78. *Chambres et appartements 30 000 L environ. Ouvert tous les jours.* Grand chalet moderne au sud de Bressanone, ville réputée pour son architecture et ses monuments. Salle de jeux pour les enfants.

Agriturismo Jellici Mariateresa. Castello di Fiemme, Via Avisio, 26, Castello-Molina di Fiemme ✆ 04 62/23 01 37. *Chambres 38 000 L. Ouvert tous les jours.* Récent chalet au cœur des montagnes, avec une vue impressionnante. Dans ce cadre magnifique, on oublie tout, sauf que la vie est belle.

Manifestations

Fin juillet : la **Semaine du folklore gardenois** se termine par un défilé en costumes. C'est un rendez-vous avec les spécialités de la cuisine du Val.

Shopping

La boutique **Ladina, Via Meisules, 170**, vend dentelles faites au fuseau, napperons, nappes, «lenzuola da corredo» et chandails décorés de dessins naïfs.

Dans les environs

La route du Passo Gardena mène au **Val Badia,** une vallée profonde, tapissée de prés et dominée par le massif de la Sella. La basse vallée est un défilé encaissé, bordé des deux côtés par des forêts. La population ladine parle un dialecte néolatin, le badiotto. Les maisons des villages, dues aux valeureux charpentiers et tailleurs de pierre locaux, présentent un mélange de pierre et de bois.

Dans la haute vallée, à **Villa Stern**, on peut monter avec le téléphérique à Piz la Villa (à 2 077 mètres), d'où l'on jouit d'un très beau point de vue. Le télésiège de San Lorenzo relie Pedràces à la Croda di Santa Croce (à 1 840 mètres).

Passo Sella (2 237 mètres). C'est un des cols les plus fameux des Dolomites. Pris entre le Sasso Lungo et le massif de la Sella, il marque la limite linguistique entre le Haut-Adige et le Trentin. Le panorama y est unique : tout à la fois, s'offrent au regard les Torri di Sella, les sommets du Sasso Lungo, les Pizzes da Cir, les Odle ; de là, la vue s'étend vers le plat contour du Sass Pordoi, jusqu'au vaste manteau glacé de la Marmolada ; on peut aussi apercevoir le Grand Vernel, le sommet de l'Uomo et la Vellaccia.

De la rudesse rocheuse de la Sella au paysage verdoyant de l'Alpe di Siusi

C'est un itinéraire d'environ 6 heures. Le départ se fait au refuge du Passo Sella, situé à 2 218 mètres, puis on prend le sentier 594 en direction du col Rodella.

Après une marche de 45 minutes, on arrive sur le versant du Sasso Piatto, que l'on suit par le sentier 617, dédié à Federico Augusto.

A chaque lacet, la vue s'élargit et le panorama devient plus majestueux, jusqu'à ce que l'on arrive au refuge Sasso Piatto d'où l'on poursuivra en direction du refuge Giogo. Le sentier n° 7, qui devient le n° 525, traverse les prés de l'Alpe di Siusi jusqu'au mont Pana.

MERANO

Orientée vers le sud, au milieu des arbres fruitiers de la vallée de l'Adige, Merano conserve son cachet Belle Epoque du temps où elle était le jardin méridional de l'empire des Habsbourg et la station thermale à la mode de l'aristocratie d'Europe centrale. Sa renommée date de la première moitié du XIXe siècle, époque à laquelle d'illustres cliniciens lancèrent la mode de la cure de raisin. Mais au XVIIe siècle déjà, la cour des Habsbourg avait été provisoirement transférée dans le château de Merano pour échapper à l'épidémie qui ravageait la vallée de l'Inn. La combe de Merano était réputée depuis longtemps pour ses excellentes conditions climatiques, comme en témoignent les nombreux manoirs et châteaux des plus anciennes familles du Tyrol.

Aujourd'hui c'est une ville à échelle humaine qui connaît, mais sans excès, les rythmes contraignants de la vie moderne. Tous les dimanches matin, les hommes, en pantalons de peau, et les femmes, en jupes à fleurs et à «tschoap», le buste décolleté, se retrouvent à la sortie de l'église. A première vue, cela a un petit air kitsch, faussement rustique, mais pour les autochtones, c'est une tradition qu'ils perpétuent de génération en génération.

PRATIQUE

Indicatif téléphonique : 0473

Office du tourisme. Via Santa Maria del Conforto, 5 © 21 24 04.

Les automobilistes devront respecter la signalisation routière car la police locale est très sévère. Près du Passirio, on trouvera facilement un grand parking où il est possible d'emprunter, sans débourser une lire, de belles bicyclettes pour visiter la ville.

HEBERGEMENT

Hôtel Bel Sit. Via Pendl, 2, Merano ©/Fax 44 64 84. *90 000/140 000 L. Ouvert de mars à novembre.* 27 chambres avec téléphone. Parc, parking. Interdit aux animaux. Visa. Gracieuse petite villa, récemment rénovée, à l'atmosphère Belle Epoque.

Hôtel Castel Labers. Via Labers, 25, Merano © 23 44 84 - Fax 23 41 46. *190 000/ 380 000 L. 175 000 L en demi-pension. Fermé du 3 novembre au 4 avril.* 30 chambres avec téléphone. Parc, garages, parking, piscine chauffée, tennis, restaurant (35 000/50 000 L). American Express, Visa, Diner's Club. Accueil très agréable dans ce château du XIIIe siècle, entouré de vignes.

Hôtel Castel Freiberg. Via Monte Franco, Merano © 24 41 96. *Environ 300 000 L.* 66 chambres. «Beauty farm», dans le cadre exclusif d'un beau château médiéval, aux clairs-obscurs blancs et rouges et aux plafonds à voûtes, au milieu de stucs dorés et de tapis précieux. Les menus sont délicieux et leur teneur en calories contrôlée.

Palace Hotel. Via Cavour, 2, Merano ✆ 21 13 00 - Fax 23 41 81. *270 000/470 000 L. Fermé de la mi-novembre à la mi-décembre.* 124 chambres avec téléphone, télévision, réfrigérateur. Parc, accès handicapés, parking, climatisation, piscines couverte et découverte, cures thermales, salle de gym, sauna. American Express, Visa, Diner's Club. Ce grand bâtiment du début du siècle est situé dans un parc rempli de plantes exotiques. L'ameublement est de style Empire avec des détails Jugendstil. Propose différentes sortes de cures thermales.

Agriturismo

Agriturismo Sittnerhof. Via Verdi, 60, Merano ✆ 04 73/22 16 31. *Chambres 40 000/ 50 000 L, appartements 120 000/130 000 L. Ouvert de mars à octobre.* Maison moderne et accueillante, typiquement alpine et située sur une colline de verdure, près de la vallée de Martello et du parc de Stelvio.

Agriturismo Nusserhof. Via Falzeben, 7, Avelengo ✆ 04 73/27 94 01. *Ouvert tous les jours.* Chambres et appartements. A la lisière d'un bois, grand chalet moderne, bien tranquille. Salle de jeux pour les enfants.

Agriturismo Ruibacherhof. Via Trezo di Mezzo, 13, Marlengo ✆ 04 73/22 05 39. *Chambres et appartements 25 000 L. Ouvert tous les jours.* Imposant chalet, moderne et confortable. Accueil sympathique. Nombreuses excursions dans le parc naturel de Fanes Sennes-Braies.

Agriturismo Neuhof. Via Goiana, 4, Scena ✆ 04 73/23 40 72. *Chambres et appartements 30 000/40 000 L.* Ouvert en été. Belle maison avec piscine et bon point de départ pour tenter l'ascension du pic d'Ivigna (2 581 m).

RESTAURANTS

Ristorante Terlaner Weinstube. Via Portici, 231, Merano ✆ 23 55 71. *Compter 50 000 L. Fermé le mercredi. Réservation obligatoire.* 60 couverts. Il propose une cuisine altotesina. Le mobilier, d'époque, est vieux de deux siècles.

Restaurant Flora. Via Portici, 75, Merano ✆ 23 14 84. *55 000/85 000 L. Fermé le dimanche, le lundi à midi, et du 15 janvier au 28 février. Réservation obligatoire.* 26 couverts. Climatisation. American Express, Visa, Diner's Club. Dans un palais du XVe siècle. Bon restaurant et bonne cave.

Restaurant Andrea. Via Galilei, 44, Merano ✆ 23 74 00. *Environ 50 000 L. Fermé le lundi et du 4 au 25 février. Réservation obligatoire.* 25 couverts. Climatisation. American Express, Visa, Diner's Club. Un établissement élégant, très réputé dans la région. Excellente carte des vins.

SORTIR

Pour boire une bonne bière Läger, on trouvera des endroits à l'ambiance tyrolienne ou bien d'élégants glaciers le long du Passirio, pour ceux qui préféreraient une atmosphère fin-de-siècle. Ce sont là les principales attractions de Merano.

On pourra déguster à volonté du bon vin à l'**Enoteca Claudia. Piazza del Duomo, 13, ✆ 30 693.** *Ouvert de 8 h 30 à 13 h et de 15 h à 19 h 30.* Les artisans du coin s'y retrouvent vers midi, autour d'un petit rouge, pour échanger les nouvelles de la matinée. Il y a là les meilleures bouteilles des domaines vinicoles du Trentin et du sud du Tyrol : du teroldego de San Michele all'Adige au gewurztraminer de Novacella. Quant au grauvernatsch, il provient de la vallée de Merano, où l'on cultive un raisin *schiava grigia*.

Ces vins accompagnent des toasts ou des amuse-gueule, tels que les achards, les petites saucisses fumées et l'incontournable speck.

MANIFESTATIONS

Entre avril et octobre, l'orchestre municipal donne **deux concerts par jour** sur la promenade qui longe le Passirio.

Le deuxième dimanche d'octobre, pour **la fête du raisin**, défilé de groupes musicaux, chars allégoriques et spectacles folkloriques dans les rues de la ville.

En octobre également, **concert** au bord du Passirio et **Maia-Oktoberfest**, à l'hippodrome, avec une course de galop des fameux chevaux avelignesi.

POINTS D'INTERET

Arcades. Elles sont le cœur de la vieille ville.

Duomo. Piazza Duomo. Dédié à saint Nicolas, il date de 1310. Fresques intéressantes et haut clocher.

Kurhaus. Sur la Passeggiata Lungo Passirio (la promenade le long du Passirio). De style «Jugendstil», c'est un des ouvrages les plus importants de l'architecte viennois Friedrich Ohmann. A cause du manque de fonds et du début de la guerre mondiale, seule la grande salle, la *Kursaal*, a pu être achevée.

Ippodromo di Maia. Cet hippodrome est l'attraction sportive et mondaine de Merano. Construit en 1936, c'est un des parcours d'obstacles les plus importants d'Europe. Le clou de la saison est le Grand Prix, un steeple-chase international sur 5 000 mètres jumelé avec la loterie de Merano. En octobre, la saison continue avec une course de chevaux d'Avellino, dans le cadre de la «Oktoberfest».

Museo Civico. Via Galilei, 43 ✆ 23 78 34. *Fermé dimanche et fêtes.* Musée d'archéologie, d'art médiéval et d'art moderne.

Castello Principesco (château princier). Via Galilei ✆ 23 78 34. *Ouvert d'avril à octobre du lundi au vendredi de 10 h 30 à 12 h et de 14 h à 18 h, le samedi de 9 h à 12 h. Fermé le dimanche.* Ce fut la résidence des princes du Tyrol. Meubles d'époque et précieuse collection d'instruments de musique anciens.

Musée de la Femme à travers le temps. Via Portici, 68, 1er étage ✆ 23 12 16. *Ouvert du lundi au vendredi de 9 h 30 à 12 h 30 et de 14 h 30 à 18 h 30, le samedi de 9 h 30 à 13 h. Fermé le dimanche.* Réunie depuis 1870, une délicieuse collection d'accessoires et d'objets féminins.

SHOPPING

Face à l'entrée du Duomo, jusqu'à la fin du mois d'octobre, les étalages de fruits regorgent de grosses pommes rouges et de tentantes grappes de raisin.

Sous les arcades, les magasins de vêtements de sport alternent avec les vieux commerces d'alimentation et les restaurants. La vitrine de la pâtisserie Hölz (**Panificio Hölzl, Lauben, 215**) est un vrai supplice de Tantale ; on y voit toutes les douceurs de la vieille Autriche, comme les Nusstörtchen, faits de sucre caramélisé, de crème, de beurre, de miel et d'amandes.

La casa del Miele Schenk, Via Casa di Risparmio, 25, propose du miel et de la gelée royale.

Les charcuteries exposent d'innombrables spécialités, dont l'inévitable speck. Une des meilleures est celle d'**Eduard Tschenett (✆ 48 354)**, boucher de Lagundo et producteur d'un speck artisanal à la saveur délicate, dégageant les parfums mêlés de feu de cheminée, d'épices et d'humidité de vieille cave.

Quelques bonnes affaires en matière de vêtements : Chez **Halali (Lauben, 85 ✆ 40 111)**, chapeaux tyroliens en loden et en drap de laine. Chez **Zuber (Lauben, 177 ✆ 32 105)**, des vêtements d'enfant et des pantoufles tyroliennes originales. Chez **Mussner (Lauben, 195 ✆ 36 939)**, on confectionne, en moins d'une demi-heure, des «piumoni d'oca» (doudounes) sur mesure à des prix imbattables.

Vous pourrez visiter les caves du **Castel Ramez**, du XIIIe siècle (✆ **23 44 18** *; visites du lundi au vendredi sur réservation).*

Marché

Le marché se tient devant la gare tous les vendredis, de 8 h à 13 h. On pourra y acheter des fruits et légumes, des vêtements de montagne, des gants et des produits artisanaux.

LOISIRS

Balade verte

Ces promenades, dont certaines de plus de 62 kilomètres, font l'orgueil de Merano. Il s'agit de parcours faciles, adaptés à tous, comme la promenade le long du Passirio, qui remonte au siècle dernier. Dans le prolongement naturel de celle-ci, il y a la «promenade d'hiver», couverte, sur une centaine de mètres, par des loggias aux murs peints de paysages alpins signés Lenhart, Comploier et Demetz.

De l'autre côté du fleuve, serpente la promenade d'été, au milieu d'une végétation luxuriante où des plantes exotiques, comme le palmier du Japon et l'araucaria, contrastent avec la nature alpine environnante.

La promenade la plus connue est la «Tappeiner», du nom du docteur qui la fit construire à ses frais, pour l'offrir ensuite à la commune. Longue d'environ 4 kilomètres, elle chemine entre les jardins et les vignes avant d'aboutir au-dessus de Quarazze, offrant au promeneur un beau panorama de la vieille ville, des villas de Maria et de la vallée de l'Adige. C'est tout juste si l'on ne voit pas Bolzano.

Cures thermales

Selon la légende, un ourson vivait dans la montagne, à San Vigilio, au-dessus de Merano. Il ne vieillissait pas car il avait l'habitude de se baigner en un endroit nommé aujourd'hui encore «Bagni dell'Orso» (bains de l'ours). C'est là que jaillissent les eaux thermominérales de Merano.

Maladies vasculaires, arthrose, maladies de la vieillesse, affections des voies respiratoires, affections gynécologiques : les vertus curatives des eaux de Merano commencèrent à être exploitées après la Première Guerre mondiale. Depuis lors, cette ville établie au bord du Passirio est la destination préférée des hommes politiques, des acteurs et des footballeurs célèbres. Ils choisissent régulièrement son calme de bon aloi afin de se ressourcer après des mois de stress et d'excès. Ils ont à leur disposition quatre hôtels directement reliés aux thermes ainsi qu'à deux centres de remise en forme. Une autre spécialité de Merano est la cure de raisin, diurétique, désintoxicante et bénéfique à l'activité du foie et des voies biliaires (en septembre et octobre).

Sports

Location gratuite de **bicyclettes** auprès de l'Assessorato all'Ecologia. Posteggio Alpina.

Mountain bike. Ski Service k. g., Sport Max. Via Cavour, 85 ✆ 21 06 90.

Piscine publique chauffée. Lido Comunale. Via Lido, 20 ✆ 47 65.

Centre thermal. Via delle Terme ✆ 37 724.

Tennis. Via Pave ✆ 36 550.

Pêche sportive dans les eaux du Passirio et de l'Adige. La licence chez Otticca Wassermann. Corso Libertà, 162 ✆ 37 739.

Sports d'hiver. Merano 2000, haut plateau d'Avelengo. Ski alpin et de fond.

Patinoire. Via Mainardo ✆ 47 544. Ouverte d'octobre à avril.

DANS LES ENVIRONS

Passo delle Palade

On atteint ce col par un bel itinéraire qui monte en direction du nord au milieu d'un paysage semi-désertique de forêts et de gouffres, et qui redescend en lacet, au milieu des sapins, vers la vallée de l'Adige. De petites auberges isolées bordent la route qui mène à la combe de Merano.

Lana

Les habitations de cette gracieuse et très vivante commune sont largement disséminées parmi de belles plantations de pommiers et de poiriers. Le village comprend les quartiers historiques de Lana di Sopra, de Lana di Mezzo et de Lana di Sotto.

Indicatif téléphonique : 0473

Points d'intérêt

Museo Sudtirolese della Frutticultura. Residenza nobile Larchgut. Via Brandis-Waalweg, 4 ✆ 56 43 87. *Ouvert de début avril à fin octobre, du mardi au samedi, de 10 h à 12 h et de 14 h à 17 h ; de 14 h à 18 h le dimanche et les jours fériés. Fermé le lundi.* Inauguré en 1990, ce vaste musée est consacré à l'histoire des développements de la culture fruitière du Haut-Adige.

Castel Montebruno. Accroché à un rocher, au-dessus de la gorge qui débouche sur le val d'Ultimo, le château Montebruno se dresse parmi de grands cyprès.

Monte San Vigilio

A proximité de San Vigilio, cette vaste étendue de prairies, avec des bois de sapins et de mélèzes, est une station très fréquentée, été comme hiver. Belle et reposante, elle offre de superbes promenades.

Castel Tirolo

Ouvert du 13 mai au 31 octobre de 10 h à 18 h (17 h pour la vente des billets). Construit dans la première moitié du XIIe siècle, c'est un des plus vieux châteaux d'Europe mais qui conserve pourtant des pans de murs d'origine ainsi qu'un aspect toujours imposant. Edifié par la famille des comtes du Tyrol, avant de passer aux Habsbourg, il symbolise cette terre à laquelle les premiers finirent par donner leur nom. Véritable nid d'aigle dominant le vallon boisé, il est accessible en une vingtaine de minutes par un sentier interdit aux voitures. Votre effort sera récompensé par le spectacle du palais (au sud) et de sa chapelle aux splendides portails en marbre décorés de bas-reliefs. Aujourd'hui, les salles du château abritent le musée d'Histoire et d'Archéologie du Tyrol.

Castel Fontana

Ouvert d'avril à novembre, de 9 h à 17 h, tous les jours sauf le mardi. Construit en 1250 par un vassal du comte Alberto II du Tyrol, le château tomba rapidement en ruine. Au XVIIIe siècle, il fut, tant bien que mal, restauré par un paysan, Gregor Hofer, qui, en outre, se servit d'une partie des murailles pour bâtir une maison de style colonial et une grange. Aujourd'hui le château Fontane abrite un intéressant musée, fondé par un neveu d'Ezra Pound et consacré aux différentes activités agricoles de la région. A noter, parmi les témoignages les plus intéressants, un moulin à axe vertical du Val Passiria et toutes sortes d'instruments vinicoles, dont un pressoir de 1670.

Castel Scena

Visites guidées du 28 mars au 5 novembre, à 10 h 30, 11 h 30, 14 h, 15 h, 16 h, 17 h. Fermé le dimanche. Première résidence des comtes de Merano (1320), le château de Scena se trouve de l'autre côté de la combe de Merano, à dix minutes en voiture de la ville. Aujourd'hui propriété du comte et de la comtesse Spegenfeld, il possède une riche collection d'armes, de tableaux et de portraits. C'est dans ses salons Renaissance qu'éclata la dispute entre Federico *dalle tasche vuote* (aux poches vides), seigneur du Tyrol, et les Starkenberg. Dans ces mêmes salons, se noua l'histoire d'amour entre l'archiduc Jean d'Autriche et la belle Anna Plochl, pour laquelle il renonça aux privilèges de son rang.

Cortaccia

A partir de Termeno, des étendues de vignes disputées à la montagne par le travail tenace des paysans descendent en terrasses.

Au sud de Cortaccia, on ne peut manquer de voir deux gentilhommières placées l'une à côté de l'autre et entourées de vignobles : Strehlburg (à gauche), un vieux mas agricole orné de tourelles et flanqué d'une petite église consacrée à sainte Anne, et Ortenburg (à droite), un manoir qui fut autrefois la résidence des seigneurs Von Amort.

Folgaria - Trentin

VENETIE

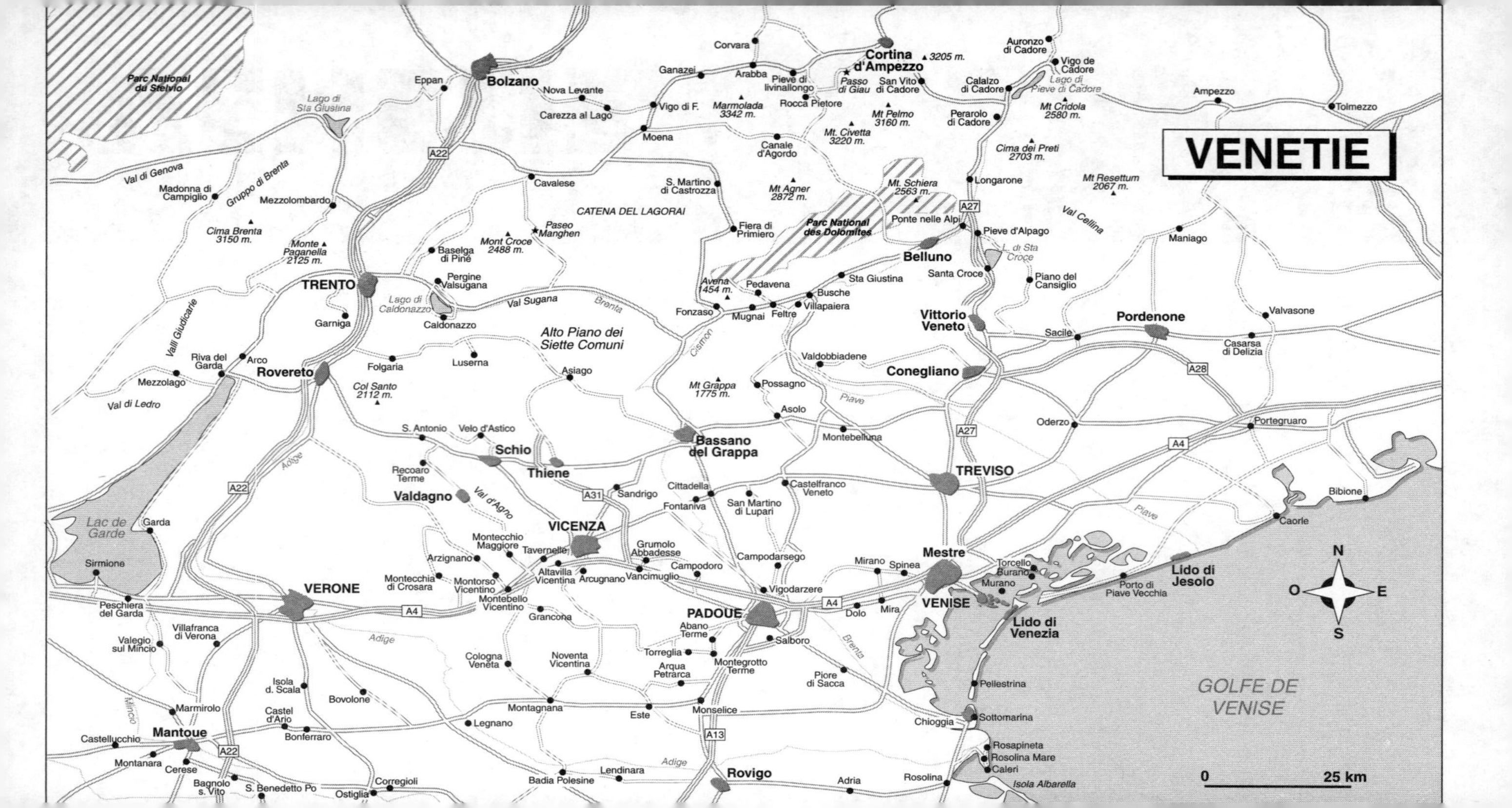
VENETIE
Parc National du Stelvio
Eppan
Bolzano
Nova Levante
Carezza al Lago
Vigo di F.
Ganazei
Corvara
Arabba
Pieve di livinallongo
Rocca Pietore
Passo di Giau
Cortina d'Ampezzo
3205 m.
San Vito di Cadore
Auronzo di Cadore
Vigo de Cadore
Lago di Pieve di Cadore
Calalzo di Cadore
Perarolo di Cadore
Mt Cridola 2580 m.
Ampezzo
Tolmezzo
Lago di Sta Giustina
Marmolada 3342 m.
Mt Pelmo 3160 m.
Mt. Civetta 3220 m.
Moena
Canale d'Agordo
Cima dei Preti 2703 m.
A22
Val di Genova
Madonna di Campiglio
Gruppo di Brenta
Mezzolombardo
Cavalese
S. Martino di Castrozza
Mt Agner 2872 m.
Mt. Schiera 2563 m.
Longarone
Mt Resettum 2067 m.
CATENA DEL LAGORAI
A27
Val Cellina
Cima Brenta 3150 m.
Monte Paganella 2125 m.
Mont Croce 2488 m.
Paseo Manghen
Fiera di Primiero
Parc National des Dolomites
Ponte nelle Alpi
Pieve d'Alpago
Maniago
Baselga di Piné
L. di Sta Croce
Belluno
Santa Croce
Piano del Cansiglio
Pergine Valsugana
TRENTO
Avena 1454 m.
Pedavena
Sta Giustina
Busche
Villapaiera
Lago di Caldonazzo
Val Sugana
Brenta
Fonzaso
Mugnai
Feltre
Vittorio Veneto
Valvasone
Valli Giudicarie
Garniga
Caldonazzo
Alto Piano dei Siette Comuni
Pordenone
Sacile
Casarsa di Delizia
Riva del Garda
Arco
Rovereto
Folgaria
Luserna
Cismon
Valdobbiadene
Conegliano
Mezzolago
Asiago
A28
Col Santo 2112 m.
Mt Grappa 1775 m.
Possagno
Piave
Val di Ledro
Asolo
Oderzo
S. Antonio
Velo d'Astico
Montebelluna
Portegruaro
Bassano del Grappa
A4
Schio
Adige
Recoaro Terme
Thiene
TREVISO
A22
A31
Sandrigo
Cittadella
Castelfranco Veneto
Valdagno
Val d'Agno
Fontaniva
San Martino di Lupari
Bibione
Piave
Lac de Garde
Garda
Caorle
VICENZA
Montecchio Maggiore
Grumolo Abbadesse
Campodarsego
Mestre
Torcello
N
Tavernelle
Campodoro
Mirano
Spinea
Burano
Lido di Jesolo
Sirmione
Arzignano
Altavilla Vicentina
Arcugnano
Vancimuglio
Murano
Porto di Piave Vecchia
O
E
Montecchia di Crosara
Montorso Vicentino
VERONE
Vigodarzere
Peschiera del Garda
Montebello Vicentino
A4
PADOUE
A4
Dolo
Mira
VENISE
Grancona
Lido di Venezia
Abano Terme
Salboro
S
Villafranca di Verona
Adige
Brenta
Valegio sul Mincio
Cologna Veneta
Noventa Vicentina
Torreglia
Montegrotto Terme
Piore di Sacca
Arqua Petrarca
Isola d. Scala
Pellestrina
GOLFE DE VENISE
Bovolone
Mincio
Marmirolo
Castel d'Ario
Montagnana
Este
Monselice
Sottomarina
Legnano
Castellucchio
Mantoue
Bonferraro
Chioggia
A13
A22
Rosapineta
Rosolina Mare
Montanara
Cerese
Adige
Caleri
Lendinara
Rovigo
Bagnolo s. Vito
S. Benedetto Po
Correggioli
Badia Polesine
Adria
Rosolina
Isola Albarella
0
25 km
Ostiglia

VENISE

Bâtie sur 118 îlots quadrillés par un réseau de canaux et de rii (pluriel de rio), Venise, la plus orientale des villes italiennes, est un lieu unique au monde. La ville et les îles qui la couronnent attirent les touristes du monde entier. La meilleure façon de visiter Venise est d'y flâner à pied, au gré de 400 ponts, des rues étroites (*fondamenta*) et des ruelles (*calli* et *calette*) qui débouchent sur des places et des placettes bordées de belles églises et de boutiques élégantes. Si la montée des eaux et la pollution, auxquelles il faut ajouter les dégâts causés par les pigeons, ont entamé, au fil des ans, le riche patrimoine artistique de la cité, l'extraordinaire beauté de Venise reste cependant un spectacle inoubliable. «Le caractère irréel de Venise, écrit Fernand Braudel, en engendre l'enchantement et les mythes répétés, comme d'un monde en partie vu, en partie rêvé.»

L'hiver est peut-être la meilleure saison pour visiter Venise et la lagune : le reflux des touristes accentue le charme des vieilles calli et des palais aux airs décadents. Au cours des mois d'hiver, et ce jusqu'au 15 mars, de nombreux hôtels adhèrent à *Venezia d'Inverno*, une initiative qui prévoit des rabais, des tarifs réduits et diverses facilités pour qui passe au moins deux nuits à Venise. Les réservations doivent être faites dans les agences conventionnées.

La Vénétie

Des cimes des Dolomites à la lagune vénète, en passant par les collines jalonnées de vignobles et les plateaux couverts de bois épais, les rivières bordées de villes seigneuriales et de bourgs médiévaux hérissés de tours, la Vénétie est une région aux paysages d'une grande diversité mais à laquelle le style vénitien donne son unité : partout, sur les collines d'Asolo comme dans la plaine de l'Adige, de petits détails (une fenêtre, une cheminée, une place) nous rappellent la ville du Grand Canal. Entre 1420 et 1797, en effet, la Vénétie a été dominée par la république Sérénissime. Aujourd'hui, les belles villas des aristocrates et des riches marchands vénitiens, construites au XVIe siècle, parsèment la campagne vénète tandis que leurs linteaux, arcades, tympans, chapiteaux et ces fresques précieuses qui embellissent les intérieurs lui confèrent un cachet d'origine.

Il n'existe pas de saison idéale pour visiter la Vénétie. Toutefois, le bon sens conseille de découvrir Venise en dehors des périodes d'affluence, en automne et au début du printemps, quand elle est moins assiégée par les touristes. Mais Venise, même en hiver, offre un visage particulier à ses amoureux, quand les pas résonnent dans le vide de ses rues, les calli, et qu'un verre de vin pris dans la chaleur d'un café adoucit l'humidité gelée de la lagune.

En ce qui concerne les villes d'art (Vérone, Vicence, Padoue, Asolo, Trévise), il n'y a pas de saison privilégiée, même si le programme estival est plus riche en activités.

Quant aux Dolomites, elles exercent leur fascination en toute saison : à la saison froide, elles sont la patrie des amateurs de sports d'hiver, avec des pistes uniques au monde ; l'été, elles sont la destination préférée des alpinistes et des randonneurs qui se risquent sur les voies des sommets. Mais on ne saurait négliger leur attrait au printemps, quand éclosent les fleurs de toutes espèces et de toutes couleurs, ni en automne, quand les bois dorés invitent aux promenades.

■ TRANSPORTS

Attention ! La ville de Venise est entièrement fermée à la circulation automobile.

Gare. Stazione di Santa Lucia (trains de Mestre à Santa Lucia toutes les 10 minutes) ✆ 71 55 55. Informations ✆ 88 088. *Tous les jours de 7 h 15 à 21 h 20.*

Aeroporto Marco Polo ✆ 26 06 111. A environ un quart d'heure en voiture.

Location de voitures

Avis. Piazzale Roma, 496/g ✆ 55 25 825. *Ouvert du lundi au vendredi de 8 h à 19 h, le samedi de 8 h à 13 h.*

Budget. Piazzale Roma © 52 00 000 - Fax 52 23 000. *Ouvert du lundi au vendredi de 8 h 30 à 12 h et de 15 h 30 à 18 h, le samedi de 8 h 30 à 12 h.*

Parking. Le moins cher se trouve face à la gare de Mestre, Viale Stazione, 10. Les autres sont hors de prix. Il est conseillé de choisir un autre moyen que la voiture pour se rendre à Venise.

Vaporetti

Sortes de bateaux-bus, ils sont relativement bon marché par rapport aux gondoles, certes plus romantiques. Ils circulent 24 h/24. Les billets peuvent s'acheter aux différents embarcadères ou encore dans les différents distributeurs automatiques. Il existe des formules économiques (forfaits 24 ou 72 h) pour plusieurs jours. Le mieux est de se renseigner à l'ACVT, Piazzale Roma © 52 87 686. *Ouvert du lundi au samedi de 8 h à 14 h 30.*

- **La ligne 1** «rapide»: depuis l'île du Tronchetto, avec arrêts à Piazzale Roma, Rialto, San Marco et Lido.
- **Ligne 6 :** de San Zaccharia au Lido.
- **Ligne 12 :** de Venise (Via Nuove) à Murano, Burano, Torcello, Treporti.
- **Ligne 14 :** de Venise (Paglia) au Lido (Porta Sabbioni).
- **Ligne 52 :** tour complet de Venise avant de gagner Murano.
- **Ligne 82 :** suit tout le Grand Canal.

Traghetti

Ces bateaux ressemblent étrangement à des gondoles, à la différence près qu'ils sont publics et, surtout, beaucoup moins chers. Les embarcadères, signalés par des pancartes jaunes, se trouvent sur le Grand Canal et traversent ce dernier aux points suivants :

San Samuele (de 7 h 30 à 14 h) ; Santa Sofia (de 7 h à 21 h) ; Riva del Carbone (en semaine de 7 h 45 à 14 h) ; San Marcuola (en semaine de 7 h 30 à 14 h) ; Stazione Santa Lucia (en semaine de 7 h 30 à 14 h).

Attention ! Supplément exigé pour le transport de marchandises, de valises, de bicyclettes et de cyclomoteurs.

Gondoles

Venise ne serait rien sans ces bateaux traditionnels dont l'origine remonte au XIe siècle, tout de noir vêtus et qui restent le moyen le plus pittoresque pour sillonner la ville. Chaque gondole a son gondolier, qui, debout en équilibre sur la poupe, entonne parfois une chanson. Le comble du romantisme (ou le contraire, tout dépend de votre état d'esprit du moment)... Cependant les gondoles sont très chères (aux dernières nouvelles : 120 000 L pour 50 minutes, et jusqu'à 6 personnes).

Pour ceux qui voudraient prolonger leur séjour, voire demeurer à Venise, deux associations donnent des cours d'initiation à la pratique de la gondole. Il s'agit des deux plus vieux clubs privés de Venise : Reala Società Canottieri Buncitorro, 15, Zattere © 52 22 055, et Querini, 6576/e, Fondamente Nuove © 52 22 039.

PRATIQUE

Indicatif téléphonique : 041.

Office du tourisme

Palazzetto del Selva. Piazza San Marco ✆ 52 26 356 - Fax 52 98 730.

Gare Santa Lucia ✆ 52 98 727 - Fax 71 90 78.

Palazzo Bakbi - Dorsoduro ✆ 27 92 832 - Fax 27 92 860.

Consulat de France. Palazzo Clary - Dorsoduro, 1397 ✆ 52 24 319.

Délégation culturelle. Casino Vernier - San Marco, 4939 ✆ 52 27 079.

Poste principale. Salizzada Fondaco dei Tedeschi. *Ouverte du lundi au samedi.*

Police. Piazzale Roma ✆ 52 35 353.

HEBERGEMENT

Dormir à Venise revient cher. Même dans les hôtels modestes, situés dans les environs de la gare, les prix dépassent 150 000 lires pour des chambres minuscules et sombres. Sans parler des hôtels au passé prestigieux (Gritti Palace, Danieli, Cipriani Giudecca), qui furent fréquentés par des personnalités de haut vol, comme Wagner, Hemingway, Karajan, Greta Garbo, Georges Sand, et dont les prix dépassent, pour une seule nuit, les 500 000 lires. Rêve inaccessible au commun des mortels.

Arriver sans réservation peut devenir problématique pendant les mois de pointe (sans parler de l'époque du carnaval). Un système de réservation hôtelière, à la gare et sur la Piazza Roma, dépanne les touristes imprévoyants. Si l'on arrive le soir, trouver une chambre à des prix abordables (élevés dans tous les cas) devient une mission impossible. La seule solution consiste à se loger à l'intérieur des terres, à Mestre ou à Padoue (à une demi-heure de train), et à revenir dans la lagune pendant la journée.

Nous avons suivi vos conseils et trouvé à Mestre un excellent hôtel, **Il Centrale** *** Place Donatori di Sangue, 14, 30170 Mestre Venezia ✆ 04 19 85 522 - Fax 04 19 71 045, à 15 mn en bus de Venise, avec des navettes fréquentes. Le patron, très obligeant, vous vend les tickets de bus et vous donne quelques conseils. Cet hôtel est proche des commerces et a un parking gardé. Son seul défaut est de ne pas avoir de restaurant. *Pierre Marcolini, Le Blanc-Mesnil*

Si l'on voyage entre amis (de 3 à 6 personnes), on peut envisager la location d'un appartement pour la semaine ou pour trois nuits. L'hôtel **Piccola Fenice,** San Marco, 3614 (✆/ Fax 52 03 730), situé à deux pas du théâtre du même nom, propose des appartements disposant de quatre lits, avec une cuisine, pour un prix de 1 500 000 lires par semaine ou 750 000 lires pour trois nuits.

San Marco

Loger à San Marco, c'est choisir de dormir en plein cœur de Venise. Une règle d'or : réserver à l'avance et emporter le moins possible de bagages. Il est souvent difficile d'arriver à ces hôtels qui, malgré leurs deux ou trois étoiles, ne disposent pas de porteurs.

Locandà San Samuele. San Marco, 3358, Salizzada San Samuele ✆ 52 28 045. *80 000/130 000 L.* Belles chambres bien tenues.

Hôtel San Zulian. San Marco, 535, Calle San Zulian ✆ 52 25 872 - Fax 52 32 265. *190 000/350 000 L.* 22 chambres avec téléphone, télévision, climatisation, réfrigérateur. American Express, Visa, Diner's Club. Hôtel accueillant et agréable. Attention, les prix augmentent en période de pointe.

Hôtel Belsito e Berlino. Campo Santa Maria del Giglio, 2517 ✆ 52 23 365 - Fax 52 04 083. *216 000/345 000 L.* 38 chambres avec téléphone, climatisation, réfrigérateur. Chambres tranquilles, de style vénitien. Le Belsito fait face à la belle église baroque de Santa Maria del Giglio, qui abrite des peintures du Tintoret et de Rubens.

Hôtel Do Pozzi. Via XII Marzo, Calle do Pozzi ✆ 52 07 855 - Fax 52 29 413. *25 chambres 200 000/330 000 L. Fermé en janvier.* Restaurant *(35 000 L ; fermé le jeudi).* Donne sur une petite cour, où est servi le petit-déjeuner en été. Confortable et agréable.

Hôtel Torino. Calle delle Ostreghe, 2356 © 52 05 222 - Fax 52 28 227. *200 000/360 000 L.* 20 chambres avec téléphone, télévision, climatisation, réfrigérateur. Un palazzo du XVIe siècle, aux chambres hautes de plafond et aux fenêtres décorées de vitraux.

Hôtel Flora. Calle Larga 22 Marzo, 2283/a © 52 05 844 - Fax 52 28 217. *360 000 L.* 44 chambres avec téléphone, télévision, climatisation. Parc, garages. Meubles laqués de style vénitien, bureaux et tapis anciens, beau jardin et terrasse avec glycines contribuent à rendre votre séjour agréable, dans une ambiance quasiment d'un autre temps.

La Fenice et des Artistes. San Marco, 1936, Campiello della Fenice © 52 32 333 - Fax 52 03 721. *380 000 L.* 68 chambres avec téléphone, télévision. Proche du théâtre la Fenice et de la Piazza San Marco, c'est un élégant petit palais, ancienne résidence privée d'un doge. Ses charmantes chambres ont un mobilier de style XVIIIe ; son patio est très agréable.

Hôtel Monte Carlo. San Marco, 463, Calle Specchieri © 52 07 144 - Fax 52 07 789. *48 chambres 300 000/350 000 L.* Accès handicapés, restaurant. Chambres bien agencées et meublées en partie dans le style vénitien. Service aimable.

Hôtel Panada. San Marco, 590, Calle Specchieri © 52 09 088 - Fax 52 09 619. *220 000/500 000 L.* 48 chambres avec téléphone, télévision, climatisation. L'hôtel dispose de chambres confortables et calmes et d'un bar sympathique. Le service est impeccable. A deux pas du Grand Canal. Un des meilleurs dans sa catégorie.

Hôtel Concordia. Calle Larga San Marco, 367 © 52 06 866 - Fax 52 06 775. *440 000/650 000 L.* 55 chambres avec téléphone, télévision, climatisation, réfrigérateur. Romantique. Les chambres donnent sur la Piazza San Marco. Les enfants jusqu'à six ans ne paient pas et dorment dans la chambre de leurs parents.

Hôtel Gabrielli Sandwirth. San Marco, 4110, Riva degli Sciavoni © 52 31 580 - Fax 52 09 455. *110 chambres 690 000 L. Ouvert du 3 février au 30 novembre.* Parc, garages, climatisation, restaurant-buffet (*44 000 L*). Installé dans le palais Gabrielli, du XIIIe siècle, cet hôtel très agréable dispose d'une charmante cour intérieure et d'un joli jardin. Idéal pour un week-end romantique.

Gritti Palace Hotel. San Marco, 2467, Campo Santa Maria del Giglio © 79 46 11 - Fax 52 00 942. *93 chambres 80 000/1 260 000 L.* Restaurant (*100 000/140 000 L*). Un des palaces les plus beaux de Venise et un des plus connus. Tout ici respire le luxe et le raffinement. Le restaurant est également excellent.

Castello

Casa Verardo. Castello, 4765 © 52 86 127. *Compter entre 100 000 et 160 000 L. Ouverte entre février et décembre.* Pension basique.

• *Confort ou charme*

Hôtel La Residenza. Castello, 3608, Campo Bandiera e Moro © 52 85 315 - Fax 52 38 859. *160 000/220 000 L.* 15 chambres avec téléphone, télévision, réfrigérateur. Interdit aux animaux. American Express, Visa, Diner's Club. A proximité de la Riva degli Schiavoni. La façade gothique de ce bâtiment harmonieux rappelle celle du Palazzo Ducale. L'intérieur est décoré de tableaux et de meubles anciens. Les chambres sont plus ordinaires.

Locandà Corona. Castello, 4464, Calle Corona. *60 000/85 000 L. Fermé de la fin janvier à début février.* Chambres bien aménagées et relativement économiques.

Hôtel Bisanzio. Calle della Pietà, Castello, 3651 © 52 03 100 - Fax 52 04 114. *350 000/450 000 L.* 42 chambres avec téléphone, télévision, climatisation, réfrigérateur. Garages, gondoles privées. Cet hôtel, bien tenu et élégant, est situé tout près de San Marco.

San Polo - Santa Croce

Hôtel Falier. Santa Croce, 130, Salizzata San Pantalon © 71 08 82 - Fax 52 06 554. *230 000/280 000 L.* 19 chambres avec téléphone. Garages. American Express, Visa. Situé hors des sentiers touristiques les plus battus, dans un quartier de la vraie Venise, l'hôtel a un hall avec des colonnes doriques insolites et deux terrasses remplies de fleurs.

Hôtel San Cassiano-Ca Favretto. Santa Croce, 2232, Calle della Rosa © 52 41 768 - Fax 72 10 33. *36 chambres 350 000/450 000 L.* Accès handicapés. Sur le Grand Canal, juste en face de la Ca Ora, c'était, au siècle dernier, l'atelier du peintre Giacomo Favretto. Tapis persans et lampadaires en verre de Murano.

Hôtel Basilea. Santa Croce, 817, Rio Marin ✆ 71 84 77 - Fax 72 08 51. *30 chambres 230 000/320 000 L.* Situé près de la gare et de la Piazza Roma, il donne sur un beau canal, le Rio Marin. Ameublement basique.

Dorsoduro - Accademia - La Salute

• Confort ou charme

Locandà Montin. Fondamenta di Borgo, 1147 ✆ 52 27 151. *Chambres doubles 150 000 L. Fermé le mardi soir et le mercredi.* Restaurant. Situé à deux pas du Grand Canal, un hôtel très prisé des artistes en tout genre. Bon rapport qualité-prix.

Locandà Ca Foscari. Calle della Frescada, 3887/b ✆ 52 25 817. *10 chambres 85 000/140 000 L. Ouvert de février à novembre. Ferme à 1 h du matin.* Dans le quartier de l'université, un établissement bien tenu, familial et relativement bon marché.

Pensione Alla Salute da Cici. Salute, 222, Fondamenta Cà Balla ✆ 52 35 404 - Fax 52 22 271. *180 000/250 000 L. Ouvert de février à novembre et 15 jours à Noël.* 38 chambres avec téléphone. Interdit aux animaux. Ce vieux palais est situé dans un fascinant quartier de Venise, hors des itinéraires touristiques. C'était jadis le refuge d'artistes et d'écrivains (Ezra Pound entre autres).

Pensione La Calcina. Zattere ai Gesuati, 780 ✆ 52 06 466 - Fax 52 27 045. *180 000/280 000 L. 29 chambres avec téléphone.* Donnant sur le canal de la Giudecca, l'hôtel, simple et tranquille, reçut John Ruskin en 1877. Belle terrasse.

Pensione Accademia Villa Maravegie. Dorsoduro, 1058, Fondamenta Bollani ✆ 52 01 188/52 37 846 - Fax 52 39 152. *220 000/360 000 L.* 27 chambres avec téléphone, télévision, climatisation. Parc. Avec ses glycines rampantes, son jardin et ses statues néoclassiques, la villa était le siège de l'ambassade de l'Union soviétique avant la Seconde Guerre mondiale. Elle fut occupée par Katherine Hepburn pendant le tournage de *Summertime.* Les chambres, spacieuses, sont meublées dans le style des années 50. Une véritable pension de charme dans une ville de rêve !

Pensione Seguso. Zattere ai Gesuati, 779 ✆/Fax 52 22 340. 36 *chambres 330 000/350 000 L. Ouvert du 1er mars au 30 novembre. Restaurant (40 000 L ; fermé le mercredi).* Située au confluent de deux canaux, cette demeure du XVe siècle offre le calme d'une ambiance familiale très agréable.

Cannareccio - Ca Oro

Bernardi-Semenzato. Cannareggio, 4363, Calle dell'Oca ✆ 52 27 257 - Fax 52 22 424. *15 chambres à 85 000/95 000 L environ. Fermé 15 jours en janvier.* Visa. Un hôtel récemment rénové, situé dans un petit passage calme d'un quartier agréable. Bon accueil et bon rapport qualité-prix.

• Confort ou charme

Hôtel Giorgione. Cannaregio, 4587, Campo SS Apostoli ✆ 52 25 810 - Fax 52 39 092. *150 000/210 000 L.* 70 chambres avec téléphone, télévision, climatisation, réfrigérateur. Parc, accès handicapés. Ce petit hôtel, situé juste derrière le Ca Oro, est pourvu d'un agréable jardin et de chambres aux meubles de style. Bon rapport qualité-prix.

Hôtel Amadeus. Cannaregio, 227, Lista di Spagna ✆ 71 53 00 - Fax 52 40 841. *63 chambres 520 000/550 000 L.* Parc, garages, climatisation, restaurants. Proche de la Piazzale Roma et de la gare Santa Lucia, l'hôtel dispose de chambres meublées dans le style vénitien et complétées par des terrasses donnant sur le jardin.

Giudecca

• Confort ou charme

Hôtel Cipriani et Palazzo Vendramin. Giudecca, 10, Fondamenta San Giovanni ✆ 52 07 744 - Fax 52 03 930/77 45. *104 chambres 110 000/180 000 L.* Parc, accès handicapés, piscine, tennis, sauna, bains turcs, port privé pour yachts, restaurant. American Express, Visa, Diner's Club. Situé en face de l'île de San Giorgio, le Cipriani est l'un des hôtels les plus extraordinaires de la péninsule. C'est une ancienne résidence privée, avec piscine de marbre et jardin en fleurs. Les chambres et les suites, décorées de tissus précieux et de marbres, donnent sur San Marco et la lagune, offrant ainsi l'un des panoramas les plus romantiques au monde. Malheureusement, les prix pratiqués rendent ce paradis inaccessible à la plus grande majorité. Mais pour une nuit de folie...

Lido

Hôtel Quattro Fontane. Via delle Quattro Fontane, 16, Lido ✆ 52 60 227 - Fax 52 60 726. *530 000/550 000 L. Ouvert du 20 avril au 20 octobre.* 61 chambres avec téléphone, télévision, climatisation. Parc, parking, plage privée, tennis, restaurant (*110 000/170 000 L*). American Express, Visa, Diner's Club. Situé dans un petit parc fleuri, un hôtel au mobilier XIXe ou d'époque plus ancienne, décoré d'objets exotiques rapportés de voyage. On mange sur la terrasse. Une véritable adresse de charme.

Hôtel Villa Mabapa. Riviera San Nicolo, 16 ✆ 52 60 590 - Fax 52 69 441. *310 000/500 000 L. Fermé en janvier.* 62 chambres avec téléphone, télévision, climatisation, réfrigérateur. Parc, garages, plage privée, restaurant (*50 000/50 000 L*). Villa des années 30, avec un joli jardin donnant sur la lagune. On se rend dans cet hôtel comme chez des amis car il a su conserver le charme et l'accueil d'une maison particulière.

Hôtel des Bains. Lungomare Marconi, 17, Lido di Venezia ✆ 52 65 921 - Fax 52 60 113. *790 000/975 000 L. Fermé du 11 novembre au 15 mars.* 191 chambres avec téléphone, télévision, climatisation, réfrigérateur. Parc, parking, piscine, plage privée, tennis, sauna, restaurant (*120 000 L*). Interdit aux animaux de grosse taille. Impossible de ne pas mentionner cet hôtel, qui possède le charme désuet des grands palaces de bord de mer et où Visconti tourna Mort à Venise. Les accents de la symphonie de Malher s'attardent encore dans ses immenses et superbes salons...

Agriturismo

Baldissera Anna. Via Caltorta, 18, Ceggia ✆ 04 21/32 97 55. *Chambres 60 000 L. Ouvert tous les jours.* Près de la côte, maison récente avec véranda. Cuisine et vins maison. Terrain pour caravanes et camping. Découverte des environs à cheval ou à vélo.

Le Garzette. A Malamocco, Lungomare Alberoni, 32, Venezia ✆ 041/73 10 78. *Chambres 150 000 L, demi-pension 100 000 L par personne. Fermé de la mi-décembre à la mi-février.* Splendide maison provençale séparée de la mer par quelques mètres de vigne. Cadre sauvage incroyable. Cuisine et vins maison excellents.

Auberges de jeunesse

Venezia. Fondamenta Zitelle, 86, Isola della Giudecca ✆ 52 38 211 - Fax 52 35 689. 260 lits à 24 000 L, petit déjeuner inclus. Fermée du 15 janvier au 1er février. Ouverte de 7 h à 10 h et de 13 h à 23 h 30. Un ancien palais, à 2 km de la gare de Santa Lucia. Bateau-bus n° 84 à 150 m.

Santa Fosca. Cannaregio, 2372 ✆ 71 57 75. *Fermée du 1er octobre au 9 juillet. Réception ouverte de 10 h à 12 h et de 18 h à 23 h 30.* Pratique quand il n'y a plus de place dans les autres.

Foresteria delle Chiesa Valdese. Calle Lunga Santa Maria Formosa, Castello, 5170 ✆ 52 86 897. *25 000 L par personne en dortoir, petit déjeuner compris. Fermée 15 jours en novembre, et dans la journée de 10 h à 13 h.* Située dans un vieux palais du XVIe siècle, la maison des Valdesi propose son hospitalité dans un cadre agréable. Il faut écrire pour réserver. Une bonne adresse.

Campings

Marina di Venezia. Via Montello, 6, Punta Sabbioni ✆ 53 00 955. *Ouvert toute l'année.* **Camping de luxe situé face au Lido.** Possibilité de louer un bungalow. Belle plage.

Ca Paquali. Via Fausta a Litorale del Cavallino ✆ 96 61 10. *Ouvert de mars à septembre.* Visa. Sur le littoral du Cavallino.

RESTAURANTS

Le problème des trattorias et des restaurants n'est pas facile à résoudre à Venise, où les prix sont souvent exorbitants et sans grand rapport avec la qualité du produit. La seule solution est d'acheter des sandwiches au marché haut en couleur du Rialto et de s'asseoir sur les marches d'un *campiello* (petite place où débouchent les calli). Les plats préparés dans les rôtisseries et les *tavola calda* sont en général bons et frais.

Dans les bars et les caves, on pourra acheter des sandwiches, des panini et des petites pizzas, pour accompagner un bon verre de vin, une *ombra*, comme on dit en langue vénitienne. Les prix grimpent à mesure que l'on se rapproche de la place Saint-Marc. Dans les endroits touristiques, on se méfiera des établissements qui n'affichent pas le menu et les prix. Dans tous les cas, il faut demander une note détaillée.

Voici, quartier par quartier, la liste des endroits fréquentables.

San Marco

Rosticceria San Bartolomeo. San Marco, 5423, Calle della Bissa ✆ 52 23 569. *Suivant les plats, on peut s'en tirer pour moins de 15 000 L. Fermé le lundi et en janvier.* Un «take away» de qualité, fort apprécié des Vénitiens, qui y prennent de préférence la *mozzarella in carrozza* avec anchois ou jambon, le risotto noir aux seiches, les pâtes, les haricots et la morue. On mange aussi à un comptoir.

Restaurant Al Graspo de Ua. Calle dei Bombaseri, 5094 ✆ 52 23 647 - Fax 52 33 917. *70 000 L. Fermé le lundi, le mardi, du 20 décembre au 10 janvier et du 1er au 15 août. Réservation obligatoire.* 120 couverts. American Express, Visa, Diner's Club. Liz Taylor et Jeanne Moreau ont dîné dans ce restaurant historique, ouvert depuis presque un siècle, et qui ressemble à une vieille taverne. Spécialités de poisson.

Restaurant Do Forni. Calle degli Specchieri, 457 ✆ 52 37 729. *60 000/100 000 L. Fermé le jeudi en hiver, et de la fin novembre à début décembre. Réservation obligatoire.* 130/160 couverts. Jardin, climatisation. American Express, Visa, Diner's Club. Cuisine régionale à base de poisson, dans un cadre rustique.

Trattoria alla Colomba. San Marco, 1665, Piscina Frezzeria ✆ 52 21 175. *100 000/180 000 L. Fermé le mercredi en basse saison. Réservation obligatoire.* 250 couverts. Climatisation. American Express, Visa, Diner's Club. Ce restaurant, très réputé à Venise, propose une cuisine savoureuse. Service à l'extérieur en été.

Restaurant Antico Martini. San Marco, 1983, Campo San Fantin ✆ 52 24 121 - Fax 52 89 857. *70 000/120 000 L. Fermé le mardi et le mercredi à midi. Réservation obligatoire.* 40/85 couverts. Climatisation. American Express, Visa, Diner's Club. Très bon restaurant, tenu depuis 1920 par la famille Baldi.

Restaurant Da Raffaele. San Marco, 2347, Fondamenta delle Ostreghe ✆ 52 32 317. *60 000/120 000 L environ. Fermé le jeudi et à Noël.* 150/270 couverts. En été, on mange sur une terrasse en face d'un canal, en hiver, au milieu d'armures et d'objets en cuivre qui décorent les murs. Apprécié des Vénitiens, ce restaurant propose un risotto aux seiches et granseole.

Harry's Bar. San Marco ✆ 52 85 777 - Fax 52 08 822. *145 000/200 000 L.* 80/100 couverts. Climatisation. American Express, Visa, Diner's Club. La réputation du mythique Harry's Bar n'est plus à faire, et Hemingway s'en est déjà chargé il y a quelques années. Un passage obligé à Venise, ne serait-ce que pour prendre un verre.

Castello

Restaurant Al Mascaron. Castello, 5225, Calle Lunga Santa Maria Formosa ✆ 52 25 995. *Compter 70 000 L. Fermé le dimanche, le mercredi en été, et du 15 décembre au 15 janvier.* Auberge très caractéristique et vivante (bon vin aidant).

Hostaria da Franz. Fondamenta Sant' Iseppo, 754 ✆ 52 27 505. *80 000/130 000 L. Fermé le mardi et en janvier.* Ouvert depuis 1848. Ravissant décor de banlieue vénitienne. Spécialités de poisson.

Restaurant Corte Sconta. Castello, 3886, Calle de Prestin ✆ 52 27 024. *65 000/100 000 L. Fermé le dimanche et le lundi. Réservation obligatoire.* 50/70 couverts. Jardin. American Express, Visa. A quelques pas de l'Arsenal, ce restaurant propose, dans un cadre familial, une des meilleures cuisines de la ville. Plats à base de poisson : *sarde in saor*, crespelle aux calmars, filet de saint-pierre aux fines herbes.

San Polo - Santa Croce

Pizzeria alle Oche. Santa Croce, 1552, Calle del Tintor ✆ 52 41 161. *Environ 25 000 L. Fermée le lundi.* Les étudiants qui font la queue ne s'y trompent pas, car on y mange les meilleures pizzas de Venise.

Antica Osteria Poste Vecie. Rialto, 1608, Pescheria ✆ 72 18 22. *Autour de 75 000 L. Fermé le mardi.* La cuisine de cette charmante auberge aux petites salles stylées est vénitienne et à base de poisson. En été, on peut aussi manger dans le joli jardin. Proche du pittoresque marché aux poissons.

Restaurant Alla Madonna. San Polo, 594, Calle della Madonna ✆ 52 23 824. *50 000/75 000 L. Fermé le mercredi, à Noël et du 1er au 15 août. Réservation obligatoire.* 220 couverts. Climatisation. American Express, Visa. L'une des trattorias les plus typiques de Venise, et qui ne désemplit pas. Spécialités de poisson.

Restaurant da Ignazio. Calle del Saoneri © 52 34 852. *60 000 L environ. Fermé le samedi.* Tout près de la maison de Goldoni. On y mange bien (notamment les spécialités de poisson), et la terrasse installée dans la cour est vraiment très agréable en été.

Restaurant Osteria da Fiore. San Polo, 2202, Calle del Scaleter © 72 13 08. *120 000/190 000 L. Fermé le dimanche, le lundi, à Noël et en août. Réservation obligatoire.* 45/55 couverts. Climatisation. American Express, Visa, Diner's Club. Au fin fond d'un dédale de calli, ce restaurant très réputé à Venise offre une excellente cuisine typique avec des plats à base de poisson.

Dorsodura - Accademia - La Salute

Trattoria Ai Cugnai. Dorsoduro San Vio, 857, Piscina del Forner © 52 89 238. *Environ 40 000 L. Fermée le lundi.* Bonne cuisine locale.

Restaurant Bar Vino Vino. Ponte delle Veste, 2007/a © 52 37 027. *Environ 30 000 L. Fermé le mardi.* Comptoir en bois et marbre, fers forgés et chaises empaillées datant de 1921. Des *cicchetti*, amuse-gueule typiques de Venise. Sur de petites tables aux plateaux de marbre, on déguste pâtes et haricots, *sarde in saor*, légumes de saison. La carte des vins propose plus de 300 crus.

Locandà Montin. Fondamenta di Borgo, 1147 © 52 27 151. *50 000 L environ. Fermée le mardi soir et le mercredi, de l'Epiphanie à la mi-février et en juillet. Réservation obligatoire.* 125 couverts. Jardin. American Express, Visa, Diner's Club. Un franc succès pour ce restaurant qui, il faut le dire, offre une terrasse spacieuse et une délicieuse cuisine.

Canareggio - Ca Oro

Osteria Al Million. Cannareggio, 5841, Corte del Million © 52 29 302. *60 000/70 000 L environ. Fermée le mercredi et en août.* On dit que ce fut autrefois la demeure de Marco Polo. C'est aujourd'hui une auberge fréquentée surtout par les Vénitiens. La cuisine propose pâtes et haricots, risotto de poisson, brandade de morue et saor.

Tre Spiedi da Bes. Cannareggio, 5906, Salizzada San Canziano © 52 08 035. *Compter 50 000 L. Fermé le dimanche à midi et le lundi, et de Noël à la mi-janvier.* 48 couverts. Visa. Très fréquentée par les Vénitiens pour la fraîcheur de ses plats et son ambiance accueillante, cette trattoria est spécialisée dans le poisson sous toutes ses formes : cannelloni farcis, saor et seiches noires avec polenta. Les vins vénitiens sont sélectionnés par la maison.

Restaurant Al Bacco. Canareggio, 3054, Fondamenta delle Cappuccine © 71 749. *40 000/60 000 L. Fermé le lundi. Réservation obligatoire.* 40/60 couverts. Jardin. Visa. Dans un cadre charmant, on peut déguster au comptoir les succulentes *ombrettes*. La cuisine, traditionnelle, propose pâté de homard, tagliolini au crabe, brandade de morue et saor. Spécialités de poisson.

Restaurant Vini da Gigio. Cannareggio, 3628/a, Fondamenta San Felice © 52 85 140. *45 000 L. Fermé le dimanche soir et le lundi, en août et en janvier. Réservation obligatoire.* 40 couverts. Climatisation. American Express, Visa, Diner's Club. C'était, autrefois, le lieu de destination favori des bateliers qui s'amarraient sur le canal parallèle. Aujourd'hui, après une rénovation radicale, le «look» de ce resto est presque raffiné. La carte des vins offre un vaste choix.

Giudecca

Restaurant Altanella. Giudecca, 268, Calle delle Erbe © 52 27 780. *Fermé le lundi et le mardi.* L'été, on mange dans le jardin, qui donne sur le Rio del Ponte Lungo. Parmi les spécialités, les *bovoletti* (de petits escargots revenus avec de l'ail et de l'huile), les spaghetti avec des moules et des poivrons, et des haricots.

Harry's Dolci. Giudecca, 773, Fondamenta San Bagio © 52 24 844. *85 000/105 000 L. Fermé le lundi et du 10 novembre au 10 mars. Réservation obligatoire.* 80/120 couverts. American Express, Visa, Diner's Club. Un sol en carreaux blancs, de petits fauteuils de paille noire et une grande terrasse avec vue sur la lagune. Idéal pour prendre le thé et déguster des gâteaux. A midi, le menu offre des plats semblables à ceux du Harry's Bar (*brasatino, seppioline con polenta*, filets de sole au riz et curry).

Les îles

Osteria dei Pescatori. Piazza Galuppi, 371, Romano © 73 06 50. *50 000 L. Fermé le lundi.* Un restaurant spécialisé en poisson et où la cuisine est toujours très fraîche et très bonne.

Da Romano. Piazza Galuppi, 221, Burano ✆ 73 00 30 - Fax 73 52 17. *Environ 50 000/100 000 L. Fermé le mardi et de la mi-décembre à la mi-février.* 200 couverts. American Express, Visa, Diner's Club. Cet excellent restaurant, très connu, attire toujours beaucoup de monde.

Restaurant Ai Pescatori. Via Gallupi, 371, Burano ✆ 73 06 50. *Fermé le lundi.* Le risotto à l'anguille et les haricots avec du bar fumé (à commander 24 heures à l'avance) sont excellents.

Ai Frati. Fondamenta Venier, 4, Murano ✆ 73 66 94. *50 000/80 000 L environ. Fermé le jeudi et en février.* 150 couverts. Visa. Le plus ancien restaurant de Murano. Classique.

Locandà Cipriani. Piazza Santa Fosca, 29, Torcello ✆ 73 54 33. *Au restaurant, compter 80 000/100 000 L. Réservation obligatoire. Fermé le mardi. Chambres 150 000/260 000 L. Hôtel fermé le mardi, en janvier et du 1er au 18 février.* 6 chambres avec téléphone, climatisation. Parc. Interdit aux animaux. American Express, Visa, Diner's Club. 250 couverts. Comme le Harry's Bar, le Cipriani est une des grandes institutions vénitiennes en matière de gastronomie : gratin de tagliolini, carpaccio et crespelle accompagnés d'une glace, le tout servi avec le meilleur vin.

SORTIR

Cafés, bars

Tout d'abord, deux adresses de luxe pour un bon café :

Florian. Piazza San Marco, 56-59 ✆ 52 85 338. Le doyen des cafés vénitiens, avec ses miroirs et ses arabesques, ses banquettes en velours rouge et ses tables de marbre. Il vaut mieux consommer l'apéritif ou le cappuccino au comptoir car les prix dans la salle augmentent sensiblement. La vue se paie cher.

Sur le côté opposé de la place, le non moins célèbre **Caffè Quadri** propose ses petites salles pleines de charme. Le service cependant y est approximatif et les consommations très chères. A éviter : le **Gran Caffè Chioggia,** Piazza San Marco, 9, en raison de ses prix absurdes et d'un trop grand nombre de touristes.

Dans les classiques : le glorieux **Harry's Bar** (San Marco, 1323, Calle Valleresso), qu'Hemingway rendit célèbre et où les Martini, les Bellini et les sandwiches sont parfaits. Un seul défaut : les prix exorbitants. On trouve les mêmes cocktails, mais deux fois moins chers, au **Bar Ducale** (San Marco, Calle delle Ostreghe ✆ 52 10 002). Le Harry's est cependant aussi l'une des meilleures tables de la ville.

A la **Punta Dogana**, au piano-bar **Linea d'Ombra** (Zattere, 19 ✆ 528 52 59), on pourra déguster des cocktails classiques ou sans alcool.

Venise la nuit

Si la plus grande partie des établissements ferment avant minuit, quelques lieux, cependant, empêcheront les noctambules de sombrer dans le désespoir.

Le Casino. Lungomare Marconi, 4, Lido ✆ 52 60 626. *Ouvert seulement l'été.*

Casino du Palazzo Vendramin Calergi. Cannareggio, 2040, Strada Nuova ✆ 72 04 44. L'un des plus prestigieux d'Europe : roulette, chemin de fer, trente et quarante et Black Jack.

Le piano-bar-discothèque Rouge et Noir. Palazzo Vendramin Calergi e Cherubin à San Marco ✆ 41 18. Un large choix de cocktails.

Al Paradiso Perduto. Cannaregio, 2540, Fondamenta della Misericordia. Un des bars les plus sympathiques de Venise pour sa bonne musique et sa clientèle jeune.

Ceux qui préfèrent le théâtre pourront faire leur choix entre les programmes de la Fenice, l'Avagoria, Goldoni ou Ridotto.

MANIFESTATIONS

Mi-février : Carnaval, avec un grand choix de spectacles et de jeux pyrotechniques.

Mai : Spolalizio del Mare. «Noces de la Mer» à l'occasion de l'Ascension.

Tous les quatre ans en juin : Palio delle Quattro Repubblice Marinare. Le célèbre Palio vénitien est une compétition de rameurs, sur le Grand Canal.

Juillet : Festa del Redentore. Commémore la fin de la peste de 1576.

VENISE

LAGUNA

Pont de la Liberté

Cana

CANNAREGIO

Palazzo Labia

Palazzo Vendramin Calergi

TRONCHETTO

Canal Grande

Ca'd'O

Gare ferroviaire Santa Lucia

Palazzo Pesaro

Gare maritime

SAN POLO

Palazzo dei Camerle

Piazzale Roma

Santa Maria Gloriosa dei Frari

Pont Rial

Scuola di San Rocco

Canal Grande

San Pantaleone

SANTA CROCE

Ca'Foscari

Ca'Lore

Palazzo Corner-Spinelli

Mus Cor

Ca' Rezzonico

San Angelo Raffaele

San Sebastiano

SAN MARCO

Dog di M

Gare maritime

DORSODURO

Gallerie dell' Accademia

Palazzo Venier

Santa Ma della Sal

Canale della Giudecca

SACCA FISOLA

LA GIUDECCA

0 500 m

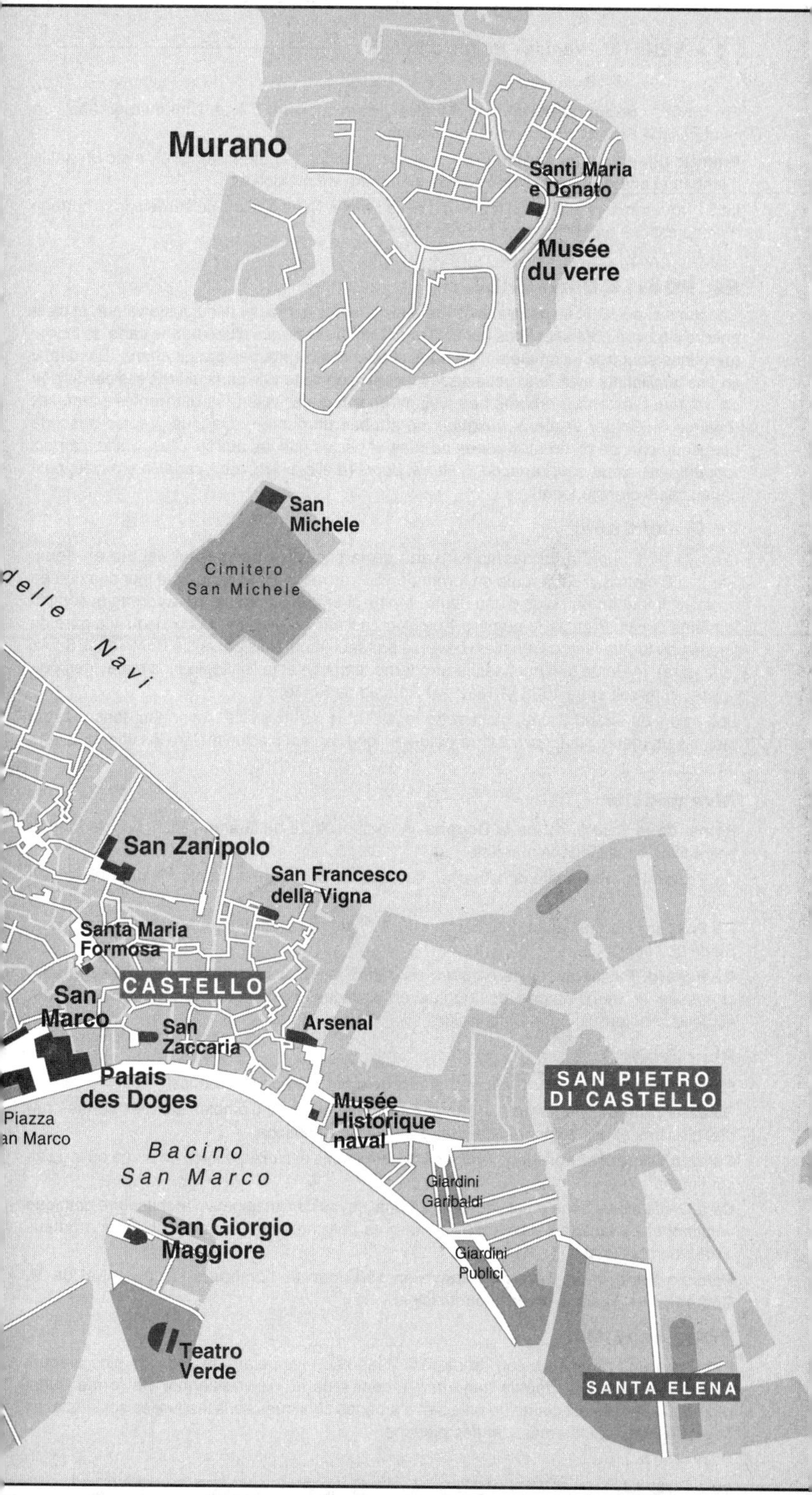

Murano

Santi Maria
e Donato

Musée
du verre

San
Michele

Cimitero
San Michele

delle Navi

San Zanipolo

San Francesco
della Vigna

Santa Maria
Formosa

CASTELLO

San
Marco

San
Zaccaria

Arsenal

Palais
des Doges

SAN PIETRO
DI CASTELLO

Musée
Historique
naval

Piazza
an Marco

Bacino
San Marco

Giardini
Garibaldi

San Giorgio
Maggiore

Giardini
Publici

Teatro
Verde

SANTA ELENA

Fin août - début septembre : Mostra Internazionale d'Arte Cinematografica. Le célébrissime Festival international de cinéma.

Premier dimanche de septembre : la Regata Storica (régate historique), avec un défilé d'embarcations d'époque et une compétition entre les gondoles.

Le 21 novembre : Festa della Madonna della Salute. Cette fête est célébrée par un cortège d'embarcations qui défilent sur le Grand Canal.

POINTS D'INTERET

Chacun sait qu'il faut se perdre dans les villes pour les apprécier à leur juste valeur, et c'est encore plus vrai à Venise. Mais bon... D'abord, munissez-vous d'une bonne carte de la ville (certaines sont très incomplètes, en particulier celles distribuées gratuitement). Ensuite, il faut se familiariser avec la structure administrative de cette ville particulière : elle est divisée en *sestieri* (secteurs), eux-mêmes divisés en quartiers, selon les différentes paroisses (environ 6 000 par sestieri), auxquels on attribue un numéro. De plus, Venise possède beaucoup plus de différentes sortes de rues et places que les autres villes : *calle*, *campo*, *fondamenta*, *canal*, *salizzada*, *rio*, *rio terrà*, *ponte* (ruelle, place, quai, canal, rue pavée, petit canal, canal comblé, pont).

Le Grand Canal

C'est la plus importante des voies d'eau de la cité, qu'il traverse et sépare en deux. Sur 3 800 mètres, il se déroule en forme de «S» renversé. Pour en faire le tour complet en gondole, il faut un peu plus d'une heure. Moins cher et plus rapide, le vaporetto accomplit le même circuit. Prendre le numéro 1 de San Zaccaria ou de San Marco jusqu'à la gare de chemin de fer. Le Grand Canal est traversé par seulement trois ponts : le Ponte degli Scalzi (à la gare), le Ponte dell'Accademia (moderne, en bois) et le Rialto, le plus majestueux de la ville, construit entre 1588 et 1592 par Antonio da Ponte.

Les palais du Grand Canal, bâtis entre le XIIe et le XVIIIe siècle, répondent tous plus ou moins à un même plan, qui s'est perpétué au long de sept siècles malgré les changements de style.

Rive gauche

Pointe de la Salute, ou de la Dogana. A l'embouchure du Grand Canal, avec le long et bas édifice de la Douane maritime.

Cà Rezzonico. Puissante construction baroque de B. Longhena, achevée par Massari en 1750.

Cà Foscari. Harmonieuse construction du XVe siècle, avec deux loggias à huit arcades. Siège de l'université.

Cà Pesaro. Fastueux édifice baroque du XVIIIe, avec des bossages massifs au rez-de-chaussée et deux étages de loggias en arcades. Abrite la galerie d'Art moderne, actuellement fermée pour restauration.

Rive droite

Palazzo Corner-Spinelli. C'est le chef-d'œuvre (fin XVe) de M. Codussi.

Palazzo Grimani. De forme puissante, à trois étages, avec d'amples arcades portées par des pilastres et des colonnes. Le chef-d'œuvre de Sanmicheli.

Palazzo Forsetti et Loredan. Typiques constructions byzantines avec un étage de loggias continues.

Cà d'Oro. Le plus beau palais du Grand Canal, joyau de l'imaginative architecture gothique vénitienne. La façade est revêtue de marbres polychromes. Le palais abrite une galerie d'art (voir plus loin).

Palazzo Vendramin Calergi. Achevé en 1509 par les Lombardo sur un projet de M. Codussi, il est le siège du casino municipal.

Place Saint-Marc

Pareille à un immense salon de marbre (Napoléon l'appelait «le salon le plus élégant d'Europe»), elle est, depuis toujours, le centre de la vie vénitienne. De forme quasi rectangulaire, elle est ceinte de palais et d'arcades continues sous lesquelles sont installés des cafés, des commerces... et des pigeons.

Torre dell'Orologio. *Ouverte de 9 h à 12 h et de 15 h à 17 h (aux dernières nouvelles, fermée pour restauration). Fermée le lundi.* Dessinée par Mauro Codussi en 1496, elle est célèbre pour ses statues en bronze des deux Maures (Mori) qui sonnent les heures.

Les Procuratie Vecchie. L'antique siège des procureurs de la République est un long édifice doté de deux rangs de loggias. Commencé par Bon Bergamasco, en 1514, il fut achevé, un siècle plus tard, par Sansovino.

Procuratie Nuove. Leur construction, par Scamozzi, débuta en 1548. Leurs décorations reprennent le motif de la Librairie Sansovino, qui les jouxte.

Basilique Saint-Marc

✆ **52 25 697**. *Visites de 10 h à 16 h 30, et les dimanches et jours fériés de 13 h 30 à 16 h 30.* La basilique, chef-d'œuvre de l'architecture romano-byzantine, fut construite du XIe au XVe siècle, pour accueillir le corps de l'évangéliste saint Marc (patron de la ville). Elle est développée à l'horizontale ; ses cinq coupoles et son architecture générale lui confèrent un aspect oriental, sur le modèle des églises de Constantinople (ressemblance frappante avec la basilique Sainte-Sophie à Istanbul). Sa façade, à deux étages de cinq arcades, est revêtue de marbres précieux, de colonnes et de mosaïques. Cinq portails aux battants de bronze s'ouvrent dans la façade. De très beaux bas-reliefs ornent les arcades. Sur la terrasse qui sépare les deux étages se trouve la loggia des chevaux, ainsi nommée en raison d'un groupe de chevaux en bronze doré qui s'y trouvait jadis.

Les flancs de la basilique répètent les motifs architecturaux et décoratifs de la façade : riches portails et bas-reliefs précieux des XIIe et XIIIe siècles. Les parois du narthex ont un parement de marbres et de colonnes, tandis que les voûtes en coupole sont recouvertes de mosaïques.

L'intérieur est en forme de croix grecque dont chaque bras comporte trois nefs. Ces nefs sont séparées par des colonnades surmontées de galeries, jadis réservées aux femmes. La structure architectonique disparaît sous l'éclat de l'or des mosaïques qui recouvrent les parois et les voûtes. Ces mosaïques, dont la plupart datent du XIIe au XVIIIe siècle, présentent une grande variété de styles : celles du portique s'inspirent de l'univers de l'Ancien Testament, celles de l'intérieur illustrent des scènes du Nouveau Testament. L'autel, qui renferme la dépouille de saint Marc, est surmonté d'un somptueux ciboire orné de six statues du XIIIe siècle. Le chœur abrite la Pala d'Oro, retable en or incrusté de pierres précieuses, réalisé en 976 à Constantinople. Le transept droit donne sur l'entrée du Trésor, qui comprend la plus importante collection d'orfèvrerie byzantine du monde, avec des vases, des coupes, des calices et des reliquaires. Le chef-d'œuvre en est un encensoir en argent doré en forme d'église byzantine. De la nef de droite, on passe au baptistère, recouvert de fresques et de mosaïques. Il jouxte la chapelle Zen, où l'on peut voir un autel en bronze du XVIe siècle et le grand sépulcre du cardinal Zen.

Le campanile. *Ouvert de 10 h à 19 h. Entrée 6 000 L.* Reconstruit en 1912, après son effondrement subit du 14 juillet 1902, il s'élève solitaire à une hauteur de 96,80 mètres. Du sommet, on jouit d'un magnifique panorama sur la ville et la lagune.

Palais des Doges

(Palazzo Ducale) ✆ **52 24 951.** *Ouvert de 8 h 30 à 17 h (vente des billets jusqu'à 15 h 30). Entrée : 14 000 L (billet cumulable avec le musée Correr).* Demeure du doge et siège des plus hautes magistratures, le palais est l'expression de la puissance et de la splendeur de la Sérénissime. On y accède à travers la fastueuse Porta della Carta, qui conduit à une magnifique cour intérieure. Sur le côté qui jouxte la basilique se trouve l'arc de triomphe, Arco Foscari, de style gothique vénitien, avec les fameuses statues d'Adam et d'Eve. Face à lui s'élève le monumental Escalier des Géants (Scala dei Giganti), avec ses deux colossales statues de Neptune et de Mars, œuvres de Jacopo Sansovino. Les nombreuses salles exposent un nombre impressionnant de peintures, dont des chefs-d'œuvre de Véronèse et du Tintoret (incroyable et immense Paradis du Tintoret). De la loggia du premier étage, l'Escalier d'Or (Scala d'Oro) dessiné par Sansovino, conduit aux appartements privés des doges (deuxième étage) et au Vestibule Carré (Atrio Quadrato), avec son plafond de bois doré du XVIe siècle décoré par le Tintoret (troisième étage). Dans le passage aulique, on peut visiter les divers sièges des organes exécutifs des magistratures vénitiennes, ainsi que la collection d'armes.

Des passages secrets mènent de la salle du Grand Conseil au célèbre pont des Soupirs, reliant le palais aux «prigioni nuove» (prisons nouvelles). Cette triste destination nous amène à revoir la signification que l'on avait initialement attribuée à ces fameux «soupirs»... Ces passages secrets (*réservation obligatoire*) longent la Sala dei Tre Capi (salle des trois Chefs du Conseil des Dix), la salle des Inquisiteurs d'Etat, les bureaux du Conseil des Dix et la salle de torture.

Pour refaire cet itinéraire (sur les traces du célèbre Casanova), il faut téléphoner au © 24 951 (*visite en italien tous les jours, sauf le mercredi, de 10 h à 12 h*).

Piazetta San Marco. Située entre le Palais des Doges et la Libreria Marciana, elle s'ouvre sur le quai San Marco avec vue sur l'île San Giorgio. Près de la rive, s'élèvent deux colonnes orientales du XIIe siècle, surmontées d'antiques statues du lion de saint Marc.

Environs de la place Saint-Marc

Le Mercerie. C'est la rue commerçante de Venise par excellence. Beaucoup de boutiques... et de touristes.

Eglise San Salvatore. Située sur l'artère commerçante des Mercerie, elle possède une *Annonciation* de Titien et le *Repas d'Emmaüs* de Bellini.

Théâtre de la Fenice. Campo San Fantin © 52 10 161/52 07 583. C'est «Le» théâtre de Venise. A la suite du dramatique incendie qui l'a touché, les travaux de restauration pourraient durer jusqu'au-delà de l'an 2000.

Campo Santo Stefano (Morosini). Belle place, entourée des palais Loredan et Pisani, aux accents byzantins.

Palazzo Corner, dit Cà Grande. Avec sa classique façade à trois rangs, ce grandiose palais est l'œuvre de Sansovino.

Palazzo Grassi. *Ouvert tous les jours de 10 h à 19 h.* Accueille toute l'année des expositions temporaires.

De l'autre côté de San Marco, vers l'Arsenal

Chiesa di San Giovanni Crisostomo. *Ouverte de 11 h à 12 h et de 15 h 30 à 16 h 30.* Cette église au plan en croix grecque possède de superbes œuvres de Giovanni Bellini.

Chiesa di Santa Maria dei Miracoli. *Ouverte de 10 h à 12 h et de 15 h à 18 h.* Sur une charmante petite place, très belle église Renaissance dessinée par Lombardo.

Chiesa di San Giovanni e San Paolo (San Zanipolo, pour les intimes). *Ouverte de 7 h 30 à 12 h 30 et de 15 h 30 à 19 h.* Erigée entre le XIIIe et le XVe siècle, cette grande église gothique, aux abords peu gracieux, rassemble à l'intérieur des œuvres de Bellini (superbe polyptyque) et Véronèse.

Chiesa di Santa Maria Formosa. *Ouverte de 8 h 30 à 12 h 30 et de 17 h à 19 h.* Cette belle église, aux lignes harmonieuses et au plan en croix grecque, fut dessinée par Coducci (XVe siècle). Le campanile date du XVIIe.

Chiesa di San Zaccaria. Campo San Zaccaria. *Ouverte de 10 h à 12 h et de 16 h à 18 h.* Très belle église Renaissance, avec une superbe façade divisée en six étages que l'on doit à Coducci. A l'intérieur, vous ne devez pas manquer la divine *Vierge à l'Enfant* de Bellini !

Quartier de l'Arsenal (Castello)

L'Arsenal. *Pas de visites.* Il date du XVIe siècle. Son entrée se trouve sur le Campo Arsenale. Nous vous conseillons vivement de vous balader dans ce quartier très intéressant et agréable.

Museo Storico Navale (Musée naval). Castello, 2148 © 52 00 276. *Ouvert de 8 h 45 à 13 h 30 et le samedi de 8 h 45 à 13 h. Fermé les dimanches et jours fériés. Entrée : 2 000 L.* Il rassemble 25 000 pièces dont une partie est exposée au public, en particulier des maquettes et des objets de marine. La pièce la plus importante est un «cortelà» de galère du XVIe siècle, unique vestige existant d'une galère vénitienne.

Jardins publics. Aménagés par Napoléon, ces jardins accueillent désormais, tous les deux ans, la Biennale d'Art moderne.

Cannaregio (du Rialto au Ghetto)

Eglise Santi Apostoli. *Ouverte de 7 h 30 à 11 h 30 et de 17 h à 19 h 30.* Remaniée plusieurs fois, cette église du XIe siècle conserve des œuvres intéressantes de Véronèse, Conegliano et Tiepolo.

Ca'd'Oro. Galleria Giorgio Franchetti © **52 38 790.** *Ouverte de 9 h à 14 h. Entrée : 4 000 L.* Parmi les œuvres majeures exposées dans cette galerie d'art, on peut citer la *Vénus* de Titien, le *Saint Sébastien* de Mantegna et la *Déposition* de Dürer. Nous vous laissons le soin de découvrir le reste de cette galerie particulièrement intéressante, où l'on évolue dans un cadre magique.

Eglise Madonna del Orto. *Ouverte de 9 h 30 à 12 h et de 16 h à 18 h 30.* Superbe église du XIVe siècle, située, pour notre plus grand bonheur, dans un coin légèrement isolé. Riche d'inestimables chefs-d'œuvre de l'art italien, elle produit une sensation de grande sérénité. On pourra y admirer un superbe *Saint Jean Baptiste* de Cima da Conegliano, les immenses et stupéfiants *Adoration du Veau d'or* et *Jugement Dernier* du Tintoret (c'est d'ailleurs dans la chapelle absidiale droite que ce dernier est enterré), et bien d'autres œuvres encore...

Le Ghetto. Ce mot, devenu tristement célèbre aujourd'hui, est originaire de Venise. Il prend naissance dans le quartier appelé Ghetto Nuovo (du verbe *gettare*, qui signifie fondre), en raison des fonderies qui s'y trouvaient à l'époque. En 1516, après l'arrivée en masse de juifs venus d'Espagne, on décida d'isoler la population juive dans ce quartier, d'où ils ne pouvaient sortir librement (cette histoire nous en rappelle une autre...).

Le Ghetto Nuovo. Contrairement à ce que son nom indique, ce fut le premier endroit où, en 1516, on isola des juifs. Resté, à quelques détails près, presque intact, ce quartier nous offre un précieux témoignage de cette période. On peut y voir les ancêtres de nos gratte-ciel, construits déjà à l'époque pour résoudre des problèmes de place.

Musée d'Art hébraïque. *Ouvert de 10 h à 16 h, les jours fériés de 10 h 30 à 13 h. Visites guidées sur réservation. Fermé le samedi. Entrée 4 000 L.* Intéressant musée de culture hébraïque situé au sein du Ghetto Nuovo.

Le Ghetto Vecchio. En partant de la Fondamenta di Cannaregio, on peut encore apercevoir ici les traces laissées par les grilles qui enfermaient les populations juives du ghetto. Deux synagogues importantes se trouvent dans ce quartier :

La **Sinagoga Spagnola**, ou synagogue d'été. Erigée à l'initiative de juifs espagnols au XVIe siècle. Décor d'inspiration vénitienne.

La **Sinagoga Levantina**, ou synagogue d'hiver. Savant et harmonieux mélange d'art juif et vénitien, elle présente une superbe chaire du XVIIe siècle.

Dosoduro - Accademia

Galleria del Accademia. Campo della Carità © **52 22 247.** *Ouverte de 9 h à 19 h et de 9 h à 14 h les dimanches et jours fériés. Entrée 12 000 L (gratuit pour les moins de 18 ans et les plus de 60 ans).* La plus complète collection de peintures vénitiennes du XIVe au XVIIIe siècle et un des musées les plus importants au monde. Entre autres chefs-d'œuvre, on peut y voir la Tempête de Giorgione, le San Giorgio de Mantegna, des œuvres remarquables de Bellini, dont la *Madonna in Trono,* une immense *Elévation de Croix* de Tiepolo, un époustouflant *Saint François recevant les stigmates* de Véronèse, ainsi que des tableaux du Tintoret, de Titien, de Bassano, de Cima da Conegliano, et de nombreux dessins de Léonard de Vinci, de Raphaël et de Michel-Ange...

Eglise Santa Maria della Salute. Datant du XVIIe siècle, elle fut bâtie pour remercier la Vierge d'avoir sauvé Venise d'une épidémie de peste. D'une architecture originale pour l'époque (plan octogonal), c'est une des plus intéressantes églises de la ville. A voir, dans la sacristie, plusieurs Titien et les célèbres Noces de Cana du Tintoret.

Collection Guggenheim. Palazzo Venier dei Leoni, Dorsoduro © **52 06 288.** *Ouvert de 11 h à 18 h. Fermé le mardi. Entrée : 12 000 L.* La collection de Peggy Guggenheim, la fameuse mécène américaine d'art contemporain, morte en 1979 et femme de Max Ernst, expose les noms les plus importants de l'art de notre siècle. C'est un des musées les plus passionnants au monde, qui trouve ici un cadre presque surréaliste ! Picasso, Chirico, Magritte, Braque, Léger, Dali, Kandinsky et des œuvres du Bauhaus. Peggy Guggenheim vécut dans ce palais, et se fit enterrer au fond du jardin en compagnie de ses chiens.

Eglise San Sebastiano. *Ouverte de 14 h 30 à 17 h 30. Fermée le samedi.* Vers 1555, Véronèse, fuyant Vérone pour une trouble affaire de meurtre, se réfugia dans cette église du XVIe siècle. Dix ans plus tard, il entreprit sa décoration. On peut aujourd'hui admirer le plafond de l'église orné de ses superbes fresques, dont celle, en particulier, de *Saint Sébastien devant Dioclétien.*

Chiesa e Scuola dei Carmini © **52 89 420.** *Ouverte de 9 h à 12 h et de 15 h à 18 h. Fermée le dimanche.* On y vient pour le superbe plafond peint par Tiepolo.

Ca'Rezzonico. Museo del 700 Veneziano ✆ 52 24 543. *Ouvert de 10 h à 16 h, sauf le vendredi. Entrée : 12 000 L.* Ce palais expose exclusivement des œuvres du XVIIIe siècle vénitien : Tiepolo, Pietro Longhi, etc. Pour une balade intéressante à travers cette époque.

Quartier San Polo

Scuola di San Rocco. Campo San Rocco ✆ 52 34 864. *Ouverte de 9 h à 17 h 30 et de 10 h à 16 h le week-end. De 10 h à 13 h en hiver.* Rassemble plus de soixante toiles, peintes entre 1564 et 1588 par Jacopo Robusti, dit le Tintoret. A voir absolument, sa *Crucifixion.*

Eglise San Polo (San Apponal en vénitien). *Ouverte du lundi au samedi de 7 h 30 à 12 h et de 16 h à 19 h. Le dimanche de 8 h à 12 h 15.* Située sur le Campo San Paolo, une des plus grandes places de Venise, cette église renferme des œuvres de Tiepolo, dont le *Chemin de Croix du chœur.*

Eglise dei Frari. *Ouverte de 9 h à 12 h et de 14 h 30 à 18 h, le dimanche de 15 h à 17 h 30. Entrée : 2 000 L (gratuit le dimanche).* Même si vous restez peu de temps à Venise, vous ne pouvez manquer la visite de cette église de style gothique du XIVe siècle, qui possède de tels chefs-d'œuvre que nous en perdons notre latin. Une statue en bois de saint Jean Baptiste de Donatello, une Assomption de Titien, une Vierge de Bellini, etc. Superbe !

Campo Giaccomo dell'Orio. *Ouverte de 8 h à 12 h et de 17 h à 18 h 30.* Charmante place dominée par l'église du même nom.

Chiesa di San Giaccomo di Rialto. *Ouverte de 10 h à 12 h.* La plus vieille église de Venise, non loin du célèbre pont du même nom.

Autres musées

Museo Correr. Procuratie Nuovo. Piazza San Marco ✆ 52 25 625. *Ouvert de 9 h à 16 h (15 h pour la vente des billets). Fermé le mardi. Entrée : 14 000 L (billet cumulable avec le Palazzo Ducale).* Ce musée rassemble des documents, des souvenirs et des reliques de la vie de Venise du XIVe au XVIIIe siècle, des bronzes Renaissance de Riccio, de Titien et de Sansovino, et une riche pinacothèque avec des chefs-d'œuvre de Jacopo, de Gentile et de Bellini. La section de l'artisanat d'art expose des étoffes, des dentelles, des ivoires, des bronzes islamiques et des céramiques italiennes du XVIe siècle.

Biblioteca Nazionale Marciana. Piazzetta San Marco ✆ 52 08 788. *Visite sur demande de 9 h à 18 h 30, le samedi de 9 h à 13 h 30. Fermée le dimanche.* Il ne s'agit pas d'un véritable musée mais d'une bibliothèque qui rassemble des ouvrages uniques d'une valeur exceptionnelle : un million de volumes, treize mille manuscrits, trois mille incunables (ouvrages antérieurs au XVe siècle) et la collection des mille éditions dites «aldines», de la célèbre imprimerie Aldo Manuzio.

Museo di Palazzo Fortuny. San Beneto, 3780 ✆ 52 00 995. *Fermé pour restauration.* Tapis, tapisseries, tableaux et décors de théâtre de Mariano Fortuny, peintre, décorateur et costumier du XIXe siècle.

Museo di Cà del Duca. Mocenigo-Le Gallais, San Marco, 3051. *Ouvert de mai à octobre les lundis, mardis et vendredis de 9 h 30 à 12 h 30, le samedi de 15 h à 18 h. Entrée gratuite.* Collection de céramiques de Bassano, de Venise et de Vienne, avec d'importantes pièces de la célèbre manufacture de Meissen. La collection d'art oriental rassemble des jades, des laques, des peintures sur soie, des estampes, des sculptures et des éventails.

Pinacoteca e biblioteca Querini Stampalla. Castello, 4778 ✆ 27 11 411. *Musée ouvert le mardi, mercredi, jeudi et dimanche de 10 h à 13 h et de 15 h à 18 h. Le vendredi et samedi de 10 h à 13 h et de 15 h à 22 h. Fermé le lundi. Entrée : 10 000 L. Bibliothèque ouverte de 16 h à 23 h 30, le samedi de 14 h 30 à 23 h 30 et le dimanche de 15 h à 19 h.* Ce musée, d'un caractère assez particulier, est le seul qui conserve les reliques d'une famille de la moyenne noblesse. Il restitue un témoignage unique sur la vie vénitienne.

Musée des Icônes byzantines. Castello, 3412, Ponte dei Greci ✆ 52 26 581. *Ouvert de 9 h à 12 h 30 et de 14 h à 16 h 30. Fermé les jours fériés. Entrée : 6 000 L.* La plus importante collection d'icônes hors de Grèce.

Musée du Tissu et du Costume. Palazzo Mocenigo, Santa Croce, 1992, San Stae ✆ 72 17 98. *Ouvert de 8 h 30 à 13 h 30. Fermé le dimanche. Entrée : 5 000 L.* Expose des vêtements sacerdotaux, des toiles et des échantillons provenant des manufactures vénitiennes, toscanes, lyonnaises, avec des exemplaires des Flandres, de l'Allemagne et de l'Asie Mineure, datant du XIVe au XXe siècle. La collection de vêtements comprend des pièces d'habillement du XVIe et du XVIIe siècle, dont ceux de la reine Marguerite, des vêtements orientaux et une collection unique en son genre : quinze mille figurines de la fin du XVIIIe siècle.

Museo Orientale. Santa Croce, 2078, San Stae ✆ 52 41 173. *Ouvert de 9 h à 14 h. Fermé le lundi. Entrée : 4 000 L.* Ce musée d'art oriental, le plus important d'Europe, est unique au monde en ce qui concerne l'art japonais de l'ère Edo (1614-1848). Il rassemble des objets précieux de toute sorte : étoffes, cartes, porcelaines et jades chinois, argenterie et porcelaines thaïlandaises, armures de parade et de guerre, épées et paravents japonais.

SHOPPING

Boutiques

Les rues commerçantes de Venise se trouvent dans le triangle San Marco, Rialto et Accademia : Via Mercerie, Frezzeria, Calle Vallerosso, Calle Large XXII Marzo et dans les environs de la Fenice.

Fiorella. San Marco ✆ 52 09 228. Vêtements originaux peints et imprimés à la main, masques de carnaval aux formes fantastiques et tee-shirts humoristiques.

Maschere Massaro. San Marco, Calle Venturi ✆ 52 04 283. Masques de carnaval en tout genre et à tous les prix.

Signor Blum. Dorsoduro 2840, Campo San Barnaba ✆ 52 26 367. Objets en bois sculpté, tables, puzzles et jouets.

Serigrafia Grafco. Santa Croce, 4/b. Campo San Pantalon ✆ 52 37 225. Impression sur papier, verre ou plastique de dessins inspirés des tissus vénitiens.

Libreria Editrici Filippi. San Marco, Calle del Paradiso ✆ 52 35 635. Fac-similés de cartes et d'œuvres vénitiennes anciennes, tels qu'un des premiers guides de la ville rédigé par Francesco Sansovino, ou des aquarelles de Grewmboch.

Luigi Bevilacqua. Santa Croce, Campo San Giovanni Decollato ✆ 72 13 84. Brocarts de soie, damas et velours imprimés.

Martinuzzi. Piazza San Marco, 67/a ✆ 52 25 068. Dentelles, linge de table, chemisettes et mouchoirs : tout est brodé à la main.

Cam. Piazzale Colonna, 1/b, Murano ✆ 73 99 44. Objets en verre modernes et anciens.

Vivarini Murano. Fondamenta Serenella ✆ 73 60 77. Lampadaires en verre faits à la main, petits verres incroyablement légers, miroirs gravés et décorés, vases peints et sculptures modernes.

Marchés

Mercato di Rialto. Ponte di Rialto. La poissonnerie se trouve plus loin en remontant le canal.

Mercatino dell'Antiquariato. Campo San Maurizio. Petit marché aux antiquités, en décembre et avril.

Exposition «Mercato nautica» à la Marina del Cavallino : avril.

Mercato di Venezia, Foire des objets d'art : septembre.

D'ombre en ombre

L'*ombra* est une institution à Venise. Jadis, sur la place Saint-Marc, les verres de vin («ombre») étaient vendus dans des stands que l'on déplaçait régulièrement afin de garder le vin frais grâce à l'ombre du clocher.

L'Enoteca Ai Do Mori (San Polo, 436, près du marché du Rialto) est un des plus beaux débits de vins de la ville. On y trouve du vin en vrac ainsi qu'une importante sélection de crus régionaux, que l'on peut accompagner de petits casse-croûte délicieux (*seppioline, tramezzin, fritture*).

Pas très loin, **All'Arco** (San Polo, 436), un bar-cave rénové depuis peu, offre également un large choix de vins accompagnant différents toasts ainsi que des petits pains chauds.

Sur Cannareggio, au n° 3912, le bon endroit est l'**Osteria Ca' d'Oro**. On y déguste, dans une ambiance d'autrefois, de bonnes variétés de rouges et de blancs, ainsi que des plats inimitables, comme la soupe de tripes ou les pâtes et les haricots. Les plus délicats goûteront plutôt les seiches au gril, les sardines in saor et le gratin de tomates.

A l'**Enoteca al Volto** (Calle Cavalli, 4081, ✆ 52 28 945), les boissons sont servies avec des *stuzzichini* et des petites pizzas. L'établissement, tapissé de centaines de bouteilles, est minuscule et toujours plein de monde.

Tentations de bouche

Les plus gourmands se délecteront des assortiments les plus appétissants de gâteaux et d'amuse-gueule à la **pâtisserie Marchini** (San Marco, 2769, Calle del Spezier).

Ils trouveront des beignets au sabayon et à la crème chez **Andrea Rosa Salva** (Campo San Luca, San Marco, 4598). Au moment du carnaval, cette pâtisserie propose ses classiques *fritelle* (beignets) aux fruits confits, ses pignons et son *uva passa.*

Autre pâtisserie réputée, **Colussi** (Calle Lunga di Barnaba, Dorsoduro, 286/a). On dégustera ses beignets, ses «krapfen» et ses «sfogliatine» (pâte feuilletée à la crème et uva passa). Les meilleures glaces de Venise se trouvent au **Caffè Paolin** (San Marco, 2692, Campo San Stefano), mais vous en trouverez également de très bonnes à la gelateria Soldà (Piazza Santi Apostoli ; *ouvert de juin à septembre*).

DANS LES ENVIRONS

Torcello

Entre le Ve et le VIIe siècle, l'île fut occupée par les premières vagues de réfugiés fuyant les Barbares qui, sur la terre ferme, envahissaient Altino.

Nommée Torcello en souvenir de la tour que gravit l'évêque d'Altino pour consulter les étoiles, elle devint rapidement la communauté la plus prospère et la plus peuplée parmi toutes celles qui s'étaient installées à l'époque sur la lagune. Cependant, son déclin s'amorça à la fin du XIVe siècle, devant la croissance de Venise et à cause de la malaria. Depuis le XVIIIe siècle, l'île était pratiquement déserte ; elle ne compte plus qu'une centaine d'habitants. Mais elle a encore ses monuments pour témoigner de son passé glorieux, et il y règne une certaine magie.

Transports. On s'y rend par le vaporetto 12, qui démarre aux Fondamenta Nuove (45 mn).

• Points d'intéret

Santa Maria Assunta. Une cathédrale byzantine datant de 641, refaite en grande partie en 1008. L'intérieur, d'une grande solennité, est divisé en trois ailes par des colonnes grecques en marbre ; la façade est revêtue d'une splendide mosaïque représentant le Jugement Dernier.

Santa Fosca. Edifiée au XIe siècle, l'église a une configuration octogonale, avec un portique s'appuyant sur des chapiteaux byzantins.

Burano

La plus gaie des îles de la lagune et aussi la plus peuplée. Ses maisons aux couleurs vives lui confèrent un aspect théâtral. Au XVIe siècle déjà, l'île produisait les plus belles dentelles d'Europe ; en 1566, le roi Philippe II d'Espagne commanda aux artisans de Burano le trousseau de Marie Tudor.

Aujourd'hui, la plus grande partie des travaux de broderie et de crochet vendus bon marché proviennent en réalité de Hong-Kong.

Transports. Les bateaux qui partent de la rive de San Martino vont à San Francesco del Deserto, une île silencieuse et couverte de cyprès, où se trouve le cloître d'un monastère franciscain du XIIIe siècle.

S'y rendre par le vaporetto 12, que l'on prendra aux Fondamenta Nuove (35 mn).

La Scuola dei Merletti. Piazza B. Galuppi. Cette «école de la dentelle» est ouverte du mercredi au lundi, de 9 h à 18 h ; fermée le lundi.

Murano

S'étendant sur cinq îles, Murano est divisé en deux par son «petit» Grand Canal. Murano est connu pour ses verreries depuis qu'en 1291 tous les fourneaux installés dans Venise ont été fermés en raison des risques d'incendie. Au XVIe siècle, l'île possédait 37 fabriques de verre et abritait 30 000 habitants. C'était une industrie hautement spécialisée dont les secrets de fabrication étaient jalousement gardés. Aujourd'hui, les techniques employées à Murano ne sont plus un secret, mais peu d'artisans en dehors des Vénitiens font preuve d'un meilleur savoir-faire.

Transports. On s'y rend par le vaporetto 5 ou 12, à partir des Fondamenta Nuove (10 mn).

Museo Vetrario Antico. Fondamenta Giustinian, 8 ✆ 73 95 86. *Ouvert de 10 h à 17 h. Fermé le mercredi.* Ce musée conserve la plus grande collection de verre vénitien au monde, soit 4 000 pièces du XVe siècle à nos jours. L'objet le plus ancien (1437 environ) est une coupe de mariage en verre bleu, décorée par Angelo Barovier.

Pellestrina

L'île est une étroite et longue langue de terre qui ferme la lagune en s'intercalant entre le Lido et Chioggia. Vers le large, les fameux *murazzi* la protègent des marées. A l'intérieur, quelques centaines d'habitants, pour la plupart des pêcheurs, vivent dans deux villages aux belles maisons colorées. Peu de touristes, beaucoup d'atmosphère.

On s'y rend par le vaporetto qui va de Venise au Lido, puis par l'autobus qui va à Alberoni et, enfin, le *traghetto* pour Pellestrina.

Chioggia

Traditionnellement tournée vers la mer, Chioggia offre avant tout une tranche de vie italienne. Mais il n'y a pas que ses habitants qui font son charme, la ville compte également son lot de vieilles pierres, harmonieusement dispersées autour du canal. Ce n'est pas Venise, mais la balade est bien agréable.

PADOUE

Au centre de la plaine vénitienne, Padoue s'enorgueillit de ses origines très anciennes. De simple village de pêcheurs, elle devint, au IVe siècle av. J.-C., le centre d'activités le plus important des Vénètes. Alliée aux Romains, la ville connut, sous Auguste, une grande prospérité économique, mise à mal par les Lombards en 602. Au début du XIIe siècle, Padoue était une commune libre et, sous le gouvernement de Carrara, elle touchait à l'apogée de sa puissance politique et territoriale. L'université fut fondée en 1222. Le remarquable essor culturel et artistique de la ville était dû à la présence de maîtres et de disciples prestigieux, comme Giotto, Pétrarque et Dante.

En 1405, Padoue passa sous le contrôle de Venise. Donatello et Mantegna participèrent au renouvellement urbanistique, qui se poursuivit tout au long du XVIe siècle.

TRANSPORTS

Gare ✆ 87 51 800. *Vente des billets tous les jours, de 7 h 20 à 19 h.* Consigne ouverte de 5 h du matin à 1 h 30.

Toutes les 30 minutes, des trains réguliers relient Padoue à Venise. Durée du trajet : 30 minutes.

Bus ATP. Terminal Via Trieste, 40.

Europcar. Piazza Stazione, 6 ✆ 87 58 590.

PRATIQUE

Indicatif téléphonique : 049.

Offices du tourisme

Museo Civico ✆ 87 50 655. Ouvert du mardi au dimanche de 9 h à 19 h.

A la gare ✆ 87 52 077. Ouvert de 9 h à 17 h 30 et le dimanche de 9 h à 12 h.

Poste. Corso Garibaldi, 33. Ouverte du lundi au samedi de 8 h 15 à 19 h.

Téléphones. Corso Garibaldi, 31. Ouvert 24 h/24.

HEBERGEMENT

Confort ou charme

Hôtel Igea. Via Ospedale Civile, 87 ✆ 87 50 577 - Fax 66 08 65. *105 000/155 000 L.* 49 chambres avec téléphone, télévision, climatisation. Accès handicapés, parking. American Express, Visa, Diner's Club. Un hôtel situé en face de l'hôpital civil, donc pas très éloigné du centre historique. Confortable.

Hôtel Al Cason. Via Frà Paolo Sarpi, 40 ✆ 66 26 36 - Fax 87 54 217. *110 000/140 000 L.* 48 chambres avec téléphone, télévision, climatisation. Garages. Interdit aux animaux. American Express, Visa, Diner's Club. Proche de la gare. Ameublement simple mais confortable.

Hôtel Leon Bianco. Piazzetta Pedrocchi, 12 ✆ 65 72 25 - Fax 87 56 184. *155 000/ 165 000 L.* 22 chambres avec téléphone, télévision, climatisation, réfrigérateur. Garages. American Express, Visa, Diner's Club. Correct et accueillant, en plein centre de Padoue.

Hôtel Donatello. Via del Santo, 102 ✆ 87 50 634 - Fax 87 50 829. *165 000/260 000 L.* Fermé de la mi-décembre à la mi-janvier. 49 chambres avec téléphone, télévision, climatisation, réfrigérateur. Garages, restaurant. American Express, Visa, Diner's Club. Dans le centre, en face de la basilique Saint-Antoine. Sa terrasse panoramique fait office de restaurant.

Hôtel Majestic Toscanelli. Via dell'Arco, 2 ✆ 66 32 44 - Fax 87 60 025. *195 000/295 000 L.* 32 chambres avec téléphone, télévision, climatisation, réfrigérateur. Garage. Interdit aux animaux de grosse taille. American Express, Visa, Diner's Club. Dans le centre, sur une petite place tranquille du XIXe siècle, avec une touche de quelque chose en plus.

Camping

Camping Sporting Center. Via Roma, 123/125, Montegrotto Terme, à 10 km de Padoue ✆ 79 34 00 - Fax 81 11 52. *Ouvert de mars à octobre.* Piscine, tennis, discothèque. Un peu cher.

Auberge de jeunesse

Auberge de jeunesse Rocca degli Alberi. Castello degli Alberi, Montagnana ✆ 049 81 076 (049 65 01 24). *Environ 20 000 L. Ouverte du 1er avril au 15 octobre de 7 h à 10 h et de 15 h à 23 h.* 48 lits. Un ancien château du XIVe, dans un site enchanteur, à proximité de la gare de Montagnana.

Agriturismo

Agriturismo Villa Serena. A Pava Via Nogia, 28, Vigonovo ✆ 049 98 30 957. *Chambres 70 000 L, pension 65 000 L. Fermé en juillet.* A 15 kilomètres de Padoue. Belle villa près de la rivière de Brenta. Ambiance détendue et sympathique. Terrain pour caravanes et camping. Balades dans les alentours, à cheval ou à vélo.

Ostello Città di Padova. Via A. Aleardi, 30 ✆ 87 52 219 - Fax 65 42 10. *Auberge de jeunesse ouverte du 1er février au 14 décembre.* 112 lits à *20 000 L,* petit-déjeuner inclus. *Réception ouverte de 7 h à 10 h et de 14 h 30 à 23 h, les samedis et dimanches de 7 h à 9 h 30 et de 17 h à 23 h.* Parking. A deux kilomètres de la gare.

■ RESTAURANTS

Self-service Brek. Piazza Cavour, 9. *Environ 15 000 L. Fermé le mercredi.* Economique et pratique, entre le self et le traiteur.

Restaurant Al Pero. Via Santa Lucia, 72 ✆ 36 561. *Environ 25 000 L. Fermé le dimanche.* Ambiance très sympathique et cuisine copieuse et savoureuse. On en redemande !

Restaurant-pizzeria La Ruota. Piazza Mazzini, 10 ✆ 66 46 79. *Compter 35 000 L.* Situé dans un quartier tranquille, il propose une cuisine macrobiotique et des produits biologiques. Parmi les différents plats, citons la pizza «al piatto integrale» et la grillade de légumes au riz complet.

Restaurant El Toulà. Via Belle Parti, 11 ✆ 87 51 822. *65 000/80 000 L. Fermé le dimanche, le lundi soir, et en août.* Installé dans un beau palais du XVIe siècle (près de la Piazza dei Signori), cet élégant restaurant propose crêpes au saumon, spaghetti au homard, filet de veau aux truffes et cèpes à volonté.

Restaurant Antico Brolo. Corso Milano, 22 ✆ 65 60 88. *65 000/105 000 L. Fermé le dimanche et du 8 au 28 août.* Réservation obligatoire. 55 couverts. Climatisation. American Express, Visa, Diner's Club. Bonne cuisine et jardin pour l'été.

Faites-nous part de vos coups de cœur

MANIFESTATIONS

Le troisième dimanche de chaque mois : brocante dans le Prato della Valle.

Les initiatives culturelles sont nombreuses. S'informer auprès de **l'Assessorato alla Cultura e ai Beni culturali di Padova : Galleria Pedrocchi, 11 ✆ 82 05 005.**

Juillet : Cinema Città Estate. Festival de cinéma dans l'Arena Romana.

Le 8 février : Festa della Matricola. C'est le premier avril des étudiants et des professeurs qui, vêtus d'anciens costumes universitaires, passent la journée à essayer de se jouer des tours.

13 juin : procession en l'honneur de saint Antoine, mort un 13 juin.

POINTS D'INTERET

La municipalité a mis au point un **billet unique donnant accès aux monuments et aux musées de la ville** : Palazzo della Regione, Battistero del Duomo, Jardin botanique, Oratorio di San Giorgio, Museo Civico Eremitani et Cappella degli Scrovegni. **Pour connaître les horaires des visites ✆ 87 52 077.**

Arena. Piazza Eremitani. Cet amphithéâtre romain fut construit en 60 après J.-C.

Orto Botanico. Via Orto Botanico, 15 ✆ 65 66 14. Fondé en 1945 sous l'appellation *Orto dei Semplici* de la Faculté de médecine, c'est le plus ancien Jardin botanique d'Europe. Outre les différentes variétés de plantes rares, le jardin abrite l'ancienne bibliothèque ainsi que les collections de botanique de l'université, dont le célèbre Herbarium Patavinum.

Chiesa degli Eremitani, Piazza Eremitani, 9. Commencée en 1276, cette église fut achevée en 1306 par le frère Giovanni Eremitani, à qui l'on doit le plafond en bois et le portique angulaire à l'extérieur. L'intérieur, à une seule nef, est riche en fresques du XIVe siècle, telle que l'Assunta (l'Assomption) d'Andrea Mantegna. Malheureusement, ces fresques furent endommagées pendant la Seconde Guerre mondiale.

Duomo et Battistero. Piazza Duomo. Construite entre le XVIe et le XVIIIe siècle, la sacristie des Chanoines (Sagrestia dei Canonici) possède un riche trésor.

Basilica del Santo (Sant'Antonio, patron de la ville). Piazza del Santo. Erigée au XIIIe siècle, cette imposante construction à huit coupoles est de style gothico-roman. Elle est ornée de fresques du XIVe siècle ; les sculptures et les bas-reliefs en bronze du maître autel sont l'œuvre de Donatello.

Elle abrite le tombeau de saint Antoine (situé à gauche en regardant l'autel), que de nombreux pèlerins viennent prier, en particulier lorsqu'ils ont perdu quelque chose. Sur la place, on peut admirer la superbe statue équestre en bronze, Gattamelata, de Donatello.

Oratorio di San Giorgio. Piazza del Santo. Construite en 1377, la chapelle privée conserve l'une des plus grandes séries de fresques du XIVe siècle. Elles ont été réalisées par Altichiero da Zevio.

Scuola del Santo. Piazza del Santo. Edifiée en 1427 pour la confraternité de Saint-Antoine, l'école fut agrandie au début du XVIe siècle. La salle capitulaire du haut présente une série de 18 fresques décrivant les miracles du saint. Différents peintres, dont Titien, y ont collaboré.

Cappella degli Scrovegni. Corso Garibaldi (entrée par le Museo Civico). *Ouverte de 9 h à 19 h et de 9 h à 18 h en hiver. Fermée le lundi.* Elle peut s'enorgueillir de posséder la série de fresques la plus complète réalisée par Giotto. Celles-ci ont été récemment rendues à leur splendeur originelle grâce au travail de restauration de l'Istituto Centrale per il Restauro. Les trente-six panneaux racontent l'histoire de Marie et de Jésus jusqu'à la Rédemption et au Jugement dernier. Les fresques sont recouvertes d'une mince pellicule protectrice et éclairées par une lumière froide. Un système spécial d'air conditionné les protège des poussières et autres particules.

Palazzo Centrale dell' Università degli Studi. Via VIII Febbraio, 2. Cet imposant ensemble de bâtiments, construit entre 1542 et 1601, conserve une riche collection d'armoiries, de reliques, d'œuvres d'art anciennes et modernes. On notera la cour d'époque et les salles académiques. Sans oublier le Théâtre anatomique (1594), dû à G. Fabrici d'Acquapendente, et la Sala dei Quaranta, où est conservée la chaire du savant Galilée.

Palazzo del Comune. Via VIII Febbraio. Un ensemble d'édifices, dont le Palazzo del Podestà, érigé en 1281 et reconstruit par Andrea Moroni dans un style Renaissance. Le Palazzo degli Anziani et le Palazzo del Consiglio datent tous deux du XIIIe siècle.

Palazzo della Regione. Piazza delle Erbe. La toiture de ce palais, construit en 1218, a la forme d'une carène de navire. L'étage supérieur est constitué d'une unique salle entièrement peinte de sujets astrologiques et religieux. Dans les galeries et sous les arcades du rez-de-chaussée, se trouve le plus ancien centre commercial d'Europe, comprenant à l'heure actuelle une cinquantaine de magasins.

Palazzo del Capitano. Piazza dei Signori. Bâtiment de la fin du XVIe siècle. Au centre, l'arc de triomphe dominé par la tour et l'horloge du XIVe siècle (indiquant la position des astres) de Giovanni Dondi.

Loggia della Gran Guardia et Odeo Cornaro. Via Cesarotti. La loggia servait d'élément scénique au théâtre en plein air où se produisait le fameux acteur-auteur dramatique Ruzante. Les auditions musicales avaient lieu à l'Odéon. Les œuvres et les décors Renaissance sont magnifiques.

Caffè Pedrocchi. Piazzetta Pedrocchi ✆ 87 52 020. Un lieu historique parmi les plus fameux d'Europe. De style néoclassique, avec un caprice gothique de Giuseppe Jappelli, ce café comporte différentes salles restaurées depuis peu. La salle *Egizia*, réalisée entre 1831 et 1842, ressemble à l'intérieur d'un temple égyptien. C'était un hommage à l'explorateur égyptologue Giovan Battista Belzoni.

Prato della Valle. Une grande île verte de forme elliptique, traversée par quatre avenues qui sont elles-mêmes dans le prolongement de quatre ponts. L'île est entourée par un canal dont les rives sont ponctuées de 78 statues d'hommes illustres.

Basilica di Santa Giustina. Sur l'île de la Valle. Couronnée par huit coupoles, elle a été construite au XVIe siècle sur un ancien lieu de culte. Il reste des traces de la basilique paléochrétienne et de l'église médiévale.

Santa Sofia. Via Santa Sofia, à l'angle de la Via Altinate. L'église Sainte-Sophie, qui conserve sa structure originelle, est un exemple unique d'architecture du haut Moyen Age.

Musées

Museo Civico. Convento degli Eremitani, Piazza degli Eremitani ✆ 87 51 153. Plusieurs sections : le lapidaire, avec des inscriptions, des arches, des blasons, des chapiteaux d'époque romane et Renaissance ; le Musée archéologique, qui présente ses salles égyptiennes, paléovénitiennes et romanes ; le musée Bottacin, qui rassemble des collections numismatiques ; la galerie Emo Capodilista, où sont conservées des peintures vénitiennes et flamandes du XVe au XVIIIe siècle ; la Pinacoteca, qui expose des peintures de Bellini, Titien, Tintoret, Véronèse, Romanino, et la célèbre Crucifixion de Giotto.

Museo Antoniano. Piazza del Santo ✆ 66 39 44. *Ouvert de 9 h à 19 h d'avril à octobre et de 9 h à 18 h le reste de l'année.* Ce musée présente des peintures, des sculptures et des enluminures du XIVe au XVIIIe siècle, dont quelques-unes originales de Donatello. Une section est consacrée aux témoignages de dévotion que l'on porte à saint Antoine en Italie et dans le monde.

Museo Diocesano d'Arte Sacra. Derrière le Duomo, au n° 15 ✆ 42 060. Les peintures, les sculptures et les manuscrits enluminés visibles dans ce musée proviennent d'églises détruites.

Museo di Geologia, Paleontologia et Mineralogia. Via Matteotti, 32 ✆ 65 60 10. Collection d'animaux fossiles vertébrés et invertébrés, de fossiles de forêts tropicales et de minéraux du monde entier.

Museo di Macchine. Via Venezia ✆ 80 71 170. Fondé en hommage à un pionnier de l'automobile italien, Enrico Bernardi, et inauguré en 1941, ce musée expose les premiers prototypes de véhicules à moteur.

Balade

Un des itinéraires possibles est celui qui longe les murs d'enceinte médiévaux et Renaissance, les premiers construits à partir de 1195 pour délimiter l'ancien «îlot» romain, les seconds érigés dans la première moitié du XVIe siècle. Au départ de la place Garibaldi, on suit, pendant 12 kilomètres, le parcours du Piovego entre les murailles et les bastions qui faisaient de Padoue une ville imprenable.

Le Burchiello est un élégant bateau qui, d'avril à octobre, remonte la Brenta en cabotant le long des rives, passant d'une villa palladienne à l'autre. Son nom est emprunté à une ancienne embarcation à rames qui, au XVIIIe siècle, reliait quotidiennement Padoue à Venise. Les départs de Padoue se font en général les mercredis, vendredis et dimanches à 8 h 10. Le prix du billet, relativement cher, inclut le repas de midi et le retour en autocar à la ville de départ. La croisière peut être réservée sur place ou dans les agences de voyages partout en Italie.

Le soir, vous n'aurez aucun mal à trouver un bar divertissant dans le quartier de l'université, Padoue étant réputée pour sa vie estudiantine et (pour peu que l'on ait un peu étudié son comportement) nocturne. Nous vous recommandons tout de même le Lucifer Young, et sa décoration aussi délirante... qu'infernale ! (Via Altinate, 89 ; fermé le mercredi.)

VERONE

Il n'est pas de voyageur étranger, dans les siècles passés, qui ne se soit arrêté à Vérone lors de son voyage en Italie. Aujourd'hui encore, Vérone est une des villes italiennes les plus visitées. D'abord parce qu'on y retrouve tous les éléments fondamentaux de la culture italienne, avec les différentes influences à partir desquelles elle s'est constituée, et ce depuis l'époque romaine où elle contrôlait la majeure partie de l'espace padan et alpin. Ses origines remontent à la Préhistoire, lorsqu'elle n'était qu'un passage à gué sur la voie du sel et de l'ambre qui allait de l'Adriatique à l'Allemagne. Les monuments romains (l'Arena, le théâtre romain, un arc et deux portes) trouvent une continuation heureuse dans les monuments du Moyen Age, les fameuses églises romanes et les édifices gothiques. La ville doit son empreinte Renaissance en grande partie à l'architecte véronais Sanmicheli. Vérone a de belles places (Piazza dei Signori, avec la loggia Renaissance de Frà Giocondo, la Piazza delle Erbe, la plus pittoresque, celle qui incarne le mieux le centralisme de la cité romaine, et la Piazza Brà, large comme le Liston, la promenade où s'extériorise la sociabilité urbaine de Vérone), de belles rues aussi, comme celle des palais nobiliaires sur le Corso Cavour ou celle du passage élégant Via Mazzini. Vérone est située sur un axe douanier et commercial important, entre le nord et le sud de l'Italie et entre l'est et l'ouest de l'Europe. Le revenu par habitant y est un des plus hauts d'Italie.

■ TRANSPORTS

Gare. Piazza XXV Aprile. Renseignements ✆ 59 06 88, *de 7 h à 21 h.* Consigne 24 h/24.

Bus APT. Terminal Piazza XXV Aprile ✆ 80 04 129. Vente des billets tous les jours de 6 h à 20 h 30.

Location de voitures. Hertz ✆ 80 00 832.

■ PRATIQUE

Indicatif téléphonique : 045.

Offices du tourisme

Piazza Erbe, 38 ✆ 80 00 065 - Fax 80 10 682.

A la gare ✆ 80 00 08 61. *Bureau ouvert du lundi au samedi de 9 h à 18 h.*

Consulat de France. Via Caserna Ospital Vecchio, 6 *✆ 59 2 0 24.*

Poste. Piazza Vivani. *Ouverte du lundi au vendredi de 8 h 15 à 19 h,* le samedi de 8 h à 14 h.

Téléphone public. SIP Telecom. Via Leoncino, 55. Ouvert tous les jours de 8 h à 22 h.

Banque. Cassa di Risparmio. Piazza Brà. *Ouverte du lundi au vendredi de 8 h 20 à 13 h 20 et de 14 h 35 à 16 h. Possibilité de change.*

■ HEBERGEMENT

Confort ou charme

Hôtel Torcolo. Vicolo Listone, 3 ✆ 80 07 512 - Fax 80 04 058. *120 000/170 000 L. Fermé en janvier.* 19 chambres avec téléphone, télévision, climatisation. Garages. Hôtel accueillant près de l'Arena. Chambres au mobilier ancien.

Albergo Aurora. Piazza delle Erbe ✆ 59 47 34 - Fax 80 10 860. *180 000/200 000 L.* 19 chambres avec téléphone, télévision, climatisation. American Express, Visa, Diner's Club. C'est le meilleur hôtel de Vérone, aussi bien pour ses prix que pour le sourire de Madame Rossi et pour la bonne tenue des chambres qui ne manquent pas de charme. Tout cela sur la place la plus sympathique de Vérone. Que demander de plus ?

Grand Hôtel. Corso Porta Nuova, 105 © 59 56 00 - Fax 59 63 85. *190 000/300 000 L.* 62 chambres avec téléphone, télévision, climatisation, réfrigérateur. Jardin, garages. Interdit aux animaux. American Express, Visa, Diner's Club. Une élégante bâtisse de style Liberty, avec un beau jardin et une fontaine.

Hôtel Due Torri Baglioni. Piazza Sant'Anastasia, 4 © 59 50 44 - Fax 80 04 130. *450 000/750 000 L.* 91 chambres avec téléphone, télévision, climatisation, réfrigérateur. Accès handicapés, garages, parking, restaurant. American Express, Visa, Diner's Club. Dans un hôtel du XVIIe siècle, de beaux salons meublés de différents styles, dont certains d'époque.

Hôtel Gabbia d'Oro. Corso Porta Borsari, 4/a © 80 03 060 - Fax 59 02 93. ***500 000/ 600 000 L.*** **27 chambres avec téléphone, télévision, climatisation, réfrigérateur. Garages. American Express, Visa, Diner's Club.** Une juste dose de charme et de luxe pour ce petit hôtel raffiné. Très cher, mais cela est entièrement justifié.

Agriturismo

Foresteria Serego Alighieri. A Garagagnano di Valpolicella (20 km de Vérone) © 77 03 622 - Fax 77 03 523. *200 000/500 000 L par personne pour une nuit.* Fermé en janvier. 8 appartements avec téléphone, télévision, climatisation, réfrigérateur. Parking. American Express, Visa, Diner's Club. Une adresse exceptionnelle au milieu de la campagne vénitienne.

Agriturismo Coop. Agricola, 8, Marzo-Ca'Verde. Località Ca'Verde, Sant'Ambrògio di Valpolicella © 045/68 61 760. *Chambres 85 000 L. Ouvert de mars à décembre.* Grande ferme du XVIe siècle, ambiance paysanne et sympathique. Cuisine et vins maison. Excursions guidées à cheval ou à pied.

Auberges de jeunesse

Auberge de jeunesse. Villa Francescati, Salita Fontana del Ferro, 15 © 59 03 60 - Fax 80 09 127. *120 lits à 20 000 L, petit déjeuner inclus. Ouverte de 7 h à 23 h.* Restaurant, laverie automatique, parc. Une vieille villa entourée d'un beau jardin, à 3 km de la gare de Porta Nuova (bus à 200 m).

Casa della Giovane. Via Pigna, 7 (2e étage) ✆ 59 68 80. *Environ 40 000 L. Ferme à 23 h.* Réservé aux filles. Sympathique.

Camping

Camping Romeo e Giulietta. Via Bresciana, 54 ✆ 85 10 243. *Fermé de décembre à février. Réception de 8 h à 23 h.*

Camping Castel San Pietro. Strada Torricelli ✆ 59 20 37. *Ouvert d'avril à octobre.* Très beau site.

RESTAURANTS

Restaurant Nuovo Marconi. Via Fogge, 4 ✆ 59 19 10 - Fax 59 52 95. *70 000 L. Fermé le dimanche et en juillet.* Réservation obligatoire. 90 couverts. Climatisation. American Express, Visa, Diner's Club. Une bonne adresse qui mêle subtilement élégance et convivialité.

Restaurant Re Teodorico. Piazzale Castel San Pietro ✆ 83 49 990. *70 000/100 000 L. Fermé le mercredi et en janvier.* 120 couverts. Jardin. American Express, Visa, Diner's Club. Perché sur une colline, un restaurant dont la terrasse domine toute la ville.

Restaurant Bottega del Vino. Via Scudo di Francia, 3 ✆ 80 04 535. *65 000/105 000 L. Fermé le mardi.* Réservation obligatoire. 50/80 couverts. Climatisation. American Express, Visa, Diner's Club. Ambiance vraiment très sympathique, le bon vin aidant...

Restaurant 12 Apostoli. Vicolo Corticella San Marco, 3 ✆ 59 69 99. *95 000/140 000 L. Fermé le dimanche soir, le lundi, du 2 au 8 janvier, et à la fin juin.* Réservation obligatoire. 80 couverts. Climatisation. American Express, Visa, Diner's Club. Un des restaurants les plus connus à Vérone pour sa bonne ambiance et l'excellente cuisine de Giorgio et Franco Gioco.

Restaurant Arche. Via Arche Scaligere, 6 ✆ 80 07 415. *80 000/115 000 L. Fermé le dimanche, le lundi à midi et en janvier.* Réservation obligatoire. 60 couverts. Climatisation. American Express, Visa, Diner's Club. Situé en plein centre, un établissement aux deux salles stylées et au mobilier Liberty. Les plats sont essentiellement à base de poisson : salade aux moules et à la truffe noire, saint-pierre aux cèpes, daurade aux courgettes, ravioli au bar accompagnés de vraies clovisses et de coquilles Saint-Jacques.

Restaurant Il Desco. Via Dietro San Sebastiano, 7 ✆ 59 53 58. *100 000/155 000 L. Fermé le dimanche, à Noël, et de Pâques à juin.* Réservation obligatoire. 50 couverts. Climatisation. American Express, Visa, Diner's Club. Dans un ancien palais du XVe siècle du centre historique de Vérone, une cuisine raffinée et une excellente carte des vins.

MANIFESTATIONS

En hiver : Exposition internationale de la crèche à travers les arts et les coutumes.

Du 10 au 13 décembre : Fête du jouet, Piazza Brà, à l'occasion du jour de Santa Lucia.

En février : Carnaval de Vérone, avec un défilé-concours de chars à travers toute la ville et dégustation des fameux gnocchi véronais.

POINTS D'INTERET

Arènes. Piazza Brà ✆ 80 03 204. *Visites tous les matins, sauf le lundi, de 9 h à 13 h.* Construit au Ier siècle après J.-C., cet amphithéâtre romain est le mieux conservé de toute l'Italie. A l'époque, il pouvait accueillir 30 000 personnes. On y donne des spectacles lyriques en été.

Piazza Brà. Constituant le centre de la ville, cette place aux nombreux cafés est délimitée par des portails, la tour du XIIIe siècle, le palais Gran Guardia du XVIIe siècle et les murailles communales d'Ezzeline.

Piazza delle Erbe. De la Piazza Brà, on y accède par la Via Mazzini, une des principales rues commerçantes de la ville. Depuis des siècles se tient sur cette place un marché coloré, qui rend plus pittoresque encore le cadre architectural des maisons du XIVe siècle et des palais Renaissance. Au centre, se dressent la Colonna del Mercato (la colonne du marché) - la *berlina* (pilori) à laquelle on attachait autrefois les détenus pour les lapider avec... des fruits -, la fontaine de Madonna Verona (1368) et la Colonna di San Marco.

Piazza Signori. On y trouve le Palazzo del Comune, construit au XIIe siècle, qui conserve une cour à portique romain et un bel escalier extérieur gothisant, ainsi que la Torre del Lamberti *(ouverte du mercredi au vendredi de 9 h 30 à 13 h 30 et le samedi de 9 h 30 à 18 h. L'été, tous les jours, sauf le lundi, de 8 h à 18 h 45).* Haute de 84 m, elle appartient au Palazzo del Comune, et vous pouvez imaginer la vue que l'on a de là-haut...

Arche Scaligere. Via A. Scaligere. *Fermé pour restauration.* Placés sur une esplanade suggestive, ces tombeaux évoquent les temps médiévaux de la seigneurie des Della Scala.

Sant'Anastasia. Corso Sant'Anastasia. Ouverte de 7 h à 12 h et de 16 h à 19 h. Gothique, grandiose, l'église a un double portail et un haut campanile en terre cuite. L'intérieur est décoré en partie par Pisanello.

Il Duomo. Piazza Duomo. De style romano-gothique. A l'intérieur, une Assomption de Titien.

Ponte Pietra. Pont d'origine romaine reconstruit après la Seconde Guerre mondiale.

Porta dei Borsari. Corso di Porta Borsari. Le nom tire son origine des Bursarii, qui, dans la Vérone romaine, étaient préposés au recouvrement des impôts.

Castelvecchio. Il s'agit du château fortifié de la famille Scalinger, imposant édifice en brique datant du Moyen Age et reconstruit après avoir été partiellement détruit au cours de la Seconde Guerre mondiale.

Vérone

Eglise San Zeno. Piazza San Zeno. *Ouverte de 9 h à 12 h 30 et de 15 h 30 à 18 h.* Voici l'un des plus grands chefs-d'œuvre de l'architecture romane. Sa façade est couleur ivoire, sa porte est faite de panneaux en bronze. L'intérieur, à trois nefs, comprend un presbytère surélevé, une crypte et un plafond à carène. On y admirera les statues et d'autres œuvres d'Andrea Mantegna.

Palazzo Giusti. Via Giardini Giusti. En partant de la Piazza Indipendenza, prendre le Ponte Nuovo, puis la Via Carducci. C'est un édifice du XVIe siècle dont la terrasse belvédère donne sur un jardin à l'italienne et sur une allée de cyprès.

Casa di Giuletta. Via Cappello, 23 ✆ 80 34 303. *Ouverte de 7 h 30 à 18 h 15 et de 7 h 30 à 18 h 45 en été. Fermée le lundi.* Pour voir le défilé incessant de crapauds morts d'amour devant le célèbre balcon de Roméo et Juliette. Mais était-ce vraiment ce balcon-là ?

Voir aussi **la tombe de Juliette**, avec quelques vestiges de fresques, **Via Pontiere** ; *ouverte tous les jours, sauf le lundi, de 8 h à 18 h 45.*

Museo di Castelvecchio. Via Castelvecchio, 2 ✆ 59 47 34. *Ouvert de 8 h à 19 h. Fermé le lundi.* Beau panorama de l'art vénitien du XIVe au XVIIIe siècle et, en particulier, de l'école véronaise. Pisanello, Mantegna, Tintoret et Tiepolo trouvent naturellement leur place dans ce musée.

Balade

Attention à la fermeture du centre historique : la circulation est interdite dans la zone piétonne (Via Mazzini, Via Cappello, Corso Porta Borsari et Via Roma) ainsi que dans l'anse de l'Adige, *entre 7 h et 10 h et entre 13 h 30 et 16 h 30.*

A découvrir, **le passage public «Liston»**, pour son animation, ses belles maisons et ses palais à arcades. Pour voir Vérone et les sinuosités de son fleuve, il faut monter sur les collines de San Pietro : une terrasse au-dessus de la ville.

SHOPPING

Marchés

Mardi : Piazza Pozza. *Mercredi :* Largo Marzabotto. *Jeudi :* Via Villafranca. *Vendredi :* Piazza degli Arditi. *Samedi :* Piazzale Olimpia.

Marché de l'artisanat, de l'art et des antiquités : Piazza San Zeno, *le troisième samedi de chaque mois.*

VICENZA

Paléovénète à l'origine, la ville devint municipe romain en 49 av. J.-C. et subit, comme les autres cités vénètes, les invasions successives des Ostrogoths, des Visigoths et des Lombards. Commune libre en 1164, elle fut ensuite soumise à Padoue, à Vérone et à Milan, jusqu'à l'acte de réédition à Venise en 1404. C'est sous la Serenissima que la ville a acquis sa physionomie, unique entre toutes, qui lui a valu d'être surnommée «Venise de la terre ferme».

Au pied des monts Berici, au confluent de la Retrone et de la Bacchiglione, Vicenza est universellement connue comme étant la ville d'Andrea Palladio. Cet architecte génial dut sa fortune au comte Gian Giorgio Trissino, diplomate, homme de lettres, architecte dilettante, qui fit étudier le talentueux tailleur de pierre. Au moins sept de ses palais, construits pour des nobles vicentins, sont visibles au cœur de la ville dans un rayon de 700 mètres. Toutes ces réalisations, bien que pauvres dans le choix de matériaux, sont très imaginatives dans la composition architecturale. Voir le Teatro Olimpico, commande de l'Accademia degli Olimpici, dont Palladio dessina les plans, et deux autres édifices publics, la Loggia del Capitano (inachevée) et la basilique.

Enfin, dans les collines, juste à la sortie de la ville, on trouvera, sur une hauteur, le modèle le plus célèbre des villas : la Rotonda. Goethe, comblé par cette architecture, notait: «Il y a réellement quelque chose de divin dans ses plans, la force d'un grand poète ni plus ni moins.»

TRANSPORTS

Gare © 32 50 45. *Consigne ouverte tous les jours de 7 h à 21 h.*

Bus FTV. Viale Milano, 7 © 22 31 15. *Bureau ouvert de 7 h à 20 h.*

Location de voitures. Avis. Viale Milano, 88 © 32 16 22 - Fax 32 62 61.

Poste. Contrà Garibaldi © 32 24 88. Ouverte du lundi au samedi de 8 h à 19 h.

Telecom SIP. Piazza Giuseppe Giusti, 8 © 99 01 11. Ouvert tous les jours de 8 h à 22 h.

PRATIQUE

Indicatif téléphonique : 0444.

Office du tourisme. Piazza Matteotti, 12 © 32 08 54. *Ouvert du lundi au samedi de 9 h à 13 h et de 14 h 30 à 18 h. Fermé le dimanche après-midi.*

HEBERGEMENT - RESTAURANTS

Albergo Due Mori. Contrà de Rode, 26 © 32 18 86 - Fax 32 61 27. *65 000/75 000 L environ. Fermé le mercredi.* Réservation conseillée. Très bon rapport qualité-prix. Dans le centre.

Hôtel Vicenza. Stradella dei Nodari © 32 15 12. *60 000/80 000 L.* Chambres impeccables dans un hôtel récemment rénové, situé à deux pas de la Piazza dei Signori.

Hôtel Campo Marzio. Viale Roma, 21 © 54 57 00 - Fax 32 04 95. *262 000/382 000 L.* 35 chambres avec téléphone, télévision, climatisation, réfrigérateur. Parking. American Express, Visa, Diner's Club. Proche des espaces verts du Campo Marzio, un hôtel tout confort et qui ne manque pas de distinction.

Agriturismo

Agriturismo La Capreria. Località Montegalda, Via Carbonare © 63 41 25. *Chambres 40 000/60 000 L. Fermé de la mi-décembre à la mi-janvier.* Ferme rénovée, paisible et accueillante, dans un cadre serein à découvrir sous le soleil.

Restaurants

Self-service Righetti. Contrà Giuseppe Fontana, 6. *Environ 20 000 L. Fermé le samedi et le dimanche.* Terrasse, bar. Décor assez chaleureux, inhabituel pour un self-service. Bon marché.

Gran Caffè Garibaldi. Piazza dei Signori, 5 © 54 41 47. *35 000 L. Fermé le mardi soir, le mercredi et en novembre.* 130 couverts. Climatisation. American Express, Visa, Diner's Club. Au premier étage, on sert une cuisine régionale, au rez-de-chaussée, on grignote des en-cas. Belle vue sur la basilique palladienne.

Allo Scudo di Francia. Contrà Piancoli, 4 © 32 33 22. *50 000 L. Fermé le dimanche soir, le lundi et en août.* 180 couverts. Jardin, climatisation. American Express, Visa, Diner's Club. Le cadre est celui d'un petit palais gothique du XVe siècle, rénové. Dans des salons à plafonds hauts, on mangera des ravioli farcis à la courge, des beignets chauds au jambon et truffes, de la morue alla vicentina.

Antica Trattoria Tre Visi. Contrà Porti, 6 © 32 48 68. *Compter 70 000 L. Fermé le dimanche soir et le lundi, et en juillet.* Réservation obligatoire. 100 couverts. Climatisation. American Express, Visa, Diner's Club. Dans un palais du XVe siècle, une grande et belle salle aménagée avec beaucoup de goût.

Restaurant Cinzia e Valerio. Piazzetta Porta Padova, 65 © 50 52 13. *55 000/85 000 L. Fermé le lundi, du 1er au 7 janvier et en août.* Réservation obligatoire. 30/50 couverts. Climatisation. American Express, Visa, Diner's Club. Dans un environnement antique, près de murailles en ruine, un restaurant agréable et bien pensé. On y sert seulement des plats de poisson.

Faites-nous part de vos coups de cœur

MANIFESTATIONS

Le 8 septembre : fête du saint patron de la ville.

Pendant l'été : des notes **en plein air**, avec **de la musique** dans les cloîtres, dans les jardins et sur les places.

Vicence offre à ses visiteurs mille façons de se divertir grâce aux initiatives culturelles, aux concerts, aux expositions et aux fêtes traditionnelles. Pour en savoir plus, il convient de se renseigner auprès de **Informagiovani, Contrà San Tomaso, 7 ✆ 32 08 40.**

Ce service, accessible à tout le monde, fournit des informations concernant la culture, le temps libre, les vacances, le sport et la vie des quartiers.

POINTS D'INTERET

Corso Andrea Palladio. Axe de la vie artistique et sociale de la ville, il va de la Piazza dei Signori au Teatro Olimpico. Au sud et au nord du Corso, les monuments sont bornés par les murs du haut Moyen Age, ceux des Della Scala, ainsi que par des rues relativement étroites appelées *contrà.*

Basilique palladienne. Piazza dei Signori. *Ouverte de 9 h 30 à 12 h et de 14 h 30 à 17 h. Fermée le dimanche après-midi, le lundi et les jours fériés.* Dans l'Antiquité, le terme basilique désignait un lieu public où les citoyens se réunissaient pour discuter des affaires de la cité. Celle dont il est question ici, englobe les édifices gothiques du XVe siècle qui existaient antérieurement, avec un double ordre de loggias - œuvre de Palladio, du XVIe siècle - et des arcs et des colonnes serliennes. Les loggias sont fermées par une balustrade ponctuée de statues d'où émerge l'immense carène en cuivre qui couvre le grand salon intérieur. Sur un côté de la basilique s'élance la Torre Bissara avec son horloge du XIVe siècle.

Palazzo Trissino-Baston. Corso Palladio. C'est aujourd'hui la mairie. Au second étage du palais, on pourra voir une splendide salle des stucs.

Palazzo Thiene. Contrà Porti. Commencé par Palladio entre 1552 et 1554, il aurait dû devenir la demeure la plus grandiose de la ville. L'intérieur comprend de belles pièces décorées, avec, à l'étage noble, la *Rotonda*, à la voûte à coupole et aux statues d'O. Marinali.

Palazzo Bonin-Longare. Corso Palladio. Encore un édifice attribué à Palladio. Sa façade donne sur la cour intérieure, spectaculaire ; au premier étage se trouve le grand salon, décoré par des artistes néoclassiques.

Palazzo da Schio, dit Ca' d'Oro. Corso Palladio. Construit au XIVe siècle, ce palais est un des meilleurs exemples d'architecture gothique de la ville.

Teatro Olimpico. Piazza Matteotti. *Ouvert de 9 h 30 à 12 h 20 et de 15 h à 17 h 30 l'été (l'hiver jusqu'à 16 h 30 seulement). Fermé le dimanche après-midi.* Commencé en 1580 par Palladio, en bois et en stuc, il matérialise une interprétation du théâtre antique d'après les études et les idées de l'humanisme classique ; la scène est fixe, et la perspective représente les sept rues de Thèbes. A ne manquer sous aucun prétexte.

Tempio di Santa Corona. Contrà Santa Corona, 2. Cette construction gothique comporte un grand autel marqueté de nacre et de marbre et un chœur en bois. Dans sa chapelle Valmarana del Palladio, on pourra voir, entre autres œuvres, l'Adoration des Mages de Véronèse et un Baptême du Christ de Bellini.

Chiesa dei Servi. Piazza Biade, 23. Sa façade est du XVIIIe siècle ; son intérieur, de style gothique, conserve un célèbre retable de B. Mantegna.

Casa di Antonio Pigafetta. Contrà Pigafetta. De style gothique vénitien, une bâtisse fleurie de véritables dentelles de marbre : c'est la maison natale du chroniqueur qui accompagna Magellan dans ses voyages. A côté du portail, on peut lire la devise du navigateur : «Il n'est rose sans espine.»

Museo Civico. Palazzo Chiericati, Piazza Matteotti ✆ 32 13 48. *Ouvert de 9 h 30 à 12 h et de 14 h 30 à 17 h. Fermé le dimanche après-midi et le lundi.* Le billet d'entrée est valable également pour visiter le Teatro Olimpico. Abrité dans un palais construit en 1551 par Palladio, le musée regroupe différentes collections paléontologiques et archéologiques. La pinacothèque est riche en peintures de la Vénétie du XIVe au XVIIIe siècle. Parmi les œuvres majeures exposées, on remarquera la Madone et les saints de Véronèse et le Temps découvrant la Vérité de Tiepolo.

Parc Querini. Dans un bois de robiniers et de platanes, avec une allée bordée de statues antiques, c'est le parc le plus séduisant et le plus grand de la ville. Un pont en bois conduit à une petite île couronnée d'un temple.

SHOPPING

Marché central. *Le mardi matin,* Piazza dei Signori. *Le jeudi matin,* Piazza Biade, Piazza dei Signori et Piazza Duomo.

Marché aux fruits et légumes. Dans le quartier Bertesinelle, *le samedi matin.*

Marché aux poissons. Viale Mercato Nuovo, *du lundi au samedi de 9 h 30 à 11 h 30.*

Marché aux antiquités. Corso Fogazzaro (de mai à décembre) et dans les galeries de la Basilica Palladiana *(de mars à septembre).*

Métiers de rue. Corso Fogazzaro, *en septembre.*

Foire du livre. Dans les galeries de la Basilica Palladiana, *en novembre.*

DANS LES ENVIRONS

Les villas palladiennes

Au XVe siècle, à l'époque où les habitants de Venise commençaient à vouloir s'évader à la campagne, les villas palladiennes se sont multipliées en Vénétie. Parmi les plus célèbres :

La villa Rotonda. Via Rotonda, 45, à 3 km au sud-est de Vicenza. Parc ouvert de la mi-mars à la mi-octobre, les mardis, mercredis et jeudis de 10 h à 12 h et de 15 h à 18 h. Villa ouverte uniquement les mercredi. Véritable chef-d'œuvre de Palladio, cette villa servit de décor au Don Giovanni de Losey. La beauté et l'harmonie de cette œuvre architecturale lui devront d'être copiée un peu partout dans le monde, et en particulier en Angleterre.

Voir aussi la villa Godi-Valmarana, la villa Piovene, la villa Thiene, et les villas dans les environs d'Asolo, dont la villa Emo (pour cette dernière, voir plus loin).

Bassano del Grappa

Célèbre pour son alcool et ses céramiques, la ville possède un agréable cœur historique, avec, au gré des rues, églises, palais et couvents. Les amateurs de musées auront le choix entre le Museo Civico et la Pinacoteca. Mais la principale curiosité de la ville est le Ponte dei Alpini, un pont couvert dont les origines remontent au XIIIe siècle (reconstruit au XVIIe).

Trévise - Porte san Tommaso

PROVINCE DE TREVISE

TREVISE

Traversée par deux fleuves, le Sile et la Botteniga, ainsi que par une myriade de canaux, la ville a une histoire fort ancienne, comme en témoignent la configuration urbaine romaine et les trésors architecturaux du Moyen Age et de la Renaissance. Trévise entra dans la république Sérénissime de Venise en 1384. Vers la même époque, les patriciens firent construire dans toute la région de luxueuses villas de campagne. Au moins 250 de ces monuments d'histoire ont traversé indemnes les siècles, échappant non seulement aux restructurations immobilières et urbanistiques, mais aux bombes des canons autrichiens lors du premier conflit mondial et à celles des Alliés pendant la dernière guerre. On pourra admirer ces maisons peintes, éparpillées dans la ville.

TRANSPORTS

Gare. Piazza Duca d'Aosta ✆ 54 13 52. Consigne ouverte tous les jours de 6 h à 20 h.

Bus. Terminal, Lungo Sile Mattei, 21 ✆ 57 73 11.

PRATIQUE

Indicatif téléphonique : 0422.

Office du tourisme. Palazzo Scotti, Via Toniolo, 41 ✆ 54 06 00/54 76 32 - Fax 54 13 97. *Ouvert du lundi au jeudi de 8 h 30 à 12 h 30 et de 15 h à 18 h,* le vendredi de 8 h 30 à 12 h.

Poste. Piazza Vittoria, 1 ✆ 56 53 254. Ouverte tous les jours de 8 h 15 à 19 h.

Telecom. Via Calmaggiore, 34. Ouvert du lundi au vendredi de 9 h à 12 h 30 et de 16 h à 19 h 30.

HEBERGEMENT

Confort ou charme

Hôtel Campeol. Piazza Ancillotto, 10 ✆ 56 601 - Fax 54 08 71. *85 000/125 000 L.* 14 chambres avec téléphone, télévision. Interdit aux animaux. American Express, Visa, Diner's Club. La bâtisse, de style vénitien, a été bien rénovée, et la famille Campeol possède indéniablement le sens de l'hospitalité.

Hôtel Cà del Galetto. Via San Bona Vecchia, 30 ✆ 43 25 50 - Fax 43 25 10. *160 000/ 260 000 L.* 60 chambres avec téléphone, télévision, climatisation, réfrigérateur. Accès handicapés, parking, tennis, restaurant. American Express, Visa, Diner's Club. Un hôtel moderne et élégant, situé dans un quartier résidentiel.

Villa Condulmer. Via Zermanese, 1 ✆ 45 71 00 - Fax 45 71 34. *240 000/300 000 L.* 45 chambres avec téléphone, télévision, climatisation, réfrigérateur. Parc, parking, piscine, tennis, golf 18 trous. Interdit aux aniamux de grosse taille. American Express, Visa, Diner's Club. Située entre Trévise et Venise, cette villa vénitienne du XVIIIe, luxueusement aménagée et bien équipée, offre une halte agréablement verte pour une visite de la région.

Agriturismo

Agriturismo Col delle Rane. Via Mercato Vecchio, 18, Caerano di San Marco ✆ 04 23/65 00 85. *Chambres 60 000 L. Ouvert tous les jours.* Maison de maître raffinée. Jolie chambre mansardée. Restaurant réservé aux pensionnaires (spécialités régionales et vins maison).

Agriturismo La Casa di Bacco. Via Callalta, 52, Motta di Livenza ✆ 04 22/76 84 88. *Chambres 80 000 L. Ouvert tous les jours.* A 20 kilomètres de la plage de Caorle, une grande villa au cœur des vignes, à l'atmosphère rustique. Restaurant réputé et cuisine maison (pâtes faites à la main).

Agriturismo Castello di Roncade. Via Roma, 141, Roncade ✆ 04 22/70 87 36. *Appartements 65 000 L. Ouvert tous les jours.* Majestueuse villa du XVIe siècle, de haut standing, avec tennis et cours de cuisine. Terrain pour camping.

RESTAURANTS

Trattoria All'Oca Bianca. Viccolo della Torre, 7 ✆ 54 18 50. *Fermé les mardi et mercredi.* American Express, Visa, Diner's Club. Bonnes spécialités de poisson et bon rapport qualité-prix.

Restaurant Al Bersagliere. Via Barberia, 21 ✆ 54 19 88. *Environ 40 000/65 000 L. Fermé le samedi à midi, le dimanche, début janvier et début août.* Réservation obligatoire. 50/70 couverts. Climatisation. American Express, Visa, Diner's Club. Proche de la Piazza dei Signori, cette très ancienne trattoria intelligemment rénovée propose des spécialités comme l'avocat aux crevettes, le saint-pierre à la Carlina et l'espadon fumé.

Restaurant Le Beccherie. Piazza Ancillotto, 10 ✆ 56 601. *40 000/70 000 L. Fermé le dimanche soir, le lundi, et à la fin juillet.* Réservation obligatoire. 100 couverts. Climatisation. American Express, Visa, Diner's Club. L'un des plus anciens restaurants de Trévise, le Becchierie occupe un vieil édifice de style vénitien, et son mobilier est d'époque. Cuisine typique de la région : pâtes et haricots, riz, céleri et tomates, gnocchi de pommes de terre, morue et polenta, soupe d'orge, oie rôtie.

MANIFESTATIONS

Le mardi qui précède Noël : Exposition de la chicorée.

En mars : Salon de la bande dessinée.

A la mi-Carême, le jeudi : Il Rogo della Vecchia (le bûcher de la vieille).

POINTS D'INTERET

Duomo. Via Calmaggiore. Il est situé dans la rue principale de la vieille ville, caractérisée par ses arcades et ses maisons médiévales. Datant du XIIe siècle, plusieurs fois agrandi et restauré, le Duomo conserve certains vestiges romans sur son flanc gauche et sur les côtés du pronaos (lions). Au bout de la nef de droite, un escalier mène à la chapelle Malchiostro, ornée de fresques réalisées par des peintres illustres. On y verra également une superbe Annonciation de Titien.

A gauche du Duomo, se trouvent le baptistère, de style roman, et le campanile.

Piazza dei Signori. Cette place est au cœur du centre historique. Sur ses flancs se dresse le Palazzo del Trecento, une construction médiévale avec portique trilobé, escalier extérieur, et une loggia du XVIe siècle qui la relie à la Torre del Comune et au Palazzo del Podestà, reconstruit au XIXe siècle dans un style médiéval.

Eglise San Nicolo et Seminario Vescovile. Via San Nicolo. L'intérieur de cet édifice gothique en brique comporte de grands piliers décorés de fresques aux figures de saints, l'œuvre de Tommaso da Modena et d'autres artistes du XIVe siècle. Dans le chœur, on verra une admirable Sacra Conversazione, commencée par Pensaben et achevée par Girolamo Savoldo (dans le séminaire, à côté des fresques de Tommaso da Modena).

Cappella dei Rettori. Piazza del Monte di Pietà, 2. La chapelle est décorée de peintures et de cuirs dorés.

Museo Civico Luigi Bailo. Borgo Cavour, 24 ✆ 65 84 42/51 337. *Ouvert du mardi au samedi de 9 h à 12 h 30 et de 14 h 30 à 17 h. Le dimanche de 9 h à 12 h. Fermé le lundi et les jours fériés. Entrée : 3 000 L.* Outre une riche section archéologique, on y verra des œuvres telles que la Madonna de Bellini, la Madonna de Cima da Conegliano, la Crocefissione de J. Bassano et Il Ritratto di Sperone Speroni (portrait de Sperone Speroni) de Titien. A voir aussi, une importante collection des sculptures d'Arturo Martini.

SHOPPING

Marché

Mercatino dell'antiquariato (petit marché des antiquités) : Borgo Cavour, *le quatrième dimanche de chaque mois.*

LOISIRS

Le long du Sile, qui traverse d'est en ouest toute la partie sud du centre historique. En suivant le cours de ce fleuve, on longe la fameuse *restera* où, autrefois, les bœufs et les chevaux traînaient à contre-courant les embarcations chargées de marchandises. Du Ponte de Fero, on pourra contempler les villas et la flore luxuriante de leurs jardins ; tandis qu'à la hauteur de la Via Fiumicelli, on trouvera deux lavoirs extrêmement anciens.

Sur la petite île de Botteniga se tient, tous les samedis matin, à la Pescheria, le marché aux poissons. L'enchevêtrement des ruelles et des canaux et la présence d'un moulin en bois contribuent à faire de ce marché une joyeuse attraction.

➥ VERS LES DOLOMITES

Cet itinéraire passe la plupart du temps en pleine nature : il va de la Marche de Trévise aux collines tissées de rangées de vignes qui produisent les précieux cabernet et merlot, et s'étendent ensuite jusqu'aux forêts de Belluno et des grandioses Dolomites d'Ampezzo.

Les réminiscences artistiques ne manquent pas dans une ville comme Trévise ou dans la belle Feltre, que l'on peut rejoindre à partir de Ponte delle Alpi en une excursion relativement rapide. Tout le long de la vallée du fleuve Piave (et ensuite du torrent Boite) se succèdent des villages de montagne entourés de champs cultivés et dominés par les cimes des Dolomites. Le bois du Cansiglio, sur le plateau du même nom, est idéal pour faire de longues et très belles excursions (voir plus loin).

ASOLO

«Cette partie de la terre d'Italie qui se trouve entre Rialto et les fontaines de Brenta et de Piave», a écrit Dante dans le «Paradis» en évoquant les collines trévigianes. Celles-ci composent des chaînes de collines tantôt rondes tantôt plus pointues, interrompues par des coteaux ou par des petites vallées qui laissent place à des mamelons panoramiques. Le paysage semble être l'œuvre d'un architecte fou. Petit joyau architectural, ses rues à arcades et ses maisons qui rappellent l'architecture de la lagune rendent Asolo semblable aux coulisses d'un théâtre naturel. Sous ses portiques se sont promenées des personnalités comme Robert Browning, Eléonora Duse ou Freya Stark, la grande voyageuse anglaise qui se retira dans la tranquillité d'Asolo après ses explorations au Yémen et en Iran. Mais la plus grande partie de son charme, la ville la doit d'abord à ses villas dont les lignes gracieuses se fondent harmonieusement dans le paysage : villa Zeno, villa Stark, Palazzo Serena, Palazzo Polo, villa Roth, villa Pasini, villa Rossi, villa Gurekan, Casa Duse, Casa Pasquali, villa Micheli, villa Raselli.

PRATIQUE

Indicatif téléphonique : 0423.

Office du tourisme. Via Santa Caterina, 258 ✆ 52 41 92 - Fax 52 41 37.

HEBERGEMENT

Villa Cipriani. Via Canova, 298 ✆ 95 21 66/ 95 20 95. *465 000/750 000 L.* 31 chambres avec téléphone, télévision, climatisation, réfrigérateur. Parc, garages, parking, restaurant. American Express, Visa, Diner's Club. De nombreuses personnalités du cinéma, des hommes politiques, des têtes couronnées, de De Sica à Orson Welles, de la reine de Hollande à Onassis, sont passés dans cette villa du XVIe siècle qui a conservé le charme et la discrétion d'autrefois, sans pour autant négliger le confort. La villa dispose de trente-deux chambres et d'un restaurant panoramique. Le menu varie selon la saison : le poisson vient de Venise, la viande arrive d'Ecosse, les légumes sont fournis par un maraîcher de confiance, les champignons, les orties et les asperges sauvages sont cueillis par les femmes des environs.

Agriturismo

Agriturismo Val de Roa. Località Baratti, Crespano del Grappa ✆ 53 80 85.

Agriturismo Giovanni Gubert. Località San Siro, Seren del Grappa ✆ 04 39/44 628. *Ouvert d'avril à septembre et de décembre à la mi-janvier.* 20 kilomètres au nord d'Asolo. Balades à cheval, observation de la faune et de la flore, et travaux agricoles rythmeront vos vacances dans cette ferme charmante et simple.

RESTAURANT

Cà Derton. Piazza D'Annunzio, 11 ✆ 52 96 48. *Compter 60 000 L. Fermé le lundi.* Réservation obligatoire. 45 couverts. Climatisation. American Express, Visa. Cette maison (parmi les plus anciennes de la région) propose de la poitrine d'oie fumée, du jambon de sanglier, de la *soppressa* (charcuterie à base de porc) au vinaigre, des pâtes avec *fasoi*, des tortellini de *rucola*, des *bigoli* (genre de spaghetti) au canard, de la pintade sauce au poivre avec de la polenta.

SORTIR

Caffè Centrale d'Asolo. Piazza Maggiore. Le point de rencontre quotidien où l'on sirote son apéritif en se racontant les dernières nouvelles. Au bar, on peut déguster des apéritifs traditionnels inventés par Cipriani : tous à base de *prosecco*, ils sont mélangés en hiver à du jus d'orange et de mandarine (Mimosa), au printemps à du jus de fraise, en été à du jus de pêche rose (Bellini), en automne à du jus de raisin et de fraise (Tiziano).

Antica Enoteca (vinothèque). Sous les portiques de la Via Browning ✆ 52 070. Son mobilier se compose d'un seul grand meuble en bois, construit au XVIIIe siècle, et de surprenants tonneaux qui ne sont plus en usage. Sur les étagères sont conservées environ 450 bouteilles provenant de toute l'Italie, dont de très nombreuses grappa.

MANIFESTATIONS

En juillet et en août, les concerts d'Asolo Musica ont lieu dans l'église San Gottardo et au **Teatro dei Reparati.** Informations et réservations : Asolo Musica, Casa Pase, Via Browning, 141 ✆ 95 01 50 - Fax 52 98 90.

POINT D'INTERET

Piazza Maggiore. Au cœur de la ville, cette place de style Renaissance est entourée par de belles maisons à arcades et à colonnades, aux fenêtres de type gothique, rondes et carrées. Au centre de la place se dresse la fontaine au lion de Saint-Marc. Au bout, la cathédrale est l'une des plus anciennes de la région ; elle a été remaniée au cours des siècles et fut un siège épiscopal à partir de 590.

Château (castello). C'était la demeure de Caterina Cornaro, reine de Chypre et nommée Seigneur d'Asolo par la république de Venise.

Théâtre. Construit en 1798, il a été refait par l'architecte Martinengo, en 1857, sur le modèle de la Fenice de Venise. En 1930, le théâtre fut démonté et vendu à un Américain, propriétaire de cirques, qui le fit reconstruire, morceau par morceau, en Floride. Le nouveau théâtre, inauguré en 1934, est dédié à Eléonora Duse.

Palazzo delle Loggia. Les façades de ce palais d'époque Renaissance sont décorées de fresques. Jusqu'au début du XXe siècle, c'était le lieu central de la cité. Au temps de la seigneurie de Venise, on rendait la justice sous la loggia, tandis qu'aux étages supérieurs on réglait les affaires de la commune. La fresque de la façade ainsi que toute la série de peintures sont attribuées à Antonio Contarini.

Villa Rubini, aujourd'hui De Lord. A Foresto Nuovo. Elle a été construite, en 1690, par le cardinal Rubini, qui lui avait donné le nom d'*Il Galero* (galurin), en raison du chapeau de cardinal utilisé comme élément décoratif.

Villa Contarini. Construite en 1558, sur le coteau qui domine Sant'Anna, cette villa a été décorée par Lattanzio Gambara. L'édifice, entouré de grands cyprès, est relié à une autre construction, sur le côté opposé de la colline, au moyen d'une galerie appelée «Il Fresco».

Museo Civico. Actuellement fermé pour restauration.

Fondé en 1882, il possède une intéressante section archéologique, avec des pièces de l'âge de pierre, de la civilisation paléovénète, des époques romaine et paléochrétienne. Sa pinacothèque présente des monnaies, des armes, des meubles anciens et des reliques provenant des villas Canova, des souvenirs de la Duse et de Browning. Ses archives méritent qu'on s'y attarde : on y trouve le testament de Caterina Cornaro ainsi que de belles cartes du cadastre du XVIIIe siècle, avec, à l'intérieur, des œuvres de Lorenzo Lotto.

SHOPPING

Sous les portiques de la Via Browning, de la Via Dante et de la Via Canova se tiennent les commerces et les boutiques artisanales. L'Antica Scuola di Ricamo (Ecole antique de broderie) date de la fin du XIXe siècle, époque où le fils de Robert Browning eut l'idée de créer une école avec un atelier qui donnerait aux filles d'Asolo un métier et la possibilité d'échapper à la misère. Aujourd'hui, malgré son nom, c'est une petite entreprise spécialisée dans la broderie à fils comptés (on rapporte le dessin du modèle à la toile en comptant fil à fil). Le résultat est une broderie tellement légère et parfaite qu'elle semble tissée à même la chaîne et la trame.

Marchés

Chaque samedi matin sur la Piazza Maggiore, on vend, sur des étalages, des légumes frais de la Marche de Trévise, des fromages de Grappa et du miel des collines. Le second samedi du mois, à midi, cette même place accueille la Foire aux antiquités, une des plus réputées en Italie : bijoux Liberty, services d'assiettes «made in England», statues de taille humaine, tables et chaises en bois massif, collections de «Politoys», bandes dessinées des années 40, bouteilles en cristal, dentelles et trousseaux de grand-mère, tapis et statuettes d'Orient.

Excursions

Il vaut la peine de grimper jusqu'au sommet du coteau où se trouve la Villa degli Armeni, pour admirer l'un des panoramas les plus fascinants d'Asolo, avec les maisons du bourg au premier plan et la forteresse qui se détache dans le lointain.

Un sentier de six kilomètres, entre Asolo et Cornuda, conduit au col de Spin.

Informations et visite guidées WWF, à Montebelluna, au **Museo Civico et à la villa Biagi** ✆ **30 04 65.**

DANS LES ENVIRONS

Fanzolo

Villa Emo ✆ **47 63 34/47 64 14 - Fax 48 70 43.** *Ouverte du lundi au samedi de 14 h 30 à 19 h, le dimanche de 10 h à 12 h 30 et de 14 h 30 à 19 h d'avril à octobre. De novembre à mars, ouverte seulement le samedi, le dimanche et les jours fériés de 14 h à 18 h.* Fermée du 18 décembre au 13 janvier. Ce bijou de l'architecture palladienne, qui abrite un hôtel-restaurant, est ouvert au public depuis quelques années seulement. Un corps central, avec un plan incliné et deux appentis sur les côtés, rendent la construction imposante. Son propriétaire, le comte Marco Emo, descend en droite ligne de Lunardo, qui, en 1550, passa commande de cette villa à Palladio, chargeant ensuite Giovanbattista Zelotti, dit le Vénitien, de peindre les fresques. A l'extérieur, le jardin à l'anglaise orné d'une série de statues appartient à une autre branche de la famille, les Capodilista de Padoue.

Possagno

C'est la terre natale de Canova, admiré de Stendhal. Antonio Canova est, sans aucun doute, l'artiste italien qui connut la plus grande notoriété de son vivant. Sa maison natale de Possagno existe toujours ; elle a été transformée en musée, et sa gypsothèque rassemble des œuvres inachevées, des moulages en craie de marbre et des modèles originaux en gypse. La vallée est dominée par un temple monumental aux lignes classiques, que Canova commença en 1819. Le sol de la grande esplanade est fait de galets qui dessinent des figures géométriques ; le soubassement en forme de terrasse supporte seize colonnes disposées en quinconce. La niche centrale, à gauche, abrite le sarcophage contenant la dépouille d'Antonio Canova, avec, sur le côté, un buste autoportrait en marbre.

VITTORIO VENETO

Dominé par le haut plateau de Cansiglio, ce bourg est formé de deux anciennes communes, Serravalle et Ceneda. La première était un important centre de commerce de la République vénitienne ; elle était renommée pour ses draps de laine, son sel et son blé. La seconde fut un comté épiscopal jusqu'au XVIe siècle. Les deux communes ont été réunies en 1866, quand la Vénétie fut annexée à l'Italie. La ville a donné son nom à une célèbre bataille de la Première Guerre mondiale.

PRATIQUE

Indicatif téléphonique : 0438.

Office du tourisme. Piazza del Popolo, 18 ✆ 57 243 - Fax 53 629.

HEBERGEMENT - RESTAURANTS

Hôtel Terme. Via delle Terme, 4 ✆ 55 43 45 - Fax 55 43 47. *120 000/170 000 L.* 39 chambres avec téléphone, télévision, climatisation, réfrigérateur. Situé au pied des collines, il est meublé avec goût. Chambres insonorisées et beaux salons.

Locandà al Postiglione. Via Cavour, 39 ✆ 55 69 24. *Compter 50 000 L. Fermé le mardi.* Réservation obligatoire. Parking, jardin. American Express, Visa, Diner's Club. Une cuisine régionale dans un bâtiment rénové du XIVe siècle.

POINT D'INTERET

Cathédrale de Ceneda. Elle conserve deux retables de Jacopo da Valenza et quelques peintures de Tiepolo. Très beau campanile du XIIIe siècle.

Loggia Cenedese. Piazza del Duomo. Elle donne sur une place embellie par une superbe fontaine de la Renaissance.

Castello di San Martino. C'était l'ancienne résidence des comtes-évêques. Elle fut restaurée et agrandie au XIIIe siècle par l'évêque Correr.

Duomo. Piazza Santa Maria Nova. Il date du XVIIIe siècle. A l'intérieur, l'admirable Madonna e Santi de Titien.

Chiesa di San Andrea, ou Pieve di Bigonzo. Une église paroissiale du XIVe siècle, avec, aux angles, quatre édicules Renaissance.

Chiesa di San Giovanni Battista. Edifiée au XIIe siècle, l'église conserve un portail gothique. A l'intérieur, des peintures de Jacopo da Valenza, de Francesco da Milano ainsi que des fresques du XIVe siècle.

Ospedale Civile di Serravalle. Il se distingue par sa façade en arcs ogivaux.

Chiesa di San Lorenzo. Elle est décorée de fresques du XVe siècle.

Palazzo Troyer et Palazzo Minucci. Deux petits palais gothiques et Renaissance, alignés le long de la Via Martiri della Libertà et qui rappellent la prospérité de jadis.

Museo della Battaglia. Loggia Cenedese, Piazza del Duomo. Armes, reliques et divers témoignages relatifs à la Première Guerre mondiale.

Museo Diocesano. Seminario Vescovile. Peintures vénitiennes, argenterie et meubles.

Museo del Teritorio Cenedese. Loggia Serravallese, Piazza M. Antonio Flaminio. Une section archéologique et une section médiévale, avec des sculptures, des peintures et des fresques rapportées.

Museo di Palazzo Minucci. Via Martiri della Libertà. Tableaux, sculptures, céramiques et objets d'art oriental.

A partir de la Piazza Flaminio, en 25 minutes on rejoint le sanctuaire de Santa Augusta, qui surplombe la ville.

Table des distances page 8

DANS LES ENVIRONS

Conegliano

Située dans un pays agréable et fertile de la plaine vénète, la cité, agrippée au flanc d'une colline, se compose d'une vieille ville, riche en rues à arcades, en maisons décorées de fresques et en palais de style vénitien. Elle est aussi pourvue d'un centre moderne florissant.

Deux routes panoramiques partent de la ville. Elles sont ponctuées d'auberges où l'on pourra déguster des vins locaux : la route du vin rouge, en direction d'Oderzo, serpente dans la plaine, sur la rive gauche du Piave, et traverse les vignobles de cabernet, merlot et raboso. La route du vin blanc, en direction de Valdobbiadene, longe de douces collines dont les cépages produisent le prosecco, les cartizze ou le bianco dei colli.

Une petite route permet de rejoindre Castelvecchio, avec ses murailles, ses tours médiévales et son château situé sur une hauteur.

Indicatif téléphonique : 0438.

Duomo. Via XX Settembre. Dotée d'un portique de style gothique et d'un clocher datant de 1497, cette cathédrale possède un superbe retable de la Madonna in Trono e Santi de Cima da Conegliano. A côté, la Maison des Corporations, ou Sala dei Battuti, qui date de la fin du IVe siècle, est entièrement décorée de fresques du VIe siècle.

La maison de Cima da Conegliano. Via Cima, 24 ✆ 21 660. Visites sur demande. Elle conserve documents et mémoires du peintre ainsi que de nombreuses pièces archéologiques.

Pieve d'Alpago

Ce beau village entouré de forêts est situé au centre d'une vallée formée par le bassin du torrent Tesa et par les affluents du lac de Santa Croce. Dans l'air vif, et dans le style de l'habitat, on sent déjà le climat de la montagne. En quittant l'agglomération, on se trouve aussitôt dans un des paysages les plus verdoyants et les plus anciens de la péninsule.

Indicatif téléphonique : 0437

REGION DE BELLUNO

S'étendant jusqu'aux confins du Frioul-Vénétie-Julienne, la forêt de Cansiglio se trouve sur la droite de la nationale 51, qui relie Vittorio Veneto à Belluno.

On peut faire une petite excursion dans cette forêt, en partant de Vittorio Veneto. Les grottes de Calieron, situées dans les environs de Mezzavilla et creusées dans un ravin, méritent une halte. On les visite en suivant un étroit sentier et en passant des ponts haut perchés qui, d'une grotte à l'autre, mènent au fond de l'abîme.

Le haut plateau calcaire du Cansiglio, en majorité karstique, est recouvert presque entièrement par les 6 000 hectares du bois de San Marco, un ensemble forestier composé de sapins rouges, de sapins blancs, de hêtres et de bois mixtes. Le nom de *Cansiglio* vient probablement du latin campus silvae, qui signifie «champ de la forêt». Les Goths, qui l'envahirent à la chute de l'Empire romain, se montrèrent de piètres administrateurs de ce territoire dont ils coupèrent les arbres et incendièrent une bonne partie. En leur succédant, les Lombards ont su gérer plus rationnellement le patrimoine naturel de la région. En 1584, le Cansiglio passa sous le contrôle de la Sérénissime, qui puisa abondamment dans les réserves de la forêt pour en tirer le bois nécessaire aux chantiers navals. C'est à juste titre que les Vénitiens surnommèrent cette forêt «bosco da Reme» (bois de rames) car elle leur fournissait le bois qui servait à fabriquer les rames de leurs galéasses.

Aujourd'hui Cansiglio reste l'une des forêts les plus grandes de la chaîne alpine et l'une des mieux équilibrées écologiquement. Ainsi la région est d'un grand intérêt pour les naturalistes, tout en présentant un cadre enchanteur.

A partir de Fregona, la route monte et s'avance dans le parc ; après le col de la Crosetta, elle descend jusqu'à Sperg et Tambre, deux bourgades minuscules. De là, elle traverse l'Alpago, une vallée étroite tapissée de prés, et arrive à Pieve d'Alpago, offrant tout du long une belle vue sur le lac de Santa Croce. Domaine de la petite propriété, de l'agriculture pauvre associée à l'élevage d'alpage, la région d'Alpago est connue pour les émigrations massives qu'elle a engendrées, en particulier au siècle dernier. Aujourd'hui, la population restante occupe le fond de la vallée, entre Belluno et Longarone.

BELLUNO

Tranquille petite ville vénète, située dans une vallée ondoyante, traversée par un fleuve, la Piave, Belluno est entourée au nord par les Dolomites belluniennes et au sud par les contreforts verts et plus doux des Préalpes. Construite sur un éperon rocheux, au confluent du torrent Ardi et de la Piave, c'est une des villes les moins polluées et les moins bruyantes de la péninsule : des perspectives et des rues pittoresques sur fond de cimes enneigées, de longs portiques comme dans beaucoup de villes vénètes, des maisons gothiques, des fontaines anciennes et des palazzetti Renaissance d'inspiration vénitienne. Vieille ville de montagne, Belluno est proche des stations de sports d'hiver de Nevegal. L'air piquant que l'on y respire rappelle sa vocation résolument alpestre.

Pratique

Indicatif téléphonique : 0437.

Office du tourisme. Via Rodolfo Pesaro, 21 ✆ 94 00 83.

Points d'intérêt

Palazzo dei Rettori. Piazza del Duomo. Cette magnifique construction Renaissance, où résidaient les gouverneurs de Venise, est flanquée de la Torre Civica, seul et dernier vestige du château médiéval des comtes-évêques de Belluno.

Duomo. Dessiné au XVIe siècle par Tullio Lombardo, reconstruit après les tremblements de terre de 1837 et de 1936, il conserve des œuvres de peintres tels que Schiavone, Jacopo Bassano et Palma le Jeune. Son campanile baroque, datant de 1743, a été réalisé par Filippo Juvara.

Piazza delle Erbe. Extrêmement pittoresque, avec une belle fontaine en son centre, la Piazza delle Erbe est entourée de constructions Renaissance et d'arcades. L'atmosphère qui s'en dégage est celle d'un autre temps.

Piazza dei Martiri. Cette autre place a été construite à la mémoire de quatre partisans pendus par les nazis en 1944. Ici se dressent le Palazzo Cappelletti della Colomba et la Chiesa di San Rocco : le palais est de style néo-classique. L'église, elle, date du XVIe siècle.

Chiesa di San Pietro. Via Mezzaterra. L'église de San Pietro abrite quatre tableaux de Schiavone et une peinture de Sabastiano Ricci ; les anges en bois du grand autel sont d'Andrea Brustolon.

Piazza del Mercato. Cette place, entourée d'édifices Renaissance et d'arcades, est ornée d'une fontaine du XVe siècle.

Chiesa di Santo Stefano. Piazza Vittorio Emanuele II. Erigée en 1486, l'église conserve un sarcophage romain. On y verra également des fresques de Jacopo da Montagnana ainsi que des sculptures de Brustolon et d'Andrea di Foro.

Museo Civico. Via Duomo. Section archéologique et pinacothèque conservant des peintures de Vénétie, dont deux Vierge à l'Enfant de A. Mantegna, des bronzes, des médailles et des ex-voto de la Renaissance.

FELTRE

A partir de Belluno, la nationale rejoint Feltre. Agrippée à un éperon rocheux et fermée par un bel arc de cercle montagneux, cette ville est empreinte de l'atmosphère de Venise, dans ses édifices comme dans le parler de ses habitants.

Sa configuration urbaine est celle d'un centre niché sur une colline d'où partent des ramifications vers la plaine, avec une structure linéaire de rues pavées, de maisons peintes et de portails ornés de frises. Les remparts, construits au premier siècle de la période vénitienne, suivent, dans la partie nord, le tracé des murailles médiévales. Dans la partie sud, ils ont été déplacés vers la vallée et servent de soubassement aux constructions du XVIe siècle.

Véritable cœur de la ville, la Piazza Maggiore, fermée en amont par la fontaine et par l'église de San Rocco, s'articule en plusieurs endroits sur différents niveaux. A un bout se trouve l'église San Marco. Le Palazzo Pretori, qui à l'époque de la république de Venise était le siège des podestats de Vénétie, est sur la Piazzetta delle Biade.

Pratique

Indicatif téléphonique : 0439.

Office du tourisme. Piazza Trento e Trieste, 9 ✆ 25 40 - Fax 38 39.

Balade

Une avenue ombragée, surnommée «la Strada delle Ville» (route des villas), remonte doucement la colline de Cart, lieu de nombreuses résidences d'été du XVIe siècle.

A partir de la Piazza delle Biade, si l'on traverse l'antique Porta Pusterla, on arrivera au vieil emplacement du marché, réaménagé en promenade au XIXe siècle, dominé par les hautes murailles et par l'arrière du Palazzo Pretorio. En descendant l'escalier, on parviendra au baptistère et à la cathédrale.

LONGARONE

A la jonction avec le val Gallina, on arrive à Fortogna, où se trouve le cimetière des victimes du Vaiont. Puis on parvient à Faé, qui fut engloutie par la déferlante venue de la gorge du Vaiont, dans la nuit du 9 octobre 1963. Dix kilomètres plus loin, apparaît le plateau blanc, calciné, sur lequel se trouvait Longarone avant la catastrophe. C'est ici que se précipita tout d'abord la gigantesque avalanche d'eau provoquée par la rupture d'une digue ; on peut encore apercevoir ce qu'il reste du village contre les rochers, sur le flanc de la montagne balafrée par la gorge du Vaiont. Longarone est actuellement en cours de reconstruction.

PERAROLO

Situé au confluent du Piave et du torrent Boite, le village s'étend le long d'une vallée sombre, rude, fortement caractérisée par des flancs escarpés, tantôt rocheux, tantôt recouverts par les obscures taches des bois. La vallée est délimitée au loin par les cimes des Preti et par le sommet Laste. Le pic de Roda trône sur l'ensemble.

PONTE NELLE ALPI

Entourée par les sommets des Dolomites, cette commune (à 395 mètres d'altitude) est un important centre de communication du Val Belluno, au croisement de la nationale 50 venant de Belluno et de la nationale 51 qui monte vers Vittorio Veneto.

SAN VITO DI CADORE

Dominé par le cadre sévère des cimes dolomitiques et tapi dans les prés d'une belle petite vallée, ce centre touristique de sports d'hiver, l'un des plus renommés des Dolomites, s'est surtout développé sur la rive gauche du Boite qui s'en va alimenter le lac de San Vito. Les murailles de la Croda Marcora, le sommet Belprà et l'Antelao se détachent de la superbe chaîne sur le versant oriental de la vallée. Sur le côté ouest, s'élèvent le Pelmo, la Rocchetta et le Becco di Mezzodi. Le départ du télésiège de l'Alpe de Senes est de l'autre côté du Boite.

Office du tourisme. Via Nazionale, 9 ✆ 94 05/99 19.

VALLE DI CADORE

Ce lieu de villégiature d'été se trouve dans des bois, au pied des Dolomites. Dans la petite vallée du Rio Vallessina, la vue s'ouvre, à gauche, sur la vallée boisée du torrent Rite et, plus haut, sur Forcella Cibiana. En bas, on peut apercevoir le lac artificiel, résultat du barrage du Boite. La Chiesa di San Martino, située sur un promontoire, abrite des peintures inestimables, comme la Vierge à l'Enfant de Francesco da Milano. Du parvis, on a une belle vue sur la montagne et sur l'alignement des maisons qui forment le centre de Valle di Cadore.

VAL ZOLDANA

Les vertes vallées du val Zoldana, dominées par les Dolomites, sont riches en forêts, en ruisseaux, en cascades ; elles présentent en même temps un aspect rude et sauvage qui est dû à l'histoire géologique tourmentée de la région.

CORTINA

Centre d'alpinisme des Dolomites, à la fois touristique, sportif et mondain, Cortina doit sa fortune à sa position privilégiée dans une vallée encadrée par les sommets de Tofane, du Pomagagnon, du Crisatallo et du Sorapis, qui, au coucher du soleil, offrent un spectacle inoubliable.

Déjà au début du siècle, Cortina était le centre de villégiature le plus important des Dolomites, mais sa renommée s'accrût dans l'entre-deux guerres avec la construction des premiers téléphériques. Le dernier «boom» remonte au début des années 60, avec un fort développement immobilier qui, malheureusement, ne respecta pas toujours le milieu naturel. Aujourd'hui cette petite ville s'étend autour du Corso Italia, qui, à certaines époques, devient le rendez-vous le plus mondain de toute la péninsule. Le centre historique n'a conservé que quelques rares maisons de son passé.

Cortina fait partie de la Magnifica Comunità Cadorina, organisée d'après les statuts des Regulae d'Ampezzo lesquels ont eux-mêmes leurs racines dans les ordonnances lombardes. Après une longue période de lutte entre les différents seigneurs, la communauté tout entière se soumit volontairement à Venise et fit partie des territoires de la République jusqu'en 1511, quand, au terme de la guerre entre Venise et l'Empire, les frontières furent établies quelques kilomètres au sud de Cortina. Depuis lors, et ce jusqu'en 1818, Cortina resta en territoire autrichien.

De nos jours, la station est très chère, snob et extrêmement fréquentée. En été et pendant les vacances de fin d'année, elle est invivable. C'est le lieu de prédilection des nouveaux riches en manteaux de fourrure d'un goût douteux. A éviter soigneusement.

Pour vraiment apprécier Cortina, il faut s'éloigner du centre et monter jusqu'au Pocol. Au coucher du soleil, quand le ciel est pur, les montagnes prennent des couleurs tout à fait irréelles. Le spectacle se répète à l'aube, quand, passant derrière le Passo Tre Croci, les rayons du soleil illuminent le Nuvolau et les Tofane.

Pratique

Indicatif téléphonique : 0436.

Office du tourisme. Piazzeta San Francesco, 8 ✆ 32 31 - Fax 32 35.

HEBERGEMENT - RESTAURANTS

Confort ou charme

Hôtel Menardi. Via Majon, 110 ✆ 24 00 - Fax 86 21 83. *200 000/360 000 L.* Parc, parking, garages, restaurant (35 000 L). Interdit aux animaux. Chambres de style rustique, avec mobilier d'époque, dans une agréable maison d'Ampezzo, à un kilomètre du centre. Bon accueil et bon rapport qualité-prix.

Franceschi Park Hotel. Via Battisti, 86 ✆ 86 70 41 - Fax 29 09. *230 000/460 000 L* en demi-pension. Parc, parking, garages, tennis, sauna, restaurant (45 000/75 000 L). Interdit aux animaux. Tenu par la même famille depuis trois générations, cet hôtel a gardé la même atmosphère amicale et sympathique. L'immeuble est du début du siècle, avec des petits salons de style tyrolien, et est entouré d'un parc agréable.

Hôtel Bellevue. Corso Italia, 197 ✆ 88 34 00 - Fax 86 75 10. *550 000/570 000 L. Restaurant (40 000/70 000 L).* Un mélange de chaleur et de raffinement, typique des hôtels de montagne. Un restaurant à la hauteur de sa réputation. En résumé, une excellente adresse.

Hôtel de la Poste. Piazza Roma, 14 ✆ 42 71 - Fax 86 84 35. *390 000/530 000 L.* Accès handicapés, garages, parking, restaurant (70 000 L). Interdit aux animaux. Depuis plus de 40 ans, c'est le lieu de séjour des personnalités les plus connues. Jusqu'en 1921, le bureau de poste mitoyen oblitérait les lettres de la haute société austro-hongroise. A présent, l'emplacement du télégraphe est occupé par les tables du restaurant.

Villa Marinotti. Via Manzago, 21, Tai di Cadore ✆ 32 231 - Fax 33 335. *5 appartements à 150 000/200 000 L.* Tennis, sauna, restaurant. American Express. Chalet familial transformé en chambres et appartements d'hôtes vraiment accueillants.

Agriturismo El Cirum. Località Grone di Masarei, 25, Livinallongo del Col di Lana ✆ 04 36/79 422. *Chambres 35 000 L.* Chalet alpin moderne, avec vue panoramique. Cadre enchanteur, très serein. Observation de la faune et de la flore.

Restaurants

Beppe Sello. Via Ronco, 67 ✆ 32 36 - Fax 32 37. *60 000/80 000 L. Fermé le mardi.* Réservation obligatoire. Parking. Ouvert sur la vallée bordée par les sommets du Cristallo, de l'Anteo et du Faloria, ce restaurant propose des plats classiques, comme le filet au speck ou les ravioli aux pommes de terre et au saindoux.

Da Leone e Anna. Via Alverà, 112 ✆ 27 68. *50 000/60 000 L. Fermé le mardi.* Réservation obligatoire. Parking. American Express, Visa. Bonnes spécialités sardes.

Restaurant El Toùla. Via Ronco, 123 ✆ 33 39. *60 000/90 000 L. Fermé le lundi.* Parking. Dans cette authentique grange, à la fois rustique, luxueuse et pleine d'ambiance, on peut savourer des tortelli d'Ampezzo, des ravioli de veau au jus de bœuf braisé et du filet de veau à la truffe.

SORTIR

Bar de la Poste. Piazza Roma, 14 ✆ 42 71. Parmi les rites de Cortina, c'est la halte la plus courue pour un apéritif avant le dîner, sur les traces d'Hemingway. Parmi les cocktails : vodka citron-fraise et, en particulier, le Dolomiti, à base de grappa et de framboise.

POINTS D'INTERET

Eglise de la Parrocchiale. Corso Italia. L'intérieur de cette église paroissiale du XVIIIe siècle abrite un tabernacle en bois de Brustolon et un retable de 1679. Le clocher est très beau, avec, sous sa flèche, une coursive offrant un large panorama sur les montagnes qui entourent la vallée.

Musée géologique, minéralogique et des traditions d'Ampezzo. Ciasa de ra Regoles. Via del Parco, 1 ✆ 86 13 53. Il abrite également la collection Rimoldi d'art moderne italien, avec des œuvres de peintres importants, et le musée paléontologique Rinaldo Zardini.

SHOPPING

On pourra effectuer des achats sur le Corso Italia, la zone piétonne de Cortina, où se déroule le traditionnel *struscio*, défilé de femmes en manteaux de fourrure. Les vêtements et les tissus de style autrichien sont typiques de la région, ainsi que les costumes tyroliens et les lodens. L'artisanat d'Ampezzo produit des objets variés et souvent artistiques, en cuivre, en fer battu, en bois marqueté d'argent, ainsi que des horloges à coucous. Les magasins d'alimentation proposent différentes grappas, des liqueurs locales et de la charcuterie du Tyrol comme le speck fumé.

LOISIRS

Domaine skiable

54 installations offrent aux skieurs un large choix : les pistes (160 km au total) sont variées autant par leur longueur que par leurs difficultés. La plus fameuse et la plus belle est la Stratofana, que l'on appelle aussi la «stra» : il faut partir du refuge Pomedes et, après un lacet sur la droite, on arrive sur la plate-forme naturelle qui surplombe la vallée d'Ampezzo et dont la vue est unique. Après quelques lacets encore, on se retrouve à Rumerlo, où ont lieu régulièrement des épreuves de slalom et de géant.

Les débutants ont à leur disposition 160 moniteurs de ski :

Scuola sci Cortina, Piazza San Francesco, 2 © 29 11 ; Scuola sci Azzurra, Via Ria de Zeto, 8 © 26 94 ; Scuola Italiana sci da fondo, Fiames © 86 70 88 ; Scuola surf da neve, Rio Gere © 39 017. Tous les skieurs pourvus d'un «skipass» peuvent utiliser le «skibus» gratuitement. Les amateurs de ski de fond disposent de 74 kilomètres de pistes allant de Campo à Fiames, avec la possibilité de poursuivre jusqu'à Dobbiaco. Par ailleurs, un parcours de 200 kilomètres relie Cortina à Villach en traversant l'Autriche.

La vallée de Cortina est aussi rendue très attirante par son important réseau de routes secondaires et de sentiers, qui vont du centre de la vallée au pied des parois des Dolomites. En tout, ce sont 300 kilomètres d'itinéraires balisés et très bien entretenus.

Guides pour alpinistes et promeneurs. **Informations : Piazza San Francesco, 5 © 47 40.**

Il vous sera possible d'utiliser les téléphériques suivants :

Fondi di Faloria (2 340 m). Le télésiège et le téléphérique conduisent aux Fondi, qui bénéficient d'un très beau point de vue.

Tofana di Mezzo. Téléphérique *freccia del cielo* (flèche du ciel). Une belle vue, dès l'arrivée, sur l'Adamello et la lagune de Venise.

Voici quelques suggestions pour ceux qui manquent d'entraînement :

Grotte di Volpera. A partir de la Via Roma, marcher une demi-heure jusqu'à la lisière de la forêt, où commence le sentier qui mène aux grottes ; cet amas de roches précipitées du mont Crepa a quelques cavités intéressantes.

Belvédère du mont Crepa et sanctuaire de Pocol. C'est le meilleur point de vue sur la vallée de Cortina ; le spectacle qu'il offre est inoubliable, surtout au coucher du soleil.

Lac Ghedina. Cette promenade traverse un bois de sapins. Ensuite, la route descend vers un paysage véritablement féerique, dans une petite vallée où les eaux bleu émeraude du lac réfléchissent le vert sombre des sapins.

Col Druscie. La visite de ce mamelon boisé s'impose pour la beauté de l'endroit et pour son admirable panorama. On peut continuer la promenade en prenant le téléphérique jusqu'aux Tofane et au Passo di Giau. La route démarre à Pocol. On entre dans un bois et l'on monte au milieu des sapins. Solitude et silence. A gauche, se profile la crête en dents-de-scie de la Croda da Lago. A la sortie du bois, on voit poindre les Tofane et les Cinque Torri. On arrive au Passo di Giau après avoir traversé une belle étendue de pâturages.

Giro del Cristallo (Cortina, Misurina, Carbonin). C'est l'excursion traditionnelle à partir de Cortina, dans le décor grandiose et varié des Dolomites, aux paysages tantôt austères et tantôt idylliques. Le long de la rive occidentale du lac Misurina, dont les eaux émeraude reflètent les bois et les sommets des Dolomites, on trouvera des hôtels et des petites pensions. On peut pratiquer le ski de fond et patiner sur le lac en hiver. C'est de Misurina que part la route à péage en direction du refuge Auronzo, au pied des Tra Cime di Lavaredo. Une fois quitté Misurina, on traverse une étendue de prés, avec, devant soi, le mont Piana et, sur la droite, les sommets du Lavaredo. En descendant vers le val boisé de Popena, on rejoint, à Carbonin, un groupe d'hôtels situé au bord d'un petit plateau entouré de conifères et fermé par un austère amphithéâtre dolomitique.

INDEX

INDEX

A

Lac d'Orto - San Emilio

C

LES COLLECTIONS DU PETIT FUTÉ

Country Guides

Définition : guides de voyage
Prix : de 59 F à 99 F

Proposant trois formules en un seul ouvrage, les Country Guides sont de guides de culture, d'informations pratiques et d'aventure. Consacrés à u pays, voire à une mégapole, ils couvrent trois volets du tourisme et du voyage les destinations traditionnelles (essentiellement l'Europe), les destination typiquement exotiques proposées par les agences de voyage (Mexique Turquie, Thaïlande, Viêtnam...) et les destinations atypiques sur lesquelles le informations sont rares et les perspectives de développement touristique importantes ou intéressante (Corée, Birmanie, Zimbabwe...). Plus de 60 titres à ce jour.

Guides Région

Définition : guides pour découvrir les provinces
Prix : 59 F

Sur le modèle des Country Guides, ils parcourent dans un premier temps les régions françaises, recensent par le menu richesses historiques et curiosités naturelles, informent des meilleures adresses et lieux de détente, et proposent des itinéraires précis. La collection compte aujourd'hui 20 titres, dont un consacré à la France (1000 pages) et vendu au prix de 99 F.

Guides Département

Définition : guides de proximité pour loisirs et consommation
Prix : de 25 F à 39 F

Orientée sur les départements à fort potentiel touristique, la collectio propose des éditions basées sur le tourisme et la consommation hors de villes (Berry, Gironde, Gers, Calvados...) La collection comporte actuellemen plus de 40 titres. Autant d'échappées belles parmi les beautés historiques e les meilleures adresses des régions.

City Guides

Définition : guides urbains de consommation
Prix : de 25 F à 49 F

Trois collections : d'une part les éditions annuellement remises à jour des 20 plus grandes villes de France, de Bordeaux à Strasbourg en passant par Paris ; d'autre part les quelque 35 éditions de ville de moyenne importance et les principales conurbations touristiques françaises (Pays basque, St-Malo-Côte d'Emeraude, Périgueux-Périgord...). Le Petit Futé City Guide, c'est le guide-vademecum de tout habitant soucieux de vivre l'essentiel de son pouvoir d'achat et les à-côtés ludiques de sa ville. Ce même type de guide est offert à l'étranger aux habitants de Bruxelles, Flandre (De Kleine Slimmerik), San Sebastián (El Sabelotodo), Montréal...

D

E

F

Venise

Venise - Carnaval

R

Venazza - La Spezia

S

Bergame - Escalier couvert du Palazzio Vecchio

T

U

V

Perugia - Fontana maggiore

ITALIE DU NORD 2001

Collaborez à la prochaine édition

Comme le disait déja au XIXe siècle, notre illustre prédécesseur Baedeker : *"Les indications d'un guide du voyageur ne pouvant pas prétendre à une exactitude absolue, l'auteur compte sur la bienveillance des touristes et les prie de bien vouloir lui signaler les erreurs ou omissions qu'ils pourraient rencontrer, en lui faisant part de leurs observations qui seront reproduites dans la prochaine édition".*

Aussi n'hésitez pas à communiquer au Petit Futé les adresses qui ont retenu votre attention et plus précisément vos trouvailles, récits de vos expériences, découvertes, bons tuyaux, adresses inédites ou futées qui méritent d'être publiées... Envoyez-nous vos commentaires par courrier en utilisant éventuellement le dos de cette page (joignez, si vous le souhaitez, un complément d'information sur papier libre) et en joignant les cartes de visite ou les factures comportant les coordonnées de l'établissement. Sur vos indications, le Petit Futé effectuera vérifications et tests nécessaires

N'oubliez pas, plus particulièrement pour les hôtels, restaurants et commerces, de préciser avant votre commentaire détaillé (5 à 15 lignes) l'adresse complète, le téléphone et les moyens de transport pour s'y rendre ainsi qu'une indication de prix.

Signalez-nous les renseignements périmés, incomplets ou qui ont, selon vous, changé, en précisant le pays, la date d'achat et la page du guide.

Nous offrons gratuitement la nouvelle édition à tous ceux dont nous retiendrons les suggestions, tuyaux et adresses inédites ou futées, et dont les courriers seront insérés signés (initiale et nom complet) dans les prochaines éditions.

Nom et prénom ....

....

Adresse et coordonnées complètes ....

....

....

Date de votre voyage ....

Afin d'accuser réception de votre courrier, merci de retourner ce document avec vos coordonnées soit par courrier, soit par fax, soit par internet à l'adresse suivante :

LE PETIT FUTE COUNTRY GUIDE

18, rue des Volontaires - 75015 PARIS - FRANCE - Fax: 01 42 73 15 24

Site internet : www.petitfute.com - E-mail : info@petitfute.com

DIPINTO DA GIUSEPPE E MICHELE DUCATO
ACCANITA BATTAGLIA TRA PALADINI E MAGONZESI

ITALIE DU NORD 2001

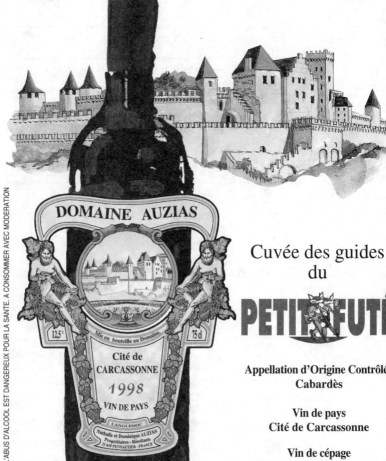

ITALIE DU NORD 2001

Ravenne - Basilique de San Vitale - Mosaïque

ITALIE DU NORD 2001

ITALIE DU NORD 2001

ITALIE DU NORD 2001

ITALIE DU NORD 2001

ITALIE DU NORD 2001

ECRIRE DANS LE PETIT FUTÉ

Pourquoi pas vous ?

Pour compléter et corriger la prochaine édition du **Petit Futé ITALIE DU NORD**, améliorer les guides du Petit Futé qui seront utilisés par de futurs voyageurs et touristes, nous serions heureux de vous compter parmi notre équipe afin d'augmenter le nombre et la qualités des enquêtes.

Pour cela, nous devons mieux vous connaître et savoir ce que vous pensez, très objectivement, des guides du Petit Futé en général et de celui que vous avez entre les mains en particulier.

Nous répondons à tous les courriers qui nous sont envoyés dés qu'ils sont accompagnés d'au moins une *adresse inédite ou futée* qui mérite d'être publiée...
(voir modèle au dos de ce questionnaire)

1 Qui êtes-vous ?

Nom et prénom ....

Adresse ....

....

Quel âge avez-vous ? ....

Avez-vous des enfants ? ❑ oui (combien ?) .... ❑ non

Comment voyagez-vous ? ❑ seul ❑ en voyage organisé

2 Comment avez-vous connu les guides du Petit Futé ?

❑ par un ami ou une relation
❑ par une émission à la radio
❑ dans une librairie
❑ par un article de presse
❑ à la TV
❑ dans une grande surface
❑ par une publicité, laquelle ? ....

3 Durant votre voyage,

vous consultez le Petit Futé environ .... fois

combien de personnes le lisent ? ....

4 Vous utilisez ce guide surtout :

❑ pour vos déplacements professionnels
❑ pour vos loisirs et vacances

5 Comment avez-vous acheté le Petit Futé ?

❑ vous étiez décidé à l'acheter
❑ vous n'aviez pas prévu de l'acheter
❑ il vous a été offert

6 Utilisez-vous d'autres guides pour voyager ?

❑ oui si oui, lesquels ? ....
❑ non

ITALIE DU NORD 2001

7 Comptez-vous acheter d'autres guides du Petit Futé ?

❑ oui, lesquels :

❑ City Guides ❑ Guides Week-End ❑ Guides Région ❑ Country Guides

❑ non si non, pourquoi ?

8 Le prix du Petit Futé vous paraît-il ?

❑ cher ❑ pas cher ❑ raisonnable

9 Quels sont, à votre avis, ses qualités et ses défauts ?

qualités ....

défauts ....

10 Date et lieu d'achat ....

Testez vos talents de "critique" en apportant aux guides du Petit Futé une adresse inédite ou futée qui mérite d'être publiée... en nous retournant cette page à l'adresse ci-dessous :

Nom de l'établissement ....

Adresse exacte et complète ....

....

Téléphone .... Fax ....

Votre avis en fonction de l'établissement :

	Très bon	Bon	Moyen	Mauvais
Accueil :	❑	❑	❑	❑
Cuisine :	❑	❑	❑	❑
Rapport qualité/prix :	❑	❑	❑	❑
Confort :	❑	❑	❑	❑
Service :	❑	❑	❑	❑
Calme :	❑	❑	❑	❑
Cadre :	❑	❑	❑	❑
Ambiance :	❑	❑	❑	❑

Etes-vous un habitué de cette adresse ? ❑ oui ❑ non

Remarques et observations personnelles. Proposition de commentaire. Faites-nous part de vos expériences et découvertes sur papier libre. N'oubliez pas, plus particulièrement pour les hôtels, restaurants et commerces, de préciser avant votre commentaire détaillé (5 à 15 lignes) l'adresse complète, le téléphone et les moyens de transport pour s'y rendre ainsi qu'une indication de prix.

LE PETIT FUTE COUNTRY GUIDE
18, rue des Volontaires 75015 Paris